Facsimile reproduction of

Y SEINT GREAL
THE HOLY GRAIL

edited and translated by

THE REVEREND ROBERT WILLIAMS, M.A.

in 1876

Illustrations for this new edition by

JOHN FANE, Dip.M.S.C.D.

JONES (WALES) PUBLISHERS
GWYNEDD

Published in Wales by
Jones (Wales) Publishers
P.O. Box 7
Pwllheli
Gwynedd LL53 6TH

ISBN 1 869925 00 9

Printed in Wales by R. E. Jones & Bros. Ltd.,
Llandudno Junction, Gwynedd

ACKNOWLEDGEMENT is due to Michael Frost whose contribution to searching debate was vital to this project; to Alison Kilner-Jones and Andrew King for special help and encouragement. I am indebted to David Griffiths who provided an original copy of 'Y Seint Greal'.

Thanks are extended to Christine Cowen of Woodhouse Books for her valuable advice, to Kate Pollard of the Pendragon Society, Charles Evans-Gunther of the Dragon Society and to Jenefer Lowe, Director of the European Centre for Folk Studies, for generous and practical assistance.

I am especially grateful to John Fane of Hirwaun who, after being kept waiting for four years, gallantly kept his promise and produced illustrations which are both eloquent and elegant.

This edition is dedicated to the late Margaret Ellen Anthony of Llanelli, whose prodigious knowledge of the stories of Wales inspired in me a life-long interest in King Arthur.

JANE FROST
Pwllheli 1987.

LIST OF ILLUSTRATIONS

Y SEINT GREAL,

BEING

THE ADVENTURES OF KING ARTHUR'S KNIGHTS OF THE ROUND TABLE, IN THE QUEST OF THE HOLY GREAL, AND ON OTHER OCCASIONS.

ORIGINALLY WRITTEN ABOUT THE YEAR 1200.

Edited, with a Translation and Glossary,

FROM THE COPY PRESERVED AMONG THE HENGWRT MSS. IN THE PENIARTH LIBRARY,

BY THE

Rev. ROBERT WILLIAMS, M.A.,

RECTOR OF RHYDYCROESAU, DENBIGHSHIRE;
CANON OF ST. ASAPH.

LONDON:

PRINTED FOR THE EDITOR BY

THOMAS RICHARDS, 37, GREAT QUEEN STREET.

———

1876.

TO

WILLIAM WATKIN EDWARD WYNNE, Esq.,

J.P. AND D.L., F.A.S.

CONSTABLE OF HARLECH CASTLE,

MEMBER of PARLIAMENT for the COUNTY of MERIONETH, 1852-65,

To whose liberality in allowing free access to the manuscripts, it owes its appearance, and as a memorial of long continued friendship, this Volume is gratefully inscribed by the

EDITOR.

Rhydycroesau, June 29, 1876.

Y SEINT GREAL.

PREFACE.

IN introducing the Seint Greal to the lovers of Welsh literature, the following particulars will be appropriate and interesting. The name has long been familiar, but, being a sealed book, nothing was known of its contents. Dr. Davies, in his "Welsh-Latin Dictionary," fol. 1632, observes, *sub voce* Greal : "Est liber quidam historicus continens varias historias." He evidently never saw the work. Edward Llwyd also mentions it in his list of Welsh MSS., and gives a correct description of it, which is the result of an actual inspection. "Llyvyr y Greal, viz., Chwedle am Arthur ai Vilwyr. De Arthuro et Militibus suis Historiolæ Fabulosæ. Vaughn. Membr. 4to., foliorum 280, Codex Scripturâ elegantiori tempore H. 6." He then gives the first and last lines. Dr. Owen Pughe, under the word Greal, in his "Welsh and English Dictionary," says that, "It was the name of a celebrated book of Welsh stories, long since lost, highly extolled by different writers." Happily such was not the case. This precious volume, one of the gems of the Hengwrt MSS., is now in the Peniarth

Library, and I have been kindly permitted by Mr. Wynne to make a complete transcript of it. The volume contains two parts, the first being a translation, with some little alterations, of the " Roman du Quête du Saint Greal," originally written by Walter de Mapes, in Norman-French, in the latter part of the twelfth century. This portion, folios 1-109 of the MS., forms the thirteenth to the seventeenth book, in the "Morte d'Arthur," by Sir Thomas Malory, and printed by Caxton in 1485, and the Norman-French text has been published by Mr. Furnivall for the Roxburghe Club, in 1864, 4to. Though this agrees closely with the Welsh text, it is not the one from which the Welsh was translated, nor yet is it one of the thirteen Paris MSS. of which Mr. Furnivall gives the commencement. The second portion of the Welsh Greal, folios 110-280, contains the adventures of Gwalchmai, Peredur, and Lancelot, and of other Knights of the Round Table; but these are not found in the Morte d'Arthur. The Peniarth MS. is beautifully written on vellum, and in perfect preservation, and its date is that of Henry VI, the early part of the fifteenth century. The orthography and style of writing agrees literally with that of the Mabinogion in the Llyvr Côch Hergest, which is of that date. This, of course, is a transcript of an earlier copy; but there is no certainty when it was first translated into Welsh, though Aneurin Owen, in his Catalogue of the Hengwrt MSS., assigns to it the sixth year of Henry I. It is mentioned by Davydh ab Gwilym, who died in 1368. " Rhodiais ith geisio, iaith digasog, mal y greal, myn y grog."—" I have travelled to find thee, as if the Greal ; sincere is the speech, by the rood." Only two copies are supposed to be now in existence ; this at Peniarth, and the other among the Gloddaeth MSS. lately removed to Mostyn. The latter is thus described in Aneurin Owen's Catalogue of the Gloddaeth MSS. :— Sang Royal ae cavas, ac ae duc y nev ; nyt amgen Galaath vab Lawnslot dy Lac. Peredur vab Evroc, iarll, a Bwrt, vab brenin Bwrt. Y copi cyntav a ysgrivenodd Mastyr Phylip Davydd o unic lyvyr y urddedig ewythyr, Trahaearn ab Ieuan ap Meuric, ae ysgrivenodd Siencyn vab John, vab Siencyn, vab Ieuan Vychan, vab Ieuan, vab Einion, vab Rhys, vab Madoc, vab Llewelyn, vab Cadwgan, vab Elystan Glodrydd. Vellum, folio." —" Sang Royal, who had it, and who took it to heaven, being none other than Galaad the son of Lancelot du Lac. Peredur, the son of Evrawg, earl, and Bort, the son of King Bort. The first copy written by Master Phylip David, from the sole book of his knighted uncle, Trahaearn ab Ieuan ab Meuric, which was written by Siencyn ab John," etc. When we have obtained the time of Siencyn ab John, we shall know when it was first translated. The copies must always have been very scarce. Among the poems of Gutto 'r Glyn is

one addressed to the above Trehaearn ab Ieuan ab
Meurig ab Howel Gam, of Waenllwg in Monmouth-
shire, soliciting the loan of the Greal for David, abbot
of Valle Crucis.

> Am un llyvyr y mae 'n llevain,
> A gar mwy nag aur a main ;
> Y Greal teg ir wlad hon,—
> Llyvr o enwog varchogion ;
> Llyvr o greft yr holl Vord Gron.

> For one book he is calling out,
> Which he loves more than gold and gems ;
> The goodly Greal (to be sent) to this land,
> The book of eminent knights,
> The book of the mystery of all the Round Table.

This is printed in the "Iolo MSS.", and the same
volume contains a poem by Ieuan Dhu y Bilwg, ad-
dressed to Lewis, abbot of Glyn Nêdh, for the loan of
the Greal. This poet flourished from 1460 to 1500.

It says much for the love of literature among our
ancestors, when we find that so large a work as the
Greal was translated into Welsh, nearly three hundred
years before its appearance in English;—possibly owing
to the circumstance of the original author being a
Welshman ; for Walter, the celebrated archdeacon of
Oxford, was the son of Blondel de Mapes and Flur,
the daughter of Gweirydh ab Seisyllt, Lord of Llan-
carvan. The same Walter also translated the British

Chronicle into Latin, and made a Welsh version of the
History by Geoffrey of Monmouth. He also wrote a
treatise on Agriculture, in Welsh, which is extant in
several manuscripts. The English translator, Sir Thos.
Malory, according to Leland, in the "Biographia Bri-
tannica," was also a Welshman. It may also be no-
ticed, that only two copies are known of Caxton's
edition of "Le Morte d'Arthur," of 1485, one of which,
now belonging to Earl Spencer, was bought at the sale
of Mr. John Lloyd's library, of Wickwar, near St.
Asaph, in 1816, for £320.

I have been anxious to give the reader the text of
the Seint Greal, literally and exactly as it stands, pre-
serving the stops and divisions of chapters, and correct-
ing only the obvious mistakes of the transcriber. I
have also had the great advantage of comparing each
proof as printed with the original, so that it may be
received as a perfect copy.

· The Seint Greal is the most important of the prose
works now remaining in manuscript, and it is written in
such pure and idiomatic Welsh, as to have all the value
of an original work, and is well deserving of the study of
the writers of the present day, few of whom can write
a page without corrupting the language by the copious
introduction of English idioms literally translated.
Should I succeed in bringing out the Greal without
incurring a heavy loss, I shall proceed with the publica-

tion of the GESTS OF CHARLEMAGNE; BOWN O HAMTON;
LUCIDAR; YMBORTH YR ENAID; PURDAN PADRIG;
BUCHEDH MAIR WYRY; EVENGYL NICODEMUS, etc., all
of which have been carefully transcribed by me.

The following is the commencement of the original
in Norman-French.

A la ueille de la pentecouste, quant tout li com-
paignon de la table reonde furent uenu a camaelot, et
il orent oi le seruice, il fisent mettre les tables. a eure
de nonne entra en la sale a cheual une damoisele. et fu
uenue si grant oirre que bien le pooit on ueoir. Car
ses cheuaus en fu encore tressuans. Elle descent, et
uient deuant le roy, et le salue. Et il li dist que
dieus le beneie. Sire, fait elle, dites moi se lancelot du
lac est chiaens. Oil, uir, fait li rois, en celle sale. si li
moustre. Et ele ala ou il estoit, si lui dist. Lancelot,
ie uous di de par le roy pelles, que uous o moi ueignies
en chele forest. et lancelot li demande a qui ele est. ie
sui, fait elle, a celui dont ie uous parole. et quel
besoingne, fait il, aues uous de moi. Che uerres vous
bien, fait ele, che soit de par dieu, fait il, iou yrai
uolenters. Lors dist a un escuier qu'il li meche la sele
de son cheual. et qu'il li aporche ses armes.

Y SEINT GREAL.

I.—MEGYS ydoed yr amherawdyr arthur yn y llys aelwit camalot nos sadwrn sulgwynn. oet yr arglwyd iessu grist. pedeir blyned ardec a deugeint a phedwarcant. Ac ygyt ac ef yd oedynt o vilwyr y vort gronn dec a deugeint a chant. A gwedy mynet pawb y eisted onadunt aruthraw ar vwyta. nachaf yndyuot y mywn hyt geyrbronn arthur unbenn ieuanc yn aruawc ef ay varch. ac yn dywedut wrth arthur. Hanpych gwell amherawdyr arthur heb ef. A thitheu unben poet da itt heb yr arthur. Arglwyd heb y mackwy a yttiw lawnslot yma yn un lle. Yttiw unben heb yr arthur. ae dangos idaw aoruc. yna y mackwy a doeth parth ac att lawnslot. ac adolwyn idaw yr mwyn yr hynn mwyhaf a garawd eiryoet dyuot ygyt ac ef hyt y fforest aoed ynagos udunt. Paryw neges unben yssyd ytti amyui heb y lawnslot. Ti ae gwely arglwyd wedy y delych yno heb y mackwy. Ynllawen heb y lawnslot a minneu aaf ygyt athydi. Ac yna erchi y ysgwier idaw dwyn y arueu attaw. ac uelly y gorucpwyt. Aphan welas y brenhin hynny a barwnyeit y llys. ny bu hoff ganthunt. Ac yna gwenhwyuar a dywawt. lawnslot heb hi. aoes gennyt ti onyt yn gadaw ni ar dyd kyvuch a hediw. Arglwydes heb y mackwy. gwybyd ynllegwir y byd ef yma draegeuyn auory erbyn bwyt. Gan hynny heb hitheu aet ynteu ygyt athydi yn llawen. Ac ar hynny esgynny ar eu meirch aorugant ef ar marchawc arall.

II.—A gwedy kychwyn ohonunt. marchogaeth a wnaethant yny doethant yr fforest. a gwedy marchogaeth onadunt mwy no hanner milltir ohonei. wynt

B

adoethant y vanachlawc gwraged. A phan wybuant wy
panyw lawnslot aoed yno llawen vuant wrthaw. ae arwein
y ystauell aduwyndec aorugant oe diarchenu. A phan
daroed udunt tynnu y arveu y amdanaw. nachaf yndyvot
ymywn attaw y deu gefynderw. nyt amgen no bwrt a
lionel. Ac yna mynet dwylaw mynwgyl a wnaethyant.
A govyn aoruc bwrt y lawnslot pa negesseu aedugassei
evo yr lle hwnnw. Ni a debygassem dy vot yngkama-
lot.   Ac ynteu a vanagawd udunt megys y dathoed ef
yno.   Ac val yd oedynt yn ymdidan uelly. nachaf yn-
dyuot attunt teir manaches.   A gwas ieuanc tec ygyt
ac wynt.   Ar bennaf onadunt yn y arwein herwyd y
law dan wylaw.   A phan doeth hi att lawnslot. y dy-
wawt.   Arglwyd heb hi ydwyfi yn dwyn attat ti yn
mab maeth ni. Ac yn adolwyn itt y wneuthur yn varch-
awc urdawl. kanys debygem ni gwell noc ef ny allei
kymryt yr urdas hwnnw.   A lawnslot a welas y mab
yn gyflawn o bop daeoni ac yn aeduet herwyd meint ac
aelyodeu megys y tebygit y vot val na welut eiryoet y
gyffelyb.   Ac o achaws y uvyddawt a welas yndaw y
bu hoffach a haws ganthaw y urdaw.   A dywedut wrth
y manachesseu awnaeth y cwplaei ef yn llawen yr hyn
ydoedynt wy yn y geissyaw ganthaw.   Y nos honno y
trigyawd ef yno. ac yd erchis yr mab vynet y wylyat yr
eglwys. Athrannoeth ar awr brim. ef a wisgawd lawns-
lot am y droet deheu idaw yspardun oreureit.   A bwrt
arodes kussan idaw.   Ac aerchis y duw y wneuthur yn
wrda. kanys ar degwch ny phelleut o dim.   A gwedy
daruot gwneuthur pob peth o hynny. ef a ouynnawd
lawnslot yr mab. a deuei ygyt ac ef y lys arthur.
Nac af syr heb ef ygyt athydi.   Yr abades yna
adywawt wrth lawnslot ydanvonynt wy y mab yno
panwelynt y vot yn amser.   Yna lawnslot a gychwyn-
nawd racdaw ef aegefynderw.   A marchogaeth a
wnaethyant yny doethant y lys arthur. ac neurathoed
arthur yna yr eglwys ef ae varwnyeit y warandaw yr
offeren uawr. disgyn awnaethant adyuot yr neuad. Ac
yna ymdidan a wnaethyant am y mab a ry wnathoed
lawnslot ef yn varchawc urdawl.   A bwrt adywawt na

welas eiryoet dyn debygach y lawnslot noc ef. ac ny
thebygafi heb ef nabo galaath vo ef yr hwnn a anet o
verch brenhin peles. Myn vyngcret heb y lionel mi
adebygaf mae euo yttiw. Ac uelly ymdidan a wnaeth-
ant wy y edrych beth adywedei lawnslot. Eissyoes
yr parabyl a dywedynt wy nyt attebawd lawnslot. Ac
yna tewi aorugant am y defnyd hwnnw. a dyuot y
edrych eisteduaeu y vort gronn. a chaffael awnaethant
wy bop eistedua gwedy ysgriuennu henw y neb bioed
ym pob eistedua. Ac uelly mynet aorugant yny doeth-
ant yr eistedua beriglus. Ac yno wynt a welsant
llythyr newyd wneuthur. ar rei or llythyr aoedynt yn
dywedut. yr pan diodefawd crist ar brenn y groc neur
gwplawyt pedeir blyned ar dec a deugeint aphedwar-
cant. a duw sulgwyn ydyly yr eistedua honn gaffael y
meistyr. Myn vyngcret heb wy weldy yma antur ryued.
Myn enw duw heb y lawnslot. pwybynnac avynnei gyfrif
ef a gaffei herwyd iawn gyfrif mae hediw yw y sul-
gwyn nessaf gwedy pedeir blyned ardec adeugeint a
phedwarcant o oet iessu grist herwyd proffwydolyaeth
vyrdin yr hwnn a wnaeth yr eistedua honn. ac ady-
wawt nat eistedei neb yndi yny delei un ahynny vydei
duw sulgwyn nessaf gwedy pedeir blyned ardec a deu-
geint aphedwarcant. A phwy bynnac a eistedei yndi
yna ef adywawt y kaffei y angheu. a gwir yw hynny.
kanys pob dyn or a eistedawd yndi etto hyt hediw ef a
aeth gwynt ac wynt ymeith a damchwein y keffit
chwedyl byth am neb onadunt o hynny allan. ereill
onadunt alas yn yr eistedua ac arueu. A mi a vyn-
nwn heb y lawnslot na welei neb y llythyr hwnn hediw
yny delei ymma y neb bieu gorffen yr antur hwnn.
Ac yna lionel a dywawt y gwnaei ef nas darlleei neb
ynteu y dyd hwnnw. A dwyn llenn o bali aoruc ef ae
thannu ar yr eistedua. A phan doeth arthur or eglwys
a gwelet lawnslot gwedy dyuot ae gefyndyrw ygyt ac
ef. A chymeint vu y llewenydd a gyfodes yrwng
milwyr y vort gronn ac y bu anghyuartal o achaws
dyuotyat bwrt a lionel y rei ny buassynt yr ystalym o
amser kynno hynny yn llys arthur. A gwalchmei a

ovynnawd udunt a vuassynt iach a llawen yr pan ym-
welsynt diwethaf. Ac wynteu a dywedassant eu bot.
Yna arthur a dywawt bot yn amser udunt vynet y
vwyta. Arglwyd heb y kei. ef awelit y mi pei elut ti
y vwyta yr awr honn y torrut dy gynnedyf. kanys
aruer vu gennyt eiryoet nat elut y vwyta ar bop uchel-
wyl yny delei ryw antur yth lys. Kei heb yr arthur
gwir adywedy di. ar gynnedyf honno a gynhelyeis eir-
yoet hyt hediw. Ac etto mi ae kynhalyaf hyt trae
gallwyf. Eissyoes kymeint vu vy llewenyd o achaws
lawnslot ae geuyndyrw ac na doeth cof im dim y wrth
y deuot honno. delit yth gof ditheu weithyon heb y
kei.

III.—A phan yttoedynt wy yn ymdidan velly. nachaf
yn dyuot y mywn hyt racbronn y brenhin gwas ieuanc
telediw. Ac yn kyfarch gwell yr brenhin. Arglwyd
heb ef peth ryued a weleis. maen yn nouyaw yn yr aber
o vry. Ac yn dyuot ar draws yr avon yr tir. Y brenhin
yna ae vilwyr y gyt ac ef adoethant y lann yr avon.
A phan doethant wy yno yd oed gwedy dyuot yr tir
cnap o vaen marmor coch wedy y wneuthur ar weith
allawr. Ac yn y maen yd oed ynherwyd a debygynt
wy cledyf anrydedus. Ae dwrn a oed o vaen gwerth-
uawr wedy ysgriuennu llythyr o eur drwy gywreinrwyd
yndaw. Ac yna darllein y llythyr aorugant y barwn-
yeit. Ar llythyr aoed yn dywedut yny mod hwnn.
Nym tynn i vyth neb odymma. o nyt y neb am arwed
ar y glun. A hwnnw vyd y marchawc goreu or holl
vyt. A phan welas arthur hynny ef a dywawt. Lawn-
slot heb ef gan hynn tydi bieu y cledyf. A lawnslot
yna a dywawt. Arglwyd heb ef myn duw nyt myui
ef. ac nyt oes ynof o hyder roi vy llaw arnaw. kanyt
wyf kyn deilynghet ac y dylywyf y gymryt. A ffolineb
mawr oed im o thebygwn y gaffael. Yr hynny heb yr
arthur prawf y dynnu or maen. Na phrofaf myn vyng-
cret heb y lawnslot kanys mi a wnn nas prawf neb or
a ballo arnaw y dynnu odyna ny chaffo ryw amser dyrn-
awt y ganthaw. Ae gwdost di heb yr arthur. Gwnn
yn wir arglwyd heb ef mi a wnn mae hediw yd ym-

dengossant yr anturyeu mawr oll or greal. Pan welas
arthur na wnaei lawnslot dim ohynny. ef a dywawt.
Gwalchmei vy nei heb ef prawf di dynnu y cledyf or
maen. Arglwyd heb ef pryt nas mynno lawnslot nyt
teilwng y minneu y brovi. Beth yr hynny heb y
brenhin. Prawf di y tynnu ef. Kanys nyt yr y cledyf
vwyaf gennyfi hynny namyn yr cwplau vy ewyllys.
Sef a wnaeth gwalchmei yna roi y law arnaw. ac ny
allawd ef y dynnu ef or maen. Gwalchmei heb y lawns-
lot. gwybyd yn lle gwir y kyhwrd y cledyf hwnnw yn
kynnesset itt ac nas mynnut yr kastell. Arglwyd heb
y gwalchmei ny allafi dim wrth hynny. Eissyoes pei ron
idaw vy llad i mi a vynnwn gwplau ewyllys vy ewyth-
yr. Pan gigleu y brenhin hynny. ediuar vu ganthaw
gyrru gwalchmei mywn perigyl kymeint a hwnnw. A
galw ar beredur a oruc. ac erchi idaw provi tynnu y
cledyf or maen. Mi a wnaf yn llawen heb ef yr kyn-
nal kedymdeithyas a gwalchmei. a roi y law ar y cledyf
a oruc. a phallu heuyt arnaw y dynnu. Ac yna pawb
a gredassant bot lawnslot ar y wirioned. Ac yna kei a
doeth ac a dywawt arth arthur. Myn llaw vynghyf-
eillt heb ef ti a elly bellach vynet y vwyta kany phall-
awd arnat gwelet a chaffael peth enryued. Awn nin-
neu heb y brenhin. Yr llys y doethant. a gwedy ym-
olchi pawb aaeth y eisted yw gynnefawt le. A gwedy
mynet pawb ef a welat na vuassei gyngyflawnet llys
arthur eiryoet ar dyd hwnnw. kan nyt oed un eistedua
yn wac onyt yr eistedua beriglus ehun. Ac gwedy
dyuot y gwassanaeth kyntaf attunt. ef a doeth dam-
chwein a oed gyn ryuedet ac y kaeawd kwbyl o drysseu a
ffenestri y neuad heb un dyn yn roi y law arnadunt.
Ac yr hynny nyt oed dywyllach arnadunt no chynt. A
phawb a ryuedawd hynny. Ar brenhin yna a dywawt
wrth y varwnyeit. Arglwydi heb ef llyma damchweinyeu
ryued. Aphan yttoedynt uelly yn ymdidan am hynny.
nachaf y gwelynt gwr prud yndyuot y mywn. a dillat
gwynnyon ymdanaw. heb wybot o neb or aoed yny
neuad pa fford y dathoed ef ymywn. Ac yn y law
ynteu marchawc urdawl ieuanc. ac arueu cochyon ym-

danaw. ac heb gledyf. Ar awr y doeth ef ymywn ef a
dywawt. hedwch ywch heb ef. a gwedy hynny ef a dy-
wawt. Arthur heb ef llyma vi yn dwyn attat ti y
marchawc urdawl damunedic. a henyw o lin dd brofwyt
ac o iosep o arimathia o achau. yr hwnn y gorfwyssyant
holl anturyeu aryuedodeu brytaen vawr ar gwledyd
oll. A llawen vu arthur wrth y kennadeu ar chwedleu
hynny. ae groessawu a oruc. a dywedut wrthaw. a wrda
heb ef ninneu a vuam yny aros ef yr ystalym o amser.
ac bellach yd ym yn tybyeit mae trwydaw evo y gor-
ffennir anturyeu seint greal. Myn vyngcret heb y gwr
llwyt ti a wely dechreu tec idaw yn ehegyr. Ac yna
peri tynnu y arveu y am y marchawc a oruc y gwr
llwyt. ae adaw ynteu ymywn peis o syndal coch a
swrcot a ffwryr yndi o ermin gwynn. Ac yna y gwr
llwyt a erchis yr marchawc ieuanc y ganlyn. Ac uelly
y doethant hyt yr eistedua beriglus yn ymyl y lle yd
oed lawnslot yn eisted. A dyrchauel y llen aoruc y gwr
llwyt y ar yr eistedua. a gwelet yn ysgriuennedic yndi
o lythyr newyd. weldy yma eistedua galaath. Ar gwr
prud a dywawt wrth y marchawc ieuanc. eisted di yn y
lle hwnn kanys tydi bieu. Ac ynteu a eistedawd ac a
dywawt wrth y gwr prud. Tydi a elly weithyon vynet
drachevyn. kanys ti awnaethost yr hynn a orchymynn-
wyt itt. ar gwrda ae gadawawd ynteu velly ac a aeth
ymeith gan gymryt kenyat arthur ae varwnyeit. Ac
yna govyn awnaethpwyt idaw o pale y dathoed. Ac
ynteu a dywawt nas dywedei ef udunt wy yna. hyt yn
amser arall. Ac velly agori y drws aoruc y gur llwyt a
mynet ymeith y gyt ae gedymdeithyon a oedynt yny
aros.

IV.—Pan welas y milwyr ereill y mackwy ieuanc
yn eisted yny lle yd arswydassei lawer gurda kynno
hynny ryued vu gan bawp rac mor ieuanc oed. ae
anrydedu awnaei bawp yn vawr. kanys pawb a oedynt
yn tybyeit y mae trwydaw evo y cwpleit damchweinyeu
seint greal o achaws prouedigaeth yr eistedua lle nyt
eistedassei neb eiryoet heb govit. Ae anrydedu aoruc
lawnslot idaw yn annat neb kanys yd oed yntybyeit

mae euo ary wnathoed ef yn varchawc y bore kynno
hynny. Ac amovyn aoruc lawnslot ac ef am y gyflwr.
Ac ynteu a vanagawd idaw lawer o betheu. Ac yna
bwrt a lionel a ymdidanyssant am y mab. Ar ymdidan
a gerdawd yn gymeint a dywedut o bawp or llys mae
euo oed galaath uab lawnslot o verch vrenhin peles.
Ac yna un o weissyon yr ystauell a doeth ac adywawt
wrth y vrenhines. Arglwydes heb ef ryuedawt mawr
a doeth yma hediu. Beth yw hynny heb hitheu. Yn
y neuad y mae mackwy ieuanc yn eisted yn yr eistedua
beriglus. Yrof a duw heb hitheu da vu duw ac ef. roi
gras ac enryded idaw y gwplau yr hynn nys cwplaawd
neb eiryoet. Ac am hynny ef a ellir credu idaw y
cwplaa petheu a vo mwy. A pharyw wr y diwyc yw
euo. Arglwydes heb ynteu un or gwyr teckaf or byt
yw ef. Aphawp yssyd yn dywedut y vot ef yn debic
y lawnslot. Ac yna y bu chwannawc y vrenhines oe
welet ef. Ac yna yd adnabu hi yn hyspys panyw mab
y lawnslot oed ef o verch brenhin peles y vam. A
phan daruu yr brenhin bwyta ac ymdidan. wynt a
doethant yr eistedua. Ar brenhin a derchafawd y
llenn aoed y dan y mackwy. Ac a arganvu arhynt
henw galaath. ae dangos aoruc y walchmei. a dywedut
wrthaw. Gwalchmei heb ef y duw y diolchaf. weldy
yma y marchawc y buost ti achwbyl o gedymdeithyon
y vort gronn yny damunaw. Ac am hynny bydwch
lawen wrthaw. ac anrydedu ef kanys mi a wnn na byd
hir drigyan arnaw yma. Arglwyd heb y gwalchmei
tydi a minneu a dylyem y anrydedu ef megys arglwyd
mawr a meistyr arnam. kanys duw ae hanuones ef
attam ni yr yn rydhau or dryc dynghetuenneu ar an-
turyeu a oed yn yr ynys honn. A unbenn heb yr
arthur yna groessaw duw wrthyt. a duw a dalo itt dyuot
yma. Arglwyd heb y galaath yma y dylywn i dyuot.
kanys odyyma y kychwynnant y sawl a vynnont vot
yn geissyeit ar seint greal. A unben heb yr arthur val
angheu oed inni dy dyuot ti yma hediw o achaws yr
anryuedawt adoeth yma y bore hediw. ar yr hwnn y
pallawd kwbyl or yssyd yny llyss honn. Arglwyd heb

y galaath pale y mae hynny. Mi ae dangossaf itt heb
yr arthur. A chymryt y law adyuot or llys aorugant.
ar barwnyeit ereill ygyt ac wynt y edrych aallei galaath
tynnu y cledyf or maen. Ac uelly pawb aredawd y
edrych ar y damchwein hwnnw heb drigyaw dyn yny
llys. Ar vrenhines ae harglwydesseu pan glywssant
hynny a gychwynnassant ar eu hol. Ac uelly y doeth
hi a niuer mawr o wraged da a morynyon ieueinc ahi.
ac arlloessi lle yr vrenhines awnaethpwyt. Galaath
heb yr arthur weldy yma yr enryuedawt. nyt amgen.
tynnu y cledyf hwnn or maen a wely di yr hynn a ball-
awd ar yrei pennaf om gwyr i hediw.

V.—Ac yna y dywawt galaath. Arglwyd heb ef nyt
oed ryued y ballu arnadunt. kanys nyt wyntwy bioed
yr antur hwnn namyn myui. Ac o achaws hynny ny
dugum i gledyf gennyf yma hediw. Ac yna roi y law
a oruc galaath ar y cledyf ae dynnu or maen megys nat
oed dim yny attal. A gwedy hynny ef ae rodes y
mywn gwein. ac ae gwisgawd ar y glun. Arglwyd heb
ef nyt oes ymi dim yn eisseu bellach dieithyr taryan. Ef a
danuon duw heb yr arthur taryan itt ual y danuon-
awd y cledyf. A phan yttoedynt uelly ar yr ymdidan
hwnnw llyma vorwyn ieuanc aduwyndec yn dyuot
attunt gan ystlys yr avon. ar gefyn palffrei acherdetyat
amdrwsgyl ganthaw. Kyvarch gwell aoruc yrbrenhin
ae gedymdeithyon. A govyn a yttoed lawnslot yno.
A unbennes heb y lawnslot. weldy ymma vi. athroi
attaw aoruc hi. a dywedut wrthaw dan wylaw. Ha
lawnslot heb hi uthur abeth a ryued y damchweinyawd
itt yr doe hyt yr awrhonn. Paham unbennes heb
ef. myn vyngkret heb hi mi ae dywedaf itt yn
amlwc ual y clywo pawb. pwy bynnac heb hi doe y bore
a dywedei dy vot ti yn oreu marchawc urdawl or byt ef
adywedei wir. Eissyoes pwy bynnac a dywedei hynny
hediw kelwyd a dywedei. kanys prouaduy wyt oblegyt y
cledyf hwnn. ac na thebic di bellach dy uot yn oreu. Myn-
vyngkret unbennes heb y lawnslot nas tybyeis eirmoet.
Ac yna hi a ymchoelawd att arthur ac adywawt wrthaw.
Arglwyd heb hi nasiens ueudwy yssyd yn dywedut yti

drwydofi. y daw hediw itt yr anryded mwyhaf or adoeth
y vrenhin eiryoet ymbryttaen uawr. A llyna itti
paham yw hynny o achaws seint greal aymdengys he-
diw yth lys di. ac abyrth kedymdeithyon y vort gronn.
A gwedy daruot idi dywedut hynny hi a ymchoelawd
ymeith. a llawer or barwnyeit yny gwahawd pei as-
mynnei. Ac yna y brenhin a dywawt wrth y varwn-
yeit. a wyrda heb ef mi awnn vot pererindawt seint
greal yndynessau. A chan gwnn inneu hynny yn
llegwir. ac na bydwch chwitheu yn gyn gwplet ygyt ac
yr yttywch hediw. Ac wrth hynny yd wyf inneu yn
adolwc chwi darparu a gwneuthur ryw dwrneimeint
megys y galler ymdidan am danaw gwedy ni. A chytt-
unnaw ygyt ar hynny awnaethant. Adyuot yr dinas
a chymryt eu harueu aorugant. Ac ny pharassei y
brenhin udunt wy hynny dieithyr yr gwybot a gwelet
peth o dewrder galaath ae vilwryaeth. athybyeit heuyt
nadeuynt y rawc dracheuyn. A gwedy eu dyuot yr
weirglawd holl niuer y llys amawr a bychan. y gwisgawd
galaath y arueu drwy eiryawl y brenhin ar vrenhines.
Ac arthur a gynigyawd taryan idaw ac nys mynnawd.
Gwenhwyvar ae morynnyon yar vann y gaer yn edrych
arnadunt. Ac yna galaath adechreuawd ymwan a mil-
wyr y vort gronn. a thorri pelyr. a llavuryaw oe nerth
yn gymeint ac nat oed ymdidan am neb namyn am
danaw ef ehun. Ac erbyn pryt gosper nyt oed neb o
vilwyr y vort gronn heb idaw eu bwrw oll yr llawr
namyn gwalchmei a lawnslot a pheredur. Ac yna
arthur a beris y bawp peidyaw ar gwareu hwnnw rac
tynu kywryssed y ryngthunt. Ac erchi y alaath dios-
gyl y helym ae dwyn yr dref oe vlaen. Ac uelly y kerd-
assant drwy y dinas yny doethant yr llys. A phan
welas y vrenhines galaath yn dyuot. hi a dywawt yn
diheu panyw mab oed ef y lawnslot. A disgyn y wae-
ret aoruc hi. A mynet ygyt y warandaw gosper aoru-
gant. A gwedy gosper wynt a doethant yr llys a
gossot llieineu ar y byrdeu a wnaethpwyt. Ac y eisted
yd aethant pawb yny le megys y buassynt y bore
kynno hynny. A gwedy eisted o bawp a gwastatau y
C

swn, a gostegu y llys a dechreu gwassanaethu. wynt a
glywynt dwrwf kymeint ac y tebygynt vot y llys oll
yndiwreidyaw or daear. Ac yna wynt a welynt palad-
yr yr heul yn tywynnu yn gant eglurach no chyt vei
hanner dyd. a phob dyn yn eglurach y wyneb. trwy
rat yr yspryt glan. Ac edrych awnaeth pob un onadunt
ar y gilyd. Ac nyt oed neb o honunt a allei dywedut
ungeir. Ac ympenn talym wedy eu bot uelly megys
aniueilyeit mudyon. ef adoeth ymywn attunt y mawr-
vrydic lestyr aelwir y greal. gwedy y gudyaw o samit
gwynn. Ac yr y welet ef velly nyt oed neb ohonunt
awypei beth aoed yn y arwein ef. Ac yr awr y doeth
y drws y neuad ymywn. llanw awnaeth yr holl lys o
arogleu da megys kyt bei yno llysseu ac ireideu gwerth-
uawr yr holl vyt. ac velly y kerdawd ef y bop lle yn y
neuad. Ac ual y doeth rac bronn y byrdeu eu llanw
aoruc o bop ryw vwyt or adamunei dyn y gaffel. A
gwedy gwassanaethu pawp wrth y ewyllys. ef a diff-
lannawd y greal heb wybot o neb onadunt wy pa le yn
y byt. Ac yna pawb agauas y dywedut. A diolwch y
duw awnaethant bot yn gywiw ganthaw anuon anrec
kystal kyndecket a honno oc eu porthi. Ac yn annat
llawen oed arthur am y anrydedu o duw yn gymmeint
a hynny yn annat brenhin or a vuassei eiryoet ar ynys
brydein kynnoc ef. Ac uelly kyflawn oed bawp onad-
unt kan gwydynt nas ysgaelussassei duw wynt. Ac
ymdidan velly aorugant drwy diruawr lewenyd. Ie
heb y gwalchmei y mae yni beth awnelom gyt ahynn.
kanyt oes yma neb heb y wassanaethu o bop kyfryw
vwydeu mawrweirthyauc or arybuchei ehun. Ac ny
chiglefi eirmoet y ryw ras hwnn y lys brenhin or byt.
namyn y lys brenhin peleur. Ac wrth hynny y gwnaf
inneu ovunet yd af i y bore avory heb aros mwy o
amser y geissyaw chwedyl y wrth seint greal. Ac y
kynhalyaf y bererindawt honno hyt ympenn un dyd a
blwydyn neu a vo mwy or byd reit neu ynteu yny
gaffwyf y welet yn eglurach noc y gweleis yma or byd
im arallaw ar y welet. Ac o ny byd mi aymchoelaf
drachevyn. Pan gigleu milwyr y vort gronn y parabyl

hwnnw y gan walchmei. wynteu a gyfodassant y uyny.
ac adoethant geir bronn arthur. ac a dywedassant y
gwneynt yn yr un kyffelyb gan gannyat y brenhin. Ac
na orffowyssynt vyth yny geffynt vwyta ar vort y keff-
ynt arnei eu porthi yngystal ac y kawssoedynt yna.
Aphan y kigleu arthur wynt yn gwneuthur yr ovunet
honno. tristau yn vawr aoruc. kanys ef a wydyat na
ellit eu llesteiryaw. ac a dywawt. Gwalchmei heb ef.
Ti a waetheeist heno ar vy llys i mwy noc a welleeist
eiryoet. kanys tidi yssyd yn dwyn kedymdeithyon y
vort gronn y wrthyfi. y rei gwedy yd elont odyma mi
awnn yn wir na deuant vyth ar eu hunrif drachevyn.
yr hynn nyt oed da gennyfi. kanys kymeint y karaf
wynt a phei meibyon im veynt. Ac am hynny heb ef
y mae drwc gennyf eu gwahanu y wrthyf. Ac yngkylch
hynny medylyaw yn hir aoruc arthur. a thrwy y med-
ylyeu hynny gollwng dagreu hidleit. A gwedy hynny
ef adywawt. gwalchmei heb ef tydi arodeist ymi y dolur
hwnn ar tristyt. or achaws ny allaf vot yn llawen vyth
yny wypwyf pa diwed a vo ar y keis hwnn. Arglwyd
heb y lawnslot ny dyly dy gyfryw wr di kymryt yn
gyndrwc ahynny arnaw. namyn gobeithaw ynduw.
Aphei meirw ueym ni yny keis hwnn mwy o anryded
oed yni hynny noc an meirw ymywn damchwein arall
or byt. Lawnslot heb yr arthur nyt oed ryued im
dristau. kany wydywn yn yr holl vyt brenhin cristawn
kyn amlet y vilwyr da ae varchogyon aruawc ac yttoed-
wn i hediw y bore.

VI.—Ac ar y parabyl hwnnw ny wydyat gwalch-
mei y atteb ef. kanys ef awydyat y uot yn dywedut
gwir. Ac ediuarhau yn vawr arnaw awnathoed pei
tyckyei. Eissyoes y parabyl hwnnw a amlhaawd ym
pob lle yny oed vwy or llys yn drist noc yn llawen.
Pan gigleu gwenhwyvar hagen hynny. nyt oed yna neb
heb dristau o gwbyl. ac yn enwedic y rei aoedynt
wraged a gorderchadeu y gedymdeithyon y vort gronn.
Ac nyt oed ryued udunt hynny. Ac yna gwenhwyvar
a ovynnawd y un or ysgwieryeit pwy a dechreuassei
gwneuthur y keis. ac a yttoed gwalchmei a lawnslot yn

kytdunnaw a hynny. Yttiw arglwydes heb ef. a
gwalchmei a dechreuawd. a lawnslot yn ol hynny.
A gwedy hynny kwbyl or lleill yn eu hol wynteu.
hyt na thric yma neb o gedymdeithyon y vort
gronn heb vynet ygyt yny keis hwnnw. A phan gig-
leu gwenhwyvar hynny kymeint vu y dolur ae thrisdit
hi ae morynnyon ae gwragedda. ac y tebygessit y bu-
assynt ueirw. a hynny o achaws lawnslot. ac wylawaoruc
hi. Ac ympenn talym dywedut. yn lle gwir heb hi
mawr adarymes yrbyd yw hynn. Kanys kynn gorffen
y keis hwnn ef a gyll llawer gwrda y eneit. a
ryuedu aoruc gadel vyth o arthur hynny. kanys yr rann
vwyhaf oe uarwnyeit aoedynt yn mynet yr hynt
honno. Ac uelly yr ymdidanyssant dan wylaw hi ae
rianed. Ac yna y gwraged adoethant yr neuad. ar
trisdit mwyhaf or byt ganthunt. kanys pob gwreic aym-
didanei am y gorderch wrth y mackwy. yd eynt ygyt
ac ef y geissyaw seint greal. Yd oed rei hagen a oed hoff
ganthunt hynny. pany bei dyuot gwr prud ymywn a
chrevydwisc ymdanaw. A phan doeth ymywn hyt
geyr bronn arthur. kyuarch gwell yr brenhin aoruc. a
dywedut ual y klywei bawp or llys. Arglwydi heb ef
nasiens ueudwy drwydofi yssyd yn erchi y gwbyl or
kedymdeithyon agymerassant arnunt vynet yngeis ar
seint greal na dyckont y gyt ac wy na gwreic na gor-
derch rac eu syrthyaw ymywn pechodeu marwawl. ac
nat el neb o vywn y keis onyt a vo kyffessawl. neu ynteu
a el y gyffessu. Ac o achaws y parabyl hwnnw nyt
aeth na gwreic na morwyn ygyt ac wynt. Ar brenhin
a erchis peri lletty yr gwr prud da hwnnw. y vrenhines
a eistedawd yn ymyl galaath. ac ymovyn ac ef lawer oe
gyflwr. ac ynteu yn y hatteb hi. Eissyoes dim am y
uot ef yn vab y lawnslot nys attebawd. Ac yr hynny
ual kynt ar ymadrodyon ereill a dywawt ef hi aadnabu
y vot ef yn vab y lawnslot. Ac yr gwybot hynny o
hanei oe eneu ef ehun. hi a ovynnawd idaw pioed mab
ual kynt. Arglwydes heb ef nys gwnn. Arglwyd heb
hitheu na cheldi kanys nyt reit itt un kewilyd yr dy-
wedut y enw. kanyt oes milwr well noc ef. Ac ynteu a

henyw o vrenhined. A phan gigleu galaath y parabyl
hwnnw. kymryt kewilyd mawr aoruc. ac rac kewilyd y
hattebawd hi yn y mod hwnn. Arglwydes heb ef
kanys adwaenost di enw yn gynysbysset a hynny. ti a
elly dywedut im pa un yw ef. Ac os ef yw y neb yd
wyfi yn tybyeit y vot yn dat im. mi a gyttunnaf athi.
myn enw duw heb hitheu mi ae managaf itt. y enw ef
yw lawnslot dy lac. y teckaf or marchogyon urdolyon.
a goreu a hoffaf gan bawb y welet a hawssaf y garu or
aanet eiryoed yn amseroed ni. Ac am hynny ef a
welit ymi na dylyut ti kelu y enw ef nac ragofi na rac
arall. Arglwydes hob yntou kanys atwacnut titheu
ynteu y pa beth y dywedwn i. Ac uelly y buant hwy
yn ymdidan yny yttoed yn llawer or nos. Ac yna
arthur ehun agymerth galaath ac ae harwedawd y
ystauell e hunan. Ac ynggwely arthur y kysgassant
ell deuoed y nos honno. Ac yn eu hymyl wynteu
lawnslot a gwalchmei a orwedassant ell deuoed ygyt.
Ar lleill oll a aethant pawb oe letty yn uedylgar drist
bop rei ohonunt. A phan ranghawd bod yn harglwyd
ni iessu grist mynet y nos ymeith. a dyuot y dyd. pawb
a gyuodassant y vyny ac a wisgassant eu harueu. Ac
yna arthur adoeth att lawnslot a gwalchmei. ac a
dywawt. Gwalchmei heb ef pei arall a dlodei vy llys
i yn y mod y tlodeist di ny bydwn vodlawn idaw.
kanys ydwyt yn dwyn y wrthyf y kwmpaeni teckaf or
auu ygyt ac arglwyd na brenhin eiryoet. ac ar hynny
wylaw aoruc ef. Ac yna kymeint vu ovyn arthur ar
walchmei ac na beidyawd y atteb rac mor lidiawc y
gwelei. Ac yna y dywawt arthur arglwyd iessu grist
heb ef ny thebyggasswn i vyth vynggwahanu am ked-
ymdeithyon a danuonassut im. Ac uelly ymdidan
aorugant yny gyfodes yr heul. ac yny ostynghawd y
gwlith. Ac yny yttoed y llys yn llenwi or barwnyeit.
Ac yna y vrenhines adoeth yr neuad. ac a dywawt wrth
y brenhin. Arglwyd heb hi y mae kwbyl or barwnyeit
yth aros y vynet y warandaw offeren. Ac yna kyuodi
aorugant ac yd oed bawp yn barawt yna. a gwedy eu
dyuot yr eglwys gwarandaw offeren awnaethant yn

eu harueu onyt eu penneu yn noeth. A mynet y
offrwm aorugant. A gwedy daruot yr offeren yna
brenhin bandymagus a dywawt wrth arthur. Arglwyd
heb ef kann kymerassam ni arnam hynn o hynt heb
allel peidyaw a hi. mi a gynghorwn dwyn y creiryeu
yma y beri yr kedymdeithyon dynghu yn diannot yr
eynt y gynnal eu pererindawt. yn llawen heb yr
arthur a gwnewch chwitheu. Yna y perit yr yscol-
heigyon dwyn y creiryeu. ar brenhin a elwis ar walchmei.
ac a dywawt wrthaw. Tydi gyntaf heb ef aroes yr
ouunet honn. wrth hynny twng ditheu yn gyntaf. Yna
y brenhin bandymagus a dywawt. Arglwyd heb ef ual
y bo iach dy ras ygyt a thi. nyt euo gyntaf adwng.
namyn y neb a rodes duw yn arglwyd ac yn veistyr
arnam yn yr hynt hwnn. nyt amgen no galaath. Aphan
darffo idaw efo dyngu. ninneu ae tyngwn gwedy ef.

VII.—Ac yna galaath aelwit. ac ynteu a doeth. ac
a ostyngawd ar benn y linyeu geyr bronn y creir-
yeu. Ac adyngawd ar y gret a dylyei oe arglwyd, ar
gynnal ohonaw y keis hwnnw ar bererindawt arnaw un
dyd a blwydyn, a mwy or bei reit : ac na deuei vyth yr
llys dracheuyn yny wypei diheurwyd y wrth seint greal
or gellit y wybot o neb ryw vod. A gwedy hynny lawn-
slot adyngawd a gwalchmai a pheredur a bwrt. a lionel.
achwbyl or milwyr ereill pob un yn ol y gilyd. Ac
uelly y kaffat wedyr dyngu wyth a deugein a chant. A
hynny o wyrda oll heb un dyn angkalonnawc onadunt.
ac yna kymryt tameidye a diodyd aorugant. A gwedy
daruot hynny wynt a wisgassant eu helmeu am eu pen-
neu. ymannerch ac ymiachau aorugant ar vrenhines. a
phan welas hitheu na thygyei eiryawl arnadunt trig-
yaw hwy no hynny. kymryt y tristit mwyhaf ar dolur
aoruc hitheu yn gymeint a phei y holl genedyl ae ched-
ymdeithyon yn veirw geyr y bronn. Ac rac adnabot
arnei hi hynny. kyrchu un or ystauelloed adigwydaw y
mywn un or gwelyeu aoruc hi. ac ymovidyaw yno. hyt
nat oed callon yr cadarnet uei nac yr kalettet na neb
or ae gwelei ny bei drwm athruan ganthaw edrych arnei.
A gwedy bot lawnslot yn barawt. nyt reit gouyn aoed

drist ynteu am y govit aoed ar wenhwyuar. A dyuot
aoruc ef tu ar lle y gwelsei ef hi yn mynet. Aphan y
gwelas hi evo yn y arueu yn dyuot. dywedut aoruc hi
val hynn. Ha lawnslot heb hi ti arodeist imi vy angh-
eu. pan vych yn mynnu gadaw llys vy arglwyd vren-
hin i. ac yn mynet y wledyd ereill dieithyr or lleoed ny
deuy vyth onyt duw ath denuyn. Arglwydes heb
ynteu mi a deuaf or byd da gan duw yn gynt noc y
tebygy di. Och duw heb hi nyt ydiw vygcallon i yn
gadu hynny. Arglwydes heb ef mivi aaf ragof gan dy
gennyat di. Lawnslot heb hitheu drwy vyngkennyat
i nyt aut ti vyth. Eissyoes kanys ydiw val y mae
reit yw ytti vynet dos yn enw duw. ac yngkeitwadaeth
yr hwn adiodefawd y boeni ar brenn y groc yr rydhau
pobyl adaf o angheu tragywydawl. A phoet euo ath
danuono drachevyn. Poet velly y bo heb y lawnslot.
Yna y kychuynnawd lawnslot y wrth wenhwyvar.
ac nyt heb dolur a thristit. A phan doeth ef y
waeret. yd oed pawb gwedy esgynnu ar eu meirch. heb
lesteir or byt arnadunt onyt y aros ef. ac ynteu aesgynn-
awd ar y varch. Ac arthur yna adoeth att galaath.
yr hwnn aoed yn kychwyn heb daryan. ac a dywawt
wrthaw. A unbenn heb ef. ef awelir y mi nat tec
ytti ac nat hard dy welet yn kychwyn heb daryan
megys dy gedymdeithon. Arglwyd heb ynteu. ny
dygafi un daryan yny hanuono duw im o damwein.
megys y danuonawd y cledyf hwnn. Gan hynny heb
yr arthur porth vo duw itt. Ac ar hynny kychwyn
or llys awnaethant pawb ual y gilyd. a hynny dan
wylaw a diruawr dristit ual nat oed ryued kanys ny
wydyat neb onadunt pa damwein ae dygei. A gwedy
eu dyuot yr fforest nessaf aoed attunt. wynt a safas-
sant yn ymyl croes. Ac yna y dywawt gwalchmei
wrth arthur. Arglwyd heb ef digawn y doethost di.
ac ymchoel drachevyn bellach. yr ymchoelut hwnnw
drachevyn heb y brenhin am gorthrymha i yn vawr.
Yna gwalchmei a dynnawd y helym ac aaeth dwylaw
mynwgyl ar brenhin. Ac velly y gwnaeth pawb or
kedymdeithon ahanhoedynt or keis. Athrwy yman-

nerch ac ef wylaw yn hidleit awnaei bawp onadunt.
Ac ar hynny ymwahanu aorugant. Ac arthur adoeth
y gamalot drachevyn. Ar keissyeit agerdassant ar
hyt y fforest yny doethant hyt yngkastell bagan. Y
bagan hwnnw gwr da crefydus yttoed. Ac un or
marchogyon urdawl goreu or byt. A phan welas ef
y keissyeit gwedy dyuot y mywn. ef aberis kaeu y
pyrth. ac eu hattal yno y nos honno megys oc eu han-
uod. ac adywawt kanys anuonassei duw idaw ef en-
ryded kymeint ac eu dyuot wy attaw ef. nat eynt y
wrthaw yn oet un nos. Ac yna peri eu diarchenu
aoruc. A phan vu barawt pob peth y vwyta yd
aethant. a gwassanaethu yn diamdlawt arnadunt
aorucpwyt. a ryued vu gan bawp onadunt mor didlawt
oed y kastell o bop peth. A gwedy daruot udunt
vwyta. wynt a aethant yn eu kynghor pa beth awnel-
ynt drannoeth. ac yn eu kynghor y kawssant. ymwa-
hanu o bop un onadunt y wrth y gilyd. athrannoeth y
bore wynt aaethant y warandaw offeren. A gwedy
yr offeren wynt awisgassant eu harueu ymdanadunt.
Ac aaethyant ar eu meirch. Ac agymerassant gennyat
y gwrda bioed y kastell drwy diolwch y lewenyd idaw.
A gwedy eu dyuot yr fforest. wynt aymwahanassant
pob un ywrth y gilyd onadunt. drwy diruawr dristit
ac wylaw yn hidleit. or rei a debygit ebot yn wrawlaf
onadunt. Yma ymae yr ymdidan yn tewi y keis oll
ac yn troi ar galaath. kanys pennaf oed ef onadunt wy.

VIII.—E kyfarwydyt yssyd yn menegi gwedy ym-
wahanu or keissyeit. marchogaeth o galaath pedwar
diwarnawt heb welet un damwein a vo gwiw y
uenegi. Ac yny pymhet dyd am bryt gosper. ef adoeth
hyt y mywn manachlawc wenn. Ac yna y myneich
pan y gwelsant adoethant yny erbyn. A gwedy idaw
disgyn wynt a barassant ystabyl yw varch. Ac ae
harwedassant ynteu y ystauell dec. ae diarchenu aorug-
ant. ac adugassant idaw dillat ereill. Ac yno ef
aarganuu deu oe gedymdeithyon. nyt amgen. brenhin
bandimagus. ac owein uab uryen. A llawenhau aoruc
pob un onadunt wrth y gilyd. A gwedy daruot udunt

superu y nos honno galaath aovynnawd udunt pa
damwein ae dugassei wyntwy yno. myn vyngkret heb
wynt ni adoetham yma y edrych peth ryued adywet-
pwyt wrthym y uot yny lle hwnn. nyt amgen taryan
yr honn nys roes neb am y vynwgyl ny chyfarffei ovit
ac ef kynn diwed y dyd. Ac or achaws hwnnw ninheu
a doetham yma. y edrych aoed wir hynny. myn vyngk-
ret heb y galaath ryued yw. os gwir adywedwch. Ac
ony ellwch chwi heb ef y dwyn hi. myui aedygaf. kan-
nyt oes im yr un. Wrth hynny heb wynteu ninheu
ae gadwn hitheu itti yw phrovi ac y edrych ae gwir a
dywedir amdanei. Nac ef heb y galaath. myvi aadaf y
chwi y phrovi ac edrych y chynedyf. Ac uelly y buant
y nos honno. A llawen vuwyt wrthunt. ac ynenwedic
wrth galaath pan wybuwyt y uot ef yno. Ac ygyt y
kysgassant ell tri y nos honno. A thrannoeth wynt a
wisgassant eu harueu ymdanunt. Ac aaethant y war-
andaw offeren. A gwedy offeren ef aovynnawd brenhin
bandymagus y un or brodyr pale yd oed y daryan yr
oed y son amdanei. Y ba ryw beth heb y brawt. vym-
bryt heb ynteu yssyd ar y dwyn ygyt ami y edrych ae
gwir adywedir am danei. Ny chynghorwn i heb y
brawd ytti y dwyn hi yr dim. Kanys ny thebygwn
dyuot itt oe dwyn amgen no som a chewilyd. Yr hynny
heb y brenhin mi a vynnwn gaffael y gwelet hi y e-
drych pa weith yssyd arnei. Ac yna y brawt ae duc hi
hyt rac bronn yr allawr uawr oe dangos idaw. ac
ynteu a dywawt eiryoet na welsei yr un degach no hi.
na mawrweirthogach. Aphan welas owein y daryan. ef
a dywawt wrth y brenhin. Myn duw heb ef mi agyngh-
orwn y neb na bei gyn ehofnet a dwyn y daryan honn
onyt a wypei y vot yn gennat idaw y dwyn. Ac myn
vyngkret heb ef nyt a hi vyth am vy mynwgyl i. kanys
mi a wnn arnaf nat wyf kyndeilynghet ac y dylywyf y
dwyn. Myn duw heb y brenhin bandymagus beth
bynnac a darffo ymi. mi ae dygaf hi odyma. Ac yna y
chymryt aoruc ef ae roi am y vynwgyl. ae dwyn or
eglwys ac esgynnu ar y varch. Ac yna dywedut wrth
galaath. Arglwyd heb ef pei ranghei vod yti. mi aad-

olygwn itt nat elut odyma yny wyput beth a darffei im
am y daryan honn. kanys odarffei im namyn da. mi a
vynnwn y wybot o honat ti. kanys tydi aorffenny yr
antur hwnn. Mi a arhoaf yn llawen heb y galaath. Ac
yna ef a doeth ymeith. ac aollyngwyt ysgwier y gyt ac
ef y edrych a vei reit dwyn y daryan drachevyn. Ac
uelly y marchockaassant wy dwy villdir a mwy. Ac
yna ymywn glynn coedawc. wynt a welynt ty meudwy.
ac wrth y ty wynt a welynt varchawc urdawl yn
dyuot parth ac attunt. ae arueu aoedynt yn wyn-
nyon. Ar awr y gwelas ef vrenhin bandymagus.
dan ostwng y waew y gyrchu aoruc. Ar brenhin ae
herbynnyawd ynteu. ac adorres paladyr y marchawc
arhynt. Ar marchawc ynteu a drawawd y brenhin y
adan y daryan yny rwygaw modrwyeu y luryc. Ac
yny vyd y gwaew yny balueis deheu idaw. ac ynteu ef
ae varch yr llawr. A thynnu y daryan y am y vynwg-
yl. a dywedut wrthaw ual y clywei yr ysgwier aoed
ygyt ac ef. Tydi varchawc dyfyrllyt ffals gwamal.
paham y beidyeist di kymryt am dy vynwgyl y daryan
honn. kanys ny chanhatwyt hi namyn yr marchawc a
vo goreu or holl vyt. A gwedy daruot idaw ef hynny
dywedut wrth yr ysgwier aoruc. Dos di drachefyn heb
ef a dwc y daryan honn y varchawc urdawl iessu grist.
yr hwnn aelwir galaath. yr hwnn aedeweist di gynneu
yny vanachlawc. Ac arch idaw y gan y goruchaf ar-
glwyd dwyn y daryan honn am y vynwgyl. Ac ef ae
keiff hi vyth yngynnewydet ac yn gyndecket ac ymae
yr awr honn. Arglwyd heb yr ysgwier adywedy ditheu
ymi dy henw. ual y gallwyf inneu y venegi yr march-
awc pan delwyf attaw. Vy enw i heb ynteu ny elly di
wybot dim ohonaw. na thi na neb dynawl. ar hynn
aercheis itti gwna. Arglwyd heb ynteu. kanny mynny
dywedut im dy henw. mi aarchaf it yr duw dy-
wedut im wirioned am y daryan honn aphaham y duc-
pwyt hi yr wlat honn. A pha achaws yssyd y uot y
sawl ryuedawt ac yssyd yny wlat honn. Kanys angreith-
yeist di vyvi velly heb y marchawc. minneu ae
dywedaf itti. Ac eissyoes nyt itti dy hun y dywedaf.

namyn gwedy delych drachevyn yma ti ar marchawc
bieu y daryan. Arglwyd heb yr ysgwier aarhoy ditheu
uyui yma. Arhoaf yn llawen heb ynteu.
IX.—Ac yna yr ysgwier adoeth att vrenhin bandy-
magus ac aovynnawd idaw a vriwassei yndrwc. do yrof
aduw heb ynteu. ual na dianghaf onyt ar angheu debyg-
afi. aelly di varchogaeth heb ynteu. Mi ae profaf heb
y brenhin. Ac yna ymlafuryaw aoruc ef yny yttoed
isgil yr ysgwier. A marchogaeth aorugant wy yny
doethyant drachevyn yr vanachlawc. Aphan wybu y
rei aoed yny vanachlawc eu bot yn dyuot. Wynt
adoethant yny erbyn. ac adynnassant y brenhin yr
llawr. ac ae dugassant y ystauell y edrych y weli. A
galaath yna aovynnawd yr manach aoed yn y edrych.
a debygy di heb ef avyd iach ef. kanys gormod darymes
oed yr byt kolli gwr kystal ac efo mor diystyr ahynny.
Arglwyd heb y manach ef a dieyngk os da gan duw.
eissvoes heb ef ynteu aessigawd yndrwc. Ac ny
dylyir kwynaw hynny haeach kanys rybud yw idaw
hynny. A gwedy y wahard y duc ef y daryan or achaws
y dylyit y gynnal yn lle ffol. A gwedy daruot udunt
kyweiryaw ynghylch y weli. Yr ysgwier yna a dyw-
awt wrth galaath ual y clywei bawp. Arglwyd heb ef
y marchawc urdawl yn yr arueu gwynnyon yr hwnn a
vwryawd y brenhin bandymagus yr llawr yssyd yn
anuon annerch yti ygyt ar daryan honn. Ac yn erchi
itt y chymryt y gan yr arglwyd pennaf o hynn allan.
Ac or mynny wybot gwirioned am y daryan ae hanry-
uodeu. awn vi a thi attaw. Aphan gigleu y myneich
hynny. wynt a dywedassant. Bendigedic heb wy vo y
dynghetuen ath danuones di yma. kanys hediw y bwryy
di yr anturyeu drwc y arnam ni oll. Yna owein a
duc y arueu y galaath ac ae gwisgawd ymdanaw. a
gwedy hynny ef aesgynnawd ar y uarch. Ac aroes y
daryan am y vynwgyl. A thrwy gennat y myneich ef
aaeth racdaw. A gwedy hynny. owein a esgynnawd
ar y varch. a dywedut yr aei ef ygyt ac wynt. A gal-
aath a dywawt na allei ef dyuot yn diberigyl. Ac am
hynny ymwahanu aorugant pob un onadunt y wrth y

gilyd. A galaath ar ysgwier adoethant att y marchawc
ar arueu gwynnyon idaw. Achyfarch gwell aoruc pob
un yw gilyd onadunt. ac ymdidan aorugant am y daryan.
A galaath adywawt wrth y marchawc. Drwy y daryan
honn heb ef y damweinyawd yma llawer o anturyeu
blin yn herwyd agiglefi. Ac am hynny mi aadolygwn
itt os ranghei dy vod dywedut im wirioned amdanei.
A minneu heb y marchawc ae dywedaf itt yn llawen
kanys mi ae gwnn. Galaath heb y marchawc. ef auu
amser gwedy diodef iessu grist. deng mlyned a deugeint.
dyuot Josep o arimathia yr hwnn a gladawd iessu grist
ac ae tynnawd y ar brenn y groc. a chychwyn ymeith o
gaerussalem ae genedyl ygyt ac ef. a cherded aorugant
wy trwy ewyllys duw yny doethant y ynys aelwit sar-
ram yny lle yd yttoed brenhin sarrain. Yr hwnn aelwit
eualac. Ac ynyr amser hwnnw yd oed ryuel ar eualac
ygan vrenhin arall galluawc yr hwnn aelwit tolomeus.
Aphan yttoed eualac gwedy ymbarattoi y vynet am-
benn tolomeus. Josep uab josep o arimathia a dywawt
wrthaw. ot ey mor anghynghorus ac yr wyt yn mynet
yr ryuel. mi a rodaf vyngccret itt na deuy drachevyn.
Pa delw heb eualac y kynghory di ymi vynet yr ryuel.
Mi ae dywedaf itt yn llawen heb y iosep. yna ef adraeth-
awd idaw y pwynteu goreu or euengylyeu. a ffuryf y
gret newyd. ac am diodefedigaeth yn arglwyd ni iessu
grist ar brenn y groc. Ac yna ef awnaeth taryan a
chroes arnei o syndal coch. a dywedut. brenhin eualac
heb ef mi adangossaf it yn eglur padelw y gellych di
adnabot gwyrtheu a chedernit y brenhin a diodefawd ar
y groc. A gwybyd di yn lle gwir y keiff tolomeus
arnat ti arglwydiaeth teir nos. a thri diwarnawt. a thi a
vydy ymperigyl angheu. A phan welych ditheu na
ellych dianc. yna noetha ditheu y groes honn. A dywet.
Arglwyd duw. yr hwnn adiodefawd angheu ar yr ryw
arwyd hwnn gollwng ditheu vi yn iach diberigyl or
maes hwnn y gymryt cret a chreuyd. Ac ar hynny y
kerdawd eualac ymeith yn erbyn tolomeus. Aphan
doeth yr kyfryw berigyl ac y tebygassei yn lle gwir y
bydei varw. ef a noethawd y groes ae daryan. ac yno

ef a welei debygei ef gwr ar y groc yn llawn gwaet.
Ac yna ef a dywawt y parabyl a dysgassei iosep idaw.
drwy yr hwnn y kafas ef vudugolyaeth ac anryded a
goruot ar tolomeus. A phan doeth ef drachevyn y dinas
sarras ef a datkanawd yr bobyl ual y kauas budugolyaeth
drwy wneuthur kynghor iosep. Ac ef a wnaeth ky-
meint achymryt bedyd ef a naciens y daw y gan y
chwaer. Ac ual yr oedit yn eu bedydyaw wy. nachaf
gwr yn dyuot heibyaw gwedy torri y drwyn ywrthaw ac
yn dwyn y drwyn yny law. Ac yna Josep aerchis
idaw dodi y drwyn wrth y groes. Ac yr awr y kehyrd-
awd ef ar groes ef aaeth y drwyn yn holliach. Ac
ygyt a hynny ef a lynawd y groes or syndal wrth y
drwyn heb allel vyth ythynnu odyno. yna yn henw ar
eualac ef aroet moradrins. A chystal vu yny gristonog-
aeth ac y karawd duw ef ual y gellir y adnabot rac
llaw. A gwedy hynny ef adamweinyawd y iosep ef a
iosep y dat athalym o dylwyth ygyt ac wynt kychwyn
o dinas sarras. A dyuot hyt ymbryttaen uawr aorug-
ant. A gwedy eu dyuot hyt ymbrytaen ef adoeth yn
eu herbyn brenhin ffyrnic creulawn. A gwedy carcharu
iosep ae dat ef aaeth y chwedyl ar draws yr ynyssed
yny doeth odiwed hyt yn sarras.

X.—Ac yna moradrins a dyvynnawd y gyfoeth y gyt
ef a naciens goch y daw y gan y chwaer. ac adoethyant
hyt ymbrytaen uawr am benn y brenhin agarcharassei
iosep. Ac ny bu hir o enkyt yny oruuant wy ar y
brenhin bioed y wlat ac ar y bobyl. Ac velly y goruu-
ant wy drwy eu kristonogaeth ar hyt kwbyl o vryttaen
vawr. A chymeint y karawd moradrins iosep. ac na
mynnawd nac ef na naciens nae niuer vynet drachevyn
vyth y eu gwlat. namyn trigyaw yno ygyt a iosep ae
gedymdeithyon. a cherdet y fford y kerdynt wynteu.
Aphan vynnawd duw teruynu ar hoedyl Josep. ef adoeth
moradrins. ac a wylawd yn drut kanys gwydyat y bydei
varw. Ac a dywawt wrthaw. Arglwyd gedymdeith
heb ef kanys ytwyt ym gadaw. Athitheu yn mynet.
beth aedewy ditheu ymi ual nat el dy gof y gennyf.
kanys mi aedeweis vyntir am daear am gwlat a hynny

oll oth garyat ti. Arglwyd heb y Josep mi aadawaf
yn llawen itt beth ohonaf vy hun. Ac yna ef aerchis
y voradrins dwyn attaw y daryan a rodassei ef idaw
pan ymladassei a tholomeus. Ac ynteu ae duc hi attaw
ef kanys nyt oed bell y wrthaw kanys yny ganlyn y
bydei y fford y kerdei. Aphandoeth y daryan att iosep
ef a syrthyawd gwaetlin arnaw heb allel y ostegu o
neb ryw fford. Ac yna ef agymerth y daryan. Ac
awnaeth croes goch arnei yr honn awely di yma yr awr
honn. Agwybyd di yn lle gwir mae weldy yma y
daryan honno. Ac yna Josep adywawt wrthaw: weldy
yma heb ef yr hynn yd wyfi yny adaw ytti ual y del
cof itt vyvi vyth. A thitheu aelly wybot mae am
gwaet i y gwnaethpwyt y groes honn. a hi a vyd vyth
gyndecket ac yn gyn newydet ac y mae yr awr honn.
Ac ygyt a hynny heuyt gwybyd yn lle gwir nas ryd
neb am y vynwgyl ar ni bo ediuar ganthaw. onyt
galaath ehun. y marchawc urdawl diwethaf o genedyl-
yaeth nacien. Ac am hynny na vit neb kyn ehofnet
ac y kymero y daryan honn onyt y neb y dospartho
duw idaw. A megys y mae ryuedach campeu y daryan
honn noc un arall. velly y byd ryuedach campeu y
marchawc ae dwc hitheu noc un arall or byt. Arglwyd
heb ynteu kanys kystal y broffwydolyaeth honn am y
daryan ac y dywedy di. manac ditheu ymi pale y
gadawyf hi. kanys mi a vynnwn y roi hi yny lle y
kaffei y marchawc hwnnw pan delei. Ie heb y Josep
gado di hi yny lle y paro naciens y gladu. Kanys yno
y daw y marchawc urdawl y chwechet dyd gwedy y
gwnelher yn varchawc. Ac uelly y doethost ditheu yr
uanachlawc yny lle y cladwyt nacien. Ac weldy yna
heb ef gwedy dywedut ytti cwbyl or wirioned am y
daryan. Ac ar hynny difflannu aoruc ef heb wybot
nac ohonaw ef nac or ysgwier pale ydaeth y wrthunt.
ac yna yr ysgwier adisgynawd geyr bronn galaath ac
aadolygawd idaw yr karyat y neb yr oed yn dwyn y
arueu ae arwydon ar y adel ef yn y gedymdeithyas oe
ganlyn. Yn lle gwir heb y galaath pei kymerwn i neb
ym kanlyn mi ath gymerwn ditheu. Arglwyd heb yr

ysgwier awney ditheu yr duw vynggwneuthur i yn
varchawc urdawl kanys os da gan duw mi ae racvedyl-
yaf ynda. Ac yna galaath rac ruclet yr oed yr
ysgwier yn wylaw ef a dosturyawd wrthaw drwy gan-
hadu idaw hynny. Gan hynny heb yr ysgwier titheu
a deuy dracheuyn yr uanachlawc. kanys yno y kaffafi
march ac arueu. athitheu adylyut dyuot yno yn llawen.
ac nyt om achaws i vy hun. namyn o achaws ryw
enryued arall yssyd yno oe welet. A minneu aaf yn
llawen heb y galaath. Ac ymchwelut yr uanachlawc
aorugant. A llawen vuwyt wrthunt. Ac yna galaath
aovynnawd pale ydoed yr enryuedawt adywedassei
wrthaw y uot yno. Po ny wdost ti heb yr un or
myneych paryw enryuedawt yw hwnnw. Nawnn etto
heb y galaath.

XI.—Ac yna un or myneych adywawt wrthaw panyw
llef aoed yn daly ar dyuot drwy un or bedeu yny
vynnwent yn gymeint y gedernyt ac nat oed neb or
aeclywei ny chollei y nerth ae gof ae synnwyr hyt
ympenn talym o amser. Ar llef hwnnw adebygem ni
y uot oblegyt meistyr uffern. Dangosswch ymi heb y
galaath y lle' hwnnw. Ac yna kerdet aorugant yny
doethant hyt y vynnwent. y bed hwnnw heb y mynach
yssyd adan y prenn mawr awely di raco. a dos di heb
ef a dyrchaf y maen yssyd ar y bed y vyny. a mevyl
im ony wely yno beth a vo ryued gennyt. yna galaath
a doeth tu ac yno. a phan dynessawd ef parth ac att y
bed. ef a glywei ryw gynnwryf mawr. athrwy hwnnw
cri vu yn dywedut megys y gallei bawp y glybot. Ha
galaath gwas iessu grist na dynessa attaf yn nes no
hynny. kanys or dynessey di ny bydafi yma. Pan
gigleu galaath hynny. ny symudawd arnaw dim. namyn
dyuot racdaw ac ymauael ar maen. Ac yno ef a welei
mwc mawr yn dyuot allan. Ac yny mwc fflam athrugar
y meint. Ac yny fflam delw gwr aruthyr y veint ae
anuerthet. Ac yna ymgroessi aoruc galaath. kanys ef
awydyat panyw gelyn dynyawl oed. ac yno ef aglwei
llef yn dywedut wrthaw. Ha galaath santeid. fford y
wirioned. amgylchynedic o engylyon. yr hwnn ny di-

chawn vynggallu i parhau yny erbyn. Ac ar hynny
galaath trwy roi arwyd y groc arnaw. a dyrchafawd y
bed. ac yndaw ef awelei marchawc marw yn aruawc o
bob arueu. Ac ef aerchis yr mynach dyuot y edrych
yr hynn a oed yn y bed. Ac ynteu adoeth. ac adywawt
bot yn reit bwrw y corf odieithyr y vynnwent. kanys
y tir aoed uendigedic achyssegredic. ac am hynny na
allei y tir ymgytuot ar corff ysgymmun hwnnw. Ac
yna y kymerth y myneich ereill y corff ac y bwry-
wyt odieithyr y uynnwent. Ac yna galaath aovyn-
nawd yr manach ae dugassei ef yno awnathoed ef kwbyl
o hynn adylyei ywneuthur. Gwnaethost arglwyd heb
ef nachlywir vyth weithyon dim ywrth y llef. Yrof aduw
heb y galaath. ryved iawn yw gennyf beth aarwydocaa yr
anryuedodeu hynn. mi ae dywedaf itt heb y manach.
ac yna dyuot aorugant or vynnwent yr eglwys yny lle
yd erchis galaath yr ysgwier gwylyat y nos honno. Ac
auory heb ef mi athwnaf yn varchawc urdawl. Ac
uelly y gwnaeth ynteu. Ar myneych agymerassant
galaath ac aedugassant y ystauell dec ae diarchenu
aorucpwyt. Ac eisted aorugant ar wely aduwyndec.
Ac yna y manach aovynnawd idaw a vynnei dywedut
beth aarwydockaei yr anturyeu a orfennassei ef yno.
Mynnaf dan y bwyth heb y galaath. Yny bed racko
heb ef yr oed tripheth aellir eu dwyn ar gyffelybrwyd.
Nyt amgen. kyntaf yw y maen kalettrwm nyt oed
hawd y dyrchafael yr hwnn aoed yn kudyaw y korff.
Yr eil oed y korff. yr hwnn aoed reit y symut or lle yd
oed. Y trydyd oed y llef gwenwynic estronawl. Ar
achaws y kollei bawp y nerth ae gof ae synnwyr or
aeclywei. Y tripheth hynn yssyd reit eu dwyn ar
gyffelybrwyd. nyt amgen y bed calettrwm aoed yn
kudyaw y marw aarwydockaa y kaledi agafas iessu
grist yny byt hwnn. Kanys yn yr amser hwnnw nyt
oed yr mab y chweith or tat yn gywir. nac yr tat nyt
oed gywir y mab. kanys yr oedynt yna y mab val y tat
yn adeilyat udunt dwyweu o newyd beunyd. Ac yna
y tat onef pan welas ef enwired kymeint a hynny ar y
dayar ymplith y bobyl. ynteu aanuones y un mab ef yr

dayar y geissyaw atnewydu medylyeu eu kallonneu wy.
Eissyoes haws oed idaw medylhau y creigyeu kalettaf
noc eu kallonneu wy. or achaws y dywawt dd broffwyt
gynt o herwyd proffwydolyaeth am iessu grist. Ef a
vyd gwaetlyt hyt ar angheu. Ac megys y doeth duw
yr byt hwnn yr rydhau pobyl dynawl. or gret drwc ar
anturyeu blin aoed arnadunt. Velly y gallwn dyall
drwy gyffelybrwyd ry anuon o iessu grist ditheu yn
varchawc urdawl idaw. y vwrw anturyeu a defodeu
drwc aoed ynteyrnas loegyr. Ac megys y proffwydwyt
y deuei iessu grist y vwrw kamgret ac anturyeu drwc
y arnam. Velly y proffwydwyt y deuyt titheu y orffen
yr anturyeu ar drycdynghetuenneu yssyd yn yr ynys
honn. A bendith duw ar y dynghetuen athanuones
yr byt hwnn attam ni. Athyna ytti beth aarwydokaa
y bed. Yr eil y korff aoed yny bed. yr hwnn aellir y
gyffelybu yr bobyl. neu ynte yr eneidyeu aoed dan y
kaledwch wedy kaledu o bechodeu a rydaroed udunt eu
gwneuthur. Ac arwyd vu eu bot wy ymywn pechodeu.
Kanys gwedy dyuot Iessu grist attunt yr dayar. wynt
a debygassant panyw pechadur megys un onadunt wy
ehunein oed ef. Ac heb gredu idaw wynt a varnassant
arnaw ac ae crogassant drwy dysgedigaeth y gwas
drwc. or achaws y doeth uaspasianus ac y distrywawd y
sawl aoed yn credu y duw yn yr amser hwnnw. Ac
uelly y gelli kyffelybu y bed ae galedwch yr byt am-
gredyf duw. ar korff yr bobyl yssyd yndaw. Y llef
ynteu a deuei or bed aarwydokaa parabyl doluryus
yssyd yny groclith pan esgussodes pilatus am Iessu
grist wrth y bobyl. drwy gymryt dwfyr y ymolchi. A
dywedut diargywed wyfi heb ef o waet y gwirion hwnn.
Ac wynteu ae hattebassant ef yn druan. Ac adywed-
assant. Bit y waet ef heb wynt arnam ni ac ar an
plant. A llyna y parabyl awnaeth y bawp colli y lef ae
nerth ae synhwyr. A llyna ual y gelly di gwelet deall
y tri pheth hynny. Aphany bei dy dyuot ti ny pheityei
y damchweinyeu aweleist ti vyth. Aphan weles y dryc-
yspryt dy uot ti yn lan yn dyuot ac yn dynessau attaw
ef. ny lyuassawd ef dy aros di megys yd arhoei y

E

pechaduryeit. Ac yna y ffaelyawd yr antur yr honn
ny byd yma bellach vyth. Ac yno y nos honno y bu
galaath.

XII.—A thrannoeth y bore y gwnaeth ef yr ysgwier
yn varchawc urdawl. gwedy gwylyaw ohonaw yn yr
eglwys y nos gynt ual yr oed defawt yn yr amser
hwnnw. Ac yna galaath aovynnawd idaw pioed mab.
Aphwy oed y henw. Ac ynteu adywawt panyw melian
oed y henw. a mab oed ynteu y vrenhin or mars. Kan-
ys mab y vrenhin wyt heb y galaath. edrych a racved-
ylya dy vot yn uarchawc urdawl kywir y duw. Ar-
glwyd heb ynteu osda gan duw mi ae racuedylyaf. Ac
yna galaath awisgawd y arueu ar uedyr myned ymeith.
Ac yna melian adywawt. Arglwyd heb ef ti amgwn-
aethyost i yn varchawc urdawl. Aduw atalo itt. athi
awdost arglwyd. pwy bynnac awnel marchawc urdawl.
ef adyly roi idaw y rod gyntaf a archo idaw or byd kyf-
yawn. Gwir adywedy di heb y galaath. Arglwyd heb
ynteu yr keissyaw rod y gennyt y dywedeis i. Dywet
titheu heb y galaath paryw rod yw honno. aphei ron
vyggorthrymu o honei ti ae keffy. Duw adalo it arg-
lwyd heb y melian. nyt archaf i dim onyt vynggadel yn
dy gedymdeithyas yn y keis hwnn yny gyfarffo ryw
anryuawt ani. Ti ageffy hynny yn llawen heb y gal-
aath. Ac yna esgynnu ar eu meirch awnaethant a
chychwyn or uanachlawc. A marchogaeth beunyd or
wythnos honno. Ac ef a damchweinyawd udunt duw
llungweith dyuot hyt yn ymyl croes aoed ynkysswllt
dwyfford. Ac ympenn y groes yr oedynt llythyr yn
dywedut. O chwychwi varchogyon urdolyon anturyus.
y rei yssyd ynkeissyaw anturyeu a ryfedodeu weldy
yma dwyfford. un ar y llaw deheu ar llall ar y llaw
assw. Ac yr wyf yn gorchymyn nat el neb yr assw. o
ny byd gwr da. kanys ef ar allei idaw ymgyfyrgolli yn
ehegyr. A phan weles melian y llythyr hwnnw. ef a
dywawt wrth galaath. Arglwyd heb ef gan dy gennat
miui aaf yr fford ar assw. Goreu y kynghorwn itt heb
y galaath gadel ymi vynet. Na adaf om bod heb y
melian. kanys or kyferuyd antur calet a myvi yny fford

os myui adieinck ef aadnabydir beth vwyf yn anghenn
ae da ae drwc. Dos ditheu yn llawen heb y galaath. a
duw ath diangho rac drwc. Yma y mae y kyfarwydyt
yn tewi am galaath. ac y traethu marchogaeth o velian y
fford ar assw yn hyt y dyd hwnnw a thrannoeth hyt
am brim. Ac yna ef adoeth y weirglodyeu tec. Ac
ymperued un or gweirglodyeu tec hynny ef awelei
cadeir deckaf or byt. Ac yndi yr oed coron o eur. a
meini mawrweirthyawc llewychlathyr yndi. Ac yng-
kylch y gadeir ydoedynt byrdeu gwedy eu gossot ar
eu tresteleu yn gyflawn o bop bwyt. Ac ynteu ae-
drychawd ar hynny. Ac ny chwcnychawd ef dim onyt
y goron. A medylyaw aoruc mae da oed duw wrth y
neb agaffei y dwyn am y benn ynggwyd y bobyl. Ac
yna roi y vreich drwy y goron aoruc ef a throssi penn y
uarch tu ar fforest. Ac ny marchoges ef yn emawr.
pan weles yn dyuot yny ol marchawc urdawl argefyn y
varch yn aruauc o bop arueu. Ac yn dywedut wrth
velian. Tydi varchawc heb ef cam y gwnaethyost dwyn
y goron or lle yr oed. A phan y kigleu melian ef yn
dywedut uelly. ymbaratoi aoruc ar uedwl ymwan ac ef.
a dywedut arglwydes ueir heb ef amdiffyn hediw dy
uarchawc urdawl newyd. Ac ar hynny y marchawc
arall a gyrchawd melian ac ae trewis yngynfested ac
yny hyll y daryan ac yny rwygawd y luryc. ac yny vyd
y gwaew yn y ystlys assw. ar ynteu ef ar march yr llawr
a phenn y gwaew yndaw. Ac yna y marchawc adoeth
attaw ac adynnawd y goron y am y vreich. ac a ym-
choelyawd drachevyn yr fford y dathoed. A melian a-
drigyawd yno heb allel chweith ymdaraw gwedy briwaw
ac essigaw yn y yttoed yn agos y angheu. Ac ymger-
ydu yn uawr a oruc ac ef ehun am nachredawd y gy-
nghor galaath. Ac megys yr oed ef yn ymovidyaw
uelly. nachaf galaath yn dyuot attaw. A phan weles
ef melian uelly drwc vu ganthaw. Ac ef adywawt.
melian heb ef. pwy a wnaeth hynny ytti. Aphan
gigleu ef galaath yn dywedut ef ae hadnabu. ac ady-
wawt. varglwyd heb ef na at ti vyvi y varw yn y lle
hwnn ual hynn. namyn dwc vi y vanachlawc yny lle y

kaffwyf vy anghenreidyeu kyn vy marw. A debygy
ditheu heb y galaath y bydy uarw. Tebygaf yn wir
heb ynteu. Aphan yttoedynt wy ar yr ymdidan
hwnnw. nachaf y marchawc yn dyuot or fforest. Arg-
lwyd varchawc urdawl heb ef ymwagel ragof os gelly.
kanys mi awnaf ytt waethaf or aallwyf. arglwyd heb y
melian weldy yma y marchawc am trewis i. ac ymwagel
ditheu racdaw ef weithyon. Ac yna galaath a ymer-
bynnyawd ac ef. Ac rac meint oed awyd y marchawc
a meint redeat y varch. ef aballawd arnaw y dyrnawt
kyntaf. a galaath yna ae trewis ynteu yny vyd y gwaew
trwy y balueis. Ac yny vyd ynteu ef ae varch yr llawr.
ar paladyr yn drylleu. Ac ar hynny nachaf marchawc
urdawl arall yn dyuot. Ac yn taraw galaath a gwaew
yny vyd yn weyll uch y benn. Ac yna galaath adyn-
nawd y gledyf ac ae trewis ynteu yny vyd y drwyn y
wrthaw. Ac yna ffo aoruc hwnnw rac ofyn y lad yn
gwbyl. A galaath ae gadawd ef y ffo wrth na mynnei
wneuthur idaw mwy o drwc. Ac yna galaath a doeth
att melian ac aovynnawd idaw beth a vynnei. Arglwyd
heb ef pei dycut ti vyvi hyt ymywn manachlawc yssyd
yn agos yn y lle y gwneit ymi oreu or aellit. Ef awelit
ymi heb y galaath y bydei haws dy arwein di wedy y
tynnit yr haearn ohonat. Nac ef vy arglwyd heb ef
nyt ymrodaf i yn antur kymeint a hwnnw rac vy marw
heb gyffes Ac uelly y goruc galaath y gymryt yn araf-
af ac y gallawd acherdet ac ef yny doeth yr vanach-
lawc. Ar myneich ae herbynnassant ar lewenyd mawr
ac agymerassant melian ac ae dugassant y ystauell dec
a gwedy tynnu y arueu y amdanaw. wynt adugassant
korff y arglwyd idaw. A gwedy kymryt kymun ohon-
aw. ef a dywawt wrth galaath. Arglwyd heb ef.
prawf di weithyon tynnu penn y gwaew ohonafi. kanys
parot wyf y gymryt vy angheu. Ac yna galaath a roes
y law ar yr haearn ac aetynnawd. Ac ynteu yna o dra
dolur a lewygawd. Ac yna manach or ty a vuassei
uarchawc urdawl aedrychawd y dyrnawt ac a dywawt y
alaath y bydei vyw ac iach erbyn penn y mis.

XIII.—Ac yno y trigyawd galaath y dyd hwnnw a

thrannoeth ac hyt ympenn y tri dieu y edrych aellit
iechyt y velian. Ac yna ef a ovynnawd idaw pawed yr
oed. Ac ynteu a dywawt y uot yn well. Gan hynny
heb y galaath minneu aallaf vynet ymeith. Och arg-
lwyd heb y melian alwyssen oed ytt vy aros ygyt athi.
A unbenn heb y galaath nyt anghenreit ytti wrthyfi
yma o dim. areidyach oed y minheu vot ynlle arall
yngkeis seint greal yr hwnn adechreuwyt om achaws i.
Paham heb yr un or myneych. a dechreuwyt pererin-
dawd y greal. Do rof a duw heb y galaath. A chedym-
deithyon orkeis ym ni. Gan hynny heb y manach wrth
y marchawc briwedic oblegyt dy bcchodcu y kyfaruu a
thi y govit hwnn. Ac or mynny di dywedut y mi dy
gyflwr ath hynt yr pan dechreawd y bererindawt honn.
minheu a dywedaf ytti o achaws pa bechawd yth anaf-
wyt. Arglwyd heb y melian a minheu ae dywedaf. Ac
yna y managawd ef pa delw y doeth galaath yr van-
achlawc. A pha delw y gwnaethpwyt ynteu yn uarch-
awc urdawl. a pha delw y gweles y llythyr yny groes
yrei aoed yn gwahard y neb vynet yr fford ar y llaw
assw. Ac yna y gwr da aoed gyflawn o vuched da. ac
ysgolheic mawr a dywawt. ynwir heb ef un o anturyeu
seint greal yw hwnnw. kanys ny dywedeist ti yr awr
honn ymi dim ny bo yndaw synhwyr mawr. kanys pan
yth wnaethpwyt ti yn varchawc urdawl. ti aaethyost
yngkyffes megys y neb adylyei gymryt urdas marchawc
urdawl. ac a ymlanheeist o bop pechawt or aoed arnat.
Ac odyna ti aaethyost yn un or keis megys y dylyut. a
phan weles y kythreul drwc vu ganthaw. Ac a vedyl-
yawd ar wneuthur iawn itt pan weles y gyflwr. ac ef
ath odiwedawd. a llyna itti pa le. pandoethost hyt y
groes yn yr arwyd y dylyei bop marchawc urdawl ym-
diriet. Ac yno ti a weleist lythyr yn erchi nat elei neb
yr fford ar y llaw assw. namyn yr fford deheu. kanys
honno yw fford y wirioned fford iessu grist. yr fford
honno y kerda eneidyeu y rei gwirion. Ar fford assw
aellir y deall drwy fford y pechaduryeit. Ar fford berigl-
us yneb a elei idi am nat oed kyn diogelet y neillfford
ar llall. yd oed llythyr yn gwahard y neb nat elei yr

fford assw. ony bei y vot yn well noc arall. kystal yw
hynny a dywedut y vot yn well ac yn gadarnach yng-
karyat iessu grist noc arall. ac na allei digwydaw vyth
ymywn pechawt. Athitheu pan weleist y llythyr ef a
vu ryued y gennyt. Ac yna y doeth dy elyn ac yth
drewis ditheu ac un oe gwareleu. Allyna itti a pha un.
a balchder. kanys yna y medylyeist di vynet yr fford yr
oedit yny gwahard ragot yn vwy dy obeith di yn dy
nerth dy hun. noc yn nerth iessu grist. Ac uelly yth
somet ti. Kanys y llythyr aoedynt yn dywedut ac yn
deall milwryaeth nefawl. a thitheu ae dyelleist y vyd-
awl. or achaws y syrthyeist mywn balchder. ac y pech-
eist yn varwawl. A phan ymwaheneist di y wrth
galaath yth gafas y gwas drwc ac aaeth ynot. Ac yna
ef auu ry vychan ganthaw agafas o wrogaeth arnat ony
bei syrthyaw ohonat ymywn pechawt arall. Ac uelly
or pechawt y gilyd ynyth vwryei y uffern. Yna ef
abaratoes geir dy vronn coron o eur. ac yr awr y gwel-
eist ditheu hi ti ae chwenycheist. Ac yn y pwngk
hwnnw ti a syrthyeist yn yr eil pechawt. Nyt amgen
no chwant yr byt. Aphan weles ynteu ry daruot ytti
syrthyaw yn yr eil pechawt oblegyt kymryt y goron.
Yna ef aaeth ymywn marchawc urdawl arall pechadur
yr hwnn ath anafawd ditheu. A phany bei ymgroessi
ohonat or blaen. ef ath ladassei. Eissyoes duw aadawd
dy anafu di hyt yn agos y angheu rac ymdiryet ohonat
unweith arall yth gorff yn vwy noc idaw evo. Ac yr y
adnabot ef ohonat ef aanuones duw ytt nerth. nyt am-
gen no galaath. yr hwnn a oruu ar y deu varchawc urd-
awl. y rei aellir eu kyffelybu yr deu bechawt y syrthy-
eist di yndunt. a llyna vyvi gwedy dywedut ytti syn-
hwyr yr anturyeu a gyfaruuant a thydi.

XIV.—Trannoeth y bore gwedy daruot y galaath
gwarandaw offeren. ef agychwynnawd ymeith drwy
gennat melian ar myneych. ac auarchoges llawer o di-
warnodeu. A diwarnawt ef agychwynnawd o ty gwr
mwyn. Ac yn drwc ganthaw na chawssoedyat y dyd
hwnnw chweith o offeren. A gwedy marchogaeth tal-
ym ef aarganvu capel. athu ac yno y doeth. ac nyt oed

chweith diwyll arnaw. yr hynny ual kynt ef a ostyngh-
awd arbenn y linyeu. Ac aerchis y duw gynghor. A
gwedy daruot idaw y wedi. ef a glywei lef yn dywedut
wrthaw. Tydi varchawc urdawl anturyus. dos yn un-
yawn y gastell y morynyon y diua yr anturyeu drwc
yssyd yno. Aphan gigleu ef hynny. diolwch y duw a
wnaeth ef am vot yn wiw ganthaw y rybudyaw. Ac
yna esgynnu ar y varch aoruc a marchogaeth yny welei
gastell tec ymywn glynn. ac auon uawr yn redec trwy-
daw yr honn aelwit hafren. athu ac yno y kyrchawd. Ac
y kyfaruu ac ef gwr prud. ac nyt oed gyweir o dillat.
Ar gwr a gyvarchawd gwell idaw. A galaath aatteb-
awd idaw yny mod goreu or y gallawd. agovyn idaw
padelw y gelwit y kastell racko heb ef. Ac ynteu a
dywawt mae castell y morynyon y gelwit ef. aphawb or
yssyd yndo yssyd anghyflyryus. canys nyt oes yndaw
chweith trugared. athu ac yno y kyrchawd ef yny welei
gwas ieuanc yn dyuot y wahard y fford racdaw. kanys
nyt oes yma heb ef chweith fford da. Yr drycket vo heb y
galaath myvi aaf tu ac yno. y ba ryw beth heb y gwas.
Y geissyaw diua yr aruerdrwc yssyd yno heb y galaath.
Myn vyngkret heb y gwas mi adebygaf y byd ry galet
ytt yr aruer hwnnw. ac aro di vyvi yma. Ac yna y
gwas aaeth yr castell. ac ny bu hir y trigyawd galaath
yny weles yn dyuot attaw seith marchawc urdawl yn
aruawc allan. y rei adywedassant ac aarchassant y gal-
aath ymogelut racdunt. Paham heb y galaath ae ygyt
ar untu yr ymledwch chwi a myui. Ie heb y marchog-
yon. kanys uelly yw yr aruer yma. Aphan gigleu ef
hynny ef a ollyngawd y varch tu ac attunt. ac adrewis
y kyntaf agyfaruu ac ef yny vyd yr llawr. ac yn agos
idaw athorri y vynwgyl. Ac wynteu ae trawssant yn-
teu yna. Eissyoes ny chwympawd nac oe gyfrwy nac
y ar y varch yr hynny. Ac ar yr ymgyhwrd hwnnw y
torrassant eu peleidyr oll. a chynn torri paladyr galaath.
ef a vwryawd tri or marchogyon yr llawr. Ac yna ef a
dynnawd y gledyf. ac wynteu adynnassant eu cledyfeu.
Ac uelly ymguraw aorugant yn ffest. Ac yr hynny
kystal y diodefawd galaath arnaw yr ymlad. ac y bu

reit udunt wy oll adaw y maes a chilyaw. a ryuedu yn
vawr aorugant bot mywn un dyn bydawl or byt hanner
hynny o nerth. Ac velly y parhawd yr ymlad y ryng-
thunt yny vu hanner dyd. Ar seith marchawc yna
aoedynt gynvlinet ac na ellynt amdiffyn eu heneidyeu
o blegyt ymlad. Ac yna wy adechreuassant ffo. a gal-
aath nyt ymlityawd yr un onadunt. namyn ymchoelut
parth a phorth y castell. Ac yno ef a gyfaruu ac ef
gwr prud a dillat crevydus ymdanaw. Ac yn dywedut
wrth galaath. Arglwyd heb ef llyma ytti agoryadeu y
castell hwnn. ac ynteu ae kymerth wynt ac adoeth y
mywn. Ac ef awelei yno o vorynyon ar na allei ef eu
kyfrif. Aphob un onadunt yn dywedut. Arglwyd
groessaw duw wrthyt. Am a vuam yr ystalym
yma yth aros di yn rydhau. a bendigedic vo duw
athanvones ditheu yma. abyth y bydem ni yma pany
bei dy dyuot ti yn gollwng ni or kastell doluryus hwnn.
ac yna y gymryt erbyn ffrwyn y varch ae dwyn yr llys.
apheri idaw disgynnu megys oe anuod. ac ynteu adyw-
awt nat oed amser hwnnw y lettyu etto. Ac yna un
or morynyon a dywawt arthaw. Arglwyd heb hi ot ey
di odyma uelly. y rei a yrreist ti odyma gynneu oth
gedernit. wynt a deuant yma drachevyn a nerth y gyt
ac wynt. ac agynhalyant y drycaruer aoed ganthunt
yma gynt. Ac uelly y colly di dy lauur hyt hynn. Yna
galaath adywawt y vot ef yn barawt y wneuthur pob peth
or adylyei yngkylch hynny. Arglwyd heb wynteu par
di dyvynnu cwbyl o varchogyon urdolyon y kyuoeth
hwnn ae pobloed hyt yma. A phar udunt dynghu
nachynheliir yr aruer hwnn vyth o hynn allan yn y lle
hwnn. Ac ar hynny nachaf morwyn ieuanc dec yn
dyuot o un or ystauelloed a chorn o asgwrn moruil yn y
llaw. ac yn y roi yn llaw galaath. Ac yn dywedut
wrthaw. Arglwyd heb hi or mynny di dyuot ym kyff-
redin y kyuoeth oll. par ganu y corn hwnn. ac ef agly-
wir ar dec milltir o bop parth. A galaath yna ae roes
yn llaw varchawc urdawl aoed yny ymyl. A hwnnw
ae kant ual y clywit yn hawd dros gwbyl or kyuoeth.
Ac yna ymdiarchenu aoruc galaath. ac eisted ar ymyl

gwely. A gouyn awnaeth ef yr gwr arodassei yr agor-
yadeu yny law. ae offeiryat oed ef. Ieu arglwyd heb
ynteu. Dywet titheu y minheu heb y galaath paryw
aruer yssyd yma. aphaham y karcharwyt y sawl voryn-
yon racko yny lle hwnn. Yna yr offeiryat a dywawt
bot seith mlyned yr pandathoed ef yno att duc linoi.
Y gwr bioed kyuoeth y seith mroder a ffoassant ragot
ti hediw. Ar nos y daethum i yma ef agyuodes keyn-
tyach y rwng y duc ar seith marchawc o achaws merch
y duc yr oed un or marchogyon yny charu. Ac o diwed
y geintyach y seithwyr aladasant y duc ae vab ac agym-
erassant y dryssor. ac adyuynnassant attunt luudwyr
drwy rym y rei y goruu ar wyr y wlat gwneuthur
gwrogaeth udunt. megys yd oed drwc gan y uerch. Ac
yna hi a dywawt megys o broffwydolyaeth wrthunt.
Arglwydi heb hi o chawssawch chwi uudugolyaeth. nyt
reit ymi didarbot. kanys megys yr ennillassawch chwi y
castell hwn o achaws morwyn. o achaws morwyn y
collwch chwitheu evo. Ac y gorvydir arnawch drwy gorff
ungwr. Ac yna pan glywssant wynteu hynny. wynt a
dynghassant nat aei fford yno un vorwyn nys attelhynt
yngkarchar yny delei yr un marchawc a oruydei arnad-
unt wy yll seith. Ac uelly y gwnaethant yr hynny hyt
yr awr honn. Ac am hynny y gelwir y castell hwnn
castell y morynyon. Ae byw y uerch honno etto heb
y galaath. Na vyw arglwyd heb ef. namyn chwaer idi
yssyd ieu no hi yssyd vyw. yna yngkylch yr ymdidan
hwnnw y dechreuawd y bobyl lenwi y castell. Aphan
wybuant pawb or wlat goruot ar y seith marchawc
llawen uuant a gostwng y alaath megys pei efo auei
arglwyd arnadunt. Ac yna galaath aberis y bawp dyuot
geyr bronn merch y duc a gwneuthur gwrogaeth idi.
A thynghu vyth yn eu hoes na diodefynt y drycaruer
hwnnw arnadunt. Ac yna galaath aerchis yr morynyon
aoedynt yno vynet oe gwlatoed euhunein yn iach. Y
nos honno y bu galaath yno. a thrannoeth y bore ef
adoeth chwedyl yr kastell. kyfaruot o walchmei. agah-
aryet. ac owein uab uryen ar seith mroder acheissyaw
or seithwyr llad gwalchmei ae gedymdeithyon. Ac

eissyoes arnadunt wy y digwydyawd y lladua. kanys
gwalchmei ae gedymdeithyon ae lladawd wyntwy. A
phan gigleu galaath hynny ryued vu ganthaw agwisgaw
y arueu aoruc. a chychwyn or castell drwy adaw pawp
yno ar y lewenyd ac ar y hedwch. Ac wynteu ae kan-
hebryngassant ef. yny beris ef udunt wy ymchoelut. ac
ynteu a varchokaawd. ac eissyoes. Yma y mae y kyf-
arwydyt yn tewi am galaath ac yn trossi ar walchmei.

XV.—Yr ymdidan yssyd yn dywedut gwedy ym-
wahanu gwalchmei y wrth y gedymdeithyon uarchog-
aeth ohonaw heb gyfaruot chweith antur ac ef a vei
wiw y venegi. yny doeth hyt y vanachlawc or lle y
kymerth galaath y daryan. Ac yno y managwyt idaw
pa vod y kawssoed galaath y daryan. Ac yna gwalch-
mei a vynnawd udunt pa ffordd ydathoed galaath. A
gwedy y venegi idaw. ynteu a gyrchawd y fford honno.
ac a uarchokaawd hyt y lle yd oed melian ynglaf. ac
yno y nos honno y bu ef yn ymdidan a melian. A-
thrannoeth y bore ef a gychwynnawd ymeith. Ac a
dywawt. och duw heb ef vyndireittyet. vy mot yn
marchogaeth mor agos y galaath ac ydwyf. ac heb ym-
gyfaruot ac ef yn annat neb. Ac myn duw pei delwn
i y le y gallwn y welet ef unweith nyt ymadawn i vyth
ae gedymdeithyas ef. or bei gyn chwannocket ef yr
meu I. ac ydiw gennyf I yr eidywaw efo. Ar parabyl
hwnnw a gigleu un or myneych or manachlawc. ac a
attebawd idaw ual hynn. yn lle gwir heb ef awch kedym-
deithyas chwi awch deu nyt ynt gyffelyb. kanys tydi
yssyd varchawc urdawl ffals anghywir. Ac ynteu
yssyd gywir ual y dyly bot. Arglwyd heb y gwalch-
mei. ef awelir ymi yn herwyd adywedy di dy vot ymad-
nabot. Mi ath atwaen di heb ynteu yn well noc y
tebygy di. wrth hynny heb y gwalchmei titheu a elly
dywedut ym ym pa gas ydwyfi yn gyndrwc ac ydywedy
di. Nys dywedafi ytti heb ef. ac eissyoes ti ageffy yn
ehegyr ae dywetto ytt. Aphan yttoedynt hwy yn ym-
didan uelly nachaf yndyuot ymywn marchawc urdawl
yn aruawc. Ar myneych yna ae kymerassant ef oe
diarchenu. Ac yna ef aadnabu gwalchmei mae gahariet

y vrawt oed. Ac yna pob un onadunt a vu lawen wrth
y gilyd. Ac yno y nos honno y buant. A thrannoeth
y bore wynt a wisgassant eu harueu. ac aaethyant y
warandaw offeren. a gwedy offeren wynt a varchokaas-
sant yny vu awr brim. Ac yna wynt awelsant oc eu
blaen owein uab uryen yn marchogaeth. ac wynteu yna
aarchassant idaw eu haros. Ac yna ymadnabot ac wynt
aoruc. ac y dwylaw mynwgyl yd aethant idaw. Ac
amovyn aoruc gwalchmei ac owein pa anturyeu a gyf-
arvuassei ac ef yr pan ymwahanyssynt. Ac ynteu a
dywawt. na welsei ef yr un. Marchocawn ninheu yn
tri weithyon heb y brawt gwalchmei. yny gyfarffo ani
ryw antur. ac uelly y kytunassant. a marchogaeth awn-
aethant yny doethyant parth a chastell y morynyon.
Ar dyd hwnnw y goruuassei galaath ar y seith march-
awc. Ac wynteu pan ffoassant agyfaruuant a gwalch-
mei ae gedymdeithyon. Ac yna y seith mroder aad-
nabuant mae rei o uarchogyon y keis oedynt. Ac un
onadunt a dywawt wrth walchmei. ymdiffynnwch heb
ef. kanys chwi adoethawch ar angheu. yna gwalchmei
ae gedymdeithyon ae kyrchassant. Ac ar y ruthur
gyntaf ef a las tri or seith. Ac yna tynnu cledyfeu
aorugant aruthraw yr lleill. Ac ny bu hir yny daruu
udunt eu llad oll. kanys blin oedynt. Ac yno eu gadaw
yn veirw aorugant ac ymchoelut y wrthunt. Ac nyt
aethant wy ynghyvyl y kastell. namyn pob un onadunt
aymwahanawd y wrth y gilyd. Ac o achaws hynny y
kollassant wy galaath. A gwalchmei a gerdawd racdaw
yny doeth y ty meudwy. yr hwnn aoed yn dywedut
gosper o veir. ac yno disgyn awnaeth. a gwedy gosper.
erchi lletty yr duw yr meudwy yr hynn a gafas
yn llawen. Ar nos honno. ef aovynnawd y meudwy
idaw ef pa un oed. a pha gerdet aoed arnaw. ac ynteu
a dywawt idaw ef kwbyl oe holl gyflwr. Aphan
wybu y gwr da mae gwalchmei oed yno. ef adyw-
awt yr oed da ganthaw pei gwypei y ba neges yd oed
ef yn llauuryaw uelly. a phregethu idaw adangos drwy
ystyryeu a chwedleu tec or euengylyeu yd oed da idaw
gyffessu. ae kynghores yn oreu ac y gallei. Os tydi

heb y gwalchmei a uynn menegi ymi ryw beth a dyw-
etpwyt wrthyf. Minnheu a vanagaf ytti vy holl gyflwr.
kanys mi awnn dy uot yn offeiryat. Ac yna gwalchmei
aedrychawd ar y meudwy. ac a dywawt idaw y holl
bechodeu. Ar hynn mwyhaf awydyat arnaw heb gelu
dim. aphadelw y daroed yr manach or uanachlawc y
alw yn varchawc drwc ffals. A gwedy daruot y walch-
mei kyffessu ef aadnabu y meudwy arnaw. na buassei
ynghyffes yr ys pedeir blyned ar dec. Yna meudwy a
dywawt. kyfyawn heb ef yth elwit ti yn varchawc urd-
awl drwc anghywir. kanys pan yth wnaethpwyt ti yn
varchawc urdawl. ny roet yr urdas hwnnw ytti yr
gwassanaethu y gwas drwc. namyn yr gwassanaethu yn
arglwyd ni iessu grist. ac yr ymdiffyn yr eglwys. ac yr
talu y duw y drysor aroes ytt. nyt amgen nor eneit. or
achaws hwnnw y roet ytti urdas marchawc urdawl. a
thitheu ae haedyeist yn drwc iawn. kanys o gwbyl ti a
vuost yn gwassanaethu y kythreul. ac a ymedeweist ath
greawdyr. ac a dugost y vuched waethaf. ac ef ath
atweinat yn da y neb ath elwis yn varchawc urdawl
drwc anghywir. Ac yn lle gwir heb ef panybei dy vot ti
yn bechadur ual yr oedut ny ladyssit y seith mroder
oth achaws di nac yr dy gymorth. Namyn wynt awn-
athoedynt eu penyt dros eu drycweithredoed a gatwyd.
ac a wnathoedynt eu hedwch y ryngthunt a duw. ac ny
ladawd galaath wyntwy yr hwnn yr yttwyt ti yn mynet
oe geissyaw. namyn ef aoruu arnadunt heb eu llad. Ac
nyt oed heb synhwyr mawr heb ef yr seith mroder
aoedynt yn kynnal yr aruer drwc ynghastell y moryn-
yon. yr eynt y mywn a phob morwyn or adelei fford
yno bei jawn bei cam. Yr duw heb y gwalchmei dywet
titheu ymi y synhwyr hwnnw ual y gallwyf inheu y
dywedut pan delwyf y lys arthur. Yn llawen heb y
meudwy. a minheu ae dywedaf. Drwy y castell y dyl-
ywn ni deall uffern. a thrwy y morynyon y dylywn
deall yr eneidyeu glan aoedynt yna y uffern yn mynet
kynn diodef crist. kanys pawb a eynt yno yr amser
hwnnw. bei ar iawn bei ar gam. A thrwy y seith
marchawc y dylywn deall y seith bechawt marwawl

aoedynt yn yr amser hwnnw yn gwledychu y byt.
kanys nyt oed yna chwaith kyfyawnder yny byt. or
achaws yr oed bawb yn mynet y uffern a drwc a da.
Aphan weles y tat or nef y gwr anffuruawd ni mod yn
buched ni yn gyndrwc a hynny. ef aanuones y uab yr
dayar yr rydhau yr eneidyeu da yrei aellir eu kyffelybu
yr morynyon. a megys yd anuones ef y uab y rydhau
yr eneidyeu or poeneu. velly yd anuones ynteu y varch-
awc urdawl ehun y rydhau y morynyon or poenedic
carchar aoed arnadunt. Pan gigleu gwalchmei ef yn
dywedut uelly. ryued vu ganthaw. Ac yna y meudwy
a dywawt. gwalchmei heb ef pei ti a vynnei ymadaw ar
uuched uudyr yssyd gennyt ac agymereist hyt hynn.
mi aallwn etto gwneuthur hedwch y rot a duw. kanys
yr ysgruthyr yssyd yn dywedut. nat oes pechadur yr
meint vo y bechodeu or a archo madeueint drwy edi-
uarwch y duw nys caffo. Ac yna gwalchmei a dywawt
na allei ef yny llauur yd oed gwneuthur dim or penyt.
Ar meudwy yna a dawawd wrthaw. kanys ef a welei
nat oed namyn colli y lauur heb allel gwneuthur dim
lles. Trannoeth y bore ef a gychwynnawd gwalchmei
ymeith. ac a uarchockaawd yny gyfaruu ac ef deu ged-
ymdeith idaw. nyt amgen gloual a gifflet. A marchog-
aeth ygyt aorugant bedwar diwarnawt heb gael neb-
ryw antur. Yma ymae yr ymdidan yn tewi amdanunt
wy oll. ac yn trossi att galaath.

XVI.—Gwedy kychwyn o galaath o gastell y moryn-
yon ef a uarchockaawd hyt pan doeth y fforest diffeith.
ac yno ef a gyfaruu ac ef lawnslot a pheredur yn march-
ogaeth. ac nyt adnabuant wy efo. o achaws na welsynt
y daryan eiryoet. Ac yna y erbynnyeit a oruc lawns-
lot ac ar hynt torri paladyr arnaw. A galaath ae trewis
ynteu yny vyd ef ae varch yr llawr heb wneuthur mwy
o afles idaw. Ac yna ef a dynnawd y gledyf o achaws
torri paladyr y waew. ac a drewis peredur ar y benn.
yny eillya yr helym ystlys yn ystlys ae benn. Aphan-
ybei troi y gledyf yny dwrn ef ae lladassei. yr hynny
ef aoruu ar peredur syrthyaw yr llawr y ar y uarch. Ar
ymwan hwnnw a vu yn ymyl meudwydy yn y lle yd

oed ty anckres. Aphan weles yr anckres galaath yn
mynet ymeith. ac yn eu gadaw wynteu yngewilydus hi
a dywawt dos ymeith varchawc urdawl. kanys yn wir
pei ath adwaenynt yngystal ac yd adwaen i. ny bydynt
mor ffolyeit ac yd ymerbynnynt a thi. Aphan gigleu
galaath y parabyl hwnw nyt arhoes ef haeach rac ovyn
y adnabot namyn brathu y varch ac ymeith. Aphan
wybuant wynteu hynny. wynt a esgynnassant ar eu
meirch ac ae hymlityassant ef. Eissyoes y odiwes ef
nys gallassant. Ac yna kyndristet vuant am diangk y
marchawc y ganthunt. ac y mynnynt eu marw yn y
lle yr oedynt. Arglwyd heb y lawnslot mae y kynghor
yssyd gennyt ti. myn duw heb y peredur ny wnn i yr
un. kanys y marchawc yssyd yn mynet yn gynvuanet
ac na wdam ni dim y wrthaw. Y nos heuyt yssyd yn
dyuot arnam. Ac am hynny goreu kynghor oed yni
ymchoelut yr fford vawr dracheuyn rac mynet yn ry-
bell y wrthi. llyma vynghret heb y lawnslot nat ym-
choelafi vyth yny wypwyf pa un ywymarchawc ar daryan
wenn. Aro ditheu heb y peredur yma heno. Ac auory.
kerdwn vi a thi. A lawnslot a dywawt nat arhoei ef
dim. Ie heb y peredur porth vo duw ytt. kanys nyt
af i hwy no hynn. A mi a ymchoelaf drachevyn yr
anckyrdy. A lawnslot ynteu a varchocaawd ar draws
y fforest heb gynnal na fford na llwybyr. ac yn vlin
ganthaw vot y nos yn dywyll ac heb welet nac yn agos
nac ympell neb ryw fford. Ac uelly marchogaeth aoruc
yny doeth y ymyl croes uaen yr honn aoed yngwahanu
dwy fford. A gwedy edrych ar y groes ef awelei y
danei maen o varmor mawr a llythyr debygei ef yndaw.
ac rac tywyllet y nos ny allei ef eu darllein. Ac yn
agos attaw ef awelei hen gapel. a thu ac yno y doeth
ef. A gwedy disgynnu a gadaw y varch yn rwym wrth
brenn. ef adoeth y drws y capel. ac neurdaroed tynnu
barreu o heyrn ar draws y drws yn groes. hyt na allei
nac ef na neb uynet y mewn. Ac yna ef aedrychawd
drwy y drws ac aarganuu allawr ac wrteithyeu tec
arnei. a cheyr y bronn yr oed canhwyllbrenn o aryant.
athapar kwyr yn llosgi yndo. Aphan weles ef hynny

ef a vu chwannawc y vynet ymywn y edrych pwy oed
yno yn trigio. Ac yna ymdaraw ar barreu aorug ef.
a phryt na thygyawd idaw geissyaw mynet y mywn
trist vu ganthaw. a dyuot att y varch aoruc ae arwein
hyt yn ymyl y groes. Ac yna tynnu y ffrwyn oe benn
a gadel idaw bori. A gwedy hynny diosc y helym ae
gledyf ae daryan. ae roi yn y ymyl achysgu. A megys
yr oed ef gwedy ymranhunaw: ef a welei mywn elor
veirch gwr clwyfus a deu balffrei y danaw yny arwein.
ar gwr yn kwynaw y ovit yn vawr. Aphan weles ef
lawnslot. edrych arnaw aoruc heb dywedut ungeir
wrthaw. Ar marchawc aoed yn yr elor a doeth geir
bronn y groes. ac a dywawt. och duw heb ef a vu ar wr
eiryoet poen kymmeint ac yssyd arnafi heb wneuthur
hayach o drwc. velly y bu y gwr hwnnw yn ymgwynaw
yn hir. a lawnslot y rwng hun a hun yn gwarandaw
arnaw. A gwedy bot y marchawc yn aros yno yn hir.
ef a welei lawnslot y kanhwyllbren a welsei gynno hynny
yn y capel yn dyuot hyt geyrbronn y groes. ac ny welei
neb yny arwein yr hynn a vu ryued ganthaw. Ac odyna
ef a welei yn dyuot y bendigedic lestyr yr hwnn awelsei
gynt yn llys arthur ac a elwir seint greal. Ac yr awr
y gweles y marchawc urdawl claf ef yn dyuot. ef aym-
ollynghawd yr llawr or lle yr oed. ac a gyssylltawd y
dwylaw dan dywedut. Arglwyd duw heb ef y gwr a
wnaeth yr y llestyr hwnn amrauael wyrtheu ymywn
amrauael glevydyeu ysgawnhaa arnaf or govit yssyd.
val y gallwyf vynet yn un or keis y gyt ar gwyrda
ereill. Ac yna ymgropyan aoruc parth ac att y llestyr
yd oed y greal yndaw. ac ymauael ac ef ae dwylaw yll
dwyoed a roi kussan idaw. Ac yna yd ysgawnhaawd
y dolur ual y gallei gysgu a cherdet. Ac adywawt
bendigedic vych duw kanys ydwyf weithyon yn holl-
iach. Ac ar hynny syrthyaw kysgu arnaw. Ac yna
y racwerthuawr lestyr ar canhwyllbrenn yn y vlaen
aaeth yr capel drachevyn. ac ny welei lawnslot nac yn
dyuot nac yn mynet beth aoed yny arwein. Ac yr
gwelet o lawnslot seint greal nywr duw idaw ef merwi-
naw. or achaws y kafas ef lawer gweith y liwyaw ae
gewilydyaw.

XVII.—Ac ar hynny y marchawc a gychwynnawd y
vyny. ac aaeth y gussanu y groes. Ar hynny nachaf
ysgwier yn dyuot. a blattys ganthaw. ac yn govyn yr
marchawc pa delw ydoed. ar marchawc adywawt gaffael
gwaret ohonaw gan seint greal. dieithyr ryued yw gen-
nyf heb ef am y marchawc racko yssyd yn kyscu heb
chwyfu ohonaw yr dyuot y seint greal yma. Myn
vyngkret heb yr ysgwier. marchawc mywn pechawt yw
heb y gyffessu eiryoet. or achaws na mynnawd duw
idaw welet dim or antur hwnn. Yn lle gwir heb y
marchawc pwybynnac a vo y mae yn direidwr. A mi a
debygaf mae un o varchogyon urdawl y vort gronn yw.
Gat idaw heb yr ysgwier weldy yma vi wedi dwyn dy
arueu itt. Ac yna eu gwisgaw aoruc y marchawc. ar
ysgwier a doeth att gledyf lawnslot ae helym. ac ae duc
yr marchawc. Ac odyna ef a gymerth march lawnslot ae
gyfrwy ac ae duc oe arglwyd. ac a dywawt. dos di ar y
march hwnn. kanys gwell y dyly di varch da nor
marchawc diawc racko. Ac yna y marchawc a gymerth
y march drwy y diolwch y duw. ac aaeth ac ef ymeith.
Ac a tyngawd na orffowyssei vyth yny wypei paham
ydymdangosses seint greal yn ymrauael leoed yn lloegyr.
mwy noc yn lle arall. a phaham y ducpwyt ef y
loegyr. myn vyngkret heb yr ysgwier ti a dywedeist
digawn. a duw a wnel itt orffen hynny yn anrydedus.
ac velly y kychwynnawd ef ymeith ygyt ar ysgwier. A
gwedy kerdet ohonunt amkan y hanner milltir ef a
gyvodes lawnslot. Ac yna medylyaw aoruc beth oed
yr hynn a welsei ae breudwyt ae ynteu peth arall. Ac
yna ef adoeth hyt y capel. ac aarganuu y canhwyll-
brenn. eissyoes dim o seint greal nys gweles ef. Ac a
lawnslot yn medylyaw yno yn hir a glywei lef yn yr
awyr yn dywedut. Lawnslot galedach no maen. chwer-
wach nor prenn. dos ymeith odyyma. A phaham y
bydut mor hy a dyuot yr lle y bei seint greal. Ac y
mae y lle oth achaws di yndrewi. Aphan gigleu ynteu
y parabyl hwnnw ef aaeth ymeith yn gewilydus druan-
eid dan wylaw ac ymelldigaw yr awr y ganet. adywedut
na deuei vyth ar anryded kanys pallassai arnaw gael

gwelet seint greal. A phan doeth ef hyt y groes drach-
euyn. ny chafas ef nae varch nae gyfrwy nae helm ñae
gledyf. Ac yna ef aadnabu bot yn wir yr hynn a
welsei.

XVIII.—Ac yna y dechreuawd ef ymdoluryaw o
dristit. ac y dywawt. och duw heb ef yr awr honn y
gwnn i panyw vympechodeu am llesteiryawd. Aphan
dylyasswn i vymendaw vy hun. y doeth y kythreul ac
y duc vynggolygon y gennyf o achaws vympechodeu.
ac uelly y bu ef yny vu dyd drannoeth. ac yny gigleu
yr adar yn canu ar heul yn disgleiryaw. Ac yna ef ae
gweles yndi ystor o bop ryw arueu. ac ef a gychwyn-
nawd ymeith ar hyt y fforest. heb na march na chyfrwy.
na chledyf na tharyan na helym ar y draet. yny doeth
yngkylch awr brim i dy meudwy yr hwn aoed yn
dechreu canu offeren. yna ef a doeth yn drist yr capel.
ac aostyngawd ar benn y linyeu. ac a wediawd duw. ac
a werendewis yr offeren. ac ymbil a duw am vadeueint
oe pechodeu. Aphan daruu y meudwy dywedut yr
offeren ef a doeth lawnslot attaw. ac aerchis yr duw
idaw y gynghori. Ar meudwy a ovynnawd idaw pa un
oed. Ac o pa le y dathoed. Ac yna lawnslot a dyw-
awt mae o lys arthur yd hanoed. Pa ryw gynghor heb
y meudwy a vynny di gennyfi. ae dy gyffessu. Ie
arglwyd heb y lawnslot. Ac yna y meudwy ae kym-
erth ef. ac ae duc hyt yn ymyl yr allawr. ac yno yd
eistedassant. Ac y govynnawd y meudwy idaw y
henw. Ac ynteu a dywawt mae lawnslot oed a mab y
vrenhin bann o vannot. Pan gigleu y meudwy panyw
efo aoed yno. rac meint a dywedit amdanaw ef a vu
ryued ganthaw meint y dristit. ac a dywawt wrthaw.
Arglwyd heb ef nyt tristau a dylyy di. namyn diolwch
y duw dy wneuthur yn gyndecket ac yn gyngadarnet
ac yr wyt. ac na wdam ni yny byt dy gyffelyb di. y gyt
a hynny. ef a roes cof a synhwyr ytt oblegyt y rei y
dylyy di gewilydyaw kythreulyeit uffern. a gwassan-
aethu duw. a gwneuthur y orchymynneu yn herwyd dy
allu. Ac ny wdost di meint y rodyon aroes duw ytt.
Ac or bu e helaethyach efo wrthyt ti noc wrth un arall.

G

athwyn ditheu or kythreul y ganthaw. ef adylyit dy
gerydu di yn uawr. Ac am hynny ymogel di rac gallel
dy gyffelybu yr gwassanaethwr drwc. yr hwnn y mae
yr euengyl yn traethu am danaw. Pandoeth y gwrda
gynt a galw y drigweis attaw. a roi att un besawnt o
eur. ac yr llall dwy. ac yr trydyd y roes pump. ar hwnn
agymerth y pump. ef aaeth y̆ ennill ac wynt yn gymeint
a phandoeth geyr bronn y veistyr y gyfrif ac ef. ef a
dywawt. Arglwyd heb ef ti a roeist attafi bump bes-
awnt o eur. ac weldy yma wynt. a phump ereill a
ennilleis inneu attunt wynteu. A phan gigleu y meistyr
y parabyl hwnnw ef a dywawt dabreragot was da. a dos
y lewenyd dy arglwyd. A gwedy hynny ef adoeth yr
hwnn a gymerassei dwy vesawnt. ac a dywawt. arglwyd
heb ef ti aroeist attafi dwy vesawnt o eur. weldy yma
wynt a dwy ereill aennilleis inheu attunt wy. Ac yna
y arglwyd adywawt wrthaw ual y dywawt wrth y llall.
Eissyoes y gwas ny chymerassei namyn un besawnt ef
agudyawd y aryan yny dayar ac agilyawd ymeith y
wrth y arglwyd heb lyuassu ymdangos idaw. Hwnnw
vu was drwc anghywir lle ny bu dim o rat yr yspryt
glan eiryoet. Ac awdost di paham yd wyfi yn dywedut
hynn wrthyt ti. o achaws y rodyon llawer a roes yn
arglwyd ni attat ti. kanys ef athwnaeth duw di yn
ragorussach o bryt ac yn gadarnach noc arall. herwyd
y tebygit wrthyt wrth a welir arnat odieithyr. Ac am
hynny y kynghorwn ytt llywyaw yn da yr hynn a roes
duw attat drwy y amylhau. ac or gwnaethyost bechodeu
galw ar drugared drwy gyffes ac ediuarwch. a gwellau
dy uuched. a mi a wrantaf os uelly y gwney di y gwna
duw yrot titheu gymeint athalw attaw y gymryt llew-
enyd dy arglwyd.

XIX.—Arglwyd heb y lawnslot yna. y parabyl a
dywedeist di am y tri gweis a gymerassant yr eur yssyd
yn vygcallon I yn vawr. Kanys myvi a wnn vynggw-
neuthur o duw yn dec ac yn gadarn. am kannysgaedu o
bop donyeu. A minneu debygafi ae kudyeis wyntwy
hyt na allaf dalu kyfrif o honunt ym arglwyd pan y
govynno ym. Ac am hynny y gelly di vyngkyffelybu

I yr gwas drwc a gudyawd yr aryant. kanys mi awass-
aneythyeis vynggelyn yr pan ymganet. Ac aadeweis
vyngcreawdyr o achaws vyn diruawr bechodeu.
drwy y rei y dangosses y kythreul ym digrifwch yny byt hwnn.
Eissyoes ny dangosses ef ymi y poeneu a gaffwn amdan-
unt. Pan gigleu y meudwy ef yn parablu uelly ef
adywawt dan wylaw. Lawnslot heb ef or buost di
gyndrwc gynno hynn a mynet y ar dy fford dy hun ar
anghyueilyorni. keis dyuot bellach y fford y wirioned.
Ac yna ef a dangosses y lawnslot delw y groc a oed
gyferbyn ac wynt. Pony wely di heb ef delw y groc
racko ae breichyeu ar llet. yn un ffunyt ahynny y mae
Iessu grist ae vreichyeu ar llet yn barawt y erbynnyeit
pob pechadur or a vynno dyuot attaw. A mi a wnn na
wrthyt ef dim o honat ti. or mynny dyuot attaw drwy
wir gyffes ac ediuarwch a phenyt. Ac am hynny dywet
ym orlle kwbyl oth gyflwr. a minheu ae gwarandawaf.
ac ath gynghoraf yn oreu ac y gallwyf. Ac yna lawn-
slot a uedylyawd yn hir drwy ucheneidyaw na dywedei
idaw dim oe hanes y ryngthaw ar vrenhines. Efo yr
hynny arybuchei y dywedut pei as llavassei. Ar
meudwy yna drwy exawmpleu aroes callon yndaw y
adef y bechodeu. ac y ymwrthot ac wynt. Ac y gym-
ryt y vuched dragywyd yr menegi ohonaw y bechodeu.
Yna y dywawt lawnslot. Arglwyd heb ef mi adebygaf
vy mot I megys marw. o achaws pechawt a wneuthum.
ac arglwydes. Nyt amgen no gwenhwyvar gwreic
arthur. Honno aroes ym lawer o eur ac aryant. a rod-
yon ereill y rei aroeys ynnheu y uarchogyon urdolyon
tlawt. ac y dylyedogyon ereill. Honno aberis ymi
vynet yn yr enryded yr wyf. Ac o vost. ac oe charyat
hi y gwneuthum I y gweithredoed. ar milwryaethyeu
mawr yd ydys yn ymdidan amdanunt. Honno am
gwnaeth odlawt yn gyvoethawc. yr hynny myvi awnn
mae o achaws y phechawt hi y mae duw wedy sorri
wrthyf. kanys ef adangosses ym hynny yr neithywyr
hyt yr awr honn. Ac yna ef adywawt ual y daroed
idaw y nos gynt. ac aerchis yr duw idaw y gynghori.
Yn lle gwir heb y meudwy bychydic adal vynghyngor

I y ti. ony bei roi ohonat yndiofvryt nat elych vyth yny
chyuyl. Ac os hynny a vynny di mi adebygaf y gellir
gwneuthur dy hedwch aduw. Ac yr agori ytt byrth
nef yny lle y mae buched dragywyd. eissyoes yny pwnc
yr wyt ti ef a vydei ouer ytt. neb ryw gynghor. Arg-
lwyd heb y lawslot nyt oes dim or a dywetych di. nys
gwnelwyf os gallaf. Wrth hynny heb y meudwy. moes
ditheu dy gret nat elych vyth ynghedymdeithyas y
vrenhines. nac ynghedymdeithyas arall or y llitio duw
wrthyt oe hachaws. Ac ynteu aroes y gret megys
marchawc urdawl kywir. Dywet ym etto heb y meudwy
dy damchwein am seint greal. ac ynteu ae dywawt idaw.
ac a venegis idaw y tri parabyl aglywssei. nyt amgen
maen aphrenn a ffigier. Ac yr duw dywet ym beth
aarwydockaa hynny. kanys myvi awnn y gwdost ti
beth certeinyawl am hynny. Ar hynny y medylyawd
y gwr da hirynt. A gwedy hynny ef a dywawt yn wir
heb ef lawnslot. nyt ryued gennyfi dywedut wrthyt y
tri pharabyl hynny. kanys eiryoet ti a vuost wr ryuedaf
or avu. Ac am hynny nyt reit ytti ryuedu o dywedut
wrthyt peth a uei ryuedach noc wrth arall. Achanys
nyt chwannawc di y wybot y wirioned am hynny min-
neu ae dywedaf ytti. Ti adywedeist ymi dy alw di
lawnslot galedach no maen. chwerwach no phrenn pwrri
drewedic. mwy y amarch no ffigier. dos odyma. Or
achaws yth elwit ti yn galedach no maen y mae y
hynny synhwyr ryued. Ti awdost mae kalet vyd pob
maen o natur. a rei a vyd caledach noe gilyd. A thrwy
galedwch y maen y gallwn ni deall y rei yssyd ynkysgu
ac ynllawenhau yn eu pechawt ac yssyd gyngalettet
eu kallon ac nat oes na dwfyr na than a allo eu medalhau.
ony bei allel o dan yr yspryt glan vynet yn eu callon-
neu. Eissyoes nyt aa yr yspryt glan y le or y gwypo
bot y elyn yndaw. ac am hynny reit yw bot ynlan y
lletty y del duw idaw. Ac oachaws y caledi agat yn
dy gallon di y dywetpwyt wrthyt dy vot yngaledach
no maen. kystal yw hynny a dywedut dy vot yn vwy
pechadur noc arall. Pony chlyweist di gynneu chwedyl
y gwr a roes y da oe drigweis. aphadelw y dywawt ef

wrth y deu da. ar trydyd avu was drwc. yr hynny ual
kynt. edrych di a ellych vot yn gyffelyb yr hwnn agy-
merth y pump besawnt y gynnydu ac y ennill ohonunt.
Ef awelir ymi eissyoes ohonaw ef ytti mwy. kanys pwy
bynnac a edrychei holl vilwyr y byt hwnn. ny cheffit
orod duw ar un ohonunt mwy noc aroeys yti. kanys
ef aroeys ytt tegwch a synnwyr y adnabot drwc dros y
da. Ygyt a hynny ef aroes ytt hyder achedernyt.
Ygyt a hynny ef a roes ytt gallon da ehalaeth. kwbyl
o hynn oll aechwynawd duw ytt yr bot yn varchawc
urdawl idaw ef. Ac ny roes ef ytti hynny oll yr eu
colli. namyn yr eu hamylhau. Athitheu a vuost gyn-
drwc gwas ac y gedeweist ef. ac yr aethyost y wassan-
aethu y elyn yr hwnn aoed yn ryuelu arnaw. Ef aellir
dy gyffelybu di yr ryuelwr drwc yr hwnn aedewis y
arglwyd gwedy kael y gyfloc ymlaen llaw. agwedy
hynny ef aaeth y ryuelu yn erbyn y arglwyd y gyt ae
elyn. velly y gwnaethost ditheu. pan daruu y Iessu
grist roi ytti y rodyon tec a roes ytt. titheu aaethost
y wassanaethu y kythreul. yr hwnn a oed yn ryuelu
arnaw. Ac am hynny y gellir dywedut dy vot ti yn
galedach no maen. ac yn vwy dy bechawt noc arall.
Arglwyd heb y lawnslot ti adangosseist ymi hynny yn
dadigawn. Dangos ym bellach heb ef paham yrwyfi
chwerwach no phrenn pwrri. Mi ae managaf ytt yn
llawen heb y meudwy. Gynneu mi adywedeis ytt pa
delw yd oed galedwch ynot. ac ynlle y bo wedy lloryaw
caledwch kymeint ac yssyd ynot ti. ni digawn dyuot
odyno chweith melystra. Kanys nyt oes yno onyt
chwerwder. A chymeint yw ynot ti o chwerwder
uffernawl a drewyant pechodeu. ac adylyei vot ynot o
velystra ysprydawl. Ac am hynny yrwyt gynhebic di
yr prenn marw drewedic lle nyt oes yndaw chwaith
melystra na bywyant. namyn drewyant a chwerwder.
llyna gwedy dangos ytti pa delw ydwyt yn galedach
nor maen. ac yn chwerwach nor prenn. Ac am y prenn
ffigys mi a dywedaf ytt y synnwyr. Yn yr amser yd oed
yn arglwyd ni iessu grist ar y daear. ef adoeth y dinas
caerussalem duw sul y blodeu ar gevyn assen. Ac yna

wynt adoethant yny erbyn gan ganu meibyon efrei. y
dyd hwnnw ef a bregethawd iessu grist ynghaerussa-
lem yny lle yd oed pob caledwch wedy llettyu. A
gwedy llauuryaw a phregethu ohonaw yn hyt y dyd.
ny weles ef ynghwbyl ordref neb a vynnei roi llety
idaw. or achaws y gadewis ef y dref. Aphan doeth ef
odieithyr y dref ef adoeth dan brenn ffigys deilyawc
teckaf or a welsei neb eiryoet. ae gangeu yn llawn deil.
dim or ffrwyth eissyoes nyt oed arnaw. Aphan doeth
iessu grist attaw ac heb welet dim or ffrwyth arnaw. ef
adywawt. emelldigedic heb ef vo y prenn ny dycko
ffrwyth arnaw. Ac uelly yd amarchawd duw y prenn
hwnnw. Edrych ditheu awyt tebic di yr prenn hwnnw.
nac wyt yn wir namyn gwaeth etto. kanys pan doeth
iessu grist dan y prenn ef a gawssoedyat deil pei myn-
nassei eu kymryt. A phan doeth seint greal attat ti
ny wyr duw gael un deilyen arnat. kystal yw hynny
ac nat oed ynot ti na medwl da nac ewyllys da. na
gweithret da. ac am hynny yth alwyt ti ual y dywet-
pwyt uchot. Yn lle gwir heb y lawnslot. kystal y syn-
hwyryeist di ymi hynny ac y mae ynof pob geir or
adywedeist wedy y lettyu. A chanys dywedeist di
wrthyfi na wneuthum gymeint etto ac na allwyf gaffael
kerennyd duw or mynnaf ymoglyt o hynn allan. Min-
heu a dyngaf yn gyntaf y duw. ac y titheu wedy
hynny. na wnaf i vyth chweith pechawt godineb.
Eissyoes. am geissyaw anturyeu a gwneuthur milwry-
aethyeu. ny allafi beidyaw etto hyt tra vwyf yn kyn
iachet ac yr wyf. Pan gigleu y meudwy efo yn dy-
wedut uelly ef avu da ganthaw. ac adywawt. nyt arch-
afi well no hynny heb ef. Ac yna roi penyt arnaw
awnaeth ae ollwng. Ac adolwc idaw trigyaw ygyt ac
ef y nos honno. A lawnslot a attebawd ac adywawt
mae reit oed idaw drigyaw. kanys nyt oed idaw na
march nac arveu. Erbyn y bore heb y meudwy mi ae
paraf ytt. kanys y mae yma yn agos brawt y mi yn
varchawc urdawl aenvyn ym varch ac aruei achwbyl
or a vo reit ytt kynn dy vynet odyma. ac yno y trigy-
awd lawnslot y gyt ar gwr mwyn yr hwnn ae dysgassei

drwy amrauael barableu yn gymeint ac yny vu lawn-
slot yn wir ediueryawc am y vuched a dugassei or
blaen. kanys gwydyat pei atuei marw yn y kyflwr
hwnnw y collei y eneit. ar corff hevyt agatuyd a vydei
drwc y gyweirdeb. Ac yma y mae yr ymdidan yntewi
amdanaw ef ac yn traethu ywrth beredur.
XX.—Er ymadrawd yssyd yndywedut pan aeth per-
edur y wrth lawnslot. ef aymchoelawd drachevyn yny
doeth hyt ynty yr anckres. yn y lle yr oed yn tybyeit
y kaffei gyfarwydyt ywrth y marchawc adianghyssei y
ganthunt. Aphan doeth ef yno ef a drawawd y ffenest-
yr. Ar anckres yna a agores y ffenestyr idaw. ac a
ovynnawd pwy oed. Ac ynteu adywawt mae o llys ar-
thur yr hanoed ac y dathoed. ac ef am gelwir peredur
gymro. Aphan gigleu hitheu y henw ef. hi a vu lawen
wrthaw. kanys hi ae carei yn vawr. A hi ae dylyei megys
kyt bei modryb idaw. Ac yna galw awnaeth hi ar y
tylwyth aoedynt y mywn. ac erchi udunt wassanaethu
yn diwall arnaw. Ac uelly y gwnaethant wyntheu.
A gwedy y diarchenu ef a gwassanaethu arnaw. ef
aovynnawd aallei ef gael ymdidan ar anckres y nos
honno. Na elly heno heb wynt hyt avory gwedy offeren.
Athrannoeth gwedy offeren ef adoeth att yr anckres ac
a gyfarchawd gwell idi. ac a dywawt. Arglwydes heb
ef a dywedy di y mi yr duw chwedyl am y marchawc
aaeth fford yman doe. Ac yna yr anckres a ovynnawd
y peredur paham ydoed ef ynyamovyn. O achaws heb
ynteu na bydaf hyfryt vyth yny wypwyf pale y bo. ac
yny ymladwyf ac ef. kanys ef awnaeth ymi kymeint o
gewilyd ac na allaf beidyaw ac ef. Peredur heb hi. A
vynny di ymlad ac ef. ac awyt chwannawc di yth lad
ual yllas dy vrodyr oc eu hymladeu ae twrneimyeint.
A jawn mawr yw yth genedyl di oth ledir ual y llas
wynteu. A gwybyd di ynlle gwir ot ymledy di ac efo
ty agolly dy eneit. Gwir yw dechreu pererindawt y
greal. A mi adebygaf dy vot ti yn un or kedymdeith-
yon. athi ageffy enryued avo mwy noc adebygy o
pheidy ac ymlad ar marchawc. kanys ni awdam yny
wlat yma ac ynggwledyd ereill y byd reit y orffen

pererindawt y greal tri marchawc urdawl gwerthuawr.
y rei a geiff y glot odieithyr pawb. ar deu avyd march-
ogyon gwyry. heb wneuthur pechawt godineb oe kyrff
eiryoet nae vedylyaw. Y trydyd avyd diweir. kystal
yw hynny ac na bu idaw wreic eiryoet onyt unweith.
Ar weith honno y kaffat arnaw som a phrofedigaeth.
Ac ny byd vyth idaw mwy. Ac am hynny y gelwir ef
yndiweir. Ac un or deu wyry yw y marchawc yr wyt
ti yn y geissyaw. A thitheu vyd yr eil. ar trydyd yw
bwrt. drwy y tri hynny y byd gorffennedic y keis. A
chanys ordinhaawd duw y tri hynny yn wanedic. Ym-
wagel ditheu rac ymlad ac efo. kanys ot ymledy di ac
efo ydwyt dy hun yn mynnu dy golli. kanys heb pe-
truster goreu marchawc urdawl yw ef or holl vyt.
Arglwydes heb ef. ef a welir ymi yn herwyd dy ymad-
rawd di gwdost ti pa un wyfi. Gwn rofi a duw heb hi
ami a dylyaf y wybot. kanys dy vodryb di wyfi. am nei
inheu wyt titheu. ac na symlet arnat ti vynggwelet i
mywn abit kynndrwc a hwnn. A gwybyd di yn lle
gwir mae myvi yw yr honn aelwit yn vrenhines ar y
tir atueilyedic awely di. a thi am gweleist i gynt yn un
or gwraged kyuoethockaf or byt. yr hynny ual kynt
ny rangawd bod ymi bot yn gyvoethawc yn gystal ar
vuched honn. Pan gigleu peredur panyw y vodryb ef
aoed yno. hoff vu ganthaw. Ac adolwyn idi yr duw
dywedut idaw paun oed y marchawc yr oed yn y geis-
syaw. Arglwyd heb hi y marchawc aweleist ti yw y
marchawc adoeth y lys arthur ar arueu cochyon ym-
danaw. Ami adywedaf ytt beth aarwydockaa y dy-
uotyat ef. Ti awdost ynda panyw iessu grist awnaeth
yn gyntaf un aelwit y vort. kystal yw hynny yngkym-
raec a bwrd y bwyteir arnaw. Agwedy hynny ef awn-
aethpwyt dwy vort. yr honn awnaeth iessu grist. ar
honno y bwyttaawd iessu grist ae disgyblon. honno oed
y vort aoed ynporthi y corff ar eneit or ymborth nefawl.
Ar y vort honno yr eistedynt y kedymdeithyon aoedynt
yn llywyaw y corff wrth ewyllys yr eneit. Ac oe
hachaws wyntwy y dywawt dauyd proffwyt. llyna vyt
ratlawn yw yr hwnn y daw y brodyr ac y bydant un

vedwl ac un weithret. Ac yr proffwydolyaeth amdis-
gyblon crist y dywawt ef hynny. y rei a eistedassant
ar y vort. y rwng y rei hynny y bu hedwch ac amnyned
a phob gweithret da. Gwedy gwneuthur y vort. ef
awnaethpwyt un arall yr kyffelybrwyd idi hitheu. Nyt
amgen nor vort y roet seint greal arnei. yr honn y bu
lawer o ryuedawt agwyrtheu oe hachaws. Kanys pan-
doeth iosep o arimathia. a Iosep y vab ygyt ac ef y
vrytaen vawr. ef adoeth y gyt ac wynt ynghylch pedeir
mil o bobyl. Ac ef a vu ofyn arnunt. na cheffynt vwyt
ar werth rac meint eu niuer. Ar dyd hwnnw wynt
agerdassant drwy fforest. Athrannoeth ef agyvaruu
ac wynt gwreic a dec torth genthi yndyuot o bopty.
Ac wynteu abrynassant y bara genthi. Agwedy hynny
ef agyvodes keintyach y ryngthunt yn rannu y bara.
kanys yr hynn a vynnei hwnn nys mynnei y llall. Ac
uelly ymryson awnaethyant yny doeth kennat adywedut
hynny y iosep uab Iosep oarimathia yr hwn aoed
esgob a meistyr arnadunt. Agwedy clybot ohonaw ef
hynny. ef ayrrawd yn ol y neb aeprynassei. Agwedy
dyuot hwnnw attaw. ef a gymmerth y bara attaw ef
ehun. ac adalawd y werth yr neb ae prynassei. ac yna
ef aerchis y bawp vynet y eisted yngyffredin. a gossot
bort yn eu plith. Ac ar benn y vort y roet seint greal.
Ac yna Iosep avendigawd y bara ac ae torres. ac ae
roes y bawp or niuer. Agwybyd di yn lle gwir na bu
dyn heb gael amylder or adamunei. Ar y vort honno
ynteu yd oed eistedua. yny lle yr eistedei Iosep uab
Iosep. honno awnaeth iessu grist ehun ac ae kysse-
grawd. ac a ordinaawd Iosep y bryderu am y gristonog-
aeth. Ac yn yr eistedua honno Iessu grist ae gossodes
ef y eisted. Ac am hynny ny bu neb alyuassei eisted
yndi gwedy ef. Ar eistedua honno awnaethpwyt ar
gyffelybrwyd yr eistedua yr eistedawd Iessu grist yndi
divieu cablut ae disgyblon y gyt ac ef. A gwedy dyuot
y bobyl aglywy di acherdet drwy y wlat ruthur uawr.
ef adamchweinyawd y deu vroder o genedyl Iosep daly
kenvigen wrthaw am wneuthur o duw yrdaw gymeint
ae dewis yn bennaf arnadunt wy. Ac yna ymdidan

H

aorugant yn gyfrinachus. adywedut nas diodevynt wy
efo yn veistyr arnadunt. ac nas galwynt uelly ef ohynny
allan. kanys kystal oed eu kenedyl wyntwy ac ynteu.
Athrannoeth y bore wynt adoethant y wastattir uchel.
Ac yno pan vu amser bwyt ef aossodet bort y ryng-
thunt. a Iosep aaeth y eisted oe eistedua ehun. Ac
yna y deu vroder adywetpwyt uchot ae gwaravunawd
idaw. ac ae gyrrassant ohonei. ac un onadunt aeistedawd
yndi. Ac yna duw adangosses gwyrtheu tec. kanys yr
awr yr eistedawd. ef adoeth y daear ac ae llyngkawd.
Ar chwedyl hwnnw awybuwyt ympob lle. ac y roet yn
henw ar yr eistedua honno ohynny allan yr eistedua
beriglus. kanys ny lyuassei neb eisted yndi onyt y neb
y rodassei duw gennat idaw. Ac ar ol y vort honno
ef awnaethpwyt y vort gronn yn oes uthur benndragon.
a hynny drwy gynghor myrdin. ac ny elwit yr un yn
vort gronn namyn honno ehun. kanys pan elwit hi yn
vort gronn yr ydys yn deall drwydi y bot yn gyngryn-
net ar holl vyt. or achaws y gellir y chyffelybu hi yr
byt. kanys o bop gwlat or y bai vilwryaeth yndi nac
yngkret nac ynangkret yr oedynt yn dyuot yr vort
gronn y lys arthur. Aphan rodei duw ras y un y gaff-
ael bot yn un o gedymdeithyon y vort gron. ef a vydei
gynhoffet ganthaw aphei ennillei yr holl vyt. ac yr bot
yn un onadunt. yr hardet uei. ef aadawei y vam ae dat
ae dir ae daear ae wlat. athydi awdost hynny kanys
nyt ymadeweist a hi. yr a gaffut o enryded arall eir-
yoet. Agwedy daruot y vyrdin. ordinaw y vort gronn.
ef adywawt y dechreuit pererindawt y greal. O gedym-
deithyon y vort gronn ac y gorffennit. Ac yna y go-
vynnwyt idaw paham y gwydyat ef pwy ae gorffennei.
ac ynteu adywawt mae tri o honunt ae gorffennei. ar
deu a vydynt wyry oc eu kyrff. ar trydyd avydei
diweir. ac un or tri aragorei rac y lleill. megys y mae
ragor y llew rac y llewpart. a hwnnw a vyd meistyr ar
gwbyl or keis. Eissyoes ef aa holl gedymdeithyon y
vort gronn y geissyaw y greal yny del y marchawc
hwnnw yn eu plith. Ac yna ef adywetpwyt wrth
vyrdin kanys gwdost di heb wy y daw yma gwr kystal

a hwnnw. paham nawney ditheu idaw efo eistedua bri-
awt. lle nyt eistedo neb onyt efo ehun. Mi ae gwnaf
heb y myrdin. Ac ef awnaeth eistedua uawrdec.
Agwedy daruot idaw y gwneuthur ef aroes gussan idi
ogaryat ar y marchawc adylyei eisted yndi. Ac yna ef
aovynnwyt y vyrdin. beth adaruydei yr neb aeistedei
yndi. Yn wir heb ynteu pwy bynnac aeisted yndi ef
aderuyd idaw un or deu. ae y varw yn y lle. ae ynteu
y anauu. yny del yr hwnn bieu eisted yndi. myn duw
heb y rei aoedynt yny lle pwy bynnac aeistedei yndi
ef aymroei ymywn perigl mawr.
XXI.—Gwir adywedwch chwi heb y myrdin. ac o
achaws y perigyl yssyd arnei. minneu adodaf yn henw
arnei hi yr eistedua beriglus o hynn allan. ac weldyna
ytti heb yr anckres wrth beredur pa ystyr y gwnaeth-
pwyt y vort gronn. aphaham y gwnaethpwyt yr eistedua
beriglus ynyrhonn y collet llawer gwrda. Ami adywedaf
ytt paham y doeth y marchawc yr neuad ac arueu
cochyon ymdanaw. Ti aglyweist vot Iessu Grist ymysc
y disgyblon yn veistyr arnadunt ar y vort divieu cablut.
Ac yngyffelybrwyd y hynny bot Iosep yn veistyr ar
vort seint greal. Abot y marchawc hwnn ynteu yn
veistyr ar y vort gronn. ac ef aedewis iessu grist kynn
diodef o honaw y deuei gwedi divieu y ymwelet ac
wynt. a gwedy diodef ohonaw wynteu a vuant yn aros
y dyvodyat ef yn drist ac yn aflawen. A gwedy hynny
ynteu a doeth attunt wy yn vynych. ac mal yr oedynt
wy duw sulgwynn y mywn ty gwedy caeu y drysseu
arnadunt. ef adoeth yr yspryt glan attunt yn ffuryf tan
oc eu didanu ac oe kadarnhau yn y ffyd. Ac yna ef
aerchis y bawp onadunt ymwahanu y wrth y gilyd. a
mynet y bregethu yr euengyl y bop lle. Ac uelly y
damchweinyawd yny dyd hwnnw yr disgyblon. Yny
mod hwnnw ar gyffelybrwyd ynteu y gwelir y mi ry
dyuot y marchawc yssyd yn veistyr arnawch chwi ywch
didanu. ac ywch cadarnhau. Kanys megys y doeth yr
arglwyd att y disgyblon yn ffuryf tan. velly y doeth
y marchawc attawch chwitheu yn arueu cochyon. yr
hwnn a ellir y gyffelybu yr tan. A megys y doeth iessu

grist att y disgyblon ar drysseu yn gaeat arnunt. velly
y doeth y marchawc attoch chwitheu yr neuad oed
wedyr gaeu heb wybot o neb. pafford y dathoed y
mywn. ar dyd hwnnw ehun y kymerassawch chwitheu
arnawch vynet y geissyaw y greal. yr hwnn ny orffow-
yssir vyth yny geissyaw yny wyper gwirioned am danaw.
allyna vi gwedy dywedut ytti wirioned am y march-
awc. or achaws na dylyy di ymlad ac ef. kanys pennach
yw no thi. o achaws y ethol o duw. dy gar agos yw.
ath vrawt dwyweith. un o achaws y vot yn un o gedym-
deithyon y vort gronn. ar llall am y vot yn gedymdeith
ac yn bennaf or keis. Arglwydes heb y peredur ti
adywedeist gymeint ac na chwennychafi vyth ymlad ac
ef. Ac yr duw dywet ym pale y tebygy di ymi gael
ymdidan ac ef. kanys pei ymgaffwn ac ef unweith. nyt
ymadawn vyth ac ef. Iawn a wnaut heb hi. dos ditheu
ragot parth a chastell goth. ac yno y tebygafi y vot ef
neithywyr gyt ae gevynderw. ac yno ti ageffy chwedyl
y wrthaw. Ac uelly y bu beredur yn ymdidan ae
votryb yny vu agos y hanner dyd. Ac yna yr anckres
adywawt. Arglwyd nei heb hi tric yma heno bellach
ygyt ami. kanys talym yssyd yr pan vuam ygyt. Arg-
lwydes heb ef ny chaffafi heb lesteir arnaf drigiaw. Ac
hynny heb ef gan dy gennyat ti mi aaf ragof. Dim or
gennyat heb hi nys keffy di. Gan hynny heb ynteu
minheu adrigyaf. Ac yna diosc y arueu aoruc. adyrch-
afel byrdeu awnaethpwyt amynet y vwyta. Agwedy
bwyt ef aymdidanawd yr anckres ac ef ac aerchis idaw
gynnal y gorff yn gynlanet o bop pechawt godineb o
hynny allan ac yr oed yna. kanys or kwympy di heb hi
yny pechawt hwnnw neur ballawd arnat gael gwelet
seint greal. megys lawnslot yr hwnn a ymdigrifhawd
yny pechawt hwnnw. Duw a rodo gras ym heb y per-
edur y ymoglyt racdaw. Yn hyt y dyd hwnnw y
trigyawd peredur yno. a gwedy daruot udunt ymdidan
am yr hynn adywetpwyt uchot. peredur aovynnawd oe
vodryb pa antur ae dugassei hi yno. aphaham y gad-
awssei y thir ae daear. yn wir heb hi rac ovyn angheu y
ffoeis i yma. kanys ti awdost pan aethost di y lys arthur

yr oed ar varglwyd i ryuel gan vrenhin laban. Agwedy
marw vynggwr i megys nat ryued bot ovyn ar wreic.
rac ovyn vyndaly i agwedy hynny vyngkewilydyaw mi
agymereis beth om da am trysor. ac adeuthum yr yny-
alwch yman rac ovyn vyngkael. ac abereis wneuthur ty
ym yman ual y gwely di. ac a adugum ygyt ami vy
offeiryat a hynn o dylwyth vy llys. Agwedy hynny mi
agymereis yr abit hwnn ymdanaw. Ac ual y gwely di
bellach ymae ym bryt i dwyn vymuched hyt tra vwyf
vyw. Ys ryued aantur yw hwnn heb y peredur. a
pheth adaruu yth vab ditheu. Myn vyngret heb hi efe
aaeth y wassanaethu brenhin peles. Agwedy hynny
ef awnaethpwyt yn varchawc urdawl. a mi agiglef y vot
ef yn hely twrneimyeint ar hyt bryttaen. nysgwnn in-
heu wrth nasgweleis i ef yr ysdwy vlyned. y nos honno
y trigyawd peredur yno ygyt ae vodryb.

XXII.—A thrannoeth pan daruu y beredur gwaran-
daw offeren ef awisgawd y arueu ac agerdawd racdaw.
A marchogaeth aoruc heb gael neb ryw chwedyl nac ei
enryued yn hyt y dyd. Ac yndiwed y dyd ef aglywei
gloch yn canu. a pharth ac yno y trosses ef. o debygu
bot yno ryw le crevydus. A phan doeth ef yno ef
awelei adeil tec cadarn o vuryeu a ffossyd achlodyeu
ynghylch y lle hwnnw. Ac yr porth y doeth ef ac erchi
agori. Agwedy y ollwng ymywn ef a vuwyt lawen
wrthaw. ac agymerwyt y uarch oe ystablu. Ac ae duc
un or myneych ynteu oe diarchenu y ystauell dec. Ac
esmwyth vu idaw yno y nos honno. Athrannoeth ny
medrawd ef gyfodi yny oed brim. Ac yna ef aaeth yr
eglwys y warandaw offeren. ac ef agyfarvu ac ef un or
myneych ac ef yn mynet y ganu offeren y allawr aoed
ar y tu deheu yr eglwys. Ac ynghylch yr allawr yr
oed kell wedyr wneuthur o rwylleu heyrn wedyr ossot
groes yngroes. a drws bychan arnei y vynet ymywn.
athu ac yno y doeth ef megys y mynnei warandaw
offeren. A cheissyaw mynet ymywn. a hynny nysgall-
ei. Aphan weles ynteu hynny ef aostyngawd ar dal y
linyeu or tu vaes yr drws. ac ef aedrychawd ymywn
drwy y rwylleu. ac yno ef awelei wely tec gwedy y

adurnaw o dapineu a sidan eureit. a hynny oll yn wynn
onyt yr eur. Ac ef asynnyawd peredur ar y gwely
yngyngraffet ac y gwydyat vot yndaw yneill ae gwr ae
gwreic. Aphan vu amser yr offeiryat gyvodi yr aberth.
ef agyvodes y neb aoed yny gwely yn y eisted. Ac ef
aadnabu peredur panyw gwr prud oed. a choron o eur
am y benn. ac yr oed wedy ymdinoethu hyt y vogel.
Ac yna ef aweles peredur. uot y dwylaw ae dwy ysgwyd
ae gorff yn llawn o greitheu. Aphan weles ef yr aberth
ef adyrchafawd y gwr prud y dwylaw. ac adywawt
vyntat i or nef heb ef nac ysgaelussa vi am vy reit.
Ac yny mod hwnnw y trigiawd ef yn hir wedy yr
aberth yngwediaw duw ae greawdyr. Ac yno yn hir y
bu peredur yn edrych ar y gwr. ac yn ryued ganthaw
y damwein hwnnw. Kanys ef adebygei vot y gwr o
oetran yn bedeirblwyd achant. Aphan daruu yr offeren
·ef awelei y offeiryat ynkymryt y corpus. ac yny
dwyn yr gwr aoed yny gwely. Ac yr awr y daruu yr
gwr gymryt corff y arglwyd ef awelei yr offeiryat yn
kymryt y goron y am benn y gwr ac yny roi ar yr
allawr. Ac odyna yngellwng y gwr y orwed. ac yn
kyweiryaw yn y gylch. Ac yna yr offeiryat adiosges
y wisc y amdanaw. Peredur ynteu yna adoeth hyt
y letty yn y lle y buassei yn kysgu y nos gynt.
ac aalwawd attaw un or myneych ac aerchis idaw
menegi pa un oed y gwr awelsei ef yn yr eglwys yn
kymryt corff y arglwyd agwedy hynny yn gorwed dra-
chevyn. ac ef awelir vot yn hynny ryuedawt mawr. ac
yr duw dywet titheu ymi beth yw hynny. Yn llawen
heb y manach mi ae dywedaf ytt. Ti aglyweist heb ef
mae drwy orchymyn duw y doeth Iosep o arimathia yr
w'at honn y adeilyat cristonogaeth yndi. Agwedy y
dyuot ef agafas yma lawer o ovit ablinder gan idewon
aoedynt yny wlat honn yr amser hwnnw. Ac yn yr amser
hwnnw yr yttoed yngwledychu yn yr ynys honn brenh-
in creulawn heb drugared yndo yr hwnn aelwit coel.
Aphan gigleu ef dyuot cristonogyon yr wlat. Ac y
gyt ac wynt yd oed llestyr mawrweirthyawc o wyrtheu.
or hwnn yd oed bawp onadunt ynkael y ymborth. Ef

agymerth hynny yn lle chwedyl. ac adywawt y mynnei
wybot beth oed hynny yn ehegyr. Ac yna ef aluyd-
awd ac adoeth yn eu herbyn. Ac arhynt ef a delis
Iosep a Iosep y vab. ae deu nei. achant o rei ereill. ac
ae roes yngkarchar. Eissyoes yd oed y gyt ac wynt
eu santeid lestyr. o achaws yr hwnn nyt oed arnadunt
un ovyn na cheffynt digawn o vagyat eu kyrff. Ac
velly y kynhalyawd y brenhin wynt yngkarchar deu-
gein niwarnawt heb anuon dim or bwyt udunt. agwa-
hawd awnaeth y bawp na bei neb mor ehovyn aroi
bwyt udunt. ac o vywn yr amser hwnnw ef aaeth y
chwedyl hwnnw y bop lle y dywedut daruot yr brenhin
creulawn o vrytaen carcharu Iosep. kanys yn yr amser
hwnnw nyt oed neb y dywedit am danaw gymeint ac
am Iosep ae vab. Ar chwedyl hwnnw aaeth yn gyn-
bellet ac yny wybu moradrins brenhin sarras hynny. yr
hwnn adathoed y gret drwy dysgedigaeth iosep. Aphan
gigleu ef hynny drwc vu ganthaw. ac yna ef aberis
lluydaw y gyuoeth. Aphan vu barawt pob peth gan-
thunt wynt aaethant yr llongheu. ac ny orffowyssassant
wy yny doethant yr ynys honn. Agwedy eu dyuot yr
tir agwisgaw eu harueu. wynt aanuonassant gennadeu
y erchi yr brenhin ollwng Iosep ae gedymdeithyon or
carchar neu wynteu adiveynt y wlat. Ac ny bu uawr
gan goel dim oe vwgwth ef namyn ymbaratoi yny
erbyn. ac ymgymysgu awnaeth y deulu arhynt.
Athrwy ras duw ef adrosses y vudugolyaeth y vora-
drins drwy lad y brenhin creulawn. ae dylwyth. Brenh-
in moradrins ynteu yr hwnn a elwit tra vu yn Idew
eualac awnaeth kymeint o aruaeth a digonyant y dyd
hwnnw ac yd oed ryued gan bawp edylwyth y barhau.
Aphan diosget y arueu y amdanaw ef a gaffat yndaw o
dyrnodeu abratheu ual y bei varw arall pei as caffei.
Ac yna ef aovynnwyt idaw padelw yd ymglywei. Ac
ynteu a dywawt na chlywei arnaw chweith dolur. Ac
yna drwy lewenyd y tynnawd ef Iosep or karchar. Ac
yna Iosep aovynnawd idaw pa ryw beth awnathoed
idaw dyuot yr wlat honno. Ac ynteu adywawt mae
oe rydhau ef y dathoed. Trannoeth y bore ef awisg-

awd Iosep ymdanaw y esgobwisc erbyn canu offeren
geyr bronn seint greal. Ac yna moradrins vrenhin yr
hwnn aoed chwannawc y welet y greal yn amlwc anes-
saawd yn nes noc y dylyei.

XXIII.—Ac yna ef aglywei lef yn dywedut wrthaw.
Tydi vrenhin na dos a vo nes kannys dylyy. Ac yna
ef aaeth yn gynbellet ac na allei dauot marwawl or byt
venegi aweles ef. na challon daearawl y vedylyaw. a
chynchwannocket vu ef y welet yr hynn aweles ac y
denessawd nesnes. ac ar hynny ef adisgynnawd ryw
wybren geyr y vronn. yr honn a duc lleuuer y lygeit y
.ganthaw a gallu y gorff. ual na allei neb ryw ymgym-
morth ac ef ehun o achaws torri y gorchymyn. Aphan
weles ynteu bot y arglwyd yn dial arnaw torri y or-
chymyn. ef adywawt ual y clywei y bobyl. Arglwyd iessu
grist heb ef y gwir duw yr hwnn adangosses ymi yny
pwnc hwnn mae ffolineb mawr yw torri dy orchymyn di.
A megys y mae hoff gennyf hynn o benyt arnaf dros
vy ymdraveu am hymladeu eiryoet. yd wyf inheu yn
adolwc y titheu yn dal ym dros awneuthum o da. na
bwyf varw yny welwyf y marchawc bieu gorffen antury-
eu seint greal. ac ae gwelo yn eglurach noc y gweleis i.
Agwedy daruot idaw adolwyn hynny y duw. ef aglywei
lef yn atteb idaw val hynn. Na vit arnat un ovyn
kanys dy arglwyd awarandewis dy wedi. ac ny bydy
varw di yny del y marchawc hwnnw y ymwelet athi.
Yna y rodir ytt leuver dy lygeit. yna yr iacha y dyrn-
odeu yssyd arnat. ac uelly yr ymdidanawd y llef ac ef.
Ac ef awelir ymi vot yn wir adywawt y llef. Kanys yr
hynny hyt hediw ymae pedeir blyned a chant. Ar
gwr aweleist di yn y gwely hediw ydiw ef. Ac ny
weles ef etto dim or byt. nae welioed nyt ynt iach etto.
ani a glywssam uot y marchawc hwnnw yny wlat honn.
Ac uelly y daruu y vrenhin moradrins. y gyt a hynny y
mae yn gann mlyned yr pan aeth yny benn ef neb ryw
vwyt daearawl. namyn corff y arglwyd ual y gweleist
di hediw yr offeiryat ar ol yr offeren yny roi idaw. ac
uelly y mae ef yr pan vu Iosep hyt yr awr honn.
yngyffelyb ac y daruu y seint simeon wirion gynt yr

hwnn awnaeth y wedi na bei varw vyth yny welei iessu
grist. Ac ynteu agafas gan duw atteb na bydei. ac
uelly ydarhoes simeon hevyt. yny doethpwyt ae bryn-
yawdyr attaw yr demyl. Ac ynteu ae kymerth y
rwng y dwylaw yn llawen orawenus. Ac uelly y tebyg-
wn ninneu vot y gwr hwnn yn kaffael y wedi. ac yn
aros dyuodyat galaath varchawc. Allyna vi gwedy
dywedut ytti y wirioned am aovynneist. dywet titheu
y minheu pa un wyt ti. Ac yna ynteu adywawt
mae o lys arthur yd hanoed apheredur gymro ymgelwir.
Aphan gigleu y gwr hynny ef a vu lawen. kanys ef
aglywssei yn vynych ymdidan amdanaw. ac aadolygawd
idaw yr duw drigyaw ygyt ac wynt y dyd hwnnw. Ac
ynteu adywawt na chaffei ef drigyaw rac meint oed
idaw oe wneuthur. ac ar hynny kymryt y gennat a
mynet ymeith. amarchogaeth racdaw yny vu hanner
dyd. Ac yna ef ae duc y fford ef drwy y glynn teckaf
or byt. ac yno ef agyfaruu ac ef ugeinwyr yn aruawc. a
gwr newydlad y mywn elor ganthunt. ac wynt aovyn-
nassant y beredur pa un oed ef. Ac ynteu adywawt
mae o lys arthur y dathoed. Ac yna wynteu ygyt
agriassant arnaw. Aphan gigleu ynteu hynny ef a
ymbarottoes yn eu herbyn. oe amdiffyn. Ac aerbyn-
nyawd y kyntaf. ac ae trewis yny vyd dan draet y
varch. ar march ar y warthaf ynteu. y lleill oll adoeth-
ant am y benn ac aladassant y varch y danaw. Ac
ynteu yna agyvodes yn gyflym ac adynnawd y gledyf.
eissyoes yn erbyn y sawl aoed yno nyt oed well idaw
hynny no pheidyaw. kanys neurdaroed udunt ymauael
ac ef ae vwrw yr llawr. a diosc y helym. ae yssigaw yn
drwc yn llawer lle. Ac wynt ae lladyssynt panyw bei
dyuot ar y traws hwnnw y marchawc urdawl yn yr
arueu cochyon oe diffryt.

XXIV.—Aphan weles ef y marchawc ymplith y elyn-
yon ymywn perigyl kymeint ac yr oed. ef adoeth attunt
ac aerchis udunt adaw y marchawc. Ac yna ef adrewis
un onadunt yny vyd yn varw yr llawr. ac yny dorres y
baladyr. agwedy hynny ef adynnawd y gledyf. athrwy
vrathu march y vyny ac y waeret ef agurawd pawb yn

I

y gylch. hyt nat oed neb or y kaffei ef dyrnawt arnaw
nyt elei y lawr. Ac wynteu pan y gwelsant ef yn
taraw mor greulawn a hynny. nyt arhoyssant arnunt
dim namyn ffo a gwasgaru ar hyt y fforest heb ymchoel-
ut yr un drachevyn. namyn y tri a daroed y beredur
eu bwrw yr llawr. ar deu ereill avwryassei galaath.
Ac yna galaath rac y adnabot adrosses penn y varch
drachevyn parth ar lle tewhaf y gwelei y fforest. A-
phan y gweles peredur efo yn mynet ymeith uelly. ef
adechreuawd lleuein yn y ol. ac aerchis idaw yr duw
aros yny gaffei ymdidan ac ef. Ac ynteu nyt attebawd
idaw. Apheredur ynteu nyt oed idaw dim or march ar
y draet aaeth yny ol gynt ac y gallawd. Ac yna ef
agyfaruu ac ef gwreang ar gevyn hacknei. ac a march
arueu teckaf or awelsei dyn eiryoet yn y law. Aphan
y gweles peredur ef ny wydyat beth awnaei. kanys oe
anuod ny mynnei ef gael y march. Ac yna kyvarch
gwell yr gwas aoruc ef. ar gwas ae hattebawd ynteu.
A unbenn heb y peredur mi avydwn varchawc urdawl
ytt a gwas. ac a dalwn y bwyth ytt pan y gallwn. yr
benthygyo ym y march yny odiwedwn y marchawc
urdawl a wely di yn mynet racko. Nys gallaf heb y
gwas o nebryw fford. kanys y neb pieu y march am
lladei I. onysdygwn idaw. Och heb y peredur. yr duw
gwna yr hynn yr wyf yn y erchi ytt. Kanys mynduw
ny bum kyndristet eyrmoet. ac or collaf y marchawc
racko o eissyeu march. mynduw heb y gwas onys dygy
di y dreis ny cheffy di varch gennyfi. Pan gigleu ynteu
hynny ny wydyat beth awnaei odristit. mileindra ny
mynnei ynteu y wneuthur ar gwas. Ac yna diosc y
helym y am y benn a chymryt y gledyf yn y law. ac
erchi yr gwas yr duw lad y benn. kanys myn vyngkyffes
heb ef gwell yw gennyf vy marw nom byw wedy coll-
wyf y marchawc racko. Mynduw heb y gwas os da
gan duw ny ladafi dy benn di. nar march ny lyuas-
safinneu y roi y ti. Ac yna yd aeth ef ymeith. Apher-
edur adrigiawd yno yn drist ovalus ual y tebygei y
varw yn y lle. Aphan yttoed ef yn ymdoluryaw velly
ef aglywei drwst march. ac yna agori y lygeit aoruc

ac arganuot marchawc urdawl yn dyuot ar hyt y fford
y dathoed y gwas idi. ar march y buassei ef yn y
geissyaw gan y gwas y danaw. Ac ef aadnabu beredur
y march ac eissyoes nyt yttoed ef yn tybyeit mae
o dreis y dugassei y marchawc ef. Ac ympenn talym
wedy hynny nachaf y gwas yn dyuot y dan udaw
a gweidi. Aphan weles ef beredur ef aovyn-
nawd idaw awelsei y marchawc yn mynet heibyaw.
Gweleis heb y peredur. Aphaham ydwyt ti yny ovyn
ef. Arglwyd heb ynteu ef a duc y march y gennyf
y dreis. ac neur daruu idaw vy llygru kanys vy arg-
lwyd am llad pa le bynnac ym kaffo. Beth a vynny
di ymi wrth hynny heb y peredur. ny allafi y beri ef
ytti. Arglwyd heb ynteu dos di ar gevyn yr hacknei
hwnn ac or gelly di ennill y march arnaw ef bit teu dy
hun. Pa delw heb y peredur y keffy di dy varch os y
llall a ennillafi. Arglwyd heb ynteu mi adeuaf yth ol
di ar vyntraet. Ac yna peredur awisgawd y helym ac
aesgynnawd ar gevyn yr hacknei. ac a drawawd yny ol
o nerth traet y march. A gwedy gadaw y fforest ef
adoeth y weirglodyeu tec. Ac yna ef aarganuu y
marchawc yn kerded yn amdrwsgyl. A pheredur a
griawd arnaw ac aerchis idaw roi y varch yr gwas
drachevyn. a dugassei y dreis arnaw.

XXV.—A phan gigleu y marchawc hynny ef a
ymchoelyawd att beredur dan ostwng gwaew idaw.
Apheredur ynteu adynnawd y gledyf kanys nyt oed
ganthaw aryf amgen. Ac yna y marchawc yr hwnn
aoed chwannawc y ymrydhau y ganthunt adoeth ac
adrewis yr hacknei yny dwyvronn yny vyd yn varw yr
llawr. ac yr awr y daruu idaw hynny. ef a ymchoelawd
oe fford drachevyn. Pan weles peredur y damwein yn
mynet uelly. ef a vu gyndristet ac na wydyat beth a
dywedei. Agwedy hynny ef a dywawt wrth y march-
awc aoed yn mynet ymeith. A ffaelyedic o gallon.
kachyat o gorff. ymchoel drachevyn y ymlad ami ar
draet. Ar marchawc aaeth yr fforest heb vynnu dim y
wrthaw ef mwy. Aphan weles ynteu hynny ymovid-
iaw awnaeth ae alw ehun yn druan kanys ffaelassei ar

y damunet. Ac uelly y bu ef yn hyt y dyd heb welet
neb yn y byt or awnelei idaw chweith didanwch.
Agwedy dyuot nos arnaw yr yttoed yn gyn vlinet ac
na allei dim. yna ef adisgynnawd kysgu arnaw. ac ny
deffroes ef yny vu hanner nos. Aphan deffroes ef
awelei geyr y vronn gwreic dec. yr honn adywawt
wrthaw yn dechrynedic. peredur heb hi. beth a wney
di ymma. Nyt yttwyf i heb ynteu yn gwneuthur yma
na drwc na da. eissyoes peituei ymi varch. ny bydwn i
yma haeach o enkyt. Pei rout ti dy gret ymi heb hi
ar wneuthur yr hynn aarchwn i ytti pan yth rybudywn.
mi a barwn ytt yr awr honn varch da athygei di y bop
lle or y mynnut. Pan gigleu ynteu hynny kynlawenet
vu ac nat ymlycaawd a phwy yr oed yn ymdidan. kanys
yd oed yn tebygu y vot yn ymdidan agwreic. Ac
eissyoes y kythreul yttoed ef yn keissyaw som arnaw.
a chyfyrgolledigaeth ar y eneit. Ac yna peredur agyn-
nigyawd bot yn barawt y wneuthur yr hynn a vynnei
hi pan y rybudyei. a hitheu a gymmerth y gret ef ar
hynny. a hi adywawt yna arho di vyvi yma ychydic. ac
yna yr fforest y kyrchawd hi. Ac ny bu hir y bu hi
yno heb dyuot a march tec kyn duet ar mwyar. ac
ef a vu aruthur gan beredur edrych arnaw. yr hynny
ual kynt ef a vu gyn hyet a mynet arnaw. ac a gymerth
y daryan. a hitheu a dywawt wrthaw ef. Peredur heb
hi ydwyt ti yn mynet. ac am hynny medylya am dalu
ym y pwyth ual yd edeweist. mi awnaf yn llawen heb
ef. Eglur a goleu oed y lleuat. ar march ae duc ef yn
enkyt bychan or fforest yr honn aoed yndi mwy noc
ymdeith deudiwarnawt ohyt. Ac yna ef adoeth drwy
glynn mawr. ac adaw hwnnw hevyt awnaeth ef yn
ennyt bychan. A gwedy hynny ef adoeth y avon vawr
aruthur. Ar march heb ohir a vynnassei vynet yr auon
pan y llesteiryawd ef. ac am na weles na phont na fford
y gallei vynet trwydi. ef avedylyawd ollwng y march y
novyaw drwydi. Ac yna ef adyrchafawd y law ac a
ymgroesses. Aphan gigleu y peth budyr arwyd y groc
arnaw. rac y drymhet ef a syrthyawd. ac megys yn
ymgreinyaw ef a edewis peredur ar y tir. Ac ynteu

adrewis y dwy vronn yn y dwfyr dan lefein ac udaw.
Ac yr awr yd aeth ef yr avon ef a welei beredur yr avon
yn llosgi yn unfflam. Pan weles peredur yr antur hwnn w
ef awybu mae y kythreul aoed yn keissyaw y sommi.
Yna ef a ymgroesses ac aerchis y duw y gadw rac syrth-
aw mywn profedigaetheu y bei idaw gyfyrgolledigaeth
oe eneit nacholli kedymdeithyas etholedigyon nef oc eu
hachaws. Ac yn wir ytti pany bei ymgroessi ohonaw
ef. ef ae dugassei y gwas drwc ef yr dwfyr yn y lle y
collassei y eneit ae gorff. Ac yna dyuot y wrth y
dwfyr aoruc ef. a gostwng ar benn y linyeu. a gwediaw
duw. Ac uelly mywn gwedieu y bu ef yny vu dyd
eglur. Ac yna peredur a gyuodes y uyny y edrych pa
vyt yd oed yndaw. kanys yr oed ef yn tybyeit yr gwas
drwc ydwyn ympell. Ac ef aweles y vot y mywn
creicvynyd uchel uch benn y mor. ar mor o bop parth
idaw. ac ny welei yn yr ynys honno neb ryw gyuanned.
ac yr hynny nyt yttoed ef ehun. canys ef awelei lawer o
eirth a llewot a seirff. a dreigyeu tanllyt. Ac velly nyt
oed esmwyth ganthaw y gyflwr pan weles hynny. kanys
ef awydyat nas gedynt wy efo yn hedwch. Eissyoes
y gwr agadwawd Ionas ym moly y moruarch. ac a iach-
aawd daniel yn ffos y seith llew. a vu wir daryan
idaw ef. ac ae hamdiffynnawd. Aphan yttoed ef uelly
ef awelei sarff yn kyrchu yr greic attaw. a llew bychan
ympenn y sarff. ac yny hol hitheu ef awelei llew cryf
kadarn yn dyuot. ar lleuein ar govit mwyaf ganthaw
am y llew bychan. Sef awnaeth peredur yna kerdet
yn eu hol. aphan doeth ef attunt wy yd oed y llew ar
sarff yn ymlad. Ac yna ef avedylyawd yr ai ef y
gymhorth y llew athynnu y gledyf aoruc ef. agossot
y daryan oe vlaen. aroi dyrnodeu trymyon idi ynghylch
y penn ar clusteu. A hitheu yn taflu y tan oe safyn
ac oe ffroeneu yn gymeint ac yny losges y daryan ae
luryc or tu racdaw oll. Aphan weles ynteu hynny ny
bu hoff na da ganthaw rac ofyn kyhwrd y tan ar gwen-
wyn ae gorff. Ac yna ef a vynnawd duw idaw taraw
y sarff yny lle y trawssei kynno hynny ymperued y
phenn yny syrth yn varw yr llawr. Pan weles y llew y

vot gwedy ymrydhau y wrth y sarff. ef aredawd att
peredur ac nyt ymladawd ac ef y chweith. namyn cus-
sanu y draet. A gwneuthur y llewenyd mwyhaf agall-
awd parth ac attaw. Pan weles peredur nat oed
ymryt y llew wneuthur idaw dim drwc. yna ef aroes
y gledyf yn y wein. ac a vwryawd y daryan y wrthaw
yn llosgedic ac adynnawd y helym y am y benn y
gymryt gwynt rac meint o wres agawssoed y wrth y
pryf. Ar llew vyth yn gwneuthur y llewenyd mwyhaf
ac allei idaw. Pan weles peredur ef ual hynny ynteu
a orllyfnawd y benn. dan dywedut. duw a anuones yr
aniueil hwnn yr kynnal kedymdeithyas ami.

XXVI.—Ac uelly yn hyt y dyd y bu beredur yno
yny vu brytnawn hwyr. Ac yna y llew mawr agy-
merth y bychan ar y gevyn ac aaeth ymeith. Aphan
weles peredur y vot ehun yno ny bu digrif iawn gan-
thaw. ac nyt oed ryued. Eissyoes da oed y obeith ef yn
duw. Ac nyt oed yny byt yn yr amser hwnnw wr well
noc ef. a hynny oed ganthaw yn erbyn aruer y wlat.
kanys yn yr amser hwnnw kyndrwc oed y deuawt
ynggwlat gymry. ac or bei y tat yn glaf yn y wely. ef
a deuei y mab idaw ac ae tynnei or gwely dan y lusg-
aw allan. Ac ae lladei. ac uelly heuyt y gwnaei y
tat am y mab. A hynny rac ovyn lliwiaw a dannot
udunt eu marw ar wellt eu gwely. A phan welet y
tat yn llad y mab. ar mab yn llad y tat yny mod
hwnnw. Yna ef a aei bawp yn aruawc y dwrneimyeint
ac y ymladeu ac uelly y lledit wynt. ac o achaws eu
llad mywn arueu y dywedit eu bot yn wyr bonhedig-
yon. A gwedy bot peredur yno tra vu dyd yn dis-
gwyl awelei ae llong ae bat yn kerdet ar y mor. ef
adoeth nos arnaw ac ynteu a ymgroesses dan dyrchafel
y dwylaw parth ar nef. Ac adywawt. Arglwyd iessu
grist or nef y gwr adywawt yn yr euengyl wrth y dis-
gyblon. Myvi yssyd vugeil da. bugeil da aryd y
eneit dros y deueit. Ar bugeil drwc ynteu aat y
deueit het y chweith gwylyeit arnadunt. Ac yna y
daw y bleid ac y dristriwa wynt. ytti yd archafi heno
ac yn wastat uot yn vugeil da ym eneit. i. rac dyuot

bleid a distrywu yr eneideu ae dwyn y gennyt drwy
y brofedigaethyeu drwc. a dwc vi arglwyd ar y gret
drachevyn val y gallwyf vot yn un oth deueit. A
chyn dywedut ohonaw ef hynny nachaf y llew aathoed
ymeith y wrthaw yn gorwed yn ymyl y draet. Ac
yna tywyll oed y nos. ac ynteu a dodes y benn ar
dwyvronn y llew ac agysgawd. Ac yna ef awelei vreud-
wyt. nyt amgen. ef awelei dwy wraged yn y ymyl. ar
neill aoed yn brud ac yn hen. ar llall heb hayach o
odran arnei. a thec iawn yttoed. ar neill ar gevyn y
llew. ar llall ar gevyn y sarff. ynteu aedrychod arna-
dunt ac ef a vu ryued ganthaw welet y gwraged mor
veistrawl a hynny ar yr aniueilyeit gwylltyon creu-
lawn. Ar ieuaf adoeth racdi att beredur. ac adywawt.
vy arglwyd i ath annerchawd di ac aerchis itt ymgy-
weiryaw a bot yn barawt erbyn avory y ymlad ar or-
nestwr cadarnaf or holl vyt. ac or goruydir arnat.
gwybyd di nath dillynghir ac yth vwrir yngcarchar
vyth. Pan gigleu ynteu y parabyl hwnnw ef aovyn-
naw idi pwy oed y harglwyd hi. Yn wir heb hi un or
gwyr kyuoethockaf or holl vyt. wrth hynny byd barawt
y wneuthur y vateil yny erbyn avory ual y keffych
ditheu enryded. Ac ar hynny hi aai ymeith debygei
ef. Yna ef a welei y llall yn dyuot attaw ar gevyn y
sarff. ac yn dywedut. Peredur heb hi mi a gwynaf
ragot. kanys ti awnaethost eniwed ym heb y haedu.
Peredur yna aattebawd idi ac a dywawt nac idi hi nac y
wreic eiryot nasgwnathoed hyt y gwydyat chweith
eniwet. mi ae dywedaf ytt heb hitheu. A unbenn
heb hi mi avegeis yn vynty aniueil aelwit sarff. yr
hwnn ayttoed yngwneuthur ymi oles mwy noc adebyg-
ut ti. ar aniueil hwnnw adoeth nywnn I pa vod hyt
yma. ac yny greic honn y kyfaruu ahi llew bychan. a
thitheu agerdeist yny hol hi ath gledyf ynnoeth ac ae
lledeist heb wneuthur or sarff ytti dim drwc. ac ni
chawsswn inheu heuyt wneuthur ytti chweith eniwet.
ac nyt yttoed heuyt y llew yn deu ytti nac ar dy gyst-
lwn. megys y dylyut ti ymlad drostaw. A unbennes
heb ef nyt oed veu dim or llew. nathitheu heuyt ny

wnaethyost arnaf chweith eniwet hyt y gwnn I diei-
thyr mi avedylyeis bot yn vonhedigach natur y llew
nar sarff ac yn llei y ormes ar y bobyl. a mi aweleis y
sarff heuyt yn treissyaw y llew or hynn aoed eidaw. ac
am hynny y redeis I yn ol y sarff ac y lledeis hi. yr
hynny ual kynt ny wneuthum I dim drwc or byt. A
hitheu yna adywawt peredur hi pany wney di ymi dim
o jawn amgen no hynny. Pa ryw heb ynteu a vynnut
ti y gael. mi a vynnaf heb hitheu gwneuthur ohonat
gwrogaeth ym yn lle vy amarch. llyma vyngcret heb
ynteu nasgwnaf. Reit yw ytt y wneuthur heb hi. kanys
kynt y gwnaethost ti wrogaeth ymi noc y tebygy di.
achanys kefeis wrogaeth arnat ti yn gynt noc arall ny
cheissyafi dydi. namyn pa le bynnac y kaffwyfi di heb
warcheitwit arnat mi ath gymeraf megys y neb auei yn
vymedyant I yngynt noc arall. Ac yna debygei ef yd
aeth honno ymeith. ac ynteu agysgawd megys gwr
lludedic hyt pan ymdangosses yr heul drannoeth. Ac
yna ef agyfodes y vyny ac aymgroesses. ac awediawd
yr arglwyd or nef. ar danuon kynghor idaw a vei da yr
eneit. kanys am y korff nys didorei ef. Ac yna ef ae-
rychawd yny gylch. ac ny welei nar sarff aladyssei nar
llew. a hynny a vu ryued iawn ganthaw ef. Ac yna
ef aarganuu yn dyuot ar draws y mor llestyr a hwyl
arnaw. Ar gwynt yn y ol yn y yrru yn vuan tu ac
attaw. Ac ynteu pan weles hynny digrif vu ganthaw
o dybyeit bot dynyon yndaw ac ef agyrchawd y traeth.
ac adisgynnawd y waeret. Aphan doeth ef yno ef
aweles vot yr ysgraf gwedy y phebyllu o samit gwynn.
Ac yndi ef awelei gwr oedawc tec. a swrplis ymdanaw.
ac a diwyc offeiryat arnaw. a choron am y benn o
samit gwynn. ac enw iessu grist yn ysgriuennedic yndi.
Ac yna peredur a gyvarchawd gwell idaw. Duw a
ymendao dy gyflwr ditheu unbenn heb y gwr or ys-
craff. Apha un wyt ti arglwyd heb y peredur. Mi
ahanwyf heb ynteu o lys arthur. apha ryw antur ath
duc ditheu yma heb ef. Nysgwnn arglwyd heb y
peredur. na pha antur na pha gyflwr y deuthum yna.
Bet a vynnut ti heb yr offeiryat pei askaffut. Arg-

lwyd heb ynteu mi vynnwn pei ascaffwn vynet or
ynys honn. att vy mrodur am kedymdeithyon or vort
gronn y geissyaw y greal. canys y geissyaw amgen
neges ny deuthum I o lys arthur. Pan rangho bod y
duw heb yr offeiryat ti ageffy vynet odyma. Aphei
gwell ganthaw ef dy vot ti yn lle arall noc yma ti a
vydut. yn ehegyr. Ac ef ar allei heb ef wneuthur o
duw athydi hynn yr dy brovi ath adnabot y edrych
beth vydut ae da ae drwc. Ac yr pan yth wnaeth-
pwyt ti yn varchawc urdawl. ef adylyei dy gallon di
vot mor galet ac nat ostyngei hi yr perigyl bydawl
yma. A challon marchawc urdawl adyly bot ynffen-
edic diymadaw ac ef y darestwng gelyn y arglwyd.
Ac ny thry marchawc urdawl da y geuyn yny darffo
o vateil goruot arnaw. Ac ny dyly gadaw urdas ky-
meint ahwnnw namyn y dwyn ganthaw. Ac yna
peredur aovynnawd idaw o pa wlat yr hanoed. Mi
ahenwyf heb ef owlat bell odyma. Pa ryw antur heb
y peredur awnaeth y titheu dyuot y wlat mor estron-
awl a honn. Mynvyngcret heb ynteu yr dy gy-
nghori di ath ganhorthwyaw. ac y warandaw dy gyflwr
ath gyffes or mynny y venegi ym. Ryued heb y pered-
ur ydwyt yn dywedut dy dyuot ym kynghori I. ac
ymcanhorthwy. ac ny welafi fford y gallei hynny vot.
kanys ny wydyat neb y mot I yma namyn duw ehun.
Peredur heb ef mi awydywn dy vot ti yma yn hyspys.
ac ny wnaethost yr ystalym hayach o weithredoed nys-
gwypwyf yngystal athitheu. Ac yna peredur rac mor
gymen y clywei y gwr da. a dynessawd ar vwrd y
llong. agovyn yr gwr da a ranghei bod idaw dehongyl
breudwyt awelsei. Dywet yn hy heb y gwr da. a
minheu aedehongylaf ytt. Ac yna peredur adywawt
idaw cwbyl yny mod y gwelsei heb adaw un geir ual y
mae orblaen.

XXVII.—Ac yna y gwr adywawt. peredur heb ef am
y dwy wraged aweleist di drwy dy hun. ymae synhwyr
mawr ar hynny. Nyt y wreic aweleist di yn march-
ogaeth y llew. ef aellir y chyffelybu yr gret newyd yr
honn y duc Iessu grist hi ar y gevyn yr byt ac aehad-

K

eilyawd yr cristonogyon. honno aoed yn marchogaeth
y llew. Nyt amgen noc iessu grist. honno yw cret a
bedyd a gobeith. honno yw y maen calet. am yr hwnn
y dyweit iessu grist. Ar y maen hwnn yd adeilyafi vy
eglwys. Ac am hynny y gellir y cheffylybu hi yr gret
newyd yr honn aoed degach nor llall a jeuanghach ac
nyt oed ryued. kanys honno aanet gyt achreedigaeth
iessu grist. ar llall a yttoed yn y byt kynno hynny. Y
wreic ieuanc honno adoeth y ymwelet athydi. megys
pettut mab idi. honno adoeth yth rybudyaw ymblaen
ydyrnawt rac ovyn kael methel arnat. Honno adoeth
y erchi y gan y harglwyd. nyt amgen noc Iessu grist
ytt vot yn barawt y ymlawd ar ornestwr creulonaf or
holl vyt. A gwybyd di y gennyfi pany bei dy garu di.
na bydei hi yth rybudyaw di y vot yn well yr ymladut.
ac y kynhalut vrwydyr ac ef. Nyt amgen nor kythreul
yr hwnn yssyd yn ymlad beunyd ar byt. trwy brouedig-
aetheu a phechodeu marwawl. agwedy yth gaffel y mywn
pechawt ef ath vwryei y uffern. Allyna yr hwnn y
goruyd arnat ti ymlad ac ef. Ac or goruyd ef arnat ti
gwybyd di ual y dywawt y wreic wrthyt nathdillyngh-
ir yr un oth aelodeu. namyn ef ath lygrir vyth.
Athi aelly welet hynny yn wir. kanys os efo aoruyd
arnat ti. ef aduc y gennyt dy gorff ath eneit. ac odyna
ef ath enuyn yr ty tywyll yr hwnn aelwir uffern yn
y lle y diodefych poen amerthyrolyaeth hyt tra barhao
duw yny nef. A llyna vi wedy menegi ytti beth a
arwydockaa y wreic aoed yn marchogaeth y llew. Gwir
adywedy heb y peredur. am y llall bellach ty aelly
dywedut ym beth a arwydockaa hitheu. Mi ae dy-
wedaf yt yn llawen heb ynteu. Y wreic aweleist di yn
marchogaeth y sarff. aellir y chyffelybu yr hengret. ar
sarff aoed yny harwein hitheu a gyffelybir yr kythreul.
yr hwnn yssyd yn dwyn ar y gevyn pechawt ac en-
wired. hwnnw yw y sarff aberis trwy y valchder y vwrw
o baradwys. Evo yttiw y sarff adywawt wrth adaf ac
eua. Pei bwytaewch chwi o ffrwyth y prenn yma.
chwi a vydewch gyffelyb y duw. Ac oachaws y parabyl
hwnnw ydaeth yndunt wy chwant y vot yngyffelyb

y duw. ac y pechassant yn varwawl. ac y credassant
yr kythreul. ac or achaws hwnnw y gyrrwyt wyntwy o
baradwys. aphan doeth y wreic honno geyr dy vron di
hi agwynawd ragot am lad y sarff aladyssut. A gwy-
byd di nat am lad y sarff aladyssut ti doc. namyn am y
sarff yr oedut yn y varchogaeth. hwnnw oed y kyth-
reul. Ac awdost di pa bryt y someist di efo. pan duc
ef dydi hyt y greic yma. Ac yna y dodeist ditheu
arwyd y groc arnat yr honn ny allawd ef y chynnal. ac
ef avu arnaw ovyn kymeint ac y tebygassei y varw.
Ac yna ef affoes megys y neb adarffei y gewilydyaw ae
sommi. ac efo adebygassei rydaruot idaw dy ennill
yna. athitheu aoruost arnaw ef yn y mod hwnnw. Ac
am hynny y doeth hi y erchi y ti wneuthur gwrogaeth
idi am lad y sarff. Athitheu yna adywedeist nasgw-
naut. Ahitheu yna adywawt mae kynt y gwnathoedut
ti idi hi wrogaeth noc yr arglwyd yr oedut yny was-
sanaethu. agwir adywawt. kanys kynn kymryt ohonat
ti vedyd yd oedut ti yny gwrogaeth hi. ac yr awr y
kymereist di vedyd. ti awedeist y gwrogaeth hi. A
llyna vi wedi dywedut ytti am bob un o honunt ual y
gilyd beth a arwydockaey. a bellach myui aaf ymeith
kanys y mae ym yn lle arall awnelwyf. athitheu a
drigyy yma. a medylya am y vateil yssyd reit ytt y wneu-
thur. Ac or gorvydir arnat ti ageffy yn dieu yr hynn
adywedeisi. Aphan daruu idaw dywedut uelly ef
aaeth ymeith. Ar gwynt adrewis yn yr hwyl. ac
aaeth ymeith ar llestyr ac ar gwr hyt na welei beredur
dim y wrthaw. Ac yna peredur adringyawd yn erbyn
y greic y vyny. Ac yna ef a gyfaruu y llew ac ef. dan
lewenyd yn dyuot yn y erbyn. Ac yno y trigyawd ef
hyt yn agos y hanner dyd. Ac yna ef awelei yn dyuot
arhyt y mor llong acherdetyat amdrwsgyl genthi yn-
gymeint a pheituei yn y hwyl hi holl wynt y byt. Ac
oe blaen ef awelei ryw ystorym yn kyffroi y mor yn-
gymeint ac ydoed yndwyn y ganthaw ef y olwc ar y
llong. yr hynny ual kynt hi anessaawd attaw ef ual y
gallei y gwelet yn kymryt tir, a hwyl burdu arnei ny
wydyat ynteu ae o vrethyn ae o hemp y gwnathoedit

hi. Ac ynteu yna adisgynnawd or greic ar vedyr gwy-
bot beth oed yndi. A dynessau aoruc ef att y llong.
A phan doeth ef yny hymyl ef awelei yn eisted y wreic
deckaf or byt. ac a mawrweirthyawc dillat ymdanei.
Ac yr awr y gweles ef hi a gyuodes yn y seuyll. ac a
vu lawen wrthaw. ac adywawt. Peredur heb hi beth
awney di yma. apheth athuc di y le mor estronawl a
hwnn. or lle ny deuy di vyth ohonaw ony byd damwein
ath dycko. Ami adebygaf kynn dy vynet odyma y
bydy varw o newyn. Myn enw duw heb y peredur or
bydaf varw I o newyn. arwyd yw hynny nat wyf was-
sanaethwr kywir ym arglwyd. kanys nyt oes neb or a
vynno gwassanaethu arglwyd kystal am arglwyd I. or
mynn y wassanaethu o gallon da ny chaffo ganthaw yr
hynn aarcho. Ac ef ehun a dywawt yn yr euengyl na
cheyir y borth ef rac neb or ageissyo dyuot idaw o
gallon da. Pan y kigleu hitheu efo yntraethu or eueng-
yl hi adrosses y barabyl arall. ac adywawt. Peredur
heb hi awdost di o pa le yr wyfi yn dyuot. A un-
bennes heb ynteu pwy a dysgawd ytti vy enw I. Mi
wnn heb hi pa un wyt yngystal athyhun. O pa le
heb ynteu ydwyt ti yn dyuot ual hynny. Yr wyf yn
dyuot heb hi or fforest dreulyedic yn y lle y gweleis yr
hynn ryuedaf aweleis eirmoet. Nyt amgen no march-
awc da yr hwnn yssyd atharyan wenn idaw ac a
croesgoch yn y daryan. Yr duw heb ynteu unbennes
dywet ym y damwein hwnnw. Na dywedaf heb hitheu
ony rody ditheu dy gret ar wneuthur yr hynn aarch-
wyf inheu ytti a hynny pan yth rybudwyf. Ac yna
ynteu arodes y gret idi megys nawydyat pa un oed.
Gwir yw heb hi nat oes hayach yr pan vum I yny
fforest dreulyedic. or tu yma yr auon yr honn aelwir
marchoys. Ac yno y gweleis I varchawc urdawl da a
deu ereill geyr y vronn yn ffo. Ac rac y ovyn wynt a
drawsant yn y dwvyr ac adoethant drwod. Eissyoes
yr hwnn aoed yn eu hymlit wyntwy adaruu yn drwc
idaw. bodi y varch y danaw. ac ynteu avodassei pany-
bei ymchoelut ohonaw drachevyn. llyna vi wedy dy-
wedut ytti yr hynn aweleis I. dywet titheu y minneu

bellach. pa ryw hynt yssyd arnat titheu yr pan wyt yn
yr ynys honn. ac ef ath gollir ony cheffy ath dycko
odyma. kanys nyt oes yma neb aallo dim lles ytt. Ac
am hynny ti a dylyut wneuthur kymeint yrofi ac y
haeddut arnaf dy dwyn odyma. A unbennes heb
ynteu mi adebygaf pei ranghei vod ym arglwyd I vy
mynet odyma. mi adebygwn yr awn. ac ny mynnwn
inheu vy mynet ony bei trwy y ewyllys ef. Taw am
hynny bellach heb hi. avwyteeist di dim hediw. Na
do heb ynteu dim o vwyt y byt yma. namyn ef adoeth
yma wr mwyn yr hwnn adywawt lawer o barableu
da. Nyt nam tawr i ywrth dim or bwyt hyt tradel
cof ym ef. Awdost di heb hi pa un oed ef. Nigro-
mawnswr oed yr hwnn awnaei or un parabyl deu-
dec heb dywedut un geir gwir vyth. Ac or credy
di idaw efo nyt aey di odyma vyth yny vych varw o
newyn. neu ynteu yny darffo y vwystuileit dy lad. athi
aelly wybot hynny ynwir. kanys ydwyt ti yma yr ys
dwy nos adiwarnawt ac aaeth or dyd hediw ymeith.
Ac nyt anuones y neb ydwyt ti yn galw arnaw dim or
bwyt ytt. a jawn mawr yw oth gollir dy yma. A un-
bennes heb ynteu pa un wyt ti pan vych yn kynnic ym
vyndwyn odyma. Arglwyd heb hitheu morwyn gyuoeth-
awc oedwn gynt pan ym didreftatwyt ar gam. Ae
velly heb ynteu y gwnaethpwyt athi. myn duw heb
ef drwc y gwnaethpwyt athi. Aphadelw y colleist di
tref dy dat. Gynt yr oedwn heb hi yn gwassanaethu
gwr kyuoethackaf or byt oll. amineu kyn decket oedwn
ac nat oed yn y byt oll dyn kyndecket ami. yny yttoed
pawb yn ryuedu vyntegwch ac uelly yd oedwn inneu
heb petrusder. ac am y tegwch hwnnw mi a velcheeis
yn vwy noc ydylyasswn. ac adywedeis ryw ymadrawd
yr hwnn ny renghis bod ym arglwyd. Ac yr awr y
kigleu ynteu y parabyl ef a lidyawd wrthyf yn gymeint
ac nam diodefawd yny gedymdeithyas. Ac am gyr-
rawd ymeith yn dlawd ac am didreftatawd heb dru-
gared vyth o hynny allan. nac wrthyfi. nac wrth neb oc
a vu om kytsynnedigaeth. ac uelly y gyrrawd y gwr
kyuoethawc vi ymeith yr diffeith. ac ef awnathoed ym

waeth no hynny panybei vy synhwyr vy hun. kanys yr
awr ymgyrrwyt I ymeith minheu adechreueis ryuelu
arnaw ynteu. ac aenilleis arnaw beth. ac adugum dalym
oe wyr y ganthaw. y rei ae gedewis ef ac adoethant
attaf inheu. kanys nyt oed dim or a erchynt hwy ymi
nys rodwn udunt. Ac uelly yd wyf a nos a dyd⸗yn
ryuelu yn y erbyn. ac yn kasglu marchogyon urdolyon.
ac amryuaelyon bobloed attaf. Agwybyd di yn lle gwir
nat oes yny byt marchawc urdawl na gwr da. ny phar-
wyfi gynnic vynda idaw yr bot yn bleit ym. ac am
glybot o honaf dy vot ti yn wr da y deuthum I yma. a
thitheu adylyut nerthocau pob morwyn or adreissit o
orthrech. kanys un o gedymdeithyon y vort gronn wyt.
a thi awdost vy mot I ar y gwir. kanys pan rodes
arthur dydi y eisted yndi. ti a rodeis dy lw yn gyntaf
na phallut vyth y wreic neu y vorwyn adidreftedit o
nerth. Gwir adywedy di heb y peredur y llw hwnnw
arodeis I a minheu ae kynhalyaf. Ac or achaws hwnnw
myvi aaf yth nerthu di. Ac uelly ybuant yn ymdidan.
yny yttoed gwedy hanner dyd. ac yna yr unbennes
adywawt y mae yma y pebyll teckaf or aweleist di
eirioet. ac os mynny di mi a baraf y dynnu allan ual
y gallom eisted yndaw rac gwres yr heul. Da yw
gennyfi hynny heb y peredur. Ac yna tynnu y pebyll
aorucpwyt. A hitheu adywawt yna. Peredur heb hi.
dabre yma y eisted yny ostyngho gwres yr heul. ac
ynteu aaeth y mywn. achyscu aoruc mywn gwely. ac
eissyoes hi aberis tynnu y arueu y amdanaw. agwedy
kyscu ruthur o honaw. hi ae deffroes. ac aerchis dyrch-
afel bwrd y vynet y vwyta. Ac uelly y gorucpwyt.
Ac ny welsei ef eiryoet lle diwallach o bop da. A phan
erchis ef diawt. ef adycpwyt gwin idaw.

XXVIII.—Ryued vu gan beredur gael gwin. kanys
yn yr amser hwnnw nyt oed chweith gwin ymbryttaen
uawr ony bei yn lle tra chyuoethawc. Sef aoruc pered-
ur yuet y gwin yn ffest. a medwi odieithyr messur.
Ac yna edrych aoruc ef yn llygeit yr unbennes rac
tecket y gwelei. kanys ny wydyat ef eiryoet welet yr
un kyndecket a hi. A chynhoffet vu ganthaw ef hi.

ac yr adolygawd idi y charyat. a gwneuthur yrdaw.
Ahitheu ae nackaawd ef. yr peri idaw vot yn chwannog-
ach idi. Ac yndidiffyc yr ymbiliawd ef ahi. Aphan
y gweles hi efo gwedy kwympaw yny charyat hi. hi
adywawt wrthaw. peredur heb hi gwybyd di yn lle
gwir nawnafi yrot ti dim ony rody ditheu dy gret ar uot
yn untuawc ygyt amyvi yn erbyn bop dyn. Ac na
wnelych dim onyt a archwyfi. Na wnaf yrofi duw heb
ynteu. ac ar hynny ymgredu aorugant. Yna hitheu
adywawt. Peredur heb hi gwybyd di yn lle gwir nat
kynhoffet gennyt ti vyngkael i. achennyfi dy gael di.
Ac yna hi aerchis oe gweissyon gwneuthur y gwely.
Ac yna y gwely awnaethpwyt ymperued y pebyll ac
yr gwely hwnnw yd aethant peredur ar vorwyn y
gysgu. Aphan yttoed beredur yn mynnu gorwed ac
yn bwrw y dillat arnaw. ef awelei y gledyf yn y orwed
ar y llawr. Ac yna gostwng y law awnaeth ef ae
dyrchafel ae dynnu attaw. Aphan y kymerth ef awelei
groes ymywn pwmel y cledyf. Ac yna ef adoeth cof
idaw ehun. ac a ymgroesses. Ac yr awr honno ef
awelei y pebyll yn mynet ual mwc ymeith. ac asyrth-
yawd ryw wybrenn yny gylch ynteu hyt na welei dim.
Ac aglywei o drewyant yny gylch hyt y tebygei y vot
yn uffern. Ac yna y dywawt ef ohyt y lef. arglwyd
iessu grist canhorthwya vi. ac na at ym vynet yngkyvyr-
goll. Ac yna edrych aoruc ef yny gylch. ac ny welei
nar pebyll nar vorwyn. namyn ef awelei yr yscraff yn
y mor. ar uorwyn yndi yn dywedut. Peredur ti am
twylleist i. ac ar hynny taraw yny mor dan yr hwyl
aoruc. ar morgymlawd agyuodes yn y hol. yn gymmeint
ac y gwelei ef yr yscraff yn ennynnu o tan oll. Aphan
weles peredur y damwein hwnnw ef a vu ryued gan-
thaw. ac adywawt. Och vy arglwyd i iessu grist
madeu ym dy lidiaw. ac yna tynnu y gledyf aoruc. ae
vrathu ehun yny vordwyt assw yny vyd y waet yn
ffrydyeu. adywedut. weldyna arglwyd iawn ytt yn lle
vyn drycvedylyeu. ac ovynhau aoruc ef yn uawr vot
duw wedy llidiaw wrthaw. Ac yna ef agyuodes yn
noeth onyt y lawdyr. ac awisgawd ymdanaw. ac aogwyd-

awd ar y greic dan wediaw ar duw ar anuon idaw
gynghor ual y gallei gael trugared y eneit. kanys nyt
yttoed ef yndamunaw amgen. Ac uelly y bu ef yn
hyt y dyd yn ymovidyaw. heb allel kychwyn or lle yd
oed o achaws y dyrnawt aoed yny vordwyt. ac ynteu
yn kolli y waet. Aphan doeth nos ef aaeth y gysgu ar
y luric. ac adorres arffet y grys. ac aystopyawd y brath.
ac aroes arwyd y groc arnaw. ac awediawd duw yndi-
diffyc yny vu dyd. ac yn drwm ganthaw vot yn agos
oe elyn ae sommi. Ac yna ef aedrychawd ar hyt y
mor. ac ef aarganuu y llong awelsei gynt ar gwr yndi.
ac yna gobeithyaw aoruc peredur rac daet y parableu
aglywssei gynno hynny ganthaw. Ac ny bu hir yny
doeth y llong yrtir. Ac yna peredur a gyuodes ual y
gallawd. ac a gyuarchawd gwell yr gwr. ac ynteu
adoeth att beredur ac aeistedawd yny ymyl. Ac ady-
wawt. Peredur heb ef padelw y llauuryeist di yr
pan euthum I ywrthyt. Myn duw heb y peredur yn
drwc iawn. kanys ef agos y vorwyn adoeth yma apheri
ym bechu yn varwawl ygyt ahi. Ac yna peredur ady-
wawt yr gwr y gyfranc. Ac yna yr offeiryat aovyn-
nawd idaw aatwaenat ef hi. Nac atwaen heb ynteu.
namyn mi awnn mae y gwas drwc ae hanuones hi y
geissyaw vy sommi. Ac ef am somyssit ynheu ynhawd
panybei arwyd y groc adodeis arnaf. drwy wyrtheu yr
honn y kefeis I vy synnwyr am pwyll drachevyn. Ac y
ffoes y vorwyn ymeith. Ac am hynny arglwyd kynghora
vi. kanys ny bu gyn reittet ym eiryoet. Peredur heb
ynteu nyt wyt iawn synhwyrus di. pryt nat atwaenost
yr hon affoes rac arwyd y groc. Myn vyngcret heb
ynteu nas atwaen. ac am hynny arglwyd dywet ym pa
un oed. a phwy y gwr kyuoethawc ae didreftatawd hi.
XXIX.—Mi ae dywedaf yn llawen heb yr offeiryat
y kythreul ehun oed. a meistyr ar uffern. a gwir yw y
uot ef gynt yn y nef ynghedymdeithyas yr engylyon
yngyndecket ac yn gynegluret ac nat oed yn y nef y
gyndecket. ac o achaws y bryt ynteu a valchaawd ac
ageissyawd drwy vedylyaw y vot yn gynhytret yn y
nef a duw ehun. ac adywawt mi aesgynnaf ar y nef.

ac avydaf gyffelyb yr arglwyd pennaf. Ac yna yn
arglwyd ni pandywawt ef hynny. ae bwryawd ef or
eistedua ydoed yndi. yny yttoed yn uffern. Aphan
weles ynteu y vwrw or eistedua enrydedus yr poeneu
tragywydawl. ynteu yna a uedylyawd ryuelu ar y neb
ae bwryassei. Eissyoes ny wydyat pa ffuryf. Agwedy
daruot yr arglwyd wneuthur adaf ac eua. ae gadaw
ymparadwys. a gorchymyn udunt na bwyteynt dim
offrwyth y prenn. ynteu adoeth ac aberis y eua vwyta
yr aual. ae rodi y adaf oe vwyta. ac o achaws hynny
y pechassant yn varwawl. ac yr aethant y uffern. honno
oed y sariff y gweleist di y wrach yn y marchogacth
drwy dy hun. honno heuyt adoeth attat titheu neithy-
wyr y ryuelu arnat. ac adywawt na orffowyssei vyth
na nos na dyd ryuelu ar duw. a gwir a dywawt athi
aelly wybot hynny. kanys y gwas drwc ny orffowys
vyth yn keissyaw dwyn y varchogyon urdolyon kywir
y gan Iessu grist. Agwedy daruot idi hi trwy y hymad-
rawd twyllodrus ym gyttunnaw athydi. hi aberis tynnu
y phebyll allan yth lettyu di. yna hi adywawt. Pered-
ur heb hi dabre y eisted yny ostyngho yr heul. ac
yny del yn nos. y pebyll trwm a weleist di aellir y
gyffelybu y grymder y byt hwnn. yr hwnn ny byd vyth
heb bechodeu yndaw. Achanys pechawt yn wastat
yssyd yny byt. am hynny ny mynnawd hitheu uot ytti
le amgen no phebyll. yn yr hwnn nyt oed amgen no
phechawt yndaw. Ac yno hi ath borthes ac ath
wnaeth yn vedw o bechodeu. Aphan erchis hi yti
eisted agorffowys yny delei y nos. ef aellir kyffelybu
hynny. panyw erchi ytt eisted agorffowys yny delei
angheu dybryt ytt yr hwnn a ellir y gyffelybu yr nos.
Allyna vi gwedy dywedut ytt paryw un oed y vorwyn.
ac ymogel yn da rac cael methel yr eilweith arnat.
kanys. or digwydy di mwy ny chey ath ganhorthwyo.
Duw or nef heb y peredur am diangho rac drycbroued-
igaetheu. yna y gwr aovynnawd y beredur pa delw yd
ymglywei or brath aoed yn y vordwyt. Mynduw heb
y peredur pan eistedeist di ym ymyl i ny chiglefi
arnaf dim dolur. ac ef awelir ymi ynherwyd y gras yr

L

yttwyfi yny gaffael oth barableu di. nat wyt bechwyd-
awl di namyn ysprydawl. ac ar hynny difflannu awnaeth
ef ual na wybu beredur pa le yd aeth.　Ac yna ef agly-
wei lef yn dywedut.　Peredur ti aoruuost ac yr wyt
yn iach. dos yr llong racko hyt y lle yth anuono antur
di. ac na vit un ovyn arnat yr awelych nac yr a gyfarffo
athydi. kanys duw avyd y gyt athi.　Aphan gigleu ef y
parabyl hwnnw. hyfryt vu ganthaw adiolwch y duw
aoruc. agwisgaw y arueu awnaeth adyuot yr llong.
yr honn adrewis yr mor ar hynt o nerth gwynt a hwyl.
Yma y mae yr ymdidan yn tewi am peredur ac yn ym-
choelyt at lawnslot.

XXX.—Lawnslot aoed ynty y meudwy. ac yno y bu
ef bedwar niwarnawt y gyt ar gwr da yr hwnn drwy
amrauaelyon exawmpleu. a chospedigaetheu ae tros-
sassei ar gret da ac ediuarwch am yuuched a gynhaly-
assei or blaen.　Ac yna y gwr da aanuones att vrawt
aoed idaw.　Ac aerchis idaw anuon march ac arueu y
varchawc urdawl anghyflyryus aoed ygyt ac ef. ac ynteu
ae hanuones.　A gwedy kael o lawnslot pob peth or a
oed yn eissyeu idaw. ef aaeth ymeith drwy gennyat y
gwrda. ac a uarchokaawd drwyr fforest yny oed yn
awr brim.　Ac yna ef a gyuaruu ac ef was ieuanc yr
hwnn aovynnawd idaw o pale pan oed yn dyuot.　A
lawnslot adywawt mae olys arthur yr oed yn dyuot.
Pwy dy henw di heb ynteu.　Ef am gelwir i lawnslot
dy lac.　Lawnslot dy lac heb y gwas nyt hwnnw yd
yttwyfi yny geissyaw. kanys ny wnn yn yr holl vyt
un dyn aflwydyannussach na direidyach no thi.　A un-
benn heb y lawnslot beth awdost di.　Gwnn heb ynteu
panyw tydi yw yr hwnn yr ymdangosses seint greal
idaw. ac yr hynny ny wyr duw ytti symudaw un cam or
lle yr oedut.　Ac ynwir yna ti adangosseist nat oedut
wrda. na marchawc urdawl kywir. namyn un ffals
anghyfyawn pryt na mynnut wneuthur chweith anryded
yth arglwyd.　Ac na vit ryued gennyt ti or kyuerfyd
kewilyd athi yn y bererindawd honn yn annat neb.
Pan y kigleu lawnslot ef yn dywedut uelly tristau yn
uawr aoruc kanys gwydyat y vot yn gamgylus. ac wylaw

yn hidyl aoruc ac adaw y gwas yno. a marchogaeth yn
vedylgar drist yny bu hanner dyd. Ac yna ef aar-
ganuu gudugyl meudwy athu ac yno y trosses ef. a
gwedy y dyuot yno ef a welei wr creuydus pruddrist
medylgar. yn eisted yn ymyl y capel. Ac yn dywedut.
arglwyd iessu heb ef. paham y diodefeist di hynn. kanys
ef avu yth wassanaethu yn hir. Aphan y gweles
lawnslot ef yn wylaw mor hidyl a hynny. ef a vu dost
ganthaw. ac agyfarchawd gwell idaw. ac a dywawt duw
ath gatwo rac drwc wrda. Amen. heb y gwr kanys
onym keidw y mae arnaf ovyn y gorvydir arnaf yn
ehegyr. A duw ath gatwo ditheu hevyt rac dy bechod-
eu kanys reidyach yw ytt. noc y varchawc urdawl or
a atwaen I. Pan gigleu lawnslot hynny ef a vedylyawd
y disgynnei. ac nat aei oe gynghori y wrth y gwr y
dyd hwnnw. kanys yttoed yn y adnabot yn herwyd y
parabyl adywedassei. Ac yna dynessau tu ar ty aoruc
ac arganuot ar y drws debygei ef gwr prud llwyt yn
varw achrys ymdanaw. A gwedy disgynnu o honaw
ef aeistedawd yn ymyl y gwr ac a ovynnawd idaw pa
angheu adugassei y gwr aoed yn varw ar crys ym-
danaw. ac ae beis rawn ympell y wrthaw. Nysgwnn heb
y gwr namyn tybyeit nat oblegyt duw y bu uarw. a
thorri ohonaw bwngk ar y greuyd pan vwryawd y beis
rawn y wrthaw. achymryt y crys. ac yny medwl hwnnw
y odiwedut or gwas drwc ef. a dwyn yr eneit y gan-
thaw. Ac ys mawr aryssynt yw. kanys y mae deg-
mlyned arhugeint yr pan yttiw yn gwassanaethu duw.
Ac yna y gwr da aaeth yr capel y mywn. ac agymerth
ystol ac adynnawd llyfyr oe vynwes ac ae darlleawd.
Agwedy daruot idaw darllein talym or llyfyr. ef awelei
y gwas drwc geyr y vronn yn hackraf neb ryw eilun
or byt. Ac yna y kythreul a dywawt y baryw beth
heb ef y llauuryeist di vyvi yma. y dywedut ym heb y
gwr pa ffuryf y bu uarw y gwr da hwnn a oed gedym-
deith ym. ac y uenegi beth a daruu oe eneit. Ac yna
y kythreul a atebawd idaw yn aruthur iawn ac ady-
wawt y odiwedut ym pwngk da. a mynet y eneit y
baradwys. Ny allei hynny vot heb y gwrda. kanys yn

erbyn reol yn creuyd ni oed hynny. Wrth hynny heb
y kythreul mi adywedaf ytt val y daruu idaw. ti
awdost heb ef y vot yn wr bonhedic. ˙a dyuot arglwyd
y glyn a ryuelu ar nei yr gwr racko aelwit agaraus.
Aphanweles agaraus y chware gwaethaf yn troi attaw
ef. ynteu adoeth y ymgynghori ae ewythyr yma. ac
yna y gwr mwyn adosturyawd wrthaw ac aedewis y
meudwydy. ac agymerth arueu ual y gnottaawd yn y
ieueyngtit ac aaeth y nerthau y nei. Agwedy ymgyn-
nullaw onadunt wynt aaethant y ymlad. A chystal y
llafuryawd y gwr racko yn arueu ac y dalwyt iarll y
glynn ar benn y trydyd dyd. Ac yna ef awnaethpwyt
hedwch y ryngthunt. ac a vu reit yr iarll roi diogelwch
y agaraus na ryuelei vyth arnaw. Aphan daruu y ryuel
ef a ymchoelawd y gwrda oe veudwydy gan gynnal y
greuyd ual y gnottaei. Eissyoes pan wybu y Iarll
oruot arnaw oe achaws ef. yna ef adebygawd ydeu nei
aoed idaw gallel dial y gewilyd. ac wynteu adywedassant
y dielynt. Ac yna wynt adoethant hyt yma. ac awel-
sant vot y gwrda ar secret y offeren. ac ny lyuassant
wy wneuthur idaw dim argywed yn yr amser hwnnw.
ac aros awnaethant yny daruu idaw y offeren. Aphan
doeth ef allan wynt adynnassant eu cledyfeu ar uedyr
torri y benn. Eissyoes yr hwnn y bu ef yny wassanaethu
yn hir adangosses eglur wyrtheu arnaw ef yn gy-
meint ac yr oedynt wy yn dryllyaw eu cledyfeu heb allel
dim argywed idaw efo. ac nyt oed ymdanaw ef yr
hynny onyt y dillat. Aphan welsant wy hynny wynt
agynneuassant dan ar vedyr y losgi. Ac abarassant
oe tylwyth diosc y dillat y ymdanaw. hyt ynoet y beis
rawn awely di racko. Aphan wybu ef y vot yngyn-
noethet a hynny. ef agewilydyawd ac aerchis udunt yr
duw adel ryw gadach ymdanaw. ac wynteu adynghas-
sant nat aei ymdanaw na llin na gwlan.

XXXI.—Aphan gigleu ynteu hynny dan chwerthin
ef adywawt. a debygwch chwi heb ef dwyn vy eneit y
gennyf i drwy y tan racko. mynvynghret heb ef ny
bydafi varw yroch chwi hediw ony reingk bod ym
arglwyd. ac y minheu. kanys nyt oes yr tan racko o

vedyant arnafi gymeint ac y gallo llosgi un blewyn
arnaf. Ac nyt oes yny byt crys yr teneuet vei ac a uei
ymdanafi yn y tan racko a vei waeth vyth no chynt.
Aphan glywssant wynteu y parabyl hwnnw gwatwar
awnaethant. Ac un o honunt adywawt y mynnei ef
wybot aoed wir hynny. ac adiosges y grys ac ae gwisg-
awd ymdan y gwr racko. ac ae bwryassant ef yny
tan. yr hwnn abarhaawd o doe y bore hyt neithywyr
pan oed nos. Aphan diffodes y tan yd oed y gwr yn
gynvywyet ac yr oed gynt. Ac yna ef aadolygawd y
iessu grist erbynnyeit y yspryt attaw. Ac ynteu ae
herbynnyawd yn diargywed yr crys ac idaw ynteu.
Aphan welsant wy hynny wynt ae tynnassant or tan
ac aaethant ymeith. Eissyoes duw aaeth ymeith ar
eneit y baradwys. Allyna vyvi wedy dywedut ytti y
gyfranc ef. Aminneu aaf ymeith ym negesseu. Ac
yr awr y kychwynnawd ef ymeith ti awelut y deri
yndiwreidyaw y fford y kerdei. yn gymeint eu twryf
a pheit vei yno holl dievyl uffern. Pan gigleu y gwrda
y chwedleu hynny am y gedymdeith digrif vu gan-
thaw. diangk eneit y gwrda. Achussanu y gorff aoruc.
adywedut wrth lawnslot weldyma heb ef wyrtheu tec.
adangosses duw am y gwr hwnn. Arglwyd heb y lawn-
slot pwy oed y gwr aoed yn dywedut wrthyt ti. Y
gwr hwnn heb ef aryd kynghor y bawp y gyvyrgolli
y eneit ae gorff. A lawnslot yna awybu mae y kyth-
reul oed. Yno ytrigyawd lawnslot y nos honno adiosc
y arueu ymdanaw aoruc. Ac odyna ef adoeth dra-
chevyn at y gwr. Agwedy eisted o honaw yn y ymyl.
y meudwy adywawt. Panyt lawnslot wyt ti. apheth
ydwyt ti yn y geissyaw valhynny. Arglwyd heb y
lawnslot yr wyf yn keissyaw seint greal. val ymae
pawb om kedymdeithyon. y geissyaw heb ynteu aelly
di ynhawd. Eissyoes ar y gael ef ti affeylyeist. kanys
ydwyt gwedy ymhalogi yn y pechodeu butraf. Aphan
ymdangosses ef ytti ny elleist wneuthur idaw chweith
enryded. Yr hynny ual kynt llawer dyn adrigyawd
mywn tywyllwch pechodeu. agwedy hynny aelwis duw
ef ar oleuni athrugared. or gwelei ef gallon da ediueir-

yawc ganthaw. ar wneuthur ryw weithret da. achynn
dy wneuthur di lawnslot yn varchawc urdawl yr yt-
toed wedy llettyu ynot ti o natur pob peth ynda. kanys
yngyntaf yd oed ynot diweirdeb yn gymeint ac y
gallei vwyhaf y vot hyt nat yttoedut yn mynnu y
fflygu nac yn medwl nac ynggweithret oblegyt godineb
or byt. y gyt a hynny yr oed ynot ufuddawt. kanys yr
oed arnat ovyn dy greawdyr hyt na mynnut wneuthur
y neb chweith enwired. Y gyt a hynny yr oed ynot
gyvyawnder yngymeint ac y gallei vwyaf kanys ny
dygut y gan neb dim ar gam. ny rodut y neb hevyt
dim ar gam. Y gyt a hynny yr oed ynot drugared yn
gymeint aphei teu da yr holl vyt ti aallut arnat y roi
yr karyat dy arglwyd ath greawdyr. Ac yna yd oed
tan yr yspryt glan ynot ti yn llauuryaw. Ac uelly
yn gyflawn or donyeu hynny y doethost yth wneuthur
yn varchawc urdawl. ac yn was y iessu grist. Yna
y kythreul pan yth weles yngyflawn or kampeu racko
ef avu arnaw ovyn na allei dy dwyn y ar y fford yr
oedut. Ac avu anhawd ganthaw dy gyrchu rac mor
aruawc oedut yny erbyn. ac rac mynet y lauur yn ouer.
Ac yna ef avedylyawd pa ffuryf y gallei dy dwyllaw di.
ac aweles bot yn haws idaw dy dwyllaw drwy wreic.
no thrwy fford arall. kanys y gwr kyntaf a vu adwyllwyt
trwy wreic. A salamon doethaf. a samson gryfaf or
gwyr. ac absalon uab dd. aoed deckaf or byt adwyllwyt
oblegyt gwraged. A chanys goruuwyt ar hynn oll o
wyr da oblegyt gwraged nyt oes fford yr mab racko
y barhau. heb y kythreul am danat ti. Ac yna ydaeth
y gwas drwc ymywn gwenhwyuar. ac y peris idi edrych
arnat ti y dyd yth wnaethpwyt yn varchawc urdawl.
Ac yna pan y gweleist ditheu hi yn edrych arnat ti a
uedylyeist. ac yr awr honno ydoeth y gwas drwc ac
yth drewis ac un oe gwareleu. yny dramkwydyeist y ar
dy fford dy hun. ac yny aethost yr fford gam nyt am-
gen noc yt ynggodineb. Y fford honno aberis ytti dreul-
yaw dy gorff ath eneit. Ac yna y duc ef y gennyt ti
dy olwc. kanys yr awr y daruu yth lygeit ymdwymno
ynggwres godineb. ti ayrreist y wrthyt uvuddawt ac

aelweist attat valchder. ac agerdeist yn benn uchel heb
roi messur arneb. Ac yr awr y gwybu y kythreul vedyl-
yaw ohonat titheu uelly. yna ef aaeth ynot titheu.
Ac uelly y gyrreist di rat yr yspryt glan y wrthyt.
Ac uelly yr edeweist di Iessu grist ac yr aethost yn wr
y diawl. kanys yn erbyn diweirdeb ac uvuddawt. ti
alettyeist ynot odineb abalchder y rei a yrrawd y lleill
ymeith. Aphany bei hynny ar vymperigyl I tydi awel-
sut seint greal yn gynegluret ar egluraf oc yssyd yny
bererindawd. Kwbyl ohynn oll yd wyfi yn y dywedut
ytti rac drycket gennyf dy gyflwr. kanys nyt oes lle oc
y delych idaw vyth ny cheffych lliwiaw ytt dy dryc
antur. am nat adoleist seint greal. Yr hynny ual
kynt ny wnaethost di yn erbyn duw kymeint ac na
cheffych drugared os keissy o galon da. Ac am hynny
adolwc yth arglwyd yr y vawrhydri dy alw y gymryt
rann oe wled darparedic. yr honn yd yttys yn ymdi-
dan amdanei ar gyffelybrwyd yn yr euengyl.

XXXII.—Ef avu gynt wrda kyuoethawc yr hwnn adar-
parawd neithyawr. ac awahodes pawb oe gymodogyon ae
gedymdeithyon idi. A gwedy dyrchafel byrdeu ef aan-
uones y weissyon y erchi yr gwahodwyr dyuot y vwyta.
kanys parawt oed boppeth. ac wynteu adrigyassant yn ry-
hir yngyhyt ac yny digyawd y gwrda. Ac yna panweles
cf na deuynt hwy. ef aerchis oe wassanaethwyr vynet
ar hyt yr heolyd ar ffyrd achanu kyrn. ac erchi y bawp
tlawt a chyuoethawc dyuot y vwyta attaw. Ac uelly
y gwnaethant wynteu ac wynt a dugassant ygyt o dy-
lwyth gymeint ac yd oed y ty yn llawn. Agwedy
mynet pawb y eisted y gwrda aedrychawd ar bawp
onadunt. ac ef aarganuu gwr ymplith y lleill heb dillat
or neithyawr ymdanaw. Ac ynteu yna adywawt.
Aunbenn heb ef beth a vynneist ti yma ymywn. Dyuot
heb ynteu yma awneuthum ual y doeth y lleill. Na
doethost myn vyngcret heb y gwr. kanys y lleill oll
adoethant yn llawn o lewenyd ual y dylyynt dyuot ac
a dillat neithyawr ymdanunt. A thitheu yr hwnn
adoethost yma heb neb ryw dim arnat or aberthynei ar
neithyawr. Ac yna y gwr aerchis oe weissyon y yrru

allan. Ar gwr adywawt ual y clywei bawp ry daruot
idaw ef wahod o dylwyth mwy noc a dathoed yr neith-
yawr. or achaws y gellir dywedut. ef awahodet. llawer
abychydic aetholet. Y kyffelybrwyd hwnn y mae yr
euengyl yny dywedut aallwn ni y welet y mywn perer-
indawt y greal. Ar neithyawr ar wled aallwn y gyff-
elybu y tabyl seint greal yny lle y bwytaant y march-
ogyon urdolyon kywir. Nyt amgen nor rei agafas iessu
grist wynt ymywn dillat neithyawr. y dillat aallwn ni
eu kyffelybu y ras da y wneuthur gweithredoed da ac y
gyffessu yn vynych. ac y beidyaw aphechu. y rei hynny
agaffat dyuot yr neithyawr. ar wled nyt oes drank
arnei. Ar lleill nyt ant y gyffes ac ny wnelont da
ayrrir ymeith or llewenyd yr boen dragywyd. yny lle
y kaffant ovit gymeint ac a geiff y lleill o lewenyd.
Yna edrych awnaeth y gwr ar lawnslot ae arganuot yn
wylaw yn hidyl. megys pei gwelei geyr y vronn yn
varw yr hynn mwyhaf agarawd eiryoet. Ac yna y
govynnawd ef y lawnslot avuassei yn kyffessu yr ystal-
ym. ac ynteu adywawt y vot. ac a dywawt idaw gwbyl
oe gyflwr ual y kyfaruu ac ef. Ac yna y gwr aovyn-
nawd y lawnslot ar y gret adylyei oe arglwyd dywedut
idaw pa vuched hoffaf ganthaw. ae yr honn y buassei
yndi or blaen. ae ynteu y llall. Ac ynteu adynghawd
vot yn hoffaf ganthaw aros canweith y vuched yr oed
yndi. Ac uelly y bwryassant y dyd dan ymdidan yny
doeth y nos. ac yna wynt aaethant y vwyta. Agwedy
hynny y gysgu. Athrannoeth pan gyuodassant wynt
agladassant y corff yn ymyl yr allawr. Agwedy hynny
y gwr aaeth y ty y meudwy. ac adyngawd nat aei o was-
sanaethu duw odyno tra vei vyw. Aphan weles ef
lawnslot yn kychwyn ac yn kymryt y arueu. ef aorchy-
mynnawd idaw yn enw duw kymryt y beis rawn
avuassei ymdan y gwr da. ae gwisgaw ymdanaw yn lle
penyt dros y pechodeu awnathoed. a mi aorchymyn-
naf heuyt ytt na bwytteych gic ac nat yfych win. ac
na bydych heb warandaw offeren or gelly y chaffael.
Ar gorchymun hwnnw a gymerth lawnslot yn lle penyt.
agwisgaw y beis rawn aoruc. Agwedy ymbarotoi ohon-

aw ysgynnu ar y varch aoruc achymryt y gennyat y gan
y gwr da. Ac ynteu ae roes idaw trwy adolwyn idaw
vot y vedwl ar wneuthur da. ac na bei un wythnos
heb vynet y gyffessu rac caffael methel arnaw. Ac ar
hynny kychwyn aoruc lawnslot a marchogaeth yny
yttoed yn bryt gosper heb gyfaruot neb ryw antur ac
ef. Ac ympenn ruthur gwedy hynny ef a gyuaruu ac ef
morwyn ieuangk yn marchogaeth palffrei. Ac yr awr
y gweles hi lawnslot hi a gyfarchawd gwell idaw. ac
aovynnawd idaw y bale yr aei. a lawnslot aattebawd ac
adywawt nawydyat ef y bale. namyn ual ym dycko
antur. kanys ny wn i pale y gallwn gaffael yr hyn yr
wyf yn y geissyaw. Mi a wnn heb hitheu beth ydwyt
ti yny geissyaw. ti auuost gynt yn nes idaw noc yr
wyt yr awr honn. A unbennes heb ynteu ef arallei
vot yn wir adywedy di. Ac awdost di uenegi ymi pale
y kaffwyf chweith lletty heno. A unbenn heb hitheu
ti ae keffy. ac ef avyd hwyr iawn kynnys keffych ony
cherdy a vo kynt. ar hynny y kerdawd lawnslot rac-
daw. ac y doeth hyt ymywn glynn. Ac yno ef agyuar-
uu ac ef y marchawc adugassei y arueu yn ymyl y groes
pan welsei ef seint greal. A hwnnw adoeth tu ac att
lawnslot heb gyuarch gwell idaw. athan dywedut ymog-
el ragof neu ynteu ydwyt yn varw os mi avyd trech
no thi. Ac yna gostwng gwacw ae gyrchu aoruc
ae daraw yny dyrr y arueu ympob lle dyeithyr y gorff
ef adihenghis. A lawnslot ae trewis ynteu yny vyd y
ar y varch yr llawr. ac yny vu agos yr march athorri y
vynwgyl. Allyna lawnslot agymerth y march erbyn y
ffrwyn. ac ae rwymawd wrth un or prenneu ual y gallei
y marchawc pan gyuotei oe lewyc y gaffael. A gwedy
daruot idaw hynny efo aaeth oe fford ac a varchoc-
kaawd yny vu nos. Ac yna ef aarganuu meudwydy
athu ac yno y doeth ef y lettyu. ar meudwy avu lawen
wrthaw ac aduc y varch y mywn. a bwyt arodet idaw
digawn. Agwedy hynny diarchenu lawnslot aoruc-
pwyt. amynet y vwyta ef ar meudwy awnaethant. A-
gwedy bwyt rac y vlinet lawnslot aaeth y gysgu hyt y
dyd drannoeth.

M

XXXIII.—Trannoeth y bore ef agyfodes lawnslot
y vyny ac aaeth y warandaw offeren. A gwedy daruot
yr offeren ef agymmerth y arueu ac aesgynnawd ar y
vyrch ac aaeth ymeith. drwy gennat y lettywr. A
marchogaeth aoruc ynhyt y dyd hwnnw trwy y fforest
heb gynnal na fford na llwybyr. amarchogaeth aoruc ef
yny vu brytnawn. Ac yna ef adoeth y wastattir ymper-
ued y fforest. achyferbyn ahynny ef awelei gastell cad-
arn caedic o vur affossyd. acheyr bronn y castell yr
yttoed gweirglawd dec. ac o bebylleu yndi amcan y gant
o amrauael liwyoed. Acheyr bronn y pebylleu yd oedynt
wedy esgynnu ar eu meirch ynghylch chwech chant o
varchogyon urdolyon. Ac yd oed y neillparti ac eu harueu
ynwynnyon. ar parti arall ac arueu duon ymdanunt heb
neb ryw amryuael arueu dieithyr hynny. Achwbyl or
rei aoedynt ar arueu duon ymdanunt aoedynt oblegyt
y kastell. ar rei ar arueu gwynnyon aoedynt oblegyt y
fforest. Ac yna dechreu y twrneimeint aorugant
obopparth yn wychyr. ac ynteu aedrychawd arnadunt.
y edrych pa bleit aorthrymit. Ac or diwed ef awelei
y gwyr gwynnyon yn goruot. ac yndwyn y lle y ar y
lleill. ac yr hynny yr yttoedynt mwy nor lleill. Aphan-
weles lawnslot hynny ef aymchoelawd tu ac att y rei or
kastell ar uedyr eu kymorth. Ar kyntaf agyfaruu ac
ef dan ostwng y waew ef aekyrchawd. ac ae trewis yny
yttoed dan draet y varch yr llawr. Ac yna tynnu
cledyf yn vuan aoruc agwasgaru y twrneimyeint y vyny
ac y waeret. Ac ar vyrder ef awnaeth onerth arueu
gymeint ac nat oed neb or ae gwelei ny bei yn roi y
glot idaw efo. Yr hynny ual kynt nyt ytoed ef yn-
gwneuthur kymeint ac y kaffei wyr y castell y maes.
Eissyoes yr hynny ual kynt ef avriwawd llawer. ac
aladawd ereill. ac or diwed efo adelit o gedernyt ac ae
dugassant yr fforest. Ac yna wynt adywedassant
lawnslot heb wy. ni awnaetham gymeint ath wneuthur
di yngarcharawr. ac or mynny di dy ollwng reit vyd
ytt wneuthur yn ewyllys ni. Arglwydi heb ynteu hyt
y bo kyuyawn mi ae gwnaf. ac ar hynny roi y gret ac
ymeith y kerdawd ef. ae gadaw wynteu yny fforest.

Agwedy pellau ywrthunt ef avedylyawd na bu vwyn y
digonassei y dyd hwnnw. Ac adywawt na buassei
eiryoet mywn brwydyr heb uarnu idaw y vudugolyaeth
ar glot namyn y dyd hwnnw. Ac y gyt ahynny na delit
eiryoet hyt yna. a doluryaw ynvawr awnaeth yny vedwl.
a dywedut bot arnaw o bechodeu mwy noc ar neb.
kanys y bechodeu aduc y ganthaw y olwc. achedernyt
y gorff. Aphrofadwy yw ry golli ohonafi vynggolwc
heb ef. am na elleis edrych ar seint greal pan doeth
attaf. Ac ogedernyt vyngkorff profadwy heuyt yw.
kanys nymblinwyt eirmoet o ymlad megys ymblinwyt
hediw lle ny bei mwy odylwyth. namyn or diwed mi
abarwn udunt ffo yn orchyvygedic. Ac yny medylyeu
doluryus hynny y marchockaawd ef yny doeth nos ar-
naw odyvywn glynn mawr dwfyn. A disgynnu yno
aoruc ar vedyr llettyu. Athynnu y gyfrwy odyar y
varch ae ffrwyn oe benn ae ollwng y bori. Achysgu
aoruc ynteu ar y glaswellt. kanys blin alludedic oed.
Agwedy kysgu ohonaw ef awelit vot yndyvot y wrth y
nef tu ac attaw gwr da. yr hwnn adywawt wrthaw.
Tydi wr tlawt o gret paham mor hawd gennyt ti troi
dy vedwl tu ath elyn marwawl. Ac onyt ymogely ynda
ef ath vwrw yn dyvynder uffern. Aphan gigleu lawns-
lot hynny ny bu esmwyth ganthaw y parabyl hwnnw.
Yr hynny ny deffroes ef dim yny vu dyd drannoeth.
Ac yna ef a gyuodes yuyny ac awnaeth arnaw arwyd y
groc. ac agyfrwyawd y varch ac ac efo yn kychwyn. ef
a welei ar gynnwll y wrthaw ty anckres yn yr hwnn yr
oed un or gwraged goreu or byt. Yna ef adywawt
diamheu yw bellach heb ef nat oes yny byt dyn dirieid-
yach no mi. Adilis yw gennyf mae vympechodeu
yssyd yn llesteiryaw.

XXXIV.—Tu ac yno ydoeth lawnslot y ty yr anck-
res. a disgynnu aoruc. a rwymaw y varch wrth brenn.
athynnu y daryan y am y vwnwgyl. a diosc y helym
adyuot yr capel ymywn. Ac yna ef awelei daruot
gwisgaw am yr allawr. ar offeiryat yn wr prud ardal y
deulin yn gwediaw duw. A gwedy hynny ef awisgawd
ymdanaw. ac adechreuawd yr offeren. or wynuydedic

ueir. Aphandaruu yr offeren yr anckres yna drwy
ffenestyr uechan aelwis ar lawnslot. kanys yd oed yn
tybyeit mae marchawc urdawl anturuus oed. Ac ynteu
adoeth attei. ahitheu aovynnawd idaw o pa le yd oed
yndyuot. ac y pale yr aei. apha beth yd oed yn y geis-
syaw. ac ynteu adywawt idi y gyflwr kymeint ungeir.
Ac yn y diwed oll ef adywawt idi y antur yn y
twrneimant dyd gynt. ar weledigaeth awelsei y nos yn
y gwsc. Agwedy daruot idaw dywedut. ef a adolyg-
awd idi y gynghori yn oreu ac y gallei. Ahitheu yna
adywawt lawnslot heb hi. ti avuost uarchawc urdawl
bydawl ny bu yn y byt dy gyfryw oblegyt anturyeu.
ac ochyvaruu athi anturyeu ryued na vit eres y gennyt.
Eissyoes am y twrneimant doe mi adywedaf ytti beth
aarwydockaa hynny. Agwedy hynny mi adywedaf yt
paham y gwnaethpwyt y twrneimant. Y wybot pwy
amylhaf a pha vu oreu y varchogyon urdolyon. ae
helieser mab brenhin peles. ae argus mab brenhin
helyen. Ac yr adnabot y neill dylwyth y wrth y llall.
y peris helieser oe dylwyth ef dwyn arueu gwynnyon.
Agwedy ymwan onadunt ygyt y rei gwynnyon aoruu
kyt bei amlach y rei duon. Ac am hynny mi adywedaf
ytti beth aarwydockaa hynny. Duw sulgwynn yny
vlwydyn honn ual y gwdost di y bu dwrneimant y rwng
marchogyon urdolyon bydawl ar rei nefawl. Y deall ar
hynny yw. Y neb aoed ymywn pechawt marwawl ynt
y marchogyon bydawl. ar rei nefawl ynt y rei nyt ytt-
oedynt gwedy ymhalogi ymywn pechodeu. Y twrnei-
mant agyffelybir y bererindawt y greal. ar rei agymer-
assant arnunt vot yn un or keis. ae medwl ganthunt ar
y dayar ac ar y byt. yrei hynny aellir eu kyffelybu yr
rei a oedynt ar arueu duon ymdanunt. kanys y pechod-
eu aoed yn eu lliwiaw uelly. Y lleill aoedynt nefol-
yon ar arueu gwynnyon ymdanunt kystal yw hynny a
oedynt diweir aglan o vedwl a gweithret. Eissyoes
amlach oedynt y lleill. Agwedy daruot dechreu y twr-
neimant. kystal yw hynny adereu y twrneimant. ti
aedrycheist ar y pechaduryeit. ac ar y gwyrda. Ac yna
ef awelit ytti daruot goruot ar y pechaduryeit. Ac yna

titheu yr hwnn aoed bechadur aaethost yn nerth udunt.
ac y ymlad ar gwyr da. Agwedy ymlad ohonat dalym
ti a vlineist. yn gymeint ac na elleist dy gymorth dy
hun. Ac yna y gwyr da ath delis di ac ath dugant yr
forest. kystal yw hynny ar nos arall pan ymdangosses y
greal ytti yd oedut yn gynvlinet ac yn gynvutret ac na
elleist edrych arnaw. Ac yna ef aaeth anobeith ynot
ual y tybyeist na wnaei duw athi chweith trugared.
Ac yna y doethant y meudwyeit ar gwyrda creuydus
ac yth dalyassant ac yth dugant ti y fford y vuched ar
wirioned yr honn yssyd yn ir yn wastat. ac aellir y che-
ffelybu yr fforest. ac yth cynghorassant ti arles dy eneit.
Aphan doethost di y wrthunt hwy nyt aethost yth hen-
fford ath hen bechodeu. Yr hynny ual kynt pandoeth
cof ytti y gweithredoed anotaut y wneuthur. yr kaffael
clot y byt hwnn ae valchder. yna ti adristeeist am na
allut oruot ar y bleit yr oedut yn y herbyn. or achaws
y llidiawd Iessu grist wrthyt titheu. ac y dangosses ytt
hynny yn dy gwsc drwy dywed dy vot yn drwc ac yn
dlawt o gret. ac aduc ar gof ytt onyt ymogelut yth
vwryei yr gwas drwc ynggwaelawt uffern. a llyna vi
gwedy dywedut ytti beth aarwydockaei y twrneimant
ath vreudwyt rae mynet o honat y ar dy fford yngclot
orwac. A gwybyd di or gwney dim yn erbyn dy arg-
lwyd. ef aat ytti vynct or pechawt py gilyd yny elych
y waelawt uffern. Yr anckres yna adawawd. ac ynteu a-
dywawt. Arglwydes heb ef tydi ar gwyrda or blaen
am dysgassawch yn gymeint a phei syrthywn i mywn
pechawt marwawl. ef adylyit vyngherydu yn vwy noc
arall. Duw ath dihango heb hitheu rac syrthyaw mywn
pechawt. Y fforest honn heb hi nyt kynamlet kyuan-
net yndi ac yr oed reit. Ac am hynny kyngor oed
gennyfi ytti. ony chefeist vwyt kymryt o honat y ryw
alussen ac adanuonawd duw ymi. myn vyngcret heb
ynteu ny phrofeis dim bwyt na hediw na doe. Ac yna
yr offeiryat aduc idaw ryw ansawd ac aoed ganthunt.
Agwedy hynny ef agychwynnawd drwy gannyat yr
anckres ar offeiryat. ac a varchocaawd yn hyt y dyd.
Ar nos honno ef agysgawd ar warthaf creic. heb neb

ryw gedymdeithyas idaw onyt duw. a thrannoeth pan-
weles y dyd ef a ymgroessawd ac adoeth att y varch.
ac ae kyfrwyawd ac aesgynnawd arnaw. ac avarchoc-
kaawd y wastattir rwng dwy greic. ac adoeth hyt yr
auon aelwit marsois. yr honn aoed yn rannu y fforest
yn dwyrann. Ac yna ef avedylyawd nat oed fford idaw
amgen onyt ymchoelei drachefyn no mynet drwy yr
auon. Ac yna dodi y obeith yn duw aoruc. Aphan
yttoed yn medylyaw uelly. ef awelei yndyuot or dwfyr
marchawc urdawl du mawr kynduet a mwaren. Ac
argeuyn march kymeint kyn duet ac y perthynei wrth
hynny. Aphan weles ef lawnslot ef aostyngawd y
baladyr tu ac attaw heb dywedut un geir. ac adrewis
march lawnslot yny vyd yn varw. Agwedy daruot
idaw llad y march. ef aaeth ymeith heb welet dim y-
wrthaw yn enkyt bychan. Aphan weles ynteu daruot
llad y varch ny lidiawd yr hynny. kanys duw agatuyd
aoed yn mynnu hynny. Ac ynglann yr auon y goruc
ef ymdiarchenu oe arueu a gorffowys. ac aros kanhorth-
wy duw arnaw. kanys ny welei ef fford y gallei
diangk oe eneit. kanys yr oed yn rwymedic o bedeir-
fford. yn gyntaf o fforestyd diffeith arneilltu. adwy
greic aoed opobparth idaw. ac avon dovyn beriglus aoed
yno. Ac yno y trigyawd yn gwediaw duw rac profedig-
aetheu kythreul. ac ar gyfrann ae eneit lewenyd teyrn-
as nef. Yma y mae yr ymdidan yn tewi am lawnslot.
Ac yn trossi ar walchmei.

XXXV.—Er ymdidan yssyd yntraethu pan gychwyn-
nawd gwalchmei ywrth y gedymdeithyon marchogaeth
ohonaw lawer diwarnawt heb gyuaruot ac ef neb ryw
antur. ac uelly hevyt yr oedynt y gedymdeithyon.
kanys nyt oed ynkyfaruot ac wynt decuet rann anot-
teynt y gyfaruot ac wynt. or achaws yr oed anhyfryd-
ach ganthunt eu pererindawt. Gwalchmei eissyoes a
varchockawd or sulgwynn hyt wyl ueir uadlen heb
gaffael chweith antur a vei wiw eu menegi. yr hynn avu
ryued ganthaw. kanys ympererindawt y greal y tebyg-
ynt vot mwy o anturyeu nogyt amser arall. a diwar-
nawt yd oed yn marchogaeth ehun. ef agyfaruu ac ef

gedymdeith idaw yr hwnn aelwit ector or corsyd yn
marchogaeth ehunan. Ac yna ymlawenhau aorugant
pawp ohonunt wrth y gilyd. ac amouyn am eu kyflyr-
yeu. Ac ector adywawt y vot ef yn iach ac yn llawen.
dyeithyr ny chyfaruuassei ac ef chweith antur auei hoff
ganthaw. Myn vyngcret heb y gwalchwei uelly yd
oed ymbryt inheu gwynaw wrthyt titheu. kanys myn
duw heb ef yr pan gychwynneis i o gamalot. ny chyf-
aruu a mi chweith antur. ac ny wnn I paham. kanys
nyt yr diffic kerdet gwledyd pell afforestyd diffeith na
chyfaruydynt. ami arodaf vyngkret ytt megys ym
kedymdeith gerdet ohonaf i vy hunan. allad ohonaf
dec kymeint bop un arneb auei heb gael un antur. Ac
yna ector aymgroeses. Ac yna gwalchmei aovynnawd
y ector agyfarvuassei ac ef yr un oe gedymdeithyon yr
pan gychwynnassei. Kyfaruu heb ynteu yr yspym-
theng niwarnawt mwy noc ugein bop un bop eilwers.
ac nyt oed yr un ohonunt ny bei yn kwynaw nat yttoed
yn caffael chweith antur. Aglyweist ditheu heb ef y
wrth lawnslot un chwedyl. Nysgwyr duw ymi y gly-
bot y wrthaw mwy no phei elei yr daear. ac am hynny
y mae arnafi ovyn y vot ef yn ryw le yngharchar.
Aglyweist ditheu dim y wrth beredur. na galaath. na
bwrt. Ny wyrduw ym glybot y chweith ywrthunt. Y
pedwar hynny yssyd heb wybot o neb dim y wrthunt.
Gwedy eu bot uelly yn hir yn ymdidan. ector ady-
wawt. Gwalchmei heb ef ti a varchockeist dalym dy
hun. Aminneu heuyt awneuthum uelly. marchocawn
bellach an deu y edrych agyfarffo ani dim. Awn nin-
neu heb y gwalchmei. A duw an danuono y le y
kaffom ryw damwein y rangho yn bod. Ector yna
adywawt. arglwyd heb ef fford y kerdeis I nyt oes yno
un antur nar fford y doethost ditheu heuyt. Ac am
hynny keissywn fford arall auo amgenach. Da yw
gennyfi hynny heb y gwalchmei. Ac yna kerdet a
orugant hwy yfford draws aoed yny glynn lle yd ymgyf-
aruuant. Ac uelly marchogaeth aorugant ar un tu
drwy y fforestyd wyth niwarnawt heb gael neb ryw
antur. adiwarnawt ydoedynt yn marchogaeth heb gyu-

aruot ac wynt na gwr na gwreic. Ar nos honno wynt
adoethant rwng deu vynyd. Ac yno wynt a welsant
hen gapel heb neb yndaw. A gwedy eu dyuot yno
wynt adisgynnassant. ac aadawssant eu gwaewyr ae
taryaneu allan. ac adynnassant y ffrwyneu o benneu eu
meirch. ac adoethant yr capel. ac awediassant duw ual
y dylyei gristonogyon da y wneuthur. Agwedy daruot
udunt dywedut eu gwedieu wynt aaethant y eisted. ac
y ymdidan am amryuaelyon betheu. Am vwyt eissyoes
ny thygyei udunt ymdidan. kanys nyt oed yno dim. a
thywyll iawn arnunt. Agwedy eu bot ruthur or nos
yngwylyaw velly. wynt agysgassant. Ac yna ef a welei
bop un ohonunt vreudwyt ac ny dylyir ebryuygu yn eu
dywedut. Nyt amgen gwalchmei awelei y vot mywn
gweirglawd dec ynllawn o wellt glas a blodeu. Ac yny
weirglawd honno yr oed rastyl a chant adec adeugeint
o deirw yn pori ohonei. Ac nyt oed yr un o hynny o
deirw namyn yn vrithyon. aphob un ohonunt yn valch
anghyfartal. namyn tri. Ar rei hynny nyt oed arnunt
neb ryw vann or byt. ac yn rwym herwyd eu gwdyfeu.
Ac yno yd oed y teirw yn dywedut pob un wrth y gil-
yd. ffown odyma y geissyaw porua avo gwell. Ac yna
y teirw agerdassant arhyt y llannerch ac nyt ar hyt y
weirglawd. Ac wynt a trigyassant yn hir. Aphan
doethant wy drachefyn yd oed lawer ohonunt yn eis-
syeu. Ar rei adoethant drachefyn yr oedynt yn gyn-
vlinet ac yn gulet. ac o vreid y gellynt sefyll ymywn.
Ac or tritheirw adywedynt eu bot heb vann arnadunt y
doeth un drachevyn. ar deu a drigyawd. Agwedy eu
dyuot hyt y rastyl. am na chawssant vwyt wynt arod-
assant anuat lef. a gwedy hynny a ymwahanassant rei
hwnt yma. Ac uelly y gweles gwalchmei. Ector
ynteu aweles breudwyt arall nyt amgen. ef ae gwelei
ef a lawnslot y vot yn disgynnu o syarret. ac yn es-
gynnu ar gevyn deu varch uawr. aphob un yndywedut
wrth y gilyd. Awn y geissyaw yr hynn nyskaffwn.
Ac yna lawnslot agerdawd yny bwryawd gwr prud ef
yr llawr yar y varch. ae yspeilyaw oe dillat. Agwedy
yspeilyaw ynteu awisgawd ymdanaw dillat ereill.

XXXVI.—Ac yna lawnslot aesgynnawd ar gevyn as-
sen. ac a varchocaawd honno yny doeth y ymyl ffynnawn
deckaf or a welsei eiryoet. Ac yna dissgynnu awnaeth
ar vedyr yuet diawt or dwfyr. Aphan yttoed ef yn
mynnu yuet y dwfyr. y ffynnawn agilyawd yn gynbell-
et y wrthaw ac na allei ef gaffael dim ohonei. Aphan
weles ef na allei gael dim or dwfyr. ef a ymchoelawd
trachevyn yr lle ydoed gynt. Ac odyna ector awelei
yuot yn kerdet y vyny ac y waeret yny doeth y ty gwr
kyuoethawc yr hwnn aoed yn kynnal neithyawr. Ac
yna ef aerchis yn y drws agori. ar gwrda ehun adoeth
yr drws attaw. ac a dywawt wrthaw. Tydi uarchawc
urdawl heb ef keis di letty yn lle arall amgen no hwnn.
Canys ny daw yma neb y letyu avo kyfywch ganthaw
y uarchogaeth ae valchder athydi. Ac ynteu yna aym-
choelawd drachefyn hyt y syarret or lle y kychwyn-
assei ohonaw. Am y breudwyt hwnn y kymmerth
ector anesmwythdra mawr arnaw. Ac yna deffroi aoruc
athroi or ystlys py gilyd. A gwalchmei yna aoed wedy
deffroi o achaws y vreudwyt ynteu. ac ef aglywei ector
wedy ymdroi. agovyn aoruc ef y ector a yttoed ef yn-
kysgu. Nac yttwyf arglwyd heb ynteu. kanys mi a
deffroeis yr awr honn o achaws breudwyt aweleis. Myn
vyngret heb y gwalchmei velly y daruu y minneu. ac
wyntwy yn ymdidan uelly wynt awelynt yndyuot y
mywn drwy drws y capel llaw y gyt ac aberthynei hyt
ympenn yr elin. Ac yngkroc wrth y llaw yr oed ffrwyn
yr honn nyt oed na thec nac odidawc. ac yn y llaw
ydoed tors o gwyr yn llosgi. ac yntaraw hebdunt hyt
yr allawr. Ac yna y llaw adifflannawd ar golenni hyt
na wydyat yr un onadunt wy pale y difflannawd. Ac
yna wynt aglywynt lef yn dywedut wrthunt chwchwi
varchogyon urdolyon llawn o dryccret. tlawd o obeith.
ytri pheth awelsawch chwi yr awr honn chwi affaelas-
sawch arnadunt. or achaws nat oes y chwi rann o an-
turyeu seint greal. Aphan glywssant wy hynny symlu
awnaeth arnunt yn uawr. Ac yna gwalchmei aovyn-
nawd y ector. a glywsei ef y parabyl adywedyssit
wrthunt. kiglef heb ynteu. ac nys dyelleis i ef. Myn

N

duw heb y gwalchmei goreu kynghor oed yni am
aglywssam ac awelsam heno mynet y geissyaw ryw wr
crevydus a wypei deall ynn yn breudwytyon. Ac uelly
y buant wy yny vu dyd yn ymdidan. Agwedy dyuot
y dyd arnunt wynt aaethant att eu meirch. ac arodas-
sant eu kyfrwyeu arnunt. agwedy gwisgaw eu harueu
wynt agerdassant ymeith. agwedy eu dyuot yr dyffyryn
wynt a gyfaruuant a gwreang ieuanc ar gevyn hacknei.
Ac yna y gwreang a gyfarchawd gwell udunt. ac wynteu
idaw ef. Ac yna gwalchmei adywawt. A unbenn heb
ef awdost di venegi yni pale y bo chweith kyfanned y
veudwy. Gwnn heb y gwreang. Ac yna troi y lwybyr
bychan awnaethant ar y llaw deheu udunt. y llwybyr
hwnn heb ef ach duc chwi hyt yn ty meudwy yr hwnn
yssyd mywn mynyd bychan. Eissyoes bit dieu y chwi
na ellwch vynet yno ar awch meirch. Bendith duw
ytt heb y gwalchmei. Ac yna y gwas a drosses oe
fford. ac wynteu a gerdassant y llwybyr. a marchogaeth
awnaeth yny doethant yr mynyd yn y lle y bu reit
udunt disgynnu ac yno ffrwynglymu eu meirch aorug-
ant. Acherdet y gevynfford aorugant wynteu yny
doethant hyt yn ty y meudwy yr hwnn aelwit naciens.
A gwybydwch chwi mae tlawt iawn oed y gudugyl ef.
a bychan oed y gapel. Ac ymywn gard y gwelynt gwr
prud yn kynnullaw banadyl oe bwyta. megys y neb ny
bwytayssei amgen vwyt yr ystalym. Ac yr awr y
gweles ef wyntwy. ef a uedylyawd mae marchogyon
anturyus oedynt oblegyt y greal ae bererindawt. ac yna
ef adoeth yn eu herbyn ac ae grassawawd. Ac wynteu
yn uvyd agyfarchassant well idaw ynteu. Yna ef aovyn-
nawd udunt wy pa antur ae dugassei wynt yno.
Arglwyd heb y gwalchmei chwant oed arnam gael
ymdidan athi. ac y geissyaw kynghor y gennyt am y
pedruster yssyd arnam. Aphan gigleu ef walchmei
yn dywedut uelly ef auedylyawd eu bot yn wyr kymen
ar beth bydawl. Ac yna ef adywawt. arglwydi heb ef
ny phallafi y chwi o dim or avetrwyfi y tu achynghor.
Ac yna ef ae kymerth wy ygyt ac ef ac adoethant yr
capel. ac aovynnawd udunt pa rei oedynt. Ac wynteu

adywedassant eu henweu ual yr adnabu ef bob un
onadunt. Ac yna ef aovynnawd udunt pa gynghor yd
oedynt yny geissyaw. Arglwyd heb y gwalchmei mi
ae dywedaf ytt. Ac yna y dywawt ef y gyfrangk ae
vreudwyt ual y clywssawch or blaen. Agwedy hynny
ector adywawt y vreudwyt ynteu. ac aadologassant yr
gwr da dywedut udunt beth aarwydockaei hynny.
XXXVII.—A unben heb ymeudwy wrth walchmei. yny
weirglawd aweleist di yroed rastyl. athrwy y rastyl awel-
ut ti yno y deallwn ni y vort gronn. kanys megys yr oed
bresseb y bop tarw yn yr rastyl ar neill tu. velly yr oed
yny vort gronn eistedua y bop un ar neilltu or milwyr.
Drwy y weirglawd y gallwn ni deall uvuddawt ac
anmyned yn yr rei y gossodet y vort. Aphob marchawc
urdawl or agymerit ynghedymdeithyas y vort gronn.
ef avydei reit idaw rodi y lw ar vot yn uvyd ac yn
anmynedus. yn yr rastyl aweleist di yd oedynt dec
adeugeint achant odeirw beilch amrafael eu lliwoed.
drwy y teirw y gelly di deall y milwyr ar kedymdeith-
yon or vort gronn. y rei aoedynt wedy ymrauaelyaw
eu lliwoed drwy eu balchder ae pechodeu. y kedym-
deithyon hynny aoedynt yn vrithyon. kanys nyt eyngh-
eu eu pechodeu ae balchder ymywn yndunt. ony bei
ymdangos heuyt allan arnadunt yn glyttyeu ual ydoed
y teirw. a thri ohonunt aoedynt heb vann arnunt. adeu
ohonunt aoedynt burwynnyon. Ar trydyd aoed ac un
mann arnaw. y deu deirw burwynnyon agyffelybir y
alaath apheredur. y rei yssyd degach nor lleill oll. kanys
yd oedynt yn gyflawn o bop camp da heb chweith halog-
rwyd pechawt arnadunt. Y trydyd aoed ac un mann
arnaw hwnnw yw bwrt yr hwnn gynt agolles y vorwyn-
dawt ae wyrdawt o achaws gweithret knawdawl a-
wnaeth unweith a gwreic. A gwedy hynny ef aymgad-
wawd yn y diweirdeb yn gystal ac y kafas gan duw
vadeueint. y tri hynny aoedynt gwedy eu rwymaw
erbyn eu mynygleu. kystal yw hynny ae bot yll tri yn
rwymedic yn uvyddawt yn gymeint ac na allei valchder
dyuot y ryngthunt. Ac yna y teirw adywedassant.
Awn y geissyaw porua auo gwell no honn. kystal yw

hynny a milwyr y vort gronn adywedassant. awn y
geissyaw seint greal yn y lle y mae y bwyt ysprydawl yr
hwnn yd envyn yr yspryt glan ef yr neb ageissyo o ras
eisted ar tabyl seint greal. Yna wynt a gychwynnas-
sant or llys ar hyt y glynn. Ac nyt ar hyt y weir-
glawd. Pan aethant or llys. nyt aethant wy y gyffessu
megys y dylyei y neb a vynnei vynet y wassanaeth
iessu grist. ac nyt aethant y uvuddawt ac anmyned yr
honn a gyffelybwyt yr weirglawd. namyn mynet a-
wnaethant ar hyt y glynneu ar fforestyd dyrys o vieri.
adrein. y rei a ellir eu kyffelybu y uffern. Aphandoeth-
ant y teirw drachefyn ny doethant yn gwbyl. ar rei
a doeth aoedynt ueirw o newyn ac yngulet ac na allynt
sefyll ar eu traet. kystal yw hynny ac na deuant y
kedymdeithyon o gwbyl adref vyth. kanys rei ohonunt
a lad y gilyd. ar rei adel adref ny wyrduw udunt allel
sefyll ar eu traet rac eu culet. nyt angen noc rac eu
pechodeu yny syrthyont ymperued uffern. Or tri heb
uann arnunt y tric deu. ac y daw un drachefyn. kystal
yw hynny ac or tri marchawc urdawl da. y daw un yr
llys. a gwybydwch chwi nat yr chwant y bwyt or rastyl
y daw ef. namyn yr menegi ysprydolder y bwyt nefawl
agollassawch chwi o achaws awch pechodeu. y deu ereill
ny deuant. kanys yr awr yr archwaedont wy yr yspryd-
awl vwyt. nyt ymadawant ac ef vyth. Y geiryeu
diwethaf och breudwyt. nyt ysponaf ywch dim ohon-
unt. kanys agatuyd ny bydei hoff gennwch. Arglwyd
heb y gwalchmei duw adalo ytt am awnaethost.

XXXVIII.—Ac yna y gwrda adywawt ac a amdidan-
awd ac ector. Ef a welit ytti heb ef dy vot ti alawn-
slot yn disgynnu o syarret. honno aellir y chyffelybu y
veistrolyaeth neu ynteu y arglwydiaeth. Y syarret
honno aellir y chyffelybu yr anryded yr oedit yn y
wneuthur y chwi yn y vort gronn. Aphan gychwyn-
nassawch chwi odyno. chwi agychwynnassawch ac aes-
gynnassawch ar gefyn deu varch vawr. nyt amgen oed
y rei hynny no bost a balchder. y rei hynny yssyd
veirch y diawl. Ac yna chwi adywedassawch. awn y
geissyaw yr hynn nyskaffwn. Nyt amgen nor greal. a

dirgeledigaetheu duw. y rei ny vynnit y dangos y chwi
kanys nyt oedewch deilwng. A gwedy ymwahanu o
honawch chwi pob un ywrth y gilyd. lawnslot a varch-
ochaawd hyt pan syrthyawd y ar y varch. ac aedewis y
daryan. kystal yw hynny ac ef aedewis valchder. ac a
wdost di pwy ae bwryawd ef. iessu grist oed y gwr
hwnnw. ef a uvydhaawd lawnslot. ac ae hyspeilyawd oe
dillat. nyt amgen noc oe bechodeu aoed megys gwisc
ymdanaw. Ac yna ef arodes gwisc ymdanaw drachefyn. o
dost brwyn honno y beis rawn yssyd am lawnslot. odyna
ef a dodet ar geuyn assen. Nyt amgen noc ufuddawt.
arwyd yw kyffelybu yr assen y ufuddawt kanys iessu
grist ae marchockaawd y gaerussalem. A bit dieu ytti efo
aallei gael y meirch goreu pei asmynnei. eissyoes ny myn-
nawd ef onyt yr assen hyt bei hackraf hi or aniueilyeit. a
hynny awnaeth ef yr dangos exawmpyl uvyddawt y
dlawt ac y gyuoethawc. ar assen a weleist di lawnslot
yny marchogaeth yny doeth hyt ynglann y ffynnawn
deckaf or awelsei eiryoet. Ac yno ef adisgynnawd
lawnslot ac ageissyawd yuet diot or dwfyr. Ar dwfyr
yna affoes y wrthaw y waelawt y dayar. Aphan weles
ef hynny ef a ymchoelawd drachevyn. y ffynnawn a
weleist di agyffelybwn ni y seint greal. yr hwnn y mae
dwfyr yndi. Aphan doeth lawnslot geyr bronn seint
greal ef a ffaelawd ar y welet. Eissyoes ny ffaela ef o
gwbyl am awnaeth ynteu ef ageiff penyt digawn y
orthrymet. kanys ef avyd pedwar diwarnawt ardec heb
welet heb glybot. heb vwyta heb yuet heb allel chwyf-
u na throet na llaw. Ac yna ef adaw oe synhwyr ac
adyweit beth or aweles. Ac odyna ef aymchoel dra-
chefyn parth ae syarret. kystal yw hynny athu ar llys.
A thitheu yr hwnn aoed yn marchogaeth y march mawr
ympob lle y vyny ac y waeret a deuy hyt yn llys brenh-
in peleur yny lle y mae y neithyawr ar wled uawr yr
marchogyon urdolyon da. Ac yno gwedy y delych ti
a erchy agori. Ac yna y daw attat gwr balch. ac yd
eirch ytt vynet y geissyaw lletty y le arall. kanys ny
daw yma neb avo kyfuch y varchogyat athi. kystal yw
hynny ac nat a yno neb a vo kyn valchet athi. nac avo

kyn amlet y bechodeu athi. Aphan welych ditheu
hynny ti aymchoely y lys arthur heb wneuthur dim oth
hynt. Allyna vi wedy dywedut ytt beth aarwydockaa
dy vreudwyt. bellach mi adywedaf ytt beth asynhwyra
y llaw aweleist di. Y llaw aweleist di aellir y chyffel-
ybu y alussen. nyt amgen no bot yn chwannawc y roi
da y dlodyon ath law dy hunan. y gyt a hynny ti a
wdost mae ar ffrwyn yd ettelir y march rac mynet ar y
ewyllys ehunan. velly y dylyem ninheu ymogelut ac
ymattal rac mynet ynggweithredoed wrth ewyllys y
corff. Y tors kwyr aoed yn llosgi ac yn goleuhau aellir
y gyffelybu y eiryeu yr euengyl yssyd ar hyt y byt
yngoleuhau pob cristawn da. A gwedy mynet y llaw
ymeith ef adywawt llef wrthywch. ar y tripheth hynn
y ffaelassawch arnunt. kystal yw hynny a ffaelaw ohon-
awch ar uot dim or alussen ynoch nac y chweith or
ymattal am wneuthur y drwc. na bot dim or euengyl
nac oe oleuni. na dysgedigaethyeu iessu grist ynoch. or
achaws ydyttywch chwi yn colli anturyeu y greal. llyna
vi heb y gwrda gwedy eglurhau y chwi ych breudwyd-
yon. asynhwyryau y llaw. Gwir adywedy heb y
gwalchmei. duw adalo ytt. ac yr duw dywet ynn etto.
Paham na chyferuyd anyni yr awr honn o anturyeu
gymeint ac anottaei gynno hynn. Mi ae dywedaf ytt
heb y gwrda. yr anturyeu yssyd yn dyuot yr awr honn.
ac adeuant. y rei hynny yssyd yn ymdangos o achaws y
greal. ac arwydyon seint greal nyt ymdangossant vyth
y bechadur. a chwitheu mi adebygaf nach rydhawyt och
pechodeu. or achaws nat oes un antur yn ymdangos
ywch. Arglwyd heb y gwalchmei herwyd adywedy di
kanys yttym ni mywn pechawt marwawl yn over y
llauurywn ninheu mwy yny bererindawt honn. Yn
lle gwir heb y gwr mae gwir adywedy. Gan hynny
heb yr ector goreu oed yni ymchoelut drachefyn y lys
arthur. Myn llaw duw heb y meudwy velly y kynghorwn
inheu y chwi. kanys mi a warantaf y chwi y rei yssyd
mywn pechawt marwawl o honawch nat ennill ef
dim yny bererindawt honn onyt aennillo o gewilyd.
Ac yr awr y dywawt ef hynny wynt aaethant ymeith.

Agwedy pellau ohonunt ef aalwawd y gwr da ar
walchmei. ac adywawt. Gwalchmei heb ef y mae talym
yr pan yth wnaethpwyt ti yn varchawc urdawl. ac
yr hynny hyt hediw ny elleist di wneuthur hayach o
wassanaeth yr dy greawdyr. Ac ydwyt bellach yn hen
brenn heb na deil na ffrwyth arnat. Ac am hynny
medylya weithyon am rodi y prenn ar risc y iessu grist.
kanys rodeist y blodeu yr kythreul. Arglwyd heb y
gwalchmei pei caffwn I o ennyt ymdidan athydi. mi
a ymdidanwn. Am kedymdeith yssyd yn marchogaeth
yn ffest. Ac am hynny reit yw ym vynet yn y ol.
A gwybyd di yn lle gwir pan gaffwyfi gyflwr gyntaf. y
dyuot. mi adeuaf y ymdidan athi. Ac yna ymwahanu
aorugant. a gwalchmei ac ector a varchocayssant yny
vu nos. Ac yna wynt adoethant y ty fforestwr yr
hwnn a vu lawen wrthunt. Trannoeth y bore wynt
agerdassant ymeith. ac wynt a vuant ynkerdet uelly
heb gael neb ryw antur. Yma y mae yr ymdidan
yntewi amdanunt wy ac yn traethu y wrth bwrt.

XXXIX.—Gwedy kychwyn bwrt y wrth y gedym-
deithyon. ac y wrth lawnslot. ef avarchockaawd hyt am
bryt nawn. Ac yna ef agyfaruu ac ef gwr prud adillat
crevydus ymdanaw ac yn marchogaeth assen. heb neb
y gyt ac ef. Ac yna bwrt agyfarchawd gwell idaw.
Ar gwr mwyn ae hattebawd yn oreu ac y gallei. Ac
aadnabu mae marchawc urdawl anturyus oed. Ac yna
bwrt aovynnawd idaw o pale yroed yn dyuot uelly
ehun. Yd wyf heb ynteu yn dyuot o edrych gwas
yssyd ym yn glaf yny fforest yma. Athitheu pa un
ytwyt. marchawc urdawl heb ynteu wyfi o lys arthur. ac
un or keis ar seint greal. Mynduw heb ynteu ymae
llawer or keis yn llavuryaw yn ouer. kanys pechadury-
eit ynt heb vynnu mynet y gyffes nac y ediuaru arnad-
unt. agwybyd di yn lle gwir na wyl neb seint greal
ony byd drwy y porth aelwir kyffes. Myn duw heb y
bwrt mi adebygaf hynny. Ae offeiryat wyt ti heb y
bwrt. Ie arglwyd myn duw heb ynteu. Gan hynny
heb y bwrt. mi archaf ytt yr duw vynghynghori yn
oreu ac y gellych ar les eneit achorff. Myn duw heb y

gwr yd wyt yn erchi ym beth mawr. Aphei myui ath
neckaei di ohynny ti aallut vy holi I geyr bronn duw
dyd brawt. Ac am hynny mi ath gynghoraf yn oreu ac y
gallwyf. Ac yna govyn idaw pwy oed y henw awnaeth.
Ac ynteu adywawt mae bwrt agawns oed y henw.
A mab brenin bort wyf achevynderw y lawnslot. Pan
gigleu y gwr da y geiryeu hynny ef adywawt. yn wir
heb ef. bwrt os gwir adyweit yr euengyl amdanat ti. ti
a vydy varchawc urdawl da. kanys Iessu grist adywawt
y prenn da awna ffrwyth da. Tydi yw y ffrwyth
adoeth or prenn da. wrth hynny titheu adylyut uot
ynda herwyd yr euengyl. kanys dy dat ti a vu un or
gwyr goreu or avu vrenhin eiryoet. kanys trugarawc ac
uvyd oed. Ar vrenhines aoed vam y titheu a vu gystal
gwreic ar oreu or holl vyt. y deudyn hynny avu un
prenn drwy rwym priodas. titheu yssyd ffrwyth. ac am
hynny ti adylyut vot yn da. Arglwyd heb y bwrt
llawer mab o vam drwc ac o tat drwc avu da. Ac am
hynny ef awelir y mi nat wrth y uam nar tat y kerda y
mab. namyn wrth y gallon avo yndaw. Ac uelly dan ym-
didan y kerdassant yny doethant hyt yn ymyl ty y meu-
dwy. Ar meudwy aerchis idaw disgynnu athrigyaw y nos
honno y gyt ac ef. Athrannoeth ef arodei idaw y ky-
nghor goreu or awypei. Ac yna bwrt adisgynnawd. ac
ysgolheic or ty agymerth y varch ac ae kyweiryawd.
Ac odyna ae kymhorthes ynteu o diosc y arueu. ac
odyna y gwr da aerchis y vwrt dyuot y warandaw gos-
per. Ac uelly y goruc ynteu. Agwedy gosper wynt
aaethant y vwyta bara a dwfyr. Ar meudwy adywawt
mae ar yr ryw vwyt hwnnw y dylyynt y marchogyon
urdolyon da porthi eu kyrff. ac nyt ar velysvwyt affer-
ineu y rei abarant yr gwr ar wreic bechu yn odinebus
ac yn varwawl. ac myn duw heb ef pei tebygwn I
wneuthur ohonat ti yrofi beth. mi ae harchwn ytt. A
bwrt aovynnawd idaw beth oed hynny. Myn duw heb
ynteu peth awellao yn vawr ar dy eneit. ac a gynhalyo
yn dadigawn dy gorff. Minheu ae gwnaf yn llawen
heb y bwrt. Ie heb y gwr minneu aorchymynnaf ytti
na bwyteych amgen vwyt no hwnn yny vych ar dabyl

y seint greal. Beth awdost ditheu heb y bwrt a vydaf
inheu vyth yno. Gwnn heb ynteu y bydy di. ti a deu
ereill o gedymdeithyon y vort gronn. Gan hynny heb
y bwrt minheu arodaf vyngkret megys marchawc
urdawl kywir. na bwytaf amgen vwyt yny vwyf yno.
Ac yno y bu ef y nos honno. Athrannoeth y bore ef
adoeth y meudwy attaw. ac arodes peis wenn idaw.
Honn heb ef a awisgy di yn lle crys. ac yn enw penyt.
Ac ynteu yna ae kymerth. ac ae gwisgawd ymdanaw. ac
odyna y arueu. ac adoeth yr capel. ac a gyffessawd
kwbyl oe bechodeu. Ac ef ae kafas y meudwy ef
yngystal y uuched ac yd oed ryued ganthaw. ac na
buassei idaw eiryoet achaws agwreic. namyn unweith
yngkat helian wynn. or achaws y dylyei diolwch oe
arglwyd. A gwedy daruot idaw efo gyffessu. a chymryt
y benyt. ef aadolygawd yr gwrda yr duw roi idaw gorff
y arglwyd. Ar meudwy a erchis idaw aros yny darffei
offeren. ac ynteu adywawt y gwnaei yn llawen. Ac
yna yd aethant yr offeren. Aphan darfu yr offeren ef
adoeth y meudwy ac arodes idaw korff y arglwyd. Ac
adywawt weldyna di bellach yn well dy arueu noc yd
oedut gynt. Amogel ditheu rac llidiaw arglwyd kystal
ac yssyd y gyt athi. Ny bo ymi o einyoes hynny heb
y bwrt. Ac yna kymryt y arueu aoruc. achychwyn
ymeith drwy gennyat y meudwy. A marchogaeth
aoruc ef yny vu bryt gosper. Ac yna ef aedrychawd
yn yr awyr. ac aweles ederyn mawr yn ehedec uch benn
henbrenn sych heb na deil na ffrwyth arnaw. Agwedy
daruot idaw ehedec talym mawr. yna ef adisgynnawd
ar y prenn yn y lle yd oed adar idaw ehun. dyeithyr na
wydyat ef pa veint. Eissyoes yd oedynt wy oll yn
veirw. Aphan weles ef wyntwy yn veirw. yna ef ae
trewis ehun ae yluin y dan benn y vronn. yny doeth y
waet yn ffrydyeu allan. ac am eu penneu wynteu. Ac
yr awr y syrthyawd y gwaet gwressawc arnunt wy.
wynt agyfodassant yn vyw ar hen ederyn auu uarw.
A ryued vu gan bort hynny kanys ef awydyat vot yn
hynny synhwyr mawr. Ac aarhoes yno dalym y edrych
agyfodei yr hen ederyn yn vyw. Eissyoes. ouer oed

idaw hynny kanys marw oed. Yna bwrt agerdawd y
fford yny uu bryt gosper hwyr. ac yna ef adoeth y
ymyl twr mawr. Agwedy dyuot hyt y porth ef aerchis
lletty. ac ef ae kafas yn llawen ac. aducpwyt y ystauell
oe diarchenu. ac odyna efe adoethpwyt ac ef yr neuad
yn y lle yd oed yr unbennes bioed y lletty yn wreic ad-
uwyndec. eissyoes tlawd oed hi o dillat. Ac yr awr y
gweles hi bwrt yn dyuot y mywn. hi agyfodes y vyny
ar hynt yny erbyn. ac ae grassawawd. ac ynteu agyf-
archawd gwell idi. ac yna hi ae kymerth ef. ac ae dodes
y eisted yny hymyl. Aphan vu barawt bwyt ef a hi
aaethant y eisted ygyt. agwassanaethu arnunt aorug-
ant ysgwieryeit or ty yn didlawt. Aphan weles
ynteu hynny. ef avedylyawd na bwytaei ef dim or
kic. Ac yna ef aerchis y un or gwassanaethwyr dwyn
idaw dwfyr. Ac ynteu agymerth tri thameit or bara
drwy y dwfyr. Aphan weles ywreicda hynny. hi
aovynnawd ae oblegyt na ranghei vod idaw eu bwyt
hwy nas kymerei. Nac ef y rof a duw heb ynteu ny
bwytafi amgen vwyt heno. ahitheu yna ny lyuassawd
eiryol arnaw mwy. Agwedy daruot udunt hwy vwyta.
wynt aaethant y eisted ymywn ffenestyr wydrin hi a
bwrt. Aphan yttoedynt wy uelly nachaf was ieuanc
yn dyuot ymywn. ac yn dywedut. Arglwydes heb ef
nyt da dy gyflwr. kanys dy chwaer aduc tri chastell y
arnat. ac aberthynei wrthunt. ac aerchis ymi dywedut
wrthyt ti nat adawei ytt un droetued o dir. ony bydy
barawt erbyn auory am awr brim. a marchawc urdawl
y gyt athi a ymlado drossot yn erbyn briadan du y
arglwyd hi. Pan gigleu yr arglwydes hynny ny bu
lawen iawn a thristau yn uawr aoruc. Pan weles bwrt
hynny. ef aovynnawd idi paham yr oedit yn y threis-
syaw. Arglwyd heb hitheu mi ae dywedaf ytt. Gynt
yr oed yma vrenhin aelwit amans. ac agarei chwaer ym
yssyd hyn no myui. ac efo bioed kwbl or wlat honn. a mwy
heuyt. an tat ni oed ef. Eissyoes efo aroes kwbyl or kyu-
oeth ynyllaw hi. a hitheu aduc deuodeu drwc yr wlat. ac
awnaeth llawer o weithredoed odieithyr kyfyawnder ual
y kolles gwbyl oe wyr ac oe tir. Aphan y gweles y

brenhin hi yn llafuryaw yn drwc. ef ae gyrrawd hi or
wlat. ac am roes inhe yn vedyannus ar a oed ar.y helw.
Ac yr awr y bu varw ef. hitheu adechreuawd ryuelu
arnafi a dwyn y gennyf y gwyr ar tir. ac yn dywedut
na at ymi dim ony byd ryuel drossof auory. a march-
awc avynno amdiffyn vyn dylyet drossof yn erbyn
briadan. Paryw dyn yw y briadan heb y bwrt. Un
or gwyr kadarnaf heb hitheu oc yssyd yny gwledyd
hynn. Anuon ditheu heb y bwrt att dy chwaer y
dywedut idi. vot y gyt athi varchawc urdawl a ymlado
drossot avory. Aphan gigleu yr arglwydes hynny ny
bu vychan y llewenyd hi. Ac yna hi a anuones kennat
att y chwaer y dywedut idi vot ygyt a hi varchawc
a amdiffynno y chyfyawnder auory. Yna bwrt a gy-
fodes y gysgu. ar arglwydes ae thylwyth ae hebryng-
assant y ystafell dec agwely advwyn yndi. Aphan
weles ynteu y gwely yn gyndecket ac ydoed. ef aerchis
y bawp vynet ymeith. Ac wynteu aaethant kanys da
oed ganthaw ef hynny. Ac ynteu yna aorwedawd ar
y llawr calet ebenn ar gist. Ac uelly gwediaw duw
aoruc ar vot yn ganhorthwy idaw yn y vrwydyr dran-
noeth. Ac yna syrthyaw kysgu arnaw awnaeth. Ac
ympenn talym ef awelei vreudwyt. Nyt amgen ef
awelei deu ederyn yn dyuot geyr y vronn. un o honunt
a oed yn gymeint ac yn gynwynnet ac alarch. Ar llall
aoed yn kynduet ac yn ogymeint a bran. eissyoes yr
oed ef yn ederyn tec herwyd y vagyat. Yr ederyn
gwynn adoeth attaw ac adywawt wrthaw. Or mynny di
heb ef vyggwassanaethu i. mi a rodaf ytt holl gyuoeth-
ogrwyd y byt. ac ath wnaf yngyndecket ac ydwyfin-
neu. Ac ynteu yna aovynnawd pa un oed. Pany
wely di heb ynteu pa un yttwyfi. Ydwyfi yndegach
etto ac yn wynnach noc y gwely di. Ac nyt attebawd
ynteu idaw un geir. Ac yna yr ederyn arall adoeth
attaw ac a dywawt wrthaw. ef avyd reit ytti vyng-
gwassanaethu i. ac na vit waeth gennyt ti dim yr
vynggwelet i yn du. A gwybyd di yn lle gwir mae
mwy adal vyndued. i. no gwynder ereill. Ac yna
hwnnw aaeth ymeith. Ac yn ol y weledigaeth honno

ef adoeth un arall ryued. Nyt amgen ef awelei y vot
wedy llettyu ymywn capel tec. ac yno ef awelei. gwr
yn eisted mywn cadeir. Ac or tu assw idaw ef awelei
colovyn o brenn coch drewyedic yn gyn wannet y gyfle
ac yr oed hayach yn syrthyaw yr llawr. Ac or tu deheu
idaw yr oedynt dwy ganghen o fflwrdlis. ac un or kangh-
eu aoed yn kyhwrd ar llall yn ry agos. ac yn lludyas
idi vlodeuaw. Ar gwr yna a wahanawd pob un y
wrth y gilyd onadunt. Ac ny bu hir wedy hynny. yny
oed ar bop onadunt blodeu affrwyth lawer. Ac yna y
gwr adywawt wrth bwrt. Ponyt ffol vydei y neb aadei
yr blodeu hynn golli. yr achubeit y prenn drewedic
racko rac y syrthyaw yr llawr. Myui heb y bwrt ae
barnwn ef yn ffol. y neb a gollei y blodeu yr y prenn
ny ellir kael chweith lles o honaw bellach vyth. wrth
hynny heb y gwr o gwely di gyflwr rac colli y blodeu
yr achubeit y prenn kanys ef arallei y dra gwres beri
yr blodeu golli. Ac uelly y gweles ef y dwy weledig-
aeth drwy y hun. adeffroi aoruc ac ymgroessi athrwy
wediaw duw yd arhoes ef yny vu dyd. Ac yr awr y
bu dyd efo aaeth yr gwely. ac aymdroes yndaw rac
tybyeit y vot yn kysgu yn lle arall. Ac yna yr
arglwydes adoeth attaw ac agyfarchawd gwell idaw.
Ac ynteu adywawt. duw arodo llewenyd ytitheu. Ac
yna yr unbennes adoeth ac ef yr capel yny lle y gwar-
andawawd ef pylgein ac offeren or dyd. Agwedy
hynny wynt adoethant yr neuad. a llawer o varchogyon
urdolyon ac ysgwieryeit ygyt ac wynt y rei abarassei y
wreic udunt dyuot y edrych ar y uateil. Ac yna ef
aerchis y wreicda y vwrt vynet y vwyta. Ac ynteu
adywawt na mynnei vwyt yny darffei y vateil. ac ar
hynny y arueu agymerth bwrt. ac esgynnu ar eu
meirch awnaethant ar tylwyth aoed gyt ac ef. ar arg-
lwydes heuyt y gyt y doethant hyt y weirglawd. Ac
yno wynt awelynt lawer o dylwyth yn aros bwrt. Ar
unbennes yd oed y vateil arnei. Agwedy eu dyuot yr
weirglawd ef adoeth y dwy chwiored y gyt. Ac yna
y wreic yd oed bwrt drosti adywawt. Arglwydes heb
hi ydwyfi yn kwynaw ragot ti. dy vot yn dwyn y

gennyf y kyuoeth arodes Amans vrenhin ym. Ac ae
duc y gennyt titheu. ac ath didreftadawd am dy
dryc wassanaeth. ar llall yna adywawt na didreftatwyt
eiryoet. apharawt oed y brofi hynny or bei alyfassei y
amdiffynn.

XL.—Ac yna bwrt adoeth. ac adywawt. ydwyfi heb ef
yn barawt y amdiffyn hawl y wreic yma yn erbyn y
neb ae mynno. Yna briadan adoeth ac adywawt yr
amdiffynnei ynteu hawl y unbennes. ac nyt oed. ac ny
thebygei neb y goruydit arnaw. kanys nyt oed yny
byt gwr well o gorff noc ef. Ac yna ymwahanu awnaeth-
ant pob un onadunt ywrth y gilyd. A gollwng eu
meirch aorugant pob un yn erbyn y gilyd. ac ar
eu dyuotyat o nerth eu meirch pob un adrewis y
gilyd yny yttoed eu taryaneu yn tyllu. ar llurygeu yn
rwygaw. Aphany bei torri eu pelydyr ef aladyssei
bob un ohonunt y gilyd. ac ymgyhwrd ae kyrff aorug-
ant y gwaewyr yn gynffestet ac yny oed y meirch yn
syrthyaw. ac wyntwy dros bedreinyeu eu meirch yr
llawr. Ac ual yr oedynt yn rymus pob un ohonunt
tynnu eu cledyfeu aorugant achyfodi y vyny athroi eu
taryaneu or blaen. ac ymffust yn ffest yny lle y tebyg-
ynt hawssaf eu haflessu arwygaw eu harueu. a gw-
neuthur gwelioed dwfyn pob un yn y gilyd. achryfach
oed y gwr noc y tebygassei bwrt. athybyeit aoruc bwrt
vot y gwr ar hawl iawn. a briadan ynteu yna o vynych
dyrnodeu yn kuraw bwrt. ac yd oed ynteu yn y diodef
dan amdiffyn. heb vynnu ymrysson ac ef. namyn gadel
y briadan y goruot. Aphan weles ynteu briadan heb
vlinaw ac heb gael gollwng y anadyl y ganthaw. yna bwrt
a dechreuawd y enkil ynteu y bop lle ar hyt y maes.
ac yn ennyt bychan briadan asyrthyawd. Ac yna bwrt
aesglyffyawd y helym y am y benn. ac ae llusgawd
ynteu y vyny ac y waeret. ac ae trewis a phwmhel y
gledyf yn y benn yny yttoed y gwaet yngkylch y lygeit.
ac adywawt wrthaw. onyt ymrodei y lladei y benn. ac
yna briadan adawawd. a bwrt yna aossodes arnaw ar
uedyr llad y benn. Aphan weles ynteu hynny ef
aerchis y nawd drwy ammot na ryuelei vyth ar yr

arglwydes ieuanc. A gwedy roi aruoll ohonaw ar hynny.
bwrt ae gollyngawd. Pan weles y wreic arall daruot
goruot ar y marchawc hi. hi affoes or maes rac ovyn y
charcharu. Ac yna bwrt a barawd y bawp oc aoed
yno gwneuthur gwrogaeth yr wreic ieuanc. ac ar ny
mynnawd hynny ohonunt ef ae distrywyawd. Ac uelly
y kafas y wreic ieuanc y chyfoeth drwy vilwryaeth bwrt.
Eissyoes y wreic arall agynhalyawd ryuel yny herbyn
hi tra vu vyw. kanys kenuigen aoed yn peri idi hynny.
Gwedy daruot y vwrt adaw yr unbennes ar y llewenyd.
apheri gwrogaeth idi y gan mwyaf y gwyr. ef a gychwyn-
nawd ymeith ac a varchocaawd yn vedylgar am y gwel-
edigaetheu awelsei drwy y hun. ac yn chwannawc
ganthaw pei delei y le y gallei gaffael dehongyl arnunt.
ynos honno ef a doeth y ty gwreic wedw. yn ylle y
kafas lletty esmwyth. A thrannoeth ef a uarchocaawd
yny vu agos y hanner dyd. ac yna ef a gyfaruu ac ef
peth oed ovidyus ganthaw y welet. Nyt amgen ymywn
croesfford ef a gyfaruu ac ef deu uarchawc urdawl. a
deu dyrneit o drein yn eu dwylaw. yn gyrru llionel y
vrawt oe unbeis yngkarchar ar gevyn hacknei ae
dwylaw yn rwym geyr y vronn. dyeithyr gan eu dyrn-
odeu wy ar drein arnaw ef yroed y waet yn redec yn
vwy noc yngkanlle ar y gnawt. Ac ynteu heb dywedut
un geir megys y neb avei yn llawn o gallon valch.
namyn diodef yn wrawl yn hynn yr oedit yny wneuthur
ac ef. Ac yna bwrt a vynnawd hwylyaw oe amdiffyn.
Aphan ytoed ef uelly nachaf uarchawc urdawl aruauc
o bop arueu yn mynet yr fforest. amorwyn ieuanc gan-
thaw ydreis. ac yn mynet ahi racdaw y dewdwr y fforest.
Ahitheu o hyt y llef yn ymgystlwn ameir. ac yn erchi
idi anuon nerth oe morwyn. ac yr awr y gweles hi bwrt
yn marchogaeth ehunan. hi adebygawd mae marchawc
urdawl anturyus oed obererindawd y greal. Ac yna
hi awaedawd arnaw o hyt y llef. ac adywawt. tydi
varchawc urdawl heb hi yr y gret arodeist di yr gwr
ydwyt ar y wassanaeth. ac yr y gret adylyy ditheu idaw
ynteu. na at yr marchawc hwnn vynggwaradwydaw.

XLI.—Pan gigleu bwrt hynny ef a vedylyawd

na wydyat beth awnaei ae ysgaelussaw oe nerthau. ae
peidyaw. diheu oed ganthaw ynteu y colli hi y heneit
oe diffic ef. os ynteu aysgaelussei y vorwyn aoed yn
ymgystlwn ac ef yr mwyn y neb yr oed yny wassan-
aethu. or kaffei hi gewilyd y kaffei ynteu angklot
achollet o ryw fford o achaws diffic y nerth ef. Yna
ef a dyrchafawd y lygeit tu ar nef dan wylaw. ac
adywawt. Arglwyd iessu grist dat hollgyuoethawc. y
gwr ydwyfi yny wassanaeth. cadw ym vymmrawt rac
y lad or gwyr racko. aminneu aaf y amdiffyn dy vorwyn
ditheu. Ac yna brathu march aoruc ef yn ol y march-
awc ar uorwyn. aphan y godiwedawd ef wyntwy. ef
adywawt. tydi varchawc adaw yna y vorwyn. Pan
gigleu ynteu hynny ef aollyngawd y vorwyn yr llawr. ac
aymchoelawd att bwrt. kanys aruawc oed obop arueu
namyn o waew. Athynnu y gledyf aoruc. a gostwng
y daryan oe vlaen. a bwrt yna ae trewis a gwaew yny
hyll y daryan ar lluric. ac yny syrth ynteu yr llawr yny
lewic. Ac yna bwrt adoeth att yr unbennes ac adyw-
awt. mi adebygaf heb ef daruot dy rydhau di y gan y
marchawc racko. ac beth a vynny di ymi y wneuthur
mwy. Arglwyd heb hi canys gorugost di vy amdiffyn
i hynn. anuon vi hyt y lle ym duc i y marchawc o
honaw. Yna ef a gymerth march y gwr bwryedic. ac a
dodes y vorwyn arnaw. ac ae duc hyt y lle yd erchis.
Ac yna hi adywawt wrth bwrt. arglwyd heb hi. gwell vu
dy wassanaeth di noc y tebygy. kanys pei dygassit treis
arnafi. ef agollassit mwy no phump cant o eneidyeu
yngynt noc yd iecheit wynt. Ac yna bwrt aovynnawd
pa un oed y marchawc. Yn lle gwir heb hi keuynderw
ym oed. ac ny wn i parwy brofedigaeth kythreul
aberis idaw ef vyndwyn i ual hynn ym gwaradwydaw.
Aphan yttoedynt wy yn ymdidan uelly nachaf mwy no
deudec marchawc urdawl gwedy eu bot yn keissyaw y
vorwyn. Ac yna hitheu aadolygawd yr marchogyon vot
yn llawen wrth vwrt. ac wynteu awnaethant idaw y llew-
enyd mwyhaf ac allyssant. ac ageissyassant ganthaw
trigyaw y gyt ac wynt. ac ynteu yna adywawt. arglwydi
heb ef nyt oes fford ym y drigyaw. kanys nyt oes yn vyw

onyt duw awypo vyngcollet am drigyaw yn gyhyt ac y
trigyeis. Aphan glywssant wynteu hynny. nyt ymbily-
assant ac ef mwy. ac yna yr unbennes aadolygawd idaw
dyuot y ymwelet a hi pan y kaffei gyntaf o ennyt. Ac
ynteu adywawt y deuei. or bei ar y fford ae antur
dyuot y tu ac yno. Ac yno bwrt ae gedewis wyntwy.
Ac ynteu a uarchockaawd tu ar lle y gwelsei vynet a
lionel y vrawt. Aphan doeth ef yr lle diwethaf y
gwelsei. ef awarandawawd y edrych a glywei
dim. Agwedy na chlywei ef dim. ef agerdawd ar hyt
y fford y gwelsei vynet oe vrawt. Agwedy daruot
idaw ef uarchogaeth llawer ef agyfaruu a gwr crevydus
debygei ef yn marchogaeth march kynduet a mwyaren.
Aphan weles ef bwrt ef aalwawd arnaw ac aovynnawd
idaw pwy yr oed yn y geissyaw. Arglwyd heb ef
deuwr aoed yn mynet am brawt ganthunt yn rwym
dan y vaedu ac yspydat. Bwrt heb ynteu pei tebygwn
i na synnyei arnat yn ormod. ac na syrthyut mywn
anobeith. mi adywedwn ytt yr hynn awnn i hyspyssaf
am hynny. Pan gigleu bwrt hynny ef avedylyawd ry
daruot yr marchogyon lad y vrawt. athrwy dristit ef
adywawt. Arglwyd heb ef yr duw dangos ym pale y
mae y gorff ef ual y gallwyf beri y gladu yn anrydedus.
Edrych ditheu heb y gwr or tu arall ytt. Ac yna bwrt
aarganuu gwr marw gwaetlyt newydlad yny ymyl.
Ac edrych arnaw aoruc athybyeit mae y vrawt oed. Ac
yna llewygu aoruc odristit. Och varglwyd vrawt heb
ef. bellach ny cheissyafi lewenyd ar ol kolledigaeth dy
gedymdeithyas di. A chanys ysgarawd duw an kedym-
deithyas pob un y wrth y gilyd. yd wyf inneu yn
adolwc idaw efo vot yn disgwylyawdyr arnaf. kanys
efo agymereis i yn gedymdeith. ac yn veistyr ympob
perigyl. kanys ohynn allan nyt oes gennyfi vedwl
namyn am veneit o achaws dy golli di. Ac yna ef
agymerth y ryngthaw ar goryf. ac aovynnawd yr gwr.
aoed yn gyfagos yno ae manachlawc ae eglwys ae capel.
ual y gallwn gladu y gwr hwnn. Oes heb ynteu yn
gyfagos y hynn capel geyr bronn twr. ac yno y gellir y
gladu. Yr duw heb y bwrt adangossy di ymi y capel.

Dangossaf ynllawen heb ynteu. ac ygyt y kerdassant.
Ac ny bu bell yd aethant yny welsant yn ymdangos
udunt twr tec. Ac yn gyfagos idaw yr oed eglwys
atueilyedic. a gwedy eu dyuot hyt yno wynt adisgyn-
nassant. ac adoethant y mywn. ac aossodassant y corff
ar warthaf bed o uarmor. Ac yna bwrt aedrychawd
awelei chweith dwfyr swyn ympoblle yn yr eglwys. ac
nyt yttoed yn kaffael yno na chroes na dwfyr na chreir
na neb ryw arwyd or aberthynei oblegyt Iessu grist.
Gadawn yma y korff heb y gwr. ac awn y lettyu yr twr
racko heno. ac avory ni adeuwn wrth wassanaeth dy
vrawt. Paham heb y bwrt ae offeiryat wyt ti. Ie
arglwyd heb ynteu. wrth hynny adywedy ym synnwyr
ryw weledigaeth aweleis drwy vy hun. ac obetheu ereill
aweleis. Ac yna ef auanagawd idaw am yr ederyn
awelsei yn y fforest. a gwedy hynny ef adatkanawd am
y deu ederyn awelsei y neill yn wynn ar llall yn du. ac
am y prenn drewedic. ac am y kangeu ar blodeu gwyn-
nyon. Mi a dywedaf heno heb yr offeiryat beth y
wrth hynny. ac auory beth arall. yr ederyn heb ef
aweleist di yn rith alarch aarwydockaa ryw wreic yssyd
yth garu. yr honn adaw yn ehegyr y ymwelet athi. ac
y ymbil am bot ohonat yn gedymdeith idi. ac am na
mynneist di wneuthur gwrogaeth yr ederyn aarwydockaa
y nackey di y wreic honno. ac o lit a dolur amdanat y
byd marw hi. Ar ederyn du aarwydockaa dy drudan-
yaeth ath bechawt am y gwrthot. Ac am hynny nac
yr ovyn duw nac yr colli dy diweirdeb na nackaa hi.
kannys os nackei. ti ageffy angklot y byt ac anuod duw.
ac am dy uot ti ynkynnal dy diweirdeb yr clot y byt.
ef adaw am y diweirdeb hwnnw govit kymeint. ac y collo
lawnslot dy gevynderw y eneit. kanys yr awr y nack-
eych di hi. hi a vyd marw. Ac yna y chenedyl
hitheu a ladant lawnslot yr hwnn yssyd yngkarchar.
Ac yna y gellir gwybot dy vot ti yn affeithyawl y alanas
y vorwyn ath gevynderw heuyt megys y buost yngkyt-
synnedigaeth angheu dy vrawt yr hwnn a allassut y
achubeit ae diffryt pei asmynnassut. athitheu aaethost
y amdiffyn yr unbennes yr honn ny deirydei ytt odim.

P

wrth hynny. edrych ditheu. pa iawn uwyhaf oed ae
colli morwyndawt y vorwyn. ae ynteu colli oth vrawt
ti y eneit. Arglwyd heb y bwrt gwell oed gennyf golli
yssyd o vorwyn yn y byt oll y morwyndawt. no llad
vym brawt.

XLII.—Ryued vu gan bwrt vot yr offeiryat yny
gerydu am diffryt ohonaw y vorwyn. Ac yna yr
offeiryat aovynnawd idaw aglyweist di synhwyraw dy
vreudwyt ytt. Clyweis arglwyd heb y bwrt. Ie heb
ynteu arnat ti y mae am lawnslot. kanys ti aelly y
amdiffyn os mynny. Myn duw heb ynteu. nyt oes dim
nys gwnelwn i rac colli o lawnslot y eneit. Ef a weler
hynny yr ehegyr heb yr offeiryat. Ac yna tu ar twr y
doethant wy. A gwedy eu dyuot y mywn wynt a welynt
yno marchogyon urdolyon a morynyon lawer. y rei ady-
wedassant grassaw wrthyt bwrt. Ac yna wynt ae dygas-
sant ef yr neuad. ac ae diarchenassant. a gwedi y
diarchenu wynt adugassant idaw dillat anrydedus oe
gwisgaw. ac abarassant idaw eisted. ac wynteu y gyt ac
ef. ac ae didanyssant yny ebryuygawd talym oe dristit ae
dolur. Aphan yttoedynt wy yn ymdidan uelly nachaf
yn dyuot attunt morwyn ieaunc dec. yn gyndecket ac
na allei mywn anyan dynawl or byt bot hanner y tegwch
aoed yndi. dillat aoed ymdanei hitheu or hynn goreu.
Ac yna un or marchogyon urdolyon aoed y gyt a hi
adywawt wrth bwrt. Arglwyd heb ef weldyma yr
unbennes yssyd arglwydes arnam ni. Ac yssyd deckaf
a chyfoethockaf or byt amwyhaf yssyd yth garu ditheu.
ac y mae yth aros yr ys talym megys na mynn hi vyth
gedymdeith idi namyn tydi. Pan gigleu ynteu hynny.
ryuedu yn uawr awnaeth a chyfarch gwell idi. a hitheu
idaw ynteu. ac aeistedawd yny ymyl. Ac ymdidan y
gyt aorugant am lawer o betheu yn gymeint ac yd
adolygawd idaw uot yn gedymdeith caredic idi. ac os
hynny awney di heb hi. mi ath wnaf yn gyuoethokaf
gwr oth genedyl. Pan gigleu bwrt hynny anesmwyth
vu ganthaw y hynt megys y neb a vei gas ganthaw
torri y diweirdeb. ac ny wydyat ef yn da pa ryw atteb
arodei ef idi hi. A hitheu yna adywawt. bwrt heb hi

pany wney di yr hynn aercheis i. Arglwydes heb
ynteu nyt oes yn y byt yr ychyuoethoket gwreic y
gwnelwn yrdi dim or hynn yd wyt yny geissyaw
gennyf ac ny dylyei neb y geissyaw y gennyf yny mod
ydwyfi. kanys vym brawd alas hediw. ac yssyd allan
yn varw. Nac edrych di ar hynny heb hi. kanys
angheu yssyd yn peri ymi dy wediaw di. Aphany bei
garu ohonafi dydi yn vwy noc y karawd gwreic eirioet
wr nyt ymbilywn athi. kanys nyt aruer y wraged
wediaw y gwyr. ac am hynny karyat yssyd yn gwascu
arnafi. at yn peri ym ymbil athi am gysgu gyt ami
heno. Ac ynteu yna adywawt na wnaei ef dim ohynny
o neb ryw uod. Aphan weles hitheu hynny hi awnaeth
y dolur mwyhaf ar tristit govityaf. ac nyt oed well
hynny idi hi no pheidyaw. Aphan weles hi na allei
oruot arnaw ef o neb ryw vod hi adywawt. bwrt heb hi.
ti amdugosti o achaws vyn nackau yngymeint ac y
bydaf varw yr awrhonn yngwyd dy lygeit. Ac yna hi ae
kymerth ef erbyn y law. ac ae duc hyt yn drws y
neuad. ac adywawt wrthaw. tric di yma heb hi ac aro.
ti awely pa delw y bydaf uarw i oth achaws di. Ac
yna hi aerchis y rei oe niuer daly bwrt yno. a hitheu
aaeth y benn y gaer. achyt a hi deudec o vorynyon. Ac
yna un or morynyon adywawt. bwrt heb hi yr duw
tosturya wrthym ni oll achenattaa yn harglwydes ni y
ewyllys. ac ony wney di hynny myni aymollyngwn oll
odyyma y dorri an mynygleu ygyt an arglwydes rac
edrych ar y hangheu hi. ac o gedy ditheu yni oll varw
am beth kynvychanet a hynny ny wnaeth marchawc
urdawl eiryoet pwngk vilyeinyach. Ac ynteu aedrych-
awd arnunt wy ac a vu dost ganthaw eu gwelet ual
hynny oblegyt eu bot yn wraged bonhedigyon. ac ny
thosturyawd ef wrthunt wy yn gymeint ac na bei well
ganthaw ef colli ohonunt wy eu heneidyeu noc ohonaw
ef. ac ef adywawt wrthunt na wnaei ef dim yrdunt nac
yr colli y eneit nac yr y gael. Ac wynteu yna a syrth-
yassant or twr yr llawr. Aphan weles ynteu hynny
ryued uu ganthaw. a dyrchafel y law a wnaeth ef ac
ymgroessi. Ac yna ef a glywei yny gylch cri a chyn-

nwryf kymeint a phet vei yno holl diefyl uffern. ac ny
welei ef yny gylch yna nar twr nar wreic aoed yn ymbil
ac ef nar tylwyth. na dim or a welsei gynno hynny
onyt y arueu. Aphan weles ynteu hynny ef a wybu
mae profedigaeth kythreul aoed yno arnaw yn keissyaw
y somi achyvyrgolli y eneit. ac yna dyrchafel y dwylaw
tuar nef aoruc a diolwch y duw oruot o honaw ar y
elyn ac am rodi budugolyaeth idaw. ef aaeth yr lle y
tebygassei vot y vrawt. ac nyt oed yno dim ohonaw.
ac yna y credawd ef vot y vrawt yn vyw etto. ac y bu
lawenach ganthaw y hynt. Ac yna ef adoeth att y
arueu ac ae gwisgawd. ac aesgynnawd ar y varch ac
aaeth ymeith. A gwedy marchogaeth talym ohonaw
ef aglywei gloch yn seinyaw. a llawen vu ynteu yna.
athu ac yno ydoeth ef. Ac yna efe aarganvu manach-
lawc yn gaeedic o vur kadarn. ac ef adoeth yr porth ac
aerchis agori. Ar myneych or tu mywn pan glywssant
y vot ef yn aruawc auedylyassant panyw un o geissyeit
seint greal oed ef. ae erbynnyeit awnaethant yn anryd-
edus ae diarchenu ae dwyn y ystauell aduwyndec.
Ac yna bwrt adywawt wrth un or myneych. Yr duw
heb ef a dygy di vi att y manach goreu y greuyd oc
yssyd yny ty hwnn ar ysgolheic goreu. kanys mi a
vynnwn gaffael kynghor ganthaw ef achan duw am
antur ryued a gyfaruu ami hediw. Arglwyd heb y
manach wrth bwrt ti aey att yr abat. kanys goreu
yttiw hwnnw yny ty yma o ysgolheictot. adyuot
awnaethant hwy hyt y lle yr oed yr abat. Ac yna
bwrt a gyfarchawd gwell idaw. ar abat dan ostwng
idaw aovynnawd idaw pa un oed. Ac ynteu yna
adywawt mae marchawc urdawl ar gerdet oed. Yna
ef adywawt y gyfranc ac ual y kyfaruuassei ac ef y
dydyeu gynno hynny. A gwedy daruot idaw ef dywedut
kwbyl. Yr abat a dywawt. Mynvympenn i heb ef
ny thebygasswn i vot marchawc urdawl mor ieuanc a
thydi yn gymeint mywn gras duw ac yr wyt ti. Ti
adywedeist y mi gymeint ac na allafi heno rodi chweith
kynghor ar vy ewyllys. ac am hynny. dos di heno y
orffowys. ac auory mi ath gynghoraf yn oreu ac y gallwyf.

Ac yna bwrt a ymchoelawd drachefyn ac aedewis yr
abat yno. ac erchi y bawp vot yn llawen wrthaw. y nos
honno y gwassanaethpwyt arnaw yn well noc y mynn-
assei ef. kanys ef aducpwyt idaw kic aphysgawt or rei
ny mynnawd ef dim onyt bara adwfyr. megys na
mynnei ef glwyfaw y gytwybot yr dim.

XLIII.—Trannoethy bore gwedy daruot idaw waran-
daw pylgein ac offeren. yr abat adoeth attaw ac agyf-
archawd gwell idaw. a bwrt idaw ynteu. Ar abat yna
erbyn y law ae kymmerth. ac adoeth ac ef hyt geyr
bronn yr allawr. Bwrt heb ef avynny di wybot beth
aarwydockaa dy vreudwytyon di. Mynnaf arglwyd heb
ynteu. Gwedy mynet ohonat ti yr bererindawd honn
heb yr abat. ti agymereist gedymdeith da attat kystal
yw hynny. athi agemereist gorff dy arglwyd. Agwedy
hynny ti agerdeist dy fford y edrych avynnei iessu
grist wneuthur yrot gymeint ac ymdangos or greal
yrot. Ac ny bu vawr agerdeist di yny ymdangosses
iessu grist ehun ytt yn ffuryf ederyn. ac adangosses ytt
y gouit ar amarch agafas ef on achaws ni. A mi ady-
wedaf ytt pa delw y gweleist. Nyt amgen pan doeth
yr ederyn hyt y prenn. yr hwnn nyt oed arnaw na deil
na ffrwyth. ef aedrychawd ar y adar y rei aweles ef yn
veirw. Ac yna ef adisgynnawd yn eu plith. ac ae
yluin ae trewis yny dwy vronn yny syrth y waet yr
llawr. ac yny vu uarw ynteu yno. ar adar yna o wyrth-
eu y gwaet a gyuodassant yn vyw o veirw. Hynn
aallafi y dwyn ar gyffelybrwyd ytti. kanys yr ederyn
aellir y gyffelybu y iachwyawdyr y byt. yr hwnn a-
ffuruawd dyn ar y eilun ehun. Agwedy gyrru y dyn
hwnnw o baradwys oachaws y drycweithret ehun. ef
adoeth yr daear yn y lle y kafas ef y angheu. kanys
bywyt nyt oed yna chweith ohonaw. Y prenn awel-
eist ditheu yno heb ffrwyth arnaw aarwydockaa y byt
yn eglur. yr hwnn nyt oed yndaw dim amgen no dryc-
anturyeu athlodi ac eissyeu. yr adar aweleist ditheu
aellir eu kyffelybu yr bobyl dynawl a oedynt yna yn y
byt. a gwedy eu kyvyrgolli. kanys pawb yn yr amser
hwnnw adrwc ada aeynt y uffern. Ac yna mab duw

nyt amgen Iessu grist a esgynnawd ar y prenn. nyt
amgen pren y groc. ac yna ef adiodefawd y daraw a
gaew yny doeth y waet. ac or gwaet hwnnw y kafas y
byt eu bywyt. ac y ducpwyt wynt o uffern. lle nyt oed
amgen noc angheu. ac ny byd vyth.
XLIV.—Er ederyn du adoeth attat ac y ymwelet athi
aellir y gyffelybu y iessu grist. yr hwnn adywawt ydwyfi
yn du. ac eissyoes ydwyfi yn dec iawn. a gwybyd di yn lle
gwir vot yn well vyndued i no gwynder arall. Athrwy
yr ederyn gwynn yr hwnn aymdangosses ytt megys
alarch y gellir deall y kythreul. Ami adywedaf ytt pa
delw. yr alarch yssyd yn wynn odieithyr. ac yn du or
tu mywn. velly y byd y diefyl y rei eu keffylybu yr
geugrefyd dynyon. y rei agymeront arnunt eu bot yn
grevydus ac yn war. ac wynteu or tu vywn yn llawn
dued o bechodeu. ac yn sommi y byt. A megys y
doeth yr ederyn hwnnw y ymdangos ytti yn dy gwsc.
ef a ymdangosses ytt wedy hynny athi heb gysgu. ac
awdost ti pale. pan ymdangosses y kythreul ytt yn
rith offeiryat. yr hwnn adywawt wrthyt vot arnot
bechawt am adel o honat lad dy vrawt o weith diodef.
achelwyd adywawt ef kanys ny las ef etto. ac y mae
yn vyw holliach. ac ny dywawt ef hynny wrthyt ti
namyn yr peri ytt syrthyaw ymywn llit agodineb ac
ympechodeu marwolyon o achaws y rei y pallei arnat ti
yndragywyd welet seint greal. Allyna ytti pa un oed
yr ederyn gwynn. apha un oed yr ederyn du. Bellach
reit yw dywedut ytt pa synhwyr yssyd yr pren
drewyedic. ac yr gwieil ar blodeu arnadunt. Y prenn coch
drewyedic aweleist di heb nerth yndaw aarwydockaa
lionel dy vrawt. yr hwnn nyt oes yndaw na grym na
nerth na gweithret da oblegyt iessu grist. drewedigrwyd
y prenn aarwydockaa drewedigrwyd y pechodeu yssyd
yndaw ef. yn kynnydu beunyd or achaws y gellir y
gyffelybu ef y brenn drewyedic. Y dwy gangen aweleist
ar blodeu arnunt aarwydockaa deu vorwyndawt. nyt
amgen nor marchawc a sarheeistdi yw un. A vorwyn
yw y llall. ar neill gangenn aoed yn mynnu ymgyhwrd
ar llall. kystal yw hynny ar marchawc aoed yn mynnu

kyhwrd ar uorwyn oe hanuod. Eissyoes gwr da aoed
yn eisted yn y gadeir awahanawd pob un y wrth y
gilyd. Kystal yw hynny an arglwyd ni nyt yttoed yn
mynnu kytsynyo a llygru or un o honunt wy y gilyd.
ac am hynny yd anuones duw dydi hyt yno oe
gwahanu wy. ac y lesteiryaw arnunt pob un lygru y
gilyd. Athitheu ae llesteiryeist o ewyllys da. pan
edeist dy vrawt yn mysc y elynyon ymperigyl angheu.
Eissyoes y gwr yr oedut ti yny wassanaeth a vu yno
yn dy le di. yn gystal ac ydangosses ef y wyrtheu yn
gymeint oth garyat ti ac y syrthyassant y marchogyon
yr llawr yn veirw. Ac ynteu yna agymerth y arueu
ac agychwynnawd ymeith oe bererindawt. ac am yr
antur hwnn ti awybydy wirioned yn ehegyr. Aphana-
bei wybot o duw ohonat ny dangossei yt antur kyn-
decket ac y gallut ti rydhau y corff oboen angheu. ar
eneit o uffern. a llyna vi gwedy dywedut ytti synhwyr
yr anturyeu ar gwacledigaetheu aweleist di. Gwir
adywedy di arglwyd heb ef. ti ae dywedeist ym yn
da. a minheu a vydaf well gwr tra vwyf byw. Yr duw
heb yr abat gwedia duw drossofi. kanys kynt debygafi
y gwerendy duw dydi no miui. Ac ynteu adawawd
yna megys dyn kewilydyus. a gwedy ymdidan ruthur
ohonunt. bwrt a gychwynnawd ymeith odyno. ac a
uarchokaawd yn hyt y dyd. ar nos honno ef alettyawd
yn ty wreic wedw. Athrannoeth ef auarchockaawd yny
doeth y ymyl castell aoed mywn glynn. ac yno ef
agyfarvu ac ef gwas ieuanc yn mynet parth ar fforest.
a bwrt aovynnawd idaw awydyat ef un chwedyl newyd.
Gwnn heb ynteu. avory y bore y byd yma twrneimant
geyr bronn y castell y rwng iarll y gwastawd ae dylwyth.
ar wreic wedw o sarens. Pan gigleu bwrt hynny. ef
auedylyawd trigyaw y aros y twrneimant. kanys ny
allei vot na delei yno rei o gedymdeithyon y vort
gronn. gan y rei agatuyd y gallei ef gaffael chwedleu
y wrth y vrawt. Ac yna trossi awnaeth ef yr fford
honno adyuot y ty meudwy a oed gyfagos yr fforest. ac
ar drws capel y meudwy. ef a arganuu y vrawt yn
aruawc. Aphan weles ef y vrawt diruawr lewenyd a

gyfodes yndaw. a disgynnu yr llawr aoruc. a govyn oe
vrawt pa bryd y dathoed yno. alionel ny bu vawr yd
attebawd idaw. namyn dywedut. bwrt heb ef nyt erot
ti nam lledit I. pan weleist vi yn noethlumyn yn mynet
gyt ar deu uarchawc urdawl. y rei aoedynt ym maedu a
dyrneidyeu o drein. Athydi am gedeweist I. ac a aethy-
ost y nerthau y vorwyn. ac ny wnaeth brawt eiryoet ac
arall chwareu waeth na ffyrnigach no honno. ac o achaws
yr anghywirdeb hwnnw ymogel di ragofi megys rac dy
elyn. kanys ti a heydeist dy angheu. ac am hynny
ymogel ragof ac nac ymdiriet ym. kanys myn duw ef a
vyd un o honam yn uarw.

XLV.—Pan gigleu bwrt y vrawt yn dywawt uelly.
ef avu drwc ganthaw. ac aostyngawd ar benn y deulin
y erchi y nawd. Ac erchi y duw uadeu y drycewyllys
idaw. Ac ynteu a dyngawd nas madeuei. ac nat oed
idaw waret namyn angheu os efo a vei drechaf. Ac yna
esgynnu ar y varch aoruc ef dan rybudyaw bwrt. ac
erchi idaw esgynnu ar y varch ae amdiffyn ehun os
gallei. ac onyt esgynny mi ath ladaf ual ydwyt. kyt
boet kywilyd ymi. titheu bieu y gollet. A gwell yw
gennyfi gaffael gogan y byt. no gadel gwr kyndrwc
athydi yn vyw. Pan weles bwrt bot yn reit idaw ymlad.
drwc vu ganthaw. amedylyaw awnaeth ef ar ymbil ae
vrawt. unweith kynn esgynnu ar y varch. Ac yna
gostwng ar benn y lin geyr bronn y vrawt aoed ar
varch. ac erchi idaw yr duw vadeueint. Ac yna lionel
pan weles y vrawt heb vynnu kyfodi ef avrathawd y
varch ar draws bwrt yny lywygawd bwrt or govit agafas
gan y march. kanys ef a dorrasei yndaw deir assen. ac
ef a debygassei y buassei uarw yn lle gwir. Aphan y
gweles lionel ef yngynwannet ac na allei gyvodi. ef
adisgynnawd yna ar uedyr torri y benn. ac aymauael ae
helym. ac adynnawd y gledyf ar vedyr y daraw. Ac
ar hynny y meudwy aredawd y ryngthunt. yr hwnn a
oed wr hen prud ac a syrthyawd ar draws bwrt ae
dwylaw ar llet. ac adywawt. Och arglwyd heb ef
tosturya wrth dy vrawt. kanys os lledy ti auydy varw
mywn pechawt. a llyna iawn mawr yw y golli ynteu

yn un or marchogyon goreu or byt. Myn duw heb y
lionel wrth y meudwy ony ffoy di ymeith. mi ath ladaf
di. ac ny byd nes idaw ynteu diangk yr hynny. Myn
duw heb y meudwy gwell yw gennyfi vy llad ohonat ti
noe lad ef. kanys nyt kymeint y collet arnafi ac arnaw
efo. Pan weles lionel y gwrda uelly ef ae trewis ae
gledyf dyrnawt hyt y keu. ac yna y meudwy pan gigleu
loes angheu yndaw aymestynnawd ar hyt y llawr.
Aphan daruu y lionel hynny. nyt arbetawd oe vrawt y
chweith. namyn dillwng carreieu y helym ar vedyr llad
y benn. pan doeth galogryvant attunt. marchawc
urdawl oed hwnnw or vort gronn. Ac adnabot bwrt
a lionel aoruc ef. kanys kedymdeithyon idaw oedynt.
Ac yna disgynnu aoruc ef ac ymauael a lionel a roi
hwrd arnaw yny vydant yll deu yr llawr. Ac yna ef
adywawt lionel heb ef aaethost di ymaes oth synwyr
pan geissych llad dy vrawt yn un or gwyr goreu or byt.
ac ny diodefei gwrda or byt gennyt ti hynny. Paham
heb y lionel ae llesteiryaw hynny yssyd yth vryt ti. Ie
yrof a duw heb ynteu or byd ae gwrthwynepo. Yna
lionel a duc hwyl ac agymerth y daryan. ac aovynnawd
idaw pa un oed. Aphan y hadnabu ynteu ef. ef ae
rybudyawd drwy erchi idaw ymoglyt. Ac yna ymlad
awnaethant pob un ae gilyd yn wrawl kanys marchogyon
da oedynt. apharhau awnaeth y uateil y ryngthunt yny
gyfodes bwrt y uyny yny eisted. yn gynwannet ac na
thebygei ef yn y mis hwnnw allel chweith ymlad nac
ymdaraw. onyt duw arodei ras idaw. Aphan weles
galogryuant yn ymlad ae vrawt. trwm vu ganthaw a
thrist am na allei vynet y ryngthunt. kanys kewilyd
oed ganthaw or lledit galogryuant yny amdiffyn ef. ac
ymlad awnaeth y gwyr eissyoes yny vu hytrach lionel
nor llall. Ac yna pan weles galogryuant y vot ef
ymperigyl angheu. ac heb allel ohonaw ymamdiffyn
mwy. yna ef aedrychawd ar vwrt yr hwnn oed wedy
kyvodi yn y sefyll. Ac yna ef adywawt. bwrt heb ef
paham na deuy di ym bwrw i or perigyl hwnn. kanys
oth achaws di yd ymroessum i yn y perigyl hwnn. Ac
or bydaf varw i oth achaws di kwbyl or byt ath

oganant. Myn duw heb y lionel over yw ytti dim ohynny
o datleu. kanys nessaf kymodawc yw ytti angheu. Pan
gigleu bwrt hynny nyt oed iawn diogel ganthaw y vryt.
kanys gwedy darffei idaw ef llad galogryuant. diogel
oed ganthaw y lledit ynteu gwedy hynny. Ac yna ef
adynessawd att y helym ac ae gwisgawd am y benn.
Aphan weles ef y meudwy yn varw. trist vu ganthaw.
a gwediaw duw aoruc ar vot yn drugarawc oe eneit.
Ac yna galogryuant adywawt. bwrt heb ef aoes gennyt
ti onyt gadel ymi uarw ual hynn. ac os da gennyt ti
ymi uarw ual hynn. digrif yw gennyf inneu. kanys nyt
gwell gennyfi varw dros neb no throssot ti. Ar hynny
lionel ae trewis ef yny aeth y helym y am y benn.
Aphan wybu ynteu vot y benn yn noeth. ac nat oed
fford idaw y diangk. ef a dywawt. Arglwyd Iessu grist
or nef. y gwr yr oedwn I ar y wassanaeth. ac nyt yn
gyndeilynghet agatuyd ac y dylywn. achanhattaa vot
y dolur ar angheu yr wyfi yny diodef yr awrhonn yn lle
penyt ym dros vympechodeu ac yn dillyngdawt.

XLVI.—Ac ar y parabyl hwnnw lionel ae trewis ef
yny vyd yn varw yr llawr. Agwedy daruot idaw llad
galogryuant. ny bu digawn ganthaw ef hynny yny
doeth att y vrawt a rodi dyrnodeu creulawn trwm idaw
aoruc. A bwrt ynteu yr hwnn yd oed yndaw bop
ufuddawt wedy llettyaw adywawt. varglwyd vrawt
heb ef madeu ym y vatteil honn. rac haedu ohonat
anuod duw ac angclot y byt. Ny madeuo duw ymi
vympechodeu heb y lionel othosturyafi wrthyt ti o dim.
mwy noc y tosturyeist ditheu wrthyfi pan ym gweleist
ymperigyl angheu. Yna y tynnawd bwrt y gledyf allan
ac y dywawt. Varglwyd Iessu grist heb ef na liwya
ym yn lle pechawt amdiffyn vy eneit yn erbyn vymrawt.
Ac yna dyrchafel y gledyf aoruc ef ar uedyr taraw y
vrawt. ac ef aglywei lef yn dywedut wrthaw. bwrt ffo
di y wrthaw ef kanys pei as trawut ti ef ti ae lladut.
Ac ar hynny y disgynnawd or nef. post o dan y ryngth-
unt ell deu yn gynaruthret ac y deifyawd eu taryaneu.
Ac yny syrthyassant wynteu pob un yr llawr yn eu
llewic. aphan gyfodassant o dyno pob un aedrychawd ar

y gilyd. ar daear aoed gwedy cochi a llosgi yn eu kylch.
Aphan weles bwrt y vrawt yn didrwc diolwch y duw
aoruc. Ac yna ef a glywei lef yn dywedut wrthaw.
Bwrt heb ef marchocka kyntaf ac y gellych tu ar mor.
ac na chynnal gedymdeithyas mwy ath vrawt. abryssya
di tu ar mor yn y lle y mae peredur yth aros. Ac yna
gostwng ar benn y linnyeu aoruc. a diolwch y duw trwy
wedieu bot yn wiw ganthaw y alw yn y wassanaeth.
A gwedy hynny dyuot att y vrawt adywedut wrthaw.
lionel heb ef ny buost vwyn am lad y marchawc urdawl
aoed gedymdeith ytt. ac am lad y meudwy heuyt. ac yr
duw na dos odyma yny darffo eu cladu. Ponyt arhoy
ditheu hynny heb y lionel. Nac arhoaf heb ynteu kanys
reit yw ym vynet att beredur yssyd ym aros megys y
dywawt y llef ym. Ac yna bwrt agyfodes ac aroes
arwyd y groc arnaw. ac a esgynnawd ar y varch. ac
uelly kerdet racdaw aoruc ef yny doeth y vanachlawc
wenn y lle y buwyt llawen wrthaw. Ar nos honno
ac ef yn kysgu ef aglywei lef yn dywedut wrthaw. bwrt
kyfot y uyny. ac ynteu yna a gyfodes ac a wisgawd ym-
danaw. Agwedy ymbaratoi yn y arueu ef a esgynnawd
ar vedyr mynet ymeith. Ar pyrth aoed yn gaeet. ac
ynteu aogylchynnawd y kaeroed. yny gafas y mur yn
iie tyilic. Ac yna ef adoeth allan ac a uarchockaawd
yny doeth y ymyl y mor. ac yno ef aarganuu ysgraff
aphebyll yndi o samit gwynn. Ac yna disgynnu aoruc
amynet yr ysgraff y mywn. Ac yr awr ydoeth y mywn
ef a welei yr ysgraff yn kychwyn ymeith. ar gwynt yn
taraw yny hwyl yn gynffestet. ac y tebygei ef y bot hi
yn ehedec. Aphan weles ef na thygyei idaw geissyaw
y varch y mywn. diodef hynny a wnaeth. ac edrych
awnaeth ar hyt yr ysgraff ac ny welei dim. kanys tywyll
oed y nos. Ac yna ef a ogwydawd ar vwrd y llong. Ac
yno gwediaw duw awnaeth ar y gadw yn didrwc oe
eneit ae gorff. Ac yno kysgu aoruc ef. Aphan deffroes
ef awelei yn yr ysgraff gwr aruawc dieithyr y benn yn
noeth. A gwedy edrych ruthur arnaw. ef aadnabu
panyw peredur oed. a mynet dwylaw mynwgyl idaw
aoruc. A ryued vu gan beredur hynny. A govyn

idaw pa un oed. Paham heb y bwrt ponyt atwaenost
di vyvi. Nac atwaen mynvyngkret heb ynteu. a ryued
yw gennyf pa vod y gelleist dyuot yma y mywn ony bei
duw ath anuonei. Ac yna bwrt dan chwerthin adyn-
nawd y helym. Ae adnabot ef yna aoruc peredur. Ac
yna ymlawenhau aoruc pob un wrth y gilyd cnadunt.
a menegi aoruc pob un ohonunt y gyfranc yw gilyd.
Ac uelly y trigyassant wy yll deu yno. Yma y mae yr
ymdidan yn tewi amdanunt wy yll deu. ac yn traethu
y wrth galaath.

XLVII.—En y lle hwnn y mae yr ymdidan yn
traethu panyw gwedy daruot y galaath amdiffyn
peredur. y gan yr ugein marchawc urdawl marchogaeth
ohonaw trwy fforestyd y neill wers hwnt ar llall yma
megys yr oed y gyflwr. yn y lleoed y gorffennawd ef
llawer o anturyeu y rei nyt ydys yma yn eu menegi.
kanys ry hir a ry vlin vydei pei menegit pob un
onadunt yn ol y gilyd. Gwedy daruot y galaath
uarchogaeth ar hyd brenhinyaeth loegyr ym pob lle or
y clywei vot neb ryw antur neu damwein enryued. ef
a ymchoelawd tu ar mor. Ac yna ef a damweinyawd
idaw dyuot heb law castell yn y lle yr oed twrneimant
diruawr y ueint y rwng y rei odyvywn. ar rei odieithyr.
Eissyoes y rei odyvywn aoedynt gwedy eu gorchyfygu
drwy y rei odieithyr. kanys mwy oed odieithyr y castell
noc odyvywn. Pan weles galaath y bleit odyvywn yn
mynet yny rann waethaf. ef a vedylyawd y nerthaei ef
y rei hynny. Ac yna ef aollyngawd y varch y redec. ar
kyntaf a gyfaruu ac ef. ef ae trewis yny vyd y waew yn
drylleu. ac ar hynny tynnu y gledyf aoruc. a chyrchu
yn eu plith. a dechreu curaw gwyr ameirch ac eu bwrw
yr llawr. yny oed bawp yn ryuedu hynny. Yna gwalch-
mei yr hwnn aoed yny twrneimant ef ac ector. ac yn
borth yr rei odieithyr y castell pan welsant y daryan
wenn ar groes goch yndi. pob un onadunt adywawt wrth
y gilyd vot yn ffol y neb ae harhoei. kanys yn erbyn y
gledyf nyt oed un aryf yn parhau. ac ual yr oedynt yn
ymdidan uelly. nachaf galaath yn brathu y varch tu ac
attunt. mal yr oed y dynghetuen yn y hebrwng.

Atharaw gwalchmei ar draws y helym yny hyll. ac yny
vyd y cledyf yny penn idaw ynteu. aphanabei droi y
cledyf yn y law ef ae lladyssei yn varw. Eissyoes y
dyrnawt adisgynnawd ar y march yny vyd y march yn
deudryll. ar cledyf yny dayar. a gwalchmei yna a syrth-
yawd megys marw yr llawr. Pan weles ector walchmei
gwedy cwympaw yr llawr uelly. kilyaw aoruc ynteu.
kanys ef awydyat nat oed iawn synhwyr idaw y aros.
ac y gyt ahynny hefyt na dylyei ymerbynnyeit ac ef.
kanys meistyr abrawt idaw yttoed. Galaath ynteu
avrathawd y varch y vyny ac y waeret. Ac yn enkyt
bychan ef awnaeth kymeint ac y bu hyttraf y gwyr
odyvywn drwy orchyvygu y lleill. A gwedy daruot
idaw ef eu gorchyfygu wy. ef a gilyawd ymeith yn
dirgel ual na wydyat neb pale y trosses. ac aaeth ar glot
ar anryded or twrneimeint drwy y gytsynnyedigaeth y
dwy bleit. Gwalchmei ynteu yr hwnn agawssoed drwc
megys y tebygei ef nabydei vyw haeach adywawt wrth
ector yr hwnn aoed yn y ymyl. Myn vyngcret i heb
ef. mi awelaf yr awrhonn bot yn wir yr ymadrawd
adywawt lawnslot wrthyf duw sulgwynn eleni am y
cledyf aoed yn y maen marmor. ac ar cledyf hwnnw heb
ef ymtrewit i yr awr honn. ual nas mynnwn yr tri dinas
vyn taraw yn chwaethach yr tri chastell. Arglwyd heb
yr ector. ae kyndrwc y briwyeist di ac y dywedy.
Kyndrwc myuvyngcret heb ef. ac nat oes fford ym y
dianc. onyt duw am kynghora. Beth awnawn ni wrth
hynny heb yr ector. mi a debygaf heb ef lesteiryaw
arnam ni yn pererindawt. Ny lesteiryawd y teu di
heb y gwalchmei. kyt llesteiryo y meu I.

XLVIII.—Ac val yd oedynt wy yn ymdidan uelly.
nachaf y marchogyon urdolyon or castell yn dyuot
attunt. Aphan wybuant hwy panyw gwalchmei aoed
yno gwedy briwiaw velly drwc vu gan rei ohonunt.
kanys yn wir. nyt oed marchawc urdawl uwy agerit
ympob gwlat noc ef. Ac wynt ae kymmerassant. ac ae
dugassant yr castell ganthunt. ac a ducpwyt medygon
oe edrych. A gwedy y edrych wynt aovynnassant a uydei
iach ef. mi ae paraf heb y medyc yn gyn iachet erbyn

penn y mis ac y gallo marchogaeth adwyn arueu. Ac
uelly y trigyawd gwalchmei ac ector yno yny vuant iach.
Galaath ynteu a uarchockaawd ymeith or twrneimant
yny doeth y nos honno hyt nat oed y ryngthaw a
fforest celibe namyn dwy villtir. Ar nos honno ef
alettyawd mywn ti meudwy yr hwnn a vu lawen
wrthaw. Ac yna peri ystablu y varch ae diarchenu
ynteu aoruc y meudwy. Agwedy daruot hynny y
vwyta yd aethant y ryw ansawd aoed yn y ty yr hwnn
a gymerth ef yn llawen. ac ar ol hynny y gysgu yd
aethant. A gwedy eu mynet y gysgu ef adoeth y
drws morwyn ieuanc yr honn aelwis ar galaath. yny
doeth y meudwy attei. A govyn idi pa amser oed
hwnnw idi y dyfot y wthyaw drysseu. Arglwyd heb
hitheu mi avynnwn gael ymdidan ar marchawc urdawl
ymywn. kanys anghenreit oed ym. Ac yna y meudwy
adeffroes galaath. ac adywawt wrthaw. Arglwyd heb
ef y mae morwyn ieuanc yna wrth y drws avynnei
ymdidan athi. ac yssyd reit idi wrthyt. Ac yna galaath
a gyfodes y vyny ac a ovynnawd idi beth a geissyei.
Galaath heb hitheu kymer dy arueu ac esgyn ar dy
varch adabre gyt ami. ac yn wir mi adangossaf ytti yr
antur teckaf or aweles marchawc urdawl eiryoet.
Galaath yna a gymerth y arueu ac aesgynnawd ar y
varch. athrwy gennat y meudwy ef aaeth racdaw. ac
aerchis yr vorwyn gerdet or blaen. a hynny aoruc
hitheu. ac ynteu yny hol hi. Ac uelly y kerdassant
yny doeth dyd arnunt. Ac yna wynt adoethant y
fforest a honno abarhaawd udunt hyt y mor. honno
aelwit celibe. Ac uelly y marchocaassant y fford vawr
yn hyt y dyt heb gael na bwyt na diawt. Aphryt
nawn gosberawl wynt adoethant y wastattir yn y lle yd
oed castell tec cadarn o vur a ffossyd a dwvyr redegawc.
Aphan weles y rei or castell wynt yn dyuot pawb
adywawt. Grassaw duw wrthyt arglwydes. ae herbyn-
nyeit aorugant megys pei hi vei arglwydes arnunt.
ahitheu aorchymynnawd udunt vot yn llawen wrth y
marchawc urdawl. kanys ny wisgawd arueu eiryoed
uarchawc urdawl well noc ef. Ac yna y erbynnyeit ar

lewenyd ae diarchenu aorugant. Ae yna galaath
aovynnawd yr unbennes ae yno y trigyynt wy y nos
honno. Nac ef heb hitheu pan darffo yni vwyta a
chysgu ychydic ni a awn ymeith odyma. Yna y vwyta
yd aethant. ac ar ol hynny y gysgu. Ac yn y lle gwedy
yr hun gyntaf. yr unbennes aerchis y galaath gyuodi.
Ar gwyreeing or ty adugassant idaw torseu o gwyr
wrth wisgaw y arueu ymdanaw. Agwedy daruot
idaw wisgaw ymdanaw ef aesgynnawd ar y varch.
Ar unbennes a gymerth y gyt a hi prenvol eureit a
mein mawrweirthyawc gwedy y gyfansodi yndaw ac ae
dodes ryngthi ar goryf. ac a gychwynnassant racdunt
or castell. ac a varchockaassant yny doethant parth a
glann y mor. aphan doethant wy yno. wynt a welynt
yr ysgraff yd oedynt yndi peredur a bwrt. yn gogwyd-
aw ar ymyl yr ysgraff ac yn aros galaath. Aphan y
gwelsant wy ef wynt a vuant lawen pob un ohonunt
wrth y gilyd. a bendigaw duw aorugant am ymgaffael
y gyt ohonunt. Ac yna y mywn y doeth galaath ar
unbennes. a dwyn kyfrwyeu eu meirch ganthunt ac
adaw y meirch ar y tir. Ac ny bu gynt y doethant wy
yr ysgraff noc y kychwynnawd hitheu yr mor. Ac yn
enkyt bychan wynt agerdassant gyn bellet ac na welynt
dim tir o un parth udunt. Ac uelly y buant wy yn
hwylaw yny vu dyd. ac yna galaath aovynnawd y
peredur ac y vwrt pa le y kawssoedynt wy ysgraff
kyndecket ahonno. A bwrt adywawt nas gwydyat ef.
Ac yna peredur adywawt y antur ef ual y clywssawch
chwi or blaen. apha delw y dywawt yr offeiryat idaw
yr ymgaffei yn ehegyr a bwrt ac a galaath. Eissyoes
heb y peredur ny dywawt ef ymi dim am y vorwyn
racko. Myn vyngcret heb y galaath ny dathoedywn i
yma pany bei y vorwyn racko. kanys ny buasswn
eirmoet ar y fford honn. ac ny theybygasswn inheu
awch kaffael chwi awch deu y mywn lle mor estronawl
a hwnn. Ac yna pob un adywawt y gyflwr yw gilyd
ae anturyeu. A bwrt adywawt wrth galaath. Arg-
lwyd heb ef pei atuei yman lawnslot dy dat ti. nyt
oed arnam eissyeu dim ual na beym lawen. Ac ymdidan

uelly aorugant yny vu awr nawn. Ac yna wynt
adoethant y dir ac y ynys diffeith y rwng dwy greic.
Aphan doethant wy yno wynt awelynt ysgraff arall.
Ac yna y vorwyn adywawt. arglwydi heb hi yn yr
ysgraff racko yr mae yr antur o achaws yr hwnn y peris
duw y chwi dyuot y gyt. Ac am hynny reit yw ywch
vynet ohonn yr llall. Ni awnawn hynny heb wynteu
yn llawen. Ac ymaes or ysgraff ydaethant. a chymryt
yr unbennes gyt ac wynt aorugant. Aphan doethant
wy hyt att yr ysgraff. tegach a mawrweirthogach y
gwelsant wy honno nor gyntaf. A ryued vu ganthunt
na welsant yndi na gwr na gwreic. adynessau attei
aorugant. ac arganuot ar vwrd yr ysgraff llythyr yn
ysgrivennedic. ac yn dywedut parabyl ofnus dechryn-
edic yr rei a vynnynt vynet y mywn. Nyt amgen oed
yr ysgriven no hynn. Chwchwi uarchogyon y neb a
vynno dyuot yma ymywn. pa un bynnac vo. edrychet
vot yn da y gret. kanys nyt oes ohonafi dim onyt cret
a ffyd. ac am hynny ymogelwch kynn awch mynet y
mywn rac bot arnawch chweith halogrwyd. ac or byd
ny cheffwch gennyf i chweith canhorthwy. ac yr awr y
godiwedwyf i chwi yn torri neu yn gadaw un pwngk or
ffyd. yna minneu ach gadawaf chwitheu.

XLIX.—Pan daruu udunt darllein y llythyr ae
adnabot yna wynt a edrychassant pob un ar y gilyd.
Ac yna yr unbennes adywawt wrth beredur. a adwaenost
di vyvi heb hi. Na wnn heb ynteu pa un wyt ti.
Gwybyd di heb hi mae myvi yw dy chwaer di. ac awdost
di paham yr wyf yn peri ytt vy adnabot. y vot yn well
y crettych ym am yr hynn adywettwyf wrthyt. A mi
adywedaf ytt yn gyntaf megys yr neb mwyhaf agaraf
or holl vyt. onyt yttwyt ti yn berffeith yn ffyd achret
iessu grist o neb ryw vod nados di yr ysgraff racko.
kanys yr awr yd elych ony bydy ual y dywedeisi ef ath
gollir yn ehegyr. Pan y kigleu peredur hi yn dywedut
uelly. edrych arnei aoruc. ae hadnabot a bot yn llawen
wrthi. a dywedut wrthi. Mynvyngcret vy chwaer y
dec heb ef myvi aaf ymywn. kanys llawn wyf offyd. a
marchawc urdawl wyf megys y dylywyf vot. Dos ditheu

y mywn heb hi yn hy. a duw avo porth ytt. Ac ual yd
oedynt wy yn ymdidan uelly. galaath dan dodi arwyd y groc
arnaw aaeth ymywn yngyntaf ar vorwyn yn ol hynny. a
bwrt a pheredur yn eu hol wynteu. Agwedy eu dyuot y-
mywn wynt a edrychassant ar yr ysgraff. ac ny the bygynt
wy vot ar y mor nac ar y tir un ysgraff kyndecket a
hi. Kanys yr yttoed gwedy y phebyllu a llenneu o sidan
oll. ac yny pebyll yd oed gwely dadigawn y adurnyat
o lenneu goreureit. athu ac yno y doeth galaath dan
ryuedu yn vawr tecket y gwely. ac ef aarganuu ar benn
y gwely coron o eur ac istraet y gwely yd oed cledyf
ac amrafael weith arnaw. kanys y bwmel aoed o vaen.
yr hwnn yr oed yndaw kwbyl o holl liweu y byt. Ac
yd oed yndaw heuyt lawer o amryuaelyon betheu
enryued. ac am bop lliw yr oed rinwed. Dwrn y
cledyf aoed gwedy y wneuthur o assen deu aniveil. y neill
or aniueilyeit aoed o ryw genedylaeth seirff y rei a
vegir yny wlat aelwir calidoin. a pob un or seirff aelwir
pagagustes. ac enryued aoed ar esgyrn y pryf hwnnw
pwy bynnac o dyn a dalyei y assen neu asgwrn arall idaw
yn y law. ny bydei reit idaw ovyn dyuot tra gwres
yndaw tra vei yn y law. a llyna y gyuared aoed ar y neill
hanner yr dwrn. Y tu arall idaw adaroed y wneuthur o
assen pysc yr hwnn ny vagei vyth onyt yn auon euffrates.
ar pysc hwnnw aelwit orteniaus. Apha dyn bynnac a
dalyei yny law dim o asgwrn y pysc hwnnw. ny deuei
y gof idaw dim y wrth na llewenyd na dolur. nac y
wrth neb ryw dim arall onyt am yr hynn y bei yn y
vedylyaw pan y kymerei yn y law. ac yr awr y bwryei
oe law ef adeuei oe gof ual y gnottaei y anyan y dywys-
syaw. Y dwy rinwed hynny aoed yny dwy assen. y
rei aoedynt yn dwrn y cledyf. gwedy eu gorthoi o
syndal coch ac ysgriuennu llythyr eureit yndaw. ar
llythyr yn dywedut ryued wyf om edrych. ac ys
ryuedach om adnabot. kanys ny bu dyn eiryoet a allei
gaeu y dwrn ymdanaf yr meint vei y law. ac ny byd
vyth onyt un. a hwnnw aragora rac pawb or a vu eiryoet
oe vlaen. ac rac pawp or adel yny ol. Ac uelly y
dywedynt y llythyr aoedynt yn y dwrn. Aphan

R

daroed udunt eu darllein. ef a edrychawd pob un
ohonunt ar y gilyd. a dywedut weldy yma ryuedawt
mawr heb wynt. Myn vyngcret I heb y peredur myvi
a brofaf gaeu vyndwrn ymdanaw. ae gymryt yn y law
aoruc ac ny allawd ymgyrhaedut ymdanaw. Myn
vyngcret heb ef tebic yw gennyf vot yn wir y mae y
llythyr yny dywedut. ac yna bwrt ae profes. ac ny bu
well y tygyawd idaw ynteu. Yna wynt aarchassant
y galaath y brofi. ac ynteu adywawt nas profei. kanys
mi a welaf yr awrhonn mwy o ryuedawt noc aweleis yr
ystalym. Yna ef aedrychawd ar hyt gwein y gledyf. ac
yno ef aarganvu llythyr bychein cochyon. ac yn
dywedut. Na thynnet neb uyvi or wein honn ony
wybyd arnaw vot yn well y llad achledyf noc arall.
Apha un bynnac amgen vo hwnnw. gwybydet y byd
marw yn ehegyr neu ynteu yn anafus. Aphrofadwy yw
hynny arnafi yn yr amseroed aaethant heibyaw. Pan
weles galaath hynny. ef adywawt. Myn duw heb ef mi a
vynnasswn dynnu y cledyf hwnn or wein. ac bellach ny
dodafi vy llaw arnaw ef. Myn duw heb y bwrt a phered-
ur ny rodwn ninheu yn dwylaw arnaw ef. Ac yna
yr unbennes adywawt. tynnu y cledyf hwnn yssyd
wahardedic y bob dyn onyt y un. a mi adywedaf ywch
ual y daruu amdanaw ac nyt oes haeach. Gwir vu
gynt heb hi dyuot yr ysgraff honn y dir yn rwy le yn y
vrenhinyaeth honn. ac yn yr amser hwnnw yr oed ryuel
y rwng brenhin lambar. yr hwnn aoed dat yr brenhin
cloff a brenhin urlain. yr hwnn a vuassei sarassin ac yn
amser y ryuel yd oed ef yn gristawn kystal ac y
dywedei bawp nat oed yn y byt wr well noc ef. A gwedy
daruot y vrenhin lambar ac y vrenhin urlain dyuot ae
deulu ygyt yr un maes. ymlad aorugant yny oruu ar
lambar ffo. Sef aoruc ef ffo yr ysgraff honn. ac arganuot
y cledyf racko. Aphan weles ef brenhin urlain yny
ymlit. ef a gymerth y cledyf ac adoeth allan. ac arodes
dyrnawt y urlain. yny vyd ef ae varch yn deu dryll. a
hwnnw vu y dyrnawt kyntaf arodet ac ef eiryoet. ac yn
lloegyr y daruu hynny. Ac o achaws y dyrnawt hwnnw
rac mor santeid oed y brenhin aladyssit. ef a vu gymeint

y dial a rodes duw amdanaw. ac na chaffat yny dwy
vrenhinyaeth hynny yn hir o amser neb ryw ffrwyth or
tir ar daear. nac or coet nac or dyfred. namyn sychu
awnaeth pob ryw beth. Ac am hynny y gelwir y tir
hwnnw yr hynny hyt hediw y vrenhinyaeth atueilyedic.
Pan weles y brenhin y cledyf yn gynlymet a hynny. ef
avedylyawd ydaei y gyrchu y wein. Ac yna y doeth
ef yr ysgraff drachefyn a roi y cledyf yn y wein aoruc.
Ac yny y syrthyawd ef yn varw yr llawr geyr bronn y
gwely yma. Ac uelly y kaffat yn brofadwy ar y cledyf
hwnn pa un bynnac ae tynnei y bydei varw yn ehegyr
neu ynteu yn anafus. ac uelly y trigyawd corff y
brenhin yn ymyl y gwely hwnn yny gaffat morwyn
aaeth y mywn ac ae bwryawd allan. kanys nyt oed neb a
lyuassei vynet y mywn rac ovyn y llythyr aoed yn
ysgrivenedic ym bwrd yr ysgraff. Myn duw heb y
galaath antur ryued oed hwnnw a mi a gredaf y vot yn
wir.

L.—Galaath a vynnassei roi y law ar y cledyf aruedyr
y dynnu pan erchis y vorwyn idaw aros ychydic etto
yny welych ryuedawt yssyd yn ol. ac ynteu yna a beid-
yawd. ac aedrychassant y wein. ac eissyoes ny wydynt
wy o baryw beth y gwnathoedit hi. namyn tybyeit
mae croen sarff. Ac yr hynny ual kynt kyn gochet
oed hi a deil y ros cochaf. ac ar warthaf hynny ydoed
llythyr yn ysgriuennedic. rei o eur ereill o aryant. A-
phan edrychassant wy arwest y cledyf. nyt oed neb ohon-
unt ny bei yn ryuedu. kanys ryw wregis a hwnnw ny
chytwedei y gledyf kystal ac ef kanys o garth ac o gyw-
arch y gwnathoedit ef. ac ynwannet yg wnathoedit ef
ac na allei gynnal y cledyf un awr or dyd heb dorri.
ar llythyr aoedynt yn y wein yn dywetut ual hynn. y
neb am dycko I. ef adyly bot yn rymussach noc arall om
dwc yn gynsanteidyet ac y dylyo vyndwyn. kanys ny
dylyafi vynet y le y bo na budred na phechawt. ar
kyntaf am dycko ef avyd ediuar ganthaw. ac am hynny
kattwer vi yn lan ac ef a vyd diogel yr neb am harwedo
ympob lle. kanys yr ystlys am arwedo i ny orvydir
arnaw yn un lle or y bo. o chymer ymdanaw vyng-

gwregis yr hwnn y dylyir vy arwein wrthaw. ac na vit
neb mor ehofyn ac y newittio ym na gwregis nac arwest
amgen noc yssyd ym. kanys nyt kennat y neb vyng-
gwellau i o wregis onyt y vorwyn dilygredic o vedwl
ac o weithret. ae bot yn verch y vrenhin yn deilwng
o vrenhines. Ahonno awna ymi wregis or hynn
hoffaf genthi arnei ehun ac ae gossot yn lle hwnn.
Ahonno a ryd henw arnafi ac ar y cledyf. ac ny wybyd
dyn vyth vy henw yn iawn hyt hynny. Agwedy
daruot udunt darllein y llythyr agwelet beth yr oedynt
yn y dywedut. ryued vu ganthunt. Ac yna peredur
aerchis y galaath troi y cledyf ar y tu arall idaw. Ac
ynteu ae troes ef. ac yn y tu hwnnw heuyt yr oedynt
llythyr yn dywedut. y neb hoffaf vo ganthaw vi. hwnnw
vwyhaf amgogana yn yr anghenreit. ar neb y dylywn
inheu vot yn da wrthaw. hwnnw am keiff inneu yn
estronawl. ac ny byd hynny namyn unweith ac uelly y
byd reit y vot. Pan weles y vorwyn hynny hi adywawt
wrth beredur. Arglwyd heb hi y deupeth hynny wynt
adoethant. a mi adywedaf ytt pa bryt. megys na bo
reit y neb ofyn kymryt y cledyf hwnn or byd teilwng.
Ef adaruu gynt deng mlyned arhugeint gwedy diodef
crist dwyn naciens daw gan chwaer moradrins mywn
wybren drwy orchymyn iessu grist mwy no thri diwar-
nawt arhugeint odieithyr y wlat hyt y mywn ynys
aelwit yr ynys droedic. Aphan doeth ef yno ef aweles
yr ysgraff honn. Agwedy y dyuot yr ysgraff. ef a
arganvu y gwely ual y gwelsawch chwitheu. ac ef
ahoffes y cledyf ac ae chwennychawdd yn vwy no dim
or byt. ac nyt oed ganthaw o hyder ae tynnei or wein.
Ac yno y bu ef wyth diwarnawt heb vwyta heb yuet.
ac yn y nawuet dyd ef adamweinyawd y wynt dwyn
yr ysgraff ymeith odyno hyt yn ynys arall bell. Aphan
doeth ef yr tir yno. ef awelei gawr aruthur y veint. yr
hwnn adywawt wrth naciens y lladei ef ar hynt. Ac
yna ovynhau aoruc naciens pan y gweles yn dyuot tu
ac attaw heb dim ganthaw oe amdiffyn. Ac yna dwyn
hwyl yr cledyf aoruc ae dynnu allan. aphan y gweles ef
yn noeth. ny bu dim kynhoffet ganthaw ac oed. ac yna

y ysgytweit aoruc yn y law. ac yr awr yr ysgytyawd
ef adorres y cledyf yn deu hanner. yna y dywawt. och
duw heb ef yr hynn hoffaf gennyf yn yr holl vyt mi
ae kefeis yn waethaf. kanys ef a vethawd ym yn vy
reit. Ac yna roi y cledyf aoruc ef ar y gwely gyt ae
wein. abwrw neit or ysgraff aoruc. ac ymlad ar cawr ac
arhynt y lad. ' A gwedy hynny ef adoeth ymywn
drachevyn. Ac yna ef adrewis y gwynt yn yr hwyl.
ar ysgraff avarchockaawd y mor yny gyfaruu ac ef
ysgraff arall yn yr honn yr oed moradrins yndi. gwedy
y vot ynteu yn godef llawer o brofedigaetheu kythreul
ynggreic y bont beriglus. Aphan weles pob un ohon-
unt y gilyd llawen vuant ual y dylyei y neb y bei
karyat mawr y ryngthunt. ac amovyn aoruc pob un
ohonunt am gyflwr y gilyd. ac am eu hanturyeu. Ac
yna y dywawt naciens. Arglwyd heb ef. yr pan weleist
di vyui ryueda dim vu gennyf aweleis am y cledyf
racko. ac yna dywedut y gyfrangk aoruc. Myn vyng-
kret heb y moradrins llyna beth ryued. ac edrych ar
drylleu y cledyf aoruc ae hoffi yn vwy no dim. a dywed-
ut. myn vyngkret i heb ef nyt yr drycyoni y torres y
cledyf hwnn namyn oachaws dy bechodeu di. neu ynteu
yr arwydockau peth arall. Ac yna moradrins a dodes y
dryll wrth y llall. Ac yr awr y kyssylltwyt y neill
dryll wrth y llall. ef a gyvannawd ehun yngynhaws-
set ac y bu ganthaw dorri. Aphan welsant wynteu
hynny ryuedach vu ganthunt. Yna moradrins aroes
y cledyf yn y wein. Ac ae gossodes yn y lle y
gwelwch chwitheu yma. Ac yna wynt a glywynt
llef yn dywedut wrthunt. ewch ymeith or ysgraff
hon yr llall. kanys agos vu ywch a syrthyaw ympech-
awt. Ac och godiwedir chwi y mywn pechawt
yma ny dienghwch heb perigyl. Ac yna wynt aaethant
ohonno yr llall. Ac ual y byd naciens yn mynet or
ysgraff pwy gilyd ef adrewit achledyf ar y ysgwyd yny
vyd ynwysc y benn yn yr ysgraff arall. Aphan syrth-
yawd ef a dywawt. Och duw heb ef mi a vriweis
yn drwc. Ac yna llef adywawt wrthaw. kymer hynny
yn lle tynnu y cledyf yr hwnn nyt oedut teilwng oe

dynnu. Ac uelly ydoeth y parabyl yr hwnn yssyd yn
dywedut. y neb hoffaf vo ganthaw vi. hwnnw vwyhaf
am gogana yn yr anghenreit. kanys mwyhaf dyn eiryoet
a hoffes y cledyf hwnn vu naciens. ac ef affaelawd y
cledyf idaw yn y reit. Dadigawn heb y galaath y
dyelleist di ym hynny. A dywet yn weithyon val y
doeth y llall. yn llawen heb hitheu. gwir vu vot brenhin
cloff gynt vy ewythyr i. ar gwr hwnnw a gynnydawd
ar gret grist yn gymeint ar mwyhaf. tra vu yn gallel
llafuryaw. achystal oed y vuched ac na ellit yn y byt gael
y gyffelyb. Ac ual ydoed ef dyd gweith yn hely mywn
fforest gyfagos yr mor. ef a golles y wrthaw y gwn ae
gynydyon ae holl wyr namyn un kevynderw idaw ae
kanlynawd. Aphan weles ynteu golli y gedymdeithyon
ohonaw. ef a vu anghyflyryus ganthaw y hynt. kanys
kyn anghyfarwydet oed ef yn y fforest honno. ac na
thebygei vyth y vynet ohonei. Ac yr hynny ual kynt.
kerdet aorugant lawer ef ae gevynderw yny doethant
y ymyl y mor y tu ar Iwerdon. ac yno ef a weles y
llong honn. Ac arhynt ef adoeth tu a bwrd y llong ac
aweles y llythyr ual y gwelsawch chwitheu. Ac nyt
argyssyryawd ef dim yr hynny megys y dylyei y neb
awnelei bechawt ual y llityei y arglwyd wrthaw. Ac
yna y mywn y doeth ef ehun kanys nyt oed ehofyn y
gevynderw ar dyuot. ac arganuot y cledyf awnaeth ef
ae tynnu kymeint ac awelwch chwi y maes or wein
ohonaw. kanys yn yr amser hwnnw ny thynnassit ef allan
ac nyt oed dim ohonaw yn noeth. ac efo ae tynnassei ef
oll allan arhynt. panybei ar yr hynt honno y daraw a
gwaew yny vordwyt yny vu ef vyth ohynny allan
yngloff anafus. allyna ual yr anafwyt ef am y ffolineb.
ac am y dial hwnnw y dyellir y geir am y vot ef yn
estronawl wrth y neb y dylyei vot yn garedic wrthaw.
kanys nyt oed or gristonogaeth wr well noc ef. Myn
duw heb y galaath diogel digawn yr ysponeist di ym
hynny. Ac yna edrych y gwely aorugant a gwelet ry
wneuthur y deu erchwyn ae deu tal o tri amryw brenn.
ar prenn aoed erchwynnawc geyr bronn aoed wynnach
noc eiry pan vei newyd odi. Ar hwnn aoed drachevyn

aoed gochach nor ffion. ar prenneu aoedynt yn daleu
idaw. oedynt wyrdach agloewach nor maen aelwir
ysmeraud. Or tri lliw hynny yd oedynt gwyd y gwely
wedyr wneuthur. A gwybydwch chwi yn wir na
liwyssit eiryoet dim or prenneu hynny. namyn y lliw
a rodes duw udunt oc eu hanyan ehunein. ac nyt dyn
bydawl or byt ae lliwyassei wyntwy. ac rac tybyeit o
neb or a warandawo y kyfarwydyd hwnn vot hynn
yngelwyd. mi adrossaf ychydic odiar vy fford vyhun ac
odyar defnyd y kyfarwydyt. ac a deallaf ywch annyan
y prenneu y gwnaethpwyt y gwely ohonunt.

LI.—Ema ymae y kyfarwydyt yn dywedut panyw
pan doeth eua y wreic kyntaf a vu eiryoet. aphechu
drwy gynghor y kythreul yr hwnn a ryuelawd ar lines
dynawl. yr awr y gwybu ef daruot y duw eu gwneuth-
ur wy. ynteu ae hannoges wy y bechu yn varwawl
drwy chwant. or achaws y gyrrwyt wynt o baradwys
am gymryt onadunt ffrwyth y prenn adaroed gwahard
udunt naskymerynt. Ac yr awr y daruu y eua kymryt
y ffrwyth. ef adoeth kanghen or prenn ygyt ar ffrwyth
ac hitheu ae duc y adaf y gwr. ac ynteu a gymerth yr
aual oe llaw hi. Eissyoes y ganghen adrigyawd yn y
llaw hi. Ac yr awr y daruu udunt hwy vwyta y
marwawl ffrwyth hwnnw. a iawn yw y alw yn varwawl.
kanys oblegyt y ffrwyth hwnnw y cawssant wy elldeu
eu hangheu. ac y kafas pawp yn eu hol wynteu. yna yr
ysprydolyaeth aoed udunt wynt ae kollassant. ac aedewit
wynteu yn noeth. Aphan welsant wynteu hynny wynt
a wybuant ry daruot udunt gyfeilyorni. Aphan welsant
wy eu haelodeu kewilydyus. pob un ohonunt ae dwylaw
elldeuoed a gudyawd eu kewilyd yn oreu ac y gallawd.
ac yn llaw eua eissyoes ydoed y ganghen. heb ymadaw
ywrthi o hynny allan. Aphan wybu y neb awyr y wrth
vedwl pawp daruot udunt bechu ual hynny. ef adoeth
attunt. ac adywawt wrth adaf yn gyntaf kanys iawn-
ach oed y gerydu ef noe wreic. kanys y hi awnathoedit
ohonaw ef. adaf heb ef ti a vwytey dy vara drwy chwys
a dolur. a gwedy hynny ef adywawt wrthi hitheu. yn-
dolur ac yntristit y megy di ti ac adel ohonat. agwedy

hynny ef ae gyrrawd ymeith elldeu o baradwys. A
gwedy eu gyrru allan yna hi aarganuu y ganghen yn y
llaw yn laswyrd. yna hi adywawt yr kadw cof ym y
kollet mawr agolleis mi agadwaf y ganghen honn y gyt
ami hyt trae gallwyf hwyaf. Ac yna y medylyawd hi
na wydyat pa le y kadwei y ganghen. ae gossot yny daear
yn unyawn. ac adywawt. yma heb hi y gallafi y gwelet
hi pan y mynnwyf. ar ganghen ynteu trwy ewyllys duw
a ymafaelyawd ar daear. ac a wreidyawd ac a dyuawd yny
yttoed yn brenn mawr tec. ac yn gynwynnet ar eiry gwyn-
naf aallei vot. ahynny ympob lle ual y gilyd. Ac oblegyt
y vot yn wynn. hynny a arwydockaei vot ay dugassei
yno yn wyry pan yrrassit o baradwys. a gwybyd di yn
lle gwir vot gwahan mawr y rwng morwyndawt a
gwyrder. kanys morwyndawt yw yr honn ny bu idi
gweithret a gwr eiryoet. Gwyrder yw peth yssyd
amgen no hynny. kanys ny dichawn neb vot yn wyry
or avo ewyllys ganthaw y wneuthur gweithret cnawd-
awl. y gwyrder hwnnw aoed yn eua pan y gyrrwyt o
baradwys ac or digrifwch yd oed yndaw. ac yn yr amser
y plannawd hi y ganghen ny chollassei dim oe gwyrder.
Eissyoes gwedy hynny ef aanuones duw attunt wy y
erchi udunt ymwasgu ygyt herwyd anyan. Ac yna y
colles eua y gwyrder. Eissyoes mawr vu eu kewilyd
wyntwy yn mynet y wneuthur y gweith mileinyeid
hwnnw. Achymeint vu ac na allei yr un ohonunt
edrych ar y gilyd. a hynny rac diruawr gewilyd. Ny
lyfassynt wynteu dorri gorchymmyn eu harglwyd yr
eilweith rac drycket vuassei y dial am y weith gyntaf.
Ac yna edrych aoruc iessu ar y kewilyd aoed arnunt am
na mynnassant wy torri y orchymyn ef. ac or tu arall
bot y ewyllys yn mynnu panyw drwy genedyl dynawl
y kyflennwit y decuet rad y nef or lle y syrthyassei yr
engylyon o honaw trwy eu balchder. yd anuones ef
ganhorthwy mawr or kewilyd hwnnw udunt. kanys ef
aroes yryngthunt elldeu ryw dywyllwch hyt na welei yr
un ohonunt y gilyd. A ryuedu hynny aorugant wynt-
eu. paham ydoed y tywyllwch hwnnw y ryngthunt.
    LII.—Ac yna yd ymdynessawd pobun ohonunt att y

gilyd. ac yd ymdeimlassant. ac yr ymadnabu bop un
yn anyanawl y gilyd. Agwedy daruot udunt wy yr
hynt honno y gwnaethant wy hat newyd drwy yr hwnn
y lleihawyt eu penyt am y pechodeu awnathoedynt. yn
yr hynt honno y kaffat abel wirion yr hwnn kyntaf
eiryoet awassanaethawd duw wrth y ewyllys. Ac uelly
y kaffat abel drwy vric y prenn yr hwnn adygessynt
wy o baradwys. a hynny yn ryw wenergweith. Ac yna
yr aeth y tywyllwch ymeith ac yr adnabuant wynteu
panyw duw aanuonassei y tywyllwch yr kanhorthwy
udunt. ac yr kudyaw eu kewilyd. yna y dangosses duw
ryuedawt mawr. kanys oed kynno hynny ympob lle yn
wynn oll. yr oed yr awr honno ynkynlasset ar gwellt
glas. Achymeint ac ablannwyt or prenn hwnnw
ohynny allan auuant las nac yn ffrwyth nac yn deil nac
yn brenn. Ar kangheu ablannwyt ohonaw kynn
ymwasgu o adaf ac eua dan y prenn. y rei hynny ny
newityassant dim oe gwynder. achynn y gweithret
hwnnw ny dugassei y prenn arnaw chweith blodeu
eiryoet. Agwedy hynny wynt a vlodeuassant ac
affrwythassant. ar prenn agymerth y lliw glas arnaw
a gadaw y lliw gwynn. Hynny aarwydoc yr honn ae
plannassei agolles y gwyrder. Ac uelly y bu y prenn
hwnnw yn hir yn las. ac uelly heuyt y bydei bop un or
adelei ohonaw yny vu abel yn wr mawr ac yn gywir y
duw. kanys ef a degemei yn gywir or hynn teckaf ar y
helw. Eissyoes kayn y vrawt. ny wnaei efo velly.
namyn kymryt yr hynn gwaethaf a butraf ar y helw.
A hwnnw aoffrymei ef ac y degemei oe arglwyd. A duw
aedrychawd ar hynny. kanys y neb aoed yny offrymau
ef ar betheu tec. yd oed ynteu yn amylhau idaw o bop
peth tec. Ac nyt uelly yd oed ef yn y roi y gayn.
namyn aflwydyannus vydei y lafur idaw. kanys budyr a
hagyr a gwasgarawc vydei. ar hyt y meyssyd. achymeint
ac y vei y abel. glan a thec a savwryeid vydei. Pan
weles kayn vot yn llwydyannussach y abel y lavur noc
idaw ef. ef a bechawd yn wrthrwm ac adalyawd kenuigen
wrth abel. ac ae cassaawd yn ormod odieithyr messur.
ac a vedylyawd pa delw y gallei dial arnaw hynny yn

gymeint ac y medylyawd yndaw ehun y lladei ef abel y
vrawt. kanys ymywn mod amgen no hynny ny allei ef
arnaw dial. Ac uelly y porthes cayn y lit ae vedwl yn
hir o amser heb adnabot oe vrawt arnaw hynny. Ac
megys yd oed abel diwarnawt yn mynet o dei y dat yr
maes. ef adoeth hyt y dan vric y prenn. ac yno ef
agysgawd. ac yn agos y hynny ydoed gain yn cadw y
deueit. a thuac yno ynteu adoeth ar uedyr llad y vrawt
heb wybot idaw. Eissyoes y vrawt ae kigleu ef yn
dyuot. ac a gyuarchawd gwell idaw. Kanys mawr y
karei ef y vrawt. ac adywawt wrthaw grassaw duw
wrthyt vymrawt y tec heb ef. Ac yna kayn aeistedawd
y gyt ac ef ac heb wybot idaw ef ae trewis dan benn y
vronn a chyllell. ac uelly y bu uarw abel. drwy weithret
y vrawt yn y lle y crewyt ef. Ac yma yd ydys yn
tystolyaethu panyw yn yr amser hwnnw nat oed yny byt
gwr namyn tri. Ar angheu hwnnw aarwydockaa angheu
iessu grist. Kanys abel aellit y gyffelybu idaw ef. a chayn
aellyt y gyffelybu y iudas y lleidyr awnaeth angheu
.iessu grist. Gwedy gwybot or arglwyd daruot llad abel.
ef adoeth at gayn ac a dywawt. mae abel dy vrawt ti.
Ac ynteu yna aattebawd wedy daruot idaw llad y vrawt
ae gudyaw adeil rac y welet. Arglwyd heb ef ae myui
yssyd warcheitwat ar vymrawt. Pa beth heb yr
arglwyd awnaethost ditheu pan doeth llef attafi
yngkwyn ygan waet abel. ac am wneuthur ohonat ti
hynny ti a vydy emelldigedic ar y dayar. ar dayar a vyd
emelldigedic yn dy weithredoed di o achaws gollwng
ohonat ti y waet ef. Ac uelly yr ymelldigawd duw y
dayar yno. Eissyoes nyt emelldigawd ef y prenn aoed
yn y lle y llas abel nar prenneu ereill a datho o honaw.
Ac or prenn hwnnw y doeth ryuedawt mawr. kanys yr
awr y llas abel dan y prenn. ef asymudawd y prenn y
liw. ac aaeth yngyngochet ar gwaet cochaf. a hynny
debygwn i yr kadw cof am y gwaet agollassit y danaw.
Ac ohynny allan ny thyfawd un ganghen or ablennit
ohonaw. namyn marw achrinaw awneynt. Eissyoes y
prenn adyfawd yn dec yn y lliw hwnnw heb lygru neb
ryw dim arnaw. namyn na thyfawd neb ryw ffrwyth

arnaw yr pan ladyssit abel ydanaw. y prenneu ereill
adeuei ffrwyth arnunt y rei ablannyssit ohonaw ef kynno
hynny. Ac uelly y bu y prenn hwnnw yny amylhaawd
y bobyl. Ac yna pawb awnaei enryded mawr yr prenn
hwnnw. am wybot panyw eu mam gyntaf ae plannassei
ac ae dugassei o baradwys. Ac hyt yno y deuei bawp
megys y bererindawt. Ac ymgynghori aorugant hyt
na lyuassei neb dorri un ganghen arnaw. A brenhin
y bwyt y gelwit ef. Ac uelly y bu y prenn hwnnw yny
vu selyf uab dauyd. yr hwnn a vu gyflawn o bop
doethineb. ac o bop doethineb yn gymeint ac na allei
dyn marwawl wybot mwy. kanys ef awydyat gwyrtheu
pob maen a phob llyssewyn. ac anyan y syr ar sygneu.
hyt na wydyat neb mwy noc efo onyt duw ehun. ac nyt
oed gyn gadarnet ef yr hynny yny gymendawt ae
doethineb. ac na allei wreic y dwyllaw ef yn vynych
pan y mynnei drwy y hystryweu hi. ac ny dylyem ni
ryuedu goruot o ystryw gwreic arnam pan oruydit ar
yr henwyr kymen doethyon gynt.

LIII.—Pan weles selyf nat oed dim y synnwyr ef yn
erbyn ystryw gwreic. ef auu ryued ganthaw o bale yd oed
yr ystryw hwnnw yn dyuot yr gwraged. ac alidyawd
dieithyr y hynny nyt ymdangosses ef. or achaws y
dywawt ef yn un oe lyfreu yr hwnn aelwir parableu
selyf. Mi aogylchynneis y byt. ac aethum trwydaw yn
gymeint ac y gallei synnwyr dyn vwyhaf vynet. ac
a geissyeis y byt o gwbyl. ac ynghwbyl ohynny ny
weleis gaffael un wreic da. Y parabyl hwnnw ady-
wawt selyf o lit wrth y wreic. yr honn ny allei ef dim
wrth y hystryw. Ac ef ae profes hi yn vynych y
edrych a allei oruot ar y synnwyr ac nys gallei.
Aphan weles ef hynny ef aovynnawd idaw ehun. Pa
natur oed y wreic lidiaw gwr mor vynych ac y gwnaei
hi. Ac ar hynny ef a glywei lef yn dywedut wrthaw.
Selyf selyf heb ef. o doeth tristit o wreic nyt reit y
ryuedu. kanys ef adaw gwreic etto y keffir y cant
kymeint o lewenyd ac yd ydys yr awr honn yny gael
o dristit. Ar wreic honno aenir oth lines di. Pan
gigleu selyf hynny ef ae kymerth ehun yn lle ffol am

gerydu y wreic. Ac yna ef a ystudyawd yn llyfreu
y proffwydi ac a vedylyawd yn y hun ac odieithyr y
hun y edrych a allei wybot pa un vydei diwed y gened-
ylaeth ef. Achymeint vu y lavur ef yn ystudyaw ac
yd eglurhaawd yr yspryt glan idaw yr antur am yr
ogonedus ueir. Ac y dywawt idaw beth ywrth hynny
adeuei rac llaw. Aphan gigleu ef dywedut y bydei yr
arglwydes ueir. ynteu yna aovynnawd ae hyhi vydei
diwed y genedylyaeth ef. Nac ef heb y llef gwr gwyry
oe gorff vyd diwed dy genedylyaeth di. A hwnnw arag-
ora dy genedyl di achenedyl pob dyn o vilwryaeth yn
gymeint ac y ragora y wyry veir rac gwreic or byt.
allyna vi wedy eglurhau ytti yr hynn yth weleis yn
betrus ohonaw. Pan gigleu selyf hynny llawen vu am
glybot bot mor racwerthuawr a hynny diwed y gened-
ylyaeth ef. Ac yna selyf a vedylyawd pa delw y
gallei peri yr marchawc diwethaf oe genedylaeth ef ad-
nabot y vot yn rybucho idaw anrec caredic erbyn y
dyuotyat. Ac nyt yttoed selyf yn gwybot pa ffuryf y
gallei wneuthur peth a barhaei yn gyhyt a hynny. na
pha ffuryf y gallel y marchawc hwnnw ynteu y gaffael
gwedy asgwnelit. Ac yna y wreic ef aadnabu y vedwl
abot yn anhawd idaw dyuot y benn ac ef. Aphan
weles hi awr da arnaw ef hi ae gwediawd ar dywedut
idi yr hynn aovynnei idaw. Ac ynteu adywawt megys
y neb ny wydyat beth aoed yn y bryt y ovyn idaw y
dywedei yn llawen. Arglwyd heb hitheu ti a vuost
uedylgar yn hyt y pythewnos hwnn. Ac am hynny y
gwnn i dy vot ti yn medylyaw am beth nyt ytwyt yn
gallel dyuot y benn ac ef. ac am hynny mi a vynnwn
gaffael gwybot beth yw dy vedwl. kanys mi adebygaf
nat oes yny byt dim ny allwyfi dyuot y benn ac ef y
rwng dy synnwyr di a meu inheu. Pan y kigleu selyf
hi yn dywedut uelly ef a vedylyawd os dyn or byt
aallei roi kynghor ar hynny y gallei hi. kanys ef a
welsei lawer kymhendawt y genthi. Ac yna ef a
dywawt y vedwl idi. Ahitheu yna a vedylyawd ychydic.
agwedy hynny hi adywawt. Nyt reit ytti heb hi
haeach o vedylyeit yn peri anrec yr marchawc hwnnw.

Ac yr adnabot o honaw ynteu y gwydut ti y genit efo
oth lines di. llyma vyngcret heb ynteu nas gwnn i kanys
y mae llawer o amser ohynn hyt hynny etto. Myn-
vyngcret hi mi ae dysgaf ytt. namyn dywet ti y mi yn
gyntaf pa veint o amser yssyd hynny. Mi adebygaf heb
ynteu vot ynghylch trychant mlyned. Mi adywedaf
heb hi pa delw y gwney di. par wneuthur ysgraff or
pren· goreu aaller y gaffael apharaussaf. ac anhawssaf
ganthaw drewi. Trannoeth y bore y mynnawd selyf
dyvynnu attaw kwbyl o seiri y wlat. Agwedy eu dyuot
ygyt ef aorchymynnawd udunt wneuthur yr ysgraff
oreu or a ellynt y wneuthur o gyfryw brenn ny drewei
vyth. Ac wynteu adywedassant y gwneynt yn y mod
goreu ac y gellynt ac y deisyfei ynteu. Ac yna keis-
syaw y gwyd awnaethant adechreu. Yna gwreic selyf
adywawt wrth y gwr. Arglwyd heb hi kanys gwdost
di y byd y marchawc urdawl hwnnw ac y ragora ef o
vilwryaeth. rac marchawc or auu eiryoet. nac or avyd
vyth. ef avydei enryded mawr debygwn I gwneuthur
idaw ynteu ryw aryf auei ragorussach y vreint noc aryf
arall or a vu eiryoet nac or a vo vyth. A selyf ady-
wawt nawydyat ef llunyaethu yr aryf hwnnw. Myui ae
dysgaf ytt heb hitheu. Yn y demyl heb hi awnaethost
yr anryded yr arglwyd y mae cledyf dd. dy dat ti.
yn oreu ac yn llymmaf or a wnaethpwyt eiryoet o
gledyfeu y byt. kymer di y cledyf hwnnw a thynn y
bwmel ae dwrn y wrthaw. Athitheu kanys atwaenost
wyrtheu y mein ar llysseu gwna idaw dwrn a phwmel.
a gwein. ual na bu ac na byd y gyfryw. Agwedy
hynny minneu arodaf idaw arwest ual y rangho bod
ym y roi. Ac uelly y gwnaethpwyt megys y clywss-
sawch yn lle arall or blaen. Pan daruu gwneuthur yr
ysgraff ae dwyn yr mor. ef abarawd gwreic selyf
gwneuthur gwely tec yndi. a roi kylchedeu tec arnaw.
Ac ar benn y gwely y rodes selyf y goron. Ac ar draet
y gwely y rodes y wreic y cledyf eissyoes y arwest ef
awnathoedit o garth. or achaws y llidiawd selyf. ac
ydywawt nat oed deilwng bot y ryw arwest ahonno. y
gledyf kystal ahwnnw. A hitheu yna a dywawt na-

chaffei ef amgen arwest no honno yny delei ryw
vorwyn ae rodei idaw. ac ni wnn i pa amser vyd hynny
heb hi.

LIV.—Ny lauuryawd selyf mwy yna yn erbyn y
wreic. ac ef a beris gwneuthur pall yr ysgraff o syndal.
ac edrych ar y gwely aorugant. Ac yna y wreic
adywawt nat oed gwbyl y gwely a chymryt deu saer
ygyt a hi aoruc. A dyuot hyt y prenn y lladyssit abel
ydanaw. Ahi aerchis udunt torri peth ar y prenn.
Ac wynteu a dywedassant na dylyit torri dim arnaw.
kanys eua ae dugassei ef o baradwys ac ae planassei yno.
Yna hi adywawt ony thorrynt wy beth or prenn y
parei hi eu distrywyaw wynt ac eu diuetha. Ac yna
rac ovyn dechreu torri y prenn aorugant. eissyoes nyt
athoedynt wy haeach yndunt yny symudawd arnunt
kanys or prenn y gwelynt yndyuot dafneu o waet. Ac
yna wynt a vynnassynt beidyaw ac ef. pan beris hitheu
udunt yr eilweith oe hanuod dechreu arnaw. athorri
kanghen uawr aorugant wy ohonaw ef. agwedy hynny
hi a beris udunt dorri y gymeint arall or prenn glas. ac
or prenn gwynn y gymeint arall heuyt. Ac ar tri
amryw brenn hynny y doethant wy hyt yr ysgraff.
Ac or rei hynny y gorchymynnawd hi udunt wy gwneu-
thur erchwynnawc yr gwely. Ac uelly y gorugant
wynteu. Yna selyf aedrychawd ar yr ysgraff. a gwedy
hynny adywawt wrth y wreic. Pei at vei yr holl vyt
yma ny deuynt yr ystryw y doethost di idaw. ac ny
wydynt beth a synhwyrei yr ysgraff honn. ac nys
gwdost ditheu ac nysgwybyd y marchawc urdawl y
gwnaethpwyt ar y odeu. onyt duw yn gyntaf ae syn-
hwyra idaw. Gat ual y mae heb hitheu kanys ti
aglywy yma chwedleu newyd yn ehegyr. Y nos honno
y kysgawd selyf yn ymyl yr ysgraff. ac ual y byd yn
kysgu. ef awelit idaw efo vot yndyuot y wrth y nef gwr.
ac ygyt ac ef llawer o engylyon ac yn mynet yr ysgraff.
Ac yna ef awelei y gwr yn kymryt olaw un or engylyon
gorlwch o aryant debygei ef. ac ohwnnw yn kymryt
ryw beth ac yn iraw yr ysgraff. ac odyna yn ysgriuennu
llythyr yn y bwrd. A gwedy hynny ef ae gwelei yn

kymryt y cledyf ac yn ysgriuennu yndaw ympob lle
hyt yn oed yny wein. ac odyno ef awelei y gwr yn
kysgu yn y gwely. Ac yn hynny y difflannawd ef y
ganthaw ef ar engylyon. Athrannoeth y borę y ky-
fodes selyf ac adoeth parth ar ysgraff. Ac yno ef
awelei yn ysgriuennedic yndi yr ymadrawd ual y dy-
wetpwyt or blaen. Aphan weles selyf hynny ny lyuas-
sawd ef vynet idi ymewn. A chiliaw y wrthi aoruc.
Ac yna y gwynt a dwysgawd yn hwyl yr ysgraff.
Ac yr mor y kyrchawd yn gynebrwyded ac y colles
selyf y olwc arnei yn ehegyr. Sef aoruc selyf yna
eisted ar lann y mor amedylyaw ynhir. Ac yna ef a
glywei lef yn dywedut wrthaw. Selyf heb ef y march-
awc urdawl diwethaf oth genedylyaeth di aorffowys
etto yn y gwely a baryssawch chwi ti ath wreic y
wneuthur. Ac a wybyd yn wir mae tydi aberis
gwneuthur yr ardunyant hwnnw idaw efo. llawen iawn
vu gan selyf y chwedleu hynny ac eu dywedut y bawp
aoruc. Allyna gwedy dywedut ywch pa delw y goruu
y wreic o synhwyr ar selyf uab dd. aphaham a pha
delw y gwnaethpwyt yr ysgraff. aphaham yr oedynt y
prenneu racko or tri amryw liw a hynny o natur.
Yma y mae y kyfarwydyt yn ymchoelut ar y defnyd
ehun drachefyn.

LV.—Ema y mae yr ymdidan yn dywedut bot y tri
chedymdeith yn edrych ar y gwely yn hir yny wybuant
yn hyspys panyw lliw annyanawl aoed ar y prenneu. yr
hynn a vu ryued ganthunt pa anyan awnaei udunt vot
uelly. Agwedy daruot udunt edrych ac amkanu y
gwely. wynt awelsant ar glustawc yny gwely pwrs
wedyr wneuthur o sidan. apheredur a ymauaelawd ac ef.
ac yn y pwrs ef agafas llythyr. Yna y kedymdeithyon
a dywedassant. os da gan duw y llythyr hwnn an gwna
ni yn dilis ac yn diogel or ysgraff hwnn. Ac a venyc
yni paham y gwnaethpwyt. Ac o ba le y doeth. aphwy
ae gwnaeth gyntaf. yna peredur adechreuawd darllein
y llythyr. Ac yndaw y kafas ystyr gwneuthuryat yr
ysgraff ar gwely ar cledyf ygeir yny gilyd ual y clyws-
sawch or blaen. Gwedy daruot y peredur darllein

kwbyl or llythyr. ef adywawt wrth galaath. reit vyd y
chwi vynet y geissyaw y vorwyn arodho arwest neu
wregis yr cledyf hwnn kanys heb hynny ny dyly neb
arwein y cledyf nae dwyn odyyma. ac wynteu adywed-
assant na wydynt y keffynt y vorwyn honno. ac yr
hynny ual kynt reit yw mynet oe cheissyaw. Pan
gigleu chwaer beredur hynny hi adywawt. Arglwydi
heb hi na vit arnawch un goual am hynny. kanys os da
gan duw kynn awch mynet chwi odyma. ef a geiff
kymeint ac aberthyno idaw oblegyt y wregis. a hynny
osidan eureit ac o wallt penn. Eissyoes kyndecket oed
yr hynn aoed owallt penn yndaw ac o vreid y gellit
yadnabot y wrth yr adaued eur. Ac yn yr ysnodenneu
eureit or gwallt ar sidan yr oedynt gwedy eu kyfansodi
mein mawrweirthyawc. a gwaec y cledyf ae bendoc
aoedynt o eur ac assur. a mein carbonculus. a gwy-
bydwch chwi heb y uorwyn y wneuthur ef ohonafi or
hynn hoffaf gennyf ar vyngcorff. nyt amgen noc om
gwallt. ac nyt oed ryued. kanys duw sulgwynn y dyd
yth wnaethpwyt ti yn uarchawc urdawl. yd oed ymi y
gwallt teckaf or aoed y vorwyn yn yr holl vyt. Ac yna
pan giglefi vot antur y byt ual ydoed. mi abereis y
gyneifyaw agwneuthur y gwregis ual y gwelwch chwi.
Bendyth duw ytt heb wynteu am hynny. Ac yna y
uorwyn a ossodes y gwregis wrth y cledyf ual yd oed
dadigawn y gwedei idaw. Ac yna hi adywawt. ar-
glwydi heb hi. awdawch chwi pwy henw y cledyf hwnn.
Aunbennes heb wynteu nys gwdam ni. namyn med y
llythyr tydi bieu roi henw idaw ef. Arglwydi heb
hitheu minneu arodaf henw idaw. y cledyf ar gwregis
estronawl. Gwedy daruot hynny wynt a dywedassant.
galaath heb wy. yr duw gwisc ymdanat cledyf yr
odidawc wregis yr hwnn adamunwyt y welet yn vynych
yn lloegyr. Gedwch ym heb y galaath edrych aallwyf
gaeu vyndwrn arnaw. ac onys gallaf. nyt meu I dim
ohonaw. Gwir yw hynny heb wynteu. Ac yna ymafael
ar cledyf aoruc galaath a chaeu y dwrn arnaw ual yr
oed y vawt yr taraw dros y berueduys.

LVI.—Pan weles y kedymdeithyon hynny wynt

adywedassant wrth galaath. Arglwyd heb wynt y cledyf
yssyd deu di. Ac am hynny gwisc ymdanat. Sef awnaeth
galaath yna y dynnu allan ual yr oed bawp yn ryuedu
y eglurder. Agwedy y ossot yn y wein drachefyn y
vorwyn adoeth ac adynnawd y cledyf arall aoed
ymdanaw. ac agymerth y cledyf ar odidawc wregis ac
ae gwisgawd am y ystlys. Aphan daruu idi hynny
hi adywawt. Nym tawr I bellach heb hi pa bryt y mynno
duw teruynu ar vy hoedyl. kanys rodes duw ym o ras
kael gwneuthur yn uarchawc urdawl y goreu or holl
vyt. kanys bit dieu ytti nat yttoedut yn uarchawc urd-
awl kwbyl yny gaffut y cledyf hwnn. A unbennes
heb y galaath. ti awnaethost gymeint ac ydwyf uarch-
awc urdawl i ytti pa le bynnac y bwyf. a duw a dalo ytt
am dywedut uelly. Arglwydi heb hi nyni aallwn
vynet pan y mynnom odyma ar ysgraff. Y duw y
diolchafi heb y peredur vy mot i wrth orffen antur kyn
decket a hwnn. Kanys odidockaf antur aweleis I hwnn
eiryoet. Ac yna wynt adoethant oe hysgraff ehun. ar
gwynt adrewis yn yr hwyl. athrwy rym yr hwyl ar
gwynt yr ysgraff a gychwynnawd ymeith. A hwylyaw
aoruc hi yn hyt y nos. ar nos honno y buant wy heb
vwyt ac heb diawt. megys nat oed udunt chweith defnyd
y hynny. yna gwisgaw eu harueu aorugant wy. A-
thrannoeth y bore wynt a arganuuant gastell gyferbyn
ac wynt. yr hwnn aelwit carcaleis. ac aoed ar lann y mor
ym mars prydyn. Aphan doethant wy yr tir. wynt a
diolchassant y duw eu dwyn yn iach hyt yno. Ac yna
y borth y castell y doethant. ar uorwyn yna adywawt.
Arglwydi heb hi ny wdam ni beth yw yn hynt yma.
Ac ny byd mwyn awch kyflwr or gwybydir awch hanuot
o lys arthur. kanys nyt oes yn y byt gwr kymeint a
gasseir yma ac efo. Pa drwc yw hynny heb y bwrt.
kanys y neb an duc ni yn iach or lleoed y buam hyt
yma ef an dwc odyma pan y mynno. Ac ual y bydant
yn ymdidan uelly nachaf gwraeng yndyuot yn eu
herbyn. yr hwnn adywawt wrthunt arglwydi uarch-
ogyon urdolyon pa rei ydych chwi. ac wynteu a dywed-
assant eu hanuot o lys arthur. ae gwir heb ynteu.

T

Myn vympenn lle drwc ar awch lles y tiriassawch. Ac
yna ymchoelut aoruc hwnnw drachefyn a chanu corn
yny glywit ym pob lle yny castell. Ac ar hynny
morwyn adoeth attunt. ac aovynnawd udunt o ba le yr
hanhoedynt. ac wynteu adywedassant panyw o lys
arthur. Och arglwydi heb hi yr duw ymchoelwch dra-
chevyn. ac onyt ymchoelwch. mynduw chwi a doethawch
ar awch angheu. A unbennes heb wynt ny allwn ni
ymchoelut. ac na uit arnat un goual. Kanys y neb
ydym ni yn y wassanaethu an dwc ni odyma yn iach
pan y mynno. ac ar ymadrawd hwnnw wynt awelynt
yndyuot tu ac attunt dec marchawc urdawl yn aruawc.
y rei aerchis udunt ymroi. neu wynteu a veynt veirw.
Ac wynteu a dywedassant yna nat ymroynt yrdunt.
Gan hynny heb wynteu neur doeth awch diwed chwi-
theu. Ac yna brathu eu meirch tu ac attunt aorugant.
Ac wynteu kynny beynt namyn tri. a heuyt ar eu traet.
tynnu cledyfeu aorugant. Apheredur yna adrewis
un onadunt. yny byd hwnnw y ar y uarch yr llawr.
Ac yna peredur a gymerth y march ac a esgynnawd. ac
uelly heuyt y daroed y galaath wneuthur. ac yr awr y
kawssant y meirch wynt ae kurassant yn gynffestet
ac y kafas bwrt heuyt varch. Aphan weles y lleill
hynny wynt affoassant. Ac wynteu ae hymlidyassant
yny gaeassant y twr mawr arnunt. A gwedy dyuot
galaath ae gedymdeithyon y neuad uawr aoed yn y
kastell. wynt awelynt yno ysgwieryeit. amarchogyon
urdolyon yn gwisgaw arueu ymdanunt achaws y cri a
glywynt arhyt y castell ar dref. Sef aoruc galaath
yna ae gedymdeithyon eu kuraw megys anniueilyeit.
Ac wynteu a geissyassant ym amdiffyn. Eissyoes or
diwed ef aoruc arnunt wy ffo. A galaath yna a ym-
lauuryawd yn gymeint ac y tebygassant wy nat oed ef
wr bydawl. Ac am na thygyei dim udunt wynt a ffo-
assant yr ffenestri ac yr muryoed ac aymollyngassant
y dorri eu mynygleu. A gwedy daruot yr tri chedym-
deith ymrydhau y ganthunt. edrych aorugant ar y
kalaned. ac ediuarhau arnunt yn uawr gwneuthur oho-
nunt gweithret mor bechadurus a hwnnw. Yna bwrt

adywawt. rofi aduw heb ef pei karei duw wynt o dim
ny adei wneuthur arnunt y lladua honn. Ac agatuyd
pobyl angcredadun ynt. ac awnaethant ryw gamweith-
ret yn erbyn duw yn gymeint ac na mynnei ef udunt
hwy eu bywyt mwy. ac am hynny duw an anuones
ninheu yma oe diuetha wy. Bwrt heb y galaath nyt
da dywedut uelly. Kanys pei gwnelynt wy gam yn
erbyn duw. nyt yn llaw ni yd oed y dial. namyn yn llaw
y neb aat yr pechadur ymaros yny adnapo y bechawt.
ac yny wnel penyt drostaw. ac am hynny ny bydafi
lawen vyth yny wypwyf wirioned am eu buched. Ac
ual y bydant yn ymdidan uelly nachaf wr prud yn
dyuot o ystauell. a gwisc offeiryat ymdanaw. a chorff
yr arglwyd y rwng y dwylaw. Aphan weles ef y
kalaned ef a symlawd arnaw yn uawr. ac a gilyawd
drachefyn megys dyn ac ofyn arnaw. Ac ygyt ac
hynny heuyt na wydyat beth adaroed udunt. Agalaath
yna pan weles y caregyl y rwng y dwylaw a dynnawd
y helym y am y benn. ac aerchis idaw na bei arnaw un
ofyn. Ac yna yr offeiryat aovynnawd y galaath pa rei
oedynt. ac ynteu adywawt panyw o lys arthur yd
hanhoedynt. Pan gigleu y gwrda hynny diogel vu
ganthaw. Ac yna galaath aberis idaw eisted yn y
ymyl. a dywedut aoruc ef yr offeiryat y gyfrangk or
dechreu hyt y diwed. Pan gigleu ynteu hynny ef
adywawt. Arglwydi heb ef. gwybydwch chwi yn lle
gwir ry wneuthur ohonawch y gweithret goreu or a
wnaeth marchogyon urdolyon eiryoet. Aphei bydewch
byw chwi hyt dyd brawt ny thebygafi gallel ohonawch
gwneuthur alwyssen kymeint ac a wnaethawch hediw.
kanys nyt oed yn yr holl vyt dynyon kyn gasset gan-
thunt yn arglwyd ni iessu grist. ac oedynt gan dri broder
aoedynt yn kynnal y kastell hwnn. ac rac eu drycket
wynt. yd oed y bobyl or dref ac or castell yma yn
waeth no sarascinyeit. Ac ny wneynt dim onyt yn
erbyn duw ar eglwys. Arglwyd heb y galaath yd oed
yn ediuar gennym ni gwneuthur hynny. Nac ediuaret
vyth arnat heb yr offeiryat. a mi arodaf vy llw ytt y
keffy diolwch gan duw. kanys gwaethaf pobyl oedynt.
a mi a dywedaf yt pa ffuryf yr oedynt uelly.

LVII.—Ar y castell hwnn yd oed arglwyd gwr a elwit
ernwlff. ac yd oed idaw drimeib yn wyr grymus o arueu.
ac un uerch a oed idaw deckaf yn y byt. ae thri broder ae
karawd yn gymeint ac y gwnaethant gweithret uffernawl
a hi yn erbyn y hewyllys hi. ac am gwynaw o honei hi
wrth y that. wynt ae lladasant hi. Aphan weles eu tat
wy hynny ef a geissyawd eu gyrru wy ymeith y wrthaw.
ac ny diodefassant wy hynny namyn wynt a gyrchas-
sant eu tat ac ae ffustassant yn drwc. ac ae lladyssynt
yn uarw pany bei vrawt idaw a lesteiryawd arnunt. A
gwedy daruot udunt hynny wynt a wnaethant y drygeu
mwyhaf ac a allyssant. ac a ladyssant yscolheigyon ac
offeiryeit a myneich. ac a vwryassant yr llawr yr eglwys-
seu ar capeleu. ac awnaethant o drygeu gymeint ac y
mac ryued nas llyngkawd y dayar wynt yr ystalym.
Ar bore hediw yd anuones eu tat wy gennat attafi y
dywedut y uot yn agos y varw. ac y erchi yr duw y
minneu dyuot oe gymunaw. A minneu a deuthum yn
llawen. kanys kedymdeith oedywn idaw yr ystalym.
aphan doethum y mywn ny allei sarascinyeit wneuthur
ym ogewilyd mwy noc awnaethant. A minheu adiod-
efeis hynny. Aphan doethum yr carchar lle yd oed y
gwr da. mi adywedeis idaw y kewilyd a wnathoed y
veibyon ym. Ac ynteu adywawt. py drwc ytti ohynny.
kanys llef y gan iessu grist adoeth attaf y dywedut ym
y deuei uarchogyon iessu grist y dial arnunt dy gewilyd
di ar meu inheu. Ac am hynny heb yr offeiryat y gwnn
I panyw duw achanuones chwi yma oc eu diua wyntwy.
A chwi awelwch etto arwyd avo eglurach am hynny
noc awelsawch hyt yn hynn. Yna yr offeiryat a wyl-
yawd o dostur drycket oed eu buched. Ac yna ydoeth
galaath y gyt ar offeiryat y edrych y gwr aoed yn glaf.
yr hwnn a vu lawen wrth galaath pan y gweles. ac
aerchis idaw eisted y dan y dwy ysgwyd. kanys esmwyth-
ach vyd ym eneit vot gwr kystal a thydi wrth y ysgar
ar corff budyr. Ac yna galaath ae kymerth yn y arffet
ac a aeth dan y dwy ysgwyd. a gogwydaw ar alaath
aoruc ynteu a llewygu megys y tebygassynt yn dieu y
varw ef. ac ympenn talym gwedy hynny ef a dywawt.

Galaath heb ef y mae y pennaf or arglwydi yn hys-
pyssu drossofi daruot ytti hediw dial ar y elynyon ef yn
gymeint ac y mae engylyon nef yn llawenhau. Ac ef
avyd reit itti vynet yn vuan odyma ymmeith y vwrw
anturyeu ereill. Ac ar hynny y gwahanawd y eneit ef oe
gorff. ar bobyl aadawssit yn vyw yno a vu drwc ganthunt
y varw rac y daet gwr. Agwedy daruot y galaath beri
cladu y gorff yn anrydedus. trannoeth y bore wynt
a gerdassant ymeith yll tri. a chwaer beredur ygyt ac
wynt. Amarchogaeth aorugant hyt pan doethant hyt
y mywn fforest. ac yno wynt awelsant carw gwynn. a
phedwar llew ygyt ac ef. y rei awelsei beredur kynno
hynny. Galaath heb y peredur ti aelly welet yr awr
honn beth enryued. Mynvyngkret heb y galaath ny
weleis i eirmoet beth kyn ryuedet. a gwelet y pedwar
llew yn kanlyn y karw. Mynvyngcret i heb y peredur
mi ae dilynaf ef yny wypwyf beth aarwydockaa hynn.
ac uelly vinneu heb y galaath. ac am hynny awn yn y
ol. ac ymlidywn ef. kanys mi adebygaf vot y gartref
yn agos. Ac yna yn y ol y kerdassant yny doethant
hyt y mywn glynn tec. ac or glynn y greic uawr y
kyrchassant yn y lle yr oed ty meudwy yr hwnn a oed
wr da prud. ac yr ty yno ydaeth y karw ar pedwar llew
yn y ol ynteu. ar marchogyon yna a disgynnassant ac
adrossyssant tu ar capel. ac yno wynt agawssant y
meudwy gwedy gwisgaw ymdanaw ar uedyr mynet y
ganu offeren or yspryt glan. Ac yna gwarandaw offeren
yn ewyllyssyawl aorugant yny yttoed yr offeiryat ar
dirgeledigrwyd y offeren. Ac yna wynt awelynt deb-
ygynt wy y karw gynneu a welsynt. yn mynet yr awr
honno yn ffuryf gwr ac yn eisted y mywn cadeir eureit
ar yr allawr. ar pedwar llew yn ymsymudaw un ohonunt
yn ffuryf gwr. ar eil yn eryr. ar trydyd yn ych. ar ped-
weryd yn llew. ac esgyll y bop un o honunt ual y
gellynt ehedec. ar pedwar hynny a gymerassant y gadeir
ar gwr yndi. ac aaethant ac ef y ryngthunt drwy ffen-
estyr wydyr heb waethau na thorri dim ar y ffenestyr
yr hynny. Agwedy eu mynet wy ymeith wynt a glyw-
ynt lef yn dywedut. Yn y mod yr aethant wy allan

yn diargywed ac yn dilwgyr yr ffenestyr wydyr. velly
y disgynnawd duw yngcroth yr arglwydes ueir yn di-
argywed oe gwyrder hitheu ac oe morwyndawt.
Aphan
dewis y llef wynt a syrthyassant ae torr wrth y llawr
pob un ohonunt. kanys y llef arodassei oleuni kymeint
ac na allei neb edrych arnaw rac y veint. Aphan
edrychassant wy yn eu kylch wynt a welynt yr offeiryat
yn diosc y wisc y amdanaw. Ac yna wynt adoethant
attaw. Ac ae gwediassant ar dywedut udunt beth a
arwydockei yr hynn awelsynt. A dywedut idaw aorug-
ant ual y gwelsant. Aphan gigleu y meudwy hynny
ef adywawt. grassaw duw wrthych heb ef yr awr honn y
gwnn I panyw chwchwi yw marchogyon urdolyon iessu
grist drwy y rei y gorffennir anturyeu seint greal. kanys
y chwi y dangosses duw y dirgeledigaetheu. kanys
iessu grist ehun oed y gwr a welsawch chwi. ar pedwar
llew oed y pedwar euangelystor. ac yr ystalym yd
ymdangosses yn y fforestyd yma yr gwyrda creuydus.
ac ny wybuwyt dyall beth oed ef hyt yr awr honn. ac
ny byd ar ol hynn bellach gwr ae gwelo uelly.

LVIII.—Pan glywssant wy y parableu hynny diolwch
y duw aorugant. ac wylaw olewenyd am wneuthur o
duw yrdunt beth kymeint ac ymdangos udunt yn
annat neb. Yn hyt y dyd hwnnw y buant wy gyt ar
gwr da. Athrannoeth y bore gwedy offeren peredur a
gymerth cledyf galaath yr hwnn a dynnassei or maen.
Ac adywawt wrth galaath y dygei ef hwnnw ohynny
allan. ac adaw y gledyf ehun yno ygyt ar meudwy
aoruc. Gwedy kychwyn odyno wynt avarchockayssaut
hyt am hanner dyd. Ac yna wynt adoethant y ymyl
castell kadarn tec. eissyoes nyt aethant wy y mywn.
kanys nyt yttoed eu fford yn troi yno. A gwedy pellau
ohonunt ychydic ywrth y castell nachaf y gwelynt yn
dyuot yn eu hol marchawc yn aruawc o bop arueu yr
hwnn adywawt wrthunt. Arglwydi heb ef a yttiw y
verch honno yn uorwyn etto. Yttiw myn vyngcret
heb y bwrt. Aphan gigleu ynteu hynny ef a ymauael-
yawd affrwyn yr unbennes. ac a dywawt wrthi. Ny
dienghy di odyma heb ef yny gwpleych aruer y castell

racko. Pan weles peredur y marchawc yn daly y chwaer
yn y mod hwnnw ef a vu drwc ganthaw. ac adywawt
wrthaw. Tydi uarchawc heb ef ny welir ymi dy vot ti
yn gymen. kanys pob morwyn adyly bot yn ryd idi bop
fford. heb daly neb ryw aruer na tholl. ac yn enwedic
pob merch vonhedic. Ac ual y bydant yn ymdidan
uelly nachaf yn dyuot attunt dec marchawc yn aruawc.
a chyt ac wynt unbennes ieuanc. ac yn· y llaw dysgyl
aryant. Ac yna wynt adywedassant. ef a vyd reit heb
wy yr vorwyn honno ae ouod ae o anuod dalu y aruer yr
castell. Galaath yna aovynnawd pa ryw aruer oed
hwnnw. Arglwyd heb un or marchogyon pob mor-
wyn or a del y fford yma. ef a vyd reit idi rodi
lloneit y dysgyl honn o waet y breich deheu idi.
Emelldigedic heb y galaath vo y neb aossodes yr aruer
hwnnw rac y vileinyet ae drycket. ac myn y gwr am
nerthao i ti a ffaelyeist o hynny ar y vorwyn honn yma.
kanys tra vwyf vyw i o chret hi ym kynghor i ny cheffwch
chwi dim or aruer hwnnw y genthi hi. Myn duw heb
y peredur a bwrt nyni aodefwn angheu yn gyntaf. Myn
yn cret ninneu heb wynteu chwitheu a doethawch ar
angheu. kanys pei at vydewch goreu marchogyon chwi
or holl vyt. nyt oed fford ywch y barhau. Ac ar hynny
pob un agyrchawd y gilyd heb mwy o gywryssed y
ryngthunt. Ac yna galaath ae gedymdeithyon kyn
torri eu pelydyr a vwryassant y dec marchawc urdawl.
ac odyna wynt adynnassant eu cledyfeu ac ae lladassant
megys pei aniueilyeit mut ueynt. ac ar hynny nachaf
deugein marchawc yn aruogyon yn dyuot or kastell.
Ac oe blaen yd oed gwr prud yr hwnn adywawt wrth
y tri chedymdeith. Arglwydi heb ef ymrowch ac na
haedwch awch llad. kanys collet mawr oed golli gwyr
kystal a chwi. ac am hynny myui ach gwediaf chwi yr
duw y ymroi yn ewyllys y gwyr racko. Myn vyngcret
I heb y galaath yr wyt yn treulyaw dy ieith yn ouer.
kanys tra vom vyw ni nyt ymryd hi na minneu heuyt y
chwi. Paham heb y gwr ae marw avynnwch chwitheu
yr y vorwyn. Nysgwnn I heb y galaath ny doetham
ni hyt yno etto. a gwell yw gennym ni yn marw na
chaffael o honawch chwi yr hynn yr ydych yn y novy.

LIX.—Ar hynny pob un a gyrchawd y gilyd onadunt.
ac argau a damgylchynnu galaath ae gedymdeithyon
aorugant. Ac yna galaath adynnawd y gledyf ac agur-
awd pawb ar deheu ac ar assw yngymeint ac yr oed
bawp yn ryuedu. Ac uelly y kynhalyawd y tri chedym-
deith y vrwydyr arnunt yny yttoed yn bryt nawn heb
golli eu lle nac heb waethau eu hynt. ac o bryt nawn
yny vu nos oe gwahanu. Ac yna y doeth y gwr prud att
y trichedymdeith. ac y dywawt wrthunt. Arglwydi
heb ef. Mi ach gwahodaf heno yr castell racko. ami a
rodaf vyngcret ywch ar awch anuon yma avory yn yr
un mod ac yd yttywch yr awr honn. Ami adywedaf
ywch paham. kanys yr awr y gwypoch chwi ystyr awch
neges yno. mi a debygaf y kennattewch ac y kennattaa
y vorwyn gwplau yr aruer yn llawen. Yna y vorwyn a
dywawt wrth galaath ae chedymdeith. Arglwydi heb
hi ewch yr castell y lettyu kanys ydys ych gwahawd.
Ac ar hynny y trigyassant. aphob un arodes kyngreir
yw gilyd onadunt hyt trannoeth. ac yr castell y doeth-
ant y gyt. ac ny bu eiryoet y ryw lewenyd ac awn-
aethpwyt yr tri chedymdeith. Agwedy daruot bwyta
y dywetpwyt udunt ystyr yr aruer aoed yno. Nyt
amgen. y gwr prud adywawt. yma ymywn heb ef y
mae gwreic ieuangk. yr honn bieu y kastell hwnn.
allawer ogestyll ereill ygyt ac hwnn. ac yssyd arg-
lwydes arnam ni. ac ar y wlat honn. a hi a digwyd-
awd mywn clefyt yr ys dwy vlyned. Agwedy y bot
talym yn porthi y heint ni a gawssam wybot panyw
clafri aoed arnei. Agwedy dyuot hyt yma holl vedygon
a ffussugwyr y gwledyd. nyt oed gan yr un nebryw
gynghor idi oe heint. Athrannoeth y bore ef adoeth
yma henafgwr kymen. yr hwnn adywawt. Pwy byn-
nac heb ef a allei gael lloneit dysgyl owaet morwyn
wyry o vedwl ac o weithret. ae bot heuyt yn verch y
vrenhin yn dedyfawl o vrenhines. a hynny oe breich de-
heu ac ae hirei hitheu ahwnnw hi agaffei iechyt. Pan
glywssam ninneu hynny ni aossodassam yn aruer ac
yndefawt ar y castell hwnn nat aei un vorwyn hebdaw
or bei uerch y vrenhin heb loneit ffiol oe gwaet. ac ar

hynny ni aossodyssam wercheitveit ar y ffyrd. Allyna
gwedy dywedut y chwi yr aruer aoed yma. ac am
hynny chwi awnewch yr hynn a vynnoch ae talu yr
aruer ae ynteu ymlad auory. Yna y vorwyn a gymerth
galaath a pheredur a bwrt ac adywawt wrthunt. Arg-
lwydi heb hi chwi aglywssawch y gallafi iachau y wreic
racko os mynnaf. ac am hynny beth agynghorwch chwi.
Myn llaw duw heb y galaath o rody di loneit y dysgyl
racko oth waet ti a vydy varw. Mynduw heb hitheu
or bydafi varw yr iachau y wreic da. diolwch agaffaf
inneu gan duw ac anryded y gan y byt. a gwell yttiw
vy marw i no llad yr un ohonawch chwi. neu lad ohon-
awch chwitheu y gwyr racko. kanys mi awn na allwn
ni diangk yn vyw drwy vrwydyr heb golli ae chwchwi
ae wynteu. Ac am hynny drwy awch kennyat chwi
myui a gwplaaf udunt wy eu hewyllys. Ac yna hi
aelwis ar y rei pennaf a welei or ty. ac a dywawt wrth-
unt bydwch lawen heb hi. kanys auory y talaf yr hynn
yd ywch yny geissyaw. Pan glywssant wynteu hynny.
wynt a wnaethant y llewenyd mwyaf. ac yna gwedy
kyfedach ac esmwythdra. wynt a aethant y gysgu.
Agwell oed gan galaath ae gedymdeithyon ymlad dran-
noeth no gollwng y vorwyn oe hangheu. Athrannoeth
y bore gwedy offeren ef aerchis y vorwyn y dwyn att y
wreic adylyei y hyachau drwy y gwaet hi. Ac yna y
gwyr ae duc hi hyt y lle yd oed y wreic yn glaf. yn
gynhackret ac nat oed eneityol o dyn aallei edrych
arnei. Ac yna ryued vu gan galaath vyw neb ual yd
oed hi. ac yr awr y gweles hi y vorwyn hi aerchis
idi dalu idi yr hynn a adawssei. Ahitheu adywawt y
gwnai yn llawen. Ac yna hi aerchis dwyn y dysgyl
attei. ac uelly y gorucpwyt. Ac yna hi aberis taraw
y wythien ar y breich deheu idi. Ac erbynnyeit awn-
aethpwyt y gwaet yn y dysgyl. Ac yna y vorwyn a-
dywawt wrth y wreic claf. Arglwydes heb hi yr duw
gwedia rac vy eneit kanys llyma vi gwedy ymroi y
angheu yr iechyt ytti. Ac ual yttoed yn dywedut
hynny ef adoeth gloes idi rac meint oe gwaet agollasei.
kanys yd oed y dysgyl yn llawn. A galaath yna ae

U

herbynnyawd hi y rwng y dwylaw. Ac ympenn talym
gwedy llewygu o honei hi adywawt wrth y brawt. Var-
glwyd vrawt heb hi myui avydaf uarw. Ac yr duw
heb hi pan vwyf uarw i na at vyngcladu yn y wlat
honn. namyn pan wahano vy eneit am korff par di rodi
vyngkorffi mywn ysgraff yny borthua nessaf ageffych
agat y antur vy hebrwng y fford y mynno duw. Ami
adywedaf y chwi yn lle gwir y byd vyngkorffi yny
borthua yn ymyl dinas sarras. yn gyn gyflymet ac y
deloch chwitheu yno ygyt a seint greal yr hynn yssyd
dynghetuen ywch dyuot yno y gyt ac ef oe gyneheb-
rwng. ac yr duw yd adolygafi y chwi vyngcladu yn y
capel ysprydawl. ac awdawch chwi paham yd wyfi yn
ymbil ac yn adolwc y chwi vyngcladu yno. am wybot
panyw yno ych cledir chwi galaath a pheredur. Pan
gigleu peredur yr ymadrawd hwnnw dan ollwng dagreu
ef adywawt y gwnaei ef hynny ual yd oed hi yny lun-
yaw. Ac yna hitheu adywawt. auory heb hi ymwa-
hanet bawp ohonawch y wrth y gilyd. Ac aet bawp oe
fford yny dycko antur chwi ygyt y lys brenhin peleur.
kanys uelly y mynn duw ywch y wneuthur. ac wynt-
eu adywedassant y gwneynt hwy hynny yn llawen.
Yna hitheu aerchis dwyn corff y harglwyd idi. Ac yna
ef a anuonet yn ol meudwy aoed yn agos yr kastell. a
hwnnw adoeth yn ehegyr. Ac yr awr y gweles hi ef
hi adyrchafawd y dwylaw tu ac att y harglwyd drwy
ewyllys da. Ac ar hynny y gwahanawd y heneit oe
chorff or achaws y bu drist y chedymdeithyon. yn y
dyd hwnnw ynteu y kafas y wreic arall y hiechyt. a
hynny yr awr y golchet hi a gwaet y uorwyn santeid.
ac y daeth yngyndecket. ac y buassei deckaf eiryoet. or
achaws y bu lawen pawp. Ac yna wynt adoethant att
gorff y vorwyn ac ae hirassant ac ireidyeu gwerthuawr.
Ac yna wynt abarassant dwyn ysgraff udunt. yn yr
honn y gwnaethant gwely tec adurnedic o gyfyrlideu
sidan. Ac yn y gwely wynt aossodassant y corff. Ac
dyrrassant yr ysgraff yr mor.

LX.—Ac yna bwrt adywawt wrth beredur. Myn
duw heb ef drwc yw gennyfi na roet llythyr ygyt a hi

yn yr hwnn y bydei yn ysgriuenedic dywedut o pa
genedyl yr hanoed. a pha ystyr a vu idi y gael y hangh-
eu. ual y gellit gwybot pa un oed o deuei yr ysgraff
honn y wlat arall vyth. Mynduw heb y peredur miui
awneuthum megys y gwyper pa un yw hi pa le bynnac
y del y dir. Myn vyngcret heb y galaath da y gwn-
aethost di am hynny. yngglann y mor y trigyawd gal-
aath a bwrt apheredur. ar tylwyth or castell y gyt ac
wynt hyt tra allassant hwyhaf edrych ar yr ysgraff. ac
yna wynt adoethant tu ar castell. a galaath ae gedym-
deithyon adywedassant nat eynt vyth yr castell o
garyat ar y vorwyn a gollassynt yno. Ac adolwc
aorugant dwyn eu harueu udunt allan ac uelly y goruc-
pwyt. Ac odyna gwisgaw eu harueu aorugant ac es-
gynnu ar eu meirch. Ac ual y bydant yn dechreu
marchogaeth nachaf y dyd yn tywyllu yn vawr. ar
awyr yn duaw yn anghyfartal. Ac yna dynessau
aorugant parth achapel aoed ar y fford. ac y mywn y
doethant athynnu eu meirch yn eu hol aorugant. ac
edrych ar y dymhestyl a gwarandaw ar y taraneu. Ac
wynt awelynt y mellt yn dygwydaw yn y castell yn
annat lle. A hynny yn gyn amlet a gwlaw yn lle
arall. Ac yn hyt y dyd y parhaawd y dymhestyl honno
ar y kastell. ac ual y gwelynt wy yn hyspys bot hanner
y kastell gwedy digwydaw. a hynny vu ryued ganth-
unt. kanys ny thebygynt gallel o wyr ymlwydyn diua
y castell yn gymeint ac y diffeithayssei y dymhestyl ef
yn un dyd. A gwedy dynessau pryt gosper ac eglur-
hau y dyd wynt awelynt varchawc urdawl yn ffo y
wrth y castell. gwedy y daraw trwydaw agwaew. ac
yn dywedut. Och duw tec anuon ym nerth. Ac yn
y ol ynteu marchawc arall a chorr gyt ac ef yn dywedut.
Marw wyt nyt oes fford itt y diangk. Ar gwr aoed yn
ffo yn dyrchafel y dwylaw tu ar nef. Ac yn dywedut.
varglwyd iessu grist na at ym uarw mywn poen ky-
meint a hwnn. Aphan y kigleu y tri chedymdeith yn
gwediaw ar duw uelly. ef a vu dost ganthunt. A
galaath yna adywawt yr ai ef oe nerthu. Nac ef heb
y bwrt myui aaf. kanys yr un marchawc urdawl nyt

reit ytti lauuryaw. Ac ar hynny bwrt a esgynnawd
ar y varch. Ac adywawt. arglwydi heb ef ony welwch
chwi vyui yn ehegyr. nac arhowch vi o dim. namyn
kerdwch wrth awch anturyeu. Aphan vo hwyraf
avory aet bawp oe fford ar neill tu. yny dycko duw
ni y gyt drwy yr anturyeu y mynno ef y lys brenhin
peleur. Ac yna pob un a orchymynnawd y gilyd y
duw. A bwrt aaeth ymeith yn ol y marchawc urdawl
aoed yn ffo. Ac yma y mae yr ymdidan yn tewi am-
danaw efo ac yn traethu ywrth galaath apheredur.

LXI.—Llyma ual y mae y kyfarwydyt yntraethu
bot galaath apheredur yny capel y nos honno yn gwed-
iaw duw ar uot yn ganhorthwy y vwrt pa le bynnac y
delei. Trannoeth y bore pan gyfodassant wynt aesgyn-
nassant ar eu meirch ac adoethant tu ar castell y
edrych pa delw y dianghyssei y bobyl aoed yno.
Aphandoethant wy yno wynt awelynt y muryoed
wedy syrthyaw yr llawr. ar tei wedy llosgi. Ac yna
ef a uu ryued ganthunt na welynt neb or pobloed yno.
ac aedrychassant y vyny ac y waeret. ac yn y lle y
buassei y neuad wynt a welynt yno y marchogyon urd-
olyon ar gwraged yn veirw. Aphan weles galaath
hynny. ef adywawt wrth beredur. rofi a duw heb ef.
llyma ysprydawl dial. Ac ny dathoed hynn vyth pany-
bei yr kyflenwi llit duw. Ac ual y bydant yn ym-
didan uelly wynt aglywynt lef yn dywedut wrthunt.
llyma ual y dialawd duw angheu y morwynyon da y
rei agollassant eu heneidyeu yn y lle hwnn yr iachau
pechaduryes drwc anghywir. Pan glywssant wy hynny
wynt a dywedassant mae dadigawn y dialyssit arnunt.
A gwedy edrych ruthur o honunt ar y lladua honno.
wynt adoethant y vynnwent yn ymyl capel. yn yr
honn yd oed o uedeu tec amein arnunt deugeint. Ac
ympob maen yd oed henw pob un onadunt yn ysgriu-
ennedic. ac wydynt hwy vot yno dim or dymhestyl
auuassei yny castell. ac nyt oed ryued. kanys yno y
cladyssit y morynyon. Ac yna darllein y llythyr aor-
ugant. ac wynt awelsant vot yno deudec overchet
brenhined. Ac wynteu yna aymelldigyassant y neb

arodassei yr aruer hwnnw gyntaf ar y castell. Ac yno
y buant wy uelly yny vu awr brim. Agwedy hynny
wynt aadawssant y castell. Ac auarchockaassant yny
doethant y fforest. Ac yna galaath adywawt wrth
beredur hediw y mae yni ymwahanu. Ac am hynny
dos di ymeith. a duw awnel yn ymgaffael yn ehegyr ac
ymgyfaruot y gyt. Ac ar hynny y dwylaw mynwgyl
ydaethant pob un yw gilyd. kanys ymgaru yn uawr
awnaent. a llyna ual yd ymwahanyssant. Ac yma y
mae yr ymdidan yn tewi amdanunt hwy yll deu. ac yn
trossi ar lawnslot kanys talym yssyd yr pan ymdid-
anwyd amdanaw.

LXII.—Ar ymdidan yssyd yn traethu gadaw lawns-
lot yn ymyl yr auon a elwir marsoes gwedy y dam-
gylchynu y rwng dwy greic ar auon. y tripheth hynny
aoed yn llesteiryaw arnaw vynet odyno. namyn aros
nerth gan duw attaw. Ac yna y trigyawd ef ual hynny
yny vu nos. A gwedy dyuot nos arnaw ef a diosges y
arueu y amdanaw. ac agysgawd yn eu hymyl dan wediaw
duw ar anuon nerth idaw wrth uod eneit a chorff. Ac
yna ef a gysgawd yn vwy y vedwl ar y eneit noc ar y
gorff. Agwedy kysgu ohonaw ef aglywei lef yndy-
wedut wrthaw. Lawnslot kyuot y vyny a gwisc dy
arueu a chyrch tu ar dwfyr. ar ysgraff gyntaf agyfarffo
athi. dos idi y mywn. Aphan gigleu ef hynny ef a
gyfodes yn y eisted. ac agores y lygeit. Ac ef awelei
vot yn gyn egluret yn y gylch. a phettei yn dyd.
Eissyoes ny bu hir y parhaawd hynny o eglurder.
namyn difflannu y ganthaw aoruc. ac ynteu aymgroesses
ac a gymerth y arueu. ac a doeth tu ar dwfyr. Ac aar-
ganuu yno ysgraff heb na rwyfeu na hwyl arnei. yr
hynny ual kynt efo aaeth y mywn. Ac yr awr y doeth
ef y mywn. ef a debygei vot yno holl lysseuoed ac
ireidyeu gwerthuawr y byt herwyd arogleu. ac yn un
ffunud ganthaw aphei gymerassei y amylder or bwydeu
goreu ahoffaf ganthaw yn yr holl vyt. Aphan weles
ynteu hynny diolwch y duw aoruc vot yn gywiw gan-
thaw y goffau. A chanys gwydyat ef na daroed y duw
y ysgaelussaw gostwng ar benn y linyeu aoruc yn yr

ysgraff. a dywedut. Varglwyd iessu grist heb ef. ytti
y diolchafi anuon ohonat ti y gras hwnn y mi. kanys
kymeint yw vy llewenyd. ac na wn i pa le ydwyf ae ar
y daear ae ynteu ym paradwys. ac yn gwediaw uelly y
disgynnawd kysgu arnaw. Athrannoeth y bore pan
deffroes ef aedrychawd yny gylch. ac ef awelei gwely
tec ymperued yr ysgraff yn anrydedus y gyweirdeb. ac
ymperued y gwely morwyn ieuanc yn uarw ae hwyneb
yn noeth. Aphan y gweles ef hi ef a diolches y duw o
gallon da am anuon idaw gedymdeithas y gyt ac ef.
Ac yna ef a dynessaawd attei megys y mynnei yn llawen
wybot pa un vei. ac o pa genedyl yd hanoed. ac ywch
y phenn ef a arganuu llythyr. yr hwnn a gymerth ef
ac ae hagores. ac yndaw yd oed yn dywedut y vorwyn
honn aoed chwaer y beredur yr honn a vu wyry ym
medwl ac ynggweithret. Honn yw y vorwyn aroes
gwregis yr cledyf yr hwnn aelwir y cledyf ar odidawc
wregys. yr hwnn y mae galaath uab lawnslot yn y
arwein yr awr honn. ygyt a hynny yd oed yn y llythyr
dywedut ual y buchedockaawd hi. ac ual y buassei uarw.
Apha delw y daroed y galaath apheredur abwrt y
hamdoi. ae dodi yn yr ysgraff yno. Aphan wybu ef
wirioned am bop peth hyfrydach vu ganthaw. kanys
clywssei uot galaath apheredur a bwrt ygyt. Ac yna
ef aroes y llythyr drachevyn. Ac a wediawd y arglwyd
ar gaffael ohonaw gwelet y vab kynn gorffen y bererin-
dawt. Ac ual yr oed lawnslot yn gwediaw uelly ef a
welei yr ysgraff yr honn a vuassei yn hwylaw yn hyt
y nos yn kymryt tir ymywn creic uawr. Ac yn y lle
hwnnw ef awelei gapel. ac yn y ymyl gwr prud yn
eisted. Ac yr awr y gweles y gwr ef ar ysgraff yn
tiriaw. ef adoeth attunt ac a gyfarchawd gwell y lawn-
slot. ac aovynnawd idaw beth ae dugassei yno. A lawn-
slot adatkanawd idaw y antur oll o gwbyl. apha delw y
dugassei y dynghetuen ef yno. Yna y govynnawd y
meudwy idaw pa un oed. Aphan wybu ef panyw
lawnslot ef avu ryued ganthaw. ac aovynnawd idaw
pwy oed gyt ac ef yno. Arglwyd heb ynteu a doi di y
edrych. Ac yna y doeth y mywn ac y gweles y uor-

wyn yno. a chymryt y llythyr aoruc ae darllein. Aphan
weles ef yn y llythyr gyrbwyll y cledyf ar odidawc
wregys. Ha lawnslot heb ef ny thebygasswn i gaffael
ohonaf o hoedyl kyhyt ac y kaffwn wybot henw y
cledyf hwnnw. ac am hynny lawnslot heb ef tydi aelly
dywedut dy uot ti yn direidwr pryt na chefeist vot
wrth orffen yr antur hwnnw ual y bu y gwyr ereill. y
rei adybygessit eu bot yn waeth gwyr no thydi. Yr
hynny ual kynt heb ef panybei garu oduw dydi ny adei
ef y ti dyuot yngkedymdeithyas morwyn kystal a
honn. a chynsanteidyet ahi. Ac wrth hynny lawnslot
tec edrych di adyvot yn diweir bellach o hynn allan.
ual y galler kyffelybu dy diweirder di oe gwyrder
hitheu. Ac uelly y para awch kedymdeithyas chwi
awch deuoed yn hir. A dos di yn enw duw bellach a
gwna megys y dywedeis i. athi adeuy yn ehegyr yr lle
y mae dy damunet. Paham heb y lawnslot ae yma y
trigyy di. Ie arglwyd heb ynteu. Ac yna y gwynt a
ysglyffyawd yr ysgraff. athan ymannerch y meudwy a
lawnslot aymwahanyssant. Eissyoes kynn y bellau ef
y meudwy a ymchoelawd attaw ac adywawt wrthaw.
Lawnslot tec heb ef pan welych galaath dy uab. arch
idaw wediaw duw drossofi. Ac yna lawnslot a bell-
aawd y wrthaw. ac a wediawd ar y danuon yr lle y
gallei haedu bod duw. Ac uelly y bu lawnslot yn yr
ysgraff. mis ar untu heb vynet ohonei allan. ac or
govynnir pa delw bu vyw ef y kyfarwydyt yssyd yn
menegi yma. panyw y gwr arodes y bobyl yr israel y
dwfyr or garrec. a rodes idaw ynteu bop bore ar ol y
wedi gyflawnder o rat yr yspryt glan ual y tebygit
idaw efo y vot yn llawn or bwydeu goreu. A nosweith
yd oed ef wedy tiriaw yn yr ysgraff yn ymyl fforest. ef
aglywei drwst marchawc urdawl yn aruawc ef ae varch.
ac yr awr y gweles ef yr ysgraff ef a disgynnawd y ar y
varch. ac adynnawd y ffrwyn ae gyfrwy y arnaw ac ae
duc yr ysgraff. Athan ymgroessi y doeth ef y mywn.
Aphan y gweles lawnslot efo yn dyuot y mywn attaw.
nyt kymryt y arueu aoruc ef oe ludyas. namyn dywedut
grassaw duw wrthyt varchawc urdawl. Ac yna y

marchawc a vu ryued ganthaw glybot neb yn yr ys-
graff. kanys ny thebygassei vot neb yndi. adywedut
wrthaw aoruc. Arglwyd heb ef antur da a rodo duw
y titheu. Ac yr duw dywet ym pa un wyt. kanys
chwannawc wyf oe wybot. Lawnslot dy lac heb ef
wyfi. Ae gwir heb ynteu yrofi a duw tydi yd oedwn
yndamunaw y welet ae gael oed hoffach gennyf no dyn
or byt. a mi ae dylyaf kanys tydi yw vyndechreu. Ac
yna tynnu y helym aoruc. Ha galaath heb y lawnslot
ae tydi yssyd yma. Myui yrof aduw heb ynteu. Ac
yna y dwylaw mynwgyl yd aethant. Agwedy hynny pob
un aovynnawd y antur y gilyd. ae venegi a wnaethant
pob un yw gilyd ual y daroed idaw. apha delw y gwnath-
oed selyf yr ysgraff. a pha vod y kafas y cledyf. a pha
ffuryf y collassei y vorwyn y heneit. A ryued uu gan
lawnslot hynny.

LXIII.—Mywn yr ysgraff honno y bu galaath alawn-
slot mwy no deu vis yn gwassanaethu eu harglwyd
drwy gwbyl ewyllys da. Ac wynt a drewit y dir y
lawer o ynyssed estronawl. yn y lleoed y gwelsant wy
lawer o anturyeu dyrys. rei onadunt aorffennassant oc
eu kedernyt. Ereill o ras yr yspryt glan. y rei nyt
ydys yma yn eu menegi kanys ry hir vydei pei manekit.
Gwedy y pasc yn yr amser newydaf or vlwydyn. kanys
yna y dechreu y coet deilyaw. ac y byd digrif gan yr
adar ganu. Yn yr amser hwnnw ryw diwarnawt yng-
kylch hanner dyd ef adamchweinyawd udunt eu taraw
y dir ynghongyl fforest yn ymyl croes. wynt awelynt
yn dyuot or fforest marchawc yn aruawc o arueu gwyn-
nyon. ac yn arwein yn y llaw deheu idaw march an-
ueidryawl y veint ac yngyn wynnet ar eiry. Aphan
weles ef yr ysgraff ef adoeth parth ac attei yngyntaf ac
y gallawd. ac agyfarchawd gwell y galaath ac y lawn-
slot ygan y goruchaf arglwyd. ac yn dywedut wrth
galaath. Arglwyd heb ef digawn y buost ti gyd ath
dat. ac am hynny dabre odyna a dos ar y march yma.
A cherda wrth ual y mynno duw dy drossi. Pan gigleu
ef hynny ef a doeth att y dat. Ac aaeth dwylaw myn-
wgyl idaw. Ac yna dan wylaw ef a dywawt. varglwyd

dat heb ef. ny wn i awelaf dydi vyth. ac am hynny y
duw y gorchymynnafi di. Ac ual yr oed galaath gwedy
esgynnu ar y varch. wynt a glywynt lef yn dywedut
wrthunt. Gwnaet bop un ohonawch chwi oreu ac a
allo parth ac att duw. kanys chwi aellwch dywedut yn
lle gwir. nat ymwyl yr un ohonawch ae gilyd. yny ym-
weloch yn y llewenyd ysprydawl adarparawd duw yr
neb ae gwassanaethyei yngywir. nyt amgen noc yndyd
brawt. Ac yna lawnslot adywawt wrth galaath.
Varglwyd uab heb ef kanys ydiw duw yn mynnu yn
gwahanu. gwedia di ar dy arglwyd nam gatto i odieithyr
y wassanaeth. Arglwyd heb y galaath hynny awnafi
yn llawen. Ac ar hynny ymwahanu aorugant. a gal-
aath a gyrchawd yr fforest. ar gwynt ynteu adrewis
yn yr ysgraff ac ae pellaawd y wrth y tir yn ennyt
bychan. Ac uelly y bu lawnslot ehun yn yr ysgraff
gyt ar corff deu vis ereill heb gysgu haeach namyn
gwediaw duw ar dangos idaw beth y wrth seint greal.
anossweith yngkylch hanner nos ef a diriawd yr ys-
graff y adan gastell tec kyfoethawc. Ac ef awelei y
porth y tu ar mor yn agoret. Ac am y porth hwnnw
nyt oed reit y neb oc aoed y mywn un ovyn kanys
yd oed deu lew yn y warchadw yn wastat. ual na allei
neb vynet y mywn ony bei ryngthunt. Ac ny chaffei
ynteu vynet ymywn yn diargywed y ganthunt. Ac
yna roi y law ar dwrn y gledyf aoruc ef ar uedyr
ymamdiffyn. Agwedy daruot idaw dynnu y gledyf ef
aedrychawd yn y gylch. ac ae trewis un or llewot ef ar
vreich yn gynffestet ac yny aeth y gledyf oe law. Ac
yna ef a glywei lef yn dywedut wrthaw. Tydi wr
tlawt o gret paham yr ymdiredy di vwy yth dwylaw
noc y duw. Ac nyt da dy synnwyr di. pan debygeist
vot yn well y gwarannei dy arueu di nor neb yr oedut
yny wassanaethu. Ac o achaws y parabyl hwnnw. ar
dyrnawt heuyt ef a syrthyawd lawnslot yr llawr. ae
wyneb y waeret yn y lewyc hyt na wydyat ef beth
oed hi ae dyd ae nos. Aphan gyuodes ef o hynny ef
adywawt. varglwyd iessu grist heb ef. ytti y diolchaf
i uot yn wiw gennyt vyngkerydu am vyndrycweithret

am ffolineb. Ac yr awr honn y gwnn I. dy vot ti
yn kennattau ymi vot yn was ytt.   Ac yna kymryt y
gledyf aoruc ae roi yn y wein. a dywedut panyw yrdaw
ef nas tynnei odyno ac yd ymroi ef ynggras duw pa
delw bynnac y delei hynny idaw.   Ac yna roi arwyd y
groc arnaw awnaeth ef. a dyuot yr porth ymywn. ac
ny chwyfawd y llewot wrthaw. namyn y adel y mywn
yn diargywed. a cherdet ar hyt y castell aoruc ynteu
yny doeth yr llys. ac yno ydoed bawp yn kysgu. kanys
ynghylch hanner nos oed hynny. ac yna ef aesgynnawd
ar hyt y gradeu yny doeth yr neuad. ac am na weles ef
yno na gwr na gwreic ryued vu ganthaw. kanys llys
kyndecket a honno ny allei vot heb dylwyth mawr yndi.
Ac yna ef a vedylyawd y kerdei ef gwbwl or castell
yny gyfarffei ac ef dynyon a dywettei idaw pa le ydoed
wrth nas gwydyat ef.   Ac uelly y kerdawd ef yny doeth
y ystauell yr honn a oed gwedy y chaeu yndiogel digawn.
a throi cliket honno aoruc ef ae hagori.   Ac yna ef
aymwarandawawd. ac ef aglywei ganu ual y tebygei ef
nat oed beth bydawl namyn peth ysprydawl.   Ac ef a
debygit idaw ef vot y llef yn dywedut ual hynn.
Gogonyant ac enryded hir yn wastat a vo yr tat o nef.
ahynny ar gan.

LXIV.—Aphan gigleu ef y llef yn dywedut ual
hynny ef a ostyngawd ar benn y lin. o debygu bot
seint greal yno.   Ac aadolygawd oe arglwyd ar gen-
hattau idaw welet y greal yn eglurach.   Ac yr awr y
daruu y lawnslot dywedut hynny. ef a welei yr ystauell
yn goleuhau yn gymeint aphei atuei yr heul oll yndi.
Aphanweles ef hynny ef achwennychawd gwybot o
pale yd oed yr eglurder hwnnw yn dyuot.   Ac yna ef
ageissyawd agori drws aoed ar yr ystauell arall y tu
ar goleuni.   Ac ar hynny ef aglywei lef yndywedut.
lawnslot na dos di yna y mywn.   Pan gigleu ynteu
hynny ef ymchoelawd drachefyn yn drist.   Yr hynny
ual kynt ef aedrychawd tu ar ystauell. ac aweles seint
greal ar warthaf tabyl o aryant. a samit coch ar y
draws.   Ac yny gylch ef awelei engylyon.   Ac yn llaw
rei ohonunt yr oed canhwyllbrenneu o aryant aphyst

kwyr yndunt. Ac yn y llaw arall y bob un onadunt yd
oed croes. a gwisc eglwys ac allawr a phob un yn
achubedic y wassanaeth. Acheyr bronn y tabyl ef
awelei wr a ffuryf offeiryat arnaw. ac ef adebygassei
lawnslot y vot ef ar dirgelrwyd y offeren. Ac ual y
byd yn mynnu dyrchafel corff y arglwyd. ef awelei
lawnslot vot trywyr geyr bronn y gwr. ar deu hynaf
onadunt yn kymryt yr ieuaf ac yny roi yn llaw yr
offeiryat. Ac ynteu yna ae dyrchafawd ef megys oe
dangos yr bobyl. A lawnslot yna aedrychawd arnaw
ac ny bu vychan y ryuedawt. kanys debygei ef kymeint
oed lwyth yr offeiryat gan y gwr ydoed yny dyrchafel.
ac y tebygassei y vot yn syrthyaw. Aphan weles ef
hynny ef a geissyawd mynet y gymhorth y gwr. ac
rac y chwannocket y vynet y mywn oe gymhorth. ny
doeth cof idaw vot wrth y gwahard gynneu. A chynt-
af ac y gallawd y kyrchawd ef y dref. Ac yna ef
adywawt. varglwyd iessu grist heb ef na chyfadlo ym
yn lle llit a chyfyrgolledigaeth yr mynet y nerthockau y
gwrda racko. Yna ef adoeth y mywn ac a nessaawd att
y tabyl aryant. aphan doeth ef yn agos idaw. ef a glywei
wynt kyn vryttet ac a vu o dan eiryoet. Yr hwnn ae
trewis ef yny wyneb yny debygassei y uot yn boeth oll.
hyt na allei ef vynet odyno megys pei darffei idaw golli
grym a nerth y holl gorff. na chlybot na gwelet nys
gallei. hyt nat oed idaw ef aelawt aallei chwyfu. Ac
yna ef aglywei lawer o dwylaw yn taraw ac yny dwyn
ymeith. ac yn y daflu or ystafell allan. Trannoeth y
bore pan gyfodes y bobyl achael lawnslot megys yn uarw
ar drws yr ystafell. ryued vu ganthunt beth oed. Ac
wynt aovynnassant idaw a vynnei y gyfodi. Ac ynteu
nyt attebawd udunt chweith. Ac wynteu yna a dywed-
assant y uot ef yn varw. Ac yna wynteu a diosgassant
y arueu ac aedrychassant aoed dim or eneit yndaw. Ac
wyntwy awybuant nat oed varw ef etto. Yr hynny
ual kynt yd oed ef megys y gymeint or dayar. Ac yna
wynt ae dugassant ef y ystauell dec. ac ae dodassant
mywn gwely advwyndec. Ac yna y wylyaw aorugant
y edrych aallei ymdidan dim ac wynt. Eissyoes nyt

yttoed ef yn gallel dim ohynny. Atheimlaw y dwylaw
ae draet aorugant. aryuedu am y marchawc urdawl
hwnnw awnaethant am y vot yn vyw heb allel dywedut.
Ac ereill aoed yn dywedut mae ryw dial gan duw oed
hynny arnaw. Ac uelly y bu y tylwyth yn y wylyat y
dyd hwnnw ar eil ar trydyd ar pedwyryd. Ac yna
gwr prud or ty a dywawt. Myn vyngkret I. heb ef.
nyt marw ef. namyn y mae yndaw eneit. gymeint ac yn
y mwyaf ohonam ni oll. Ac uelly y gwylywyt ef hyt
ympenn y pedwyryd dyd ar dec heb vwyta nac yvet
ohonaw ef yn hynny o amser. heb dywedut un geir. heb
symudaw na throet na llaw. megys pei atuei marw. ac
yn drwc gan y tylwyth y vot uelly rac y decket gwr
ae veint. ac am nat atwaenant wy ef. Yr hynny ual
kynt yd oed yno uarchawc urdawl a atwaenat lawnslot
ac ae gwelsei. val hynny y gorssedawd ef yno pedwar
diwarnawt ardec heb neb ryw obeith gan neb or ty
wrthaw. Ac yn y pymthecuet dyd yngkylch hanner
dyd ef aagores y lygeit. Aphan weles ef y tylwyth ef
adechreuawd tristau. ac adywawt. Och duw heb ef
paham y deffroeist di vyui mor ehegyr a hynn. kanys
ny allei gallon medylyaw y dirgeledigaetheu aweleis I.
Aphan weles tylwyth y ty hynny wynt avuant lawen.
ac aovynnassant idaw beth awelsei. Ac ynteu yna a
dywawt. Mi aweleis heb ef o enryuedawt ar ny allei
gallon dyn y uedylyaw a hynny obetheu ysprydawl.
Aphanybei uympechodeu mi awelswn a vei vwy. Ac o
achaws vympechodeu am diryeidi y colleis I gallu vyng-
corff am clybot am dywedut. Yna lawnslot adywawt
arglwydi heb ef ryued yw gennyfi padelw ym kaffat i
yma. kanys ny daw kof ymi pa delw y deuthum yma.
Ac wynteu yna adywedassant pa delw y kawssoedynt
wy ef. apha ffuryf y bu ef ygyt ac wynt bedwar diw-
arnawt ar dec. Aphan gigleu ynteu hynny ef adech-
reuawd medylyaw pa ystyr oed idaw ef uot yn y mod
hwnnw yn gyhyt ahynny. Ac yna ef a uedylyawd
panyw kyhyt ahynny o amser y bu ef yn gwassanaethu
y elyn. Ac yna ef aouynnawd pa le yr oedynt y rei a
vuassei gyt ac ef. ac wynteu adywedassant eu bot yn-

ghastell corbennic. ac ar hynny nachaf yn dyuot attaw
gwreic. ac yn dwyn idaw dillat lliein newydyon oe
gwisgaw. Ac ynteu a dywawt nas mynnei ef amgen
grys nor beis rawn. Ac yna un or niuer adywawt.
Arglwyd heb ef ti aelly adel yni y beis rawn. kanys dy
bererindawt ti adaruu ac ouer oed ytt weithyon lauur-
yaw mwy. Agwybyd di yn lle gwir na wely di bellach
mwy o anturyeu noc aweleist. Yr hynny ual kynt
lawnslot agymerth y beis rawn ac ae gwisgawd. ac ar
warthaf y beis rawn ef awisgawd y dillat lliein. Ac ar
uchaf hynny y dillat ereill. Ac odyna ef aducpwyt y
ymwelet ar niuer or ty. Ac ar hynt wynt ae hadna-
buant. ac a dywedassant. Ae lawnslot heb wynt yssyd
yma. Ie heb ynteu yn wir. ac wynteu awnaethant y
llewenyd mwyhaf a allassant idaw. Ac yno y bu
lawnslot bedwar diwarnawt yn gorffowys. ac yny pymh-
et dyd ac wynt yn kymryt eu kinyaw. ef a doeth
seint greal ac a gyflawnawd pawb or bwydeu hoffaf
ganthaw. Ac ual y bydant yn bwyta ef adoeth antur
ryued attunt. nyt amgen kwbyl or drysseu yn kaeu
ehunein. Ac ar hynny nachaf marchawc urdawl yn
aruawc ar gevyn march mawr yn dyuot yr porth ac yn
erchi arhynt agori. ar rei odyvywn heb vynnu agori
idaw. ac ynteu ynysmala aerchis agori yny digyawd y
rei odyvywn wrthaw. ac un a gyfodes y vyny ac aroes
y benn drwy ffenestyr y tu ac att y marchawc. ac
adywawt wrthaw. Tydi uarchawc urdawl. ny daw yma
ymywn neb a vo kyfuch y varchogyat athydi tra vo
yma seint greal. ac am hynny dos yth wlat dy hun.
kanys nyt wyt ti un or keis yn iawn. namyn ti aedew-
eist wassanaeth iessu grist ac a aethost y wassan-
aethu y drycwas.

LXV.—Aphan gigleu y marchawc hynny ef a vu
drwm a thrist ac amharchus ganthaw y hynt hyt na
wydyat beth awnaei. ac ymchoelut drachefyn ymeith
aoruc ef. ar marchawc arall yna ae gelwis drachevyn.
Ac adywawt. kanys wyt chwannawc di y dyuot y mywn.
ef auyd reit ytti dywedut dy henw. Arglwyd heb
ynteu o lys arthur y deuthum i. ac ector or korsyd ym

gelwir. Abrawt wyf y lawnslot dy lac. Myn vyngcret
heb y marchawc or llys mi ath atwaen weithyon. ac am
hynny tristach wyf noc yr oedwn gynneu. kanys yna
ny didorwn I haeach ohonat. Ac yr awr honn y mae
drwc gennyf dy hynt. o achaws lawnslot dy vrawt yr
hwnn yssyd yma ymywn. Pan gigleu ector vot y
vrawt yno yr hwnn mwyhaf or holl vyt arnaw y ovyn
rac meint y karei. ef adywawt. Och duw heb ef yr
awr honn y mae vyngkewilyd i yn dwblau ym. kanys
bellach ny bydaf kyn hyet I ac y llyfasswyf dyuot
geyr bronn vymbrawt. kanys pallawd arnaf dyuot yr
lle y deuei y gwyrda. yr awrhonn y gwnn I vot yn wir
a dywawt wrthyf yr hwnn a hyspyssawd ymi ac y
walchmei yn breudwydyon. Ar hynny yr ymchoelawd
ector ymeith drwy berued y dref ar castell. Aphan
weles y niuer or castell hynny wynt a griassant arnaw
dan emelldigaw yr awr y ganet. ae alw yn uarchawc
urdawl drwc palledic. ac ynteu yn gymeint y gewilyd
ac y mynnei y uarw. Ac uelly y marchockaawd ef yny
doeth yr fforest. ac yr lle tewaf arnei y kyrchawd ef.
Ar marchawc arall ynteu adoeth or ffenestyr att lawns-
lot. ac adywawt idaw y chwedleu am vrawt. Ac am
hynny y bu yn gyndristet ac yr adnabu bawp arnaw
am welet y dagreu yn redec ar hyt y wyneb yr llawr.
ac ediuar vu gan y marchawc dywedut idaw dim or
a dywedassei. Ac yr awr y daruu udunt vwyta lawnslot
aerchis dwyn y arueu idaw. kanys tua llys arthur y
mynnei vynet. lle ny buassei yr ystalym. Ac yna y
arueu a ducpwyt idaw. Ac yny llys yno y roespwyt
march idaw. Agwedy esgynnu ohonaw. ef a gymerth
gennat y tylwyth. ac a uarchockaawd drwy yr estronyon
wledyd. A diwarnawt ef a lettyawd mywn manach-
lawc wenn. yn y lle y buwyt lawen wrthaw oachaws y
vot yn varchawc urdawl anturyus. Athrannoeth y
bore gwedy gwarandaw offeren ef aedrychawd ar y tu
deheu ac aarganuu bed newyd wneuthur. gwedy y
adurnaw yn anrydedus megys y gwydyat ef ar y adurn-
yat panyw gwr anrydedus a gladyssit yno. a llythyr
eureit yngkylch y bed wedyr wneuthur. y rei aoedynt

yn dywawt. yman y cladwyt brenhin bandymagus o
gwreu. yr hwnn adaruu y walchmei y lad. Aphan
weles lawnslot hynny ef a vu dost a thrist ganthaw.
kanys caryat mawr aoed y ryngthaw ac ef. A phei
arall or byt ae lladyssei onyt gwalchmei. nyt aei y fford
or byt onyt y angheu. Ae gwynaw yno aoruc lawnslot
yn vawr. a dywedut mae collet mawr oed yr byt golli
gwr kystal ac ef. ac nat ennillit vyth yn llys arthur y
gyffelyb. y dyd hwnnw y trigyawd ef yny vanachlawc
honno yr caryat ar y gwr agladyssit yno. yr hwnn
awnathoed idaw ef lawer o enryded. Athrannoeth y
bore gwedy gwisgaw y arueu ef aesgynnawd ar y
varch. a thrwy gennyat y brodyr ef aaeth ymeith. ac
agerdawd y fford drwy sywrneioed megys y troes y
antur ef yny doeth y lys arthur yn y lle y bu lawen
pawb wrthaw. ac yn damunaw y dyuotyat ef adref ae
gedymdeithyon. or rei ny dathoedynt haeach adref.
a chymmeint ac a dathoed ohonunt ny chawssoedynt
dim oc yr oedynt yny geissyaw. Yma y mae yr
ymdidan yn tewi am lawnslot. ac yn traethu o alaath.

LXVI.—Traethu y mae yr ymdidan yma panyw
gwedy mynet galaath y wrth lawnslot y dat. marchog-
aeth ohonaw lawer o diwarnodeu mal ydoed y antur yn
y ganhebrwng yneill wers hwnt. ar llall yman. yny doeth
y vanachlawc yr honn yr oed moradrins vrenhin yndi.
Aphan gigleu ef vot y gwr da hwnnw yno yn aros
dyuotyat y marchawc da. ef a vedylyawd yraei y ymwel-
et ac ef. Trannoeth y bore gwedy offeren ef adoeth y
ymwelet ar brenhin. Ac yr awr y doeth ef. y brenhin yr
hwnn ny welsei yr ys llawer o vlwynyded gynno hynny
ef a weles yna. yr awr y dynessaawd galaath attaw.
Ac yna ef agyuodes yny eisted ac adywawt. Grassaw
duw wrth galaath gwas iessu grist. mi avum yr ys-
talym yth aros di. kymer vi rwng dy dwylaw agat ym
orffowys ryngthunt. Pan gigleu galaath yr ymadrawd
hwnnw. ef aeistedawd wrth benn y gwely. ac ae ky-
merth attaw. ar brenhin yma aogwydawd rwng y dwy-
law ynteu ar y dwyvronn. Ac yna y brenhin adywawt.
Marchawc iessu grist heb ef llyma vi gwedy kaffael yr

hynn y bum yny damunaw yr ystalym. Ac am hynny
vy arglwyd yn yr awr honn erbyn vy yspryt attat.
Kanys nyt esmwythach gennyf varw yn lle yn y byt
noc yman. Ac yr awr y daruu idaw efo gwneuthur y
wedi velly. prouadwy vu gwneuthur o duw gymeint a
gwarandaw y wedi. kanys ar hynny yd aeth y eneit oe
gorff yrwng dwylaw galaath. Ac yna llawen vu bawp
or vanachlawc wrth galaath pan wybuant panyw efo
oed yno. Ac yno wynt awassanaethassant y corf yn
anrydedus ac ae cladyssant. Ac yna y bu galaath
deudyd. ac yn y trydyd dyd ef a gychwynnawd ymeith.
ac a varchockaawd drwy sywrneioed yny doeth yr
fforest beriglus. yn y lle yd oed y ffynnawn ynberwi o
dragwres. Ac yr awr yroes ef y law yndi hi a beidy-
awd ae gwres ac ae berwi. Kanys yndaw efo nyt oed
chweith gwres godinebus or byt. or achaws. y bu ryued
gan y bobyl or wlat honno. gallu o honaw dillwng y
gynnedyf aoed ar y ffynnawn. Ac ohynny allan y
gelwit hi ffynnawn galaath. A gwedy daruot idaw
newidiaw anyan y ffynnawn. ef a varchocaawd yny
doeth yr vanachlawc yny lle y buassei lawnslot kynno
hynny. Ac yno y gweles galaath y bed yn llosgi yn
unfflam. Ac yna galaath aovynnawd y un or myneich
paryw beth aoed yn y bed. Arglwyd heb y manach.
antur yw honn racko ny ellir vyth y bwrw ody yma.
yny del y pennaf o gedymdeithyon y vort gronn. Yr
vyngkaryat i heb y galaath dabre y gyt ami hyt yno.
Mi awnaf yn llawen heb y manach. Ac yna y gan-
hebrwng aoruc hyt y bed. Ac yr awr y dynessawd
galaath att y bed ef a diffodes y tan oe dyuotyat ef. yr
hwnn avuassei eiryoet yn llosgi hyt hynny. Aphan
doeth ef att y bed ef aedyrchevis y vyny ef. ac ef
awelei gorff ydanaw. ac yr awr ydaeth y gwres ymeith
or bed. ef a glywei lef yn dywedut wrthaw. Galaath
galaath ti adylyut diolwch y duw roi ytti o ras gallel
ohonat tynnu eneidyeu or poeneu ac eu roi mywn gor-
ffowysua baradwys. A myvi yw simei gwr oth genedyl
di yr hwnn a vu uarw yr ystalym o amser. ac yssyd yn
y poen a wely di yr yspedeir blyned ardec adeugeint

athrychant. o achaws un pechawt gynt awneuthum yn
erbyn ioseph o arimathia ac byth y buasswn yn y poen
hwnn panybei drugarhau o duw wrthyf. o achaws dy
dyuotyat ti. Am dwyn or poen hwnn a roi ym le-
wenyd nefawl. Llawen vu gan y myneich or ty pan
welsant. Ac yna galaath agymerth corff simei. ac aberis
y dwyn yr eglwys ae gladu yno yn enrydedus. Agwedy
daruot hynny y myneych adoethant att galaath ac
awnaethont lewenyd mawr idaw. ac aovynnassant idaw
pa un oed ac o ba genedyl yr hanoed. Ac ynteu ady-
wawt kwbyl or wirioned udunt am aovynnassant.
Trannoeth gwedy gwarandaw offeren ef agychwynnawd
ymmeith drwy gennat y myneich. Ac uelly y bu ef yn
crwydraw ynys prydein ac yn bwrw dryc anturyeu y
arnei pump mlyned kynn y dyuot y lys brenhin peleur.
Ac yngkwbyl or pump mlyned hynny ef a vu baredur
ygyt ac ef. Ac yma y mae y kyuarwydyt yn traethu
na bu galaath apharedur eiryoet yn lle yr amlet ac yr
meint vei o bobyl yn eu herbyn ny cheffynt wy y
vudugolyaeth o anuod pawp.

LXVII.—Diwarnawt yr oed galaath apharedur yn
marchogaeth drwy fforest vawr dec ynyal. nachaf yn
kyuaruot ac wynt bwrt ehunan yn marchogaeth. A
llawen vu pob un onadunt wrth y gilyd. Aphawb
onadunt aovynnawd y gilyd y gyfrangk. Ac yna bwrt
adywawt na buassei ef gystal pedeirnos yr ys pum
mlyned mywn gwely nac ymywn castell. namyn mywn
fforestyd diffeith yn y lle y collassei ef lawer gweith y
eneit panybei vot gras duw ae ganhorthwy yny gadw.
Yna paredur aovynnawd idaw awelsei yr hynny hyt
hediw dim ywrth yr hynn yd oedynt yny geissyaw.
Na weleis arglwydi heb ynteu namyn mi adebygaf nat
ymwahanwn i bellach yr un ywrth y gilyd yny gwelom.
Poet velly y bo heb y galaath. ac uelly y trosses antur
y tri chedymdeith y gyt. A marchogaeth aorugant
yny doethant y lys brenhin peleur. Allawen uu bawp
yno wrthunt. Aphawb aredei attunt. y edrych ryued-
awt arnunt. ac uelly y buant wy yny vu bryt gosper.
Ac yna wynt awelynt yr amser yn tywyllu. ac awelynt

Y

yr hin yn amrauael. Ac ar hynny gwynt adrewis yn y
llys yn gymeint y wres ac y tebygit udunt bot pop peth
yn llosgi ganthaw. ac yny oruu arnunt syrthyaw yr
llawr yn eu llewyc rac ovyn. ac yna wynt a glywynt lef
yn dywedut. ar ny dylyo eisted ar vwrd iessu grist aet
allan. kanys yr awr honn y porthir y marchogyon urdol-
yon kywir or bwyt nefawl. Ac yna pawp aaeth allan
namyn wyntwy yll tri a morwyn ieuanc adrigyawd yno
ygyt ac wynt y edrych adangossei iessu grist udunt
dim ywrth seint greal. Ac ual y bydant yn eisted
uelly wynt a welynt yn dyuot y mywn naw marchawc
urdawl yn aruawc wynt ae meirch. a disgynnu aorugant
adyuot y mywn yr neuad. Achyuarch gwell y galaath.
a dywetut. Arglwyd heb wynt nyni a vryssyassam yman
y gael kyfrann y gyt a chwi or llewenyd aedewis iessu
grist ywch. Grassaw duw wrthywch heb y galaath.
Agwedy eisted onadunt. Galaath a ovynnawd obale yd
hanhoedynt. Ac yna tri onadunt adywedassant eu han-
uot ogymry. a thri ereill o iwerdon. a thri ereill o den-
marc. yna wynt aglywynt lef yn dywedut. ar ny hanffo
or keis aet allan. Yna y kyuodes y vorwyn y vyny ac
yd aeth ymeith. Ac yr awr honno wynt awelynt yn
dyuot y wrth y nef. gwr gwedy gwisgaw esgobwisc
ymdanaw. abagyl yn y law. a choron am y benn.
aphedwar angel yn y arwein ymywn cadeir eureit. ac
yny ossot yny eisted ar y tabyl yr oed seint greal
arnaw. a llythyr yn yscriuennedic yny dal y rei aoedynt
yn dywedut. Weldy yma Iosep uab iosep o arimathia
yr esgob kyntaf a vu o gristawn eiryoet. ac ae kysse-
grawd iessu grist ef yndinas sarras yny llys ysprydawl.
Ar marchogyon urdolyon awelsant hynny ac ae darlle-
assant ac a vu ryued ganthunt hynny. kanys y iosep yd
oed y llythyr yn dywedut amdanaw ef a vuassei uarw
yr ys trychant mlyned kynno hynny amwy. Ac yna yr
esgob adywawt. a weissyon iessu grist na ryuedet
arnawch dim yr vynggwelet i geyr bronn seint greal.
kanys ual y gwassaneythyeis i arnaw efo yngorfforawl.
uelly yrwyf yngwassanaethu arnaw yn ysprydawl.
Aphan daruu idaw hynny ef aostyngawd ar benn y

linyeu geyr bronn seint greal yny lle ydoed ar y tabyl
aryant. Agwedy y vot ef yno ynhir yn gwediaw.
wynt aglywynt drws ystauell yn agori. ac ohonno wynt
awelynt yr engylyon adugassei iosep ync yn dyuot. a
deu ohonunt a deu dors o gwyr yn eu dwylaw. ar
trydyd a gwaew yn y law. or hwnn ydoedynt dafneu
owaet ynsyrthyaw ymywn blwch aoed yn llaw y ped-
wyryd angel. A velly y doethant hwy hyt ar dabyl
seint greal yn y lle ydoed iosep yn gwediaw. Ac yna
iosep aroes twel o sidan gwynn arnaw ual roi corporal
dros garegyl. Ac yna yn y wassanaeth yd aeth iosep
megys pei at vei ar secret y offeren. Agwedy y vot ef
uelly hirynt ef agymerth auyrlladen or racwerthuawr
lestyr. Ac ual y byd ef yn dyrchafel hwnnw wynt
awelynt y bara yn mynet yn ffuryf gwr. Ae wyneb yn
gyngochet a phei at vei yn varwar oll. Agwedy y vot
ef yny dangos uelly. ef aroes y delw honno yn y blwch
or lle y tynnassei drachevyn.

LXVIII.—Gwedy daruot y Iosep wneuthur kymeint
ac aberthynei y wr da ar yr offeren y wneuthur. yna
ef a doeth att galaath ac aroes cussan idaw. ac a erchis
idaw ynteu wneuthur uelly ae gedymdeithyon. Ac
uelly y goruc ef. Agwedy daruot hynny. Iosep ady-
wawt. marchogyon iessu grist heb ef. y rei adryuael-
yawd llawer yr gwelet peth o ryuedawt seint greal.
eistedwch geyr bronn y tabyl hwnn yman. achwi ageff-
wch awch gwassanaethu or ysprydawl vwyt. ahynny
olaw awch arglwyd chwi iessu grist. ual y galloch
dywedut mae da y talwyt ywch awch kyfloc yn lle
awch llauur. kanys ny chafas marchogyon urdolyon y
gyfryw na chynt na gwedy. A gwedy daruot y Iosep
dywedut hynny. ef a difflannawd y ganthunt. heb
wybot onadunt wy beth adaroed idaw. Ac yna eisted
aorugant wy geyr bronn y tabyl ac wylaw o lewenyd.
A megys y bydynt wy yn eisted uelly. wynt a welynt
or racwerthvawr lestyr yn dyuot gwr ae dwylaw yn
waetlyt. ae draet ae gorff heuyt yn llawn gwaet. Ac
yr awr y doeth ef adywawt. vy marchogyon i am
kywirion y rei yny uarwawl vuched honn aaethant yn

ysprydawl. ch,wi am keissyassawch i val na allaf ymgelu
mwy ragoch. ac am hynny mi adangossaf y chwitheu
beth om dirgeledigaetheu inneu. kanys chwi a eisted-
assawch ar vymwrd i lle nyt eistedawd dyn eiryoet yr yn
oes iosep o arimathia. Yr hynny ual kynt llawer gwr da
adoeth yr llys yman ac a gawssant ymborth ysprydawl
drwy ras seint greal. yny megys hynny mi arodaf y chwi-
theu yr hynn y buoch yr ystalym yny geissyaw drwy
y damunaw. ac yna ef adoeth ac agymerth or racwerth-
uawr lestyr megys avyrlladen. ac adoeth att galaath
ac ae roes idaw. ac ynteu yn vuchedawl ae kymerth
dan ostwng ar dal y linyeu. Ac uelly y gorugant pawp
oe gedymdeithyon. Ac yna yn arglwyd ni iessu grist.
adywawt wrth y kedymdeithyon ual yr oedynt.
Awdawch chwi heb ef beth yd wyfi yny daly y rwng
vyn dwylaw. Na wdam arglwyd heb wynteu. llyma
heb ef y dysgyl y bwyttaawd iessu grist ohonei yr oen
ygyt ae disgyblon. Honn yw y dysgyl awnaeth pawb
wrth y ewyllys or rei ageueis i yn vyngwassanaeth.
Ac yma y dywawt ef chwchwi a welsawch yr hynn
ydoedewch yn y damunaw. chwchwi eissyoes galaath
paredur a bwrt. nys gwelsawch chwi yn gyngwplet ac
y gwelwch rac llaw. ac awdawch chwi pa le y gwelwch
yndinas sarras yn y lle ysprydawl. ac am hynny ef a
vyd reit y chwi awch tri. vynet y gynnal kedym-
deithyas yr llestyr ysprydawl hwnn. yr hwnn a gychwyn
o ynys prydein heno megys na weler bellach vyth. yn
yr ynys honn. ac awdawch chwi paham am na wassan-
aethwyt. ac am nat anrydedwyt yn y mod y dylyit. or
achaws y byd gwaeth y bobyl or ynys honn vyth. ac
am hynny y byd reit y chwi avory vynet tu ar mor. ac
yno chwi ageffwch ysgraff. yn yr honn y cawssawch
gynt y cledyf ar estronawl arwest. Paham anrydedus
arglwyd heb y galaath na reyngk bod ytti dyuot hynn
oll o gedymdeithyon gyt a myvi. Na vynnaf heb
ynteu. namyn hynn avynnaf y wneuthur yr disgyblaeth
ym deudec disgybyl i. kanys megys y bwytawssant wy
yll deudec gyt ar dabyl seint greal nos diuieu cablut.
velly y bwyttawssawch chwitheu yr awr honn ar dabyl

seint greal gyt a mi. ac ydywch chwi deudec megys ydoedynt wynteu. A minneu yssyd drydyd ardec gyt achwi yn veistyr arnawch ual yd oedwn yn veistyr arnadunt wynteu. Amegys y gyrreis i wyntwy y bregethu ar hyt y byt. velly y gyrraf inneu chwitheu ywch anturyeu ar gret a welsawch. ac yny gwassanaeth hwnnw y byd marw pob un ohonawch. Ac ar hynny roi y uendith udunt aoruc ac ymdifflannu yganthunt hyt na wybuant wy y ba le yd aeth ef namyn y welet yn mynet tu ar nef. Y nos honno ynghylch hanner nos gwedy daruot y galaath ae gedymdeithyon wediaw duw. ar uot yn iachwyawdyr oc eu heneidyeu pa le bynnac yd elynt. Wynt aglywynt lef yn dywedut. Vy meibyon i ewch chwi ymeith y gerdet wrth awch anturyeu. Aphan glywssant wy hynny wynt aattebassant yr unllef. Tat o nef bendigedic vych di am bot yn gywiw gennyt yn galw ni yn veibyon ac yn gedymdeithyon ytt. Ac yna y kychwynnassant wy or llys ac y doethant yr gatlys. ac yno y kawssant veirch ac arueu. ac ymeith y kerdassant yr awr y daruu udunt wisgaw eu harueu. agwedy daruot udunt adaw y castell. yna ef a ymofynnawd pob un onadunt pa rei oedynt ual y gellynt ymgyfadnabot. Ac yna pob un adywawt y gilyd pa un oed. Aphan ymwahanyssant pawp onadunt aaeth dwylaw mynwgyl ae gilyd. Aphob un a dywawt wrth galaath. Arglwyd heb wynt gwybyd di yn lle gwir. na bu yni o lewenyd eiryoet y gymeint ac yr pan doetham yth gedymdeithyas di. ac am hynny drwc yw gennym ni yr ymwahanu hwnn. Yr hynny ual kynt reit yw. Arglwydi heb y galaath ot oedewch chwannawc chwi ym kedymdeithyas i. chwannogach oedwn inneu yr einwch chwi. Yr hynny reit yw yni ymwahanu pob un ar ewyllys duw. ac am hynny yn iach y chwi. Ac ot ewch y lys yr amerawdyr arthur. annerchwch ef y gennyfi. achwbyl o gedymdeithyon y vort gronn. alawnslot vyntat osgwelwch. Ni awnawn yn llawen heb wynt. ac ar hynny ymwahanu aorugant. Galaath yna ef ae gedymdeithyon avarchockaassant yny doethant y lann y mor erbyn penn y pedwyryd

dyd. Aphan doethant yno wynt agawssant yr ysgraff
yn yr honn y kassoedit y cledyf ar estronawl arwest
idaw. Agwedy eu dyuot ymywn wynt aarganuant yn
y gwely aoed yno y tabyl aryant a welsynt kynno hyn-
ny yn llys brenhin peleur a seint greal ar y warthaf. a
samit coch ar y draws. Aphan weles y kedymdeithyon
hynny hoff vu ganthunt am gael yn eu kedymdeithyas
yr hynn y buassynt eiryoet yny damunaw. yna y gwynt
adrewis yr ysgraff yr mor a marchogaeth y mor yn y
mod hwnnw aoruc hi yn hir o amser heb wybot ona-
dunt wy yn y byt pa fford yd oed hi yn mynet. Aphan
elei galaath y gysgu neu ynteu pan gyuotei beunyd y
gwediei ar duw ar roi teruyn ar hoedyl pa amser yny
byt y damunei. Ac uelly yn wastad y gwnaeth ef y
wedi yny doeth llef attaw a dywedut. Nac aet un
goual arnat galaath. kanys yr awr yr erchych di angheu
y corff ti ae keffy. A gwarandaw aoruc paredur ar
hynny. A ryuedu aoruc ef y alaath adolwyn y ryw
rod honno y arglwyd. Ac yna paredur aovynnawd
idaw paham yd oed ef yn adolwyn oe arglwyd y ryw
rod honno. mi ae dywedaf ytt heb y galaath. y nos
arall heb ef yn llys brenhin peleur pan dangosses iessu
grist yni ryuedawt seint greal. yno y gweleis i odirgel-
edigaetheu ual ydoed vyngkallon i yngynesmwythet
aphei buasswn marw i yn y pwngk hwnnw na buassei
varw cristawn eiryoet yn gynhyfryttet. kanys yr oed
yno o engylyon ac obetheu ysprydawl mwy noc aellit y
datkanu. Ac am hynny y hadolygeis i ym harglwyd
teruyn ar vy hoedyl pan y hadolygwn idaw. kanys mi
adebygaf y gwelafi etto or dirgeledigaetheu y gymeint
arall neu uo mwy. Ac yna y mynnafi vynet or byt
hwnn. ac uelly y menegys galaath y paredur dyuodyat
ar y angeu. ac yn y mod y menegeis i y chwi y colles y
rei oloegyr seint greal o achaws eu pechodeu. A megys
yr anuones iessu grist y iosep ac y ereill oe etyuedyaeth
ynteu seint greal o achaws eu daeoni. velly y colles
gwyr brytaen ynteu achaws eu pechodeu. Ac uelly y
bu y tri chedymdeith yn hir. Ac yna paredur a bwrt
a dywedassant wrth galaath. Arglwyd heb wy y gwely

hwnn awnaethpwyt ar dy uedyr di. ac ny chysgeist
yndaw eiryoet. athi adylyut gysgu yndaw kanys uelly
y mae y llythyr yn dywedut. ac ynteu yna adywawt
yd aei y gysgu yr gwely. Ac yna ef aaeth ac a gysg-
awd. Aphan deffroes galaath ae gedymdeithyon wynt
a welynt dinas sarras geyr eu bronn. Ac yna y
dywawt llef wrthunt. ewch allan heb ef weissyon duw.
a dygwch ryngoch awch tri y tabyl aryant hwnnw yn
y mod y mae. ac na rowch yr llawr ef yny deloch yr
capel ysprydawl. yn y lle y kyssegrawd iessu grist Iosep
uab iosep o arimathia yn escob.

LXIX.—Yna wynt agymerassant y tabyl rwng eu
dwylaw ylltri. ac o vreid rac y drymet ydoethant yr tir
ac ef. Ac yna wynt awelynt ar hyt y mor yn dyuot yr
ysgraff y rodyssit chwaer baredur yndi. ac yn kymryt
tir yn y borthloed ygyt ac wynt yr hynn avu ryued
ganthunt. Ac yna galaath adywawt dadigawn y kyn-
halyawd y verch honn oet ac amot anyni. Ac yna
paredur a bwrt agymerassant y tal blaenaf yr tabyl. a
galaath ehun agymerth y tal arall. ac aaethant ac ef tu
ar dref. Ac yn ymyl porth y dref ef a vlinawd gal-
aath rac trymet oed y tabyl yn pwyssaw arnaw. Ac
yno ar y fford y kyfaruu grupul ac wynt yr hwnn a
nottaei vot yno yn aros ffordolyon y ymbil ac wynt am
gerdodeu yr duw. Aphan doeth galaath yn gyfagos
attaw. ef a dywawt wrth y crupyl. Dabre heb ef ym
kymorth o dwyn penn y tabyl gyt ami yr llys vry. Och
arglwyd heb y crupyl beth a dywedy di ny elleis i yr
ys dengmlyned dim or kerdet. Beth yr hynny heb y
galaath kyuot y vyny yd wyt yn iach. Ac yna y gwr
a gyuodes y vyny yn gyn iachet ac y buassei iachaf
eiryoet. Achymryt y tabyl aoruc ae dwyn y gyt ac ef
yr capel ysprydawl yn y lle y gwelsant wy y gadeir
a rodassei iessu grist y iosep y eisted yndi. ac yno pawp
or dinas adoeth y edrych y gwyrtheu a wnathoedit yr
crupyl. A gwedy daruot y galaath ae gedymdeithyon
wneuthur hynny. wynt a ymchoelassant tu ar mor ac
adoethant yr ysgraff yr oed chwaer beredur yndi. ae
chymryt aorugant ae dwyn hi ar gwely yr capel. ae

chladu geyr bronn yr allawr. Pan weles y brenhin
bioed y wlat y tri chedymdeith. ef aovynnawd udunt
o ba le yr hanhoedynt. apha ryw beth a dugassynt ar
y tabyl aryant. Ac wynteu adywedassant idaw gwbyl
ual y govynnawd. a ryuedawt y greal. apha ryw beth
aarwydockaei. Ac ynteu ual yd oed yn wr drwc
angcredadun ny chredawd udunt o dim. namyn tybyeit
mae twyllwyr oedynt. ac yna aros aoruc ef yny gweles
wy yn diarueu. ac yna ef aberis eu daly ac eu karcharu
yngkarchar drwc. val nat oed fford udynt y diangk yny
vlwydyn honno. Eissyoes ef a wnaeth duw yn da ac
wynt. dwyn seint greal attunt yr kynnal kedym-
deithyas ac wynt. Ac uelly y buant hyt ym penn y
vlwydyn. A diwarnawt yr ymgwynawd galaath ac y
dywawt. Varglwyd iessu grist heb ef. ef awelir ymi
vot yn digawn yd wyf yn y byt hwnn. Ac am hynny
dwc vi attat yn ehegyr. Ar dyd hwnnw ydoed y bren-
hin yn glaf. ac ef aberis eu kyrchu wy hyt attaw. y
erchi madeueint udunt am eu carcharu ar gam. ac wynt-
eu a madeuassant idaw o gwbyl. Ac yna efo a vu
uarw. agwedy daruot y gladu. y bobyl or dinas aaeth-
ant ar vedyr gwneuthur brenhin arnunt. ac ny wydynt
wy o bwy y gwneynt. Ac ual y bydynt yn ymgyn-
ghori am hynny ef adywawt llef wrthunt. kymerwch
agwnewch yn vrenhin arnawch y ieuaf or tri chedym-
deith. Ac wynteu awnaethant hynny ac adoethant at
galaath. ac ae gwnaethant yn arglwyd arnadunt pei
drwc pei da ganthaw. Ac ny bu hoff ganthaw ef
hynny. Eissyoes pan weles ef na thygyei idaw ym-
wrthot a hynny ef ae kanhattaawd udunt. Ac yna ef
aberis gwneuthur ywch benn seint greal llunprenn o
eur ac aryant yn llawn o vein mawrweirthawc. Apheu-
nyd pan gyuodynt y deuei ef ae gedymdeithyon geyr
bronn seint greal. Ac ar benn y vlwydyn or undyd
y gwnathoedit ef yn vrenhin ef agyuodes yn vore ef
ae gedymdeithyon ac adoethant hyt y lle ydoed seint
greal a cheyr bronn seint greal wynt a welynt esgob
yn y esgobwisc ar dal ydeulin. ac yn y gylch ynteu
llawer o engylyon. Agwedy y vot ef hirynt ar dal

y linyeu velly ef agyuodes y vyny ac a dechreuawd
offeren o veir. Aphan yttoed ef ar secret y offeren ef
adywawt wrth galaath. Dabre yma heb ef athi awely
yr hynn y buost yny damunaw yr ystalym. Ac ynteu
adoeth ac aedrychawd ar y racwerthuawr lestyr. ac yno
ef aweles yr hynn ny allei dauot or byt y datkanu.
Ac yna ef adywawt uarglwyd ytti y diolchafi heb ef
kwplau ohonat ti ymi vy ewyllys. kanys mi awelaf yr
awr honn beth nys gallei gallon or byt y vedylyaw.
Ac yr awrhonn arglwyd y mynnwn i pei kymerut vy
eneit i attat yth lewenyd. Ac yr awr y daruu idaw ef
wneuthur y damunet yn y mod hwnnw. yr esgob yna
agymerth corff yr arglwyd ac ae roes idaw. ac ynteu ae
mwynhaawd. Agwedy daruot idaw hynny yr esgob
aovynnawd idaw a wydyat ef pa un oed. Na wnn
arglwyd heb ynteu. Gwybyd di yn wir heb ef mae
myui yw iosep uab iosep o arimathia. ac mae iessu grist
am anuones i y wneuthur kedymdeithyas ytti. Ac aw-
dost di paham ym gyrwyt i mwy noc arall. am dy vot ti
yndebic ymi o deupeth. nyt amgen no gwelet ohonat
gwyrth y greal yngynegluret ac y gweleis inneu. ac am
dy vot yn wyry ual yr wyf inneu. Ac am hynny y
mae kyfyawn yr gwyry wneuthur kedymdeithyas ar
llall. Ac yna galaath adoeth ac aaeth dwylaw mynwg-
yl y paredur ac y vwrt. Ac adoeth drachevyn geyr
bronn seint greal. Ac ny bu efo haeach yno. yny
wahanawd y eneit ae gorff. Agwedy y varw ef. wynt
awelynt llaw yn dyuot or nef. ac ny welynt dim or
corff namyn hynny. ar llaw agymerth y racwerthuawr
lestyr yr hwnn aclwit y greal ac a aeth ac ef ymeith. ac
yr hynny hyt hediw ny bu neb aallei y welet ar y daear
onyt gwalchmei unweith.

LXX.—Pan weles paredur a bwrt galaath yn varw trist
a doluryus vu ganthunt. aphanybei eu daet gwyr wynt a
syrthyassynt mywn anobeith. arbobyl or wlat a vuant
trist heuyt. Aphan daruu argyfrein galaath ae gladu
paredur agymerth abit meudwy ymdanaw. a bwrt
adrigyawd gyt ac ef. dieithyr ny chymerth ef amgen
abit noc un y byt ual y gnotaawd or blaen. kanys y

z

vedwl oed ar dyuot dracheuyn y lys arthur.   Blwydyn
adeuvis gwedy hynny y bu baredur yn vyw.   Ac wedy
y uarw bwrt a beris y gladu gyt ae chwaer.   Pan weles
bwrt y vot ehun megys yn ardal babilon. ef a gychwyn-
nawd ymeith yn aruawc ac adoeth yr mor.   Ac agafas
ysgraff ac adoeth racdaw. ac ny bu haeach o amser
yny doeth y loegyr.   Agwedy y dyuot yr tir ef avarch-
ocaawd yn y doeth y gamalot. yn y lle yd oed arthur
yr hwnn a wnaeth idaw lewenyd mawr ef ae varwnyeit
kanys wynt adebygas synt y golli yr ystalym.   Agwedy
bwyta arthur aovynnawd idaw y gyfrangk. ac ynteu ae
datkanawd idaw ual y clywsawch or blaen.   Ac yna
arthur aberis y ysgriuennydyon ysgriuennu eu hantur-
yeu.   Agwedy daruot gwneuthur ac ysgriuennu antur-
yeu y greal o gwbyl. wynt aanuonet y ynys auallach
oe cadw.   Ac uelly y teruyna y rann gyntaf or greal.
nyt amgen nor keis.   Bellach dywedadwy yw o rann
walchmei. ac o anturyeu y milwyr ual y kyfaruu ac
wynt.

Y SEINT GREAL.

YR EIL RAN.

Er ystorya honn a draetha y wrth y racwerthuawr lestyr yr hwnn a elwir y greal. yn yr hwnn yd erbynnywyt gwaet yn creawdyr ni iessu grist yny dyd y rodet ef ar brenn y groc yr prynu y bobyl o gaethiwet uffern. A Ioseph ae hysgrifennawd drwy orchymun angel or nef. kanys duw a vynnawd gwybot gwirioned drwy y ysgrif-ennyat ef am y damwein hwnnw. a heuyt drwy dystoly-aeth y gwyrda. ac a vynnawd gwybot o bawp drwy yr unryw Ioseph. padelw y godefassant ymilwyr gynt poen athrauael yr drychafel cret grist. yr honn a atnewydawd crist drwy angheu a chrocedigaeth. a gwybydet bawp nat y ioseph hwnn yw ioseph o arimathia.

LXXI.—Erann honn yr ydys yn y dechreu yn enw y tat ar mab ar yspryt glan y tri pherson ynt yn un gedernyt. ar kedernyt hwnnw yw duw. Ac o duw y kychwynnawd ystorya seint greal. achwbwl or adoeth o nef adyl cadw ganthaw yr ymadrodyon hynn. ac ysgaelussaw pob ryw uileindra oc a uo yn y gallon. kanys wynt a deuant yn lles mawr y bawp or ae gwar-andawo o gallon da. o achaws y gwyrda ar ysgolheigyon da. y rei y clywir yman draethu o honunt. Ioseph yssyd yn traethu yr hystorya honn o achaws kenedyl-aeth marchawc urdawl da yr hwnn a vu gwedy diod-eifyeint yn arglwyd ni. a hwnnw milwr da vu. Kanys gwyry oed oe gorff. diweir oe vedwl. ehofyn a galluawc o gallon. Aphob camp da aoed arnaw heb neb ryw uileindra. y gyt a hynny heuyt nyt oed dywedwydyat. Ac ny thebygit wrthaw oe weledyat y vot yn gyn dewret ac ydoed. Ac o achaws un parabyl aysgaelus-sawd y dywedut y doeth ar vrytaen vawr diryeidi a chynnwryf kymeint ac nat oed yndi nac ynys na gwlat na dinas ny bei gwedy eu govidyaw yn vawr. Eissyoes

gwedy hynny efo ae trosses hi ar y llewenyd drwy rym
y vilwryaeth. efo a hanoed o lines ioseph o arimathia.
Y Ioseph hwnnw oed ewythyr oe vam ef. ac a vu yn
trigyaw gyt a philatus seith mlyned kynn diodef o
grist. Ac ny ovynnawd yn lle y wassanaeth yn y
seith mlyned y bilatus namyn corff yr arglwyd Iessu
grist oe dynnu ody ar y groes. a mawr iawn vu ganthaw
y rod honno pan ganhatwyt idaw. abychan vu gan
bilatus y roi idaw. kanys ioseph. kanys y wassanaethu
yn gywir a wnathoed ioseph idaw. A phei archassei
nac eur nac aryant na thir na dalar na da. ef ae rodassei
idaw yn llawen. A heuyt ef a debygassei pilatus pan
ganhattaawd y corff idaw y parassei ynteu y lusgaw ef
arhyt y dref ae vwrw gwedy hynny y ryw le mileinyeid
budyr odieithyr y dref. Eissyoes nyt oed chwannawc
Ioseph y hynny. namyn y anrydedu yn oreu ac y
gallei. ae gladu y mywn mynwent newyd abarassei y
gwneuthur ar y uedyr ehun aoruc. A chadw y gyt ac
ef y gwaew ar llestyr yn yr hwnn y daroed idaw kyn-
nullaw y gwaet a oed yngcreu y archolleu pan disgyn-
nawd y ar y groes. O lines y gwr hwnnw yd hanoed
y gwr da. or hwnn y mae yr ystorya honn gwedy y
chyuansodi. Igleis yn ffrangec y gelwir y vam. brenhin
peleur oed y ewythyr vrawt y vam. brenhin peles
heuyt ar brenhin or castell marw oedynt y ewythred
idaw. Y brenhin or castell marw oed gymeint y drwc
ae enwired ac ydoed y lleill o daeoni. a llawer oed
hynny. Y tri hynny aoedynt tri broder oe vam efo yr
honn oed wreic da gywir. Yr milwr da hwnnw yd oed
chwaer yr honn aelwir danbrann yn ffranghec. Ac na
vit drwc gan darlleodron y llyfyr hwnn yr na metrwyfi
gaffael henweu kymraec ar y rei ffrenghic. nac yr y
gossot ual y gallwyf. namyn hynn a wnn I. y milwr yd
ydys yny ganmawl yma. y henw yn ffranghec yw pen-
effresvo galeif. kystal yw hynny yngkymraec apheredur.
yr hwnn aglywssawch dywedut or blaen pwy oed y
vam. ac o ba le yd hanoed. y pennaf oblegyt y dat
ynteu aelwit nichodemus. A henw y dat oed efrawc
iarll. o benn glynn camalot. ac idaw yd oed un brawt

ardec ac ynteu ehun deudecuet. Aphob un onadunt
alas yn ryueloed ynkeissyaw cadarnhau y gret newyd.
Ac onadunt kyntaf ahynaf oed efrawc iarll. yr eil oed
gosgolianus. y trydyd a elwit brwns brandalis. Y ped-
wyryd brecoles goch. y pymhet brendalis o gymry. y
chwechet eliwans o stanalons. y seithuet calobrutus. yr
wythuet meralis or weirglawd. y nawuet. ffortismes or
llannerch goch. y decuet arniam o arbame. yr unuet
ardec galram or twr gwynn. y deudecuet alibans or
dinas atueilyedic. a chwbwl onadunt a las yn arueu
ynggwassanaeth iessu grist. yr hwnn aatnewydawd y
gret newyd drwy angheu. Or deu ryw dynyon a glyw-
eist vry or blaen y cat y milwr da med Ioseph. yr
ysgolheic da. yr hwnn yssyd yn ysponi yni yr ystorya
honn. ac yssyd yn dywedut na bu brenhin daearawl or
byt yr pan diodefawd crist. a gynnydei ar gret grist yn
gymeint ac y kynnydawd arthur o vrytaen y vilwyr
trwydaw ehun y rei aoedynt yn wastat yn y lys. Y
brenhin arthur aoed gynt wrda kyuoethawc da y gret
yn duw. a llawer o anturyeu da a oedynt yn dyuot y lys
yn yr amser hwnnw. Ac idaw yr yttoed y vort gronn
wedy y ystoryaw or milwyr goreu yn yr holl vyt.
Agwedy marw uthur benndragon y dat. ef a vu yn
dwyn y vuched uchaf dengmlyned. Ac yn valchaf
brenhin or byt. ac uelly yd oed y varwnyeit yn disgyblu
wrthaw ynteu. Ac uelly y bu ef yny mod y dywedeis i
hyt nat oed yny byt un arglwyd kymeint y glot ac ef
yn y doeth symut ewyllys yndaw. a dechreu colli y
deuot o vot yn hael yr honn a wybu gynt y wneuthur.
Ac nyt oed ewyllys or byt yndaw y daly llys yn
nebryw wyl arbennic. Ac uelly yd oed ef yn colli y
glot ae vilwyr yn yadaw ac yn adaw y vort gronn pan
welsant y daeoni ef yn ffaelu. Ac yna kychwyn awnaeth
pawb or llys ae gadaw. hyt nat oed yn trigyaw yn y llys
or pump athrugein athrychant o varchogyon urdolyon.
y rei anoteynt vot yn wastat yn y llys namyn pump
arhugein pan uei vwyhaf. Y gyt a hynny nyt oed
chweith antur or byt yn dyuot yr llys yn y mod y
gnotaei. Heuyt kwbwl or tywyssogyon ereill aoedynt

yn ysgeulussaw gwneuthur da pan welsant y brenhin
mor wann yn kynnal y lys ac ydoed. Ac or achaws
hwnnw ydoed wenhwyuar yn gyndristet ac na wydyat
beth awnaei.

LXXII.—Megys ydoed arthur diuieu kyrchauel yn-
ghaerllion ar wysc. gwedy daruot bwyta achyuodi yn
eu sefyll. ef a welei y vrenhines yn drist vedylgar yn
eisted yn ymyl ffenestyr. Sef aoruc ynteu eisted ygyt
a hi. ac edrych yn y hwyneb ae gwelet yn wylaw.
Arglwydes heb y brenhin pa ystyr yw y teudi y wylaw.
Arglwyd heb hi. os wylaw awnaf i. nyt reit y titheu
uot yn drallawen yr hynny. Myn vyngcret arglwydes
heb ef nyt wyf lawen inheu. Arglwyd heb hitheu
iawn awney. mi aweleis heb hi yngkyfryw diwarnawt
a hediw vot yn gyn amlet marchogyon urdolyon y gyt
a thi. ac o vreid y gallei neb eu kyfrif nae hamkanu.
Yr awrhonn nyt ynt namyn ychydic. ac nyt oes chweith
antur yn dyuot yth lys yn y mod y gnottaei. ac am
hynny y mae arnaf i diruawr gewilyd. ac ovyn heuyt
vot duw wedy llidiaw wrthym an hebryuygu. Myn
vy llw heb yr arthur. nyt oes gennyfi chweith ewyllys
y wneuthur da nac ehalaethder. na dim oc ellit y drossi
ar enryded. namyn vy medwl yssyd wedy trossi ar
wander a chrydder callon. ac am hynny y colleis vy
marchogyon. ac y pellassant vy milwyr y wrthyf a
charyat vynghedymdeithyon. Arglwyd heb y vren-
hines. pei elut ti parth a chapel seint augustin. yr hwnn
yssyd yny llannerch wenn. Ac ny dichawn neb dam-
weinyaw ar y capel hwnnw onyt trwy anturyaeth. Mi
adebygwn y trossei ytt ewyllys da ar dy dyuotyat
drachevyn. kanys nyt aeth yno dyn eiryoet ac anghyng-
hor arnaw. ny chynghorei duw ef kynn y dyuot drach-
evyn. os gwediei o gallon da. Arglwydes heb ynteu
arthur minneu aaf yno kanys mi a giglef dystolyaethu
hynny yn wir. am medwl inneu yssyd ar hynny yr ys
tri diwarnawt. Arglwyd heb y vrenhines. Y capel
yssyd beriglus ac anturyus. Eissyoes y mae yno yn
trigyaw y gwr santeidyaf o vrenhinyaeth gymry. ae
gudugyl yssyd yn ymyl y capel. Ac nyt oes idaw

vuched onyt adel y gan duw. Arglwydes heb yr arthur
reit yw ym vynet yno a hynny vy hun ac yn aruawc
heb neb y gyt a mi. Arglwyd heb hitheu ti a elly
gymryt gyt athi un or gwyreeingk. Arglwydes heb
ynteu nys gallaf ac nys llyfassaf. kanys po mwyhaf a
dyckit yno o dylwyth. mwyhaf uydei o anturyeu ac o
wrthwyneb idaw. kanys y lle yssyd beriglus. Arglwyd
heb hitheu ti a dygy gyt a thi un ac ny daw ytt
ohynny namyn da. Arglwydes heb ynteu yn llawen.
ac oblegyt duw minneu a wnaf hynny. Ac yna kyuodi
yuyny awnaethant or ffenestyr. Ac edrych awnaeth
ef o bop parth idaw. Ac arganuot gwas ieuangk tec
gawns oed y henw. a mab yttoed y owein vrych.
Arglwydes heb y brenhin hwnn adygafi y gyt a mi. a
chanmawl di ef. Kanmolaf heb hitheu. kanys mi a
giglef dystolyaetheu y vot yn gywir. yna y gelwis
arthur ar y gwas. ac ynteu adoeth ac aostyngawd ar ben
y lin geyr bronn y brenhin. Ac ynteu aerchis idaw
gyuodi. Gawns heb yr arthur. ti a gysgy heno yn y
neuad a bit gennyt vy march yn barawt erbyn y bore
avory. Kanys y mae ym bryt vynet y neges athitheu
adeuy y gyt a mi heb mwy o gedymdeithyon. Arg-
lwyd heb y gwas bit ar dy ewyllys di. Gwedy hynny
y nos adoeth. ar brenhin aaeth y gysgu. y marchogyon
urdolyon aaeth y llettyeu. ar gwas a drigyawd yn y
neuad. a chysgu awnaeth yn y dillat. kanys byrr vydei
y nos yn yr amser hwnnw. Ac ynteu a vynnei vot yn
barawt erbyn kyuodi or brenhin. Y gwas aaeth y
gysgu yn y mod y dywedeis i uchot. A megys y byd
yn yr hun gyntaf. ef awelit idaw ef vot y brenhin
gwedy mynet heb wybot idaw ymeith. Ac yna de-
chrynu awnaeth adyuot att y varch ae gyfrwyaw. a roi
y ffrwyn yn y benn. a gwisgaw y ysparduneu. a chymryt
y gledyf ac ef a welit idaw y vot yn gadaw y llys ar
castell ac yn mynet yn ol y brenhin. A gwedy daruot
idaw gerdet talym. ef adoeth y fforest. uawr ac edrych
awnaeth ef yn y blaen ar y fford. ac arganuot ol ped-
oleu march y brenhin herwyd adebygei efo. ac ymlit yr
ol hwnnw aoruc ef yny doeth y lannerch aoed ymperued

y fforest. Ac yna edrych ar y tu deheu idaw aoruc ac
argânuot capel ymperued y llannerch ac yn llawn o
vedeu herwyd a debygei ef. Ac yna medylyaw aoruc
yr aei ymywn. kanys tebic oed ganthaw vot y brenhin
yno yn gwediaw. Ymywn y doeth ef a disgynnu awn-
aeth. a rwymaw y varch wrth vodrwy aoed wedy y sawd-
uryaw ym mur y capel a dyuot y mywn awnaeth ef.
Eissyoes ny weles ef yno namyn marchawc urdawl yn
varw ar elor. Ac ar y warthaf ydoed kyvyrlit o syndal
coch. Ac o bopparth idaw ydoed pedwar tors o gwyr yn
llosci mywn pedwar kanhwyllbren o aryant. Aryued vu
ganthaw welet y corff ehun heb neb y gyt ac ef onyt y
delweu. A mwy yr oed yn ryuedu am y brenhin. kanys
ny wydyat pa fford yd aei oe geissyaw. Ac yna y kafas
yn y gynghor tynnu un or torsseu kwyr oe ganhwyll-
brenn. a roi y canhwyllbrenn yn y hossan ledyr. A
dyuot allan odieithyr y capel. ac esgynnu argevyn y
uarch a dyuot ymaes or vynwent. ac adaw y llannerch
a dyuot yr fforest. a medylyaw na orffowyssei yny ym-
gaffei ar brenhin.

LXXIII.—Megys ydoed ef yn kerdet y brifford ef
awelei yn dyuot oe vlaen gwr du hagyr aruthur o
weledyat. kanys mwy oed y gwr ar y varch noc arall ef
ae varch. Ac yn y law yd oed kyllell deuviniawc
herwyd a debygei ef. Y gwas adoeth yny erbyn gyntaf
ac y gallawd. ac adywawt wrthaw. Tydi y gwr yssyd
yn dyuot ymherbyn. a gyfaruu a thydi yr amherawdyr
arthur. Na chyfaruu heb ef. Eissyoes tydi a gyfaru-
uost. ac am hynny ydwyf lawen. kanys daethost or
capel megys lleidyr twyllwr. Ac y mae gennyt can-
hwyllbrenn eur or hwnn yd oedit yn anrydedu y march-
awc urdawl marw aoed yn y capel. Ac am hynny
tal di y kanhwyllbrenn drachevyn. ac onys tely yd wyf
yth rybudyaw. Llyma vyngcret heb ynteu nas talaf
namyn y dwyn yn anrec yr amherawdyr arthur. Myn
vyngcret heb ynteu ef a vyd ediuar gennyt onys tely.
Ac yna brathu y varch a dwy yspardun o debygu
diangk arnaw aoruc y gwas. Ac ynteu ae trewis ef ar
gyllell yn y ystlys deheu hyt y carn. Ac yna y gwas

yr hwnn aoed yn kysgu yn y neuad yngkaerllion
adeffroes ac agriawd ohyt y benn. ac adywawt. och. och.
yr yr arglwydes ueir dygwch ym offeiryat kynn vy
marw.

LXXIV.—Gwenhwyuar ar gwas gwely a gigleu y
cri hwnnw. ac a neidyassant y uyny.   Ac a dywedas-
sant wrth y brenhin. Arglwyd amser yw ytt gychwyn.
kanys ytiw yn dyd.   Yna y gwisgawd y brenhin y
dillat.   Ac ar hynny nachaf y gwas yr eilweith yn crio.
Ac yn erchi yr duw dwyn idaw offeiryat kynn y varw.
Ac yna y doeth arthur ar vrenhines ar vrys attaw. ar
brenhin a ovynnawd beth a daroed idaw.   Ac ynteu
adywawt idaw gwbwl oe vreudwyt.   Paham ae breud-
wytyaw awnaethost heb y brenhin.   Ie arglwyd heb
ynteu.   Eissyoes neur daruu vy anafu I vyth ac yna
dyrchauel y breich deheu idaw.   Arglwyd heb ef
edrych yma.   Llyma y gyllell yr honn yssyd yn
vyngcorff hyt y carn.   Ac odyna roi y law aoruc ar y
hossan ledyr.   A thynnu y canhwyllbrenn eur ae
dangos yr brenhin.   Arglwyd heb ef o achaws hwnn
ym llas i.   A minneu ae rodaf ytti yn anrec.   Yna y
brenhin ae kymerth ac aedrychawd yn hir arnaw.
Kanys ny welsei eiryoet yr un kyn decket ac ef.   Ac
odyna y brenhin ae dangosses yr vrenhines.   Arglwyd
heb y gwas na chymer y gyllell om corff yny darffo
vyngkyffessu.   Yna y peris y brenhin galw ar yr
offeiryat ae gyffessu agwneuthur cwbwl oe gyfreidyeu
yn da. Gwedy hynny y brenhin ehun a dynnawd y gyllell
oe gorff ef. ar awr honno yr eneit aaeth oe gorff.   Ac
yna y brenhin a beris y amdoi. ae wassanaethu yn da.
Eissyoes trist oed owein y gwr oed dat yr mab am angheu
y uab.   Ac yna arthur drwy gynghor owein aroes y
canhwyllbrenn i eglwys seint pawl yn llundein.   Kanys
yr eglwys yna aoed newyd fwndeaw. ar brenhin oed
da ganthaw wybot hynny ympob lle. ac ae edewis yno
yr gwediaw rac eneit y mab a las oe achaws.

LXXV.—Kymryt y arueu. ac awisgawd ymdanaw y
boregweith hwnnw y uynet parth a chapel seint awstin.
Yna y urenhines adywawt wrthaw.   Arglwyd heb hi

A A

pwy aa gyt athi. Arglwydes heb ynteu. ny mynnafi
neb onyt duw. Pony dylyy di wybot drwy yr antur
hwnn yman na mynn duw gaffael o honafi chweith
kedymdeithyon. Arglwyd heb hitheu. duw a vo amdiff-
ynnwr ytt. ac ath dycko yn iach drachevyn. ac ewyllys
da gennyt drwy yr hwnn y gellych ennill y glot a
golleist. Bit ar ewyllys duw hynny heb yr arthur.
Ac yna y ducpwyt y varch idaw hyt yr ysgynuaen.
Ac ynteu aesgynnawd arnaw. Aphan yttoed ef ar
geuyn y varch. ef a debygei bawp y uot yn alluawc o
gorff. ac yn uonhedic y ymdygyat. ac yna y daraw a
dwy yspardun aoruc. ar march a vwryawd neit. Ac yna
y dywawt y vrenhines wrth y marchogyon urdolyon
aoedynt yno. Arglwydi. beth awelir y chwi am y gwr
da racko. Arglwydes heb wynteu peth govidyus oed yr
byt ony orffennei yn da yr hynn y mae yny dechreu.
Kanys ny wydit yny byt brenhin nac amherawdyr
kyngwrteissyet kyn ehalaethet ac yttoed ef pei
mynnassei y wneuthur ual y gnotaawd. Yna tewi
awnaethant. ar brenhin agerdawd yny doeth y fforest
anturyus. Ac a varchockaawd yn hyt y. dyd hwnnw
hyt am bryt gosper. Ac yna ef adoeth y dewdwr y
fforest. ac a arganuu ytwaed o ty bach yn ymyl capel.
ac awelit idaw panyw cudugyl meudwy oed. Arthur
auarchockaawd parth ac yno. Aphan doeth ef yno
disgynnu aoruc yn y drws. a dyuot y mywn. A thynnu
y varch yn y ol. ac o vreid ef aaeth y mywn. Ac yna
gossot y waew arhyt y llawr ae daryan yny ymyl. A
thynnu y gledyf y ar y glun. a llaessu y helym. ac
edrych yn y gylch awnaeth. aa arganuot heid a bwyt
meirch. ae dwyn oe varch a thynnu y ffrwyn oe benn. a
chaeu drws y ty awnaeth ef arnaw. a mynet y orffowys.
ac ef awelit idaw vot ryw odwrd ac amrysson yny capel.
a bot rei yn dywedut megys engylyon. ac ereill megys
dieuyl.

LXXVI.—Arthur a vu ryued ganthaw beth aallei
hynny vot. ac arganuot drws ar y ty fford yd eit yr
capel. ac yr fford honno ydaeth arthur ac yr capel y
doeth. Ac edrych awnaeth ef ympob lle ac ny welei

ef dim onyt y delweu. Nyt yttoed ynteu yntybyeit
mae o honunt wy ydoed y son ar y glywssei. Ygyt a
hynny ryued oed ganthaw pa le ydoed y meudwy a
nottaei drigyaw yno. Ac ar hynny dynessau aoruc
arthur parth ar allawr. a cheyr bronn yr allawr ef a
welei ysgrin noeth yny lle ydoed y meudwy ae dillat
ymdanaw ac a baryf vawr arnaw hyt y wregys ac ae
dwylaw croes yngcroes ar y dwyvron. Ac ar warthaf
hynny ydoed croes a delw y groc arnei. ar neillbenn yr
groes ynggeneu y meudwy. ae eneit etto yndaw. Eis-
syoes yd oed ef yn agos y varw. Yno y bu y brenhin
yn hir o amser. ac yn chwannawc ganthaw edrych ar y
gwr da yn trengi. o debygu y vot yn wrda y vuched.
Y nos aoed gwedyr dyuot. a goleuni mawr. kymeint
aphettei ugein tapyr yn llosgi aoed yn y capel. Ac yna
eisted aoruc arthur. a medylyaw nat aei odyno yny vei
deruyn ar y gwr da. Ac ual y bydei ef uelly ef aglyw-
ei lef yn erchi idaw yn anhegar vynet allan. Kanys
ef a vynnit gwneuthur yno datleu. a thra vei ef yno ny
wneit. Yna y kyuodes arthur y uyny yr hwnn adrig-
yassei yno yn llawen. a thrachevyn y doeth ef yr ty
bychan. ac eisted aoruc ef yn y lle y gnottaei y meudwy
eisted. A megys y bydei ef uelly. ef a glywei y dra-
blud yny capel. ac a glywei barth yn dywedut yn issel
ar llall yn dywedut yn uchel. ac aadnabu ar eu dywed-
wydyat. bot rei onadunt yn engylyon. ar lleill yn
dieuyl. ac a glywei y dieuyl yn herwyd adebygei ef yn
medyannu eneit y marw. a hynny drwy uarnedigaeth.
ac wynteu yn gwneuthur diruawr lewenyd ac yn boc-
sachu. Trist vu gan arthur hynny am glybot yr engyl-
yon yn tewi. Ac yn gymeint y uedylyeu ac na wydyat
beth a wnaei. Ac megys y bydei ef uelly ef a glywei
lef gwreic neu uorwyn yn dywedut yngyndecket. ac
nat oed yn yr holl vyt dyn yr tristet vei neu yr meint
a gollei o da ny bei lawen. Ac yn dywedut wrth y
dieuyl. Ewch allan ladron kanys nyt oes ywch hawl
ar yr eneit hwnn am y odiwedut yngwassanaeth vy
mab i. ac yny meu inneu. ac yn gwneuthur y benyt
yma dros y bechawt aoruc gynt. Ac ar hynny y doeth

un or dieuyl ac y dywawt. Arglwydes kyt boet ef yn
dy wassanaeth di yr awr honn. hwy y bu ef yn an
gwassanaethu ni. no thydi neu dy uab. Ef a vu ys-
peilwr a herwr yn y fforest honn mwy no thrugein
mlyned. Ac nyt ytiw yn ueudwy onyt yr ys pump. ac
ae iawn ytti y dwyn ef y gennym ni an treissyaw.
Nyt yttwyfi yn awch treissyaw chwi heb hi. kanys pei cas-
soedit efo yn awch gwassanaeth chwi ual y cahat ym
gwassanaeth i vi am mab ny dygit y gennwch. Ac ar
hynny eu diwarannu wynt awnaethpwyt. a chymryt
eneit y gwr da awnaeth yr arglwydes. a gorchymun yr
engylyon y dwyn yn anrec y mab. ac wynteu ae kymer-
assant ac aaethant yr nef dan ganu o lewenyd. Ioseph
yr hwnn a wnaeth yr ystorya yssyd yn ysponi henw y
gwr da hwnn. Ac yn dywedut mae caliyttes y gel-
wit ef.

LXXVII.—Ac yno y bu yr amherawdyr arthur y
nos honno. a deudyblic lewenyd yndaw. un onadunt oed
amglybot yr arglwydes yn dywedut. ar llall. am diangk
eneit y gwr da. Ac ychydic kynn y dyd y syrthyawd
kysgu arnaw. Ac uelly y bu ef yn y arueu yny ym-
dangosses y dyd yn dec ac yn eglur. Ac yna kyuodi
aoruc amynet yr capel y wediaw duw. Aphan doeth
ef debygassei vot yr ysgrin yn wynebnoeth ual y
gwelsei y nos gynt. Sef ydoed hitheu gwedy y chaeu
or maen teckaf or awelsei eiryoet. ac ar y maen croes
goch. Gwedy daruot y arthur wneuthur y wedieu. ef
adoeth drachevyn. ac a ffrwynawd y varch. ac ae kyf-
rwyawd. ac a esgynnawd arnaw. ac a gymerth y waew
yn y law. ae daryan am y vynwgyl. ac agychwynnawd
ymeith. Ac a varchockaawd yny vu awr anterth drwy
y fforest. Ac yna ef adoeth y lannerch deckaf or awelsei
dyn eiryoet. Ac ar draws y fford yd eit yr llannerch
yr oed barr o seilderw kadarn. Ac yna edrych awnaeth
ar y tu deheu idaw. Ac arganuot morwyn ieuanc dec
dan vric prenn yn eisted. Ac yn y llaw hitheu mul
erbyn y ffrwyn. y brenhin adrosses parth ac yno rac
tecket oed y uorwyn. ac adywawt wrthi. A unbennes
duw a rodo antur da ytt. Ac y titheu arglwyd y

gyfryw heb hitheu. A unbennes heb yr arthur aoes
chweith kyuanned ynghyuyl y llannerch honn. Oes
arglwyd heb hi meudwy yr hwnn yssyd yn agos y gapel
seint awstin. Eissyoes y llannerch ar fforest o bop
parth yssyd yn gymeint eu perigyl ac nat oes milwr
or byt a lauasso mynet o vywn udunt. Ac oda ny
daw allan heb y lad neu y anafu. yr hynny etto y lle y
mae y capel yssyd gyndeilynget ac nat oes neb anghyn-
ghorus or ael yno adel heb gynghor odyno os gat duw
ef yn iach odyno. A duw or nef ath amdiffynno di.
kanys ny weleis i yr ys talym dyn mor ryssyn gyuaruot
drwc ac ef ac wyt ti herwyd a debygafi. Ac nyt af
inneu odyma yny welwyf ryw dibenn amdanat. A un-
bennes heb ynteu ti am gwely i yndyuot drachevyn os
da gan duw. Os gwir hynny heb hitheu. minneu
aovynnaf chwedleu newyd y wrth yr hwnn yr wyf yn y
geissyaw. Ar hynny y brenhin aaeth ymeith trwy y
barr yr llannerch. ac aarganuu y capel ar meudwydy.
Apharth ac yno y doeth ef acheyr llaw y ty disgynn
aoruc ef. ac ef awelei uot y meudwy yn ymwisgaw
ar vedyr canu offeren. A ffrwynglymu y varch aoruc
wrth brenn yn ymyl y capel. a cheissyaw dyuot yr
capel. eissyoes nyt oed haws idaw ef dyuot y mywn no
throssi mor rud or lle y mae. Ac yr hynny yr oed y
drws yn agoret. ac ny welei ef neb heuyt yny lesteiryaw.
Aphan weles ef hynny kewilyd mawr a vu arnaw. ac
edrych awnaeth ef y mywn ac arganuot delw yr arg-
lwyd. A gostwng awnaeth geyr bronn y delw or tu
allan. ac arganuot y meudwy geyr bronn yr allawr yn
dywedut y gonffiteor. Ac ar y tu deheu yr meudwy ef
awelei y mab teckaf or awelsei neb eiryoet gwedy y
wisgaw o wybren. a choron o eur am y benn yn llawn
o vein gwerthuawr. ac or rei hynny diruawr oleuni yn
dyuot. Ac ar y tu arall yr meudwy ef awelei arg-
lwydes deckaf or a welsei dyn or byt hwnn eiryoet.
Aphan daruu yr meudwy dywedut y gonffiteor ef awelei
y wreic yn mynet ar y tu deheu yr allawr. ac yn eisted
ymywn cadeir. Ac yn rodi y mab y eisted ar y harffet.
ac yny gussanu. ac yn dywedut wrthaw. Arglwyd tydi

yw vy mab am tat am arglwyd. edrychyawdyr arnaf.
ac ar bawp. A ryued uu gan arthur welet tegwch y
mab ar arglwydes. a ryuedach uu ganthaw glybot y
wreic yn galw y mab yn dat idi ac yn uab heuyt. Ac
odyna ef aedrychawd parth a ffenestyr wydyr aoed
gyferbyn ar allawr. Ac yna ef awelei fflam yn dyuot
drwy y ffenestyr yn eglurach ganweith nor heul pan
uei vwyhaf y hangerd yn disgyn ar yr allawr.
LXXVIII.—Drwc vu gan yr amherawdyr arthur ac
ofnus am na allei vynet y mywn y warandaw yr offeren
ar engylyon yn atteb yr offeiryat. A gwedy daruot
darllein yr euengyl ef awelei arthur yr arglwydes yn
offrymu y mab yr gwr da meudwy. A ryued vu gan
arthur welet y meudwy yn ymolchi gwedy yr offrwm
hwnnw. Ac eissyoes ny dylyei ef y ryuedu pei gwypei
paham. kanys nyt offrymit idaw ef offrwm mor uawr-
weirthyawc ahwnnw pany bei vot yn lan y dwylaw ae
gorff heuyt o bop ryw bechawt. A gwedy daruot roi
y mab yn offrwm. y meudwy ae roes ynteu ar yr allawr.
A gwedy hynny ef adechreuawd aberthu. Yna arthur
aoed allan ar tal y deulin yn maedu y dwyvronn o wir
ediuarwch am y bechodeu ac yn gwediaw duw. Aphan
dechreuwyt yr aberth ef awelei y rwng dwylaw y
meudwy sant. gwr ae ystlys ae dwylaw ae draet yn
waetlyt achoron o drein am y benn. a hynny yn y
briawt ffuryf. A gwedy daruot y arthur edrych talym
ar y weledigaeth honno ef a difflannawd y ganthaw hyt
na wybu ef pa le. Trist a govydyus vu gan arthur am
yr hynn a weles ar y gwr. a gollwng dagreu aoruc ef
odristit. A gwedy daruot canu yr offeren. un or engyl-
yon adywawt. Ite missa est. Ac odyna y mab a
gymerth y vam erbyn y llaw. ac ymdifflannu awnaeth-
ant or capel. ac ygyt ac wynt y gedymdeithyas vwyhaf
o engylyon. a heuyt y fflam adathoed drwy y ffenestyr
adifflannawd y gyt ar kedymdeithyon hynny.
LXXIX.—Pan daruu y meudwy wneuthur y was-
sanaeth ef adoeth att arthur yr hwnn aoed yn y drws
etto. ac a dywawt wrthaw. Arglwyd. ti aelly dyuot y
mywn bellach. A gwynn oed dy vyt ti pei haedassut

kymeint ar duw a gallel dyuot yr dechreu yr offeren.
Ac yna y brenhin adoeth ymywn heb lesteir arnaw.
Arglwyd heb y meudwy myui ath atwaen di yn da. a
mi a atwaenwn heuyt uthur benndragon dydat ti. Ac
o achaws dy bechawt ny elleist di dyuot y mywn hediw
tra ganwyt yr offeren. Ac nys gelly vyth yny darffo
ytt ymendau dros dy bechodeu y duw ac oe seint y rei
yr ys yn eu hanrydedu yma yn wastat. Y gyt ahynny
heuyt ti adylyut wybot nat oes yn yr holl vyt brenhin
kyngyuoethoket na chyn gadarnet na chyn amlet
anturyeu da idaw ac ytti. A chwbwl or holl vyt a
dylyei gymryt exawmpyl a disgybylaeth y wneuthur
da y wrthyt ti gynt. Ac yr awr honn ydwyt ti yn
exawmpyl y gyuoethogyon y byt y wneuthur pob drwc
a phob mileindra. Ac damchweinya hynny yn drwc
ytti onyt emendey yn ehegyr. Ac ony throssy dy ystat
yn y mod y dechreueist. kanys pennaf a goreu dyn yn
yr holl vyt oedut ti gynt. ac yr awr honn gwaethaf wyt
ac anrymussaf. Ef a dylyei vot yn drist ac yn gewil-
ydyus y neb adelei o anryded ar gewilyd. ac ny ellir
lliwyaw y neb yr dyuot o gewilyd ar anryded. Argl-
lwyd heb y brenhin yr ymwellhau y doethum i yma. Ac
yr kael kynghor a vei well noc aoed gennyf vy hun. Ac
am hynny yr archafi ytti yr duw wediaw dy arglwyd ar
drossi ym kynghor. ac y roi ym ewyllys ymendau.
Aminneu arodaf arnaf boen y gwplau poppeth or yssyd
yn eissyeu. Duw or nef heb y meudwy ae rodo ytt
ual y gellych emendau dy uuched ual ydoed or dech-
reu a chadarnhau y gret yr honn yssyd gwedy atnew-
ydhau drwy angheu iessu grist. Arglwyd heb y
meudwy ef adoeth dracheuyn dolur mawr yr byt
achaws marchawc urdawl yr hwnn a lettyawd yn llys
brenhin peleur. ac yr ymdangosses seint greal idaw ar
gwaew y brathwyt iessu grist ac ef. ac ny ovynnawd ef
beth oedynt. ac am nas govynnawd y mae kwbwl or
daeryd gwedy ymgyffroi yn ryuel. hyt nat oes milwr
or byt a ymgyuarffo ae gilyd. nac yn fforest. nac yn lle
arall. heb ymlad pob un ae gilyd. Athi dy hun a
wybydy hynny a hynny kynn gadaw y llannerch honn.

Arglwyd heb yr arthur duw am dihango rac drwc ac
rac angheu mileinyeid. kanys ny deuthum i yma onyt
yr gwellau vy muched. a hynny awnaf inneu os da gan
duw. Ac os mi adaw ymeith dramkevyn. Gwir heb y
meudwy pwy bynnac auu deugein mlyned yn da. ac or
deugein hynny ef a vu deir yn drwc. ny bu ef deugein
yn da. Gwir adywedy heb yr arthur. ac ar hynny yd
aeth y meudwy ymeith. ac arthur adoeth att y varch
ac agymerth y waew ae daryan. ac aesgynnawd ar y
varch. ac ymchoelut drachevyn aoruc. ac ny daroed
idaw uarchogaeth mwy no deu ergyt saeth yny welei
uarchawc yn dyuot yn y erbyn ar varch du mawr. ae
daryan yn du. a gwaew mawrbraff yny law. Ac yna
o nerth traet y varch. kyrchu arthur aoruc. Ac ym-
gudyaw yn gwasgawd y daryan aoruc ae ollwng heib-
yaw. a gwedy hynny ymchoelut a gouyn idaw. A
unbenn heb ef beth a holy di y myui. Apha beth a
holeis i ytti. a phaham y mae cas gennyt vyui. Yna y
dywawt y marchawc du wrth arthur. Ny dylyaf inneu
dy garu di o dim. A phaham heb yr arthur. am vot y
gyt a thi y kanhwyllbrenn o eur yr hwnn a yspeilywyt
vymrawt i. o honaw. Awdost ditheu heb yr arthur
pwy wyfi. Gwnn heb y gwr. ti yw yr amherawdyr
arthur yr hwnn gynt a vu da. ac yr awr honn ydwyt
drwc. Ac am hynny ymogel ragof.

LXXX.—Ac yna yd ymchoelawd y marchawc du
drachevyn yr kymryt redec oe varch ynwell. ac arthur
aweles nat oed idaw fford y diangk heb ymlad. Ac yna
brathu y varch adwy yspardun ac estynnu y warthafleu.
Ar marchawc ae kyrchawd ynteu yngyntaf ac y gall-
awd. ac ymgyhwrd y gyt a wnaethant a deu waew yn-
yttoed y gwaewyr yn tardeissyaw ac yn holli. ac wynteu
yn colli eu gwarthafleu ac yn kyhwrd eu kyrff wrth
y gilyd yny yttoed eu llygeit yn disserennu ar gwaet
yn tardu allan fford eu ffroeneu ac eu geneueu. Ac
yna kiliaw awnaeth pob un y wrth y gilid onadunt
y gymryt eu hanadyl. Ac ar hynny edrych aoruc
arthur ar waew y marchawc du yr hwnn a oed yn
llosgi. A ryued oed ganthaw nat yttoed wedy torri.

rac meint y dyrnawt a gymerassei y ganthaw. a thybyaw
awnaeth y vot yn gythreul. Ar hynny nachaf y
marchawc du yn dyuot heb vynnu gadel arthur uelly.
namyn o nerth traet y varch y gyrchu awnaeth. ac
ymgudyaw aoruc arthur yn gwasgawt y daryan rac
ovyn y fflam. ac erbynnyeit y marchawc du aoruc. ac
ae waew y daraw drwy y daryan. yny vyd y marchawc
yn torsteinyaw ar bedrein y uarch. ac o nerth a grym
ymgyuodi yn y gyfrwy. a chyrchu arthur a wnaeth ef.
a thrwy y lit y daraw ae waew drwy berued y breich
assw idaw. Aphan gigleu arthur y vrathu. llidiaw
aoruc yn vwy no meint. Ar marchawc du avu lawen
ganthaw pan wybu vriwaw arthur. Y brenhin aweles
y gwaew gwedi diffodi aryued vu ganthaw hynny. Ac
yna y marchawc du aerchis nawd yr brenhin. ac
adywawt ual hynn. Arglwyd arthur. ny diffodassei
vynggwaew i vyth ony bei gael o honaw enneint yn dy
waed ti. Ac yna y dywawt arthur wrth y gwr du.
Ny ro duw ymi nawd heb ef os myui a ryd nawd
ytti nes dial yr hynn aallwyf arnat. Yna arthur a
ymgyffroes y tu ac attaw. ac o nerth traet y varch y
gyrchu ae daraw ae waew ymperued y dwyvronn yny
vyd ef ae varch yr llawr ac ual kyhyt a llath or gwaew
trwydaw. ac odyna tynnu y waew attaw ae adaw ynteu
yn uarw. achyrchu y fford ehun aoruc arthur. ac mal y
byd yn dyuot uelly ef a glywei godwrd marchogyon yn
dyuot drwy y fforest. ac yna ymchoelut aoruc ynteu ac
arganuot yngkylch ugein neu a uei vwy o varchogyon
yn dyuot parth ar llannerch yny lle yd oed y marchawc
marw. ac ynteu adoeth hyt y barr. Ac ac ef yn dyuot
nachaf y vorwyn aadawssei dan y prenn yn dyuot attaw.
Arglwyd heb hi ymchoel drachevyn. adwc ym benn y
marchawc a ledeist. Yna arthur aedrychawd dra-
egevyn. ac arganuu diruawr berigyl rac amylder y
marchogyon yn aruawc. a dywedut. a unbennes ae vy
llad i a vynnut ti. Llyma vyngcret arglwyd heb hi
nas mynnwn namyn reit oed ym y gaffael. ac nym
nackaawd marchawc urdawl eyrmoet or hynn ageissywn.
ac ny wnel duw y titheu vot yn vileinyach no neb. Och

B B

heb yr arthur yd wyfi gwedy vymrathu drwy berued
vymreich. Arglwyd heb hitheu mi awnn hynny. ac ny
ellir dy iachau di vyth ony dygy y mi y penn. A
unbennes heb yr arthur mi abrofaf hynny beth bynnac
adarffo ymi.

LXXXI.—Arthur yna aedrychawd tu ar llannerch
ac ef awelei y niuer a dathoed yno gwedy dryllyaw
corff y gwr marw. aphob un mynet ae rann ganthaw
adref. Rei athroet ereill adwrn. a chan yr ola onadunt
yr oed y penn yn mynet ar benn y waew. y brenhin
aaeth yny ol. ac adywawt wrthaw. A unbenn aro
ychydic y ymdidan ami. llyma hynny. apheth arangk
bod ytti. Yna y dywawt arthur. mi ath wediaf yr duw
ar roi ym y penn ydwyt yn mynet ac ef. Mi ae rodaf
yn llawen dan amot dywedut ohonat ym pwy aladawd y
gwr bieiuu y penn. Ae ny allafinheu y gael ef amgenach
heb yr arthur. Na elly heb ynteu. Aminneu ae dywedaf
yn llawen. a gwybyd yn lle gwir panyw yr amherawdyr
arthur ae lladawd. Pa le y mae hwnnw ynteu heb y
marchawc. keis di ef lle y mynnych heb yr arthur ti
agefeist dy amot. Amoes ditheu y minneu. Ti ae
keffy yn llawen heb ef. a gostwng y waew. ac arthur a
gymerth y penn y ganthaw. Y marchawc yna agymerth
corn aoed am y vynwgyl ac ae cant. Ac yna y
marchogyon aathoedynt ar hyt y fforest pan glywssant
hynny aymchoelassant drachevyn. ar brenhin agerdawd
racdaw tu ar barr yn y lle yd oed yr unbennes yn
yaros. Y marchogyon yna aovynnassant drwy lit yr
marchawc paham y kanassei y corn. Achaws y marchawc
racko heb ef a dywawt ym panyw arthur a ladawd
y marchawc du a dangos y chwitheu hynny ydwyf
inneu ual y gallom y ymlit. Nyt ymlidiwn ni efo heb
wy kanys arthur ehun ydiw. Ac nyt oes y ninneu
uedyant y ymlit neb ortu hwnt yr barr. Eissyoes.
myn yn cret ni y byd ediuar ytti am adel idaw ef uynet
uelly. Ac yna dwyn hwyl idaw awnaethant ae lad ae
dryllyaw. a chymryt y rann awnaeth pawb onadunt a
mynet ymeith parth ac eu cartrefoed.

LXXXII.—Ar hynny arthur adoeth or tu arall yr

barr att yr unbennes yr honn agymerth y penn y
ganthaw ac ae diolches idaw. Ti aelly bellach disgynnu.
kanys nyt reit ytt un ovyn or parth yman yr barr. Ar
hynny disgynnu aoruc arthur. Arglwyd heb hi. diosc
dy arueu yn diogel ual y gallwyf welet y dyrnawt. kanys
ny bydy iach di vyth ony bydy om plegyt i. Yna
ymdiosc aoruc arthur. ar unbennes a gymerth y gwaet
y ar y penn. ac a irawd y dyrnawt. a gwedy hynny y
rwymaw awnaeth. a gwisgaw y arueu. Arglwyd heb hi
ny bydut iach di vyth panybei gael y gwaet y ar y penn
hwnn. Ac am hynny yd oedynt wy yn dwyn pobun y
rann ganthaw. kanys wynt awydynt daruot dy vriwaw
di. Y gyt a hynny reit yw y ninneu wrth y penn.
kanys castell oed ymi yr hwnn a ducpwyt yarnaf drwy
dwyll athreis. yr hwnn adelir ym drwydot ti ony chaffaf
y gwr ydwyf yny geissyaw. A unbennes heb yr arthur
pwy yw hwnnw. Arglwyd heb hi mab y efrawc iarll
yw o lynn camalot. Ae henw ynteu yw peredur.
Paham heb yr arthur y gelwir ef peredur. achaws heb
hi pan anet y mab y peris y dat roi arnaw yr henw
hwnnw. par dur. kanys arglwyd y corsyd oed yn ryuelu
ar efrawc. a gwedy dwyn yarnaw lawer oe gyfoeth. am
hynny y roespwyt ar y mab peredur yr dyuot cof idaw
pan vei yn wr gymryt par o dur. neu ynteu o nerth par
o dur dial ar arglwyd y corsyd awnathoed ae dat am
dwyn y dir yarnaw. ac uelly y mab a uagwyt yny vu
yn was ieuaugk tec. ae datmaeth ae vam yn y garu yn
vawr. A diwarnawt yd aethant y chware yn ymyl eu
castell o vywn fforest. Ac y rwng y fforest ar castell
yd oed capel gwneuthuredic ar warthaf pedeir colofyn
o vaen marmor gwynn. ac o vywn y capel yr oed allawr.
ac yn ymyl yr allawr yr oed ysgrin dec. a delw gwr
arnei. Ac yna gouyn aoruc y mab oe dat pwy bioed
yr ysgrin. Ae dat adywawt nas gwydyat ef pwy. kanys
heb ef hyn yw yr ysgrin no that vyntat i. Ac ny chiglef
eirmoet dywedut beth oed yndi. namyn wynt adywedynt
pan delei y milwr goreu neu yr eil goreu or holl vyt.
Panyt ymegyr yr ysgrin yr neb ual y gweler beth yssyd
yndi heb yr arthur. neu po ny bu yno yr hynny hyt

hediw un milwr na marchawc urdawl or byt. Bu
arglwyd heb hitheu. ar ny ellir eu hamcanu nac eu rifaw.
Ac yr hynny nyt ymagores yr ysgrin yrdunt. Pan
daruu oe dat ymdidan ae uab yny mod hwnnw. wynt
aymchoelassant adref yr castell. Pan vu dyd drannoeth
y mab agyuodes y uyny. ac rac tecket oed y dyd ef a
gymerth un o veirch y dat ac adoeth yr fforest a dyrneit
o aflacheu ganthaw herwyd mod y kymry yn yr amser
hwnnw. A gwedy y dyuot yr fforest ef a gyfaruu ac ef
garw. a gwedy y gyfaruot ac ef ynteu ae hymlidyawd
bedeir milltir kymreic. yny doeth y lannerch yn y lle yr
oedynt yn ymlad deu marchawc urdawl. y neill aoed
atharyan goch idaw. ar llall atharyan wenn. Yna
ysgaelussaw hely y karw aoruc paredur. ac edrych ar y
gwyr yn ymguraw. ac or diwed ef a welei y marchawc ar
daryan goch yn goruot ar y llall. Ac ar hynny kymryt un
oe aflacheu awnaeth paredur. a bwrw y marchawc ar
daryan goch yn gynffestet ac yny oed y gaflach drwy
y arueu. athrwydaw ynteu. yny vyd dan draet y varch
yn uarw yr llawr. a llawen vu gan y marchawc ar daryan
wenn hynny. a gouyn awnaeth y paredur aoed digassed
or byt y ryngthunt. Nac oed heb y paredur. namyn
tybyeit natoed dim a veuei ar y arueu. Ac yna kymryt
y varch aoruc paredur. amynet adref att y dat yr hwnn
a vu drist ganthaw pan gigleu hynny o chwedleu. a iawn
oed idaw vot yn drist. kanys llawer oboen agafas or
achaws hwnnw kynny varw. gwedy hynny y mab aaeth
ymeith y wrth y vam ae dat. Aphahyt bynnac y bu y
mab yn kerdet arhyt byt ef adoeth y lys arthur. ac
awnaethpwyt yn varchawc urdawl. Gwedy hynny ef
aaeth ymeith or llys y geissyaw anturyeu. ac ydwyf
inneu yn y geissyaw ef ympob lle. ac os gwely di ef
arglwyd yn un lle. llyna y ryw arueu yssyd idaw taryan
goch a llun carw gwynn yndi. a dywet idaw arglwyd
varw y dat maeth. a bot y vam yn colli cwbwl oe chy-
uoeth ony daw ef oe nerthau. kanys brawt yr gwr a
ladawd ef ae aflach yssyd yn ryuelu arnei y gyt ac
arglwyd y corsyd. A unbennes heb yr arthur pei kyu-
arffei ami llawen vydei gennyf. ath neges ditheu mi ae
dywedwn wrthaw.

LXXXIII. — Arglwyd heb y vorwyn llyna vyui
gwedy dywedut ytti yr hynn yr wyf yn y geissyaw.
dywet titheu y minneu pwy dy henw ditheu. a unbennes
heb ef mi ae dywedaf yn llawen. Y neb am atwaen i
wynt am galwan arthur. Ae uelly yth elwir di heb hi.
Ie heb ynteu. Myn y gwr am gatto i cassach yw gennyf
di yr awrhonn no chynneu. kanys ytiw henw y brenhin
gwaethaf or holl vyt arnat. ami avynnwn y vot ef yny
lle yr wyt ti. Eissyoes ny daw ef yr rawc o gaer llion.
rac ovyn mynet ereill ae wreic. heruyd ual y kiglefi
dywedut amdanunt. Yd oedwn diwarnawt yn mynet
parth ae lys. pan gyuaruu ami yngkylch ugein o
varchogyon urdolyon yn dyuot or llys. y rei adywawt
ymi pob un ual y gilyd panyw gwaethaf llys a thlottaf
or holl vyt oed lys arthur. a chwbwl o varchogyon y
vort gronn yssyd gwedy y gadaw. o achaws y dryg-
yoni ef. A unbennes heb yr arthur ef adigawn bot yn
drist i am hynny. mi a giglef eissyoes y vot ef yn wr da
ar y dechreu. Paham heb hi beth aellir ae dechreu efo
pan vo y diwed yn drwc. a drwc yw gennyf vot ar vilwr
kystal athydi henw gwr kyndrwc ac efo. A unbennes
heb yr arthur nyt yr y henw y mae drwc ef. namyn oe
gallon. Gwir adywedy di heb hi. ac y bale y mae yth vryt
ti vynet odyma. mi aaf heb ef y gaer llion. y ymwelet ac
arthur. Ie heb hi ar hynt y drwc y gyt ar drwc arall.
A unbennes heb yr arthur ti aelly dywedut yr hynn a
a vynnych. ac yn iach yti. Ny bydy iach di heb hi kanys
y lys arthur ydey.
LXXXIV.—Ac yna esgynnu ar y varch awnaeth
arthur. Ac adaw yr unbennes dan vric y prenn. A
gwedy daruot idaw varchogaeth ynghylch dec milltir
kymreic. ef aglywei lef yntewdwr y coet yn galw ac yn
dywedut wrthaw. arthur brenhin brytaen uawr. ti aelly
vot yn llawen kanys duw am anuones attat y erchi ytt
wneuthur gwled gyntaf ac y gellych. ar pobloed yssyd
gwedy gwaethau oth blegyt ti. wynt aymendaant
drwydot. ac ar hynny tewi awnaeth y llef. ac ynteu a
varchocaawd yny doeth y gaer llion. ar marchogyon
urdolyon aoedynt yno a vuant lawen am y dyuotyat ef.

LXXXV.—E brenhin yna adisgynnawd. ac yr neuad
y kyrchawd ef. a pheri diosc y arueu awnaeth. ac yr
vrenhines y dangosses y dyrnawt aoed yn y vreich yr
hwnn aoed aruthur. Eissyoes yd oed ef yn iachau yn
dec. Yna y brenhin a gyrchawd yr ystauell. ac aberis
gwisgaw glan dillat ymdanaw. Ac yna y vrenhines
adywawt. Arglwyd heb hi mawr vu dy boen. Arglwydes
abreid vyd y neb gael enryded ony byd godef poen
ohonaw yn gyntaf. Yna y dywawt arthur.yr vrenhines
kwbwl oe anturyeu. apha vod y brathwyt. apha delw y
kerydawd yr unbennes ef o achaws y henw. Arglwyd
heb y vrenhines ti aelly atnabot yr awr honn panyw
kewilydyus y dichawn gwr da kyuoethawc vot pan del
o daeoni y drygyoni. Gwir yw hynny heb yr arthur. Y
gyt ahynny arglwydes digrif yw gennyfinneu y llef
agiglef yn tewdwr y fforest. yr hwnn aerchis ym wneuth-
ur gwled kyntaf ac y gallwn. Arglwyd heb hitheu ti
adylyut vot yn llawen gennyt hynny a gwna ditheu.
Ar vyngcret heb ynteu y gwnaf kanys ny bum chwan-
nogach eirmoet.

LXXXVI.—Ema ymae yr ymdidan yn traethu ac yn
dywedut vot arthur ynghaerllion ac ychydic o varch-
ogyon urdolyon gyt ac ef. ac ewyllys da gwedy rydy-
uot idaw y gan duw y vot yn hael ac y wneuthur pob
enryded. Yna y peris ef wneuthur llythyreu oe hanuon
dros gwbwl oe deyrnas y erchi y bawp dyuot y lys ef
yr honn aelwit penneissense. honno aoed yn ymyl mor
kymry. a hynny erbyn gwyl ieuan hanner haf. A llyna
yr ystyr paham y mynnei ef wneuthur y wled ynggwyl
ieuan. am vot y sulgwynn mor agos ac yr oed. ac am
na allei y rei aoed ympell dyuot yno erbyn y sulgwynn.
Y chwedleu newyd hynny aaeth y bop lle y erchi y
bawp dyuot yno erbyn yr amser enwedic. Aryued vu
gan bawp pa ystyr y doeth yr brenhin yr ewyllys
hwnnw. Achwbwl o varchygyon y vort gronn y rei
aoedynt wedy ymwasgaru ympob gwlat adoethant yno
pan glywssant y chwedleu hynny. namyn gwalchmei
a lawnslot a pharedur.

LXXXVII.—Duw gwyl ieuan adoeth ar marchogyon

urdolyon aoedynt wedy dyuot o bop lle y rei aoedynt
yn ryuedu paham na wnathoed y brenhin y wled honno
y sulgwynn. Eissyoes ny wydynt wy yr ystyr. Y
dyd oed dec ac eglur. ar neuad oed vawr ac ehalaeth.
Ac amyl oedynt y marchogyon urdolyon. Yna y bren-
hin ar vrenhines aaethant y ymolchi ac aaethant y eisted.
Aphawb y am hynny a vedrawd y gyfle. Ac yr oedynt
o varchogyon urdolyon wrth rif mwy no chant herwyd
ual y dyweit yr ystorya. ac owein uab urien a chei hir
a roet y wassanaethu. A phump arhugeint o varch-
ogyon urdolyon y gyt ac wynt. Lucanus aoed yn
vwtler ac yn gwassanaethu geyr bronn y brenhin or
gorulwch eur. Yr heul aoed yn disgleiryaw trwy
berfed y ffenestri gwydyr. ar hyt y neuad. yr honn oed
wedy bwrw blodeu tec allysseuoed ar y hyt. Ac megys
yd oedynt yn aros y bymhet anrec o gegin. nachaf yn
dyuot yr neuad teir morynyon. ar honn adoeth or blaen
aoed yn marchogaeth mul canwelw. affrwyn eureit yn y
benn. a chyfrwy o asgwrn moruil. ac ymylyeu y kyfrwy
gwedy y gyuansodi amein mawrweirthawc yndunt. ar
unbennes honno aoed vonhedigeid o gorff. ac nyt oed
dec hi o wyneb. a dillat o sidan coch ymdanei a geplans
am y phenn oe gudyaw yngwbwl. ac nyt oed afreid idi
kanys moel oed. ae breich yngcroc am y mwnwgyl
wrth ffunen eureit. a than y brath ydoed glustoc o
ermin brith. ac yn y llaw arall idi idoed penn brenhin
achoron o eur. Yr eil unbennes aoed yn marchogaeth
ar aruer ysgwier. a mal wedy y drwssyaw draechevyn.
ac ar warthaf y mal yr oed vitheiat. a tharyan am y
mynwgyl. ac ymylyeu y daryan o eur ac assur. a chroes
goch drwydi. a bogel o eur coeth idi. Y dryded aoed
ar y thraet a thrwssyat herlot arnei. ac yn y llaw ydoed
ysgwrs. ac a hwnnw y gyrrei hi y dwy varchoges ereill.
a thegach oed bob un nor gyntaf. ar honn aoed ar y
thraet oed degach o ragor mawr nor lleill.

LXXXVIII.—E gyntaf adoeth yn unyawn hyt geyr
bronn y brenhin yn y lle yd oed yn bwyta. Ac ady-
wawt y Iachawdyr or byt a rodo ytti arglwyd enryded
allewenyd ac anturyaeth da. ac ytt ac yr arglwydes.

ac y gwbwl or teulu y am hynny. Ac nac afranghet
bod ytt arglwyd. ac na vit yn lle mileindra gennyt yr
na disgynnwyfi. kanys nyt oes rydit ym y disgynnu yn
y lle y bo marchawc urdawl. yny darffo cwplau perer-
indawt seint greal. Ac nac afranghet bod ytti arglwyd
yr dywedut ohonafi vy neges yr wyf yn y geissyaw.
Dywet yr hynn a vynnych yn llawen heb ynteu. Arg-
lwyd heb hi y daryan a wely di gan yr unbennes racko.
a vu eido ioseph yr hwnn adisgynnawd yr arglwyd y
ar brenn y groc. a llyma ytti hi yn anrec yn y mod y
dywedaf ytt. ar gadw ohonat y daryan. ar uedyr
marchawc urdawl yr hwnn adaw yma yn y hol. Aphar
y roi ar y golofyn racko ymperued y neuad. a gwahard
bawp rac y roi am y vynwgyl. ouyt hwnnw ehun. ac
onerth honn y daw ef yr lle y mae seint greal. ac ef
aedy yma daryan goch arall. a charw gwynn yndi. ar
beitheiat a wely di racko. aedewir yma heuyt. ac ny
lawenhaa ef vyth yny del y marchawc urdawl hwnnw.
A unbennes heb yr arthur y daryan ar bitheiat a gat-
wafi yn llawen. a duw a dalo ytt vot yn wiw gennyt y
dwyn attafi. y gyt ahynny heuyt heb hi. y brenhin
goreu or holl vyt yssyd yth annerch di drwydofi. nyt
amgen no brenhin peleur. yr hwnn yssyd gwedy di-
gwydaw mywn diruawr nychdawt. allyna yr ystyr y
digwydawd ef yn y gouit hwnnw. o achaws marchawc
urdawl a lettyawd y gyt ac ef nosweith. yr hwnn yr
ymdangosses seint greal idaw. ac am na ovynnawd ef
beth oed y creir hwnnw. na pheth a arwydockaei yr
ymgyffroes pob lle y ymryuelu. hyt nat oes marchawc
urdawl a ymgyfarffo ae gilyd nac ynglynn nac yn llan-
nerch ny bo ennill ar bawp. Ac yn ymguraw heb allel
y adrawd. Athyhun aelly adnabot hynny. kanys ti
a ysgaelusseist wneuthur da. ac adrosseist dy dechreu
ar diwed hagyr. or achaws y kefeist diruawr ogan.
Arglwyd ygyt a hynny heuyt minneu adylaf gwynaw
rac y marchawc hwnnw. A mi adangossaf ytt paham.
Ac yna dinoethi y phenn. ae dangos yn burllwyt heb
un blewyn arnaw. Arglwyd heb hi nyt oed yn ynys y
kedyrn morwyn nac gwreic degach y phletheu gwellt

no myui. yn yr amser y doeth y marchawc hwnnw y lys brenhin peleur. ac am na wnaeth ef y govyn yn y mod y dylyei. ydwyf inneu ual y gwelwch chwi. Ac ny deuafi vyth ym ystat vy hun yny del yno awnel y govyn a vo gwell. Etto arglwyd ny weleist di kwbwl or perigyl ar drwc adoeth oblegyt yr un marchawc urdawl. kanys y mae yna allan. ryw beiryant ar weith cadeir. a thri charw gwynnyon y danei y rei yssyd yn y harwein yn wastat. yn yr honn y maent o benneu arglwydi amarchogyon urdolyon deudec adeugeint achant. rei onadunt ac inseileu o eur arnunt. ereill ac inseilyeu o aryant. Ac ereill wedy eu hinseilyaw o blwm. Ac ar hynny nachaf y uorwyn yd oed y daryan genthi yn dyuot. ac yn y llaw penn brenhines gwedy inseilyaw o blwm. a choron o gopyr am y phenn. ac yn dywedut. Arglwyd heb hi. achaws y vrenhines y llas y brenhin bieu y penn yssyd gan vyngkedymdeithes i. ac y llas yssyd o benneu yn y gadeir.

LXXXIX. — Arthur yna aerchis y gei vynet y edrych gweith y gadeir ae hadurnyat. A gwedy edrych ohonaw ef adoeth drachevyn y mywn. ac a dywawt na welsei y chyndecket eirioet. Ac ygyt a hynny heb ef pei gwnelut vynghynghor ti a gymerut y blaena or keirw y wellau y larder. Ochan gei heb yr arthur milyeinyeid oed vynghynghori i uelly. ac ny mynnwn yr teyrnas loegyr y wneuthur ohonaf. yna yr unbennes adywawt wrth arthur. Arglwyd heb hi keneuin yw kei a dywedut mileindra. a mi a wnn na wney di pob peth or a archo ef. yna yd erchis y brenhin y owein uab uryen gymryt y daryan ae roi ar y golovyn. ac ynteu ae kymerth ac ae roes yno. Ac un or llawuorynyon a gymerth y bitheiat ac ae hanuones y ystauell y vrenhines. Ar unbennes a gymerth y chennat y gan arthur. ac ynteu ae gorchymynnawd hi y duw. Yma y mae yr ymdidan yn tewi am arthur ac yn traethu y wrth y teir morynyon.

XC. Ema y mae iosep yn dywedut kychwyn y teir morynyon ymeith o lys arthur. ac eu dyuot y fforest. agwedy marchogaeth ynghylch dwy villtir or fforest.

wynt awelynt yn dyuot ar hyt fford yn eu herbyn
marchawc urdawl ar geuyn march cul ysgyrnic. ae luryc
oed wedy y dryllyaw yn llawer o leoed. ae daryan oed
wedy colli y lliw y arnei. ac wedy tardeissyaw yn llawer
o leoed. a gwaew mawrbraff yn y law. Ac yr awr y doeth
ef attunt hwy kyuarch gwell udunt aoruc. a dywedut.
a unbennesseu grassaw wrthywch ac wrth awch kedym-
deithyas.   Ae atteb aorugant wynteu a dywedut.
llewenyd ac anturyaeth da aro duw yttitheu.   A un-
bennes heb ef o bale yr yttywch chwi yn dyuot. Yr ym yn
dyuot o wled y mae yr amherawdyr arthur yny wneuth-
ur.   Ac ae yno y mae yth vryt titheu vynet heb hi.   Nac
ef heb ef. eissyoes myui a vum yno lawer gweith. a lla-
wen yw gennyf y uot wedy rydyuot y ewyllys da.   Kan-
ys keneuin oed ef a gwneuthur da.   Arglwyd heb yr un-
bennes pa le y mae yth vryt titheu vynet.   Mi a vynnwn
vy mot ynggwlat brenhin peleur os da gan duw.   Arg-
lwyd heb hi. dywet ym dy henw. ac aro ychydic y ymdi-
dan a mi. yna attal penn y varch aoruc ef.   Arglwydes
heb ef. ef amgelwir i gwalchmei. nei yr amherawdyr
arthur.   Ae gwalchmei wyt ti heb hi.   Ie heb ynteu.
Mynvyngcret heb hi vot vyngcallon yny venegi. panyw
dy gyfryw wr di a dylyei vynet parth a llys brenhin
peleur. ac am hynny arglwyd ydwyfinneu yth wediaw
di ar ymchoelut ohonat ygyt a ni yr y grym ar nerth
arodes duw ytt ynkanhebrwng yny elom heb gastell.
yr hwnn yssyd yn y fforest honn. ac ychydic o berigyl
yndaw. A unbennes heb y gwalchmei mi a wnaf hynny
yn llawen.   Ymchoelut awnaeth ef y gyt ac wynt drwy
y fforest yr honn nyt oed yndi haeach o sathyr dynyon.
Yna yr unbennes adatkanawd y walchmei y hynt am
y penneu aoedynt yn y gadeir. ac am y ki ar daryan a
adewssynt yn llys arthur.   Yna gwalchmei a vu drwc
ganthaw welet yr unbennes yn kerdet. ac aovynnawd
paham nat aei yr gadeir.   Arglwyd heb yr un or lleill
reit yw idi gerdet. kanys hynny yw y phenyt. ac ot wyt
ti gystal milwr ac y dywedir. ef a deruyd idi hi
wneuthur y phenyt yn ehegyr.   Pa delw vyd hynny
heb y gwalchmei.   Mi ae dywedaf ytt heb yr unbennes.

Os duw a damweina ytti vynet y lys brenhin peleur.
ac ymdangos o seint greal ytt. govyn beth aarwydockaa.
ac yna y deruyd idi y phenyt. a minneu a gaffaf vyng-
gwallt. ac ony wney di uelly. ef auyd reit yni odef
ynpcnyt yny del ae govynno. Kanys o achaws y
kyntaf adoeth yno yd ym ni ual hynn. A brenhin
peleur yn nychu. ar holl wledyd yn llawn ryuel am nas
gouynnawd. A unbennes heb y gwalchmei duw aro
ym ewyllys y wneuthur yr hynn a vo da gan duw.
Amen heb yr hitheu.

XCI.—Gwalchmei ar morynyon agerdassant drwy y
fforest honno yn y lle yd oed yr adar yn canu. Ac
odyna a doethant yr fforest aruthraf or awelsei
neb eiryoet. Ac ef awelit idaw ef na buassei chweith
glaster ar y fforest honno eiryoet. ae gwyd aoedynt
kynduet aphei darffei eu deifyaw athan. Ar daear
aoed y danunt aoed yn llosgedic. ac yn torri yn
agenneu a daeardorreu. A unbennes heb y gwalchmei
llyma fforest aruthur y neb dyuot idi. ac a bery hi yn
emawr o ennyt ual hynn. Arglwyd heb hi a bery dec
milltir kymreic. eissyoes nyt ey di drwydunt wy.
Gwalchmei yn edrych yn vynych ar yr unbennes aoed
yn kerdet ar y thraet. ac yn drwc ganthaw na allei
wellau arnei. Yna marchogaeth awnaethant yn y
doethant ovywn glynn. Ac yna edrych aoruc gwalchmei
oe vlaen ac arganuot castell yn ymdangos idaw. Ac
yngaeedic yn y gylch o gylch o vur gwann. Ac nyt
oed dec na chwbyl y castell. a neuadeu duon aruthur
yndaw. a dwfyr du mawr yn disgynnu o vynyd drwy
y castell dan verwi. ac ef awelei borth y castell yngyn-
duet aphei at vei o haearn pygyeit. ac ef a glywei cri
yn dywedut or castell. Och duw pa drigyan yssyd ar
y milwr da. a pha bryt y daw ef. A unbennes heb y
gwalchmei pa ryw gastell yw hwnn. a pha ryw bobyl
yssyd yn gweidi am dyuotyat y milwr da. Arglwyd
heb hi castell y meudwy du y gelwir hwnn. Ac yr
duw arglwyd heb hi yr archaf ytt nat ymyrrych ar dim
ar awnel neb ytt o dyvywn. kanys ef a damweinyei ytt
anghyveilyorn. ac nyt oes heuyt gedernyt yn eu herbyn.

ar hynny dynessau aorugant tu ar castell. Ac ual y
bydynt wy uelly wynt a welynt yn dyuot trwy borth y
castell marchogyon urdolyon duon mawr. ac eu harueu
yn duon. ac yd oedynt wrth rif. un a thrugeint a
chant. ac yn dyuot gyntaf ac y gellynt parth ac att y
morynyon ar gadeir. ac yn kymryt deudec adeugeint a
chant o benneu. a phob un yn taraw y waew yn yr
eidiaw. ac yn mynet yr castell. ac argysswr mawr a vu ar
walchmei pan weles gwneuthur uelly. a chewilydyus vu.
Arglwyd walchmei heb yr unbennes ti awely mae
bychydic a dal dy gedernit ti yr awrhonn. Gwae vi
heb ef ys drwc a gastell yw hwnn. Ie heb hitheu. ny
cheffir gwaret vyth o hynn. nar rei a glywy di yn ym-
gwynaw. ny chaffant eu gollwng or carchar yny del y
marchawc da a glywy di wynt yn gweidi am danaw.
A unbennes heb y gwalchmei ef a dichawn y marchawc
hwnnw uot yn llawen pan allo oe gedernyt distriw
kymeint a hynny o genedyl drwc. Gwir a dywedy di
heb hi. eil oreu yw ynteu yn yr holl vyt onyt goreu. a
ieuanc digawn yw. adoluryus yw gan vyngcallon am
na wnn pa le y mae. velly vy hun heb y gwalchmei.
A allafi vynet ymeith bellach gan dy gennat heb y
gwalchmei. Na elly yny delwyf heb y castell. a gwedy
hynny mi adangossaf ytt y fford y dylyych vynet.
Agwedy hynny y kerdassant y gyt. ac megys y bydynt
yngadaw y castell. nachaf yn dyuot drwy borth bychan
ar y castell. marchawc yn aruawc o bop arueu. a gwaew
yny law. a tharyan am y vynwgyl. a llun eryr o eur
yndi. Ac yna dywedut awnaeth ef wrth walchmei.
A unben heb ef aro yma. Beth a reyngk bod ytti heb
y gwalchmei. Ef avyd reit ytti ymwan ami heb y
marchawc. ac ennill vyntaryan neu ynteu myui aen-
nillo y teu di. am taryan i yssyd da. ac am hynny y
dylyy di ymdaraw ynffest oe cheissyaw. ac y gyt a
hynny un or gwyr goreu or byt bieivu y daryan. A
phwy yttoed ef heb y gwalchmei. Iudas machabeus
heb yr ynteu. Gwir adywedy di gwr da vu hwnnw
heb y gwalchmei. wrth hynny llaewnha oll y dylyut
titheu geissyaw y daryan ef heb y marchawc. kanys y

teu di yssyd dlottaf taryan or a weleis eirmoet. ac nyt
oes neb ae hadwaeno onyt ovreid. Gwir adywedy heb
y gwalchmei. wrth hynny y gelly ditheu adnabot na
bu nar daryan nar gwr nar march yn gorffowys ual y
bu y teu di. A unbenn heb y marchawc nyt reit y ni
hir dadleu. ef a vyd reit ytti ymwan a myui. ac ydwyf
yth rybudyaw. A unbenn heb y gwalchmei mi awnn
beth adywedy di. Ac yna ymchoelut draegevyn
aoruc yr kymryt redec oe varch. Ac ymgudyaw
ynghyscot eu taryaneu awnaethant wy. Ac o nerth
traet eu meirch ymgyrchu aorugant. Ar marchawc
adrewis gwalchmei yn y daryan yny vyd y gwaew
trwydi y rwng y vreich ae ystlys mwy no llatheit ac
yny dorres y waew. A gwalchmei ae trewis ynteu
ymperued cledyr y dwy vronn. yny aeth dros bedrein
y varch yr llawr ac yny vyd y gwaew yndaw ynteu
llet llaw. A thynnu y waew aoruc attaw. Aphan
wybu y llall y vrathu. kyuodi yn vuan a awnaeth ef a
dyuot att y varch acheissyaw roi y droet yn y warth-
afyl. pan griawd morwyn y gadeir ar walchmei rac
idaw esgynnu ar y varch. kanys pei esgynnei. gormod
vydei dy boen kynn goruot arnaw.

XCII.—Pan gigleu y marchawc henwi gwalchmei.
ef aovynnawd. ae gwalchmei nei arthur wyt ti. Ie
ys gwir heb yr unbennes. Apheth a vynnut ti wrth
hynny. minneu a ymrof idaw megis gwr aorchyvyckit.
a drwc yw gennyf na wybuum hynny yr meityn. ac ar
hynny tynnu y daryan y am y vwnwgyl a gostwng idaw.
adywedut wrthaw. Arglwyd hwde di daryan y gwr
da gynt. kanyt atwaen i neb ae dylyo yn well no thydi.
ac ar daryan honn y goruuwyt ar gwbyl or marchogyon
y rei yssyd yngharchar yn y castell hwnn. Yna
gwalchmei a gymerth y daryan. ar marchawc aerchis
idaw ynteu y daryan. kany dygy di dwy daryan. Gwir
a dywedy di heb y gwalchmei. ac yna y thynnu y am
y vwnwgyl ar vedyr y roi idaw. pan dywawt yr un-
bennes. Gwalchmei heb hi ae roi y daryan yssyd yth
vryt ti. Or dwc ef dy daryan di ymywn. y rei yssyd
yno adywedant daruot goruot arnat. ac adeuant allan

yn dwyn ni ac yth dwyn ditheu ymywn on hanuod.
kanys ny dygir y mywn daryan. onyt yr honn aorchy-
uycker. A unben heb y gwalchmei nytyttoedut ti yn
puchaw ymi dim o da. Arglwyd heb ynteu dy nawd
yr duw. a llyma vi yr eilweith yn ymroi ytti. yr hynny
ual kynt da vuassei gennyfi pei cawsswn dy daryan di
kanys nyt athoed yno eiryoet daryan marchawc well
no thydi. a mi adylywn vot yn llawen wrth dy dyuotyat
kyt darffo ytt vy anafu. kanys neurdaroed ytt vyntynnu
o garchar aoed waeth no hynny. Paryw le oed hwnnw
heb y gwalchmei. yma heb y marchawc yd oed fford
marchogyon urdolyon. ac yma y deuynt wynteu yn
vynych. Sef y bydei reit ymi ymwan ac ymlad a
phawb. a mynych oed ymi oruot ar bawp. ac anregu y
rei yssyd odyvywn onadunt. Ac uelly y gwnathoedwn
i a thitheu pei asgallasswn. yn hynny ny weleis i eirm-
oet marchawc ambwryei i namyn tydi. kyt gwelwn am
anafei. A chanys wyt ti yndwyn y daryan. a gwedy
goruot arnafinneu. mi arof vy llw ytitheu na wneir cam
nac amarch y neb or a el heb y castell hwnn vyth o hynn
allan. Myn vy llw inneu heb y gwalchmei gwell yw
gennyfinneu yr ennill hwnn yr awrhonn no chynneu.
Arglwyd heb y marchawc myui aaf ymeith gan dy gen-
nat. Dos ditheu heb y gwalchmei. a duw a wnel ytt
wneuthur yn da o hynn allann. Yna arglwydes y gadeir
adywawt ac a erchis y walchmei roi idi hi y daryan a
vynnassei y marchawc y chaffael. A unbennes heb y
gwalchmei ti ae keffy yn llawen. A hitheu ae kymerth
ac ae roes yn y gadeir. Ar marchawc aaeth yr castell.
Ac yr awr y doeth ef ymywn ryw gynnwryf a gyuodes
yn gymeint ac yny yttoed y fforest yn godyrdu. Yna
yr unbennes a dywawt wrth walchmei. Arglwyd heb
hi y marchawc a vwrywyt yngharchar. Awn ni ymeith
yn vuan odyma.

XCIII.—Ac yna y kerdassant wy ygyt yny gerdas-
sant villtir. A unbennes heb y gwalchmei agaffafi dy
gennyat ti bellach. Key heb hi yn llawen. a duw a vo
gwercheitw atarnat. ac adalo ytt dy gedymdeithyas da.
A unbennes heb ynteu vynggwassanaeth i a vyd parawt

ytti ynwastat. Duw a dalo ytt heb hi. Ac weldy
racko dy fford di y vynet heb y groes racko. Aphan
darffo ytti adaw y fforest honn. ti adeuy y fforest arall
deckaf or aweleist eiryoet. Ar hynny gwalchmei aaeth
racdaw oe fford. Pan gigleu yr unbennes aoed ar y
thraet yn dywedut. ac yn galw arnaw. Gwalchmei.
Gwalchmei heb hi. nyt wyt ti mor bwyllus di ac y
tebygasswn i. Ac yna troi penn y varch yndechrynedic
aoruc gwalchmei. a govyn idi paham. Am na ovyn-
neist ym arglwydes i paham y mae yn dwyn y breich
ar y hysgwyd. kymeint vyd dy vedylyeu di. pan delych
y lys brenhin peleur a hynny. Agedymdeithes heb hi
na ogana di walchmei ehun mwy no holl deulu arthur.
kanys nys govynnawd neb onadunt. Yna yr unbennes
aerchis y walchmei kerdet draegevyn. ac adywawt mae
ouer oed idaw y ovyn bellach. ac nys gwybydy paham.
yny gwypych y gan y marchawc urdawl a elwir cwart
cwardyn yn ffrangec. y marchawc cachyat y gelwir
ynteu ynghymraec. a hwnnw yssyd varchawc urdawl
ymi ac yssyd ym keissyaw. A unbennes heb y gwalçh-
mei nysgovynnafinneu mwy ytti. Ac yna kychwyn
racdaw aoruc ef. Yma y mae yr ymdidan yn tewi am
vorynyon y gadeir. ac yn traethu am dan walchmei.

XCIV.—Ema y mae y kyvarwydyt yn dywedut adaw
o walchmei y fforest hagyr. a dyuot yr dec. yr honn
aoed lawn o bop da ac aniueilyeit tec. A marchogaeth
aoruc yn vedylgar. ac ovyn arnaw y oganu am a
dywawt y vorwyn wrthaw. A marchogaeth awnaeth
ef yn hyt y dyd hwnnw yny oed yr heul yn mynet y
gysgu. Ac yna edrych oe vlaen aoruc ef. ac arganuot
cudugyl ynymyl capel yn tewdwr y fforest. Ac yn ymyl
y capel yd oed ffynnawn yn tardu y dan vric prenn. A
morwyn ieuanc dec yn eisted yn ymyl y ffynnawn. ac
yn y llaw mul erbyn y ffrwyn. ac ar y goryf ol oe gyfrwy
ydoed penn gwr marw. Gwalchmei agyrchawd tu ac
yno. ac adisgynnawd. A unbennes heb ef duw ath
vendigo. a thitheu duw avo da yt heb hi. A unbennes
heb ef beth yr wyt ti yn y aros. Arglwyd heb hitheu
y meudwy or capel hwnn. yr hwnn aaeth yr coet racko.

ami avynnwn y welet y ovyn chwedleu am varchawc
urdawl yd wyf yn y geissyaw. adebygy ditheu heb ef
ae gwyr ef. Ef adywetpwyt ym y gwydyat ef heb hi.
XCV.—Megys y bydynt wy uelly nachaf y meudwy
yn dyuot. ac yn y grassawu. ac odyna agori drws ar y
dy a dwyn y meirch y mywn. a thynnu eu ffrwyneu oc
eu penneu. acheissyaw tynnu eu kyfrwyeu. pan y llidy-
awd gwalchmei adywedut na pherthynei ar y ystat ef
hynny. Paham heb ynteu. myui a wybumi hynny
gynt. kanys mi a vum was y uthur bendragon mwy no
deugein mlyned. Ac ydwyf yma yr ys deng mlyned
ar hugeint. Yna gwalchmei a dynnawd y kyfrwyeu.
a mwy vu y lafur ynghylch y mul noc ynghylch y varch
ehun. Yna y meudwy agymerth gwalchmei erbyn y
law. ac ae duc yr capel. llyma heb y gwalchmei le tec.
gwir a dywedy di heb y meudwy na diosc di dy arueu.
kanys fforest anturyus yw honn. ac ny dyly gwr da or
byt vot yn diaruot. ac yna kyrchu y waew ae daryan
aoruc gwalchmei. ae roi yny ymyl. Ymeudwy yna a
duc udunt y kyfryw vwyt ac aoed ganthaw. a dwfyr or
ffynnawn oe yuet. A gwedy daruot udunt vwyta. yr
unbennes adywawt wrth y meudwy. Arglwyd heb hi
awdost di dywedut ymi un chwedyl ywrth y marchawc
urdawl ydwyf yn y geissyaw. Pa un yw hwnnw heb
ynteu. Y marchawc urdawl or santeid lines heb hi.
Ny wn i heb ynteu chweith diheurwyd y wrthaw ef.
namyn ef a vu dwyweith yman yr panyw blwydyn.
Arglwyd heb hitheu ae ny wdost di amgenach no
hynny. Na wn myn vyngcret heb ynteu. a thitheu
unbenn heb hi awdost di dim ywrthaw ef. Mi avynn-
nwn y wybot heb y gwalchmei yn gynlawenet a chennyt
titheu. a weleist ditheu dim y wrth vorynyon y gadeir
heb hi. Gweleis heb ynteu ac nyt oes yn emawr yr
hynny. a yttoed eu harglwydes wy yndwyn y breich
yngkroc wrth y hysgwyd. Yttoed heb y gwalchmei.
Yna y meudwy a dywawt ac aovynnawd y walchmei
pwy oed y henw. Ef am gelwir i gwalchmei. nei yr
ymherawdyr arthur heb ynteu. Hanvit hoffaf oll gen-
nyf i hynny heb y meudwy. Arglwyd heb yr unbennes

nyt reit ytt un vocsach yr dy vot yn nei idaw. ac myn
vyngcret heb hi anhoff yw gennyfi pob marchawc
urdawl or byt oe achaws ef. yr hwnn a gyfaruu a mi
yn ymyl capel seint awstin. atheckaf marchawc oed or a
weleis i eirmoet. ac yn ymlad yn wrawl ac arall. ac ef
ae lladawd. a minneu aercheis idaw ef roi ymi y benn
ef. ac ynteu aaeth oe gyrchu. ac ae duc ymi. Eissyoes
pan dywawt ef ymi panyw arthur oed y henw. ny bu
vawr hoff gennyfi ef. am y vot yn un henw ar brenhin
drwc hwnnw. A unbennes heb y gwalchmei ti a elly
dywedut yr hynn a vynnych. ami a dywedaf ytti yn
lle gwir vot y brenhin wedy gwneuthur gwled yr
awrhonn vwyhaf or awnaeth eiryoet. achwbwl oe dy-
lwyth ae vilwyr ygyt ac ef. ae vot yn ymadaw heuyt ar
drygyoni yd wyt yn y vwrw arnaw. ac ygyt a hynny
heuyt nyt atwaen i neb ryw uarchawc ae henw yn arthur
onyt efo. Iawn awney di esgussodi drostaw ef heb hi.
kanys dy ewythyr yw. Eissyoes ny thal nytwyd dy
esgussot ti drostaw ef pryt nat ymendao efe ehun. Yna
y meudwy adywawt wrth walchmei. Gat yr unbennes
dywedut a vynno. yr hynny duw a diangho arthur rac
drwc. kanys y dat ef am gwnaeth i yn uarchawc urdawl.
ac yr awrhonn ydwyf yn offeiryat. Ami awassaneytheis
brenhin peleur yr pan doethum yma. a hynny drwy
orchymun iessu grist. a chyn berffeithyet yw y lle y mae
y brenhin hwnnw yndaw. ac nat oes neb or avei yno
vlwydyn a debygei y uot yno vis. kanys yn y capel yno
y mae seint greal. ac am hynny ydwyfinneu mor ieuanc
ac y gwely di. Arglwyd heb y gwalchmei pa fford yr
an i parth ac yno. Myn vyngcret heb ynteu nawn i
y uenegi ytti ac nat ey ditheu yno vyth onyt duw ath
drosso. ac ae yno y mae yth vryt titheu vynet. Myn
vyngcret heb y gwalchmei panyw hynny oed ewyllys
gennyf. Ie heb y meudwy ot ey di yno duw awnel ytt
vedru y govyn. yr hwnn a ysgaelussawd y llall y dywed-
ut. pan ymdangosses seint greal idaw.

XCVI.—Ar hynny tewi awnaethant. amynet y or-
ffowys. Athrannoeth pan ymdangosses gwawr dyd
kyuodi awnaeth gwalchmei achael y varch wedy y

D D

gyweiryaw. Ac yna yr capel ydoeth ef. a phan doeth
ydoed y meudwy wedy ymwisgaw y ganu offeren. Ar
unbennes ar dal y deulin geyr bronn yr allawr yn
gwediaw duw dan wylaw. a gwedy idi wylaw talym a
gwediaw kyvodi y vyny aoruc. Ac yna gwalchmei
agyuarchawd gwell idi. ual hynn. dyd da arodo duw ytt
unbennes. ac y titheu yn wastat y kyfryw heb hitheu.
Ef awelir ymi heb y gwalchmei nat wyt lawen di.
Iawn yw ym hynny heb hi. kanys agos wyf am didref-
tadu. kanys nyt yttwyf yn damweinyaw ar yr hynn
yrwyf yn y geissyaw. bellach ef a vyd reit ym vynet y
gastell y meudwy du y dwyn y penn racko yno yssyd
ar vyngkyfrwy. kanys yn amgenach ny edit ym vynet
drwy y fforest honno heb gewilydyaw vyngkorff. a
hwnnw vyd tal udunt dros vy fford i. gwedy hynny mi
aaf y geissyaw morynyon y gadeir. ac y gyt ac wynt y
kerdaf y bop lle. Ac arhynny y dechreuawd y meudwy
yr offeren. A gwalchmei ar unbennes ae gwarandaw-
awd. Aphan daruu yr meudwy ganu yr offeren. eu
kennat a gymerassant. a gwalchmei agerdawd or neill
parth. ar unbennes oe fford hitheu. ac ymannerch
aorugant. Yma y mae yr ymdidan yn tewi am yr un-
bennes. ac yn ymchoelut ar walchmei.

XCVII.—Gwalchmei yna agerdawd racdaw drwy y
fforest dan wediaw duw ar y danuon tu ar fford a
gyrchei y lys brenhin peleur. Ac ual y bydei wedy
marchogaeth hyt am hanner dyd. ef a welei was ieuanc
tec dan vric prenn gwedy disgynnu. Ac yr awr y doeth
gwalchmei attaw y rassawu aoruc y gwas. yna gwalch-
mei aovynnawd yr gwas pa le y mynnei y vot. mi a
vum yn keissyaw y gwr bieu y fforest honn yma. Pwy
bieu hitheu heb y gwalchmei. Y marchawc urdawl eil
goreu or holl vyt bieu. Awdost ti heb y gwalchmei
dywedut ymi chweith diheurwyd y wrthaw ef. Nawnn
heb ynteu namyn hynn. ef a dyly dwyn taryan liwedic
o eur ac assur. a chroes goch trwydi a bogel o eur yn
y pherued. A mi a dywedaf y vot yn varchawc urdawl
da. ac ny dylywn i y dywedut kanys ef a ladawd vyntat
i yny fforest honn a gaflach. a hynny heb y rybudyaw.

a mab yttoed ef yna. A minneu adialaf hynny arnaw.
or byd ym vod y ymgyfaruot ac ef. ac ny bydaf vyth
lawen yny darffo ym y dial. A unbenn heb y gwalch-
mei kanys gwdost di y vot ef yn gyngadarnet ac yn
gystal marchawc ac y mae. mogel rac gwneuthur dy afles
dy hun. a mi a vynnwn daruot ytt ymgael ac ef dan
amot na bei chweith drwc y ryngoch. Ny byd hynny
vyth heb y gwas pa le bynnac y gwelwyf i ef na rettwyf
am y benn megys am benn vyngelyn marwawl. A un-
benn heb y gwalchmei dy ewyllys ydwyt yn y dywedut.
A dywet ym unbenn aoes chweith kyuanned yny fforest
honn yn y lle y gallwyf lettyaw heno. Arglwyd heb
y gwas ny wnn i yr un o hynn hyt ar ugein milltir.
ac y mae yn hwyrhau. Yna kychwyn aoruc gwalchmei
ymeith heb wybot pa le ydaei. namyn mal y dyckei y
anturyeu. a hoff oed ganthaw decket y fforest. ac amlet
yr aniueilyeit gwylltyon yn mynet hebdaw wrth varchog-
aeth. Ac uelly marchogaeth aoruc ef yny yttoed yn
bryt gosber. ac neurdaroed idaw marchogaeth ugein
milltir yr pan ymwahanassei y wrth y gwas. Yna ovyn
avu arnaw na chaffei chweith kyfanned yn y nos honno.
Ac yna ef awelei weirglawd deckaf or byt. ac arhynt
castell yn ymdangos idaw. ac ychydic vynyd yn agos
yr castell. ac yn gaeedic o vur uchel yn dyblic. a bylcheu
arnaw. a hen dwr mawr ymperued y castell. ac yngkylch
y castell yd oed gweirglodyeu tec. a pharth ac yno y
kyrchawd gwalchmei. Ac ual y byd yn dyuot y tu a
phorth y castell. ef awelei was ieuanc. ar gevyn hacknei
yn dyuot yn y erbyn. Yna y gwas a gyfarchawd gwell
y walchmei. Antur da y titheu heb y gwalchmei. A
gedymdeith heb y gwalchmei pa ryw gastell yw hwnn
racko. Arglwyd heb ynteu castell yr wreic wedw o
gamalot yw hwnn. ac a vu eidaw iulien lygros. ar
arglwydes honno yssyd heb neb ryw nerth idi or byt
a ryuel arnei. kanys arglwyd y corsyd yssyd yn ryuelu
arnei. a marchawc urdawl arall y gyt ac ef. ac y maent
yn keissyaw dwyn y castell racko y genthi. Ac wynt
adugassant hyt yn hynn y arnei seith castell. ac y mae
yn damunaw yn vawr welet y mab yn dyuot. kanys

nyt oes idi neb ryw ganhorthwy onyt un verch. a phump
marchawc. o wyr prud. y rei yssyd yn y nerthockau o
gynnal y chastell. Arglwyd heb y gwas y porth yssyd
wedy y gaeu. ar pynt yssyd wedy eu dyrchafael. a phei
dywedut ti ymi dy henw myui aawn oth vlaen di y beri
gostwng y pynt ac agori y porth. ac y dywedut y
llettyut yno heno. Duw adalo ytt unben heb y gwalch-
mei. ef awybydir vy henw i kynn vy mynet or castell.
Y gwas aaeth tuar castell. a gwalchmei agerdawd yn
araf. ac aarganuu ar y fford y rwng y fforest ar castell
capel gwneuthuredic arwarthaf pedeir colovyn. o vaen
marmor. ac ymywn y doeth. ac yno ef a welei ysgrin
dec. ar gwas aaeth yr castell. ac a beris gostwng y
pynt ac agori y pyrth. A disgynnu aoruc ynteu. ac
yr neuad y doeth yn y lle ydoed y wreic ae merch.
Yna y wreic a ovynnawd yr gwas paham yr ymchoelassei.
Oachaws y marchawc urdawl teckaf or aweles neb eiry-
oet. yssyd yndyuot yma y lettyu heno heb ef. ac yn
aruoc o bop ryw arueu. ac heb neb y gyt ac ef. Pwy
y henw ef heb y wreic. Arglwydes heb ynteu ef
adywawt y gwybydit y henw ef kynn y vynet odyma.
Yna y wreic ae merch adechreuassant wylaw o lewenyd.
o debygu panyw y mab oed. a dywedut. Ny dygir y
gennyfi vy enryded bellach nam tref tat. ny chollaf vyng-
castell. yr hwnn yd oedit yn vyntreissyaw o honaw
am nat oed ym am nerthei.

XCVIII.—Yna y wreic ae merch a gyvodassant y
vyny ac adoethant hyt ar bont y castell. ac odyna wynt
awelynt walchmei yn edrych ar yr ysgrin aoed yn y
capel. Awn racko heb y wreic. drwy yr ysgrin y gwy-
bydafi os vy mab i yw ef. Yna y kerdassant wy parth
ar capel. a gwalchmei ae harganvu wynteu yn dyuot.
ac a dywawt. Grassaw wrthyt arglwydes heb ef. ac nys
attebawd y wreicda ef o un geir. namyn mynet yn
unyawn yr capel. Aphan weles hi nat ymagorassei yr
ysgrin etto. syrthyaw yr llawr yny llewic awnaeth hi.
Yna symlu arnaw yn uawr aoruc gwalchmei pan weles
hynny. Ac ympenn talym y wreic adeffroes oe llewic.
ac aroes ucheneit drom. Yna y verch adywawt wrth

walchmei. Grassaw duw wrthyt unben heb hi. Ac na
symlet arnat dim oc a wely. Kanys ef a debygassei vy
mam i panyw y mab hi oedut ti. ac yr awr honn y gwyr
hi nat ef wyt. kanys yr ysgrin honn adyly ymagori
ehun pan del ef. ac y gwybydir beth yssyd yndi. Y
wreicda a gyuodes y vyny ac a gymerth gwalchmei
erbyn y law. ac aovynnawd idaw y henw. Ef am gelwir
i heb ef gwalchmei nei yr amherawdyr arthur. Arglwyd
heb yr hitheu grassaw duw wrthyt a hynny o garyat
ar vy mab. Yna y wreicda aberis yr gwas ieuanc dwyn
y march yr castell. a roi ebran idaw. ahitheu a gan-
hebryngawd gwalchmei yr neuad. ac aberis tynnu
y arueu y amdanaw. adwyn idaw dillat o sidan oe
gwisgaw. a dyuot a dwfyr twym idaw y olchi y rwt ar
chwys y ar y dwylaw. ae wyneb. ac yna eisted yn ymyl
gwalchmei aoruc ywreic. a govyn idaw awydyat un
chwedyl y wrth y mab. yr hwnn oed reit ymi wrthaw
heb hi. Arglwydes heb ef. ny wnn i un chwedyl y
wrthaw ef yssywaeth. ac nyt oes yn yr holl vyt gwr
kyndigrifet gennyf y welet ac ef. Arglwyd heb hi mab
ieuanc oed ef pan aeth odyma y wrthyfi. Yr awr honn
yd ys yn dywedut nat oes milwr degach na chryfach
na glanach o bop camp da noc ef. ac ys oed reit ymi
wrth y vilwryaeth ef. kanys ef am gedewis mywn ryuel
mawr pan aeth y wrthyf. a hynny o achaws marchawc
y daryan goch. yr hwnn aladawd ef ae aflach yn yr
wythnos yd aeth odyma. Ac y mae brawt yr marchawc
hwnnw yn ryuelu arnafinneu yr hynny hyt hediw y
gyt ac arglwyd y corsyd. ac y mae yr hynny hyt yr
awr honn seith mlyned. Ac y maent yn keissyaw
dwyn y gennyf y castell hwnn. ony byd duw amkyng-
horo. Kanys vymbrodyr yssyd rybell ywrthyf. ac allant
vy nerthau o unmod. Nyt amgen brenhin peleur yssyd
yn glaf. hwnnw nys dichawn. Brenhin peles aedewis
y vrenhinyaeth yr caryat duw. ac aaeth yn veudwy. ny
mynn hwnnw heuyt ymyrru. Brenhin y castell marw
ny mynnwn chweith nerth y ganthaw. kanys y mae yn
hwnnw ehun o enwired gymeint ac yssyd yn y deu
ereill o daeoni. ac y mae yn keissyaw dwyn seint greal

y gan vrenhin peleur. ar gwaew yr hwnn a vyd ae benn
yn waetlyt vyth yr mynychet y sycher. ac ny wnel duw
idaw y gaffael vyth.

XCIX.—Arglwydes heb y gwalchmei ef avu y nos
arall yn llys dy vrawt ti marchawc urdawl. yr hwnn yd
ymdangosses seint greal idaw deirgweith. ac ny myn-
nawd govyn beth aarwydockaei hynny. Gwir adywedy
heb y verch. goreu marchawc urdawl or byt yw. ac ony
bei yr karyat ar vymbrawt mi ae hymelldigwn ef. Oe
garyat ef eissyoes mi agaraf bop marchawc urdawl. ac
o achaws ffolineb synnhwyr y neb a vu yno y dygwyd-
awd vy ewythyr i ymywn nychdawt. Arglwyd heb
y wreic ponyt ey di parth ac yno. mi avynnwn vy mot
yno pei duw ae mynnei heb ef. Wrth hynny ti adywedy
ymbrawt vy anghyflwr i ac ym mab os gwely. Ami
aarchaf ytt yr duw ot ymdengys seint greal ytt vot
yn well dy gof ath aruot nor llall a vu yno oth vlaen.
mi awnaf hynny yn llawen heb y gwalchmei os duw ae
kannatta.

C.—Megys y bydynt wy yn ymdidan uelly nachaf
pump marchawc urdawl y wreic yn dyuot. a cheirw ac
ewigot. a moch coet ganthunt yn dyuot or fforest. Ac
yna bwrw y rei hynny yr llawr awnaethant achyvarch
gwell y walchmei aorugant. a bot yn llawen wrthaw
pan wybuant panyw efo oed. Pan vu barawt eu bwyt
y vwyta yd aethant. ac ual y bydant yn bwyta nachaf
y gwas yndyuot ac yngostwng ar dal y deulin geir bronn
y wreic wedw. ac yn dywedut daruot idaw gwplau y
neges. ar wreic a ovynnawd pa ryw chwedleu oed gan-
thaw. Arglwydes heb ynteu. avory y byd kynnulleitua
o varchogyon urdolyon ynglynn camalot. athwrneimant
a vynnant yno. Ac yno y deuant y deuwr yssyd yn
ryuelu arnat ti. a marchogyon urdolyon ereill gyt ac
wynt. y rei a vuant deu di. ac yr goreu avo yny twrnei-
mant hwnnw drwy gytsynnedigaeth y kyffredin y rodir
idaw geitwadaeth y castell hwnn hyt ympenn un dyd a
blwydyn. ac yth dyrrir ditheu ymeith. Yna y wreic
awylawd. Arglwyd heb hi wrth walchmei ti a glywy
nat meu i dim or kastell hwnn. Mynvyngkret heb y

gwalchmei eu bot yn gwneuthur pechawt a mileindra
mawr a thi. Gwedy daruot bwyta a dyrchafael llieineu.
y uorwyn ieuanc a gyuodes y vyny ac adygwydawd ar
dal y deulin geyr bronn gwalchmei. ac ydan wylaw hi
aerchis idaw yr duw dosturyaw wrthi. Mynvyngcret
heb y gwalchmei neurdaruu ymi hynny yr meittyn.
Wrth hynny heb hitheu ef aweler avory paryw varchawc
vydy di. a llyna vilwryaeth da yw yr honn awneler yr
duw. Y wreic ar verch a gyuodassant y vyny. ac aaeth-
ant oe hystauell. a gwalchmei aaeth y gysgu y gyt ar
pump marchawc. Gwalchmei a vu y nos honno ynllawn
o vedylyeu. A thrannoeth pan gyuodes ef aaeth y
warandaw offeren. a gwedy hynny ef agymerth tri
thameit o vara a gwin. Ac odyna ef a ovynnawd yr
pump marchawc. adeuynt wy yngkyfyl y twrneimant.
awn heb wynteu ot ey di. af myn vyngcret heb ef. Ac
yna kymryt kennat y wreic ar verch aoruc gwalchmei.
a cherdet racdaw aoruc ef ar pump marchawc y gyt ac
ef. a llawenyd mawr ganthunt am vot gwalchmei yn
dyuot yr gynnulleitua gyt ac wynt. Ac yna gadaw y
castell awnaethant a dyuot yr fforest. Ac ny welsei
walchmei eiryoet fforest degach no hi. ac yn gymeint
ac na allei amkan arnei. a gweirglodyeu tec gan y hyst-
lys. Ac ymperued y gweirglodyeu y gwelei yr aniueil-
yeit gwylltyon o bop amryw aniueil. wedy dyuot or
fforest. Arglwyd heb y marchogyon wrth walchmei.
Weldyracko y glynn ar fforestyd ar gweirglodyeu
a ducpwyt y gan yn harglwydes ni ae merch. Ac ygyt
a hynny ef a ducpwyt seith gastell or rei goreu o
gymry. Cam awnaethant heb y gwalchmei. a phech-
awt mawr. Yna wynt a gerdassant racdunt yny welynt
yr arwydon ar taryaneu. ac wynt a welynt bawp yn
mynet ar eu meirch. ac wynt awelynt tynnu pebylleu
o bop parth. Yna gwalchmei asafawd dan vric prenn
ef ar pump marchawc. ac wynt a welynt y toruoed yn
dyuot o bop parth. Yna ef a dangosset y walchmei
arglwyd y corsyd. a brawt y marchawc ar daryan goch.
yr hwnn aelwit kaos goch. Yr awr y dechreuwyt y
twrneimant. gwalchmei adoeth tu ac yno. ar pum

marchawc gyt ac ef. Ac yna gwalchmei adoeth ac
avwryawd un arhynt yr llawr. ac uelly y gorugant
wynteu bop un or pump marchawc. wynt a vwryassant
un y bop un onadunt wynteu. Ac uelly ymlawenhau
ac ymgadarnhau o achaws gwalchmei a disgyblu wrthaw
aorugant. Ac yna sef aoruc gwalchmei taraw yn eu
plith ar pump marchawc urdawl y gyt ac ef. hyt nat
oed dyn or a gyfarffei a gwalchmei. nys trawei dan
draet y varch yr llawr. neu ynteu ae hanafei yndragy-
wydawl. A diruawr lewenyd aaeth yny pump march-
awc rac daet ydoed walchmei yngwneuthur. Ac yna
gwalchmei aarganuu arglwyd y corsyd yn dyuot a
thorof vawrbraff o wyr ygyt ac ef. a gwalchmei ae
kyrchawd ac ymdaraw awnaethant yngymeint ac yny
dyrr eu pelydyr. ac yny gyhyrdawd corff pob un ae
gilyd ohonunt wynteu ar eu meirch. yny dyrr y gorofol
y arglwyd y corsyd. ac yny vyd ynteu y dan draet y
varch yn wysc y benn yr llawr. Ac yna ymavael ar
march aoruc gwalchmei o anuod kwbwl or niuer. ae roi
y un oe gedymdeithyon ehun. A hwnnw ae diolches
idaw yn uawr. ac a beris y anuon yr castell. Yna
gwalchmei a geissyawd pob lle a phob torof. ac awnaeth
o nerth aruei y dyd hwnnw. ynyttoed bawp yn ryuedu
paryw beth oed. Ar pump marchawc aoedynt yn
gwneuthur yngystal ac na allei neb arnunt neb rywnei
or byt. a hynny oll o hyder ar walchmei. ac yn kyn-
nullaw meirch y bwryedigyon. ac yn eu hanuon y gastell
o gamalot. Yna arglwyd y corsyd a gyfodes oe gwymp
ac a esgynnawd ar uarch arall. a diruawr gewilyd ar-
naw am y vwrw o walchmei. Ac yna dwyn hwyl y
walchmei aoruc aruedyr dial arnaw y gewilyd. ac
ymgyhwrd ygyt aorugant. yny dorres arglwyd y corsyd
y waew ar walchmei. A gwalchmei ae trewis ynteu.
a dryll paladyr y waew yny yttoed ynweyll. Ac yna
tynnu cledyf aoruc gwalchmei. ac arglwyd y corsyd a
dynnawd arall. ac a wahardawd y dylwyth nat ym-
yrrynt y ryngthunt. kanys ny chawssoedyat eiryoet
uarchawc ae bwryei hyt y dyd hwnnw. Yna ymnewid-
yaw dyrnodeu aorugant ar eu helmeu yny yttoed eu

llygeit yn disserennu. ar tan yn neidyaw or cledyfeu.
A thrymach oed dyrnodeu gwalchmei ympell no dyrn-
odeu y llall. kanys kynffestet yr oed yntaraw. ac
ydoed y gwaet yn ffrydyeu yn dyuot oe drwyn ac oe
eneu y arglwyd y corsyd. ac yny oed y luryc yn llawn
gwaet. ac ehun yn adef ac yndywedut na allei ef odef
y vatteil mwy. ac ymroi yn garcharawr. Ac yna arg-
lwyd y corsyd aaeth oe bebyll. a gwalchmei ygyt ac
ef. yna disgynnu awnaethant. nam gwalchmei ny adawd
heb gof gymryt y march. Ac erchi y un or pump
marchawc gadw y march hwnnw idaw. Ac ar hynny
nachaf kwbwl or adathoed yno o varchogyon urdolyon
yn dyuot ac yn dywedut panyw y marchawc ar daryan
goch ar eryr eur yndi avuassei oreu. Ac yna govyn
aorugant y arglwyd y corsyd a yttoed ef yn kyttunnaw
a hynny. Yttwyf heb ynteu. Tydi arglwyd heb
wynteu wrth walchmei bieu kadw castell y wreic wedw
o gamalot hyt ympenn y vlwydyn. Duw adiolcho
ywch heb y gwalchmei. Ac yna galw y pump marchawc
aoruc gwalchmei a dywedut. Arglwydi heb ef yd wyf-
inneu yn gadaw y pump yman oe warchadw ef yn vy
henw inheu. Ac yna kytunnaw awnaethant ar hynny.
Arglwyd heb y gwalchmei wrth arglwyd y corsyd
aminneu athrodaf ditheu megys carcharawr yr wreic
wedw yr honn am llettyawd inneu neithwyr. Arglwyd
heb ynteu nywney di hynny. kanys nyt un ffunyt
twrneimant a ryuel. nam corff heuyt nys roy ditheu
yngcarchar. kanys digawn yw vyngkyuoethocket i y
dalu vy rawnswn. Ami auynnwn o ranghei vod ytti
arglwyd wybot dy henw. Ef am gelwir i gwalchmei heb
ef. Ae gwalchmei wyt ti heb ef mi a giglef dywedut
llawer amdanat. a chanys yttiw y castell o gamalot ar
dy warchadw ath uedyant ti. minneu arodaf vy llw ytti
o hynn hyt ympenn un dyd a blwydyn nat reit yr
castell nac y dim o gyuoeth y wreic vy ovyn i. namyn or
gwelaf ereill yn gwneuthur teruysc arnei mi ae llest-
eiryaf. ac or byd reit ytt wrth nac eur nac aryant mi
ae paraf ytt wrth dy ewyllys. Arglwyd duw adiolcho
ytt heb y gwalchmei a digawn yw vy modlonet ytt.

E E

Yna gwalchmei a gymerth y gennat ac aymchoelawd
tu a chastell y wreic wedw. ac a beris dwyn y march y
gyt ac ef. yr hwnn a roes ef wedy hynny y verch y
wreic wedw. yr honn avu lawen wrthaw. Ar pump
marchawc adugassant oc eu blaen wynteu yr hynn a
ennillassynt. Aphan doethant wy yr castell. nyt reit
govyn na ryuedu ot oedynt lawen y nos honno. neu ot
yttoedynt yn anrydedu gwalchmei. Yna ef adywawt
yr wreicda ual y dathoed y castell ar y warchadwedig-
aeth ef. Y nos honno rac eu blinet wynt aaethant y
gysgu heb olud. Trannoeth y bore ef agyuodes gwalch-
mei y vyny. ac a warandawawd offeren. ac agymerth
kennat y wreic ar kedymdeithyon. Yma y mae y
kyuarwydyt yn tewi am vam y milwr da. ac yn ym-
choelut ar walchmei.

CI.—Gwalchmei yna a gerdawd racdaw. wrth ual y
trossei duw y antur. ac adoeth y fforest dan wediaw
duw ar y drossi fford yr oed y vryt. Ac ar allel
ohonaw orffen y ewyllys drwy enryded. Ac uelly
marchogaeth aoruc ef yny vu bryt gosper. Ac yna ef
adywanawd argyuanned yny fforest gwedy y dam-
gylchynu o dwfyr tec redegawc. heb golli dim oe redec
yny delei yr mor. a gwyd mawr tec ynygylch ogylch
ual ydoed anawd idaw welet y llys gan y gwyd. gwalch-
mei a drosses parth ac yno ar vedyr llettyaw. Ac ual
y dynessawd tu ar llys ef awelei yn eisted ar y bont
korr bach. yr hwnn a gyuodes y vyny. ac adywawt.
Hanpych gwell walchmei. a grassaw duw wrthyt. a
gedymdeith heb y gwalchmei antur da arodo duw
yttitheu. Apha le y gweleist di vyvi pan ymadne-
pych ual hynn. Mi ath weleis di heb ef ymywn twrnei-
mant. ac mywn amser gwell ny allut ti dyuot vyth.
Paham heb y gwalchmei. Yr arglwyd nyt yttiw gartref.
heb y korr. eissyoes y mae yman yr arglwydes. y wreic
deckaf a chymhennaf oc yssyd ymbrenhinyaeth loegyr.
ac nyt oes arnei o oet mwy noc ugeinmlwyd. A unben
heb y gwalchmei pwy henw yr arglwyd. Ef aelwir
marius eidic. A mi aaf y dywedut yr arglwydes dy
vot ti yn dyuot heb y korr. aryued vu gan walchmei

meint y llewenyd yr oed y korr yny wneuthur idaw. a
mynychet oed welet mileindra ar eu kyfryw wy. Y
korr adoeth racdaw hyt yr ystauell yn y lle yd oed yr
arglwydes. Kyuot yn vuan arglwydes heb ef. a gwna
lewenyd y walchmei y milwr goreu. yr hwnn yssyd yn
dyuot y lettyaw yman heno. Am hynny heb yr arg-
lwydes yr wyf aflawen inneu. A heuyt yd wyf lawen.
Aflawen wyf kanys efo y marchawc yd erchis vynggwr
or delei yma nas llettywn. kanys nyt oed gwreic a di-
anghei y ganthaw. Or fford arall llawen wyf am uot
gwr kystal ac ef yn dyuot y lettyaw yma. Arglwydes
heb y korr nyt gwir kwbwl or adywedir. Arhynny
nachaf walchmei yn dyuot ymywn yr llys ac yn dis-
gynnu. Ar arglwydes adywawt wrthaw. Arglwyd ar
lewenyd ac anturyaeth da y delych yman. ac y titheu
yn wastat heb y gwalchmei. Y wreicda yna ae kymerth
ef erbyn y law ac yr neuad yd aethant. ac hi aberis
idaw eisted ar warthaf kylchet o sidan. ac un or gweis-
syon a gymerth y march ac ae duc yr ystabyl. ar korr
aelwis ar deu or gwyreeinc y dynnu y arueu y am
walchmei. Ac ehun ae kymhorthcs. Arglwyd heb y
korr y mae dy dwylaw di athwyneb yn chwydedic yr
pan vuost yny twrneimant etto. ac nys attebawd
gwalchmei ef o un geir. ar korr aaeth y ystauell ac aduc
idaw dillat o ysgarlat affwryr o grwyn gra yndunt. A
gwalchmei ae gwisgawd ac erbyn hynny neurdaroed roi
llieinyeu ar y byrdeu. A gwalchmei ar arglwydes
aaethant y eisted. a gwalchmei aedrychawd yn vynych
ar yr unbennes rac y thecket. A phei mynnassei ef
gredu oe gallon. ac oe lygeit ef a newidiassei y uedwl.
Eissyoes neurdaroed oe gallon y rwymaw yngyn ffestet
ac na adei idaw uedylyaw dim or adrossei ar mileindra.
o achaws teilyngder y bererindawt adaroed idaw y
chymryt. Ac yna tynnu y olwc aoruc y ar y wreic. ac
ymbarattoi y vynet y gysgu aorugant. Ar wreic
adywawt wrth walchmei. Gorffwysua da arodo duw
ytt.

CII.—Gwedy mynet or unbennes oe hystauell. Y
korr adywawt wrth walchmei. Arglwyd heb ef myui

aorwedaf yma geyr dy vronn di heno. ac ath didanaf
yny gysgych. Duw adiolcho ytt heb y gwalchmei. ac
awnel ym allel y haedu neu y diolwch ytt yn ryw
amser. Y korr aorwedawd geyrbronn gwalchmei ar
warthaf kylchet. Aphan weles ef vot gwalchmei yn
kysgu. ef agyuodes yn arafaf ac y gallawd ac adoeth
hyt lle yd oed bat bychan yngglann yr auon. ac aaeth
yndaw. ac a nofyawd yny doeth y bysgotlyn. ac yn
ymyl hwnnw yroed neuad ymywn ynys vechan. yn y
lle ydoed marius yn kysgu. Yr hwnn adathoed yno y
chware. Y korr adoeth or bat allan ac yr neuad y
kyrchawd. a golleuhau aoruc lloneit y dwylaw o gan-
hwylleu. a dyuot hyt geyr bron y gwely. a dywedut ual
hynn. Ae kysgu ydwyt ti arglwyd heb ef. yna marius
adeffroes yndechrynedic. ac aovynnawd beth a daroed
idaw. Nyt kynesmwythet ytti heb y korr ac y walch-
mei. Ni wdost beth adywedy heb y marius. Gwnn
heb y korr y vot ef yn kysgu yn dy lys di y gyt ath
wreic. Pony daroed ymi heb ynteu pei ron y dyuot ef
yno erchi na lettyit. Mynvyngcret heb y korr na
allawd hi wneuthur eiryoet o lewenyd y wr kymeint ac
awnaeth idaw ef. ac am hynny bryssya di yno kanys y
mae arnafi ovyn yd a ef a hi ymeith kynn dy dyuot ti.
Myn vyngcret heb y marius nyt afi yno hyt tra vo
ef yno.

CIII.—Gwalchmei aoed yny neuad yn kysgu heb
ymoglyt dim rac hynny. Aphan weles ef y vot yn dyd
ef a gyuodes y uyny. Ar arglwydes adoeth yno. Aphryt
na weles hi y korr hi aadnabu y dwyll. Arglwyd heb
hi wrth walchmei trugarhaa wrthyfi. kanys neum twyll-
awd y korr. ac onyt tydi am nertha i ef a oruyd arnaf
odef diruawr boen oth achaws. a chewilyd yw ytti
hynny. kanys ny haedyssam ni in kewilydyaw. ac ny
dylyaf inneu gael kewilyd oth achaws di. Gwir a dywedy
di heb y gwalchmei. Ac yna kymryt y arueu aoruc
gwalchmei. ac eu gwisgaw athrwy gennat yr unbennes
mynet ymeith. ac ymgudyaw aoruc ef yn agos yr ty.
Arhynny marius eidic ae gorr adoethant y mywn yr
neuad. Ahitheu agyfodes yn eu herbyn wy. ac ady-

wawt. Arglwyd heb hi dyd da a rodo duw ytt. Ac
y titheu heb y marius antur drwc y gan duw. Paham
heb ef y llettyut ti walchmei neithwyr yn vy llys i ac
yn vynggwely. Pony daroed ymi dy rybudyaw di yn
enwedic o honaw ef. Arglwyd heb hi yn dy lys di y
llettyeis i ef. Yr hynny nam corffi nath wely ditheu
nyskewilydyawd ef. Kelwyd adywedy megys ffals-
wreic heb ynteu. Ac yna gwisgaw y arueu aoruc ef
yn llidiawc. ac erchi dwyn y varch idaw. ac odyna peri
yr wreic diosc y holl dillat onyt y chrys. Hitheu vyth
dan wylaw yn erchi y nawd ef. Yna ef aesgynnawd ar
y uarch. ac a erchis yr korr gymryt y wreic herwyd y
ffletheu gwallt ae thynnu yn eu hol yr fforest. Aphan
doethant yr fforest wynt abarassant yr wreic vynet y
ffynnawn aoed dan vric prenn yn y lle hwnnw. ar dwfyr
yn oerach noc a vu eiryoet o eiry. a disgynnu aoruc
marius. a llad dyrneit o wial meindost. ae maedu ae
ffustyaw yny oed y dwfyr yn colli y liw gan y gwaet.
Sef awnaeth hitheu yna llefein a gwediaw ac erchi nawd
oe gwr. Ac yna gwalchmei yn y lle yd oed a gigleu
hynny. ac adoeth kyntaf ac y gallawd tu ac yno. Yna y
korr adywawt wrth uarius. Arglwyd heb ef llyma
walchmei yn dyuot. Ie heb ynteu yr awr honn y gwnn
i vot yn wir pob peth o hynn.

CIV.—Marius heb y gwalchmei yd wyt ar gam wrth
yr arglwydes oreu or aweleis eirmoet achwrteissyaf
wrth lettywr adelei attei. ac am hynny y dylyut titheu
y diolwch idi. ac yr wyt titheu yn gwneuthur diruawr
gewilyd yr awr honn idi hi. ac nys gwnn i paham. a mi
ath wediaf di yr vyngkaryat i ar uadeu idi dy lit. a
minneu parawt wyf y dyngu na wneuthum i chweith
kewilyd ytti. ac na bu gennyf dim medwl oe wneuthur.
Yna marius a ymgyflawnawd o lit pan weles nat athoes
walchmei ymeith etto. ac adoeth idaw loes o eidiged.
ac a ennynnawd y gorff ae gallon yny vedylyawd gwn-
euthur diruawr ffyrnigrwyd affolineb. Gwalchmei heb
ef mi a vadeuaf vy llit idi drwy amot ymwan ohonat
titheu amyui. Ac os tydi a oruyd arnafi. hitheu a
vyd ryd or hynn yr ys yn y vwrw arnei yr awrhonn.

Ac nyt archaf amgen heb y gwalchmei. Ac yna yd
erchis marius yr korr dwyn y wreic or dwfyr. Ac ynteu
ae duc hi. ac aerchis idi eisted yn y llannerch yn y lle
y dylyei y marchogyon ymwan. Ac yna gwalchmei
adroes draegevyn y gymryt redec oe verch. A marius
yr unffunyt. Aphan weles marius gedernit gwalchmei
ae diwygyat yny gyrchu. ef avrathawd y varch a dwy
yspardun yny erbyn. Ac a ellyngawd gwalchmei heib-
yaw. ac a ostyngawd penn y waew tu ar llawr. ac a
gyrchawd tu ae wreic. ac ae brathawd yny vyd y
gwaew trwydi. ac odyna ffo yn vuan aoruc tu ae lys.
Ac yna gwalchmei aedrychawd ar y wreic yn marw. ac
ar y korr yn ffo ar ol y ueistyr. ac ynteu ae hymlityawd
ac ae godiwedawd ac a beris yr march y gyvarsenghi
yny yttoed y ymysgar am y draet. a gwedy hynny ef
a gyrchawd yn ol marius tu ar llys. Aphan doeth ef
yr bont. neur daroed dyrchafel y pynt a chaeu y pyrth.
A marius or tu mywn yndywedut. Gwalchmei y collet
hwnn adoeth ymi oth blegvt ti. ac or bydaf vyw i mi
awnaf vot yn ediuar ytt. Ny bu wiw gan walchmei
hir dadleu ac ef. namyn ymchoelut draegevyn aoruc
pan weles na allawd mynet y mywn. a dyuot hyt y lle
yd oed y wreic yn uarw ae chymryt yn arafaf ac y
gallawd ae roi ar y varch a dyuot ahi hyt ymywn
capel. a disgynnu y korff awnaeth ef ae ossot ar y llawr
yn araf. ac ynteu yn doluryus ac yn llidiawc wrth
hynny. ac odyna caeu y capel aoruc ef rac dyuot
bwystuilot or fforest. a medylyaw y deuit oe hamdoi ac
oe chyweiryaw gwedy y delei ef ymeith.

CV.—Ar hynny gwalchmei aaeth ymeith yndrist
ac yn vedylgar. kanys ny chyfaruuassei ac ef eiryoet
dim kyndrwc ganthaw ac am y wreicda. a ladyssit oe
achaws efo. Ac yna marchogaeth aoruc ef drwy y
fforest. ac ual y byd uelly ef awelei yn dyuot ar hyt
y fford tuac attaw marchawc. ac aruer ryued ganthaw
wrth uarchogaeth. kanys y wyneb aoed ar bedrein y
varch. ae arueu gwedy eu trwssyaw yn trwssa ar y
gevyn. Ac ynteu pan weles ef walchmei yn dyuot
gweidi aoruc. a dywedut. Oia varchawc bonhedic yr

hwnn yssyd yndyuot ym herbyn. yr duw yr archaf ytt
na wnelych ym chweith drwc. kanys myui aelwir y
marchawc cachyat. Mynvyngcret heb y gwalchmei
nyt wyt tebic y wr a dylyit gwneuthur dim o gam
idaw. Aphanybei y medylyau aoed mywn gwalchmei
or blaen ef a chwardassei lawer am y arwydon. a gwalch-
mei adywawt wrthaw. a unbenn heb ef nyt reit ytti
vy ovyn etto. Ac ar hynny dynessau at walchmei
aoruc ef ac edrych yn y lygeit. a gwalchmei aedrychawd
arnaw ynteu. ac aovynnawd idaw pioed gwr. ynteu
a attebawd ac adywawt panyw gwr yttoed y vorynyon
y gadeir. mynvyngcret heb y gwalchmei mae mwyaf oll
yth garaf. Wrth hynny nyt reit ym un ovyn. Na reit
mynvyngcret heb y gwalchmei bit diogel yt. Y marchawc
kachyat aedrychawd ar daryan walchmei. ac ae hadnabu.
ac a dywawt. Arglwyd heb ef myui awnn pa un wyt
ti. ac yr awrhonn mi adysgynnaf ac awisgaf vy arueu.
ac a varchockaaf y gyt athi yn iawn. kanys mi awnn
panyw tydi yw gwalchmei. kanys mi awnn nat ennillei
neb y daryan honno onyt tydi. Ac yna gwisgaw y
arueu aoruc ac adolwc y walchmei yr duw y aros yny
darffei idaw wisgaw y arueu. a gwalchmei awnaeth
hynny yn llawen ac ae kymhorthes. Ac ual y bydant
wy yn hynny. wynt awelynt uarchawc ar vrys yn dyuot
ar draws y fforest. a tharyan idaw. ar neill hanner idi
yn wenn arllall yn du. Ac yn dywedut yn uchel wrth
walchmei. aro yna. kanys ydwyf yth rybudyaw y gan
uarius eidic yr hwnn aladawd y wreic oth achaws di.
A unbenn heb y gwalchmei om anuod i y gwnaeth ef
hynny. a drwc vu gennyf idaw wneuthur hynny. kanys
ny haedassei hi om achaws i dim oe hangheu. Ny thal
hynny dim heb y marchawc. namyn os myui aoruyd
tydi yssyd ar y cam. Os titheu aorvyd vy arglwyd
inheu yssyd ar y cam. ac idaw y byd y kewilyd. a
thrwydot ti y byd reit idaw gynnal y castell. drwy amot
vynggellwng ohonat yn vyw. Ny cheissyafi amgen
heb y gwalchmei kanys duw a wyr nat yttwyfi ar y
cam. Yna y marchawc cachyat adywawt. Gwalchmei
heb ef nac ymlad ar.marchawc om hyder i. kanys ny

cheffy di gennyfi na nerth na chanhorthwy. Nym tawr
heb y gwalchmei. myvi aorffenneis lawer o betheu
hebot ti. A mi aorffennaf hynn heuyt os da gan duw.
Ac yna o nerth traet eu meirch ymgyfaruot aorugant.
athorri eu pelydyr. ac ar dyrnawt gwalchmei ef avu
reit yr marchawc syrthyaw ef ae varch yr llawr. Ac
odyna tynnu y gledyf aoruc gwalchmei aruthraw idaw.
Ae vy llad i yssyd yth vryt ti. Ie myn vyngcret heb
y gwalchmei. Arglwyd heb y marchawc na wna hynny
mi a ymrof ytt. ath nawd aarchaf kanys ny mynnafi
varw yr ffolineb arall. Medylyaw aoruc gwalchmei
yna. na wnaey idaw dim drwc. kanys nyt oed hawd
ganthaw torri gorchymun duw. Yna y marchawc agy-
uodes ac awnaeth gwrogaeth idaw oe arglwyd ac oe gorff
ac oe da yn hollawl yr y vywyt.

CVI.—Arhynny y marchawc aaeth ymeith. a gwalch-
mei a drigyawd yno. Arglwyd heb y marchawc cachyat
ny mynnwn I vy mot yngyndewret athydi yr da y
byt oll. a phei rybudyassei ef vyui. ual yth rybudyawd
di mi a phoasswn ar hynt neu ynteu mi aarchasswn y
nawd. Iawn awnaut heb y gwalchmei. ny mynny di
namyn hedwch. Po nyt iawn yw hynny heb ynteu.
kanys ny daw o ryuel namyn drwc. ac ny chefeis i
eirmoet na dyrnawt na briw o nymtrawei ganghen or
coet. ami awelaf dy wyneb di yn drylleu. ac yn iach ytti
heb ef a myui aaf yn ol vy arglwydesseu. Nyt ey di
heb y gwalchmei yny dywettych ym paham y mae dy
arglwydes di yn dwyn y breich yngcroc wrth y hysgwyd.
Mi aedywedaf ytt yn llawen heb ynteu. Hi a vu yn
llys brenhin peleur yn gwassanaethu seint greal. ar
llaw honno pan doeth y marchawc urdawl yr llys yr
hwnn yd ymdangosses seint greal idaw. ac ny ovyn-
nawd beth a arwydockaey. ac o achaws y bot hi yn daly
y racwerthuawr lestyr hwnnw yn y llaw yn yr honn yd
oed y gogonedus waet yn disgynnu o vlaen y gwaew.
ac am hynny ny dalyawd hi etto dim yn yllaw. ac nys
deily y wers honn. a llyna ytt yr achaws. ac yn iach
ytt a chan dy gennyat. a hwde di vynggwaew i kanys
y teu di atorres. ac nyt reit y minneu wrthaw. a gwalch-

mei ae kymerth ac agerdawd racdaw yn vlin ac yn
drauaelus. a marchogaeth aoruc ef ynyoed agos y bryt
gosber. Amegys ydoed ef uelly nachaf varchawc urd-
awl yn kyfaruot ac ef. ac yn dyuot ar draws y fforest
megys gwr a darffei y daraw drwy y gorff. ac ar hynt
yn govyn y walchmei pwy oed y henw. A unben heb
ef. ef amgelwir i gwalchmei. Arglwyd heb y marchawc
neurdaruu vy llad i yn dy wassanaeth di. Pa vod yn
vynggwassanaeth i heb y gwalchmei. Megys yd oedwn
i yn mynnu cladu y corff heb y marchawc aedeweist di
yny capel. ac neurdaroed ym gladu kanmwyaf y pwll
am cledyf pan doeth marius eidic a dwyn y corff y gen-
nyf. ae vwrw y vwystuilot. am taraw inheu ual y gwely
di. a mi a af bellach odyma hyt att veudwy yssyd yn
y coet ym kyffessu. kanys y dyrnawt yssyd agos yr
gallon. ac esmwythach vyd gennyfi vy angheu gwedy
kael dangos vyn dyrnawt ytt. Myn vyngcret heb y
gwalchmei mae drwc yw gennyfi hynny.

CVII.—Arhynny kychwyn ymeith aoruc gwalchmei.
a marchogaeth yny damchweinyawd idaw welet castell
y mywn fforest. ac ar hynny nachaf y gwelei gwr go-
brud yn dyuot or castell allan y rodyaw. ac ederyn ar
y law. ac ymrassawu aorugant. a govyn aoruc gwalch-
mei yr gwr pa ryw gastell oed yn ymdangos idaw yna.
Ac ynteu adywawt panyw castell y morynyon beilch y
gelwit. y rei ny byd gwiw ganthunt ovyn y vilwr or
byt y henw. na neb oc eu tylwyth ny lyuassant y ovyn
rac eu harglwydes. Yr hynny ual kynt ti ageffy yno
lewenyd ath lettyaw. kanys kwrteis ynt wy mywn
arueroed ereill. ac ny wnn i yn y byt gwreic degach
noe harglwydes wy. ac ny bu idi eiryoet na gwr na
gorderch. kanys ny bu wiw genthi garu un gwr ony
bei y vot yn oreu marchawc or holl vyt. a mi aaf y gyt
athi y mywn y peri ytt gedymdeithyas a llewenyd.
Duw a diolcho ytt heb y gwalchmei. dyuot y mywn
awnaethant. disgynnu aoruc gwalchmei. ar marchawc
urdawl ae kymerth erbyn y law. ac ae duc yr neuad.
ac a beris tynnu y arueu. a dwyn dillat o ysgarllat
idaw oe gwisgaw. Ac arhynny nachaf yr arglwydes yn

dyuot att walchmei ac yny rassawu. ac ynteu agyuodes
y uyny yn y herbyn. Ar unbennes ae kymerth erbyn
y law. ac a dywawt. a unbenn heb hi. a vynny di dyuot
y edrych vyngcapel. Mynnaf yn llawen heb y gwalch-
mei. Odyna yr capel y doethant hi a gwalchmei. ac
ny welsei eiryoet gapel degach o vaes ac o vywn. ac
yno yd oed pedeir ysgrin teckaf or awelsei neb eiryoet.
A unbenn heb yr arglwydes awely di y pedeir ysgrin
hynn. gwelaf heb y gwalchmei. Ny wybydir vyth heb
hi beth yssyd yndunt onyt trwy y marchawc goreu or
holl vyt. Gwalchmei a vu ryued ganthaw yr hynn yr oed
yr unbennes yny dywedut. Ac odyna wynt adoethant
or capel yr neuad. a llewenyd mawr awnaeth pawp or
marchogyon urdolyon aoedynt yno y walchmei. ac ny
wydynt wy panyw gwalchmei oed ef. nys gouynnynt
wynteu idaw. kanys nyt oed aruer gan neb yno govyn
y neb pwy vei. wynteu awydynt yd aei y marchawc
hwnnw drwy y fforest. Ac am hynny y daroed yr
arglwydes rodi llawer o dir adaear y pedwar marchawc
urdawl yr cadw y fforest ac yr govyn y bawp pwy vei.
ac yr y venegi idi hitheu. Gwalchmei a vu y nos honno
yn y castell. a thrannoeth ef awarandawawd offeren.
A gwedy hynny ef a gymerth y gennat y gan yr arg-
lwydes ar marchogyon urdolyon. ac agerdawd ymeith
megys dyn heb chwant arnaw y ohir yno. A gwedy
daruot marchogaeth mwy no milltir or fforest. ef adoeth
y adwy oe vlaen. yn y lle ydoed deu varchawc urdawl.
Aphan welsant wy walchmei. wynt aesgynnassant ar eu
meirch. yn aruawc o bop arueu. ac adywedassant
wrthaw. A unbenn heb wy. aro a dywet ynn dy henw.
A wyrda heb ynteu ef am gelwir i gwalchmei nei yr
amherawdyr arthur. A unbenn heb wynteu grassaw
duw wrthyt. a dabre gyt ani att y wreic deckaf or byt
yr honn yssyd yth damunaw. ac a wna llewenyd mawr
yrot yn y castell balch. Arglwydi heb y gwalchmei
ny chafi vynet yno yr awr honn. kanys y mae arnafi
vrys mawr y vynet y neges arall. Arglwyd heb wynteu
ef a vyd reit ytti dyuot kanys uelly y mae y gorchy-
mun arnam ni. llyma vyngcret heb y gwalchmei nat

afi yno yr awr honn. Yna wynteu a gymerassant y
march erbyn y ffrwyn ar vedyr y dwyn oe anuod. Ac
yna kewilydyaw aoruc gwalchmei a thynnu cledyf. a
tharaw un onadunt yny dorres y vreich. Aphan weles
y llall hynny ffo aoruc gyt ae gedymdeith. a dyuot yr
castell balch aorugant a dangos yr arglwydes eu ha-
march. a hitheu aovynnawd udunt wy pwy ae briwassei
uelly. Arglwydes heb wynteu gwalchmei. Pa le y
kyfaruu ef a chwchwi heb hi. Ef a gyfaruu geyrllaw
y fforest heb wynteu. a ni a archassam idaw ef dyuot
y ymwelet athydi. Ac ny mynnei ynteu dyuot. a
ninneu ageissyassam y gymell ef. ac am hynny y torres
ef breich vyngkedymdeith i. Yna y peris hitheu canu
corn. Ac yna kwbyl o varchogyon y castell adoethant
y gyt geyr bronn yr arglwydes. A hitheu aorchymyn-
awd udunt wy vynet yn ol gwalchmei. a hi a wellaei o
gyuoeth ar bawp onadunt. ac yd oedynt wrth rif pump
ar hugeint. A megys yd oedynt yn mynet or castell
nachaf deu varchawc ereill yndyuot yn vriwedic bop un
onadunt. ac yn dangos eu hamarch yr arglwydes. ac
megys y gwnathoed walchmei ac wynt. ac ny ellynt
wy y dwyn ef oe anuod ny deuei ynteu oe vod. A ydyw
ef yn epell yr awrhonn heb hi. Ydiw arglwydes heb
wynteu yn bellach no phedeir milltir odyma. Dioer heb
un or marchogyon hyt y gwelir ymi ffolineb mawr yw
y ymlit ef. kanys nyt ennillir arnaw ef bellach gystal
a pheidyaw ac ef. athitheu arglwydes ae hebryngeist
ef oth gamryuic. ny wydem ninneu pa un oed ef. kanys
taryan o sinopyl oed idaw ef a bogel o eur yndi. Gwir
adywedy di heb yr arglwydes. vyngkamryuic i vu
hynny. a mi aatwaen bellach y golli ef om balchder i.
mi arodaf yn diofryt y duw na chwsc yma weithyon un
marchawc urdawl ny ovynnwyf idaw y henw. kanys
hwnn agolleis i vyth. Ami adebygaf golli ohonaf y
lleill oe achaws ynteu.

CVIII.—Ar hynny y peidywyt ac ymlit gwalchmei.
ac ynteu aaeth ymeith dan wediaw duw ar y danuon y
lys brenhin peleur. a megys y bydei ef uelly ef aglywei
lef bitheiat yn galw ar y ol. ac or diwed yn dyuot hyt

attaw.   A megys yr oed yn dyuot attaw ef awelei y ki
yn roi y duryn yr llawr. ac yn kael gwaet. ac yn ymlit
y gwaet ar hyt fford lysseulet.   Aphan weles y ki
walchmei yn gadaw ol y gwaet. y ki aymlityawd dan
alw yny doeth at walchmei. a pheidyaw ac ymlit.   Ac
yna gwalchmei a ymlidyawd y ki yn y doeth y perued
y fforest. ac yno ef awelei ty ynymyl llynn. ac ef a
gerdawd yn ol y ki. ac yr bont aoed ar y dwvyr. yr
neuad y doeth ef. ar bitheiat yna abeidyawd ac ymlit
ac a galw.   Yna gwalchmei aarganvu ymperued y neuad
marchawc urdawl yn varw. yr hwnn adaroed y daraw
a gwaew trwy berued y gorff.   Ac odyna ef awelei
vorwyn ieuanc yn dyuot o ystauell ac amdo genthi.   A
unbennes heb y gwalchmei duw arwydhao ragot. ar
unbennes aoed yn wylaw adywawt nat attebei hi idaw
ef yny wypei paham. a hi adebygassei yd agorassei
gweli y marchawc oe dyuotyat ef y mywn. ac nyt
yttoed yn redec.   Ac yna y dywawt hi wrth walchmei.
a unben heb hi grassaw duw wrthyt.   Duw arodo
llewenyd ytt heb y gwalchmei.   Ac yna yr unbennes
adywawt wrth y bitheiat. nyt archasswn i ytti dwyn
yma y marchawc hwnn namyn yr hwn a ladyssei y gwr
marw hwnn.   A unbennes heb y gwalchmei awdost
ditheu pwy oed ef.   Gwnn heb hitheu lawnslot ae
lladawd yn y fforest yna. a duw a wnel y minneu allel
y dial arnaw ef ac ar gwbyl o wyr arthur. kanys wynt
awnaethant ym lawer o anesmwythder. ac os da gan
duw ni ae dialwn arnunt. kanys·y mae idaw vab da. a
minneu yw y chwaer.   A unbennnes heb y gwalchmei
yn iach ytti.   Ac ar hynny ydaeth ef oe fford ehun.
dan wediaw duw ar gyuaruot lawnslot y gedymdeith
ac ef.

   CIX.—Dywedut y mae y kyfarwydyt marchogaeth
o walchmei yny oed agos y bryt gosper. ac yna arganuot
o honaw or tu deheu oe fford llwybyr bychan. a sathyrua
dynyon arnaw. ac yr llwybyr hwnnw y kyrchawd ef
achaws gwelet yr heul yn gostwng.   Ac yn tewdwr
y fforest ef a welei gapel mawr a thei tec yny ymyl. a
cheyrllaw y capel yd oed herber. a phalis ystyllot yny

chylch ogylch. ac yn ymyl y palis ydoed meudwy yr
hwnn adebygei bawp herwyd y weletyat y vot yn wr da
ae ogwyd ar y palis ac yn edrych yr herber. ac yn llawen
ganthaw yr hynn awelei. Aphanweles ef walchmei ef
aaeth yn y erbyn. A gwalchmei adisgynnawd. Arg-
lwyd heb y meudwy grassaw dûw wrthyt. Duw arodo
llewenyd ytt heb y gwalchmei. Yna y meudwy aberis
kymryt y march ae ystablu. ac odyna ef aberis y walch-
mei dyuot y edrych yr herber gyt ac ef. a mi adang-
ossaf ytt yr ystyr yssyd ymi y vot yn llawen. Ac
yna gwalchmei aedrychawd ymywn. ac a arganvu yno
dwy vorwyn ieuanc a deu was gyt ac wynt. a ef awelei
vab ieuanc yn marchogaeth llew. ac arhynny wynt
aaethant y eisted yr herber. Arglwyd heb y meudwy
llyma ystyr vy llewenyd i. Ac arhynny gwalchmei a
beris tynnu y arueu y amdanaw. Ac odyna un or
morynyon aduc idaw dillat oe gwisgaw. Ryued vu gan
walchmei welet y mab yn marchogaeth y llew. ar
meudwy adywawt wrth walchmei na lyuassei neb
warchadw y llew onyt y mab. Ac nyt oes idaw o oet
namyn seithmlwyd. a mab bonhedic yw. ac nyt oes yn
yr holl vyt marchawc creulonach noe dat ef. ae henw
yw marius eidic. y gwr a ladawd y vam o achaws gwalch-
mei. ac yr hynny hyt hediw ny mynnawd y mab drig-
yaw gyt ae dat. am wybot ohonaw lad y vamm yn
wirion. ac ewythyr idaw wyfi vrawt y vamm. ac yd
wyf yn peri yr deu was ac yr dwy vorwyn racko syn-
nyeit arnaw ual y gwely di. ac nyt oes dim yn yr holl
vyt kynchwannocket ganthaw ef y welet a gwalchmei.
ac or gwdost di chwedleu newyd y wrthaw ef yr mwyn
duw dywet ymi. Gwnn myn vyngcret heb y gwalch-
mei. weldy racko y daryan ef ae waew. ac ynteu ehun
keis heno yn llettyaw yma. Arglwyd heb y meudwy
ae tydi yw ef. velly ym gelwir i heb y gwalchmei. ar
wreic a dywedy di mi a weleis y llad hi geyr vymbronn.
a duw awyr nat om bod i y lladwyt hi. Yna y meudwy
a dywawt wrth y mab. dos yma heb ef. weldyma
walchmei dy damunet ti. dabre attaw a gwna idaw
lewenyd. Y mab yna a disgynnawd y ar y llew. ac ae

roes ymywn seler. ac odyna ef a doeth att walchmei.
Ac agyuarchawd gwell idaw. Duw aro kynnyd arnat
heb y gwalchmei. ac odyna ymgussanu aorugant. Arg-
lwyd heb y meudwy hwnn adyly bot yn wr ytti.
Athitheu a dylyy y gynghori ef ae nerthau kanys diodef-
awd y vam angheu drossot.

CX.—Ac yna y mab aostyngawd ar benn y lin geyr
bronn gwalchmei. ac adyrchafawd y dwylaw. Ac yna
y meudwy adywawt wrth walchmei. Arglwyd heb ef
trugarhaa wrth y mab. Yna gwalchmei agymerth
dwylaw y mab y rwng y dwylaw ynteu. a dywedut.
Myn vyngcret vab heb ef mae hoff yw gennyf dy
wrogaeth ath garyat. am kanhorthwy inneu ti ae keffy
yn llawen. namyn hynn myui a vynnwn wybot dy
henw di. Arglwyd heb y meudwy ef aelwir meliot o
loegyr. Yno y bu walchmei y nos honno. a thrannoeth
gwedy gwarandaw offeren ef a gymerth kennat y meu-
dwy y vynet ymeith. ar meudwy aovynnawd idaw pa
le yd oed y vryt ar vynet. Ac ynteu adywawt mae
parth a llys brenhin peleur yd aei. Gwalchmei heb y
meudwy duw a wnel ytt wneuthur yn well noc y
gwnaeth y marchawc arall a vu yno oth vlaen. Duw
awnel ym allel gwneuthur ewyllys duw heb ef.

CXI.—Gwalchmei yna agymerth y gennat ac a uarch-
ocaawd racdaw drwy sywrneioed yny doeth yr wlat
teckaf or a welsei neb eiryoet. a megys y bydei ef uelly.
ef awelei was ieuanc yn dyuot parth ac attaw. yn drist
ac yn aflawen ac edrychyat llibin ganthaw ae wyneb
tu ar llawr. A gedymdeith heb y gwalchmei o ba le
pan deuy di. Arglwyd heb ynteu yn dyuot or fforest
racko. Piwyt gwr di heb y gwalchmei. Gwas wyfi
heb ynteu yr gwr bieu y fforest. Hyt y gwelir ymi
heb y gwalchmei nat wyt lawen iawn di. Arglwyd
heb ynteu achaws ysyd ym y hynny. kanys y neb a
gollei arglwyd da ny dylyei hwnnw vot yn llawen.
Paryw wr yw dy arglwyd di heb y gwalchmei. Arg-
lwyd heb ynteu y marchawc urdawl goreu or holl vyt
yw ef. Ae marw yw ef heb y gwalchmei. Na varw
os da gan duw heb y gwas. eissyoes ny bu lawen ef yr

ystalym. Pwy y henw ef heb y gwalchmei. Arglwyd
heb ef paredur y gelwir ef. A allafi heb y gwalchmei
wybot pa le y mae ef. Na elly arglwyd drwydofi heb
ef. namyn hynn a dywedafi yn lle gwir y vot ef yn y
fforest honn. Gwalchmei a weles y mab yn was ieuanc
tec ac yn wylaw yn hidyl. A unben heb y gwalchmei
paham yd wyly di. Arglwyd heb ynteu ny bydaf
lawen i vyth yny darffo ym vynet yn veudwy. yr
iachau vy eneit. kanys mi awneuthum y pechawt
mwyaf or aallei neb y wneuthur. kanys mi aledeis vy
mam o achaws dywedut o honei na bydwn vrenhin ar
ol vyntat. namyn hi abarei vy mot yn vynach. Aphan
wybu vyntat i lad ohonafi vy mam. ynteu aberis gwn-
euthur meudwydy ac aaeth yn veudwy. ac aedewis y
vrenhinyaeth. a minneu awelaf nat teilwng y minneu
gynnal y vrenhinyaeth ef. o achaws vyndiruawr bech-
awt. Ac am hynny y medylyeis inneu vot yn iawnach
y mi benydyaw vyngcorff noc ym tat. A unben heb y
gwalchmei pwy dy henw di. Ef amgelwir i ioseus. ami a
hanwyf o lines ioseph o arimathia. am tat aelwir brenhin
peles. Yr hwnn yssyd yn veudwy yn y fforest honn. am
ewythyr yw brenhin peleur. ar bren or castell marw
hevyt. ar wreic wedw o gastell camalot yssyd vodryb
ym. Am keuynderw yw paredur y mab hitheu.

CXII.—Gwalchmei ar hynny aaeth ymeith. ac avu
dost ganthaw ansawd y gwas ae gyflwr. Ac uelly y
kerdawd ef ar hyt y fforest yny doeth ywch benn
ffynnawn. ac yn agos yr ffynnawn ef aarganuu fford a
sathyrua dynyon arnei. Ac yna gadaw y fford uawr
aoruc ef a dyuot y honno. a cherdet aoruc ef y honno
ual ynghylch milltir. ac arganuot neuad dec yn gaedic
o gaeu yny chylch. ac edrych a oruc ef parth adrws y
neuad ac arganuot prenn bychan. a than vric y prenn
ef awelei y gwr teckaf or awelsei eiryoet o wr un oed
ac ef. a gwallt y benn ae varyf yn wynnllwyt. ac ae law
ar benn y glun. a gwas ieuanc geyr y vronn yn daly
gwasgwynvarch yn y law. ac yny ymyl ydoed gwaew
atharyan a lluric a chrimogeu heyrn. Aphan weles
ef walchmei yn dyuot ef adoeth yn y erbyn. ac adywawt

wrthaw. A unbenn heb ef marchoca yn aryf. ac na wna chweith kynnwryf kanys nyt rwyf reit ym wrth o anesmwythdra mwy noc yssyd arnam. ac na chymer yn lle mileindra ydwyfi yny dywedut wrthyt. aphanybei vot achaws ym mi ath wahodwn heno. kanys milwr da yssyd yn glaf y gyt a mi. Yr hwnn a dywedir y vot yn eil goreu or byt. ac am hynny ny mynnwn i wybot ohonaw ef vot yma neb marchawc or byt. kanys nyt oed neb aallei y ludyas ef y ymwan athi pei ath welei. ac yn hynny agatuyd ef ar allei idaw efo vynet ar y chware gwaethaf. ac am hynny yrwyfi yma yngwarchadw rac gwelet ohonaw ef neb. na thydi nac arall. kanys gormod gollet oed yr byt pei kyfarffei ac efo namyn da. Arglwyd heb y gwalchmei pwy y henw ef. Myn duw heb ynteu nys managafi. Arglwyd heb y gwalchmei agaffafi y welet ef drwy dy gennat ti. Na cheffy heb ynteu ac nys gadafi y neb vynet yma ymywn. yny vo ef yn iach ac yn llawen. Arglwyd heb y gwalchmei. awney ditheu vyneges i or hynn adywetwyf wrthyt. Arglwyd heb y meudwy nyt oes dim adywedwn wrthaw ony dywedei ef or blaen wrthyfi. Doluryus vu gan walchmei. na chaffei ymwelet ar marchawc. Arglwyd heb y gwalchmei o ba lines pan hanyw ef. Olines ioseph o arimathia heb y meudwy.

CXIII.—Ac ar hynny nachaf vorwyn ieuanc yn sefyll ar drws y capel. ac yn galw ar y meudwy. ac ynteu a gyuodes. ac aaeth y mywn. ac aberis caeu drws y capel yn eu hol. ac aedewis gwalchmei odieithyr. Y gwas ynteu a gymerth y march ar aruue ac aaeth y mywn ac wynt. a gwalchmei a drigyawd yn llidiawc allan. ac heb wybot yn wir ae hwnnw oed uab y wreic wedw. Yna kychwyn ymeith aoruc ef. a dyuot racdaw yr fforest. ac nyt ytiw y kyfarwydyt yma yn dywedut kwbyl oe syurneioed ef. namyn marchogaeth ohonaw drwy syurneioed yny doeth y tir teckaf or awelsei eiryoet. Ac ar hynny ef a arganvu gastell oe vlaen. Apharth a hwnnw y doeth ef. a dynessau parth ar castell aoruc ef. ac arganuot llew yn gorwed ar y porth. ac o bop tu yr porth ydoed deu vilein gwedyr wneuthur

o elydyn. ac yngossot yn engiryawl ar y neb adelei
yno ymywn. Aphan weles gwalchmei hynny ny bu hy
ganthaw dyuot yn nes no hynny yr porth rac ovyn y
llew ar mileinyeit elydyn. ac odyna edrych aoruc ar y
gaer. ac ar y mur ef awelei gapel. ac ar y capel ef
awelei deir croes. ac ar bop (croes) eryr o eur. ac a
welei y bobyl aoed yno yn syrthyaw ar dal eu glinyeu
geyr bronn y capel. ac yn edrych ar y nef or awr py
gilyd. ac yn gwneuthur enryded mawr. Ac hyt y
gwelit y walchmei yd oed y bobyl aoed yndaw yn-
gwelet duw a meir. Gwalchmei aoed yn edrych vyth o
bell ac heb lyuassu dynessau attunt. rac ovyn dyrn-
odeu y rei aoedynt yn saethu y ar y bylcheu ar y gaer.
kanys nyt oed yn y byt neb aallei diodef un dyrnodeu
oc yr oedynt yn bwrw tu ac attaw. Ac ual y byd ef
uelly ef awelei offeiryat yn dyuot ac yn seuyll ar un or
bylcheu. ac yn dywedut wrth walchmei. A unbenn
beth a reyngk bod ytti. Arglwyd heb y gwalchmei
dywedut ym pa gastell yw hwnn. A unbenn heb
ynteu hwnn yw y castell kywir. ac yn y castell ar
capel awely di yd (ys) yn gwneuthur gwassanaeth
seint greal. Gan hynny heb y gwalchmei yr duw
gollwng vi ymywn. kanys y lys brenhin peleur y mae
vy negesseu i. Arglwyd heb yr offeiryat mi adywedaf
ytti yn lle gwir na eill neb dyuot o vywn y castell
hwnn. ony byd dwyn ohonaw yma y cledyf yr hwnn y
llas penn ieuan uedydywr ac ef. Gan hynny heb y
gwalchmei neurderyw vy atteb i. Arglwyd heb yr
offeiryat ti aelly gredu vy mot i yndywedut gwir am
hynny. ami adywedaf ytt ygyt a hynny nat oes yn yr
holl vyt brenhin greulonach nor hwnn y mae y cledyf
yn y geitwadaeth. y gyt ae vot yn idew. Yr hynny
etto os tydi a dwc y cledyf yma. ty ageffy dyuot y
mywn. ac ef awneir ytt lewenyd mawr ympob lle or y
bo gallu brenhin peleur. Gan hynny heb y gwalchmei
ef a vyd reit ymi vynet drachevyn. ac am hynny trist
a doluryus wyf. Ny dylyy di hynny heb yr offeiryat.
kanys o dygy di y cledyf yma. yna y gwys haedu
ohonat ti ath vot yndeilwng y welet seint greal. adelit

G G

dy gof ovyn beth aarwydokaa pan y gwelych. Ar hynny
gwalchmei agychwynnawd yngymeint y vedylyeu ac
na doeth y gof idaw ovyn pa wlat yd oed y cledyf na
phwy oed henw y brenhin. aoed yn y gadw.

CXIV. — Ema y mae y kyuarwydyt yn traethu
marchogaeth o walchmei yn y doeth odieithyr y dinas.
ac y vaes tec. ac edrych aoruc ar y maes oe vlaen. ac ef
awelei bwrgeis ar geuyn march mawr yn dyuot parth
ac attaw. Gwalchmei adoeth yn y erbyn. ac a gyuarch-
awd gwell idaw. ac ynteu ae hatebawd. Arglwyd
heb y bwrgeis ryued yw gennyfi vot gwr kystal
athydi o debygu heb varch da idaw. Arglwyd heb y
gwalchmei ny allafi y wellau ef yssywaeth. A unben
heb y bwrgeis y ba le y mae yth vryt ti vynet. mi aaf
heb ynteu y geissyaw y cledyf y llas penn ieuan uedyd-
ywr ac ef. Och arglwyd heb y bwrgeis yd wyt yn
mynet y le periglus gan vrenhin creulawn. yr hwnn ny
char dim o duw. ac yssyd a diruawr greulonder yndaw.
ae henw yw gwrgoraus. ac ef aaeth yr fford honno
lawer marchawc urdawl ar vedyr keissyaw y cledyf. ac
ny doeth yr un adref draegevyn. Ac or mynny di roi
dy gret y mi os duw a ganhatta ytti gael y cledyf ar
dyuot fford yma oe dangos ef ymi. Minneu a rodaf
yttitheu y march hwnn. Beth awnaut ti heb y gwalch-
mei othorrwn i vyngcret ar hynny kanys nym hatwaen-
ost o dim. Ef awelir ymi heb y gwalchmei dy vot ti
yn wr kywir am yr hynn aedewych. Myui aadawaf
hynny heb y gwalchmei. Ac ar hynny disgynnu aoruc
y bwrgeis. a roi y march idaw. a gwalchmei aaeth ar y
march ac ar bwrgeis ar y varch ynteu. A gwalchmei
ae diolches idaw yn vawr. ac agerdawd racdaw yny
doeth y fforest. ac a varchockaawd yny oed yr heul yn
mynet y gysgu heb gyuaruot ac ef nachyuanned na
chastell. ac ar hynny nachaf y gwelei weirglodyeu tec
ymperued y fforest. ac adwfyr megys goruerw ffyn-
nhonneu yndunt.

CXV.—Edrych aoruc gwalchmei tu aphenn y weir-
glawd ac arganuot pebyll. ae amdo oed osidan. ac ar-
warthaf y pebyll yr oed eryr o eur. tu ac yno y kyrch-

awd gwalchmei. disgynnu aoruc ac adaw y varch or tu
allan yr pebyll. adyuot y mywn. ac arganuot gwely tec.
ac ymperued y gwely ef awelei dwy glustoc o bali. a
chyfyrlit ar y llawr o eurweith odidawc. ac is traet y
gwely ef awelei ganhwyllbren o eur aphost o gwyr
yndaw yn llosgi ac ymperued y neuad ef awelei bwrd o
asgwrn moruil. gwedy y dyrchafel ar y dresteleu. a
lliein gwedy y ossot arnaw. Sef aoruc gwalchmei yna
mynet y geissyaw neb yn y gwely. a ryued vu ganthaw
na welei neb yndaw. amegys y bydei ef yn mynnu
ehun dynnu y arueu y ymdanaw. nachaf y gwelei gorr
yn dyuot attaw ac yn y ressawu. ac yngostwng ar
benn y lin. ar uedyr tynnu y arueu y ymdanaw.
Gwalchmei yna adoeth cof idaw y corr yr hwnn y llas
y wreic oe achaws. A unbenn heb y gwalchmei kyuot
y vyny kanys ny dioscafi vy arueu yr awr honn.
Arglwyd heb y corr diosc yn hy kanys nyt reit ytt un
ovyn hyt auory. Ac ny buost diogelach di eiryoet no
heno. Yna gwalchmei adiosges y arueu. ar corr ae
kymhorthes. Aphan daruu idaw diosc y arueu ef ae
roes yn agos idaw. Yna y corr agymerth dwfyr twym ac
aberis y walchmei ymolchi. a gwedy hynny ef adynnawd
glan dillat o sidan ac ae roes idaw oe gwisgaw. Argl-
lwyd heb y corr nac anesmwythet arnat dim. kanys ef a
vyd parawt yt dy arueu erbyn pan gyuottych auory oe
gwisgaw. a myui aaf dramkevyn. A megys y bydei ef
uelly nachaf deu was ieueingk yn dyuot y mywn. ac
yn erchi y walchmei or gwnelei yr hynn goreu ar y les
vynet ymeith. Ac nys godrigyassant wy namyn mynet
ymeith. Ac ual y byd gwalchmei yn medylyaw uelly
nachaf dwy unbennes yn dyuot attaw ymywn. ac yny
ressawu. Ac ynteu a attebawd udunt yn deckaf ac y
gallawd. Arglwyd heb wynt duw arodo antur da ytt
mal y gellych waret yr aruer drwc yssyd ar y pebyll
hwnn. A oes uelly heb y gwalchmei aruer drwc yma.
Oes arglwyd heb wynteu yssywaeth. eissyoes ef awelir
ymi dy uot ti yn uarchawc urdawl oe emendaw ef. Ar
hynny y kyuodes ef y ar y bwrd yn y lle ydoed yn
eisted. ar dwy unbennes ae kymerth ef erbyn y law.

ac ae dugassant odieithyr y pebyll. ac aeistedassant ar
lannerch gyt ac ef. Arglwyd heb yr hynaf onadunt
pwy dy gyfenw di. A unbennes heb y gwalchmei. ef
am gelwir i gwalchmei. Arglwyd heb wynteu mwyaf
'oll yth garwn. yr awrhonn y gwdam ni na phery yr
aruer drwc hwy no hynn. drwy amot dewissaw ohonat
y vwyaf agerych ohonam ni yn dwy. A unbennesseu
heb ynteu duw a dalo ywch. ac ar hynny kyuodi aoruc
ef amynet y gysgu kanys blin a lludedic oed. A gwedy
y vynet ef y gysgu. wynteu aeistedessant yn ymyl y
gwely. ac a gynnigyassant idaw eu gwassanaeth. ac
ynteu nyt attebawd udunt. namyn y diolwch. kanys
nyt oed vedwl ganthaw amgen no chysgu. Myn vyng-
cret heb yr un o honunt wrth y llall pei gwalchmei
nei yr amherawdyr arthur uei hwnn. ef adywedei
amgen noc a dyweit. Eissyoes ryw dychymyc yw hwnn
pan gaffei y ryw anryded hwnn yma heno. Pa drwc
yw hynny heb y llall ef a dal dros y letty auory kynn
y uynet. Ac arhynny nachaf y corr yn dyuot. A un-
ben heb wynt gwarchadw di y marchawc hwnn ynda
rac y ffo ymeith heb wybot y neb. kanys gwalchmei
yw. ac ymynet y mae ef o westy pygilyd. ac yn dywedut
mae gwalchmei yw ef. ac ynteu nyt tebic y walchmei.
kanys pei efo vei. ef aorvydei arnam ni wylyat teir nos
neu ynteu awylyei. A unbennesseu heb y corr ny
dichawn ef ffo kanys y varch yssyd ym keitwadaeth i.
Yr hynny yd oed walchmei yn gwarandaw yn graff ar
yr hynn yr oedynt wy yn y dywedut. Ac wynteu
aaethant ymeith ac aarchassant y duw roi gorffowysua
drwc y walchmei. kysgu ychydic awnaeth gwalchmei y
nos honno. Athrannoeth yr awr y gweles oleur dyd
ef a gychwynnawd y vyny. ac awisgawd y arueu ym
danaw. ae varch agafas yn barawt. Arglwyd heb y
corr ny bu vwyn y gwassaneythyeist di ar y morynyon
a vu yma neithywyr. Ac ys mawr o gwyn yssyd
ganthunt wy ragot ti. Ny allafi dim wrth hynny heb
y gwalchmei. ac ny wnn i haedu ohonaf chweith gogan
arnunt wy. ysmawr o ovit yw ytti heb y corr ot wyt
gyndrwc di ac y dywedant wy arnat. Gat udunt heb

y gwalchmei dywedut yr hynn a vynnont. kanys ny
allafi ludyas udunt wy nac y neb vynggoganu or byd
goreu ganthunt. Ac ny wnu i unben y bwy y diolchaf
yr esmwythdra a gefeis yma neithwyr onyt y duw.
Aphei damchweinyei ym welet yr arglwyd bieu y pebyll
hwnn neur morynyon neithywyr mi ae diolchwn udunt
os gallwn.

CXVI.—Ar hynny nachaf deu uarchawc urdawl yn
aruawc yn dyuot geyr bronn y pebyll ar gevyneu
meirch. ac yn arganuot gwalchmei gwedy esgynnu ar
y uarch. ar uedyr kerdet racdaw heb dybyeit bot yn
reit idaw amgen. ar marchogyon adoethant attaw ac
aarchassant idaw dalu dros y letty. Nyni heb wy a
gysgassom mywn anesmwythdra neithwyr oth achaws
di. ac aadassam ytitheu y pebyll hwnn ae esmwythdra.
a thitheu yssyd yn mynnu mynet uelly. Myn an credeu
ninneu y byd reit ytti prynu dy vwyt ac anryded
y pebyll. Ac ar hynny nachaf y dwy uorynyon yn
dyuot y rei aoedynt yn digawn eu tecket. y rei ady-
wedassant. A unben heb wynt yr awrhonn yr adna-
bydwn ni os tydi gwalchmei nei arthur. Myn vyngcret
heb y llall. ny thebygafi allel ohonaw ef waret yr aruer
drwc. drwy yr hwnn yr ym ni yn colli dyuotyat march-
awc urdawl attam. Aphan gigleu gwalchmei hynny.
kewilyd mawr a vu arnaw. ac ygyt a hynny ef aweles
na allei vynet odyno heb geintyach. Ar neill or
marchogyon awelei wedy disgynnu ar llall ar y uarch
yn aruawc. ac yn ymgyffroi yn ffestet ac y gallei. a
gwalchmei yna ae kyrchawd ynteu. ac o nerth traet y
varch. a chryfder y vreicheu ynteu ae trewis yny dylla
y daryan. ac yny vyd ynteu ef ae uarch yr llawr. ac
yny vyd y gwaew dwy rychwant trwydaw. Myn
vyngcret heb yr ieuaf or morynyon gwell y gwnaeth
gwalchmei hediw oragor no neithwyr. Ac yna tynnu
y gledyf aoruc gwalchmei. a dwyn hwyl idaw pan
erchis y marchawc y nawd a dywedut bot yn adef gan-
thaw y orchyfygu. A gwalchmei yna a beidyawd ac
ef. Ac un or morynyon adywawt nat oed reit idaw
ovyn y llall tra vei byw hwnnw nar aruer drwc yssyd

ar y pebyll. nys tynny ditheu onys lledy. kanys efo
yssyd arglwyd ar y pebyll. ac o achaws y vileindra efo
ny doeth yma neb yr ystalym. Weldy heb y march-
awc arall wrth walchmei y hanghywirdeb hi. kanys
nyt oed dim yn yr holl vyt kymeint a garei hi ar gwr
racko herwyd adebygit arnei. ac yr awr honn yn barnu
arnaw. Ac etto heb hi mi adywedaf na byrir yr aruer
drwc odyma ony ledir ef. Yna gwalchmei adyrchafawd
arffet y luryc ac ae brathawd drwydaw. Ac ar hynny
nachaf y marchawc arall yn dyuot yn llidiawc o achaws
llad y gedymdeith. ac yn gossot ar walchmei a gwalch-
mei arnaw ynteu. ac ymgyrchu aorugant yngreulawn
yny gollassant eu gwarthafleu. ac yny tyllawd eu llu-
rugeu. ac yny ymdangosses kic eu hystlysseu y benneu
eu gwewyr. ac yny yttoed eu corffeu wynteu yn ym-
gyhwrd. ac eu meirch yn gynluttet ac yny yttoed eu
korofeu yn dryllyaw. ac yny yttoedynt wynteu ell deu
yr llawr. Yngymeint eu kwymp ac yny yttoed eu
gwaet yn ffrydyeu oe geneueu allan. ac yn y kwymp
agafas y marchawc ef adorres y vreich. Ac yna y corr
adywawt wrth yr unbennes. Da digawn y gware
gwalchmei mywn digonyant. Gwalchmei yna agyuodes
ac adoeth tu ac att y varch. ac ef aadassei yr march-
awc ffo. panybei y morynyon a lefassant arnaw. ac a
dywedassant onys lladei y keffit gormod o drwc gan-
thaw. yna y uorwyn ieuanc adywawt. or mynny di y
lad ef taraw ynggwadyn y droet. A unbennes heb y
marchawc. ae uelly y trosses dy garyat ti ymi. ac vyth
heb ef ny dylyei wr ymdiriet y wreic. Ryued vu gan
walchmei yr hynn ydoed yr unbennes yny dywedut. a
dyuot aoruc ef ortu arall yr pebyll. yn y lle ydoed
march y gwr marw. ac ynteu a dynnawd y kyfrwy y
arnaw ac ae roes ar y varch ehun. A thra vu efo yn
hynny y llall agyuodes ac aesgynnawd ar y varch.
kanys y corr ae kymhorthassei ac odyna kyrchu y
fforest. Ac odyna y morynyon agriassant ar walchmei.
Arglwyd walchmei heb wy dy anryded di abeir an llad
ni. kanys y marchawc yssyd heb drugared ganthaw
yssyd yn mynet y geissyaw nerth. ac odieingk. ef an llad

ni athitheu heuyt. Ar hynny gwalchmei aesgynnawd
ar y varch ac agymerth y waew yn y law. ac a ymlyn-
awd y marchawc. ac ae godiwedawd. ac ae trewis yny
vyd yr llawr. ac adywawt wrthaw nyt oes ytt fford y
diangk. Drwc yw gennyf hynny heb y marchawc.
kanys mi a gawssoedwn dial yn ehegyr arnat ti ac ar
y morynyon. Ar hynny gwalchmei a blannawd y gled-
yf ynggwadyn y droet. ar marchawc a vu uarw. a
gwalchmei adoeth draegevyn att y morynyon. ac wynteu
awnaethant idaw y llewenyd mwyhaf. ac a dywedassant
na ellit vyth y lad ef yn amgen uod no hynny. kanys o
lines acchilles yd hanoed. a phawb or genedylaeth
honno ny ellit eu llad onyt uelly. Gwalchmei yna
adisgynnawd. ar morynyon aedrychassant y brath aoed
yny ystlys. ac adywedassant nat oed berigyl arnaw.
Arglwyd heb wy etto yr ym ni yn kynnic ytti yngwas-
sanaeth ni. kanys ni awdam panyw tydi yw gwalchmei.
Duw adiolcho ywch heb y gwalchmei. awch caryat nyt
yttwyf yny wrthot. namyn yn iach ychwi. Arglwyd
heb yr wynteu. dabre y orffowys hediw y gyt ani. A
unbennesseu heb ynteu ny chaffaf i orffowys. ac ar
hynny gwalchmei agerdawd racdaw. yny doeth y
fforest. Aphan doeth ef or fforest allan ef aarganuu
tir tec yn gaedic o vur. yr hwnn aoed yn damgylchynu
kwbwl·or wlat. a thu ac yno y doeth ef. ac ef aarganvu
borth ar y mur a fford y hwnnw y doeth ef y mywn.
ac ny welsei ef eiryoet tiryogaeth degach noc awelsei
yno. ac nyt oed let or mur y gilyd no their milltir. Ac
ymperued y wlat ydoed twr mawrdec uchel. yn y ymyl
yd oed creic uawrbraff. ac arnei garan yn sefyll. a
honno a lefei pan delei neb odieithyr yr wlat honno.
Gwalchmei agafas yn y gyngor uarchogaeth drwy gen-
awl y wlat. Ac arhynny ef awelei deu uarchawc
urdawl yn y odiwes. ac yn dywedut wrthaw. A unben
aro a dabre y ymdidan a brenhin y wlat honn. Kanys
nyt a neb drwy y wlat ar ny del y ymdidan ac ef.
Arglwydi heb y gwalchmei ny wydwn i uot yr aruer
hwnnw ami aaf yn llawen. Yna ef adoeth y gyt ac
wynt hyt yn ymyl y neuad. a disgynnu aoruc ac adaw

y waew ae daryan ar yr ysgynvaen. a dyuot yr neuad
ar brenhin awnaeth llewenyd mawr yn y erbyn. ac a
ovynnawd y ba le yd oed y vryt ef ar vynet. Arglwyd
heb ynteu yr wlat ny bum yndi eirmoet. Mi a wnn
heb y brenhin y ba le. kanys wyt yn dyuot trwy vyntir
i ti a ey y wlat brenhin gorgeraus y geissyaw y cledyf
y llas penn Ieuan vedydywr ac ef. Gwir adywedy
arglwyd heb y gwalchmei. Os da gan duw heb y
brenhin nyt ey di odyma hyt ympenn y vlwydyn. Arg-
lwyd heb y gwalchmei ny wney di hynny ami. Gwnaf
myn vyngcret heb y brenhin. Ac ar hynny peri diarvu
gwalchmei. ac odyna dwyn dillat tec idaw oe gwisgaw.
ae anrydedu yn vawr. eissyoes nyt oed esmwyth gan
walchmei dim o hynny. A govyn aoruc pa ystyr oed
oe attal ef uelly. A unben heb y brenhin mi a wnn y
keffy di y cledyf. a gwedy hynny y fford arall yd ey.
Arglwyd heb y gwalchmei or myn duw ymyvi y gael
mi adeuaf fford yma. Gan hynny heb ef minneu ath
ollyngaf di. kanys nyt oes dim yn yr holl vyt kyn
hoffet gennyf y welet ac ef. Y nos honno y bu walch-
mei yno. a thrannoeth ef aedewis y wlat drwy diruawr
lewenyd. ac agerdawd parth a thir brenhin gorgeraus.
ac adoeth y fforest. ac adaw honno awnaeth. a marchog-
aeth yny welei dy meudwy. ar meudwy yn wr prud-
lwyt. yr hwnn aovynnawd idaw pa le yd aei. Arglwyd
heb y gwalchmei y tir brenhin gorgeraus. ac ae honn
y fford. Ie heb y meudwy. a llawer marchawc aweleis
yn mynet fford yna ac ny weleis yr un yn dyuot. Ae
pell hynny heb y gwalchmei. Arglwyd heb y meudwy
y tir ef yssyd agos. eissyoes pell yw y gastell ef. y gyt
ar meudwy y bu walchmei y nos honno. A thrannoeth
gwedy offeren ef a gychwynnawd ymeith. ac a varch-
ockaawd yny doeth y lys y gwrda hwnnw. ac ef a
glywei y bobyl or llys honno yn griduan ac yn kwynaw.
ac ar hynny nachaf varchawc yn kyfaruot ac ef. Arg-
lwyd heb y gwalchmei paham y gwna y bobyl or wlat
honn y dolur ar gwynuan y maent yny wneuthur. A
unbenn heb ynteu mi ae dywedaf ytt. brenhin gorger-
aus nyt oed idaw chweith plant onyt un mab. a hwnnw

ef aaeth kawr ac ef. Ac am hynny ef aberis y brenhin
criaw dros gwbwl oe deyrnas pwy bynnac a dygei y
vab idaw y rodei idaw yr un arch a vynnei. ac nyt
ytiw yn kael neb alyfasso ymroi yn yr antur hwnnw.
ac am hynny y mae ef yn kerydu y gret yn vwy no
chret y cristonogyon. ac adywawt pei delei gristawn
attaw. yd erbynnyei ef ar lewenyd. Llawen vu gan
walchmei hynny. ac adaw y marchawc aoruc ef adyuot
yr castell yn y lle yd oed y brenhin.

CXVII. — Chwedleu adoeth att y brenhin dyuot
cristawn yr castell. allawen vu gan y brenhin hynny.
apheri y dwyn geyr (bronn) aoruc. a govyn idaw pwy
oed y henw. ac o ba wlat yd hanoed. Ef amgelwir
i gwalchmei heb ef. ami a hanwyf o wlat yr amherawdyr
arthur. Wrth hynny heb ef ti ahanwyt o wlat y milwr.
ny allafi eissyoes gael yr un da. yn vynggwlat i nac alyf-
asso roi kynghor ym yn vy reit. Eissyoes os tydi
yssyd yny daeoni y llefessych ymroi yn anturyaeth
drossofi. mi aetalaf ytt. Allyna yr antur. kawr aduc
un mab aoed ymi. Ac os tydi aa yn antur drossofi.
Minneu arodaf yttitheu y cledyf teckaf or awnaeth-
pwyt eiryoet. ac a hwnnw y llas penn Ieuan uedyd-
ywr ac avyd gwaetlyt unweith bop hanner dyd. kanys
hanner dyd ehun oed yr awr y llas efo. Y brenhin
aberis dwyn y cledyf geyr bronn. ae wein wedy y
gorthoi o vein mawrweirthyawc. ae bwmel oed o vaen
gwerthuawr yr hwnn adaroed y enar amperawdyr o
ruuein y ossot arnaw. A gwedy hynny ef aberis y
tynnu allan. Ac yr awr y tynnwyt yr oed yn waetlyt
kanys hannerdyd ehun oed. Ac uelly y perit daly y
cledyf geyr bronn gwalchmei. yny aed yr awr heibyaw.
ac yny vyd ynteu yn gynwyrdloewet. ar maen aelwir
esmeraud. Gwalchmei aedrychawd arnaw yn hir.

CXVIII.—Ryued uu gan walchmei gwelet y cledyf
yn gyhyt ar cledyf hwyaf odieithyr y wein. Aphan
roet ef yny wein nyt oed hwy ef no dwy rychwant. A
unbenn heb y brenhin y cledyf hwnn arodafi ytti. ami
athwnaf heuyt yn vodlawn. Arglwyd heb y gwalch-
mei mi awnaf hynny yn llawen. ar hynny yr idewon

H H

adangossassant idaw y fford y dlyei vynet. Ac arhynny
gwalchmei agerdawd racdaw dan ymorchymyn y duw.
Ar idewon awediassant y gyt ac ef. herwyd eu cret
wyntwy ar y dyuot draegeuyn drwy lewenyd. A march-
ogaeth aoruc gwalchmei yny doeth y vynyd mawr yr
hwnn aoed yn damgylchynu y wlat yr honn adaroed
yr kawr y diua. Ac yno ydoed ef yn gymeint ac yn
gyngreulonet. ac nat oed arnaw ovyn neb or byt. ar fford
yr eit attaw oed gyn gyuynghet ac na allei neb or byt
or byt ar varch vynet idi. Ac yna y goruu ar walchmei
disgynnu acherdet ar y draet ar draws mein llymyon.
yny doeth yr tir gwastat. ac edrych oe vlaen aoruc ef
ac arganuot ryw gyuanned. ac yn ymyl hynny ef awelei
y kawr yn eisted. ef ar mab dan vric prenn. Gwalchmei
adoeth tu ac yno. Aphan weles ef walchmei yn dyuot.
ef a gyuodes yn chwimwth y vyny. Ac a gymerth
bwyall vawr aoed yn y ymyl. ac adoeth yn erbyn
gwalchmei. ac a ossodes arnaw dyrnawt. a gwalchmei
ae gollyngawd yr llawr. ac ae trewis ynteu achledyf
yny dorres y breich aoed yn kynnal y vwyall. Aphan
wybu y kawr y anafu. ef a ymchoelawd gyntaf ac y
gallawd tuac att y mab. Ac ar dwrn arall ef a gymerth
y mab erbyn y wdyf. ae gwasgawd yny dagawd. a
gwedy ef a ymchoelawd ar walchmei. ac a ymafaelawd
ac ef. ac ae dyrchafawd ar y ysgwyd. ar vedyr mynet
ac ef tu ae letty. Aphan yttoedynt yn mynet uelly ef
a vynnawd duw yr kawr syrthyaw a gwalchmei ar y
warthaf. A gwalchmei yn vuan yna agyfodes. ac nyt
ebryuygawd ef y gledyf. namyn kynn kyuodi y kawr
ef ae brathawd trwydaw. a gwedy hynny ef a dorres y
benn. ac a doeth yr lle yr oed y mab yn varw am yr
hynn yd oed drist ef. ac ae dyrchafawd ar y ysgwyd ac
agymerth penn y kawr. ac ae duc hyt yny lle ydoed y
varch. a dwyn ganthaw y mab aphenn y kawr. yny
doeth geyr bronn y brenhin.

CXIX.—E brenhin a chwbwl oniuer y llys adoethant
yny erbyn. dan lewenyd. Aphan welsant wy vot y
mab yn uarw wynt a newityassant y llewenyd yn drist-
it. Gwalchmei yna adisgynnawd ac a anregawd yr

brenhin y vab a phenn y kawr. ac adywawt. Arg-
lwyd heb ef pei gallasswn i y dwyn ef yn amgen vod
mi ae dygasswn yn llawen. mi awnn hynny heb y bren-
hin. ac am awnaethost di bodlawn wyfi. a thal dy lafur
ti ae keffy. Ac yna kwynaw y vab aoruc y brenhin.
apheri kynneu tan mawr aoruc ef ymperucd y dinas.
arodi y vab ymywn llestyr oe verwi. A gwedy hynny
ef aberis kymryt penn y kawr ae grogi ywch penn y
porth. Aphan vu digawn kic y mab ef aberis y dorri
yn divynnyon man. a dyuynnu kwbwl oedylwyth y
gyt oe vwyta. hyt y hergydyawd udunt. a gwedy
hynny ef aberis dwyn y cledyf ae rodi y walchmei. a
gwalchmei ae diolches idaw yn vawr. Etto heb y
brenhin mi awnaf yn vwy dy rod di. Yna ef aberis oe
holl wyrda vynet yr castell. Ac yna ef adywawt wrth
walchmei. Arglwyd heb ef. mi a vynnaf vy medydyaw
achwbwl ar ny mynno credu y duw ydwyf yn gorchy-
mun y ti llad eu penneu. Ac uelly y bedydwyt y
brenhin yr hwnn oed arglwyd ar aubanie. o achaws
gwyrtheu duw a milwryaeth walchmei. Ac wedy
hynny ef a gychwynnawd gwalchmei or castell drwy
diruawr lewenyd. Ac yn henw ar y brenhin y roet
archer. namyn gwalchmei agerdawd racdaw yny doeth
att vrenhin gorgeraus y rydhau y gret. Yna y bren-
hin adoeth yny erbyn. ac a vu lawen wrthaw. Arglwyd
heb y gwalchmei llyma vi yn dyuot y rydhau vyngcret.
allyma vyngcledyf. Ar brenhin ae kymerth yny law
ac aedrychawd arnaw. ac a vu lawen wrthaw. A gwedy
hynny ef ae roes yny trysor ehun. Och heb y gwalch-
mei paham y gwney di beth mor dwyllodrus a hynny.
Ny thwylleis i neb heb y brenhin. namyn iawnach yw
y minneu gael y cledyf noc y neb. kanys mi a hanwyf
o genedyl y gwr a ladawd pen ieuan. Arglwyd heb y
gwalchmei kam yw ytti vyn treissyaw i yr hynny.
Arglwyd vrenhin heb y marchogyon aoedynt yno.
Gwalchmei yssyd wr cwrteis. a gogan agaffut or gwn-
elut gam ac ef. Ac am hynny roder y cledyf idaw.
Yn llawen heb ynteu drwy amot na nackao ynteu yr
unbennes gyntaf aarcho rod idaw beth bynnac vo. a

gwalchmei aganhattaawd idaw hynny. ac am y gen-
nhadu. ef aoruu arnaw odef llawer o gewilyd am hynny.
a llawer o boen a cheryd.

CXX.—E brenhin aroes y gledyf y walchmei. ac
yno y bu ef y nos honno. A thrannoeth ef agerdawd
racdaw yny doeth y ymyl y dinas yn y lle y rassoed y
bwrgeis y varch idaw. ac adoeth cof idaw yr amot aoed
yryngthaw ac ef. Ac yno y safawd ef hirynt yny doeth
y bwrgeis attaw. Ac yna pob un a uu lawen wrth y
gilyd onadunt. Gwalchmei yna adangosses y gledyf.
Ar bwrgeis ae kymerth yny law. ac adrewis y varch
adwy yspardun. ac agyrchawd y dref ar cledyf gan-
thaw. a gwalchmei yny ol ynteu. Y bwrgeis adoeth
yr dref a gwalchmei ae hymlynawd. ac adoeth yr dref
yny ol. ac agyfaruu ac ef processio mawr o offeiryeit ac
ysgolheigyon. a chroes oc eu blaen. Gwalchmei yna
a diskynnawd o achaws y processio. Ar bwrgeis aaeth
y eglwys ar processio yny ol ynteu. Arglwydi heb y
gwalchmei perwch yr gwr racko rodi yr hynn aduc y
gennyf. Arglwyd heb yr offeiryeit y nyni y mae ef
yny dwyn oe roi ym mysc yn creiryeu ninneu. ac ady-
wawt daruot yti y roi idaw. Kelwyd adywawt heb y
gwalchmei mi aedangosseis idaw yr dillwng vyngcret.
ac odyna ef adywawt udunt ual y bu ryngthunt. ae
damchwein ehun heuyt. Ac yna yr offeiryeit a baras-
sant roi y gledyf idaw. a gwalchmei a vu hoff ganthaw
hynny. ac aaeth ar geuyn y varch. Ac ny cherdawd ef
haeach odieithyr y dinas yny gyfaruu ac ef marchawc
urdawl. yr hwnn oed yn dyuot o nerth traet y varch
ac yn aruawc o bop arueu. Arglwyd heb ef wrth
walchmei yr oedwn i yn dyuot yth amdiffyn di. kanys
yd oedit yn gwneuthur cam athi yny dinas racko. A
minneu a hanwyf or castell yr hwnn a nertha pawb or
a hanffo o wlat arall. or byd reit udunt wrth nerth. A
unben heb y gwalchmei bendigedic vo y castell hwnnw.
aphwy henw y castell. Arglwyd heb y marchawc ef
aelwir castell y bel. achanys deryw dy rydhau di
mi a ymchoelaf dracheuyn. athitheu a deuy ylettyu
heno bellach att vy arglwyd i. Duw adiolcho ytt dy

gwrteissi heb y gwalchmei. Amarchogaeth aorugant
tuar castell yny doethant ymywn.

CXXI.—Aphan doethant yr castell ymywn. gwalch-
mei aarganuu yr arglwyd yn eisted ar disgynuaen o
varmor. ac yn edrych ar y dwy verchet yn gware a
phel o eur. Aphan arganuu ef walchmei yndisgynnu.
ef adoeth yny erbyn. ac a vu lawen wrthaw. Ac odyna
ef aberis yr merchet kanhebrwng gwalchmei yr neuad.
Aphan daruu y walchmei diosc y arueu ef a ducpwyt
idaw dillat oe gwisgaw. A gwedy hynny wynt a aeth-
ant y vwyta. ar morynyon ieueinc aeistedassant yny
ymyl. ac ar hynny nachaf gorr yn dyuot y mywn. ac
ysgors yny law. ac yn roi dyrnodeu yr merchet ae ys-
gors. ac yn dywedut wrthunt. kyuodwch y vyny drwc
eu dysgyeit. Paham y gwnewch chwi lewenyd kymeint
a hwnnw yr gwr aladawd awch brawtuaeth. ac ar hynny
y merchet agyfodassant yn gewilydus y vyny. ac
aadawssant walchmei. ac ynteu ryued vu ganthaw
hynny. Ar ieuaf onadunt adywawt wrth walchmei.
Arglwyd heb hi na symlet arnat ti dim o hynn. kanys
y korr yssyd wassanaethwr arnam ni. ac yn dysgy-
awdyr yw. allidiawc yw efo wrthyt ti amlad y vrawt
ohonat y dyd y lladawd marius eidic y wreic oth
achaws. or achaws yd ym doluryus ninneu heuyt. Myn
vyngcret heb y gwalchmei uelly yd wyf inneu. kanys
ny haedyssei hi dim oe hangheu om plegyt i.

CXXII.—Gwalchmei adrigyawd yno y nos honno.
Athrannoeth ef aaeth ymeith drwy gennat pawb or
tylwyth onyt y corr ehun. ac a varchockaawd drwy
sywrneioed yny doeth yr castell kyntaf o tir brenhin
peleur. ac aweles nat yttoed y mileinyeit evyd yn
saethu dim. ac nat yttoed y llew ar y porth. ac ef
awelei yn dyuot yny erbyn yr offeiryeit ar ysgolheigyon
dan ganu aphrocessio. Ac yna y kymerth un or offeir-
yeit y cledyf oe dangos yr lleill. ae dynnu or wein
aorugant. a hanner dyd ehun oed ar cledyf yna aoed
yn waetlyt. a phawb onadunt aadoles yr cledyf ac
aganassant. Te deum laudamus.

CXXIII.—Ar y kyfryw lewenyd a hwnnw yd er-

bynnywyt gwalchmei ar cledyf a roespwyt yny wein.
aphawb avu lawen wrthaw. ac aarchassant os duw ae
danuonei y lys brenhin peleur ac ymdangos or greal
idaw. na bei mor ebryuygus ar marchawc avuassei
yno yny vlaen. A gwalchmei adywawt y gwnaei val
y kennattei duw idaw. Arglwyd heb y pennaf or off-
eiryeit. yr hwnn oed wr prud. mi adebygaf nat oed
afreit ymi gael gorffowys. kanys ·blin wyf athrafaelus.
Arglwyd heb y gwalchmei mi aweleis lawer obetheu
oed ryued gennyf eu gwelet. Mi adebygaf mae gwir a
dywedy heb yr offeiryat. Y castell hwnn yma ynteu
aelwir castell y govynneu. Ac ny elly di na thi na neb
govyn dim yma ar ny wyper beth aarwydockao. A
hynny drwy dystolyaeth iosep o arimathia. drwy yr
hwnn y gwdam ni. ac ynteu agwyr drwy dystolyaeth
yr yspryt glan. Myn vyngkret heb y gwalchmei
ryued vu gennyf welet y teir morynyon. y rei avuant
yn llys arthur. ac adugassant ganthunt deu benn. nyt
amgen penn brenhin. aphenn brenhines. ac ymywn
cadeir ydoed ganthunt. deudec penn adeugeint a chant
o benneu marchogyon urdolyon. a rei onadunt aoed
gwedy eu hinseilyaw aphlwm. ereill ac aryant. ac ereill
ac eur. Gwir yw heb yr offeiryat. ac wynt adywedas-
sant mae oachaws y vrenhines honno y lladyssit y
brenhin. a chymeint ac aoed o benneu yny gadeir.
Gwir adywedassant heuyt herwyd mal y tystolyaetha
iosep. yr hwnn adywawt ar gyffelybrwyd panyw
drwy eua y twyllywyt adaf. achwbwl oc adoeth ohonaw
ynteu. achanys adaf agrewyt yngyntaf or pobloed. am
hynny yd ydys yny alw ef yn vrenhin. kanys efo yw
yn tat daearawl ni. Ac eua oed y vrenhines. yr honn
y llas wyntwy oll oe hachaws. ar penneu adywedy di.
eu bot ac inseilyeu oeur arnunt. yd ys yma yn eu kyff-
elybu wynt. yr cristonogyon y rei agredawd yr gyfreith
newyd. Ar penneu ar inseilyeu aryant arnunt aar-
wydockaa yr idewon. Ar penneu inseilyedic o blwm a
gyffelybir yr sarascinyeit. Or tri amryw dynyon hynny
yr ordinhawyt y byt. Arglwyd heb y gwalchmei eres
yw gennyf am gastell y meudwy du. yn y lle y ducpwyt

y penneu y gennym. ar unbennes adywawt ymi panyw
pandelei y milwr da y bwrit wyntwy ymeith or gadeir.
Ac ydoed yno ymywn ryw dynyon yn gweidi am dy-
uotyat y milwr hwnnw. Gwir yw heb yr offeiryat. ti
awdost mae oachaws yr aual avwyttaawd adaf yr
aethant y uffern y rei drwc. ac am hynny y doeth duw
yn vilwr da yr byt. ac aduc y gedymdeithyon o uffern
allan ahynny drwy y nerth ae gedernit. Ac am hynny
y mae Iosep yn y gyffelybu y uffern. Aphan del y
milwr da hwnnw ef ae gyr wynt allan oll. Y gyt a
hynny yd ys yma yn kyffelybu y meudwy du. y luciffer
yr hwnn yssyd arglwyd ar uffern. yn gynhyttret ac y
mynassei y vot ymparadwys. Arglwyd heb y gwalch-
mei ryued yw gennyf am y vorwyn yr honn oed yn
voel heb un blewyn ar y phenn. Ac adywawt na chaffei
y gwallt vyth yny del y marchawc aenillo y greal. Gwir
yw heb yr offeiryat. ac uelly y mae yr ysteir blyned.
kanys yna heuyt y digwydawd brenhin peleur yn y
glefyt. am na wnaeth y marchawc y govyn ual y dyly-
assei. Y vorwyn honno agyffelybir yr dynghetuen
herwyd ual y synhwyra iosep yni. ar dynghetuen heuyt
gynt a vu uoel kynn diodef o grist. ac heb wallt heuyt
yny diodefawd crist. Aphan brynawd ef y bobyl drwy
odef angheu. Y gadeir yssyd gyt a hi aarwydockaa
vot y dynghetuen ar yr honn y kerda hi y byt. Y
daryan a duc hitheu y lys arthur ar groes goch yndi
aarwydockaa. y groc yr honn ny lyfassawd neb y chym-
ryt onyt duw ehun. Gwalchmei agigleu yr ysponyat
hwnnw ac a vedylyawd na lyfassei neb ynteu gymryt
y daryan aadawssit yn y llys yny delei un well no neb.

CXXIV.—Duw adalo ytt heb y gwalchmei kanys
synhwyreist ym yr hynn yr oedywn yn y vedylyaw
yr ystalym. ac yn ryuedu amdanaw. Eissyoes ryued
etto yw gennyf am varchawc yr hwnn aladawd
y wreic om achaws i. ac nys haedassei hi dim oe
hangeu. Arglwyd heb yr offeiryat llewenyd mawr a
synhwyra y hangeu hi. kanys iosep adywawt yni
panyw o achaws gwreic y diuawyt yr hen gret. ac
oachaws dyrnawt a gwaew. Ac yr diua yr hen gret y

diodefawd crist roi dyrnawt idaw a gwaew. ac ar y
dyrnawt hwnnw y diuawyt yr hen ffyd. ar wreic a
gyffelybir yr hen ffyd. Arglwyd heb y gwalchmei ef
agyfaruu ami varchawc yn marchogaeth ae wyneb ar
bedrein y varch. a chwrr y daryan y vyny. Ac yr awr
y gweles ef vyui ef a ymgweiryawd yn iawn. ac a
uarchockaawd megys marchawc arall. Gwir yw heb yr
offeiryat. y ffyd gynt agyffelybir yr marchawc hwnnw.
kanys yr hengret gynt aoed ar y gwrthwyneb kynn di-
odefedigaeth yr arglwyd ar y groc. Ac yr awr y di-
odefawd ef. hi aaeth yn y lle yn iawn. Arglwyd heb
y gwalchmei ef adoeth marchawc y ymwan ami oachaws
marius eidic ar neill hanner oe daryan yn wynn ar
llall yn du. a myui aoruum arnaw ef. Iawn heb yr
offeiryat oed ytt y vwrw ef. Y marchawc hwnnw agyff-
elybir yr henffyd heuyt. kanys deu hanner oed. athrwy
y gret newyd y diuawyt yr hen. ual y goruuost ditheu
arnaw ynteu am y vot ar gam. Arglwyd heb y gwalch-
mei ryued yw gennyf am vab bychan yr hwnn aweleis
yn marchogaeth llew. ac ny lyuassei neb dynessau
attaw onyt y mab ehun. ac nyt oed o oet arnaw mwy
no seithmlwyd. Y mab hwnnw heb yr offeiryat a gyff-
elybir i iachwyawdyr y byt. Ac ny dywedafi ytti
mwy. kanys nyt oes ymi rydit y dinoethi dirgeledig-
aetheu duw. Arglwyd heb y gwalchmei mi aovynnaf
ytt am vrenhin yr hwnn agymerth mab marw idaw. ac
aberis berwi y mab ae roi y vrenhinyaeth oe vwyta. Ie
heb yr offeiryat neur daroed yna trossi y vedwl ef ae
ewyllys parth ac att duw. Ac am hynny y gwnaeth ef
aberth y duw oe vab ac oe waet. ac am hynny y roes
y vab oe vwyta y bawp oe wlat. Ac oblegyt mynnu
bot pawb yn un vedwl ac ynteu y goruc ef uelly. Ben-
digedic vo yr awr y doethum yma heb y gwalchmei.
Yno y trigyawd ef y nos honno a hoff vu ganthaw y
letty. A thrannoeth gwedy offeren ef a gychwynnawd
ymeith or castell. ac adoeth yr gweirglodyeu teckaf or
awelsei eiryoet. ac a varchocaawd yny doeth diwarnawt
yn agos y lys brenhin peleur. ac ef adamchweinyawd
ar ty meudwy yr hwnn ny allei neb vynet idaw ymywn.

ae gapel nyt oed vwy haeach. ar gwr da aoed yno ny
buassei odieithyr y ty yr ys deugein mlyned. Y meudwy
aestynnawd y benn trwy ffenestyr pan weles gwalch-
mei. ac adywawt. grassaw duw wrthyt unbenn. Ac y
titheu antur da heb y gwalchmei. ac aelly di vy llet-
tyaw i heno. Arglwyd heb y meudwy ny lettyir neb
yma onyt duw. yr hynny ti agey letty da yma yn agos.
yn y lle y llettyir marchogyon urdolyon da. Arglwyd
heb y gwalchmei pwy bieu y lle hwnnw. Y mae yn
eidaw brenhin peleur heb y meudwy. adwfyr mawr
yny gylch ogylch. ac yn amyl o bop da. Ac ny dyly
llettyaw yno neb ony byd yn wrda. Duw awnel ymi
vot velly heb y gwalchmei.

CXXV.—Pan wybu walchmei y vot yn agos yr cas-
tell ef a disgynnawd ac a gyffessawd wrth y meudwy.
Ac a vwryawd y wrthaw y holl bechodeu drwy edi-
uarwch achyffes. Arglwyd heb y meudwy mogel rac
ebryvygu o honot y govyn. aebryfygawd y llall oth
vlaen. ac na symlet arnat dim oc awelych ar drws y
castell. namyn marchocka ragot a gwedia yr capel
santeid yssyd yno. Arglwyd heb y gwalchmei mi
aarchaf y duw kennattau ym allel gwneuthur bod duw
ar seint. A chymryt kennat y meudwy a oruc ef a
mynet ymeith. a marchogaeth yny doeth y dyffryn tec.
a phob da yndaw yn amyl. ac odyna ef aarganuu y rac-
werthuawr gapel. Ac yna disgynnu aoruc ef a gos-
twng ar dal y deulin a gwediaw duw. A gwedy hynny
esgynnu ar y varch a marchogaeth yny doeth y ymyl
ysgrin dec ar y fford. ac ar warthaf yr ysgrin yr oed ky-
vyrlit tec. ac yn y chylch ogylch yd oed mynwent vechan
dec. Ac ar hynny ef aglywei lef yn dywedut ac yn
erchi idaw nat elei ynghyfyl yr ysgrin. kanys nyt tydi
y milwr y gwybydir beth y syd yndi oe achaws.
Gwalchmei agerdawd racdaw pan gigleu y llef. ac a
uarchockaawd yny doeth gyferbyn a phorth y castell. ac
aarganuu deirpont mawr aruthur oe kerdet. a their
avon y danunt yn redec. Ac ef awelei bot yn hyt y
bont gyntaf ergyt saeth. ac nat oed yn y llet hitheu
namyn troetued. Ac ny wydyat gwalchmei beth a-

wnaey odybyeit na allei neb y cherdet nac ar droet nac
ar varch.

CXXVI.—Megis y bydei ef uelly ef a welei varch-
awc urdawl prud yn dyuot hyt ar benn y bont. yr
honn aelwit pont y llassywen. ac yn galw arnaw ac
yn erchi idaw dyuot yn vuan ar hyt y bont. kanys
agos yw yr nos. a chymeint ac yssyd yn y castell y
maent yth aros di. Arglwyd heb y gwalchmei manac
ditheu ymi pa fford y delwyf. Myn vyngcret heb y
marchawc ny wn i fford y dyuot namyn honno. ac ossit
ewyllys gennyt ti y dyuot yma dabre yn vuan heb
ovyn arnat. Ac yna y doeth cof y walchmei dywedut
or meudwy wrthaw. ac erchi idaw na bei un arswyd
arnaw yr awelei ar y porth. ac y gyt a hynny yn wir
gyffessawl ydoed. ac yn afreityach idaw ofyn angheu.
Ac yna ymorchymun aduw aoruc megys dyn a vei
ymbronn y angheu. atharaw y varch a dwy yspardun
adyuot yr bont. ac yr awr y doeth ef yr bont yr oed yn
gyflet hi ac y gallei dwy gertwein ystlys yn ystlys
gerdet arnei. A ryued vu gan walchmei gwelet y bont
awelsei yn gyn vychanet kynno hynny yn gymeint yr
awr honno ahynny. Aphan doeth ef dros y bont
honno. ef a welei nat oed haws idaw vynet dros un or
dwy ereill. kanys dwfyr kadarnffyryf berwedic aoed yn
taraw dan y pynt. ar pynt yn weinyon eu grwndwaleu.
ac o ia y gwelit idaw efo eu bot wy. yr hynny callon
agymerth ef yndaw a thrwydynt y doeth. Aphan
doeth ef y ymyl y porth. edrych y vyny aoruc. ac
uwch benn y porth arganuot delw y groc yn lliwyedic
o eur ac asur. a delw veir or neill hanner idaw. a delw
ieuan or hanner arall. ac ar y tu deheu idaw ef awelei
llun angel. yr hwnn aoed ae vys yn dangos y capel.
Yn y lle yd oed sein greal yndaw. ac ardal y capel yr
oed maen mawrweirthyawc. a llythyr o eur yn ysgriu-
ennedic o bop parth yr maen. y rei aoedynt yn dy-
wedut bot yn gynlanet arglwyd y llys honno o bop
pechawt. ac yr oed y maen ynteu o bop bruthni.
Gwedy hynny ef a welei llew aruthur yn sefyll ym-
perued y porth. ac yr awr y gweles ef walchmei. ef a

orwedawd ac aroes y benn rwng y deu troet. Aphan
weles gwalchmei hynny ef a gyrchawd y porth ac
adoeth yr castell heb neb ryw lesteir arnaw. ac a dis-
gynnawd. ac aossodes y daryan ae waew wrth vur y
neuad. ac adringawd ar hyt y gradeu yny doeth yr
neuad yr honn aoed wedyr liwo o delweu eur. Gwalch-
mei aedrychawd ar weith y neuad yn graff.

CXXVII.—Megys y bydei walchmei uelly nachaf
deu varchawc urdawl yn dyuot o ystafell. ac yn y ras-
sawu yn llawen. Duw adalo ywch heb y gwalchmei.
Yna wynt adiosgassant y arueu y amdanaw. ac a duc-
pwyt dwfyr idaw y ymolchi ymywn cawc alavwr o eur.
ac arhynny nachaf dwy vorynyon yn dyuot a dillat
idaw oe gwisgaw. ac yn erchi idaw gymryt yn llawen
yr hynn aellit idaw yno y wneuthur. kanys yma y mae
lletty y milwyr kywiryon. Duw adalo ywch heb y
gwalchmei. Yna gwalchmei a weles vot yn gymeint y
goleuni yny neuad hyt nos aphettei yr heul yn dis-
gleiryaw. a ryued uu gan walchmei hynny. Pan daroed
y walchmei wisgaw y dillat ymdanaw ef awelit y bawp
y vot yn dec ac yn vawr y gedernit. Yna y march-
ogyon urdolyon aovynnassant y walchmei a vynnei dyuot
y ymwelet ar brenhin. Mynnaf yn llawen heb y
gwalchmei. a mi a vynnaf y anregu or cledyf hwnn.
Yna wynt ae dugassant ef y ystauell y brenhin. yn y
lle yd oed ef yn gorwed. ac nyt reit govyn aoed da y
wely. ar glustoc yny ymyl yd oed croes o eur. yn yr
ystauell ydoed piler o eur. ac arwarthaf hwnnw yd oed
angel. a chroes eur yn y law. a phedwar tors o gwyr yn
llosgi yny gylch ogylch.

CXXVIII.—Gwalchmei yna adoeth geyr bronn y
brenhin ac agyuarchawd gwell idaw. Ar brenhin a vu
lawen wrthaw. Arglwyd heb y gwalchmei mi arodaf
ytti y cledyf hwnn. a llyma y cledyf y llas penn ieuan
uedydwyr ac ef. Duw adalo ytt heb y brenhin mi a
wydwyn panyw tydi ae dygei ef yma. kanys ny allei
na thydi nac arall dyuot yma heb y cledyf. Yna y
brenhin ae kymerth ac ae cussanawd. A gwedy hynny
ef ae roes yn llaw morwyn aoed yn eisted yny ymyl.

ac is traet y wely yd oedynt ereill yny wassanaethu yn
uanawl. Pwy heb y brenhin yw dy gyvenw di. Ef
am gelwir i gwalchmei arglwyd heb ynteu. Gwalchmei
heb y brenhin. y goleuni a wely di yma. duw yssyd
yny anuon yni yr yndidanu. y geniuer gweith y del
dieithreit attam. aphei gallwn i wneuthur mwy o lew-
enyd ytti mi ae gwnawn. a mi adigwydeis yn y nych-
dawt awely di yr pan lettyawd marchawc urdawl yma.
yr hwnn y clyweist ymdidan amdanaw yn vynych om
tebic i. ac o achaws un parabyl bychan a ysgaelussawd
ef y dywedut y syrthyeis i yny nychdawt hwnn. Ac
am hynny yd archaf i ytti yr duw dyuot y gof ytt y dy-
lyut vot yn llawen pe gallut roi ym iechyt o hynn. ally-
ma nith ym yr honn yd ys yny didreftadu. ac ny allafi idi
hi chweith nerth. ac yssyd yn keissyaw y brawt ar hyt y
byt. ac yr ys yn dywedut nat oes yny byt vilwr well noc
ef. ac o gwdost ditheu chweith chwedyl y wrthaw yr
duw manac ymi. Arglwyd heb yr unbennes diolwch di y
walchmei yr enryded awnaeth ef ym mam i. kanys ni
agawssam geitwadaeth yn castell y ganthaw. yr ys agos
y vlwydyn. a llyma arglwyd y vlwydyn wedy dyuot. ar
ryuel yn atnewydhau. ony damweina ymi gael vymrawt
ni agollwn yn tir an daear. A unbennes heb y gwalchmei.
Pei delwn y le or byt ac y bei dy vrawt yndaw mi ady-
wedwn idawdy anesmwythdra ath amarch. ac nyt yttwyf
yn caffael chweith chwedyl diheu y wrthaw. onyt hynn
vyndyuot hyt yn lle ydoed brenhin meudwy. yr hwnn
aerchis ym gerdet yn araf ac na wnelwn chweith aflonyd-
wch. Ac adywawt bot yno ynglaf y milwr goreu or byt.
ac ny mynnei ef dywedut ymi y henw. ami aweleis y
varch ef ae arueu. Yna y brenhin adywawt wrth walch-
mei. Gwalchmei dec heb ef delit dy gof dy rym heno.
kanys y mae gennyfi obeith mawr yn dy rym di. Os
da gan duw heb y gwalchmei ny wnaf i yma chweith y
galler vynggoganu amdanaw. ar hynny ef aaethpwyt a
gwalchmei yr neuad. ac yno ef aweles deu arhugein o
varchogyon urdolyon. ac ny thybyit wrthunt vot yn
gyfoet ac yd oedynt kanys ydoed bop un onadunt yn
ganmlwyd o oetran. ac ny thybyei neb wrthunt eu bot

yn vwy no deugeinmlwyd bop un. Ac yna wynt arod-
assant walchmei y vwyta ar vwrd o asgwrn moruil.
ac wynteu aeistedassant yn y gylch ynteu. Ac yna y
pennaf onadunt adywawt wrth walchmei. Arglwyd
heb ef delit dy gof yr hynn a erchis y brenhin ytt.
ac ar hynny bwyt a ducpwyt udunt ymywn eurlestri.
Ac arhynny ef awelei dwy vorwyn debygei ef yn dyuot
or capel. Ac yn llaw un ef awelei y racwerthuawr
lestyr yr hwnn aelwit y greal. ac yn llaw y llall y
gwelei gwaew. ac o benn y gwaew y gwelei val o
wythen gwaet yn digwydaw yn y llestyr. Aphob un
onadunt yn dyuot gan ystlys y gilyd hyt geyr bronn
gwalchmei. Ac yna gwalchmei aedrychawd ar y greal
(ac) ar y gwaew. ae ef a welit idaw vot deu angel a deu
dors o gwyr yn llosgi y gyt ac wynt. Ac ar hynny ef
ae gwelei yn kerdet geyr y vronn ac odyna yn mynet
yr capel drachefyn. a chymeint vu llewenyd gwalchmei
ac na doeth cof idaw neb onyt duw. ar marchogyon
aoedynt gwedy glassu o ovyn ebryvygu ohonaw y govyn.
Ac ar hynny nachaf dwy unbennes yn dyuot or capel
hyt geyrbronn gwalchmei. Ac ef awelei vot tri angel
yn y lle ny welsei gynno hynny namyn deu. ac awelei
ymperued y greal ffuryf mab bychan. Ar pennaf or
marchogyon a demigyawd gwalchmei yna yr y rybud-
yaw. Ac yna gwalchmei aarganuu tri defnyn or
gwaet yn syrthyaw ar y bwrd geyr y vronn. Ac ynteu
o digrifwch edrych ar y dwywolder hwnnw ny doeth
cof idaw dywedut ungeir. ac arhynny y morynyon a
aethant ymeith. ar marchogyon aoedynt yn edrych
bop un ar y gilyd o vraw. Gwalchmei ynteu heb allel
tynnu y olwc y ar y tri defnyn gwaet. a phan geissy-
awd ef roi y law arnunt wy. wynteu adifflannassant
ymeith y ganthaw. Ac ar hynny nachaf y morynyon
yn dyuot hyt geir bronn gwalchmei. Ac yna edrych
aoruc ef ywch y benn. ac arganuot y greal debygei ef yn
yr awyr. ac ar y warthaf yd oed croc uawr a gwr arnei
wedy y bwyaw a hoelon a gwaew yn y ystlys. Sef
aoruc gwalchmei yna edrych arnaw heb dyuod cof idaw
amgen. ar pennaf or marchogyon ae rybudyawd yr

eilweith. Ac a dywawt ot arhoei ef mwy na chwplaei
eu heissyeu wy vyth. Gwalchmei aedrychawd y vyny
heb dyall dim y wrth y marchogyon nar morynyon.
Ac ar hynny y morynyon aaethant yr capel ac adugant
y greal ganthunt. ar marchogyon abarassant tynnu y
llieinyeu y ar y byrdeu. ac aaethant y neuad arall ac
a adawssant walchmei ehunan uelly. Yna gwalchmei
aedrychawd ar hyt y neuad ac awelei y drysseu yn
gaeat arnaw. Ac yn y ymyl ef a arganuu gwely yn
barawt a deudors o gwyr yn llosgi. Ac yn ymyl penn
y gwely ydoed tawlbwrd ar werin arnei wedy eu
gossot. ar neill hanner or werin aoed o asgwrn mor-
uil. ar llall o eur. Gwalchmei adechreuod gware. ac
asymudawd un or werin o asgwrn moruil. ar rei o
eur a chwareassant yny erbyn. ac uelly y colles ef deu
chware. a dechreu y trydyd aoruc y geissyaw dial y
gewilyd. Aphan weles ef y chware ef yn waethaf.
ynteu agymysgawd y werin. Ac ar hynny nachaf uor-
wyn yn dyuot o ystauell ac yn erchi y herlot aoed gyt
a hi gymryt y dawlbwrd. ae dwyn ymeith. A gwalch-
mei rac y vlinet a gysgawd ar warthaf y gwely hyt
trannoeth pan gigleu gorn yn kanu deirgweith.

CXXIX.—Ar hynny gwalchmei awisgawd y arueu
ymdanaw ac a gafas yny gynghor vynet ymeith.
achymryt kennat y brenhin aoruc. Aphan doeth tu ac
ystauell y brenhin yd oed y drysseu yn gaeat ual na
chaffei ef fford ymywn. Ac ef aglywei y gwassanaeth
teckaf yny capel. A drwc vu ganthaw na chafas mynet
y warandaw yr offeren. Ac ar hynny nachaf vorwyn
yn dyuot attaw. ac yn dywedut. Po ny chlywy di y
gwassanaeth tec ydys yn y wneuthur o achaws y cledyf
adugost di yma. a gwynn oed dy vyt titheu pei gallas-
sut vynet yr capel. ac o achaws ychydic iawn o barabyl
na chefeist di vynet yno kanys kynsanteidyet yw y
capel. ac na lyfasso offeiryat vynet idaw o bryt nawn
duw sadwrn. ohynny hyt duw llun pan gyuotto yr heul.
Ac yr hynny ef aglywir yno y gwassanaeth teckaf or a
glywspwyt eiryoet mywn capel. A gwalchmei o lit
wrthaw ehun nys attebawd hi o ungeir. Ie heb yr un-

bennes duw a vo gwarcheitwat arnat beth bynnac a
heydyeist yma. kanys mi a debygaf nat arnat ti ydoed
y diffic pei cawssoedut gennat oe dywedut. Ar hynny
yr unbennes aaeth ymeith. A gwalchmei agigleu y
corn eilweith yn canu. ac a glywei lef yn dywedut
wrthaw yn uchel. ar ny hanffo or llys honn yma. aet
ymeith pa un bynnac vo. kanys y mae y pynt gwedy
eu gostwng. ar pyrth yn agoret ar llew yny seler. A
gwedy hynny ef avyd reit dyrchafel y pynt. kanys
brenhin y castell marw yssyd yn ryuelu ar y brenhin
hwnn. or achaws y daw y angheu idaw.

CXXX.—Ar hynny gwalchmei aaeth allan or neuad.
ac a gafas y varch yn barawt gwedyr gweiryaw. ac
esgynnu ar y varch aoruc a dyuot dros y pynt y rei
nyt oedynt tebic yr nos gynno hynny. A marchogaeth
aoruc ef gan ystlys yr auon yr honn aoed yn redec drwy
y glynn. ac odyno ef adoeth y fforest vawr. ac adisgyn-
nawd arnaw glaw mawr a chenllysc a tharaneu. ual y
tebygit idaw efo vot y gwyd yn digwydaw. ac yn di-
wreidyaw or dayar. ac yny vu reit idaw roi y daryan
ywch y benn. ac uelly marchogaeth yn yr anesmwythdra
hwnnw aoruc ef gan ystlys yr auon yny weles llan-
nerch dec. ar heul yn disgleiryaw arnei. ar awyr yn lan
ywch y phenn. Ac ar hynny ef awelei uarchawc yn
marchogaeth yn ebrwyd ac yn hard aphedeir gerlont o
eur am y benn. ac unbennes dec ygyt ac ef. a deu
vytheiat yn eu hol wynteu. A ryued uu gan walchmei
y gwelet yn hinda or tu arall yr avon fford yr oedynt
wy yn marchogaeth. ar dymhestyl ar glaw fford yr oed
ynteu. Ac ny allei ef y ofyn udunt rac pellet oed
ryngthunt. Ac arhynny ef awelei was yr marchawc yn
kerdet yn nes idaw. A unben heb y gwalchmei. Paham
ymae yn law y tu yman yr avon. ac yn hinda y tu ac
attat titheu. Arglwyd heb y gwas am y haedu o
honat ti. ac aruer y fforest heuyt yw hwnnw. A bery
hitheu yn emawr ual hynn heb y gwalchmei. Pery
hyt y bont nessaf a gyfarffo athi.

CXXXI.—Ar hynny y gwas ae gedewis ef. a gwalch-
mei auarchockawd yny glaw ar kenllysc yny doeth yr

bont. a thros y bont y doeth ef. ac yna roi y daryan yn
iawn. a marchogaeth yny doeth y gastell yny lle yd
oedynt llawer oboploed yn chware ac yn canu. Gwalch-
mei adisgynnawd. eissyoes ny welei ef neb yny rassawu
yno. nac yn dywedut ungeir wrthaw. Gwalchmei
aymdangosses y bawp o bop parth idaw. ac ny welei
ef neb a didorei y wrthaw. Ac yna ynteu a vedylyawd
nat oed da idaw drigyaw na gohir yno haeach. ac adaw
y castell aoruc. a chyuaruot a marchawc urdawl ar y
porth. a govyn idaw pa ryw gastell oed hwnnw. Ponys-
gwdost di heb ynteu. castell y llewenyd yw hwnn.
Mynvyngcret heb y gwalchmei ys drwc y dysgassant
wy vot yn llawen. Ny cholles y castell yr hynny heb
y marchawc. nac wynteu eu corteissi. kanys tydi a
haedassut hynny. ac a welsant heuyt dyuot yn dyuot
drwy fforest beriglus y fford y rei trwch. ac y mae y
arwyd ar dy varch ath arueu. Ac ar hynny y
marchawc aaeth ymeith. a gwalchmei a uarchockaawd
yn drist ac yn aflawen. yny doeth y dir oed diruawr
y sychet. athlodi o bop da yndaw. ac arganuot castell
oe vlaen aoruc. a dyuot y mywn aoruc. a disgynnu
aoruc geyr llaw y neuad aoruc. ar yr honn yr oed
arwydyon tlodi yn uawr. Ac ymywn y doeth gwalch-
mei. ac ar hynny ef awelei varchawc urdawl ac ychydic
o dillat drwc ymdanaw. yn disgynnu ar hyt pont grech
ywaeret. Arglwyd heb ef wrth walchmei. grassaw duw
wrthyt. ac odyna yr neuad y doethant. ac arhynny
nachaf dwy vorynyon ieueingk yn dyuot o ystauell
yn odlawt o dillat. ac yn kyuarch gwell y walchmei.
ac ual y bydynt wy yn ymdidan uelly. nachaf uarchawc
urdawl yn aruawc yn dyuot ymywn. gwedy y daraw a
gwaew trwydaw. Aphan weles ef walchmei ef ae had-
nabu. ac a dywawt wrthaw. Arglwyd yr duw nac
ymdiarua oric. Yr awrhonn y doethum i y wrth lawn-
slot dy lac. ac y mae ynteu etto ynymlad a phedwar
marchawc urdawl o herwyr yssyd yn y fforest racko.
Ac yn tybyeit y maent wy panyw tydi yssyd yno.
ac y mae un onadunt gwedy y lad. Ac wynt a
henynt o genedyl y rei a ledeist di yn y pebyll y lle y

gwaredeist di yr aruer drwc. Ac yna gwalchmei a
esgynnawd ar y varch yn aruawc. Arglwyd heb y
marchawc myui aawn yth gymhorth di pei arhout ym
wisgaw vy arueu.

CXXXII. — Gwalchmei yna agerdawd racdaw o
nerth traet y varch. ac adoeth yr fforest ac aarganuu
gwaet y marchawc fford y kerdassei ar draws y gwellt.
marchogaeth aoruc ef yny doeth lle y clywei dyrnodeu
pob un onadunt ar y gilyd. Ac arhynny arganuot
aoruc gwalchmei ymwyn llannerch y tri marchawc. ar
pedweryd yn uarw. ac un or tri heuyt aoed ar y
llawr heb allel mwy or ymlad. kanys y marchawc
adathoed ar chwedleu y walchmei ae brathassei yn
drwc. Ar deu ereill aoed yn ymlad yn ffest a lawnslot.
ac ynteu gwedy blinaw yn uawr o achaws y dyrnodeu
arodassei ac aerbynnassei. Ac arhynny gwalchmei
adrewis un trwydaw yny vyd dan draet y varch yr
llawr. Pan wybu lawnslot aoed yno diruawr lewenyd
avu y ryngthunt. athra vuant wy yn ymgaru y ped-
weryd or marchogyon affoawd. Ac yna gwalchmei
adywawt wrth lawnslot vot y lletty tlottaf or awelsynt
eiryoet. ar morynyon teckaf. ac heb dim dillat udunt.
ac am hynny ni adygwn udunt yn ennill ni. Gwnawn yn
llawen heb y lawnslot. namyn drwc yw gennyfi diangk
y marchawc arall y gennym. Pa drwc heb y gwalchmei.
ni aallwn vot ar hynn wers. ymchoelut drachefyn tu ar
castell tlawt aorugant. a disgynnu. Ar marchawc tlawt
ar dwy unbennes adoethant yny herbyn. a lawnslot a
gwalchmei aerchis udunt gymryt y meirch ar arueu. a
gwneuthur avynnynt ohonunt. ar marchawc ae diolches
udunt. ac adywawt eu bot yn digawn eu kyuoethocket
bellach.

CXXXIII. — Odyna wynt adoethant yr neuad. a
gwas or ty a gweiryawd y meirch. ar morynyon ae
kymhorthassant wynteu o diosc eu harueu y amdana-
dunt. Arglwydi heb y marchawc bioed y castell myn
vyngcret heb ef nat oes gennyfi. chweith dillat y gall-
ewch eu gwisgaw. kanys nyt oes ym dim onyt vympeis.
Truan vu gan walchmei alawnslot eu tlottet. Ac yna

K K

y morynyon a dynnassant eu swrcodeu y rei oed ar
warthaf eu crysseu. ac ae kynnigyassant udunt oe
gwisgaw. ac nys gwrthodassant wynteu rac tybyeit
onadunt panyw yr amarch arnadunt y gwrthodynt.
Ac am hynny eu gwisgaw awnaethant. A llawen vu
gan y morynyon hynny. Arglwydi heb y marchawc
tlawt. y marchawc adoeth yma ar chwedleu y walch-
mei neut marw. ac y mae gwedy y estynnu yny capel.
ami abereis gyrchu meudwy oe gyffessu. ac oe gymun-
aw. ac ef aerchis ymi ych annerch chwi drwy adolwyn
ywch uot auory wrth y anglawd. kanys gwell no
chwchwi ny allei ef eu kaffael oe ganhebrwng. Yn wir
heb y lawnslot llyna ovit mawr vu y golli ef. Adrwc
yw gennyf na ovynneis y henw. ac o bale yd hanoed.
Arglwyd heb y gwalchmei. 'ef adywawt y gwybydut
ti yn ehegyr pa un oed ef. Gwalchmei a lawnslot avu-
ant yno y nos honno. Aphan vu dyd drannoeth wynt
aaethant yr capel y warandaw offeren. ac agymhorth-
assant y corff oe gladu. A gwedy hynny wynt a gymer-
assant eu kennat y gan y marchawc ar unbennesseu.
Arglwyd heb y lawnslot wrth walchmei. ny wys yn y
llys un chwedyl y wrthyt. ac y mae llawer yn tybyeit
dy varw. Myn vyngcret heb y gwalchmei mi aaf tu
ac yno. kanys blin wyf alludedic. ami aorffowyssaf
yno yny del ewyllys ym o newyd y geissyaw anturyeu.
CXXXIV.—Yna ef avanagawd y lawnslot padelw
yr ymdangosses y greal idaw yn llys brenhin peleur.
apha delw yr ebryvygawd ovyn beth aarwydockaei.
Arglwyd heb y lawnslot avuost di ynwir yno. Bum
myn vyngcret heb y gwalchmei. ac am hynny llawen
wyf athrist heuyt. Llawen wyf am welet y dwywolder
yssyd yno. trist wyf am ebryvygu ohonaf yr hynn
adaroed yr brenhin vy rybudyaw amdanaw. Arglwyd
heb y lawnslot y mae arnafi chwant mawr y vynet yno.
Myn vyngcret heb y gwalchmei iawn awney. kanys ef
am hanrydedwyt i yno yn vawr iawn. ami a debygaf
vynggoganu heuyt. Hyfryt yw gennyfi eissyoes vot y
milwr aoed well no mi yn vymblaen. ae oganu ynteu
yngymeint a minneu. Yna pawb agymerth kennat y

gan y gilyd onadunt. Aphob un aaeth oe fford heb
ymdidan mwy. Yma y mae yr ymdidan yn tewi am
walchmei ac yn trossi ar lawnslot.

CXXXV.—Ema y mae y kyvarwydyt yn menegi
marchogaeth o lawnslot yny gyuaruu marchawc ac ef
yny fforest yn marchogaeth yn wrd ac abrys mawr
arnaw ac yn aruawc o bop arueu. Ac yna gofyn aoruc
ef y lawnslot o ba le ydoed yn dyuot. A unben heb y
lawnslot o lys arthur. Arglwyd heb ef. awdost di un
chwedyl y wrth marchawc atharyan werd idaw megys
y meu inneu. Paham y govynny di efo heb y lawnslot.
Am y vot yn vrawt ym heb ynteu. Pwy y henw ef
heb y lawnslot. Arglwyd heb ynteu ef aelwir glado-
nius. a oes yth wlat ti neb ar kyffelyb honno namyn
tydi. Nac oes heb y marchawc. Aphaham y govynny
di ef heb y lawnslot. am vot ereill yny didreftadu heb
ynteu. a gwedy dwyn castell y ganthaw yr pan aeth
ymeith orwlat yd hanoed. Ami awn y keiff ef drach-
evyn drwy y vilwryaeth da. Ae kystal milwr efo a
hynny heb y lawnslot. Kystal arglwyd heb y march-
awc. a goreu oed ef o ynys y corsyd. Yr y vwyn ef heb
y lawnslot diosc dy helym. adangos ym dy wyneb. Mi
awnaf yn llawen heb y marchawc. ac yna dangos y
wyneb idaw. Myn vyngcret heb y lawnslot nat wyt
anhebic idaw. Arglwyd heb ynteu awdost ditheu un
chwedyl y wrthaw ef. Gwnn heb y lawnslot. ami adyl-
yaf y dywedut ytt. ef a varchockaawd doe y gyt ami
seith milltir. a thebic iawn yttiw ytt. Iawn heb y
marchawc oed debygu pob un y gilyd ohonam. kanys
deu vroder ym. Ygyt ahynny y mae yn y garu y wreic
deckaf o ynys y corsyd. ac nysgweles yr ys blwydyn.
kanys y mae yn kerdet pob lle y ennill clot ac enw. ac
yr duw arglwyd dywet ym pa le y kaffaf y welet.
Ynwir heb y lawnslot mi ae dywedaf yn doluryus iawn.
Paham heb y marchawc awnaethost di chweith drwc
idaw ef. Efo awnaeth yrofi gymeint ac y carwyf ef
heb y lawnslot. ac etto unben mi ae diolchaf idaw os
gallaf beth oc awnaeth yrof. ami adoethum hediw y
bore y wrth y gorff. ac a vum wrth y gladu. Och

arglwyd. ae gwir y dywedy di heb y marchawc. Gwir
mynduw yssywaeth heb y lawnslot. ac ef amkymhorthes
i amdiffyn vy eneit. Aminneu ae diolchaf yttitheu
herwyd ual y gallwyf y kwrteissi hwnnw. Arglwyd
heb y marchawc os marw vu ef. mawr a ovit yw hwnnw
ymi. kanys mi a golleis vy llewenyd amkynheilyat.
athref vyntat. ac ygyt a hynny heb obeith oe gael vyth.
Arglwyd heb y lawnslot efo am kymhorthes i am gael
vy eneit. Minneu ath gymhorthaf ditheu am gael dy
dir. Aphan gigleu ef yn hyspys varw y vrawt. ef
adechreuawd dryckyssyryo yn gymeint ac na allei neb
y didanu. Peit heb y lawnslot ath dryckyssyryo uelly.
a gollwng hynny bellach drosgof. ami arof vyngcorff
am milwryaeth drossot ti ympop lle or y bo reit ytt
wrthyf. Arglwyd heb y marchawc duw adalo ytt dy
garyat am gynnic ym dy wassanaeth. kanys reityach
yw ym yr awrhonn noc eiryoet. Myn vyngcret heb y
lawnslot myui aaf ygyt athydi fford y mynnych. ac a
rodaf vyngcorff drossot ymperigyl or byd reit ytt. yn
gynhytret ac y rodes ynteu drossof inneu.

CXXXVI.—Marchogaeth yna ygyt awnaethant yny
doethant yr corsyd. Ac ar hynny nachaf gastell ar greic
yn ymdangos udunt. A gweirglodyeu tec ydanaw. Arg-
lwyd heb y marchawc wrth lawnslot. y castell racko a
vu eido vymrawt i. Ar marchawc aeduc ef yganthaw
yssyd gyn greulonet. a chyn hyet oe gorff. ac nat oes
arnaw ovyn neb or byt. athi ae gwely ef yr awrhonn
yn dyuot allan yr awr yr arganffo ef ni. Ac yna
marchogaeth awnaethant yny doethant yn agos yr
castell. Ac oe blaen wynt awelynt yn dyuot ar hyt
fford herlotwas ar gevyn hacknei. ac y ryngthaw ar
goryf ydoed twrch coet yn uarw. Yna y marchawc ar
daryan werd idaw aovynnawd y bwy yd oed gwr ef.
Ac ynteu adywawt panyw gwr oed ef y arglwyd castell
gladonius. Ac y mae ynteu yn dyuot ym ol i. ar y
drydyd o varchogyon urdolyon yn aruawc. kanys brawt
gladonius yssyd yny vegythyaw ef oachaws y vrawt.
eissyoes nyt mawr iawn y ovyn ef yr hynny. Yna
lawnslot agigleu panyw gelyn y marchawc aoed yn

dyuot yn eu hol. Yna y marchawc ar daryan werd a
dangosses y elyn yr awr y gweles. ac adywawt wrth
lawnslot. Arglwyd heb ef. weldy racco y gwr yssyd
ym didreftadu i. ac ef awnaei ym waeth no hynny pei
gwypei varw vymrawt. Yna lawnslot heb dywedut
mwy pan y gweles ef yr arglwyd. ef a vrathawd y
varch yny erbyn a dwy yspardun. Ac yna y march-
awc urdawl adoeth yny erbyn ynteu. ac a ymgyhyrdas-
sant o nerth traet eu meirch yny dorrassant eu pelydyr.
namyn y marchawc or castell a syrthyawd dros bedrein
y varch yr llawr. A lawnslot yna a disgynnawd. ac
adynnawd y gledyf. ar marchawc aerchis y nawd. ac
aovynnawd y lawnslot paham y keissyei y lad. Ac yna
lawnslot adywawt panyw o achaws gladonius. yr hwnn
y dugost y gastell ae dreftat y ganthaw. Beth aberth-
ynei efo yti heb ef. y gymeint arall ac aberthyn ynteu
y minneu. Yna lawnslot adorres y benn ef. ac ae roes
yr marchawc. Dywet ym bellach heb y lawnslot. kanys
marw yw. a wneuthum i dy ewyllys di. Gwnaethost
arglwyd heb ef. kwbwl oe holl genedyl yssyd wedyr
blygu drwy y angheu ef. a minneu awarantaf heb y
lawnslot. na bydy di mywn perigyl o eisseu cael ne vy
nerth i.

CXXXVII.—Lawnslot agysgawd y nos honno yng-
kastell gladonius gwedy daruot idaw peri yr marchawc
kwbwl oe dir ae daear wrth y ewyllys. Aphawp yn
gwrhau idaw. Aphanwybu pawp or wlat varw glad-
onius ef a vu drwc ganthunt. Lawnslot drannoeth
aaeth ymeith. ar marchawc adrigyawd yno. A march-
ogaeth aoruc lawnslot yn hyt y dyd drwy y fforest.
yny gyfaruu ac ef marchawc urdawl yn marchogaeth
ae ogwyd ar goryf y gyfrwy a chwynuan uawr y gan-
thaw. rac meint y dolur. Arglwyd heb ef wrth lawns-
lot. yrduw ymchoel drachevyn. kanys y mae yna oth
vlaen y fford waethaf aphericlaf or yssyd yn yr holl
vyt. kanys yno myui agefeis vymbrathu trwydof mal
y gwely di. Pa ryw le yw hwnnw heb y lawnslot.
Arglwyd heb ynteu ef aelwir castell y baryfeu. ar neb
ael yr fford heb y castell ef avyd reit idaw adaw y

varyf yno. neu ynteu ymlad hyt ar angheu dros y
varyf. ac oachaws ymlad ohonafi dros vym baryf y
kefeis i hynn. Myn vyngcret heb y lawnslot tebic yw
gennyf nat wyt wr llwfyr. pan vei well gennyt. amdiff-
yn dy varyf drwy enryded noc ovyn angheu. Eissyoes
tydi avynnassut vynggwneuthur i yn wr llwvyr. pan
vynnassut ymchoelut ohonafi drachevyn. eissyoes ys oed
gwell gennyf vy marw drwy enryded no thynnu un o
vlew vymaryf y gennyf drwy gewilyd. Arglwyd heb
y marchawc duw ath dihango rac drwc kanys creulon-
ach yw y castell noc y tebygy di. a duw adanuono
yno ryw dyn aallo diua yr aruer drwc yssyd yno. Ac
arhynny ymwahanu aorugant. a dyuot aoruc lawnslot
tu ar kastell. A gwedy mynet ohonaw dros bont vawr.
ef aedrychawd oe vlaen. ac a arganuu deu uarchawc
urdawl yn aruawc ar eu meirch adeu ysgwier yn daly
eu gwaewyr yn eu hymyl. Ac yna lawnslot aedrych-
awd ar porth y castell. ac ef awelei y doreu yn llawn
o varyfeu gwedy eu taraw a hoelyon heyrn wrthunt.
aphenneu llawer o varchogyon urdolyon yngcroc uch-
benn y porth. A megys yd oed ef yn gadaw y porth y
deu uarchawc adoeth yny erbyn. ac un onadunt
adywawt wrthaw. Arglwyd heb ef tal dros dy fford
kynn dy vynet heibyaw. Paham heb y lawnslot ae
velly y tal pawp or ael yma. Ie heb wynteu y sawl y
bo baryf idaw ef ae tal. ar sawl nybo. aet yn ryd.
Tydi eissyoes adely dros y teu di. kanys mawr iawn
yw. a reit yw y ninneu wrthi. Y ba ryw beth heb y
lawnslot. y wneuthur peissyeu rawn yr meudwyeit
yssyd yn y fforest yman. Myn vympenn heb y lawns-
lot ny chaffant wy un beis om baryfi. Kaffant heb
y marchogyon. neu ynteu ef a vyd ediuar gennyt.
Lawnslot yna a ymgyffroes o lit wrth un or marchogyon
ac ae trewis ae waew ymperued y dwy vronn yny vyd
ef ae varch yr llawr. Aphan weles y marchawc arall
y gedymdeith yn varw. ef adoeth att lawnslot. ac ynteu
ae herbynnyawd yny mod y bu reit yr marchawc
hwnnw heuyt syrthyaw dros bedrein y varch yr llawr.
Ac ar y cwymp hwnnw torri y vordwyt. Ar chwedleu

hynny aaeth att arglwydes y castell. a dywedut idi
vot milwr allan yn llad y marchogyon urdolyon. Ahi-
theu adoeth yno adwy oe llawvorynyon gyt ahi. ac a
arganuu lawnslot yn mynnu gorffen llad y marchawc
arall. A unbenn heb hi wrth lawnslot. pwylla ychydic
ac na lad y gwr. a disgyn y ymdidan ami. Arglwydes
heb yr un or morynyon. mi ae hatwaen ef. lawnslot dy
lac yw. Yna disgynnu aoruc ef adyuot geyr bronn yr
arglwydes. A unbennes heb ef. beth areyngk bod ytti.
Mi avynnaf heb hi dyuot ohonat ym castell i y lettyu
heno. ac y wneuthur iawn ym dros y kewilyd ar mil-
eindra awnaethost. Arglwydes heb ef ny wneuthum
i dim kewilyd eyrmoet. ac nysgwnaf vyth. Eissyoes
dy varchogyon di a ymyrrassant ar gewilyd mawr. pan
vynnynt dwyn baryfeu gwyr dieithyr y ganthunt y
dreis. Mi avadeuaf ytt awnaethost ym heb hi drwy
amot dy dyuot titheu y lettyu heno ygyt ami. Arg-
lwydes heb y lawnslot ny mynnaf i gael dy anuod di
dros wneuthur dy ewyllys di yn gyntaf. Yna ydaeth
ef yr castell gyt ahi. aphery dwyn y varch yny ol.
ahitheu aberis dwyn y marchawc urdawl ymywn oe
amdoi. A gorchymyn medeginyaethu y llall aoruc hi.
Apheri tynnu y arueu y am lawnslot. a dwyn gwisc
aduwyndec idaw oe gwisgaw. a dywedut wrthaw y
gwydyat hi pa un oed ef. Tec adigrif yw gennyfi
hynny heb y lawnslot. Ac yna y eisted yd aethant
ac y vwyta. Ac y gyt ar anrec kyntaf y doethant
marchogyon urdolyon y rei adaroed torri eu dwylaw. ac
a gevyneu arnunt. Ac ar ol yr eil anrec y doethant
marchogyon gwedy tynnu eu llygeit oe penneu. a
gweissyon yn eu tywyssyaw wynteu. Ac ar ol y
dryded anrec y doethant marchogyon urdolyon heb un
llaw namyn un y pob un onadunt. ac ar ol y bedwyred
anrec y doethant marchogyon wrth eu huntroet. Ac
arol y bymhet anrec y doethant marchogyon urdolyon yn
vonedigeid o dillat tec. ac yn wyr aduwyndec. ac yn llaw
bop un onadunt yr oed gledyf noeth. ac yn y gynnic yr
arglwydes o dorri eu penneu. Lawnslot yna aedrych-
awd arnunt ac ny bu hoff ganthaw aruer y lletty hwnnw.

Ar hynny y kyuodassant o vwyta. ar unbennes agy-
merth lawnslot ac ae duc y ystauell dec. Lawnslot
heb hi ti aweleist y gyfreith ar arglwydiaeth yssyd yn
vyngcastell i. a chwbwl or marchogyon urdolyon awel-
eist di aruuwyt arnynt ar y fford racko geyr bronn· y
porth. Arglwydes heb y lawnslot aflwydyannus y
daruu udunt. velly y daruuassei yttitheu pei na bei
dy vot yn uarchawc da. Eissyoes mi avum yth dam-
unaw di yr ystalym achanys kefeis·i dydi yma mi a
vynnaf ohonat ti dy wneuthur yn arglwyd arnafi ac ar
vyngcastell. Arglwydes heb y lawnslot hoff yw gen-
nyf yr arglwydiaeth. a thitheu ny dylyaf ywrthot.
namyn mi a vydaf yn dy wassanaeth di. Gan hynny
heb hitheu ti adrigyy yma y gyt ami. kanys nyt oes yn
vyw gwr a garwyf yn gymmeint athi. Arglwydes heb y
lawnslot duw adalo ytt. ac ny allafi drigyaw yn unlle.
namyn un nos yny vwyf yn y lle yr edeweis vot yn-
daw. Pale yw hwnnw heb hi. Yngcastell brenhin
peleur heb ynteu. Mi aatwaen y castell heb hi. ar
brenhin bieu aelwir mesior. Ac y mae yn nychu o
achaws deu uarchawc urdawl. y rei ny wnaethont y
govyn ual y dylyassant. Ae yno ymae yth vryt ti
vynet. Ie heb y lawnslot. Gan hynny ti a warenty
ym y deuy fford yma os y greal a ymdengys ytt. ac or
gwney ditheu y govyn. Mi awnaf yn llawen heb ynteu
pei ron dy vot y tu hwnt yr mor. Ti aelly y wrantu
yn hy heb yr un o vorynyon yr arglwydes pan ymdang-
osso ytti. kanys nyt ymdengys y greal y wr kyn
anghywiret athydi. kanys tydi yssyd yn caru y vren-
hines. nyt amgen no gwreic dy arglwyd. athra vo y
caryat hwnnw yn gorwed yth gallon di. nyt ymdengys
y greal ytt vyth. Ac yna lawnslot a wynebgochawd o
lit wrth y vorwyn. am y alw yn anghywir oe arglwyd.
Ae caru arall yr wyt ti heb yr arglwydes yn vwy no
myui. Arglwydes heb y lawnslot y vorwyn yssyd yn
dywedut y hewyllys. Ar hynny yd aethant y gysgu.
allidiawc vu lawnslot y nos honno wrth y vorwyn ae
kerydod ef ar vrenhines am eu ffol garyat. Athran-
noeth y kymerth ef gennat gan yr arglwydes gwedy

daruot idaw warandaw offeren. Ar arglwydes aerchis idaw dyuot yny gof yr amot aoed yryngthunt. Ac ynteu adywawt y gwnaey yn llawen.

CXXXVIII.—Ac ar hynny yr aeth ef drwy gennat pawb or castell. ac yr fforest y doeth ef yr honn oed vawr a meith. A marchogaeth aoruc yn hyt yny gyfaruu ac ef croes dec uchel ar drws mynnwent. yr honn aoed yn llawn o vedeu. ac yn gaeedic o gae drein yny chylch ogylch. ar nos aoed wedy rydyuot. ac yr vynnwent y doeth ef. ac arganuot canwylleu yn llosgi aoruc. a thu ac yno y doeth ef. A cherdet heb gorr yr hwnn aoed yn cladu pwll. a cherdet heibyaw awnaeth heb dywedut un geir wrthaw. Lawnslot heb y corr iawn awney di vynet heibyaw heb gyuarch gwell ym. kanys tydi yw y marchawc or wlat anhoffaf gennyf yn y byt. a duw awnel ym gaffael vynggwynvyt ar dy gorff. Lawnslot agigleu y corr ac ny bu wiw ganthaw y atteb. ac yr capel y doeth ef gwedy rwymaw y varch. a roi y waew ae daryan wrth y mur. ac arganuot morwyn ieuanc yn amdoi marchawc marw aoed yno. Ac yr awr y doeth ef y mywn y dechreuawd gwelieu y gwr marw redec. Ac yna y vorwyn aroes teir diaspat. Och arglwyd heb hi yr awr honn y gwnn i panyw tydi aladawd y gwr hwnn. Ac ar hynny nachaf deu uarchawc urdawl yn dyuot. ac ygyt ac wynteu deu uarchawc ereill yn uarw. ac eu dwyn yr capel aorugant. Ac yna y corr a lefawd ac adywawt. Yr awrhonn y gwelir pa delw y dialawch chwi ar ych gelyn. yr hynn awnaeth. ac ynteu gwedy dyuot attawch. Ar marchawc urdawl affoassei pan doeth gwalchmei att lawnslot aoed yno. ac a dywawt wrth lawnslot. Oth achaws di heb ef y llas y trywyr hynn. Gwir adywedy di heb y lawnslot kanys wynt ahaedassant eu hangeu. Ac o vywn yr capel nyt reit ymi awch ovyn chwi. nac or capel nyt afinneu heno yny vo dyd. a drwc vu ganthaw vot y varch heb vwyt. ac yno y bu ef hyt trannoeth. Aphanweles ef y dyd ef agymerth y arueu ac ae gwisgawd. ac aaeth ar y varch. Ac yna y corr alefawd ar y marchogyon. Pa beth heb ef ae gadel

awch gelyn y vynet ymeith ual hynn. Ac ar hynny yd
esgynnassant wynteu ar eu meirch. a dyuot awnaethant
ar deuborth y vynnwent. gan dybyeit bot lawnslot ae
vryt ar ffo. Eissyoes nyt oed arnaw ef un chwant y
ffo. namyn ymgychwyn drwy ymgyffroi. a chyfarvot ac
un onadunt yr hwnn aoed yngwarchadw y porth fford
y dylyei ef vynet. ae daraw awnaeth yny vyd y waew
trwydaw megys drwy ridill. ac yny vyd ynteu yn varw
yr llawr. ar marchawc arall pan weles hynny nyt ar di-
al y gedymdeith y roes ef y vryt. namyn ar ffo gyntaf
ac y gallawd. Yna lawnslot a gymerth march y gwr
marw ac ae gyrrawd oe vlaen. drwy uedylyaw y kyfar-
uydei ac ef ryw varchawc. y bei reit idaw wrthaw. a
marchogaeth awnaeth ef yny doeth y ty meudwy yny
fforest. a disgynnu aoruc apheri ystablu y veirch. ar
meudwy aroes udunt y ryw ebran ac aoed ganthaw ef.
A lawnslot awarandawawd offeren yno. A gwedy
hynny ef a vwytaawd ac aaeth y gysgu ychydic. Ac ar
hynny ef adoeth marchawc urdawl yr ty a lawnslot
wedy disgynnu. Arglwyd heb ef y pa le yr ey di
odyma. Mi af heb y lawnslot yr lle y mynno vyn
damweinyaw. A thitheu pa le y mae yth vryt vynet.
Arglwyd heb ef mi af y ymwelet a brawt ym ac a dwy
chwiored y rei a dywetpwyt ym eu bot ac anghyflwr
arnunt yngymeint ac y gelwir ef y marchawc urdawl
tlawt. Yn wir heb y lawnslot tlawt yw ef. ac ysmawr
a drueni oed y vot ef yn tlawt. ac a wney di vy neges i
wrthaw ef. Gwnaf yn llawen arglwyd heb y marchawc.
kan gwney ditheu duc di idaw ef y march hwnn y gan
lawnslot. ac yn arwyd ytt ar hynny. ef am llettyawd
i vi a gwalchmei nosweith. Duw adalo ytt heb y
marchawc. kanys awnel yr gwr da ny chyll dim ar
hynny. Annerch y gennyfi heb y lawnslot y march-
awc ar dwy unbennes. Mi awnaf hynny yn llawen
heb y marchawc. Ac ar hynny lawnslot aroes y march
att y marchawc. ac ynteu ae roes ef att ysgwier idaw.

CXXXIX.—Lawnslot ar hynny aaeth ymeith. a
marchogaeth aoruc yny doeth odieithyr y fforest. a
dyuot y dir daruodedic tlawt o bop da. ar tir hwnnw

aoed uawr ac ehalaeth heb nac adar nac aniueilyeit
yndaw. Lawnslot yna aedrychawd oe vlaen ac aar-
ganuu dinas ar gynnwll y wrthaw. A dyuot tu ac yno
kyntaf ac y gallawd aoruc. Ac ef awelei y dinas
hwnnw yn uawr ac yn ehalaeth. ac yn amgyffret llawer
o dir adaear. Ar mur aoed gwedy syrthyaw yn llawer
o leoed arnaw. ar pyrth yngwyryaw o heneint. a dyuot
aoruc ef ymywn yr dref yr honn oed wac o dynyon. ar
mynwennoed yn llawn o vedeu. ar eglwysseu yn wedw.
A marchogaeth aoruc ef yny doeth y lys vreinyawl. a
cheyr llaw honno sefyll aoruc ac yno ef a glywei gwyn-
uan gan wyr a gwraged. Ac yn dywedut yr oedynt.
Och arglwyd dygyn a thruan yw bot yn reit ytt vynet
y diodef dy angheu yny mod hwnn. ac na ellir dy am-
diffyn rac dy angheu. a ni adylyem gassau y neb yn
barnwyt ni ual hynn oe achaws. ar hynny y clywei ef
wyntwy yn ffustaw eu dwylaw y gyt. A ryued uu
ganthaw eu clywet velly ac na welei neb. Ac ar hynny
ef awelei marchawc urdawl yn dyuot a chotardi o scar-
llat coch ymdanaw. a gwregis o sidan a gemeu eur
amdanaw. A chae mawrweirthyawc ar y dwyvronn a
mein mawrweirthyawc yndaw. achoron oeur am y benn.
a bwyall eurllec yn y law. Ar marchawc yn dec ac yn
ieuanc. Lawnslot yna aedrychawd yn llawen arnaw.
Yna y dywawt ef wrth lawnslot. Arglwyd heb ef
disgyn yr llawr. Yn llawen unben heb y lawnslot
adisgynnu aoruc. a ffrwynglymu y varch y mywn mod-
rwy oeur aoed yny mur. athynnu y daryan y am y
vynwgyl ae waew ac eu roi ar y llawr. Arglwyd heb
y lawnslot beth a vynny di bellach. A unbenn heb y
marchawc ef a vyd reit ytt torri vympenn i ar vwyall
honn. neu ynteu myui a dorro y teu di. kanys yn y
mod hwnnw y barnwyt arnaf. Ef a vydei ffol heb y
lawnslot y neb ny medrei ethol idaw ehun y goreu or
deu dewis hynn. Ac yr hynny ualkynt ef am gogenir
o lladafi dydi heb wneuthur ohonat chweith drwc ym.
Yn lle gwir heb y marchawc uelly y byd reit ytti y
wneuthur. Arglwyd heb y lawnslot paham y deuy di
yn gyndecket ac yn gynwrolet a hynny y gymryt dy

angheu. kanys ti aelly wybot y lladafi dydi yn gynt
noc y lledy di vyui herwyd dy amot ti. Mi a wnn
hynny heb ẏ marchawc. yr hynny ual kynt. titheu
awarenty y minneu kynn vy marw ar dyuot yma ar
benn blwydyn y hediw y roi dy benn oe dorri yn y
mod y rof inneu y titheu hediw. Myn vyngcret heb y
lawnslot nyt oes amot nys gwnelwyf yr cael yspeit ym-
hoedyl. Eissyoes ryued yw gennyfi dy dyuot ti yn
gyn gyweiryet ac ydwyt y odef dy angheu. Arglwyd
heb ynteu y neb ael geyr bronn y iachwyawdyr ef a
dyly bot yn lan ac yn bur oe bechodeu. ac uelly yrwyf-
inneu yn wir ediueiryawc. ac yny pwynt yma y myn-
nafinneu odef vy angheu. Ac yna yd estynnawd ef y
vwyall. a lawnslot ae kymerth yny law. Arglwyd heb
y marchawc. dyrchaf dy law tu ar capel racko. Yn
llawen heb y lawnslot. Twng di y duw ac yr creireu
yssyd racko y bydy di yma ar benn blwydyn y hediw
neu ynteu rwng hynn a hynny y ossot dy benn yny
mod ydwyfinneu yny ossot y titheu. Ac yna lawnslot
adyngawd ual yd erchis. Ac ar hynny y marchawc a
ostyngawd ar dal y deulin. A lawnslot a gymerth y
vwyall yn y dwylaw. ac a dywawt. a unben heb ef
tosturya wrthyt dy hun. Mł awnaf yn llawen heb ef
drwy roi ohonat dy benn oe dorri. ac ony byd hynny ny
allafi dosturyaw. Ie heb y lawnslot myui ath nackaaf
di ohynny. ac ar hynny gossot arnaw aoruc ef a thorri
y benn. a thaflu y vwyall yn vuan oe law aoruc a medyl-
yaw bot yndrwc hirdrigyaw yno. a dyuot att y uarch
ac esgynnu arnaw. ac edrych draegevyn. ac ny welei ef
dim nac or corff nac or penn. ac ny wybu beth adaruu
idaw. namyn hynn. ef aglywei gwynuan uawr a llefein
gan arglwydi ac arglwydesseu yn kwynaw y marchawc.
ac yn dywedut y dielit hynny pan delei y amser. ac yna
lawnslot aedewis y dinas hwnnw. Yma y mae yr ym-
didan yn tewi am lawnslot. ac am y rei or dinas ac yn
trossi ar baredur.

    CXL.—Ema y mae yr ymdidan yn dywedut bot
paredur yn gorffowys gyt ar brenhin meudwy. yr
hwnn aelwit brenhin peles. a hynny o achaws ychydic

o gleuyt aoed arnaw. yr pan dathoed o lys brenin peleur.
Ac megys yr oed y meudwy hwnnw diwarnawt gwedy
mynet yr fforest. ef a gyuodes paredur y uyny ac a
ymgigleu y uot yn iach ac yn alluawc o gorff a chedernit.
a chlybot a wnaeth ef yr adar yn canu a gwelet y dyd
yn dec. A dyuot awnaeth cof idaw yr amryuaelyon
anturyeu agyuaruuassei ac ef gynt yn y fforestyd gan
varchogyon ac unbennesseu. a chwant adoeth idaw yna
y brofi y gorff. ac rac hyt y buassei ef yn gorwed ydoed y
gallon yny gyffroi ef y wisgaw y arueu. a roi y gyfrwy
aoruc ef ar y uarch. a gwediaw duw ar damwheinyaw
idaw o antur ymgyfaruot a marchawc urdawl da grymus.
Ac adaw y meudwydy aoruc adyuot yr fforest a marchog-
aeth yny doeth y lannerch deckaf or byt a mwyaf.
ac ymperued y llannerch yd arganuu ef prenn mawr
deilyawc. ac yn vawr y gwmpas ar y daear rac amlet y
gangen. Yna disgynnu aoruc ef ynggwasgawt y prenn
amedylyaw a wnaeth panyw tec oed y lle hwnnw y deu
marchawc urdawl y ymgyhwrd. Amegys yd oed ef yn
medylyaw uelly ef a glywei weryrat march yn y fforest.
Digrif vu gan baredur hynny a dywedut. Arglwyd
duw hollgyuoethawc yr dy uedyant kanhatta vot ar y
march hwnnw ual y gallwyf provi ossit na nerth na
grym ynof. a roi o duw idaw ynteu nerth a hyder oe am-
diffyn ragofinneu. kanys y mae ynof diruawr chwant
y ruthraw idaw. ac amdiffynnit duw ef rac y lad o
honaf. ac rac llad o honaw ynteu uinneu. Ac ar hynny
edrych y ryngthaw ar fforest aoruc. ac arganuot march-
awc yngadaw y fforest ac yn dyuot yr llannerch. ac
yn aruawc o bop arueu. a march gwynn mawr ydanaw.
atharyan am y vynwgyl achroes goch yndi. a marchog-
yat llonyd ganthaw a gwaew yn y law. ac yr awr
y gweles paredur ef ynteu a esgynnawd ar y uarch. a
chymryt y waew yn y law a brathu y varch a dwy
yspardun drwy lewenyd mawr adyuot awnaeth ef tu ac
att y marchawc. A dywedut wrthaw. Tydi uarchawc
heb ef ymgud yngkysgawt dy daryan ual ydwyfinneu.
kanys yd wyf yth rybudyaw. dieithyr na ladafi dydi.
a duw awnel ym dy gael yn gynffyryfet ac y gallwyf

broui vy nerth arnat. kanys ny wnn i yr ystalym
paryw wyf. Ac ar hynny y daraw aoruc ef ymogel y
daryan yny yttoed y marchawc yn colli y warthafleu.
ac yny yttoed ynteu hebdaw ef ympell. Aryued vu
gan y marchawc beth aholei baredur idaw. a govyn
idaw beth o drwc awnathoed ef. Tewi aoruc paredur
achewilydyaw yn uawr am na syrthyassei y marchawc
ganthaw. Eissyoes nyt oed hawd hynny kanys nyt oed
yn yr holl vyt uarchawc vwy o gedernyt yndaw noc
efo. Ac ynteu adoeth tu ac att baredur o nerth traet
y uarch. a pharedur yn y erbyn ynteu. a phob un
adrewis y gilyd onadunt yny dylla eu taryanneu. ac
yny tyr eu llurygeu yngkyueir eu gwaewyr ac yny
yttoed penneu eu gwaewyr yn ymdangos udunt. ar
dyrnawt a roes paredur a gerdawd drwy y daryan ar
holl arueu. ac yny vyd y gwaew let deu vys dan benn
y vronn. Ar marchawc ynteu adrewis paredur yny
vyd y gwaew drwy y daryan ae arueu a thrwy berued
y ureich. ac ar eu ruthur yr ymgyuaruant ygyt yny
yttoed eu gwaet yn redec ac eu geneueu ac oc eu
ffroeneu allan. Ac ar hynny tynnu eu cledyfeu aorug-
ant drwy diruawr lit. Ac yna y marchawc a ovyn-
nawd y baredur pwy oed y henw. a phaham yr oed ef
mor lidiawc a hynny wrthaw. a thi am anefeist yn
drwc. a mi awnn na weleis eirmoet milwr un gedernit
athi. Ni dywawt paredur dim wrthaw ef namyn trwy
lit ruthraw idaw. ar marchawc ae herbynnyawd ynteu
yn ffyryf. a phob un onadunt a roes dyrnodeu y gilyd
onadunt yny yttoed eu llygeit yn disserennu ar arueu
yn torri. ac yny glywit twryf eu dyrnodeu yn datsein-
yaw yny fforest. namyn eu gwaet yd oedynt yny golli.
aoed yn eu gwannhau yn uawr. Eissyoes llit pob un
onadunt wrth y gilyd aoed gymeint ac na doeth cof
udunt dim y wrth eu gwelioed. namyn ymguro yn
dieiryach aorugant. Yna y doeth y meudwy or fforest
adref. Aphan doeth ef ny weles dim oe nei yno. am
hynny doluryus(vu)ganthaw. Ac yna tynnu mul gwynn
or ystabyl aoruc ef ac esgynnu arnaw. a marchogaeth
racdaw aoruc dan wediaw duw ar adel idaw ymgaffael

ae nei. a marchogaeth aoruc yny doeth y ymyl y llan-
nerch yn y lle yr oed y marchogyon yn ymlad ac ef agi-
gleu trwst eu dyrnodeu. achyntaf ac y gallawd ef a-
doeth tu ac attunt. aphan doeth ef aaeth y ryng-
thunt. Ac yna y dywawt ef wrth y marchawc arglwyd
heb ef. mawr aovit yw ytti ymlad ar marchawc claf
yman. kanys y mae a heint arnaw yr ystalym yn y
fforest honn. a thi ae hanefeist yn drwc. Arglwyd heb
y marchawc uelly y gwnaeth ynteu y minneu. ac nyt
ymladasswn i om bod ac efo pany bei dechreu ohonaw
ef arnafi. ac ny mynnei ef dywedut y mi y henw na pha
un oed. na pha beth a haedasswn uinneu arnaw ef. A
unben heb y meudwy pwy wyt ti. Arglwyd heb y
marchawc mi ae dywedaf itt. mab wyfi y vrenhin bann
o vannawc. ac ef am gelwir inneu lawnslot o lac. A
gedymdeith heb y meudwy wrth baredur llyma gevyn-
derw itt. kanys brenhin bann oed vrawt yth tat ti. Ac
yna gostwng eu helymeu awnaethant wy. ac ymgus-
sanu aorugant ac o diruawr lewenyd wylaw. Ac y gyt
y kerdassant yny doethant y lys y meudwy. a diosc eu
harueu aorugant. Ac yn y ty yd oed cares yr meudwy.
ac a vuassei yn gwassanaethu paredur tra vu yn glaf.
ac a wydyat uedeginyaeth. a golchi y bratheu awnaeth
hi. ac arganuot bot yn waeth y briwassei lawnslot no
pharedur. ac yn bellach y wrth iechyt. A unbennes
heb y meudwy beth a debygy di am y marchawc yna.
Ef a vyd reit idaw orffowys yn hir heb hi. kanys perig-
lus yw y lle y kafas y dyrnawt. A oes berigyl angheu
arnaw ynteu heb y meudwy. Nac oes heb hi. ac ysbyd
anmyned ganthaw y orffowys yman. Ie heb y meudwy.
bendigedic vo enw duw. Am vy nei inneu beth awelir
ytti. Ef a vyd iach yn ehegyr. Yr unbennes yna avu ystic
yngkylch y gwyr oc eu hyachau. Eissyoes doluryus vu
gan lawnslot y bellet y wrth iechyt. Yma y mae y kyfar-
wydyt yn tewi am y deu milwr hynny. ac yn traethu
am y mab yr hwnn agyfaruu a gwalchmei yny fforest
yn dywedut yr aei y geissyaw mab y wreic wedw. yr
hwnn a ladyssei y dat.

CXLI.—E mab a gyrchawd llys yr amherawdyr

arthur. kanys clywssei dywedut panyw yno yr oed let-
tyeu y milwyr da. Aphan doeth ef yno ef a arganuu
y daryan yngcroc ar y golofyn. yr honn a dugassei mor-
ynyon y gadeir yno. Ac ynteu aadnabu y daryan.
Ac yna gostwng ar benn y lin aoruc y mab achyfarch
gwell y arthur. Ac arthur a beris idaw gyuodi y
vyny. ac aovynnawd idaw pwy oed. Arglwyd heb ef
mab wyf i yr marchawc ar daryan goch idaw o fforest
y gwasgawt. Ar marchawc adylyei dwyn y daryan
racko ae lladawd ef. a mi a vynnwn wybot chwedyl y
wrthaw. Velly y mynnwn ninneu heb yr arthur. drwy
amot na chyfarffei ac ef chweith drwc. kanys yny byt
nyt oed gwr kymeint a damunwn y welet ac ef. Myui
heb y gwas adylywn y gassau ef. kanys efo aladawd
vyntat i. A minneu os da gan duw adialaf hynny
arnaw. Ac am hynny ydwyfi yn erchi ytti yr dyued-
yant vynggwneuthur i yn varchawc urdawl. kanys
tydi yssyd genevin a gwneuthur y kyfryw wassanaeth
a hwnnw yn diomed y ereill. Pwy dy henw di unben
heb y brenhin. Arglwyd heb ynteu ef am gelwir i clam-
ados or gwasgawt. Yn yr amser hwnnw gwalchmei
aoed yn y llys. ac adywawt yna wrth arthur. y gwas
hwnn yssyd elyn yr marchawc adyly dwyn y daryan.
ae elyn ef ny dylyy di y gynnydu ef nae gyuodi ar
anryded. namyn y enkiliaw isgil. kanys goreu marchawc
or byt yw paredur onyt y nei uab y geuynderw. nyt
amgen no mab lawnslot. yr hwnn aanet o verch brenhin
peles. ac a elwir galaath. Ac yr wyt yn y llys honn
yr ystalym yn aros y dyuotyat ymywn. Ac nyt yttwyfi
yn dywedut hynny yr amarch yr gwas. namyn na myn-
nwn inneu wneuthur ohonat ti dim or aafranghei uod
y baredur.

CXLII.—Dywedut aoruc y vrenhines yna wrth walch-
mei. Myui a wnn vot ynhoff gennyt ti anryded yr am-
herawdyr arthur. yr hynny efo aogenit or gwnaei ef beth
kymeint a nackau dyn or byt. kanys ny nackaawd
eiryoet yr un. A hoffach heuyt vyd gan baredur or gor-
uyd arnaw ymlad a neb y vot yn varchawc urdawl noc yn
was. kanys ny bu eiryoet marchawc urdawl ny bei gy-

mennach no gwas neu wreang. ac am hynny yrwyfi yth
ganmawl di ar ywneuthur ef yn varchawc urdawl.
kanys ef ath ogenyt ti os nackaut. Ef areingk bod
ymi hynny arglwydes kanys da gennyt titheu heb y
gwalchmei. Ac yna y gwnaeth arthur ef yn uarchawc
urdawl. Aphann daruu idaw wisgaw ymdanaw. ef
adywedei y rei o vywn y llys na welsynt eiryoet
uarchawc degach noc ef. Gwedy hynny ef adricyawd
yn y llys yn hir. ac yn anrydedus gan y brenhin ar
vrenhines a chan gwbwl or barwnyeit. Ac ar hynny yr
yttoed yn gwylyaw y llys am dyuotyat y marchawc idi
ynol y daryan. eissyoes yr amser ny dathoed etto nar
kyflwr. A phryt na weles ef y marchawc yn dyuot. ef
a gymerth kennyat y brenhin ac aaeth ymeith. ar
uedwl mynet y ymroi ym milwryaeth ac y geissyaw
anturyeu yny glywei chwedyleu y wrth y elyn. A
marchogaeth aoruc ef drwy fforestyd uelly. a tharyan
goch idaw. megys ydoed oe dat. ac yn aruawc o bop
arueu megys yr amdiffyn y gorff. Ac uelly march-
ogaeth aoruc yny doeth y dibenn y fforest. ac arganuot
fford rwng deu vynyd aoruc. ac edrych oe vlaen. ac
arganuot teir unbennes. ac un onadunt aoed yn gwed-
iaw duw. ar anuon kanhorthwy udunt oc eu hanuon
dros y mynyd arkyfle periglus aoed oc eu blaen. Yna
clamados ae kigleu wynt. Ac yna pan welsant hwy
efo. llawen vuant achyuodi yn y erbyn ae rassawu.
Ac ynteu a dywawt. antur da arodo duw y chwitheu.
Yd ym ni arglwyd heb y morynyon yn aros dyn alyu-
asso ynhebrwng dros y mynyd racko. yssyd le periglus
megys na lefeis neb uynet idaw. Pa ryw le yw hwnnw.
heb ynteu. Arglwyd heb wy yno y mae llew wedy y
ollwng oe gatwyn. A marchawc urdawl yssyd gyt ac
ef. yr hwnn yssyd dewr ac ehovyn. ac ny lefeis neb
uynet yno heb luossogrwyd. kanys ny byd y marchawc
urdawl yno yn wastat. aphei atuei nyt oed reit yni un
ofyn. Ac yna y marchawc aedrychawd ynggwasgawt y
fforest. ac aarganuu tri cheirw gwynnyon. a chadeir
aphedeir olwyn y danai. Ae tydi heb y marchawc
wrth y bennaf onadunt bieu y gadeir. Ie arglwyd heb

hitheu. Wrth hynny heb ef ti adywedy ym chwedyl-
eu newyd y wrth y marchawc yr wyf yn y geissyaw.
Pa un yw ef heb yr unbennes. Y neb adyly dwyn y
daryan aedeweist di yn llys arthur heb ef. Velly yd
ym ninneu heb hi yn mynet oe geissyaw ef. ac os da
gan duw ni aglywn chwedleu y wrthaw yn ehegyr. A
unbennes heb y marchawc ac uelly y mynnwn inneu.
ac am dyuot ti yn mynet oe geissyaw ef megys yr
wyfinneu. mi awch anuonaf chwi odieithyr y periglwyd
yssyd oc awch blaen. Yna yr unbennes. ar keirw ar
gadeir a gerdawd or blaen. ac wynteu aaethant yny hol
hitheu. ac odyna wynt adoethant yr maes yr oed y
llew arnaw. Yna clamados aedrychawd or tu deheu
idaw. ac aarganuu neuad dec yn gaeedic yny chylch. ac
ef awelei y llew yn gorwyd ar y porth. Ac yr awr y
gweles y llew efo. ef adoeth parth ac attaw. ae savyn
yn agoret. Arglwyd heb yr un or morynyon ony dis-
gynny di ar dy draet. ef alad y march. Clamados
adisgynnawd yna. ac a gymerth y waew. ar llew ae
ruthrawd. ac ynteu ae herbynnyawd ef ar y waew. ac
ae trewis yny vyd y gwaew drwy berued y gorff mwy
no llatheit o hyt. a thynnu y waew awnaeth ef heb y
dorri. Ac yna y llew a neityawd y vyny ar y vynwgyl
ynteu. Ac yna ymdrech awnaeth ef ar llew megys
deu wr. Ac yna y llew awasgawd clamados. aphan y
gollyngawd. ef a rwygawd y luric o bop parth idaw.
yny duc kwbwl or kic ar croen ffordd y kerdawd ae
ewined. Pan wybu clamados y vriwaw yn drwc. ef a
dwblawd y hyder yn gymeint ac y bu reit idaw roi
breuerat aruthyr. Ac yna clamados ae bwryawd ydanaw
yr llawr. ac adynnawd y gledyf ac ae brathawd
trwydaw. ac ar hynny torri y benn. A gwedy hynny
ae croges ar borth y veistyr. ac esgynnu ar y varch
aoruc ef. ac yna yr unbennes adywawt. arglwyd heb hi
ti a vriweist yn drwc. A unbennes heb ef. os da gan
duw nyt oes undrwc arnaf. Ac ar hynny nachaf was
ieuanc yn dyuot or neuat allan. ac yn dyuot yny ol.
Arglwyd heb y gwas ti awnaethost vileindra mawr pan
ledeist llew y marchawc urdawl. kwrteissyaf o loegyr.

a grymmussaf. Ac yr amarch idaw y crogeist ti y penn
ual hynn. a gormod o draha oed ytti wneuthur hynny.
A unbenn heb y clamados. ef ar allei bot yr arglwyd
yn gwrteis. Eissyoes y llew nyt oed gwrteis namyn
milein. pan vynnei lad hynn oll o ffordolyon. a chanys
carei dy veistyr di y llew. ef adylyassei y roi mywn
cadwyn. a gwell yw gennyfi. daruot y mi y lad ef no
llad ohonaw ef vyui. Arglwyd heb y gwas nyt oed
fford honn namyn tir a ryuel arnaw. ac ydys yn
mynnu y dwyn y gan vy arglwydi. ac yr cadw y dir
rac y elynyon y gollyngawd ef y llew oe gadwyn. Pwy
henw dy arglwyd di heb y clamados. Ef aelwir meliot
heb ef. o loegyr. ac ef aaeth y geissyaw gwalchmei. y
gwr yssyd arglwyd arnaw ynteu. Myui heb y clamados
a edeweis walchmei yn llys yr amherawdyr arthur pan
doethum odyno. Eissyoes yr oed yny vryt ynteu yna
vynet ymeith. Myn vyngcret i heb y gwas mi a vyn-
nwn y gyuaruot athi drwy amot gwybot ohonaw llad
ohonat y lew ef. a gedymdeith heb y clamados a ytiw
dy ueistyr di yn gyngwrteissyet ac y dywedy di. os da
gan duw ny byd gwaeth rofi ac ef yr llad y llew yn
amdiffyn vy eneit am corff. A mi a archaf y duw vyn
dianc rac kyfaruot ar neb awnel drwc ym. ac ar hynny
kerdet a wnaethant y marchawc ar morynyon ymeith.
yny doethant y ymyl y castell coch. ar castell hwnnw
aoed wedy y damgylchynu o bedeir fforest. ac nyt oed
yno neb o vywn y castell. a pharth ac yno ydoed yn eu
bryt vynet y lettyu. pan gyfaruu ac wynt gwas yr
hwnn a dywawt wrthunt nat oed yno neb. Ac yna
wynt aaethant racdunt yny doethant y ystlys fforest
yn y lle yr oed llawer o bebyll wedyr dynnu mywn
llannerch deckaf or awelsei heb eiryoet. Ac ydoed y
pebyll yn parhau villtir. Ac yna y doethant o vywn y
pebyll. Nyt oed yn y byt llewenyd vwy noc aoed yno.
Aphan doethant wy y mywn. wynt awelynt yno amyl-
der o vorynyon a gwraged tec. Yna ef gymerwyt y
marchawc briwedic ar lewenyd. ac adiosget y arueu. ac
a edrychwyt y vriw. a gwedy daruot y olchi ae iro. ef
a ducpwyt idaw dillat oe gwisgaw. A gwedy ae dug-

assant geyr bronn yr arglwydes. yr honn awnaeth
idaw lewenyd mawr.

CXLIII.—Arglwydes heb ymorwyn y gadeir. y march-
awc urdawl yma a iachaawd ymi vy eneit. kanys ef alad-
awd y llew yn wrawl. o achaws yr hwnn ny lyuassei
haeach odynyon dyuot attat ti. a byd ditheu lawen
wrthaw ef. Ny allafi heb yr arglwydes wneuthur
idaw ef mwy o lewenyd noc awnaf. kanys yd ym yn
aros dyuotyat marchawc da or dyd py gilyd. Ac nyt
oes yn yr holl vyt dim kymeint vy namunet ae welet.
Arglwydes heb y clamados pwy yw marchawc da
hwnnw. Mab y wreic wedw o gamalot. A wydyut ti
heb ef dywedut ymi yn wir adaw ef yman. velly ydwyf
yn y debygu heb hi. Arglwydes heb ef. ef avydei di-
grif gennyfi hynny. a duw awnel idaw dyuot. A
varchawc heb hi pwy dy henw di. Arglwydes heb ef. ef
amgelwir i clamados or gwasgawt. am tat i bioed y
fforest honno. Ac yna hitheu aaeth dwylaw mynwgyl
idaw ef. ac a dywawt wrthaw. Na vit ryued gennyt
ot yttwyf yn gwneuthur llewenyd ytt. kanys vy nei
uab vy chwaer wyt. A mi a vynnaf dy uot ti yn
arglwyd arnafi ac ar y meu. ar morynyon or pebyll
awnaethant lewenyd mawr idaw. kanys gwydynt y vot
yn gyfagos yr arglwydes. Yno y buant yn hir yn trig-
yaw yn aros dyuotyat paredur. ac yn ryued ganthunt
y drigyan. kanys y vorwyn a vuassei yn y vedegin-
yaethu aoed yno. ac a dywawt y vot yn iach. ac
am hynny yd oed lewenyd mawr ganthunt. Eissyoes
lawnslot nyt oed agos y iach

CXLIV.—Tystolyaethu y mae y kyfarwydyt yma.
panyw paredur ahanoed o lines iosep o arimathia. ac
am hynny y dylyir gwarandaw yn llawen pob parabyl
or a del y wrthaw. Ac yma y mae yn dywedut. march-
ogaeth o baredur y wrth y meudwy ymeith yn iach ac
yn llawen. namyn ef aedewis dyuot dracheuyn gyntaf
ac y gallei. A marchogaeth aoruc ef ynhyt y dyd yny
vu wedy pryt gosper. ac ef yna yn dyuot or fforest. ef
awelei gastell yn ymdangos idaw. ac ynteu adoeth
tu ac yno. ar vedyr llettyu. kanys issel oed yr heul. ac

yr castell ymywn y doeth ef. ar gwr bioed y castell
adoeth yny erbyn yn gyntaf ac y gallawd. yn wr mawr
ffyrnic y weith. ae lygeit yn gochyon. a manneu gleis-
syon ar y wyneb. ac nyt oed yn y castell un marchawc
namyn ef ehun. Aphan weles ef paredur yn disgynnu
ynteu a redawd y gacu y porth. apharedur adoeth yny
erbyn. ac a gyuarchawd gwell idaw. athitheu a geffy
yr hynn a heydeist heb ynteu kyn dy vynet odyma.
kanys vynggelyn wyt ti. ac ehofyn oed ytti dyuot yma
wedy lladut vymrawt. yr hwnn oed arglwyd ar fforest
y gwascawt. ac ef am gelwir inneu caos goch yr hwnn
aryuelawd yr hynny hyt hediw ar dy uam ditheu. ar
castell hwnn mi ae dugum y genthi. ami adygaf y
gennyt titheu dy eneit kyn elych odyma. Arglwyd
heb y paredur y lettyu y doethum i yma. ac am hynny
ef ath ogenit ti pei gwnelut ym chweith drwc. Ac am
hynny llettya di vyui heno. ac avory gwnaet bawp
yr hynn gwaethaf a gallo y gilyd. Myn vympenni heb
y caos vynggelyn nys llettyaf o ny byd yn varw. Ac
yna y kyrchawd ef y neuad y uyny. a gwisgaw y arueu
aoruc yn ebrwyd. A chymryt y gledyf yn noeth yn y
law. a dyuot drachevyn yr lle yr oed baredur yndigawn
y dikyet wrthaw. am dywedut ohonaw y vot yn ryuelu
ar y vam. ac am dwyn ohonaw y chastell y genthi. Yna
paredur adynnawd y gledyf ac adoeth attaw ar y draet.
ac ageissyawd y daraw ymperued y benn. ac ny ffael-
yawd ef o gwbwl. namyn ef a dorres y helym ar benn-
guch. ar kic ar croen yn y vyd y cledyf deu let bys yny
benn. ac yny vyd ynteu ar benn y lin yr llawr. Aphan
wybu gaos y vrathu yn drwc. ef alidiawd yn vawr. ac a
nessaawd att baredur. ac a ossodes arnaw dyrnawt
mawr yny yttoed y lygeit yndisserennu ac yny lithyr
y dyrnawt ar y daryan. ac yny hyll y daryan hyt y
bogel. Pan gigleu paredur drymet y dyrnawt hwnnw.
ef adoeth tuac attaw ynteu ac a geissyawd yr eil dyrn-
awt ar y benn. namyn y arueu ae gochelawd. ac aperis
yr breich deheu ar cledyf ehedec yr maes. Ac yna caos
aduc hwyl y baredur ac ageissyawd y odiwes ar breich
assw idaw. Eissyoes y gedernit ef aoed wedy gwanhau

yn vawr. Ac yna paredur heb dim oe garyat a vrys-
syawd oe diua. ac ae trewis ar hyt y benn. yny vyd yr
emennyd ynghylch y glusteu. Y dylwyth ae wassan-
aethwyr aoedynt yny ffenestri y vyny yny neuad.
Aphan welsant wy eu harglwyd yn varw. wynt adywed-
assant wrth paredur. Arglwyd ti aledeist y march-
awc dewraf achreulonaf a phenedickaf or aoed yn y
gwledyd hynn. Arglwyd ti awdost panyw y castell
hwnn a vu eidaw dy vam di. ac am hynny gwna di dy
ewyllys o honaw ac oc yssyd yndaw. a gollwng di nyni
att yn harglwyd oe dwyn y gyssegyr. Gellyngaf yrof
a duw heb y paredur. Ac yna wynt adugassant y corff
yr capel. ac a dynnasant y arueu y amdanaw. ac arod-
assant idaw amdo. A gwedy hynny wynt adoethant
yr neuad att baredur. ac adiosgassant y arueu y amdan-
aw. Arglwyd heb wy bit diheu ytti nat oes neb
yman. namyn deu swydawc a dwy vorwyn. ar pyrth y
maent yngaeat. allyma yr agoryadeu. Yna paredur
aorchymmynnawd udunt wy gadw y castell yny enw efo.
a mynet att y vam ae hannerch. a dywedut y deuei ef
yno gyntaf ac y gallei. a dywedut idi vy mot yn iach.
Aphwy henw y castell yman heb y paredur. ef aelwir
penn kymry heb yr un or swydogyon.

CXLV.—Paredur agysgawd yno y nos honno. A-
thrannoeth wynt aroessant aruoll y baredur ar gynnal
y castell hwnnw ar anryded idaw ef ac y vam. Ac ar
hynny y kychwynnawd ef ac y marchockaawd yny
doeth yr pebyll yny lle ydoed y morynnyon. A sefyll
yno aoruc ef ac ymwarandaw. ac ny chlywei ef o lew-
enyd yno gymeint ac a gigleu morynyon y gadeir pan
doethant. kanys pan doeth ef yno yr oedynt wy yn
ffustaw eu dwylaw y gyt. ac yn llefein. ac yr hynny
nyt ymwrthodes ef a mynet y mywn. Aphan doeth
ef yr oedynt wy yn tynnu gwallt eu penneu. ac yn
ymdoluryaw. aryued vu gan baredur hynny. a llyna yr
achaws oed y hynny. kanys kennat adathoed yno oe
vlaen ef y uenegi rylad caos goch. Ac ar hynny nach-
af vorwyn yn dyuot att baredur. ac yn dywedut wrthaw.
ar gewilyd ac antur drwc y delych yman heb hi. Ac yna

paredur aedrychawd arnei dan chwerthin. ac a vu ryued
ganthaw paham yr oed y vorwyn yn ymgeinyaw ac ef.
Ac yna y vorwyn adywawt yn uchel. Arglwydes heb hi
weldy yma y neb aladawd y gwr goreu oth genedyl di.
athitheu clamados ef aladawd dy dat titheu. ath ewyth-
yr. Yna morynyon y gadeir adoethant yno. ac a
adnabuant baredur ar y daryan ydoed yn y dwyn. ar
bennaf adywawt wrthaw. grassaw duw wrthyt. yr
drycket vo gan bawp. Ac yna y kymerth hi efo erbyn
y law. ac ae duc yr pebyll. Ac yna y doeth dwy vor-
ynyon y dynnu y arueu y amdanaw. ac a dugassant
idaw dillat oe gwisgaw. A gwedy hynny wynt ae
dugassant att yr arglwydes. yr honn aoed etto yn ym-
doluryaw. Arglwydes heb y morynyon y gadeir wel-
dyyma y marchawc yr hwnn y dyrchafwyt y pebyll
hwnn oe achaws. ac y gwnaethost ditheu gwbwl or
llewenyd awnaethost yr hynny hyt hediw. Ae mab y
wreic wedw wyt ti heb hi. Ie heb ef. Arglwyd heb
hi ti aledeist yr awr honn y goreu om holl genedyl i ac
a yttoed ym kynnal yn erbyn vy holl genedyl. Arg-
lwydes heb y morynyon y gadeir gwell y digawn
hwnn dy gynnal di no gwr or byt. kanys cadarnaf yw
ef. or holl vyt.

CXLVI.—Brenhines y pebyll yna a gymerth pared-
ur erbyn y law ac aerchis idaw eisted yn y hymyl.
yna hi adywawt wrthaw. Arglwyd heb hi pa antur
bynnac vo. vyngcallon i yssyd yn gadel ym wneuth-
ur llewenyd ytt. Duw adalo ytt. heb y paredur.
caos goch arglwydes avynnassei vy llad i yn y gastell.
aminneu a ymamdiffynneis yn oreu ac y gelleis racdaw.
Yna y vrenhines aedrychawd yny wyneb ef ac a ennyn-
nawd oe garyat. yn gymeint ac y dywawt wrthaw. Os
efo arodei y garyat idi. hitheu a uadeuei idaw ef angheu
caos goch. Arglwydes hed ef dy garyat dy a vynnafi
y haedu. ar meu inneu a gey ditheu. Pa delw yr ad-
nabydaf inneu hynny heb hi. Arglwydes heb ef mi
ae dywedaf ytt. Nyt oes yn y byt varchawc urdawl
oc avei yn ryuelu arnat. nyth amdiffynnwn racdaw.
Y caryat hwnnw heb hi a dyly bot yngyffredin gan bop

marchawc urdawl. athi awnaut hynny yr un arall.
Arglwydes heb y paredur ef ar allei vot. Eissyoes ef
ar allei y varchawc urdawl garu un yn vwy noe gilyd.
Yr arglwydes avynnei idaw ef ymdiriet ac ymgredu idi
yn vwy noc yd oed. A phei vwyaf yd edrychei hi ar-
naw ef. mwyaf yd ennynnei hitheu oe garyat ef. Eis-
syoes paredur nyt yttoed yn medylyaw dim oe charu hi.
yr arglwydes heuyt aedrychawd arnaw yn llawen rac
y decket. ac nyt yttoed hi yn gwelet arnaw ef dim
tebic ar y charu hi. Ac yna llaw vorynyon yr arglwyd-
es aoedynt yn ryuedu yn vawr bot y wreic wedy ysgael-
ussaw y dolur ae gruduan am y hewythyr. Ac ar
hynny nachaf clamados yn dyuot gwedy dywedut o
un wrthaw bot y marchawc aladyssei y dat yny pebyll
yno. ac arganuot awnaeth ef y marchawc yn eisted yn
ymyl y vrenhines. Ahitheu yn edrych yn y lygeit ef. arg-
lwydes heb ef ys mawr a gewilyd y gwbwl oth genedyl
yr wyt ti yn y wneuthur. pan diodefych dy elyn y eisted
yth ymyl. ac ny dylyei neb ymdiriet yth garyat ti. Clam-
ados heb y vrenhines y marchawc adoeth yma y let-
tyu. ac am hynny ny dylyafi wneuthur chweith drwc
idaw. ony wney etto beth a aller y roi yny erbyn. neu
brofi arnaw ynteu wneuthur twyll neu vurndra. Arg-
lwydes heb y clamados ef aladawd vyntati. yn ffyrnic
heb y rybudyaw megys twyllwr bratwr. ac ny bydafi
hyfryt na llawen vyth yny dialwyf arnaw hynny. a
llyma vy apel i arnaw ef ar y vot yn vratwr twyllwr.
ac ydwyfinneu yn adolwyn itti wneuthur ami gyfiawn-
der. Ac nyt yttwyf yn erchi megys y dlawt wneuthur
achar. namyn megys ac estrawn. Paredur yna aedrych-
awd ar y marchawc. ac ae gweles yn dec ac yn aduwyn
ac yn vawr. A unbenn heb y paredur parawt wyfi ym
amdiffyn yn erbyn yr hynn yr wyt ti yn y yrru arnaf.
a duw am diangho rac gwneuthur kyfryw a hynny.
a pharawt wyf y ymlanhau or gogan yr wyt yn y yrru
arnaf. Clamados yna a gynnigyawd y wystyl. Myn
vyngcret i heb y vrenhines ny byd yma heno na roi
gwystyl nae gymryt. auory dyd adaw a chynghor
awneir. aphawb ageiff kyfyawnder. Clamados yna a

ymgyffroes o diruawr lit wrth baredur. ar urenhines
aoed yn anrydedu paredur yn vwyaf ac y gallei. Ac
oachaws hynny yd oed glamados yn llidiawc. ac yn
dywedut na dylyei neb ymdiryet y garyat oe hachaws
hi. Eissyoes yd oed yn y goganu hi yngkam. kanys
tracharyat aoed yny chymhell hi y hynny. a heuyt hi
awydyat y vot yn oreu marchawc urdawl or holl vyt.
ae vot yn dynodus o bop gwyt. ac ar hynny yd
aethant y gysgu. A thrannoeth pan vu dyd wynt a
gyfodassant ac aaethant y warandaw offeren. aphan
daruu gwarandaw offeren nachaf varchawc yn aruawc o
bop arueu yn dyuot ymywn. atharyan wenn idaw.
ac yn gostwng geyr bronn y vrenhines. ac yn dywedut.
Arglwydes heb ef mi adeuthum yngkwn yma rac
marchawc urdawl arall yssyd yman. gwedy llad
ohonaw vy llew. ac ony wney di gyfyawnder ami. mi
avydaf elyn ytti yn gymeint ac idaw ynteu. ac ath
orthrymaf o bob ffuryf ac y gallwyf. ac or gwney ditheu
gyfyawnder ami. mi abaraf y walchmei y diolch ytt.
kanys gwr idaw ef wyfi. Padelw y gelwir y marchawc
hwnnw heb hi. Nysgwnn i arglwydes heb ef. namyn
myui aelwir meliott o loegyr. Clamados adoeth geyr
bronn y vrenhines ac a dywawt. arglwydes heb ef. etto
ydwyfi yn erchi ytti wneur kyvyawnder a mi. am y
marchawc aladawd vyntat am ewythyr. velly ydwyf-
inneu heb y meliot. yn adolwyn kael kyuyawnder
kanys reit yw ym vynet ymeith. ac ny wnn i yn erbyn
pwy yr wyf yn ymgynnic. namyn vy apeli yssyd am
ffelwniaeth. kanys o ffelwniaeth y lladawd ef vy llew i.
ac wedy hynny crogi y benn wrth vymporth yr tremic
ac ammarch y mi. Ac yna kymryt y uanec yn y law
achynnic y wystyl aoruc ef. Clamados heb y vrenhines
gwarandaw ar adyweit y marchawc yna. Arglwydes
heb ynteu gwir yw llad ohonafi y lew ef. ac eissyoes
kynt y ruthrawd ef y myui. no myui idaw ef. a hynny
ti awdost vot yn vwy awnaeth ymi odrwc y gwr adoeth
yma neithywyr. Ac am hynny arglwydes diodef di
gennyf dial ohonaf ar hwnnw yngyntaf awnaeth ami.
Ie heb hi ti awely vot y marchawc racko yn mynnu

N N

mynet ymeith arhynt. ac am hynny ymrydhaa
ywrthaw efo yn gyntaf a gwedy hynny ni a vedylywn
am y llall. Arglwydes duw adalo ytt heb y meliot.
A mi abaraf y walchmei y diolch ytt. kanys y llew aoed
ym amdiffyn i rac vynggelynyon. ac yn amdiffyn dy
dir ditheu heuyt yr oed ef. ac yr ammarch y minneu
heuyt y croges ef y penn ar y porth. Y vrenhines yna
adywawt mae mileindra mawr oed idaw hynny pryt
na wnathoedut ti idaw ef chweith drwc yn y blaen. ac
am hynny ny phellir ytti yn vy llys i ogyffredinwch. ac
os y vatteil a vynny di y gwrthot ny byd arnat
chweith gogan. Arglwydes heb y clamados. ny wed-
iafi dim ohonaw ef. kanys ytti yn gynchwannocket ac
y mae ym. a mi agwplaaf y ewyllys ef. a gwedy hynny
kynnal ditheu a mi amot am y llall. Mi awnaf heb hi
gymeint ac nam goganer am hynny. Ac ar hynny
gwisgaw y arueu aoruc clamados ac esgynnu ar y uarch
adyuot yr lle ynggwyd pawp yn y lle ydoed meliot
ynbarawt. ac ef awelit y pawp y vot yn vilwr da tec.
Y morynyon aoedynt yngkylch y lle yn sefyll. Ar
urenhines aorchymynnawd y baredur warchadw y lle.
ac ynteu adywawt y gwnaei ef hynny yn llawen. Ac
yna meliot aymgyffroes tu ac att clamados. ac ynteu
tu a meliot. a ruthraw awnaeth pob un y gilyd ona-
dunt yny dyllant eu taryaneu. ac yny tyrr eu llurugeu.
ac yny glwyfa eu kyrff. ac yny vyd eu gwaet yn ffrydyeu
yr llawr. Ac yna tynnu aoruc pob un y waew attaw. ac
ymchoelut drachevyn y gymryt eu redec yn well. a dyuot
aoruc pob un tu aegilyd onadunt dan daraw yngkedern-
it eu taryaneu hyt nat oed yr un onadunt ny darffei
idaw anafu y gilyd. ac ar eu hwrd ar eu meirch wynt a
syrthyassant yr llawr. a thost vu gan yr arglwydes ae
hunbennesseu gwelet y marchogyon. pob un yn llad y
gilyd yn y mod hwnnw. Ac yna y deu varchawc
agyfodassant y vyny ar eu traet. athynnu cledyfeu
aorugant wy. ac ymguraw awnaethant. Arglwyd heb y
vrenhines wrth baredur. dos y wahanu y deu uarchawc
racko. rac llad o bop un ohonunt y gilyd. Paredur yna
adoeth att veliot ac adywawt wrthaw. Arglwyd heb

ef kilia drach dy gevyn kanys ti awnaethost mwy no
digawn. Clamados a wybu y vriwaw yndrwc yn deule.
ar dyrnawt aoed yny dwy vronn aoed berigyl. Ac
ynteu agiliawd draegevyn. ar vrenhines adoeth attunt.
Varglwyd nei heb hi mi a *(The context shows a folio
wanting, numbered 177, and containing Chap. 147.)*
avu yny greal. Ami ae gweleis ef ynllys brenhines y
pebylleu yny lle yd oedit yn gyrru ffyrnigrwyd arnaw.
Yna y vrenhines aerchis canu y corn o asgwrn moruil.
achanu y corn awnaethpwyt. ar marchogyon ar mor-
ynyon aoedynt ar y gradeu allan yn eisted a neity-
assant y vyny drwy lewenyd mawr. ac adywedassant
daruot udunt wneuthur eu penyt. Ac ar hynny
ydoethant yr neuad. ar vrenhines adoeth oe hystauell
hitheu. apharedur erbyn y law y gyt ahi.

CXLVIII.—Ac yna hi adywawt wrth y tylwyth.
weldyma heb hi y marchawc yr hwnn y cawssawch
chwi oe achaws y poen ar penyt a vu arnawch. ac ynteu
hevyt yssyd yn tynnu y penyt y arnawch chwi. Arg-
lwydes heb wynteu bendigedic vo yr awr ydoeth ynteu
yma. Amen heb hitheu kannyt or holl vyt gwr
kymeint agarwyfi ac efo. Arglwyd heb y vrenhines. y
marchogyon racko ar morynyon ny bu udunt amgen
ty nac esmwythdra nac y vwyta nac y yuet yr pan
vuostti yn llys brenhin peleur. yn y lle yd ymdangosses
seint greal ytt. ac yd ysgaelusseist titheu ovyn beth
aarwydockaei ef. ac yny delut ti yma ny cheffynt wy
vyth waret or boen aoed arnunt. kanys uelly ydoed eu
tynghetuen. ac ygyt a hynny heuyt anghenreit yw y
ninneu wrthyt ti. kanys brawt y vrenhin peleur yr
hwnn aelwir y brenhin or castell marw yssyd yn ryuelu
arnafi. A unbennes heb y paredur vy ewythyr i yw ef.
Eissyoes brenhin peles adywawt ymi na dylyei neb y
garu ef. kanys y mae yn ryuelu ar vrenhin peleur y
vrawt am ewythyr inneu. ac ynkeissyaw dwyn y gastell
y ganthaw yny lle y mae seint greal yn gorffowys am
wybot y vot yn wr egwann llesc. Gwir yw heb y vren-
hines am castell inneu heuyt am wybot vy mot yn
borth y vrenhin peleur. ac ef adaw unweith bob

wythnos hyt ymywn ynys yrhonn aelwir lanoc. ac awna
ym lawer o wrthgassed odyno a llad vy marchogyon
urdolyon yn vynych awnaeth ef. ac om morynyon
heuyt. ac y mae yr ynys honno yny mor racko. Ac
yna kanhebrwng paredur aoruc hi hyt ar ffenestyr aoed
parth ar mor. Arglwyd heb hi weldy racko yr ynys. ac
weldy racko y galis ath ewythyr ditheu yndi. ac
weldyma vynggalissyeit ynneu ar rei yr amdiffynnwn
yn eu herbyn.

CXLIX.—Yr ystorya yssyd yn dywedut anrydedu
paredur yn vawr yn y castell tec hwnnw. ar vren-
hines aoed yn y garu yngymeint ac nas gallei yn vwy.
ef adrigyawd yno yny doeth y ewythyr yr lle y gnottaei
dyuot. Yna paredur a beris gwisgaw y arueu ymdanaw.
agwedy hynny ef aberis gwthyaw un orgalissyeit
yr mor. ac ynteu arwyfawd tu ae ewythyr. Aryued
vu gan y ewythyr y welet yn dyuot. kanys ny welsei
ef eiryoet or castell hwnnw un dyn a lyuassei dyuot
yn erbyn y gorff ef. Ac ar hynny y lestyr ef agymerth
tir. ar vrenhines ynteu ae thylwyth a doethant allan y
edrych ar vatteil y nei ae ewythyr. Brenhin y castell
marw aweles y nei yn dyuot. ac eissyoes nyt adnabu
ef baredur. apharedur a doeth attaw ae gledyf noeth
yn y law. ae daryan am y vynwgyl. ac aossodes arnaw.
ar wastat y benn. ac ae trewis yny oed y lygeit yn-
disserennu gan angerd y dyrnawt. ar brenhin nys
eiryachawd ynteu namyn y taraw aoruc yny yttoed
y helym yn tardeissyaw. apharedur ar vrys yna ae
keissyawd ynteu. Eissyoes ef aochelawd y dyrnawt.
ar dyrnawt a disgynnawd ar y daryan yn y hyllt hyt
y bogel. Ar brenhin a gilyawd yna draegevyn gan
gewilyd mawr ac ovyn am welet paredur yn gynchwan-
nocket idaw ac ydoed a hynny drwy aruodeu yny yrru
y bop lle. aphany bei daet y luric. ef ae hanafei yn
llawer o leoed. ar brenhin yn roi dyrnodeu idaw ynteu
yny oed ryued gan y vrenhines ae thylwyth allel o
baredur y diodef.

CL.—Brenhin y castell marw yna aedrychawd ar
arueu paredur. ac aovynnawd idaw oblegyt pwy yr oed

ef yn dwyn yr arueu hynny. Oblegyt vyntat heb y
paredur. Ae Julien ly gros oed dy dat ti heb ef. velly
y gelwit ef heb y paredur. ac yr hynny nyt oes arnaf
un kewilyd. kanys marchawc urdawl da vu. ae mab
wyt ti y igleis vy chwaer i. Dilis yw heb y paredur
mae mab idi hi wyfi. Gan hynny heb ynteu nei ymi
wyt ti. Ny reingk bod ymi dim o hynny heb y
paredur. kanys nyt oes ym yr hynny nac enryded na
lles o achaws dy vot yn anffydlonaf gwr om kenedyl. a
myui awydywn mae tydi oed yma pan daethum attat.
ac oachaws dy drygyoni di ath anffydlonder yr wyt
yn ryuelu yn erbyn y brenhin goreu or holl vyt. ac yn
ryuelu heuyt yn erbyn arglwydes y castell racko. am y
bot yn borth y vrenhin peleur. ac os da gan duw nyt
reit idaw efo ovyn gwr kyndrwc a thydi. Ac na thebic
di ny cheffy di vyth uedyant ar y castell nac ar y
creiryeu mawrweirthyawc yssyd yno. kanys ny char
duw dydi yn gymeint ac y keffych hynny. Y brenhin
agigleu na charei y nei ef haeach. ae vot heuyt yn
bryssyaw y wneuthur angheu idaw. Ac ovynhau
awnaeth ef nerth paredur ae gedernit. Ac ef a brofes
heuyt y vot yn eil goreu marchawc or holl vyt. ac am
hynny ny lyuassawd aros mwy oe dyrnodeu ef. ac
ymchoelut aoruc ef tu ae lestyr a bwrw neit ymywn.
a gythyaw y llestyr yr mor y novyaw. Apharedur ae
hymlityawd hyt y mor a drwc vu ganthaw y diangk. ac
odyna dywedut wrthaw. ha vrenhin drwc ffalls.
na dywet ti vyth vy hanuot i oth genedylaeth di.
kanys ny ffoes neb o genedyl vy mam i yr undyn eiryoet
namyn tydi. ami aennilleis yr ynys honn arnat. ac na vit
kynhyet gennyt vyth dy amkan adyuot idi. Ar brenhin
aaeth ymeith heb uedwl ganthaw ardyuot drachevyn.
a pharedur adoeth drachevyn hyt yn llys y vrenhines
yr honn awnaeth llewenyd mawr idaw. ac aovynnawd
idaw avriwassei. Ac ynteu adywawt na briwassei
haeach. Ac yna diosc y arueu awnaethpwyt y amdanaw.
a gwisgaw glan dillat ymdanaw. ar vrenhines aorchym-
ynnawd y bawp vot yn uvyd idaw ef. ac wrth y orchy-
mynneu. Yma y mae yr ymdidan yn tewi am baredur.
ac yn traethu am arthur.

CLI.—Llyma weithyon ual y traetha y kyuarwyd-
yt ac y dywit vot arthur ympenvoisins. a llawer o
varchogyon urdolyon y gyt ac ef. A gwalchmei a
lawnslot gwedy dyuot adref. or achaws yd oed lewenyd
mawr yny llys. Yna y brenhin aovynnawd y walchmei
awelsei loawt y vab ynlle or y buassei yndaw. A
gwalchmei adywawt nas gwelsei ef. Ryued yw gennyf
heb y brenhin beth adaruu idaw. kanys ny chiglefi
chweith y wrthaw ef yr pan ladawd kei logrin gawr yr
hwnn y duc ym y penn. aminneu ae diolcheis idaw.
kanys ef adialawd ar y lleidyr mwyaf or aoed yn
ryuelu arnaf ac ar vynggallu. Eissyoes pei gwypei y
brenhin ual y buassei y damchwein. ny chanmolei ef nae
vilwryaeth ef nae antur.

CLII.—Megys y bydei y brenhin diwarnawt yn
bwytta. ar vrenhines ar y neill law. a llawer o varch-
ogyon urdolyon gyt ac ef. eissyoes gwalchmei nyt
yttoed ef yno. nachaf vorwyn ieuanc wedy disgynnu y
ar y march yn deckaf un dyn pettei esmwythdra
arnei. ac yn dyuot yr neuad hyt geyrbronn y brenhin.
ac yn dywedut. Arglwyd heb hi hanpych gwell y gan
duw. a mi adoethum yma y erchi rod ytt. yr dy rym
ath uchelder. Duw aro kynghor da ytt ar hynny heb
y brenhin. aminneu vy hun aymyrraf ar hynny. Yna
yr unbennes aedrychawd ar y daryan aoed yngcroc
yny neuad ar y golovyn. Arglwyd heb hi y geissyaw
nerth y doethum i yma. nyt amgen y geissyaw y
marchawc urdawl bieu y daryan racko odyma. kanys
anghenreit yw ym wrthaw. A unbennes heb y brenhin.
os y marchawc a vynn hynny. diglwyf yw gennyfi.
Arglwyd heb hi tebic yw gennyf y mynn. kanys march-
awc urdawl da yw ef. ac yth eiryawl ditheu heuyt ny
phalla ef aphettwninneu yma pan delei agatuyd nym
nackaei. Aphei kawssoedwn i vy mrawt y bum yny
geissyaw yr ystalym. mi a gawssoedwn kwbwl om nerth
ac om kyuoeth. Ac am hynny ymae reit ymi vynet
vyhun drwy y periglussyon fforestyd. aroi vyngkorff
mywn llawer o berigleu. am yr hynn y dylyewch chwi-
theu bawp o honawch tosturyaw wrthyf. A unbennes

heb y brenhin miui arodaf ac awnaf a berthyno ar-
nafi. Duw adalo ytt heb hi. ac yna y perit idi eisted
a bwyta. allawen vuwyt wrthi. A gwedy bwyt y
vrenhines ae duc y hystauell drwy lewenyd mawr. Ar
bitheiat ar daryan aducpwyt yno heuyt. ar yr awr y
gweles ef y vorwyn ef awnaeth y llewenyd mwyaf idi. a
ryued vu gan y morwynyon ar vrenhines hynny. a ryued-
ach pei gallei oed y vorwyn ehun. kanys yr pan dathoed
ef yno ny welsit yngwneuthur chweith llewenyd y neb.
ar vrenhines a ovynnawd idi aatwaenat hi y bitheiat.
a hitheu adywawt nas atwaenat. ar ki ny mynnei ymad-
aw a hi yn un lle. Yno y bu y vorwyn yn hir o am-
ser yny mod hwnnw. Apheunyd yr aei hi yr capel y
wylaw ac y wediaw duw ar vot yn nerth ac yngan-
horthwy oe mam yrhonn aoed ymperigyl am golli y
chastell. A diwarnawt y vrenhines aovynnawd idi
pwy oed y brawt hi. Arglwydes heb hitheu un or
marchogyon goreu or holl vyt yw herwyd ual y clywss-
am ni dywedut amdanaw. Eissyoes yn ieuanc yr
aeth ef y wrth y tat ae vam. ac yr hynny hyt hediw
ny welsam dim ywrthaw ef. ae dat a vu varw. ac ae ged-
ewis hitheu heb neb ryw nerth idi na chynghor. ac ef
a ducpwyt y genthi yr hynny hyt hediw y thir ae daear
ae chestyll ac alas y gwyr. Ar castell y mae hi yn trig-
yaw yndaw ef adugassit ygenthi yr ystalym pany bei
walchmei ae hamdiffynnawd yn erbyn an gelynyon. obleg-
yt y rei y mae reit ym yr awr honn vynet y geissyaw vy
mrawt. a chynny chafwyf i efo y deuthum i yma y geis-
syaw nerth y gan y gwr bieu dwyn y daryan racko o
dyma. kanys mi agiglef dywedut mae goreu marchawc
or holl vyt ytiw. ac y mae gennyfinneu obeith y trug-
arhaa ynteu wrthyfi. A unbennes heb y vrenhines
pwy yw henw dy vrawt ti. Arglwydes heb hi. ef aelwir
paredur. mi a vynnwn heb y vrenhines y vot ef yma
kanys oed mor anghenreit yth vam di wrthaw ef a
hynny.

CLIII—Nossweith yd oed y brenhin yngorwed gyt
ar vrenhines gwedy kysgu kyntun. ac heb allel kysgu
ef awisgawd ymdanaw corset ffwrri advwynuerr. ac

adoeth or ystafell hyt ar un o ffenestri y neuad y tu
ar mor. a gwelet awnaeth ef y syr yn eglur ar nos
yndec ac yn araf. ac ynteu yn digrif ganthaw edrych ar
y mor.   A gwedy y vot ef yno hirynt. ef awelei ympell
y wrthaw megys goleuni cannwyll. a ryued vu ganthaw
beth aallei hynny vot amedylyaw aoruc nat aei odyno
yny wypei beth oed hynny. ac yno y bu ef yny welei
y wrthaw ar weith llong. a cherdet ebrwyd genthi yn-
dyuot parth ar castell.   aphan gymerth hi dir ny welei
ef yndi. namyn gwr prud baryflwyt yr hwnn aoed yn
daly llyw. a gostwng hwyl awnaeth ef. a ryued vu gan y
brenhin beth aoed yndi. ar hynny gadaw y neuad ar
castell awnaeth ef. a dyuot hyt y lle ydoed y llong. ac
ny allei ef dyuot attei hi rac y tonneu odyar y tir.
Ac yna y gwr prud adywawt wrth y brenhin. arho
ychydic heb ef. ac ar hynny saethu bat bychan or llong
aoruc ef. ac yna y brenhin aaeth yr bat ac adoeth yr llong
ymywn.   Ac yno arganuot aoruc ef marchawc urdawl
yn aruawc ac yn kysgu ar warthaf tabyl o asgwrn
moruil. ac ywch y benn ydoed tors o gwyr yn llosgi
y mywn canhwyllbrenn o eur. ac edrych aoruc y
brenhin arnaw yn llawen. ac ny welsei eiryoet wr
degach noc ef.   Arglwyd heb y gwr prud dos di
weithyon dracheuyn agat yr marchawc orffowys. kanys
anghenreit yw idaw.   A wrda heb y brenhin pa un ywr
marchawc.   Arglwyd heb ynteu pettei ef heb gysgu
efo ae dywedei ytt.   Ac yrofi nys gwybydy di.   Aa
ynteu yrhawc odyman heb y brenhin.   Efo aa yr neuad
racko yn gyntaf heb ynteu. a llawen vu y brenhin am
hynny. a mynet ymeith aoruc.   Ac y ystauell y vrenhines
y doeth. a dywedut aoruc ef idi y damchwein.

CLIV. Ac yna y vrenhines a gyuodes adwy oe
morynyon y gyt a hi. ac adoethant yr neuad. ac ar
hynny wynt awelynt y marchawc yn dyuot ae gledyf yn
noeth yn y law.   Arglwyd heb y vrenhines. grassaw
duw wrthyt. llewenyd ac antur da arodo duw yttitheu
heb ynteu.   Arglwyd heb hi. os da gan duw nyt reit
yni un argyssur ragot ti. y brenhin yna ae gweles. ac
aweles y bitheiat yn neityaw yn y gylch. ac yn gwneuth-

ur llewenyd mawr idaw. Ac yna y marchawc agy-
merth y daryan y ar y golofyn. ac aroes yr eidaw
ynteu ar y golovyn. ac adoeth tu a drws y neuad. Yna
y brenhin a dywawt wrth y vrenhines. Gwedia y
marchawc ar nat el odyma mor ehegyr ahynn. Arg-
lwyd heb y marchawc ny chafi o ennyt trigyaw hwy no
hynn. Eissyoes ty am gwely i yn ehegyr. Drwc a
doluryus vu gan y brenhin ar vrenhines idaw vynet.
Ar hynny y marchawc adoeth tu ar llong. ar bitheiat
aaeth yny ol. Ac yna meistyr y llong adynnawd y bat
attaw. ac a gyuodes hwyl ar y llong ac aaethant yr
mor. Y brenhin yna a drigyawd ympenvesius. yn
drwc ganthaw vynet y marchawc ymeith. ac ef awybu ac
a adnabu panyw paredur oed. Y marchogyon urdolyon
yna a gyuodassant y vyny. pan y gwelsant yn dyd. ac
a glywssant vynet y marchawc ar daryan ganthaw. a
drwc vu ganthunt nas gwelsant. Yna yr unbennes a
doeth att y brenhin ac aovynnawd idaw adywedassei ef
dim oe neges hi wrth y marchawc. Na dywedeis un-
bennes heb ynteu kanys ef aaeth ymeith yn gynt noc y
mynnasswn i idaw vynet.

CLV.—Och arglwyd heb y vorwyn. ys mawr a bech-
awt awnaethost di amyui. ac os da gan duw brenhin
kystal a thydi ny phalla ef y vorwyn kyndrwc y chyf-
lwr a minneu or hynn a adawei. ac o phallut ef ath
ogenit yn vawr. Drwc vu gan y brenhin na doeth cof
idaw dim y wrth y vorwyn. ahitheu a gymerth y chen-
nat ac adywawt yr aei ehun y geissyaw y marchawc.
Ac os myui a geiff y marchawc myui ath rydhaf di oth
adaw. Gwalchmei a lawnslot aoedynt gwedy dyuot
yr llys. ac aglywssant y chwedyleu am y marchawc
aaeth ar daryan ymeith. ac yn drwc ganthunt nas gwel-
sant. Lawnslot yna a arganuu y daryan a adawssei
ef yno. ac awybu yn hyspys panyw paredur a vuassei
yno. Arglwydi heb y brenhin ef avyd reit y chwi
vynet y geissyaw efo. kanys reit ymi gywiraw yr hynn
aedeweis yr vorwyn. Eissyoes hi adywawt os y hi ae
kaffei ef yn gynt no myui. hi am rydhaei. Ac am
hynny arglwydi. mawr aalussen oed y chwi gymryt

poen arnawch oe geissyaw ef. kynny bei namyn oe
hachaws hi. Ac os merch heuyt yw hi y efrawc y mae
hitheu yn chwaer yr marchawc. ae mam hitheu yw
iglais. ae henw hitheu yw landran. Gwir yw heb y
gwalchmei panyw y chwaer ef yw hi. a mi ae gweleis
ynty y mam. Mynvyngcret heb y vrenhines tebic yw
gennyf panyw chwaer idaw ytiw. kanys yr awr y doeth
hi yma ef ae hadnabu y bitheiat hi. ac awnaeth llewen-
yd mawr idi. Myn vympenn heb y gwalchmei myvi
aaf oe geissyaw ef. A minneu aaf heb y lawnslot. a
minneu aarchaf y chwi yr duw heb y brenhin dyuot
cof ywch dywedut vy neges i wrthaw rac vyngkerydu.
Arglwyd heb y lawnslot os gwelwn ni efo ni adywedwn
hynny wrthaw. ac adywedwn vot y chwaer yn y geis-
syaw ympob lle. ae bot yn dy lys ditheu. Ar hynny
lawnslot a gwalchmei aaethant ymeith. y dechreu y
geissyaw. a marchogaeth aorugant drwy fforest yny
doethant hyt y dan groes aoed ymperued llannerch. yn
y lle ydoed cwbwl o ffyrd y fforest yn ymgymysgu.

CLVI.—Lawnslot yna adywawt wrth walchmei.
Kymer di heb ef y fford a vynnych o hynn. ac aet bawp
ar neill tu. Ac uelly y caffwn ni chwedleu yn gynt
noc on mynet y gyt. ar hwnn a vo byw ohonam. hediw
ar benn y vlwydyn bit yma yn aros y llall. ac yn dywed-
ut pob un y gilid y gyfranc onyt ymgaffwn a vo kynt.
Ac yna lawnslot agymerth y fford ar y llaw assw idaw.
a gwalchmei aaeth yr fford ar y llaw deheu. ac yman-
nerch awnaethant bop un ae gilyd onadunt.

Yma y mae yr ymdidan yn tewi am lawnslot. ac yn
traethu y wrth walchmei.

CLVII. — Gwalchmei yna agerdawd dan wediaw
duw argyvaruot y marchawc ac ef. kanys nyt oed dam-
unet ganthaw kymeint ae welet. A marchogaeth
awnaeth ef velly yny ostyngawd yr heul. Ac ynteu
adoeth y ty meudwy yny fforest yr hwnn ae llettyawd
y nos honno yn esmwyth. y meudwy aovynnawd y walch-
mei pa beth yr oed yn y geissyaw. Arglwyd heb y
gwalchmei ydwyf yn keissyaw marchawc urdawl. A
unben heb y meudwy ny cheffy di yn agos yma yr un.

namyn un yssyd y mywn castell. ac un arall yssyd
yn y mor. yr hwnn yssyd yn llad pawb or adel attaw.
ac yn eu gyrru ymeith. Paryw dyn yw yrhwnn yssyd
yn y mor heb y gwalchmei. Nys gwnn i heb y meu-
dwy. namyn y mor yssyd yn agos yma lle y byd ef yny
ysgraff. ac ef a vynycha yn vynych y ynys yssyd ydan
gastell brenhines y morynyon or lle y gyrrawd ef y
ewythyr ohonaw. yr hwnn aoed yn ryuelu ar y castell
hwnnw. ar marchawc hwnnw aladawd kwbwl ar ny
ffoes or aoed yn nerth oe ewythyr. ar rei affoes ohonunt
ny lyuassant dyuot drach eu kevyn. Kanys kymeint
yw arnunt wy ovyn y vilwryaeth ef ac na allant dim yn
y erbyn. Arglwyd heb y gwalchmei aoes lawer yr pan
ytiw ef yn mynychu y mor uelly. Nyt oes yn emawr
mwy no blwydyn heb ynteu. Beth bellaf heb y
gwalchmei yssyd odyma hyt y mor. Nyt oes mwy no
dwy villtir heb y meudwy. Ac yn vynych pan elwn
ym gweith 'mi awelwn y ysgraff ef ac ynteu yndi yn
aruawc yn hwylaw. a mi awelwn y uot ef yn wr tec
aduwyn. Eissyoes y olygon ef aoed kyn greulonet. a
golygon y llew llidiockaf. ac ef a gollassei y vrenhines y
morynyon ae chastell panybei efo. ac yr pan yrrawd ef
y ewythyr or ynys. ny bu yn y castell gyt ar vrenhines.
namyn unweith. dieithyr ynwastat ar y mor ynchwil-
yaw yr holl ynys. Agostwng y rei beilch awna ef.
yny yttiw y ovyn ympob lle. a drwc iawn yw gan y
vrenhines nat ydiw yndyuot attei yn vynychach noc y
daw. kanys y mae hi yn y garu ef yn gymeint. a phei
as caffei hi efo odyno nas madeuei. Kanys hi avynnei
gaeu ystauell arnaw ac arnei hitheu. A wdost ti heb
y gwalchmei pa ryw daryan yssyd idaw ef. Nawnn
arglwyd heb y meudwy. kanys ny wybuum dim y wrth
arueu eirmoet. namyn yma yrwyfi yntrigiaw yr ys deu-
geint mlyned a mwy. ac ny weleis i eirmoet y vren-
hines yn gymeint y theruysc ae phryder ac y mae yr
awrhonn. Yno y kysgawd gwalchmei y nos. honno.
Athrannoeth gwedy offeren ef agymerth kennat y
meudwy ac a varchockaawd hyt yn agos yr mor. dan
edrych a welei ef yr ysgraff nar marchawc urdawl. ac

nys gwelei. a marchogaeth aoruc ef yny doeth y gastell
brenhines y morynyon. Aphan wybu hi mae gwalch-
mei aoed yno hi avu lawen wrthaw. ac adangosses idaw
yr ynys yr oed baredur yn mynychu idi or honn y gyr-
rassei ef y ewythyr ohonei. Ac arglwyd heb hi y mae
gennyfi gwyn mawr wrthyt ti racdaw ef. kanys yr pan
ymladawd ef ae ewythyr ny mynnawd dyuot ynghy-
uyl y lle hwnn. namyn unweith. Arglwydes heb y
gwalchmei pa le y tebygy di y vot ef. Myn vyngcret
heb hitheu nasgwnn kannys gweleis yr ystalym. ac nyt
oes yn vyw neb a wypo dim oe vedwl. Annigrif vu
gan walchmei hynny kanny wydyat pa tu y keissyei
ef. Yno y bu ef y nos honno yn anrydedus. Athran-
noeth gwedy offeren ef aaeth ymeith. ac a uarchock-
aawd yn aruawc gan lann y mor. achaws dywedut or
vrenhines vot yn vynychach idaw ef vot ar y mor noc
ar y tir. Ac yna ef adoeth y fforest gan lann y mor.
a marchogaeth awnaeth ef ar hyt y tywawt tir. Ac
yna ef aarganuu uarchawc urdawl yn un ffunyt a-
phettit yn y ymlit oe lad. A unben heb y gwalchmei
pa le yd ey di ual hynn. Arglwyd heb ynteu .ffo
ydwyfi rac marchawc ysyd yn llad pawb or agyuarffo
ac ef. Pa un yttiw efo heb y gwalchmei. Nys gwnn
heb ynteu. namyn tydi ae gwely ef or mynny uynet
ragot. Mi a debygasswn heb y gwalchmei dy welet ti
unweith arall. Gwir yw hynny heb ynteu. Myui yw
y marchawc urdawl cachyat. ar hwnn y kyuaruuost
di ac ef yny fforest yny lle y goruuost di ar y marchawc
aoed yn deu hanner y daryan. y neill hanner yn wynn
ar llall yn du. A marchawc urdawl wyfinneu y vor-
ynyon y gadeir. ac yr duw yd archaf ytti na wnelych ym
chweith drwc. kanys y marchawc yssyd yna oth vlaen
di awnaeth kymeint o ovyn ym ac na thebygasswn vy
myw. Nyt reit ytti un ovyn heb y gwalchmei ragofi.
kanys mi agaraf dy arglwydes di yn vawr. Mi a vyn-
nwn dywedut o bawp velly heb y marchawc cachyat.
kanys nyt oes arnafi ovyn am neb dieithyr amdanaf vy
hun.
CLVIII.—Gwalchmei yna agerdawd ar hyt y fforest.

ac edrych aoruc ef y vyny tu a phennryn tywynnawc.
ac arganuot marchawc yn aruawc ar geuyn march mawr.
atharyan eureit idaw a chroes goch yndi. A unben
heb y gwalchmei wrthaw. awdost di dywedut dim
ywrth varchawc urdawl ydwyfi yny geissyaw. a thar-
yan idaw o aryant ac assur a chroes goch yndi. Gwnn
yn dilis heb ynteu. Keis ef mywn kynnulleitua o varch-
ogyon urdolyon a vyd ar benn y decuet dyd a deu-
geint y keffy di ef heb ffaelyaw. Llawen vu gan
walchmei hynny. a marchogaeth aoruc ymeith. Ar
marchawc ynteu aaeth yr mor gyntaf ac y gallawd.
Ny weles gwalchmei eissyoes dim or ysgraff. kanys yd
oed y dan greic yny ymyl gwedy y hangori. Gwalch-
mei a varchockaawd tu ar llannerch goch yny lle y dyl-
yei y gynnulleitua vot. ac yn hoff ganthaw pei gwelei
y dyd hwnnw wedy dyuot. a marchogaeth aoruc ef yny
dynessaawd att gastell. Ac yna ef a gyuaruu ac ef
morwyn ieuanc yn dwyn corff gwr marw yr hwnn aoed
mywn elor veirch genthi. Gwalchmei adoeth yny her-
byn ac a gyuarchawd gwell idi. a hitheu ae hattebawd
ef yn deckaf ac y gallawd. A unbennes heb y gwalch-
mei pwy yssyd yn yr elor. Arglwyd heb hi marchawc
urdawl yr hwnn a las drwy ualchder mawr. Pa le yr
aey di heno heb y gwalchmei. Mi aaf yr llannerch
goch heb hitheu y anuon y corff yma yno. Paham heb
y gwalchmei y dygy di efo yno. achaws heb hi y goreu
awnel yno ac a ymwano efo bieu dial angheu y gwr
hwnn. Y uorwyn aaeth ymeith ar hynny. a gwalchmei
aaeth tu ar castell. ac nyt oed neb yndaw namyn un
marchawc urdawl a gwas yny wassanaethu. Gwalch-
mei yna adisgynnawd. ar gwr bioed y castell a vu la-
wen wrthaw. ac aberis tynnu y arueu y amdanaw ae
anrydedu yny meint y gallawd y nos honno.
    CLIX.—Trannoeth pan debygassei walchmei gael
mynet ymeith. ef adoeth y gwr bioed y castell attaw.
ac adywawt wrthaw. ' Arglwyd heb ef nyt ey di uelly.
kanys porth y castell yma ny bu agoret eiryoet yny
bereis y agori ef yth erbyn di. ac am hynny arglwyd
heb ef amdiffyn di vi yn erbyn marchawc urdawl yr

hwnn yssyd yn mynnu vy llad o achaws llettyu ohonaf
nosweith vrenhin y castell marw. yr hwnn aoed yn
ryuelu ȳn erbyn brenhines y morynyon. Paryw daryan
yssyd idaw ef heb y gwalchmei. Arglwyd heb ynteu
taryan eureit. a chroes goch yndi. ac y mae ynteu yn vil-
wr cadarn dewr diogel. Ar vymperigyl heb y gwalchmei
pei dywettut ym chwedleu y wrth y marchawc ydwyf
yny geissyaw. mi ath amdiffynnwn di yn erbyn hwnnw
yn oreu ac y gallwn i. or mynn ef gwneuthur yr ymbil
nac yr anmyned. ac os mynn mi adangossaf vy nerth
idaw yr dy diogelu di. Paryw wr yr wyt ti yny geis-
syaw heb ynteu. Paredur heb y gwalchmei yrwyfi yny
geissyaw. marchawc urdawl o lys arthur. A tharyan
yssyd idaw o aryant ac assur a chroes goch yndi. ae
bogel yn eureit. Ti ae keffy heb ynteu yny gynnull-
eitua o varchogyon urdolyon yssyd yn y llannerch goch.
velly y dywawt y gwr yr wyt ti yny ovynhau ym heuyt
heb y gwalchmei.

CLX.—Ac ar hynny nachaf y marchawc ar daryan eur-
eit yndyuot ac ynsefyll y rwng y castell ar fforest y mywn
llannerch. Ac yna y marchawc or castell ae harganuu.
ac a. dywawt wrth walchmei. Arglwyd heb ef weldy
racko y marchawc. Yna gwalchmei a gymerth y waew
ae daryan ac aesgynnawd ar y varch. ac yr porth
allan y doeth ef hyt att y marchawc aoed yn·sefyll yn y
llannerch. Aphan weles ynteu walchmei. ef ae harhoes
yn yr un lle. A ryued vu gan walchmei na welei y
marchawc yn ymgyffroi tu ac attaw. o debygu bot
yn wir adywedassei y marchawc wrthaw. Eissyoes kel-
wyd adywedassei ef. kanys ny dathoed y marchawc
yno yr afrengi bod yr gwr bioed y castell. namyn yr
ymgyuaruot ac ereill adelynt fford yno. ac yr keissyaw
anturyeu. Yna gwalchmei aedrychawd draegevyn. ac
aweles porth y castell gwedyr gaeu. ar bont wedy y
dyrchafel. a ryued vu ganthaw hynny. Ac yna dywed-
ut aoruc ef wrth y marchawc. a·reingk bod ytti arg-
lwyd heb ef amgenach no da. Na reingk os da gan
duw heb y marchawc. Ac arhynny nachaf yn dyuot
attunt morwyn ieuanc abrys mawr arnei. ac yn dywed-

ut. Och duw a damchweina y mi vyth gael neb a
dialo ar y traettur yssyd yny castell racko y dwyll. A
yttiw ynteu yn draettur heb y gwalchmei. yttiw yn-
draettur mwyhaf or aweleist di eiryoet heb hi. Ef a let-
tyawd vy mrawt i nosweith ac a roes deall idaw vot
ryuel arnaw y gan varchawc urdawl arall. o achaws bot
honn yn fford gyffredin y bawp. Ac a ymanhyed
aoruc ef am brawt i yny gafas y gret ar ymlad drostaw
ac oe garyat. A thrannoeth y bore ef a doeth yma
ryw varchawc ar y antur. yr hwnn nyt yttoed yn
chwennychu chweith drwc ym brawt i nac yr marchawc
or castell racko. ac ydoed ef yn marchawc grymus. ac a
hanoed o lin ganalwn. Ac yna vy mrawt i yr hwnn
aoed gwedy ymennynnu o ffolineb ae kyrchawd ef. ar
marchawc ny allei nat ymamdiffynnei racdaw. Ac yna
ymguraw awnaethant yny syrth eu meirch y danunt.
ac yny vyd eu gwaewyr trwydunt ac wynteu yn veirw
ell deu yny llannerch honn yman. Ac yna y lleidyr
racko adoeth ac agymerth eu meirch ac eu harueu. ac
ae duc yr castell ganthaw. ar kyrff aedewis ynteu yma
yr kwn. pan doethum i yma achyuaruot ami deu varch-
awc urdawl. y rei am kymhorthassant oe cladu yn ymyl
y groes raco.
CLXI.—Myn vympenn i heb y gwalchwei uelly y
mynnassei ynteu a minneu. ef aroes deall ymi neithy-
wyr vot y marchawc yma yn ryuelu arnaw ef. ac ef a
barawd ymi roi vyngcret idaw ef ar y amdiffyn racdaw.
Eissyoes duw am amdiffynawd i. Ef awelir ymi heb
y gwalchmei bellach y mynnei ef llad o bop un ohon-
amni y gilyd. Gwir yw heb hitheu o achaws awch
meirch chwi ach arueu y mynnei ef hynny. A unbennes
heb y gwalchmei y ba le y mae yth vryt titheu vynet.
Mi aaf heb hitheu yn ol marchawc urdawl yr hwnn
yssyd ar elor veirch yn uarw. a morwyn ieuanc yn y
hol. Mi ae gweleis hi heb y gwalchmei neithwyr yn
hwyr yn mynet yma heibyaw. Yna y marchawc a gy-
merth y gennat y gan walchmei. a gwalchmei adywawt
wrthaw. A unbenn heb ef pwy yw dy henw di. Arg-
lwyd heb ynteu na ovyn di ymi vy henw. yny govynnwyf

inneu ytti. Yna gwalchmei agerdawd ymeith. ar
marchawc aaeth yr fforest. ac ny chyfaruydei neb a
gwalchmei ar y fford yn unlle nyt amovynnei am bared-
ur wrthaw. A marchogaeth uelly awnaeth ef yny
arganvu meudwy yn sefyll or tu allan oe ty. ac ymgyu-
arch gwell awnaethant pob un y gilyd onadunt. ar
meudwy aovynnawd idaw ef o ba le ydoed yn dyuot.
Ac ynteu adywawt mae o tir brenhines y morynyon.
A weleist di heb ynteu baredur y marchawc da yr hwnn
a gymerth y daryan o lys arthur. Na weleis yssy-
waeth heb y gwalchmei. Eissyoes marchawc urdawl
a tharyan eureit idaw adywawt ymi y bydei ef yn y
llannerch goch. Ef a allei dywedut hynny ynwir heb
y meudwy os gallei neb. kanys efo ehun aoed yno.
Allyna paham y gwnn i hynny. nyt oes namyn dwynos
yr pan orwedawd ef yma. ac weldy racko y bitheiat
aduc ef o lys arthur gyt ac ef. Ac ynteu aerchis ymi
y anuon ef att y brenhin meudwy y ewythyr. Yrofi a
duw heb y gwalchmei os gwir adywedy di ys aflwydy-
annus y daruu y myui. Arglwyd heb y meudwy nyt
oes arnafi un anghenreit y dywedut kelwyd. ac ar y ki
y gelly di adnabot a ytwyfi yn dywedut gwir. Nyt y
ryw daryan honno heb y gwalchmei aduc ef o lys arthur.
Mi a wnn hynny heb y meudwy. Y daryan aweleist
di aduc ef o ty Ioseus veudwy. a mab yw hwnnw yr
brenhin meudwy y ewythyr ef. Ac ynty y meudwy
ieuanc hwnnw y bu lawnslot nossweith. pan doeth y
pedwar marchawc o herwyr y ty. y rei a groges ynteu
drannoeth. Ac yno y gedewis paredur y daryan aduc
ynteu o lys arthur. am nei inneu ydiw y Ioseus hwnnw
vab vy chwaer. A chyt bo y ioseus hwnnw yn veudwy.
gwybyd di yn lle gwir nat oes yn holl vryttaen un corff
vwy o gryfder a milwryaeth yndaw noc yn yr eidaw
efo. Arglwyd heb y gwalchmei ef aaeth y wrthyfi yr
fforest. ac ny wnn i beth awnaf na pheth a dywedaf
amdanaw. Kanys arthur am anuones i oe geissyaw ef.
a lawnslot or parth arall. ami a ymdideneis ac ef hyt
hynn dwyweith. ac nyt yttiw yn mynnu ymdangos ym
nac ymadnabot ami. a myui a dylyasswn y adnabot ef

pan safawd mor syth ac y safawd hediw. A unbenn
heb y meudwy anawd yw y adnabot ef nae vedwl. ac
ny threulya ef haeach oe barableu. yr dywedut peth ny
mynno y wneuthur ae gywiraw. Y gyt a hynny heuyt
gwyry oe gorff yw ef heb chweith halogrwyd yndaw.
Mi a wnn heb y gwalchmei vot arnaw ef holl gampeu
da yr holl vyt or a allo vot ar un dyn. Ac am hynny
y mae doluryus gennyfi. nat yttwyfinneu yny gedym-
deithyas ef. Yno y bu walchmei y nos honno. yn drist
iawn. A thrannoeth wedy offeren yd aeth ef ymeith.

CLXII.—Ioseus yr ysgolheic da yssyd yn dwyn ar
gof yni panyw y meudwy hwnn aelwit Iornnas. a march-
awc urdawl grymmus clotuawr vu ef. ac ef a ysgaelus-
sawd hynny oll yr caryat ar duw. achwbwl or anturyeu
a glywssawch chwi yn yr ystorya honn adoethant med
Ioseus yr cadarnhau cret grist. ac ny daw cof idaw ef
y kwbwl ohonunt. namyn y rei a wypo ef eissyoes ef ae
dyweit. ar rei certeynyaf onadunt oblegyt yr yspryt
glan y kyuarwydywyt. Hwnn yssyd yndywedut
marchogaeth o walchmei drwy sywrneioed yny doeth
yr llannerch goch. Ac yno ef awelei y pebylleu gwedyr
dynnu. Ar marchogyon yn dyuot o bop lle. a phawp yn
gwisgaw y arueu ymdanaw. a gwalchmei yna a rody-
awd pob lle y edrych a welei y marchawc yr oed ef yn
y geissyaw. ac nyt ydoed ef yn y welet yno na tharyan
debic yr eidaw. a ryued vu ganthaw ef hynny. gwedy
edrych ohonaw kwbwl or arueu ac or marchogyon.
Eissyoes nyt oed hawd idaw ef adnabot paredur. kanys
neur daroed idaw newidyaw a symut arueu. ac nyt oed
bell ef y wrth walchmei. ac yn diheu ytti nyt adnabu
walchmei dim ohonaw ef.

CLXIII.—Dechreu y twrneimant awnaethpwyt o
bop parth. ar ranneu a ymgymysgassant. Yna gwalch-
mei adrewis yn eu plith y geissyaw paredur. Eissyoes
ny chyfaruu ac efo yr un ny bei reit vynet yr llawr.
ac nyt oed watwarus ef yn eu plith wy. ac ef awnath-
oed vwy oblegyt y arueu panybai vot y vryt ar geis-
syaw paredur. Ac yna ef a arganuu y vorwyn aoed
yn kanlyn yr elor veirch yn eisted ar neilltu yn aros

diwed y twrneimant y wybot pwy agaffei y glot. Y
marchawc yd oed walchmei yn y geissyaw·nyt yttoed
ar benn yr un or ranneu. namyn ymperued y pres
mwyaf. yn bwrw pawp o pobparth idaw yr llawr. ac
wynteu yn ffo y ar y fford ef megys deueit rac bleid.
Myn vyngcret i heb y gwalchmei kanyt yttwyfi yn
kael y gwr yr wyf yn y geissyaw nys keissyafinneu
hediw ef. Ac yna gwalchmei aarganuu baredur ac nys
adnabu. kanys taryan wenn oed idaw yna. ac ar yr
arwyd honno y gyrchu aoruc o nerth traet y varch.
a pharedur tu ac attaw ynteu. ac ymgyhwrd awnaeth-
ant. yny dylla eu taryaneu trwydunt. Eissyoes kadarn
oed eu gwaewyr wy ac eu tynnu attunt awnaeth-
ant. ar eilweith pob un onadunt a gyrchawd y gilyd.
drwy diruawr lit. Aphob un onadunt adrewis y gilyd
yny yttoedynt yn torsteinaw eu kevyneu. ac yn colli
eu gwarthafleu. ac yn tardeissyaw eu gwaewyr. Ac
yna ymgyuodi awnaethant wy wrth goryfeu eu kyf-
rwyeu. ar dryded weith ymgyrchu awnaethant drwy
lit adryc ewyllys megys deu lew. atharaw awnaeth
pob un onadunt y gilyd ae gwaewyr. y rei nyt oed
fford udunt y barhau mwy. ac ar y chwyl honno eu
torri aorugant. ual yr oed pawb or aoed yn edrych
arnunt yn ryuedu na bei y gwaewyr trwydunt. Eis-
syoes nyt yttoed duw yn mynnu llad o bop un or
marchogyon da y gilyd. namyn mynnu beth adalei y
neill onadunt rac y llall. ac nyt eu harueu wy ae gwar-
antawd rac angheu namyn duw ehun. yr hwnn y cred-
ynt wy idaw. kanys yd oed arnunt wy bop ryw gamp
a grym or aberthynei y vot ar vilwyr da. kanys ny
chysgawd gwalchwei eiryoet yn lle or byt ny waran-
dawei offeren drannoeth yno os kaffei. ac ny weles eir-
yoet na gwreic na morwyn ac anghyflwr arnei nys
nerthei os gallei. Y marchawc arall ny wnaeth ynteu
eiryoet vileindra ac nys dywawt. ac nys medylyawd.
ac ef ahanoed heuyt ual y clywsawch or blaen o lines
Iosep o arimathia. Y marchogyon hynn aoedynt yn
llidiawc bop un onadunt wrth y gilyd. ae cledyfeu yn
noethyon yn eu dwylaw. aphob un yn curaw y gilyd

onadunt. Ac yna rei or marchogyon adoeth attunt ac
a dywedassant nat yrdunt wy elldeu yd ordinawyt y
twrneimant. a gedwch y ereill beth y gyt achwi. Ac
yna o vreid y peidyassant. ac yna yr eil weith y
dechreuspwyt y twrneimant opobparth. yny gwahan-
awd y nos wynt. Ac uelly y parhaawd y twrneimant
deu diwarnawt ar untu yn y mod hwnnw. Yna y
vorwyn aoed gyt ar elor veirch adoeth y ovyn yr ky-
ffredin pwy oreu yn y twrneimant. kanys y marchawc
aoed yn yr elor veirch ny anghei y gorff mywn daear.
yny gaffei ae dialei. Ac wynteu adywedassant panyw
y marchawc ar daryan wenn. ar marchawc ar daryan
o sinopyl. ar eryr eur yndi a vuassynt oreu. Ac o
achaws bot yn gynt y dechreuassei y marchawc ar
daryan wenn y twrneimant nor llall y barnwyt idaw ef
y glot. Eissyoes tra vuassei walchmei yn hynny kystal
oed ef ar goreu. Yna yr unbennes a aeth y geissyaw
y marchawc ar daryan wenn ar hyt kwbwl or pebylleu.
ac neur athoed ef ymeith. a hitheu aaeth at walchmei.
ac a dywawt. Arglwyd heb hi ny chefeis i y marchawc
ar daryan wenn etto. kanys ef aaeth ymeith. ac am
hynny arnat ti y disgyn dial y gwr hwn. A unbennes
heb y gwalchmei kewilyd kymeint ahwnnw nys gwney
di ymi. kanys barnwyt efo yn well no myui. ti awdost
nat oed enryded ymi kymryt arnaf hynny. athi ady-
wedeist heuyt na dichawn neb y dial ef onyt y goreu
yn y twrneimant hwnn. a goreu vu ynteu myn duw
kanys myui ae gwybuum ac ae profeis. Y vorwyn
awybu vot gwalchmei yn dywedut gwir. Och arglwyd
heb hi ot aeth ynteu ymeith ryuedaf gwr aweleis i eir-
moet a goreu oed ynteu or byt. ac nys caffafi efo yn
nes diodef llawer o boen apherigyl arnaf. Padelw heb
y gwalchmei y gwdost ti y vot ef yn oreu. Am y vot
heb hitheu yn llys brenhin peleur. yr hwnn yr ymdang-
osses seint greal idaw. o achaws daet y vilwryaeth a
grymder y gallon a diweirdeb y gorff. Ac yr awrhonn
y doeth ef o lys arthur. ac y duc y gyt ac ef taryan
odyno yr honn nyt oed dynghetuen y neb y dwyn odyno
namyn idaw ef. A unbennes heb y gwalchmei ti ady-

wedeist ym chwedleu y rei ydwyf doluryus iawn oc eu
hachaws. kanys yny geissyaw ef yrwyfinneu ac ny wn
yn yr holl vyt pa delw yr adnabydaf ef. nyt yttiw
ynteu yn ymdangos ym. oachaws symut y daryan ae
arwydyon awna. Eissyoes myui a wn pan del ef y
ymwan amyui bellach. kanys mi ae hattwaen efo ar y
dyrnodeu. kanys nyt ymgyfaruum i eirmoet a marchawc
kyn greulonet y dyrnodeu ac ef. ac etto myui a vyn-
nwn oruot arnafi oe dyrnodeu ef yr vy mot inneu y
gyt ac efo. A unben heb y vorwyn pwy dyhenw di.
Ef amgelwir i gwalchmei heb ynte. Mi agiglef ym-
didan amdanat ti heb hi. Ar morwynyon or pebyll
aerchis ymi. oth welwn di erchi ytt dyuot y ymwelet
ac wynt. Ac ar hynny ymwahanu aorugant. agwalch-
mei aaeth yr neill fford ar vorwyn y fford hitheu.
namyn gwalchmei agerdawd drwy wediaw duw ar y
dyuot y rywle yr ymgaffei apharedur dan y adnabot.
Yma y mae yr ymdidan yn tewi am walchmei. ac yn
traethu am lawnslot.

CLXIV.—E kyfarwydyt yssyd yn dywedut bot
lawnslot yn keissyaw paredur megys yd oed walchmei.
a marchogaeth ohonaw drwy sywrneioed yny doeth
hyt ynty y meudwy yny lle y crogassei ef y lladron
kynno hynny. Ioseus ueudwy awnaeth llewenyd
mawr idaw. Lawnslot yna aovynnawd awydyat ef
un chwedyl y wrth vab y wreic wedw. Ac ynteu ady-
wawt nas gwdyat yr pan dathoed o lys arthur. namyn
unweith. ac ny wnn pa vyt yd aeth. Mi a vynnwn y
welet ef yn llawen heb ef. Kanys arthur am anvones
i oe geissyaw ef. yr pan aeth ef odyma. Nyt hawd
weith y gael ef heb y meudwy. Lawnslot yna aaeth
yr capel ac aarganuu y daryan adugassei ef o lys
arthur yno. Arglwyd heb y lawnslot weldy racko y
daryan ef. ac yr duw na chel ef ragof. Myn vyngcret
nyskelaf heb y meudwy. dilis yw y daryan ef yw honn
racko. ynteu aduc taryan arall odyma yn eureit a
chroes goch yndi. Am bell vu y titheu a gwelet
gwalchmei heb ef. Naweleis i heb y meudwy dim
ohonaw ef yr pan euthum yn veudwy. Arglwyd heb y

meudwy ymogel di rac pedwar marchawc urdawl y rei
yssyd gereint yr gwyr agrogeist di. Ac ymaent wy
yth geissyaw di ympob lle yny fforest honn. ac y maent
yn lladron drut megys yr oed y lleill. ae cartref wynteu
yssyd yn y fforest honn yn wastat. a mi a archaf ytti
yr duw vot yn da dy aruot yn eu herbyn. velly y
bydafi os da gan duw heb y lawnslot. Y nos honno y
kysgawd ef yno. athrannoeth gwedy offeren ef a gy-
merth y gennat ac aaeth ymeith dan wediaw duw argyf-
aruot paredur neu walchmei ac ef. ac uelly lawnslot
aaeth ymeith drwy yr estronyon fforestyd. yny doeth
hyt yn ymyl castell y mywn eistedua dec. ac or castell
ef awelei uarchawc urdawl yn marchogaeth ar vrys tu
ar fforest. ac ederyn ar y law. Aphanweles ef lawnslot.
ef asafawd. ac ae grassawawd. antur da heb y lawnslot
arodo duw yttitheu. a pharyw gastell yw hwnn. Arg-
lwyd heb y marchawc castell y kylch eur y gelwir ef.
ac yr wyfinneu yn mynet yn erbyn bonhedigyon y
wlat honn. y rei yssyd yn dyuot y adoli y kylch eur.
Paryw gylch eur ydiw ef heb y lawnslot. Arglwyd
heb y marchawc y goron drein avu ambenn iessu grist
pandiodefawd ar brenn y groc. ar vrenhines or castell
racko aberis roi y goron y mywn gweith o eur. a mein
mawrweirthyawc. ac ydys yn dywedut panyw y march-
awc kyntaf yr ymdangosses y greal idaw bieivyd o
anuod y vrenhines. Ac am hynny ny lettyir neb o
dieithyr yno. Ac yr hynny myui abaraf ytti esmwyth-
dra or mynny dyuot ym llys i. yssyd yn y fforest yma.
Duw adalo ytt heb y lawnslot. nyt amser hwnn y
lettyu etto.

CLXV.—Ac ar hynny drwy gennat y marchawc
kerdet racdaw aoruc lawnslot. a thrwy edrych ar y
castell medylyaw aoruc y dylyei y marchawc aennillei
y kylch eur o le kyngadarnet ac ydoed gael clot ragor-
awl rac arall. Ar hynny marchogaeth awnaeth ef. Ac
ual y byd ef velly ef awelei yr unbennes aoed yn kan-
lyn yr elor veirch oe vlaen. A unbennes heb ef poet
rwyd ragot. Ac yttitheu antur da heb hi. Arglwyd
heb hi mi adylywn gassau yn vawr y marchawc alad-

awd y gwr ysyd yn varw yman. ac yn reit y minneu y
ganlynn efo ual hynn y geissyaw y marchawc a dyl-
yei y dial ef. ac ny welafi neb yn damchweinyaw arnaw.
A unbennes heb y lawnslot pwy ae lladawd ynteu.
Arglwyd heb hitheu marchawc urdawl y dreic danllet.
Pwy heb ynteu adylyei y dial ef. Arglwyd heb hitheu
y marchawc a ymwanawd a gwalchmei yn y llannerch
goch yr hwnn y barnwyt idaw vot yn oreu or twrn-
eimant hwnnw. A vu well ef no gwalchmei heb y
lawnslot. Arglwyd heb hi velly y barnwyt ef am vot
yn hwy y bara yn ymwan. Gan hynny heb y lawn-
slot ys da varchawc yw ef. kan bu well ef no gwalch-
mei. apharyw daryan aoed idaw ef. Arglwyd heb hi
tra vu ef yn y twrneimant yd oed idaw arueu gwyn-
nyon. Achynno hynny yd ymaruerei ef o arueu eureit.
A unbennes heb y lawnslot. a adnabu ef walchmei neu
walchmei ynteu. Nat adnabu arglwyd heb hitheu. am
yr hynn y mae ef yn drist ac yn doluryus. kanys y
marchawc hwnnw yd oed ef yn y geissyaw. Ae paredur
oed ef heb y lawnslot. Ie arglwyd heb hi. Och vi
heb ynteu beth awnaei nas atwaenat ef. ac awdost di pa
le yd aeth ef. Ac ar hynny ymwahanu awnaethant
wy. a marchogaeth aoruc ef yny yttoed yr heul yn
mynet y gysgu. ar fforest yn tywyllu yn uawr arnaw.
ac edrych o bop parth idaw aoruc ef. y edrych awelei
un lle y gael gorffowys yndaw. Ac ar hynny yr oed
corr wedy y arganuot ef. ac nyt arganuu ef y corr.
Yna y corr aredawd arhyt llwybyr bychan hyt ynlle yr
oedynt y marchogyon lladron. mywn ryw lys udunt.
ac yr oed udunt wy le arall pan elynt y yspeilyaw.
Yn y llys eissyoes yd .oed vorwyn ieuanc yr honn a
sommei y marchogyon a delynt fford yno o wledyd
ereill. ar corr adoeth att y vorwyn ac adywawt wrthi.
Ef aweler heb ef yr awrhonn padelw y dielych di ar y
gwr a ladawd dy deu vroder ath ewythyr ath gevyn-
derw. Mi abrofaf hynny heb hi. a bit gennyt titheu
aruot da y rybudyaw y marchogyon ereill. Bit ar
vymperigyl i heb y corr am hynny. Gan hynny heb
hitheu nyt oes fford idaw ef y dianc y gennym. yny vo

marw. Yr unbennes aoed un or rei teckaf ac yn da y
gwisgat. Eissyoes callon drwc oed idi hi ac nyt oed
ryued. kanys ar gribdeil a lledrat y magyssit hi. a hi
ehunan a vuassei ganhorthwy y wneuthur llawer o
drwc a lledrat. ac ar hynny hi a doeth allan yr fford y
dylyei lawnslot dyuot idi. A hynny ymywn cottardi
o vliant. Ac yr awr y gweles lawnslot hi ef adisgyn-
nawd ac agyfarchawd gwell idi. a hitheu awnaeth
arwydyon llewenyd idaw ynteu. A unben heb hi tro
yr fford yman ami abaraf ytt letty. ac y mae yn nos
haeach. ac nyt oes yti chweith kyuanned ohynn hyt ar
deugeint milltir.

CLXVI.—A unbennes heb y lawnslot amser yw y
lettyu a duw adalo yttitheu dy lewenyd. Ac-uelly
yd aethant dan ymdidan y gyt. hyt y lle yd oed
eu kyuanned. ac yno nyt oed namyn y corr. ar
marchogyon herwyr aoedynt ympell yn y fforest. Yna
y corr agymerth march lawnslot ac ae hystablawd. a
lawnslot aaeth yr neuad ac aorffowyssawd ar wely. Ac
ar hynny y corr a doeth ac a ymgynnigyawd idaw oe
diaruu. A unben heb y lawnslot mi aallaf yn diargywed
diodef vy arueu ymdanaf. Arglwyd heb yr unbennes
na thydi na neb ny chwsc yma yn aruawc. Aphei
vwyaf y heiryolei hi arnaw ef diosc y arueu. mwyaf
yr afrangei vod idaw ynteu hynny. rac mor ffyrnic yr
oed yn tybyeit bot y lle. Arglwyd heb hi ef awelir
ymi dy uot ti yn ovynhau o ryw beth. eissyoes nyt reit
ytti ovynhau yma o dim. kanys digawn yw diogelet
yma. Eissyoes ny wnn i nabo ytti elynyon. A
unbennes heb y lawnslot. ny weleis i eirmoet undyn a
vei gyflawn garedic gan bawp. Ar hynny lawnslot a
eistedawd y vwyta ar y bwrd yn aruawc. ae waew ae
daryan geyr y law. A gwedy y vwyt ef aaeth y gysgu
ae gledyf ymdanaw. a chysgu aoruc ef ar hynt kanys
blin a lludedic oed. Yna y corr avwryawd neit ar
geuyn march lawnslot. ac aaeth hyt y lle yd oed y pum
marchawc. y rei aoedynt elynnyon y lawnslot. Ar
vorwyn adrigyawd yny ty. ac a vedylyawd y lladei hi
efo os gallei. o neb ryw fford. Ac yr cwplau y medwl y

cwplaawd hi y tynnawd y gledyf ef oe wein. drwy
edrych pafford hawssaf y gallei hi y lad ef. ahi a wydyat
vot y penn ef yn aruawc. ac nat oed le noeth idaw onyt
y wyneb. ac auedylyawd na allei hi y lad ef nac ar
dyrnawt nac ardeu. ac a vedylyawd pei gallei hi heb
wybot idaw ef dyrchafel arffet y luryc y gallei y lad
kanys hi adyrrei y cledyf yny voly.

CLXVII.—Ac arhynny ef awelei lawnslot drwy y
hun. bot corrgi yn y gyfarth. a phump costawc tom y
gyt ac ef yn y hapeaw o pop parth idaw. a miliast y
gyt ac wynt yn y temigiaw. Arhynny deffroi aoruc ef
ac ymauael a gwein y gledyf. Eissyoes neur daroed
cribdeilyaw y cledyf y arnaw ef. ar marchogyon yn
dyuot y mywn. Ar uorwyn yna a dywawt. ef a weler
heb hi pa delw y dialawch chwi ar lawnslot. a hitheu
ehun yn gyntaf ahwylyawd idaw. ar pump marchawc
obop parth idaw. Yna lawnslot a gymerth y waew ac
a hwylyawd yr meistrolaf or pump marchawc. ac ae
trewis yn y vyd y gwaew trwydaw mwy no llatheit o
hyt. Ac yny dynnu attaw ef atorres. Ac yna hwylaw
aoruc ef tu ac att y vorwyn-y geissyaw y gledyf ae
ysglyffyaw oe dwylaw aoruc. ar pedwar ereill aoed am y
penn ef yny gystudyaw. ac ynteu adyrchafawd y law
ar vedyr taraw un onadunt. Ac yna y vorwyn a
neityawd y geissyaw dala lawnslot. ac yn hynny y
dyrnawt a disgynnawd ar y phenn hi. yny hyllt hyt y
dwy ysgwyd. A phan weles y pedwar marchawc y
vorwyn yn varw ae meistyr heuyt. drwc vu ganthunt.
Ar corr agriawd ac a dywawt. ef a weler heb ef padelw
y dialoch ych collet ach kewilyd. a chwi a dylyewch
gael gogan pryt na allewch oruot ar ungwr. Yna wynt
a damgylchynnassant o bop parth idaw. Ac ynteu
aaeth oc eu hanuod wyntwy hyt y lle y tebygassei gael
y varch. ac ny chafas dim ohonaw. Ac yna y gwybu
ef panyw y corr a wnathoed y vrat. ac a dwblanawd
ylit. ar marchogyon o drallit a roessant dyrnodeu
trwm idaw. ac ynteu a ymamdiffynnawd racdunt.

CLXVIII.—Godiwes y corr aoruc lawnslot yna. yr
hwnn aoed yn eu hannoc wy. ac ae trewis ar y benn

yny vyd y cledyf hyt ynggwregis y lawdyr. ac a annaf-
awd deu onadunt wynteu. Ac ynteu ehun a vriawd
yndeu le. ac ynteu ny wydyat pa vod yr aei or ty rac eissy
y varch.˙ac nyt oed ar y ty un drws namyn un. Y
marchogyon a ffoassant allan ac aossodassant ar
warchadw y drws. a lawnslot oed o vywn y ty gyt arrei
meirw. Yna efo aeistedawd ymperued y neuad y
orffowys. kanys blin a chlwyfus oed or dyrnodeu a
rodassei. ac arodyssit idaw. ar marchogyon ynteu
aoedynt yn eisted o bop parth yr drws. Ac ympenn
talym lawnslot agyuodes y vyny. ac adaflawd udunt
wy yrei meirw allan. A gwedy hynny ef agaeawd y
drws arnaw. ar rei or tu allan. a tyngassant nat eynt
odyno yny vei varw ynteu. ac nyt oed vawr ganthaw
ef eu bygwth wy. pei cassoedyat y varch. Ac (a)
vedylyawd heuyt y gallei ef odef arnaw eu bygwth
wyntwy yn hir o amser. kanys yd oed yn y neuad
digawn o vwyt a diawt hyt ympenn talym o amser.
Yno y mywn y trigyawd ef. ar pedwar marchawc allan.
Eissyoes pei cassoedyat ef y varch ny thrigyassei ef
yno yrdunt. namyn ef aaethoed oe hanuod wy yn anryd-
edus. kanys nyt aeth eiryoet o le ar y bei onyt drwy
enryded. Yma y mae yr ymdidan yntewi am lawnslot.
ac ymchoelut ar walchmei.

CLXIX.—Ema ymae yr ymdidan yn dywedut uot
gwalchmei yn drist am nat adnabu paredur gwedy
ymgaffel ac ef teirgweith. acherdet aoruc ef yny doeth
hyt y groes yny lle y dywawt lawnslot yd arhoei ef or
deuei yno yn˙gynt noc ef. Ac yny fforest honno y bu
ef mwy noc wythnos yn aros lawnslot heb gael un
chwedyl y wrthaw. onyt elei drachevyn y lys arthur.
Ac yna ymchoelut awnaeth ef yr fforestyd. ac a dyngh-
awd nat ymchoelei draegeuyn vyth yny gaffei ae
lawnslot ae paredur. A marchogaeth aoruc ef yny
doeth y ueudwydy Ioseus. Ac yno disgynnu aoruc ef.
ar meudwy ieuanc adoeth yny erbyn. ac ae hadnabu ac
avu lawen wrthaw. Yna gwalchmei a ovynnawd idaw
ywrth baredur. ar meudwy adywawt nas gwelsei ef
yr kynn bot y vatteil yny llannerch goch. Ae ny

wdost di amgen no hynny heb y gwalchmei. Na
wnn myn duw heb y meudwy. Ac megys y bydynt
wy yn ymdidan uelly. wynt awelynt marchawc urdawl
ac arueu o liw assur ymdanaw. ac yn disgynnu ar
uedyr llettyu yno. Ar meudwy a vu lawen wrthaw.
Yna gwalchmei aovynnawd idaw ae welsei ef varchawc
ae arueu yn wynnyon. My ae gweleis ef. heb ef ac
aovynnawd y mi a welswn inneu marchawc a tharyan o
sinapyl idaw ac eryr eur yndi, a minneu adywedeis nas
gwelswn. Aminneu aovynneis idaw ynteu paham y
govynnei ef. ac ynteu adywawt y uot yn ymwan ac ef
yn y llannerch goch. ac nat ymwanawd ac ef eiryoet gwr
vwy o vilwryaeth yndaw noc ef. onyt lawnslot. Ac am
hynny drwc uu ganthaw na wybu paunoed. Myn
vympenn i heb y gwalchmei ysgwaeth vu gan y
marchawc nas adnabu. kanys nyt oed yny byt wr hoffach
ganthaw noc ef. Arglwyd heb y marchawc ef awelir y
myui mae tydi yw ef. Gwir adywedy di heb y
gwalchmei. myui a vum yno a digrif yw gennyf vyn
taraw o varchawc kystal ac oed ef. a thrist vu gennyf
wedy hynny am nas adnabuum. a dywet ym arglwyd
pale y kaffwyf ef. Nyt pell iawn efo heb ef or fforest
honn. kanys nyt oes yny byt le garedigach ganthaw nor
fforest honn yma. Ar daryan aduc ef o lys arthur y
mae yma hi yn y capel racko. ac yna ef ae dangosses
y walchmei. Arglwyd heb y marchawc arall ae
gwalchmei wyt ti. velly ymgelwir i heb ynteu. Ie
arglwyd heb ef llawer dyd yr pan orffowysseis oth
geissyaw di. kanys meliot o loedygyr a ladawd uab
igawns or greic y tat. Ac yn erchi ytitheu yr duw
dyuot yn nerth idaw megys y dyly arglwyd da nerthau
ywr. Myn vyngcret heb y gwalchmei mi a wnn y
dyly meliot gael vy nerthi yn diffaelyedi. dan na bei yn
wr ym oachaws y vam adiodefawd y hangeu yn wirion
om achaws i. adywet y gennyf idaw y deuaf oe nerthau
yn gyntaf ac y gallwyf wneuthur neges arall yssyd arnaf
y gwneuthur ual na allaf y gadaw yn anorffen. Y nos
honno y bu ef yno hyt trannoeth pan daruu offeren.
A gwedy offeren y marchawc aaeth ymeith. a gwalch-

mei a drigyawd yno y ymdidan ar meudwy. ac megys
yr oed yn ymgyweiryaw odyno ef aedrychawd oe
vlaen tu ar fforest. Ac ef aarganuu varchawc urdawl
ar gevyn march mawr uchel yn marchogaeth yn araf.
a tharyan idaw gynhebic y daryan baredur y weith
gyntaf y kyfaruu ac ef. kanys eureit oed achroes goch
yndi. Ac yna gwalchmei aalwawd ar y meudwy allan
ac ae dangosses idaw. A atwaenost ti y marchawc
racko heb ef. Atwaen heb y meudwy paredur yw.
Bendigedic vo enw duw heb y gwalchmei. Yna
gwalchmei aaeth ar y draet yn y erbyn. Apharedur a
disgynnawd yna yr awr y gweles gwalchmei. a
dywedut. Grassaw duw wrthyt heb ef a henpych
gwell. Antur da arodo duw y titheu heb y gwalchmei.
Arglwyd heb y meudwy byd lawen weldyma walchmei.
Anryded a llewenyd awnel duw idaw heb y paredur. ac
uelly y dylyei bawp or ae hadnapei dywedut. Ac ar
hynny y dwylaw mynwgyl yd aethant. Arglwyd heb
y paredur a wdost di dywedut ymi un chwedyl y wrth
varchawc urdawl. yr hwnn avu yn y twrneimant yny
llannerch goch. Paryw daryan oed idaw ef heb y gwalch-
mei. Taryan o sinopyl heb y paredur ac eryr eur yndi.
ac ny weles i eirmoet na lawnslot nac arall sythach na
thrymach y dyrnodeu noc ef. Arglwyd heb y gwalchmei.
ymae ytti dywedut avynnych. a myui avum yno ac a
ymweneis a marchawc urdawl. a tharyan wenn idaw.
y hwnn yd oed holl vilwryaeth y byt yndaw wedy
llettyu. Ie heb y paredur. ny wybuost di oganu neb
eiryoet.

CLXX.—Ar hynny yr meudwydy yr aethant. Arg-
lwyd heb y gwalchmei pan vuost di yn llys arthur yr
kyrchu y daryan yssyd yma. yr oed yno dy chwaer di
wedy erchi nerth yr brenhin a chanhorthwy. ac yn un
or rei reityaf idi wrth nerth or byt. nyt amgen nerth
a geissyei nor neb pieiffei dwyn y daryan. a thitheu a
dugost y daryan. a hitheu a nodes arnat ti dy nerth
megys yr honn ny thebygei panyw y brawt oedut. Ar
brenhin a edewis idi hynny. a hitheu adywawt. os y
brenhin a ffaelyei idi hi oe neges y kaffei angklot a

gogan. Ac amhynny y brenhin am gyrrawd i vi a
lawnslot yth geissyaw di. ac efo ehun aathoed panybei
anmynet ni drostaw. a myui agyfarvum hyt yn hynn
athydi teirgweith heb dy adnabot. A llyma y bedwared
weith yth adnabuum. a diolch arglwyd yth vam y
llewenyd awnaeth ymi ynghamalot. a thrist vu gennyf
y gwelet yn wreic brud ac yn wedw. ac a ryuel wedy
disgynnu. arnei heb neb ryw nerth idi. a hynny gan
bobyl drwc heb gytwybot ganthunt. y rei yssyd yny
gorthrymu hi yn vawr. a hi amgwediawd i os myui ath
welei di ar uenegi ytt y hanghyflwr. ac nat ydiw yn
gobeithyaw wrth nerth or byt onyt y teu di. ac onys
nerthy di hi yn ehegyr hi agyll yr un castell y mae
yndaw. ac or pymthec castell a vu eidyaw dy dat ti.
nyt yr un yn y llaw hi onyt y castell o gamalot. ac oe
holl varchogyon urdolyon nyt oes yr un onyt pump yn
y nerthau hi. Ac am hynny oe phlegyt hi yr wyfi
yndywedut ac yr iachau heuyt dy enryded ditheu. ac
y mae gennyt digawn o nerth a gallu a chedernyt oe
chanhorthwyaw hi ac oe nerthau. Ac yr awnelych di o
vilwryaeth nyt oes yr un kyn ganmoledicket ae nerthau
hi. kanys anghenreit yw idi hi wrth nerth. ac ny mynnaf
inneu golli ohonei hi dim yr na wnelwyfi y neges hi
mal yd erchis. Kanys eissyeu oed idi aphechawt oed y
minneu pei askelwn. a mwy vydei dy bechawt ti no
nyni yn deu. kanys wyt alluawc o emendau y hyeissyeu
hi. Da digawn yd ymrydheeist di heb y paredur. a
dilis yw vynghyngori am nerth a dyly hi y gaffael. ac o
ny wnelwn hynny mi a dylywn gael kewilyd mawr y
gan y byt. a dial y gan duw. Myn vyngcret i heb y
meudwy yd wyt yn dywedut gwir herwyd yr ysgruthur.
kanys y neb ny charo nae vam nae dat. ny char ynteu
duw. Hynny a wnn i heb y paredur. a duw awyr vy
ewyllys. a phwy bynnac adywedei chwedleu ym y wrth
lawnslot weithyon mi a uydwn vodlawn idaw. Arglwyd
heb y meudwy nyt oes haeach yr pan vu efo yma yn
amovyn chwedleu y wrthyt titheu. ac y wrth walchmei.
a mi adywedeis idaw yr hynn goreu awydywn i ywrth
hynny. Achynno hynny nosweith arall y bu ef yma

y doeth pedwar marchawc urdawl lladron am y benn y
rei a groges ef yn y fforest yma drannoeth. ac y
mae kwbwl oc eu kenedyl wynteu yn elynyon idaw ef.
Ac os wyntwy a gyfarffei ae efo. drwy vot eu kedernit
wyntwy yn well nor eidaw efo. wynt awneynt afles
idaw. a minneu ae rybudyeis efo o hynny yn y blaen.
Myn vympenn i heb y paredur nyt afi or fforest honn
yny wypwyf chwedleu dilis y wrthaw ef. os gwalchmei a
gyttuuna a mi am hynny. Myn vyngcret heb y
gwalchmei ny allafi vot yn llawen yny wypwyf chwedleu
y wrthaw. kynn vy mynet.
    CLXXI.—Paredur a gwalchmei adrigyassant yn ty y
meudwy yn hyt y dyd hwnnw. A thrannoeth y bore
wedy offeren ef agymerth y daryan a dugassei o lys
arthur. ac aedewis y llall ymeith. a thrwy gennat efo
aaeth ymeith a gwalchmei y gyt ac ef yn llawen am y
vot yny gedymdeithyas. ac velly y marchockassant yll
deu yn aruawc. ac ynghylch hanner dyd wynt a
gyvarvuant a marchawc urdawl yndyuot ar vrys ar hyt
y fforest megys dyn dechrynedic o ovyn. Paredur yna
aovynnawd idaw o bale yr oed yn dyuot. Arglwyd
heb ynteu o fforest y lladron. y rei am hymlityassant
mwy no milltir y geissyaw vy llad. ac wynt a ymchoel-
assant drach eu kevyn att varchawc urdawl a oed
mywn ty ganthunt yr hwnn a wnathoed udunt wy
lawer o gewilyd achollet or rei eidunt. kanys ef
agrogassei pedwar onadunt. ac a ladawd un ar vorwyn
deckaf o lloegyr. a hi ae haedassei. kanys hi a chorr a
lettayssynt y marchawc hwnnw oe lad. Awdost ti heb
y paredur paryw varchawc yw ef. Na wnn heb ynteu
kanys ny chefeis i enkyt y ymovyn ac ef. namyn hynn
awnn i panyw o eissyeu bwyt yny ty y mae efo wedy
dyuot allan megys llew kandeiryawc. Ac y gyt a
hynny heuyt ny buassei ef yn y ty yn gyhyt a hynny
panybei y vrathu yn deule ac ny bu iach hyt yr
awrhonn. a heuyt am nat oes varch idaw. Aphan
wybu ef y vot yn iach. ef adoeth allan yn eu mysc yll
pedwar lleidyr. y rei oed arnunt y ovyn yn gymeint ac
na lyuessynt y gyrchu. eissyoes wynt adeuynt yn agos

idaw ef. nyt oed wiw ganthaw ynteu vynet na cherdet
ar y draet. ny deuynt wynteu mor agos idaw ac yr
ymgaffei ac un onadunt. aphei delynt pan vei waethaf
ef a vynnei un or meirch. A unben heb y paredur wrth
y marchawc duw adalo ytt dy chwedleu. Arglwydi heb
y marchawc godefwch y gennyfi vynet y gyt a chwi y
edrych ar distriw y gwyr drwc hynny. Ni ath odefwn
yn llawen heb wynteu. Arglwyd heb y marchawc
urdawl tlawt yr hwnn y gweleist di y morynyon
tlodyon yn chwioryd idaw yny castell tlawt. yn y lle y
kysgeist di ti a lawnslot pan doeth y marchawc ar
chwedleu ytt hyt y castell. Gwir adywedy ti heb y·
gwalchmei mi atwaen y chwedleu hynny weithyon. ath
gedymdeithyas ditheu yssyd da gennyfi oe hachaws
wyntwy. Yna gwalchmei aerchis yr marchawc gerdet
or blaen kanys atwaenat yfford. Lawnslot eissyoes
adoeth allan. ae gledyf yn y law yny lawnllit. ac
wynteu yll pedwar yn ofnus ar eu meirch rac y ovyn
ef. Eissyoes un o honunt ae kyrchawd ef. o debygu y
dylyynt gael keryd am na ellynt yll pedwar oruot ar un
gwr. a hwnnw ae trewis ef. ac nyt ysgaelussawd
lawnslot y taraw ynteu yny vyd y vordwyt yr mae. ac
yny vyd ynteu dan draet y varch yr llawr. Ac ar-
hynt lawnslot a vwryawd neit ar gevyn y march. a
diogelach oed ganthaw uelly noc or blaen. ar tri ereill
aoedynt o bop parth idaw yn keissyaw gwneuthur drwc
idaw. Ar hynny y marchogyon adoethant. ar marchawc
adywawt wrth baredur a gwalchmei. Arglwydi heb ef
chwi aellwch glybot yr awr honn y dyrnodeu hyt yma.
ar cledyfeu. yna brathu meirch aorugant wynteu.
Aphob un onadunt adrewis marchawc yr llawr. ar
trydyd adienghis. ar marchawc adoeth ar chwedleu
aaeth yn ol hwnnw. ac or diwed ae lladawd. Aphan
adnabu lawnslot panyw paredur a gwalchmei a oed yno.
diruawr lewenyd auu ganthaw wrthunt. ac nyt yr bot
yn reit idaw ef wrthunt wy nac yn gyfing ganthaw y
gyflwr yr oed ef mor lawen a hynny. namyn am eu
gwelet. Arglwyd heb y gwalchmei wrth lawnslot y
marchawc hwnn an duc ni yma. ac·y mae ef yn gevyn-

derw yr marchawc or castell tlawt. yn y lle yn
llettywyt ni yn deu nosweith. ac am hynny ni aanuon-
wn y meirch yma idaw ynteu.   Nyt amgen no deu
idaw efo. ac un yr marchawc yma yr eu dwyn wynteu.
ar kyuanned yma ar tei ar da ni ae rodwn yr morynyon
yn lle eu kwrteissi. a ni ae gwarantwn udunt dan yn
perigyl ni tra vom ni vyw.   Gwalchmei heb y paredur
llyna dywedut ynda.

CLXXII.—Arglwydi heb y marchawc y mae udunt
wy ryw otua yny fforest honn yn y lle y rodynt wy eu
lletrat ac eu hyspeil. ac eu trysor.   Ac y mae o da udunt
wy yno awnelei les y lawer o eissywedigyon.   Ac ar
hynny wynt agerdassant ac adoethant tu ar lle hwnnw.
ac yno wynt agawssant amylder o da mywn seler y dan
y daear. yr honn aoed yn llawn o eur ac aryant a
thrysor a thlysseu tec. a llestri mawrweirthyawc ac
arueu a dillat. ac yn lle arall yd oedynt kyrff gwyr
lladedic.   Lawnslot heb y paredur ys mawr a alwyssen
awnaethost ti diua y bobyl drwc honn.   Wyntwy am
diuayssynt i pei asgallyssynt heb y lawnslot.   Eissyoes
nyt dim yssyd drwc gennyf onyt llad y vorwyn. ac om
anuod y gwneuthum i hynny. kanys megys y mynnaswn
i daraw un onadunt wy y disgynnawd y dyrnawt arnei
hi oe ffolineb ehunan.   Nac ef heb y marchawc llyna
weithret da vu y llad hi. kanys llawer dyn aodefawd y
angeu drwy y thwyll hi ae brat.   Yna gwalchmei
apharedur drwy gytsynnedigaeth lawnslot a roessant y
da ar trysor yr morynyon or castell tlawt. ac a anuon-
assant gennat ynol ioseus veudwy y gadw y da yny
delei y morynyon yno. Ar meudwy adywawt y gwnaei
ef hynny ynllawen. a digrif vu ganthaw darvot eu diua.
kanys llawer nosweith drwc a gawssoed ef ganthunt
wy.   Yr ovyn ac aruthtra y marchawc a ymwahanawd y
wrthunt wy ar trimeirch ganthaw. a llawen vuwyt
wrthaw yn y castell tlawt.   Ac yna paredur a gymerth
gennat gwalchmei a lawnslot. ac adywawt na orffowyssei
vyth yny ymgaffei ae chwaer ac ae vam. ac aerchis
udunt wy yr duw annerch arthur y ganthaw ar vren-
hines a chwbyl or barwnyeit or llys y am hynny. a

minneu adeuaf y ymwelet ac wynt yn gyntaf ac y
gallwyf. Eissyoes myui avynnaf yn gyntaf rydhau
arthur or hynn aedewis ef ym chwaer i. ac omplegyt
i ny ogenir ef vyth. a mwy y dylyit vynggoganu i no
neb yn y damchwein hwnnw. Yma y mae yr ymdidan
yntewi am lawnslot a gwalchmei ac yn trossi ar baredur.
CLXXIII. E kyuarwydyt yssyd yma yn dywedut
marchogaeth o baredur drwy yr estronyon fforestyd
yny doeth y wlat bell yn y lle ny buassei ef eiryoet
herwyd y tebygei. athrwy y wlat y doeth ef yr honn
nyt oed yndi chweith da heb daruot y diua yn llwyr.
kanys nyt oed yndi hi undyn na dim da. namyn ef
awelei aniueilyeit gwylltyon ar hyt y meyssyd. ac
adaw y wlat honno aoruc ef. a dyuot y fforest. ac y
rwng y fforest honno a mynyd bychan. ef aarganuu
kudugyl meudwy athu ac yno y doeth ef. a disgynnu
aoruc. ac ef a glywei y meudwy yn dywedut gwassan-
aeth or meirw ef ae ysgolheic. ac ef awelei llenn
wedyr ossot ar y llawr geyrbronn yr allawr. megys pei
asgossottit ar gorff. ac or tu allan y bu baredur yn
gwarandaw y gwassanaeth yny daruu. kanys ny mynnei
ef vynet yn aruawc ymywn. Aphan daruu y gwassan-
aeth ac yr meudwy ymdiosc. ef adoeth y meudwy att
baredur ac a gyuarchawd gwell idaw. apharedur idaw
ynteu. Arglwyd heb y paredur paham y gwnaethost
di y gwassanaeth hwnn or meirw. Aphonyt dros y neb
yssyd yna y gorugost di y gwassanaeth hwnn. Gwir
yw heb y meudwy y gwassanaeth hwnn a wnaethpwyt
rac eneit llacheu uab arthur yr hwnn a gladwyt racko.
Ae yma heb y paredur y bu uarw llacheu. Yn ymyl
hynn heb ef y llas ef. Pwy ae llas ef heb y paredur.
Mi ae dywedaf ytt heb y meudwy. y tir a weleist di
yngot gwedy y diua. yno y gnottaei vot kawr creu-
lonaf or byt. a mwyaf. ac ny lyuassei neb drigyaw yn
y wlat ygyt ac ef. ac uelly y distrywawd ef y wlat ual
y gweleist di. llacheu agychwynnawd o lys arthur. y
geissyaw anturyeu. ac adoeth yr fforest honn yma.
drwy ewyllys duw. ac aymwanawd a logrin gawr ac or
diwed llacheu aoruuw.

CLXXIV.—Aruer ryued aoed ar lacheu. pan ladei
neb ryw ormes yna y kysgei ar y warthaf. ac ar warthaf
y kawr y kysgawd ef. ac ar hynny y doeth marchawc
urdawl yr hwnn aelwit kei. ac aoed yn keissyaw
anturyeu heuyt. ac agigleu diaspat y kawr pan roet
idaw y dyrnawt marwawl. athu ac yno y doeth ynteu
gyntaf ac y gallawd. ac arganuot llacheu yn kysgu ar
warthaf y kawr. Ac yna tynnu cledyf aoruc kei athorri
penn llacheu. a chymryt y corff ar penn aoruc ef ae roi
mywn kist vaen aoed yno yn y ymyl. adryllyaw y
daryan rac y hadnabot. A gwedy hynny ef adorres
penn logrin gawr yr hwnn aoed anghyuartal o veint. ac
ae croges wrth y gorof vlaen oe gyfrwy. Ac odyna
efo aaeth y lys arthur. ac adangosses y penn y arthur.
A llawen vu gan arthur hynny. a chan gwbwl or llys.
Ac arthur aalwawd ar gei, ac aroes llawer o tir a dayar
idaw. o dybyeit y vot yn dywedut gwir. A thrannoeth
y bore ef adoeth yma vorwyn ieuanc. ac adywawt y
mi hynny. ac adeuthum inneu yno. ac rac meint oed
y kawr ny lyuesseis i vynet yn agos idaw. a gwedy
hynny hi am duc i yr lle yr oed llacheu. A hi
aerchis ymi yntal y llauur y penn, a minneu ae kan-
nateeis idi. a hitheu ae kymerth ef ac ae dodes
mywn prenuol aoed genthi. gwedy y gweryaw o
odidawcweith a mein mawrweirthyawc. A gwedy
hynny hi am kymhorthes inneu o dwyn y corff hyt
yma oe gladu. a gwedy daruot hynny hi aaeth ymeith.
ac nyt yttwyfi arglwyd yn dywedut hynny yr mynnu y
wybot o arthur. kanys ef awnaei drwc y gei yn ehegyr
ar pechawt a vydei arnafi. Arglwyd heb y parcdur
mawr a ovit yw marw llacheu yny mod hwnnw. rac
daet oed defnyd milwr ohonaw. aphei gwypei arthur ar
gei hynny. yr hwnn nyt caredic eissyoes gan neb or llys.
ef agollei y llys ae eneit heuyt o cheffit lle llaw arnaw.
Yno y bu baredur y nos honno. athrannoeth gwedy
offeren ef aaeth ymeith. ac a varchockaawd drwy
fforestyd dan damunaw chwedleu y wrth y vam ae
chwaer. Ac ar hynny ef awelei vorwyn ieuanc oe vlaen
dan vric prenn. ar griduan mwyaf or byt genthi ar dal

R R

y deu lin ae hwyneb tu ar dwyrein. ac yn dyrchafael y
dwylaw tu ar nef ac yn garedic yn gwediaw ar y
harglwyd ar anuon nerth idi yn ehegyr herwyd nat oed
yn y byt dyn reidyach idi wrth nerth no hi. Yna
paredur asafawd ynggwasgawt y fforest pan gigleu y
uorwyn yn ymgwyno uelly. ac ny welei hi efo. Och
arthur medei hi mawr a bechawt awnaethost di pan
ebryuygeist wneuthur vy neges wrth y marchawc aaeth
ar daryan oth lys drwy nerth yr hwnn y cawssoedyat
vy mam i y chastell yr hwnn a gyll hi yn ehegyr o nyt
duw ae hamdiffyn. A minneu yssyd gyn direittyet ac
ymae reit ym vynet y bop lle ymbrytaen y geissyaw vy
mrawt ac heb gael un chwedyl y wrthaw. namyn rei
adyweit nat oes yn y byt milwr well noc ef. aphryt na
dengys ef y vilwryaeth yn an anghenreit ni. mwyaf oll
y dylyei gael gogan am adel ohonaw didreftadu y vam.
Eissyoes y mae gennyfi obeith pei gwypei ef vot y gouit
hwnn arnam ni y deuei attam. a mi adebygaf y vot ef
odieithyr y vrenhinyaeth honn lle nyt yttiw yn clybot
un chwedyl y wrthym ni. ac am hynny arglwydes ueir
vam y iachwyawdyr. pryt na allom ni gael nerth y
ganthaw ef. nertha di nyni drwy arall. megys y gwdost
y vot yn reit ynn. kanys os vym mam i agyll y chastell
ef avyd reit idi vynet y gardotta.

CLXXV.—Ac ar y geir hwnnw paredur a varchoc-
kaawd parth ac att y vorwyn. a hitheu gan dwryf y
march a gyuodes ac ae harganuu ac aadnabu y daryan.
Arglwydes veir heb hi. nyt ebrvygeist di vyui etto. ac
ny digawn neb vot ac anghyngor arnaw or aobeitho ynot
ti o gallon da. Ac yna yn erbyn y marchawc hi. ac
ymauael ae esgeir aoruc aruedyr roi cussan y droet. A
unbennes heb ynteu paham yw hynny. Och arglwyd
heb hi yr y maeth a gymerth duw y gan y vam trugarhaa
wrthyf. ac wrth vy mam. ac os tydi a ffaelya yni ny
wdam beth awnawn. Ac ef a dywetpwyt yni mae tydi
oed y marchawc goreu or byt. ac y geissyaw dy nerth di
y deuthum i y lys arthur. ac y duw heb hi tosturya
wrthyf. Ac arthur adylyassei dy wediaw di drossofi.
ac ef a ym ysgaelussawd. A unbennes heb y paredur.

ef awnaeth arthur ytt gymeint ac na ffaelyawd oth amot. kanys ef aanuones y deu vilwr oreu oe lys ym keissyaw i. ac o gallaf inneu lauuryaw`mi awnaf ual y bo bodlawn duw ac ynteu heuyt ymi.

CLXXVI.—Llawen vu gan yr unbennes glybot y marchawc yn kennattau y nerth udunt. Ny wydyat eissyoes panyw y brawt hi oed ef. aphei as gwypei yna y dwblei y llewenyd. Paredur eissyoes awydyat panyw hi oed y chwaer ef. Yna ef agymhorthes y vorwyn o vynet ar y march. A marchogaeth y gyt aorugant dalym. Arglwyd heb yr unbennes ef avyd reit ymi uynet heno vy hun yr lle aelwir y kyfle periglus. A unbennes heb ef y baryw beth. Arglwyd heb hi gouunet a wneuthum ar ryw veudwy santeid. adywawt ym na ellir vyth goruot ar y gwr yssyd yn ryuelu arnam. ony bei gael peth or kyvyrlit yssyd ar yr allawr yn y lle hwnnw. Ar brethyn hwnnw yssyd santeid iawn kanys ynghylch iessu grist y bu pan roet yn yr ysgrin. ac ny dichawn neb vynet yr capel hwnnw ar y eil vyth. ac am hynny y byd reit y mi vy hun vynet yno. ac y duw yr wyf yn erchi vy amdiffyn rac drwc. athitheu arglwyd aey parth a chastell camalot yn y lle y mae vy mam i yn aros dy dyuotyat ti ath nerth. a delit yn dy gof arglwyd yn nerthau ni ual y gwelych y vot yn reit yn pan delych yno. A unbennes heb y paredur os da gan duw mi ach nerthaf chwi yn oreu ac y gallwyf. Arglwyd heb y vorwyn weldyma dy fford di yr honn nyt a neb idi yn diberigyl. aduw ath diangho di rac drwc. am lle inneu yssyd heno mywn perigyl mawr heuyt. Paredur yna aymwahanawd y wrth y chwaer. Ac yn dost ganthaw y gwelet yn mynet ehunan yny mod hwnnw. ny lesteir-yei ynteu hi. kanys ef awydyat na allei neb vynet y gyt a hi. Ac uelly ydoed y kyfle ac aruer y wlat honno. Y gyt a hynny heuyt nyt oed da gan baredur dorri oe chwaer y gouunet. kanys ny wnaeth neb oe chenedyl hi chweith mileindra nac anghywirdeb eiryoet. ac ny ffaelassant ar dim or a damunassant namyn brenhin y castell marw ehun. Yr unbennes agerdawd ehunan yn drist ac yn ofnus parth ar kyfle periglus. ar fforest a

gafas hi yn wasgodawl dywyll. a marchogaeth aoruc
yny aeth yr heul y gysgu. Ac yna bwrw golwc oe
blaen ac arganuot croes uawr ucheldec. ar yr honn yr
oed delw yn arglwyd ni iessu grist. a thu ac yno y
doeth hi agwediaw y gwr adiodefawd ar brenn y groc.
vwrw y arnei berigyl y nos honno ae dwyn ar lewenyd.
Y groes honno aoed ar y fford-yr eit yr vynnwent. Ac
yr pan dechreuassei varchogyon urdolyon y vort gronn
geissyaw anturyeu ny buassei uarw neb yn y fforest
honno ny pharei dwyn y gorff yr vynnwent honno. a
gwybyd di yn lle gwir ony bei y vot ef gwedy y vedyd-
yaw. ac yn ediueiryawl oe bechodeu na thrigyei y gorff
ef yno. Yr unbennes adoeth yno y mywn. ac na
ryuedet neb ot oet ovyn arnei.

CLXXVII.—Iosep yssyd yn tystolyaethu na odefawd
duw chweith yspryt drwc o vywn y vynwent honno
eiryoet. kanys seint ondras ae kyssegrassei ae dwylaw
ehun. Eissyoes ny bu gennat y ueudwy drigyaw yno
eiryoet o achaws ysprydoed drwc avydynt ar hyt y
fforest y rei ny mynnei y vynnwent dim oc eu kyrff.
Ac yna yr unbennes gwedy y bot yno dalym hi a welei
or tu allan yr vynnwent marchogyon duon mawr. a
gwaewyr tanllyt mawr yn eu dwylaw. aphob un onadunt
yn ymguraw ae gilyd ual tybygei hi vot y fforestyd yn
diwreidyaw ganthunt. Eissyoes nyt oed yr un ohonunt
wy a lyuassei dyuot o vywn y vynnwent. ar vorwyn
pan weles hi hynny breid vu na syrthyawd yr llawr rac
ovyn. Yna y vorwyn aroes arwyd y groc arnei ac a
ymorchymynnawd y duw a meir. ac edrych oe blaen. ac
arganuot y capel aoruc ynhen ac ynvychan. atharaw y
mul aoruc hi ac ysgwrs adyuot parth ac yno. Aphan-
doeth ymywn hi awelei golovyn vawr yny capel. ac yno
hi awelei delw veir. acheyrbronn ydelw y gwediawd
veir ar y chadw yn didrwc or lle periglus hwnnw. ac ar
yr allawr hi a arganuu y brethyn y dathoed hi yno oe
achaws. ahi adoeth tu ar allawr ar vedyr kymryt peth or
brethyn. Ac yna y brethyn agyuodes y vyny yn un
ffunyt aphet vei wynt yn mynet ac ef. a hynny yn
gyfuch ac na allei hi y gyrhaedut. Och duw heb hi ae

oachaws vympechawt i y mae y santeid vrethyn hwnn
yn ffo ragof. Och arglwyd heb hi ny wneuthum i drwc
y neb eirmoet. na gwr ny phechawd am corff inneu yn
gnawtawl. ac vyth nys gwna. Ac ny bu arnaf chwant
eirmoet y hynny. namyn dy garu di ath wasanaethu
awnaf ynoreu ac y gallwyf. ar geniuer poen a gouit avu
arnafi eirmoet. yr wyf yny gymryt yn anmyned oth
garyat ti. na dim a vo drwc gennyt ti nys gwnafi om bod.
Arglwyd yrhwnn y mae kwbwl or byt dan y wialen.
kennatta ym glybot chwedleu dieu am vymrawt ot ydiw
yn vyw. ac echwynna nerth a gallu yr marchawc da yr
hwnn aaeth oth garyat ti y nerthau vy mam i. Arglwyd
heb hi delit yth gof panyw ioseph o arimathia oed y
hewythyr hi. yr hwnn agarawd dy gorff di yn vwy noc
aallei pilatus y roi idaw o eur ac aryant. a iawn awnaei.
Y gyt a hynny arglwyd ef ath erbynnyawd y ar brenn
y groc rwng y dwylaw. ac ath amdoes ar syndal racko.
ac ath gladawd y mywn y ysgrin ehun. Arglwyd ken-
natta ym y gael yr karyat y gwr ae gossodes ef yny
capel yma. ac yrwyf inneu ynhanuot ohonaw. ac or fford
honno y dylyit kennattau ym beth o honaw yn vyn-
diruawr anghen.

CLXXVIII.—Ac ar hynny y syndal hwnnw adisgyn-
nawd yny vu ar yr allawr. ac ohonaw yr oed wedyr dorri
kymeint ac a gannadawd duw idi y gael o honaw. A
hitheu ae kymerth ef ac ae roes yn y mynnwes ac asych-
awd y hwyneb ae llygeit. Ioseph yssyd yn tystolyaethu
na doeth dyn eiryoet yr capel agaffei daraw y law ar y
brethyn hwnnw onyt y vorwyn e hun. ac yd oedynt etto
yr ysprydoed drwc yn ymguro ual ytebygei hi vot y
fforest yn un fflam ganthunt. Ac ynghylch hanner nos
ehun yr ymdywynnygawd llef arbenn y capel yn dywed-
ut. Och yr eneidyeu truein y rei y mae eu kyrff yny
vynnwent honn yngorwed. mawr agollet a gawssawch
chwi hediw. kanys neur vu uarw brenhin peleur. yr
hwnn aoed yn peri gwneuthur gwassanaeth seint greal
yn dwywawl yn y racwerthuawr gapel yno yn y lle yr
ymdangossei seint greal yn vynych. a brenhin y castell
marw yssyd yn medyannu y castell ar capel yr awr

honn. ac etto nyt ymdywynnygawd dim o seint greal
yno. a chwbwl or creireu ereill ny wys chwedyl or byt y
wrthunt. Ar offeiryat avu yn gwassanaethu y capel ar
deudec marchawc urdawl nar morwynyon a oedynt yno
ny wys dim y wrthunt oll. a thitheu vorwyn yr honn
yssyd yma ymywn. na obeitha di o allel o varchawc
estrawn ytt chweith kanhorthwy. nac yth vam. ac ar
hynny y tawawd y llef. Ac yna ryw gwynuan ac
ucheneidyeu agyuodes arhyt y vynnwent yngymeint ac
nat oed dyn or byt or ae clywei ny bei dostur ganthaw.
ar ysprydyeu drwc aoedynt or tu allan yr vynnwent
aaethant ymeith yn gymeint eu twryf ac y tebygyt bot
y daear yncrynu. Ar unbennes pan wybu varw y
hewythyr hi a syrthyawd yny llewic yr llawr. aphan
gyuodes o hynny dywedut. Och duw heb hi yr awr-
honn y gwnn i nat oes yn chweith kynheilyat. Y gyt
a hynny nyt oed lawen iawn pan gigleu na allei y
marchawc yr oed yn gobeithyaw yndaw idi chweith
lles. ny wydyat hitheu panyw y brawt oed ef. Yno y
bu hi uelly yny vu eglur y dyd. Ac yna ymorchymun
aduw awnaeth ac esgynnu ar y march a cherdet ymeith
parth ae chartref.

CLXXIX.—E kyfarwydyt yssyd yn dywedut kerdet
or vorwyn parth a chastell y mam. eissyoes nyt oed
hyfryt hi am y llef adywedassei na allei neb y nerthau
onyt dyn idi ehun. A marchogaeth aoruc hi yny doeth
y lynn camalot ac yny welei y castell. Ac ar hynny hi
aarganuu baredur yn dyuot or fforest. ac yn edrych ar
gastell y vam. ac ar y wlat o bop parth idaw. a digrif vu
ganthaw athec y gwelet. Ac ar hynny y vorwyn
adoeth attaw. ac adywawt. Arglwyd heb hi mi avum
mywn perigyl mawr gwedy vy mynet y wrthyt ti. a mi
agiglef chwedleu doluryus ym mam i ac y minneu
heuyt. kanys brenhin peleur vy ewythyr a vu varw. ar
brenhin or castell marw aaeth ym medyant y eidaw ef.
ae lys. Eissyoes gwell y dylyei vy mam y gael ef noc
efo. kanys hynny yw. Ae gwir heb y paredur y varw
ef. Gwir mynllaw duw heb hitheu. Myn vyngcret heb
y paredur drwc yw gennyfi hynny. ac ny thebygasswn

i y varw ef mor ehegyr a hynny. Arglwyd heb yr
unbennes trist wyf oth achaws di. kanys ef adywetpwyt
ym. nat oed na chedernit na milwryaeth aallei yni
chweith lles ony bei gael vy mrawt i. Ac uelly y
collasam ni yn cwbyl os gwir. kanys nyt hwy yr oet noc
hyt ym penn y pymthecuet dyd o hediw. ac ny wnn
inneu pa le y keissyafi efo rac nesset yr oet. Ac am
hynny reit vyd yni gadaw y castell gyntaf ac y gallom.
a gwae vi nat yttiw vy mam y gyt a brenhin peles. kanys
nyt oes ym chweith canhorthwy onyt euo. Paredur
aoed yn tewi ac yn dost ganthaw warandaw ar hynny
yn y vedwl. a hitheu dan wylaw adangosses idaw ef
y glynn ar castell ar gweirglodyeu ar fforestyd. Arg-
lwyd heb hi kwbyl o hynn racko aduc arglwyd y
corsyd y gan vy mam i. ac nyt oes arnaw chwant
kymeint achael y castell idaw ehun. Ac yna marchog-
aeth aoruc ef. yny yttoed yn agos yr castell. Ar
arglwydes aoed ar un o ffenestri y castell ac a adnabu y
merch arhynt. Och arglwyd duw heb hi kanhatta
panyw vy mab yssyd racko y gyt ae chwaer.

CLXXX.—Paredur yna adoeth hyt yn ymyl y capel.
aoed ar y pedeir colovyn o varmor. ac ynteu aadnabu y
capel drwy arwydyon dywedut oe dat wrthaw panyw
donyawc ahawd vydei garu y gwr y gwybydit oe
achaws beth oed yn yr ysgrin yno. kanys nyt ymagorei
yr ysgrin vyth yny delei yno y marchawc goreu or holl
vyt. Yna paredur a geissyawd mynet heb y capel. pan
dywawt yr unbennes wrthaw. Arglwyd heb hi nyt aa
fford yma neb ny del y edrych y capel hwnn apheth
yssyd yndaw ac uelly gwna ditheu ual y gwnaeth y
lleill oth vlaen. Yna paredur adoeth tu ar capel ac
adisgynnawd. ac ae tynnawd hitheu y ar y march. ae
daryan ae waew aroes ar y llawr. adyuot yr capel aoruc
aroi y law ar yr ysgrin. ac yr awr y roes ef y law arnei.
hi aymagores ac agyuodes y caeat or neilltu idi yny
welynt wy yr hynn aoed yndi. Yna yr unbennes a
syrthyawd ar y draet ef o lewenyd. Ac ar y wreic
brud yr oed yn aruer y geniuer gweith y gwelei
varchawc yn sefyll yn ymyl y capel. hi abarei dyuot a

hi yno. ae marchogyon urdolyon ae duc yno hi. A
phan weles hi yr ysgrin yn agoret ar llewenyd aoed gan
y merch a wybu panyw y mab oed. Ac yna redec
dwylaw mynwgyl awnaeth hi idaw efo. Yr awrhonn
heb hi y gwnn i nat ebryuygawd duw vi kanys keueis vy
mab. Arglwyd heb hi yr awr honn y mae profadwy dy
vot ti yn oreu marchawc urdawl or holl vyt. kanys
panybei dy vot uelly. nyt ymagorei yr ysgrin yrot. ac
ny wybydit beth aoed yndi. Yna ef a berit y offeiryat
gymryt llythyr o eur aoed yn yr ysgrin. Ac ae dar-
lleawd. ac adywawt bot y llythyr yn tystolyaethu panyw
y neb aoed yn yr ysgrin oed un or rei adynnawd iessu
grist y ar brenn y groc. nyt amgen nor hwnn adynnawd
yr hoelyon oe dwylaw. ac oe draet. Ac yna wynt
aedrychassant yn yr ysgrin ac aarganuuant yr euel a
vuassei yntynnu yr hoelyon yn waetlyt etto. Eissyoes
gwybyd di na ellynt wy eu tynnu wynt or ysgrin allan.

CLXXXI.—Ioseph yssyd yn tystolyaethu panyw yr
awr yr aeth paredur ymeith y caeawd yr ysgrin
drachevyn ual y buassei gynt. Yna yr arglwydes a
gymerth y mab. ac adoeth yr castell drwy lewenyd
mawr. ac adywawt oe mab y mileindra ae hamarch yr
pan athoed ef ymeith. ac adatkanawd idaw y kwrteissi
awnathoed gwalchmei yrdi. ar hwnn yssyd yn ryuelu
arnafi yssyd greulonaf gwr or holl vyt. ac ef aduc y
gennyf kwbyl om tir (a) daear. ac os da gan duw tydi ae
hennilly drachevyn. Ac am hynny arglwyd keis dial
dy gewilyd yr gwellau dy glot ath enryded. kanys ny
dyly neb odef y ostwng gan wr drwc. ac am hynny
uarglwyd mogel rac gadel y oeri y kewilyd ar collet
awnaethpwyt ym. Kanys pwybynnac o wr da a gaffo
kewilyd ny dyly neb adel hwnnw y oeri. namyn yn
wastat ucheneidyaw achadw yn y gof hwnnw. kanys
y elyn yw yny allo y dial arnaw. Kanys ny dyly gwr
da or byt dial y gewilyd herwyd ymadrawd namyn o
weithret herwyd y gyfle. kanys ny dichawn neb
orthrymu y elyn ynormod ony bwrw y aruot ar duw.
Eissyoes yr ysgrythur lan adyweit na dyly neb wneuth-
ur drwc oe elyn. namyn gwediaw ar y dwyn yr iawn.

a mi avynnwn heb hi pei vynggelynyon ae mynnynt
emendau onadunt dros y cam awnaethant. rac goruot
arnam ni ymgeinyaw ac wyntwy. kanys selyf a dyweit
panyw pa un bynnac a ymelldigo arall. y mae yny ymell-
digo ehun. Arglwyd vab (heb) hi. y castell ar glynn a
wely di adyly bot yn dy uedyant ti gyt ae perthyneu. a
hynny o wir dreftadawl dylyet ytt. ac am hynny anuon
di ar arglwyd y corsyd yr hwnn aduc y gennyt ti dy
fforestyd ath dreftat y erchi idaw ydalu ytt drachevyn.
amdanafi nym tawr i beth awnel ef kanys nyt reit ym
wrth tir bellach vyth. kanys mi awnn na bydaf vyw i
haeach gwedy marw vy mrawt. o achaws yr hynn y
mae vyngcallon wedyr dorri odristit. a mi adywedaf
ytti vy mab vot arnat ti bechawt mawr am y angeu ef.
kanys oth achaws di y digwydawd ef mywn yr heint.
ac am na ovynneist beth a arwydockaei seint greal y
bu varw.

CLXXXII.—Paredur a warandawawd yn hir ar y
vam ac nyt attebawd ef idi o dim. eissyoes cof oed
ganthaw ef bop peth or a dywawt hi. Ac yna y perit
tynnu y arueu y amdanaw ef. a gwisgaw dillat yn y
gylch. Ac nyt oed yngkwbyl or holl vyt marchawc
urdawl degach na gwell gweith pob aelawt idaw noc
oed ef. Arglwyd y corsyd eissyoes a debygassei y
cawssoedyat ef y castell yn diwrthwyneb. ac ef a gigleu
dyuot paredur. ac yr hynny ny wyr duw symlu arnaw
ef o dim oe darpar. ac nyt eiryachawd ef yr hynny
varchogaeth ympob lle. a dywedut y mynnei ef y castell
oe anuod ef. a diwarnawt yd aeth un or pump march-
awc urdawl yr coet. y hely carw. A gwedy daruot idaw
llad y karw. ef adoeth drachevyn parth ae gartref ar
helwyr y gyt ac ef. pan gyuaruu arglwyd y corsyd ac
ef. a dywedut wrthaw mae ryhy oed idaw dyuot y hely
y fforest ef. ar marchawc ae hattebawd ac adywawt na
dylyei y fforest honno vot yn y eidaw efo. namyn y
wreic wedw o gamalot ae dylyei neu y mab hitheu. Ac
yna arglwyd y corsyd alidyawd wrthaw ac ae brathawd
achledyf drwydaw yny vu varw ef. ae gedymdeithyon
ae dugassant adref hyt geyr bronn ae vam. A unben

s s

heb y wreic wrth y mab y ryw anregyon hynn a gaws-
sam ni yn vynych gan arglwyd y corsyd yrhwnn ny
chafas digawn eiryoet om gorthrymu i. athi a elly wybot
ry wneuthur ohonaw ef lawer gorthrymder yr pan vu
varw dy dat ti. Yna yr arglwydes aberis amdoi y
marchawc urdawl ae gladu. A thrannoeth gwedy off-
·eren paredur awisgawd y arueu ymdanaw. ac a beris y
deu o varchogyon y llys dyuot y gyt ac ef yn aruawc.
ac yr fforest ydaethánt. amarchogaeth aorugant yny
doethant hyt yn ymyl castell. ac o hwnnw wynt awel-
ynt pump marchawc urdawl yn dyuot yn aruawc.
Paredur aovynnawd pioedynt gwyr wy. Ac wynteu a
dywedassant mae gwyr oedynt y arglwyd y corsyd. a
mynet yd oedynt y geissyaw mab y wreic wedw. ac or
gallwn y daly ae dwyn yn arglwyd ni agawn wellau
arnam vyth. Myn vympenn i heb y paredur weldyma
hwnnw y chwi. ac nac ewch bellach no hynn oe geis-
syaw. Ac yna brathu y varch aoruc paredur tu ar nes-
saf attaw onadunt. ae vrathu trwydaw a gwaew yny
vyd mwy no hyt hanher llath. ac a drewis pob un o
rei ereill yny dylla eu llurygeu ac yny vuant yn vriw-
edic drwc. namyn deu onadunt aymrodassant yn garch-
arwyr. ar deu vriwedic heuyt adoethant gan baredur y
gastell camalot ac ae duc oe vam. Arglwydes heb ef
weldyma dechreu tal ytti am dy varchogyon urdolyon.
ar pymet adrigyawd yn y fforest yn gyndrwc y gyw-
eirdeb ar teu ditheu doe. Arglwyd uab heb hi ys oed
gwell gennyfi yr hedwch pei ascaffwn. Arglwydes heb
y paredur ual hynn y mae yr awrhonn. ef adylyit
gwneuthur ryuel yn erbyn ryuel. ahedwch yr neb a vei
hedychawl. Y marchogyon agymerwyt ac aroet yng-
karchar. Y chwedleu a doeth att arglwyd y corsyd. y
dywedut daruot y uab y wreic wedw llad un oe varch-
ogyon urdolyon. a dwyn pedwar yngcarchar. a llidiawc
vu ganthaw ynteu yny vedwl ae gallon hynny. athyngu
aoruc na orffowyssei vyth yny gaffei daly paredur neu
y lad. ac or bei yny helw marchawc ae dalyei idaw. ef
a rodei idaw y castell goreu ar y helw namyn un. A-
phob un yna a ymbarattoes y geissyaw paredur. athran-

noeth y bore wynt adoethant chwech or marchogyon
hyt geyrbronn castell camalot. a marchogaeth dan
saethu keirw yn y fforest awnaethant. ac ymdangos
aorugant ual y gwelei y rei or castell wynt. Paredur
eissyoes aoed yn gwarandaw offeren yny capel. aphan
daruu offeren y chwaer adywawt wrthaw. Arglwyd
heb hi weldyma y brethyn a dugum i or lle periglus.
kymer ef a chussana. kanys meudwy adywawt ym na
orvydit vyth ar yngelyn ni yny geffit ef. Apharedur ae
kymerth ac ae roes wrth y wyneb. a gwedy hynny ae
roes yn y vynnwes. ac awisgawd y arueu ymdanaw ef
ar pedwar marchawc urdawl gyt ac ef. a gwedy hynny
ef adoeth or castell. megys llew pan ollyngit oegadwyn.
ac a dynessaassant att y chwech marchawc y rei aoed-
ynt digawn eu balchet. Paredur aovynnawd udunt
paryw wyr oedynt aphwy yr oedynt yn y geissyaw. ac
wynteu adywedassant mae gelynyon oedynt yr wreic
wedw ac oe mab. Myn vyngcret heb y paredur wel-
dyma hwnnw y chwi. Ac ar hynny ymgyffroi tu ac
att un onadunt ae daraw. yny vu reit idaw ymadaw ae
gyfrwy ac ymgwffau ar llawr. ar pedwar marchawc
ereill pob un adrewis yr eidaw yny oed bop un o hynny
gwedy eu hanafu yn drwc. ar chwechet a ymroes. ac
uelly y peris eu dwyn wynteu yngkarchar. Arglwyd y
corsyd ynteu aoed yn mynet o hely parth ae gartref
pan gigleu y berw gan y marchogyon. a thu ac yno y
doeth ef kyntaf ac y gallawd yn aruawc. Arglwyd
heb yr un or marchogyon wrth paredur weldyma arg-
lwyd y corsyd y gan yr hwnn y dylit kymryt dial
ganthaw am a wnaeth. ac edrych di arglwyd mor aru-
awc y mae ef yn dyuot.

CLXXXIII.—Edrych aoruc paredur ar arglwyd y
corsyd megys y neb ny charei haeach o honaw. athu ac
attaw y doeth ef o nerth traet y varch. ac yngcledyr y
dwyvronn ef ae trewis yny vyd ef ar march yr llawr
dindrosbenn. a thynnu cledyf arhynt. Beth yw hynny
heb yr arglwyd y corsyd. ae vy llad i a vynny di. Nac
ef etto heb y paredur. eissyoes tydi a gey dy lad yn
ehegyr. ac na vit hir gennyt. ar hynny arglwyd y cors-

yd avwryawd neit yny sefyll. ac a hwylyawd y baredur.
ae gledyf yn noeth yn y law. apharedur ar y dyuotyat
ae trewis yny dorres y breich deheu idaw ar cledyf yr
maes. ar marchogyon adathoedynt gyt ac ef wynteu a
ffoassant pan welsant y ryw dihenyd hwnnw ar eu
harglwyd. Paredur yna a beris y dyrchafel ef ar gevyn
y varch. ae dwyn yngkarchar ae roi yn anrec oe vam.
Ti agynhelyeist amot arglwydes heb y paredur ac arg-
lwyd y corsyd. am roi y castell yma idaw. Arglwydes
heb yr arglwyd y corsyd dy vab di am anafawd i. ac
am duc yngharchar ami am gwyr gollwng di vyui yn
ryd. a minneu a rydhaaf ytti gwbyl oth gestyll ath
amrygoll gyt a hynny. Pwy heb y paredur a ymendaa
y chewilyd hitheu ae chollet am y marchogyon y rei a
ledeist di heb drugarhau wrthunt. ac am hynny kyfryw
nawd ar kyfryw drugared ac a vu gennyt ti am vy
mamm i am chwaer. a geffy ditheu y gennyfinneu. Y
gyt a hynny duw aerchis yn yr hen gyfreith ac yny
newyd wneuthur kyfreith ar y neb alado kelein ac ar y
neb a vo twyllwr. ac uelly y gwnafinneu athitheu. a
gwybyd di na thorrir y orchymynneu ef yrofi. Yna ef
aberis dwyn twrnel mawr y berued y llys. ac yno dwyn
y naw marchawc urdawl. a thorri penn pob un onadunt
ae daly ywchpenn y kyff hyt tra vei un davyn or gwaet
yn redec oe gorff hyt nat oed yny twrnel namyn gwaet
oll. A gwedy hynny efo aberis dwyn yno arglwyd y
corsyd. a rwymaw y dwylaw ae draet ynffest y gyt. a
gwedy hynny ef a ymliwawd ac ef adywawt wrthaw.
Arglwyd y corsyd heb ef. eiryoet ny cheueist digawn o
waet marchogyon urdolyon vy mam i. wrth hynny mi a-
baraf ytt digawn o waet dy varchogyon dyhun. Ac yna
ef aberis y grogi erbyn y draet ywch benn y twrnel. a goll-
wng y benn hyt y dwy ysgwyd yny gwaet. ac uelly y
adel yny vodes. A gwedy hynny ef aberis dwyn y gorff ef
a chyrff y marchogyon ereill. ac a beris eu bwrw ymywn
pwll mawr yny lle y bwryit esgyrn kwn a meirch meirw.
ar twrnel ar gwaet ef a beris eu bwrw yn yr avon. Y
chwedleu hynny aaeth y bop lle dywedut daruot y vab
y wreic wedw llad arglwyd y corsyd. ar rei goreu oe

varchogyon urdolyon. ac velly yd aeth y ovyn ef ympob
lle. A phawb adywedynt mae uelly y gwnaei ac
wynteu onyt ufudheynt idaw. Ac yna pawp a doeth
y roi gwrogaeth idaw drwy roi aadawssei y vam rac
ovyn angeu. a dwyn agoryadeu y kestyll idaw awn-
aethant. Ac uelly kwbyl or kyuoeth a ovynnawd u-
dunt. ar wreic a vu lawen. namyn trist oed am varwol-
yaeth y brawt. nyt amgen no brenhin peleur.

CLXXXIV.—Diwarnawt ydoed baredur yn eisted ac
yn bwyta ar neilllaw y vam. a llawer o varchogyon
urdolyon gyt ac wynt. ac ar hynny nachaf teir moryn-
yon yndyuot ymywn. yny vuant geyrbronn y wreicda
ae mab. ac yn kyuarch gwell udunt. Antur da arodo
duw ytitheu heb y paredur. Arglwyd heb yr unbennes
arderchockaf onadunt ti agwpleeist yr hynn aoed ytt o
negesseu yman. Ac wrth hynny arglwyd dos y le
arall y gwplau dy negesseu. kanys brenhin peles dy
ewythyr aerchis ytt dyuot gyntaf ac y gallut parth a
thir brenhin peleur. kanys brenhin y castell marw yssyd
yn keissyaw diua y gret a ordinhaawd iessu grist. ac yr
awr y kafas hwnnw vedyant ar dir brenhin peleur. ef
aberis dodi cri dros wyneb kwbyl or wlat. pwy bynnac
a vynnei gredu yr hen gret apheidiaw achret iessu grist
y kaffei y eneit. ac ar nys mynnei y lledit yndiannot.
Och varglwyd vab heb y vam wrth baredur po ny
chlywy di enwired y brenhin drwc yssyd vrawt ymi.
agwae vi y eni ef rac y drycket. Nac ef heb y paredur
nath vrawt ti nam ewythyr inneu nyt ytiw efo pryt na
mynno credu y duw. namyn yngelyn marwawl ni yw
ef. a mwy y dylywn y gassau nac estrawn ynn. Varg-
lwyd vab heb hi yr vy mendith i na at ti gret vy iach-
wyawdyr i yn ebryvygus yn lle yn y byt or y gellych
di y chynnydu hi. kanys ny elly di vyth gwassanaethu
arglwyd kystal ac efo. Ac ny byd un gwr da or byt
ar nysgwassanaetho ef. a chwbyl or gwyr da a ant yny
gedymdeithyas ef. ac edrych ditheu ar dy uot yn un
onadunt ac nas ysgaelussych ef yr neb ryw uedwl.
namyn byd wrth y orchymynneu y bore megys y pryn-
hawn. ac nac anhebycka di yth genedyl. a orffenno ytt
y medwl a dechreueist y wneuthur.

Gwedy dywedut y gras y wreic wedw agyuodes y
vyny. ac yno y bu y mab yny yttoed y chyuoeth ar
ewyllys y vam. ac ovyn paredur aoed ar bawp am y
vilwryaeth. Yma weithyon y mae yr ymdidan yn tewi
am baredur ac yntraethu y wrth lawnslot.
CLXXXV.—Er ystorya honn yssyd yndywedut
dyuot lawnslot a gwalchmei hyt yn llys arthur o geis-
syaw paredur. a llawen vu arthur agwenhwyuar wrth-
unt. a diwarnawt yr oed y brenhin yn bwyta. nachaf y
gwelynt yndyuot ymywn deu varchawc urdawl ereill
ymywn peirant gwedy eu deifyaw allosgi yn veirw. Y
marchogyon adywedassant wrth arthur. Arglwyd y
kewilyd hwnn ar drwc yssyd deu di. ac yny mod hwnn
y colly di yn ehegyr gwbyl oth uarchogyon urdolyon.
ony ryd duw yn ehegyr udunt nerth achyngor. a un-
byn heb yr arthur pa vod y llas y gwyr hynn. Arg-
lwyd heb wynteu iawn yw y dywedut ytt. Y marchawc
urdawl ar dreic danllet yssyd wedy dyuot o vywn dy
gyuoeth di. ac yn diua o wyr athrefi kymeint ac a
odiwedo. ac nyt oes neb a lyuasso y aros ef yn un lle.
kanys mwy a hwy yw ef o aruod troetued no gwr arall
or byt. ac ef aallei deu wr ymgudyat ynghyskawt
y daryan ef. ac ymperued y daryan ef y mae llun
dragwn yr hwnn aellwng fflam athan drwydaw y geniuer
gweith y mynnei. Ac megys y gwely di gyweirdeb y
rei hynn uelly y kyweirya ef kwbwl or lleill ar y kaffo
lle llaw arnunt. O ba wlat y doeth y gwr hwnnw heb
yr arthur. Arglwyd heb wynteu ef a doeth o gastell y
kewri. ac ymae yn ryuelu arnat o achaws logrin gawr
yr hwnn y duc kei y benn yma. ac ef a dyngawd na
bydei lawen vyth yny darffei idaw y dial arnat ti neu
ar y rei mwyaf agarut. Duw am diango heb yr arthur
rac gwr kyndrwc ac ef. Ar hynny y brenhin a gyuodes
y vyny o vwyta. ac a erchis dwyn y gwyr hynny oe
cladu. ar lleill aaethant adref pan daruu udunt dywedut
eu neges. Yna arthur a elwis gwalchmei a lawnslot
attaw. ac aovynnawd paryw gynghor a ellynt y wneuth-
ur rac y ryw ormes hwnnw. Arglwyd heb wynteu
nyni aawn yno os reingk bod ytti. Myn vympenn heb

yr arthur nych gadwn yno yr hanner vynteyrnas. kanys
nyt gwr yw hwnnw namyn diawl. nyt ydwyfinneu yn
dywedut na bei glotuawr goruot arnaw ef. ac uelly ny
wydyat arthur beth awnaei. ny welei ynteu hayach yn
ymgynnic y ymlad ac efo. Yma yr ydys yn tewi am
arthur. ae dylwyth. ac yn traethu am baredur.

CLXXXVI.—Ema y mae yr ymdidan yn dywedut
vot paredur yn trigyaw gyt ae vam tra vu digrif
genthi. ac or diwed drwy gennat y vam ef aaeth
ymeith. ac a dywawt y deuei draegevyn gyntaf ac y
gallei. Ac yna ef adoeth yr fforest ac a varchockaawd
yny vu hanner dyd. Ac yna ef adoeth y lannerch deckaf
or byt ymperued y fforest. ef aedrychawd oe vlaen. ac
aarganuu bebyll coch. ac odyna ef aedrychawd parth ar
penn arall yr llannerch. ac aarganuu marchawc urdawl
yn eisted dan vric prenn. a dillat gwynnyon ymdanaw.
a llestyr o eur yny law. ac yny penn arall yr llannerch
ef awelei vorwyn ieuanc yn eisted a dillat o samit gwynn
ymdanei. a blodeu eur arnadunt. a llestyr o eur yny
llaw hitheu. Ac yna ef awelei or fforest yndyuot ryw
aniueil gwynn mwy ychydic noc ysgyuarnawc. ac yn
dyuot yr llannerch. a ryw anesmwythdra arnei. megys
pet uei gwn bychein yndi. ar rei hynny yn kyuarth. a
hitheu yn ffo y byt racdunt. ac or diwed y pryf affoes
hyt att baredur y geissyaw nawd. a pharedur a dannawd
y dwylaw ar uedyr y hamdiffyn. ar marchawc yna
aerchis idaw beidyaw. ac adywawt na perthynei ar y
ystat ef dim oe hamdiffyn hi. ac aerchis idaw adel yr
pryf gymryt y thynghetuen. Ar pryf pryt na weles gael
nodua yno hi adoeth tu ar groes aoed ymperued y
llannerch. ac yno hi aorwedawd. ar pryfet adoethant
megys kwn bychein allan ohonei. agwedy eu dyuot wy
y maes wynt ae dryllyassant hi aedanned. eissyoes ny
bwytawssant wy dim oe chic hi. Ac yr awr y daruu
udunt wy y llad hi wynt a ffoassant yr coet megys
kwn. Y gwr prud ar vorwyn adoethant yr lle ydoed
y pryf yn gorwed yn varw ac arannassant y kic ac aaeth
pob un ae rann ganthaw yny lestyr yr coet. a chynn eu
mynet wynt aaethant yr lle yd oed gwaet yr aniueil. ac

yno cussanu y daear a wnaethant. apharedur a disgyn-
nawd ac a wnaeth am y lle megys y gweles wynteu yny
wneuthur. Gwedy hynny ef awelei yn dyuot or fforest.
deu offeiryat. ar kyntaf onadunt a dywawt wrth bared-
ur. A unbenn heb ef tro or tu vry yr groes ual y
gallom dynessau attei. apharedur awnaeth hynny. ac
un or offeiryeit adoeth att y groes ac aostyngawd ar-
benn y linnyeu ac ae gwediawd. ac ae cussanawd mwy
noc ugeinweith drwy y llewenyd mwyaf. Yr offeiryat
arall a doeth a dyrneit o wial ganthaw. ac a vaedawd y
groes dan wylaw yn hidyl. Ryued vu gan baredur
hynny adywedut wrthaw. Paham y gwney di y mil-
eindra hwnnw ar groes. ac nyt tebic di yr offeiryat
racko. Nyt reit ytti didarbot beth awnelwyfi heb
ynteu. ac y gennym ninneu nysgwybydy di. Par-
edur eissyoes a lidiassei wrthaw panybei y vot yn
offeiryat.

CLXXXVII.—Mynet ymeith ar hynny aoruc pared-
ur. ac ny marchocaawd ef haeach yny gyuaruu y
marchawc urdawl cachyat ac ef. yr hwnn aerchis
idaw obell y nawd. Paryw wr yttwyt ti heb y paredur.
Arglwyd heb ynteu y marchawc urdawl cachyat ym
gelwir i. a gwassanaethwr wyfinneu y vorynyon y
gadeir. ac yr duw yr archafi ytti na chwyfych wrthyf.
kanys clot bychan yw taraw dyn ny lyuasso ymam-
diffyn. Paredur ae gweles yn wr mawr tec ar gevyn y
uarch. Paham heb y paredur ydwyt aruawc ditheu.
ath gallon yn gyn drwc ahynny. O achaws mileindra
ryw rei heb ynteu. kanys y mae ryw rei am lladei i yn
ehegyr peit vewn heb arueu amdanaf. Ae kyn drwc
dy gallon di ac y dywedy heb y paredur. Myn duw
heb ynteu ys gwaeth. Myn vyngcret i heb y paredur
mi ath wnaf di yn varchawc ehovyn dewr adabre di gyt
ami. kanys gouit mawr yw bot cachyatrwyd allyfyrder
yn gorffowys mywn gwr kyndecket athydi. Ac am
hynny myui a vynnaf newidyaw ohonat ti dy henw.
kanys ry vilyeinyeid a ry gewilydyus yw gennyfi achan
bop marchawc or aaller dim ac ef yr henw yssyd arnat
ti yr awrhonn. Wrth hynny titheu am lledy i yn

gyntaf heb y marchawc cachyat. ac ny mynnafi arglwyd
newidyaw nam henw nam medwl.

CLXXXVIII.—Paredur yna adywawt wrth y march-
awc cachyat. Myn vyngcret i heb ef y mae dy ang-
heu ditheu yn ehegyr ony deuy gyt ami. Ac yna
paredur ac gyrrawd geyr y vronn bei drwc bei da gan-
thaw. ac ny cherdassant haeach yny glywynt llef dwy
wraged yn gweidi ac yn gwediaw duw. ar anuon nerth
yn ehegyr udunt. yna paredur adoeth tu ac yno ef ae
varchawc. ac arganuot marchawc yn aruawc yn gyrru
dwy vorwyn ieueinc oe vlaen yn amharchus ae gwallt
yngkylch eu hysgwydeu. ac yn y dwylaw yd oed gwieil
mawr yn eu kuraw. yny yttoed eu gwaet yn ffrydyeu
oe hwynebeu yr llawr. A unbenn heb y paredur beth
a holy di yr morynyon hynn. ry vileinyeid ydwyt yn
eu kyweiryaw. O achaws heb y marchawc vyndidref-
tadu ohonunt ogyuanned aoed ym yny fforest honn
yr hwnn aroes gwalchmei udunt. Yna y morynyon
a erchis nawd paredur yr duw. ac adywedassant panyw
herwr oed ef. ac nat oed yr un yn y fforest onyt efo
ehunan. ar lleill oll gwalchmei alawnslot ae lladassant.
ac o achaws y tlodi awelsant wy arnam ni yn an castell
tlawt y rodassant wy yni y tei ar trysor aennillassant
ar yr herwyr. ac. am hynny arglwyd y mae ef yn
mynet a ninneu yn llad. A unbenn heb y paredur
gollwng y morynyon ymeith ami awnn eu bot yn
dywedut gwir. kanys yd oedwn yn y lle pan roet
y kyuanned hwnnw udunt. Gan hynny heb y marchawc.
ti a nertheist o distriw vyngkenedyl i. ac am hynny
ymamdiffyn ragof os gelly. Och arglwyd heb y march-
awc cachyat pythawr ytti beth adywetto ef. a cherda
dy fford. a minneu ym fford inneu. Nac ef heb y paredur
ti a nerthey y morynnyon yn gyntaf. Myn vyngcret i
heb y marchawc cachyat ny nerthaf i yr un ohonunt wy.
Tydi varchawc heb y paredur. Weldy yma wr y ymlad
athydi drossofi. Yna y marchawc herwr atrewis y
marchawc cachyat ymperued y daryan yny dyrr y
baladyr yn drylleu. Eissyoes ny chyfaruu ar marchawc
cachyat dim drwc. Ac yna tynnu y gledyf awnaeth

yr herwr. ar cachyat aedrychawd obopparth idaw.
ac ef affoassei yn llawen pei as lyfassassei rac paredur.
ac yna paredur adywawt wrthaw. vy marchawc i heb
ef llafurya y iachau vy enryded i ar morynyon ath eneit
titheu. Y marchawc arall ynteu yn roi dyrnod-
eu creulawn trymyon idaw. ac ynteu yny diodef.
aryued vu gan baredur rac mor gachyat oed. ar herwr
eissyoes nys ysgaelussawd. ac aroes dyrnawt mawr
idaw yny vriwawd yn drwc. Yna y marchawc cachyat
adywawt pan weles y waet yn colli wrth y llall. Myn
vyngcret i heb ef. ny thebygasswn i vot yth vryt ti vy
llad i. ac ef avyd ediuar ytti hynny. ac yna estynnu
y waew y wrthaw atharaw y varch adwy yspardun. a
dyuot tu ac attaw ae daraw ymperued y daryan yny vyd
y gwaew trwydi athrwydaw ynteu yny vyd yr llawr
dan draet y varch. Ac yna disgynnu awnaeth ef adiosc
y helym. athorri penn y marchawc ae roi yn anrec y
baredur. adywedut wrthaw. Arglwyd llyma or ymwan
kyntaf awneuthum i eiryoet. Gwell yw uelly heb y
paredur. amogel rac llettyaw cachodrwyd na llyvyrder
ynot o hynn allan vyth. Gwir adywedy arglwyd heb
ynteu. ny thebygasswn i allel vynggwneuthur yn dewr
vyth. a phei astebygasswn mi agawssoedwn o enryded
om bot yn dewr ac yn ehovyn mwy noc om bot
yn gachyat ac yn llwfyr. Gwir adywedy heb y
paredur. Iawnach yw anrydedu y gwyr da nor rei
drwc. Yrwyfi yn gorchymun ytti heb y paredur vynet
ygyt ar morynyon hynn adref. apha le bynnac y
delych dywedut ohonat panyw y marchawc dewr wyt
o hynn allan. kanys kwrteissyach yw yr enw hwnnw nor
llall. Gwir adywedy heb ynteu. ar henw hwnnw yssyd
hoff gennyf oth achaws di. Yna y morynyon agymer-
assant gennyat paredur ac aaethant ar marchawc dewr
y gyt ac wy drwy diolwch y baredur y uvyddawt ae
gwrteissi.

CLXXXIX.—Paredur ynteu a gerdawd drwy sywr-
neioed yny doeth y gaerllion. yny lle ydoed arthur. ac
ef awelei gwbyl or llys achyving gyngor mawr ganthunt.
a ryued vu ganthaw ynteu hynny. a gouyn aoruc y

rei. paham yr oedynt mor drist ac mor ovalus ac yr
oedynt. aphale yr oed arthur. Arglwyd heb un ona-
dunt ymae yny castell racko. ac ny bu arnaw eiryoet
oual kymeint ac yssyd yr awr honn. kanys ryw anghenvil
yssyd yn ryuelu arnaw. ac yn erbyn hwnnw ny lefeys
neb ymlad. yna paredur adoeth hyt y neuad. a disgynnu
aoruc ef yno. Ac yna gwalchmei a lawnslot a doeth yn y
erbyn. a chwbwl or milwyr ygyt ac wynt. a llawen vu y
brenhin ar vrenhines wrthaw. Yna diosc y arueu y
ymdanaw awnaethpwyt. a gwisgaw glan dillat. Ac yna
ef agaffei edrych arnaw. kanys y glot aoed idaw.
ae degwch ehun yn y chwanec. a llawen vu bawp am y
dyuotyat ef kyt beynt trist kynno hynny. amegis
y bydei y brenhin diwarnawt yn bwyta. nachaf dri
marchawc urdawl yn aruawc yndyuot ymywn. achan
bop un ydoed marchawc urdawl arall yn uarw gwedy
torri eu traet ac eu dwylaw. ac eu korffeu yn gyuan. ac
eu llurygeu yn kynduet ar pyc duaf. ac eu bwrw
awnaethant ar lawr y neuad. Arglwyd heb wynt wrth
y brenhin. y kewilyd hwnn a dangosset ytti unweith
arall. ac nyt emendawyt yni dim yr hynny. a marchawc
urdawl y dreic danllet yssyd yn diua dy wlat. ac yn
llad dy wyr. ac adaw yma yn ehegyr. ac adywawt nat
oes yn dy allu di hyder y wneuthur eniwet idaw ef.
Kewilydyus vu gan arthur y chwedleu hynny a chan
walchmei a chan lawnslot am nasgadawd arthur wynt
y vynet ar y weith gyntaf. ar hynny y pedwar march-
awc aaethant ymeith ac adaw y lleill yn ueirw yn y
neuad. Ac yna y brenhin adristaawd yn vawr ac aerchis
eu cladu. Ac yna son a berw agyuodes ar hyt y neuad
gan y marchogyon urdolyon. a rei adywedynt nachlyws-
synt eiryoet gormes kyn greulonet y lad gwyr ar dreic
honno. ac ny dylyit heb wynt oganu gwalchmei na
lawnslot yr nat elynt y ymlad ahi kanys nyt oed yn yr
holl vyt dim a allei oruot arnei ony bei wyrtheu duw
ehun nac alafuryei yn erbyn peth kyndrwc ac aallei
daflu fflam o dan drwy y daryan y geniuer gweith y
mynnei. athra yttoed y murmur hwnnw ar hyt y
neuad. nachaf yn dyuot ymywn morwyn ieuangk yr

honn aoed ynkanhebrwng marchawc yn varw ar elor.
ac yn dyuot hyt geyrbronn y brenhin. ac yn dywedut.
Arglwyd heb hi mi aadolygaf ytti yr duw wneuthur
kyfyawnder ami yn dy lys di. weldy racko walchmei
dy nei di yr hwnn a vu kynno hynn yny dyrua o
varchogyon urdolyon yny llannerch goch yn y lle
yd oed lawer o varchogyon urdolyon a mab y wreic
wedw yr honn yssyd yth ymyl ditheu yn eisted y gyt ac
ef. Efo a gwalchmei agawssant y glot yny gynnulleitua
honno. Y marchawc yna eissyoes arueu gwynyon oed
idaw pan ymwanawd gwalchmei ac ef. aphawb or aoed
yno adywedassant panyw y gwr yna a vu oreu oll.
achaws bot yngynt y dechreuawd no gwalchmei. Ac
ef aordinhawyt yno yndechreu y twrneimant panyw
y goreu yno bieivydei dial y gwr yma. ami ae keisseis ef
ymhob lle arglwyd yny kefeis yma. ac am hynny
arglwyd y gwediaf inneu di y wneuthur kymeint ac y
bo ryd ef y wrth y neges honn. ac ef awyr gwalchmei vy
mot i ar y gwir. ar marchawc racko aaeth ymeith yn
gyn ebrwydet ac na (wy)buam ni dim y wrthaw ef. a
gwalchmei avu doluryus am nas adnabu kyn y vynet
kanys yny geissyaw ydoed. Gwir adywedy di heb y
gwalchmei. Duw adalo yttitheu heb hi am dystoly-
aethu y vot yn wir. ac am hynny paredur dec kwpla
ditheu yr hynn anodet arnat. athi adylyy y wneuthur
kanys y marchawc yssyd ar yr elor oed vab y eluant
oganalun dy ewythyr di vrawt dy dat. A unbennes
heb y paredur edrych dy vot yn dywedut gwir. kanys
hyt y gwnn i eluant oganalun oed ewythyr ymi.
Arglwyd heb hi ef aellit y adnabot ef. kanys o achaws
y rym ae vilwryaeth y llas ef. ae henw ynteu oed eluant o
gamalun. ac arglwydes y kylch eur ae karawd yn vwy
no dim orbyt. ac amhynny pan y lladawd marchawc y
dreic danllet ef. y peris hitheu y iraw efo ac ireideu
mawrweirthyawc. ac nyt oes yn yr holl vyt gormes
kyngreilonet y distrywyaw gwledyd a dynyon ar
lleidyr hwnnw. ac y mae gwedy goresgyn kwbyl o tir
yr arglwydes ar kylch eur. allad y marchogyon ae
vygythyaw hitheu ehun. ac ymae hitheu gwedy

kaeu y chastell arnei. apha un bynnac aorffei arnaw.
ef agaffei y kylch eur yntal y lavur yrhwnn goreu
y dyn yn yr holl vyt vedyannu arnaw. Ac am
hynny arglwyd ti a dylyut lauuryaw y dial angheu
dy gevynderw. ac y ennill y kylch eur. ac os arnaw
y goruydy di. ti a wrenty y arthur y gyuoeth. yr
hwnn a daruu idaw ef bygythyaw y distryw oll. kanys
nyt oes yn yr holl vyt brenhin kyngasset ganthaw ef
ac arthur. a hynny o achaws y llewenyd awnaeth ef
ambenn y kawr aduc kei yma. A unbennes heb y
paredur pa le y mae y marchawc hwnnw. Arglwyd
heb hi y mae ymywn ynys yr eliphantyeit. yr honn
a nottaey y bot yndeckaf ynys or holl vyt. ac neur
daruu idaw ynteu y distriwo hi hyt na lefeys neb
drigyaw yndi. Ar ynys honno yssyd dan gastell arg-
lwydes y kylch eur. a hi ae gwyl ef beunyd yn llad y
marchogyon urdolyon. ac yn eu dwyn y gyt ac ef. yr
hynn syd drist genthi y welet distriw y marchogyon
ynggwyd y llygeit. Paredur agigleu yr hyn yd oed y
vorwyn yny dywedut. ac a vedylyawd. kanys rodassit
arnaw ef dial angeu y gevynderw drwy gytsynnedig-
aeth pawb vot yn gewilydyus idaw ynteu onys dialei.
Yna ef a gymerth kennat y brenhin ar vrenhines ac
agychwynnawd or llys. a gwalchmei a lawnslot
aaethant gyt ac ef. ac adywedassant y kanlynynt ef
hyt y lle yd oed marchawc y dreic danllet. Digrif vu
gan baredur eu kedymdeithas wynteu. Goualus ac
ofnawc oed y brenhin ar vrenhines am baredur rac
periclet oed y lle yr oed yn mynet idaw. Ac yna y
brenhin aanuones yr eglwysseu y bop lle y beri gwed-
iau drostaw. Ac uelly y kerdassant wy elltri. ar
vorwyn yn eu hol wynteu. ar marchawc marw gyt ahi.
A marchogaeth awnaethant drwy y fforestyd diffeith.
ac o fforest pygilyd y doethant yny doethant y tir tec
odieithyr fforest. Ac yna wynt aarganuant gastell yn
ymdangos udunt ar tir gwastat ymperued gweirglawd.
ac yngkylch y castell ydoed avon uawr ynkerdet. ac or
tu vywn yr castell wynt awelynt neuadeu mawr
ehalaeth. a ffenestri mawrdec arnadunt. wynt adynes-

saassant parth ar castell. ac wynt awelynt y castell yn
troi yn gynt nor gwynt kyntaf awelsynt eiryoet. ac
ywch benn y castell wynt awelynt saethydyon yn
saethu yn gynffestet ac nac oed aryf yn y byt a vei
amdiffyn rac un or ergydyeu a vyrynt. Y gyt a hynny
ydoed yno gwyr yn kanu kyrn yn gynffestet ac y
tebygit clywet y daear yn crynu. ar y pyrth yr oed
llewot mywn kadwyneu heyrn yn breuu ac yngweidi
yn kyn arwet ac y tebygit bot y fforest ar castell yn
diwreidyaw ganthunt. Paredur yna ae gedymdeithyon
aedrychassant ar enryuedodeu hynny. Arglwydi heb
y vorwyn.chwi aellwch wybot agwelet bot yny castell
racko amdiffyn mawr. Gwalchmei a lawnslot heb hi
ymchoelwch chwi drachevyn. kanys o dynessewch
chwi att y saethydyon racko yrywch yn veirw. athitheu
arglwyd heb hi wrth baredur. or mynny di vynet
ymywn. moes attafi dy waew ath daryan amyui aaf
yth vlaen di a dabre ditheu ym ol inneu. a bit gennyt
arwydyon ar dy vot yn varchawc urdawl grymus. ac os
uelly y deuy di ti aelly dyuot yr porth ymywn. ath
gedymdeithyon wynt aallant ymchoelut adref. kanys
ny doeth eu hamser wynt etto. ac ny dichawn neb
vynet idaw onyt y neb bie goruot arnaw. ac ennill idaw
y kylch eur. a goruot ar vrenhin y castell marw. a dwyn
llys brenhin peleur y ganthaw. yr honn yssyd yn y
uedyant. Doluryus vu gan baredur pan gigleu na allei
na gwalchmei na lawnslot dyuot y gyt ac ef. ac ar
hynny kennat a gymerth pob un y gan y gilyd onadunt.
a mynet ymeith awnaethant yn druan ac yn ovalus
ganthunt na allassant vynet y gyt ac ef. a gwediaw
duw awnaethant ar vot yn rwyd racdaw. ac yna sefyll
awnaethant y edrych ar baredur ac ar y vorwyn yr honn
aoed yn dwyn y daryan ef ae waew oe vlaen. yr dangos
panyw efo oed y marchawc da. a pharedur yna a vrath-
awd y varch ac ae gollyngawd oe nerth tu ar castell
troedic. ac yna a phwmel y gledyf ef adrewis y porth yn
y yttoed y pwmel yn anodi yn y dor yny dorres. Ac
rac meint y dyrnawt y llewot affoassant oc eu selereu.
ar castell a beidyawd athroi. ar saethydyon a saethu. ar

teirpont aostyngassant. ac yr aeth ef ymywn wynt a
gyuodassant drachevyn. Lawnslot a gwalchmei aedrych-
assant ar y ryuedawd hwnnw. aphan welsant y
castell yn gorffowys wynt adoethant tu ac yno. Ac
yna marchawc urdawl o un or bylcheu agriawd arnunt
ac adywawt wrthunt. or deuynt nes no hynny y seythit
wynt ac y troei y castell. ac uelly y somit wynt. Ac
yna wynteu a ymchoelassant ac wynt a glywynt yn y
castell y llewenyd mwyhaf. a rei yn dywedut ry dyuot
y mywn y neb yr iacheit eu heneidyeu au korffeu
drwydaw. Yna gwalchmei a lawnslot a ymchoelassant
draekevyn yndrwc ac yndrist ganthunt na chawsant
vynet ygyt apharedur yr castell. a marchogaeth aorug-
ant yn y doethant yn agos yr dinas daruodedic. yn y lle
y lladassei lawnslot y marchawc ar vwyall. Arglwyd
heb y lawnslot wrth walchmei weldy yma yr oet yn
dynessau. reit yw ymi vynet yr dinas racko y odef vy
angheu. onyt duw am amdiffyn. Adywedut y walchmei
aoruc ef y antur yno. a megys ydoed ef yn kymryt y
gennat y gan walchmei. nachaf y marchawc urdawl
tlawt or castell tlawt yn kyfaruot ac ef. Arglwyd heb
ef wrth lawnslot mi a gefeis ytti oet am dyuot racko.
Sef oet dyd yssyd ytti hyt ympenn y deugeinuet diw-
arnawt gwedy keffit castell seint greal o anuod brenhin
y castell marw. ac ny deuthum i etto or castell tlawt yr
pan y gwelsawch chwi. ac nytoed obeith ym vyth ydyuot
panabei dyuot ti arhynt y dyuot y gwplau dy lw. a duw
adalo ytt ac y walchmei y meirch aanuonassawch ym.
ar trysor arodassawch ymchwioryd. ac nyt oes fford ymi
arglwyd y vwrw un tlodi y arnaf yny delych di yr oet
dyd agymereis i drossot. ac yr iachau kywirdeb arglwyd
nac ebryfyckadi dyuot. Nac ebryfygaf myn vyngcret
heb ynteu a duw a dalo yt hwyhau yr oet. Ac ar
hynny ymiachau ar marchawc aorugant wy. a cherdet
racdunt tu a chaer llion yn y lle yd oed arthur. Yma
y mae yr ymdidan yn traethu am baredur. ac yn tewi
am lawnslot a gwalchmei.

CXC.—Er ymdidan yssyd yn dywedut vot paredur
yn y castell troedic. yr hwnn y mae iosep ynhyspyssu

pan wnaeth fferyll y castell hwnnw drwy y gelvydyt ae
synnwyr. proffwydaw ohonaw na orffwyssei yn troi.
yny delei yno y marchawc urdawl. yr hwnn ydoed idaw
gallon o dur aphonn o eur. a diweirdeb morwyn. a chret
y duw. ac yn dwyn taryan y marchawc a disgynnawd
iessu grist y ar brenn y groc. Ac am hynny yd oedynt
wy yn dywedut ual y clywei lawnslot a gwalchmei.
panyw oe achaws ef yr iecheit eu heneidyeu. Aphan
beidyawd y castell athroi yr adnabuant wy panyw ef
aoed yno. Ac ar hynt peri eu bedydyaw awnaethant a
chredu yr drindawt ac yr gret newyd. ac y gyt a hynny
o angheu yr iachaawd ef wy. kanys ovyn oed arnunt y
bydynt ueirw yn eu pechodeu ac yn y gamgret. Digrif
vu gan baredur welet y bobyl yn credu y duw a meir oe
achaws ef. Ac yna y vorwyn adywawt. Arglwyd heb
hi digawn yd ym ni yma. awn ymeith weithyon y
orffen dy neges am yr ormes vudyr. kanys po mwyhaf a
arhoych. mwyhaf y distriwa ynteu y wlat ac a lad
o dynyon. Yna ef a gymerth kennat pawb or castell.
y rei aoed arnunt ouyn mawr amdanaw rac periclet y
lle yr oed yn mynet idaw. ac adywedassant os ef a
oruydei ar uarchawc y dreic. na chafas gwr or byt
hwnn antur degach no honno. Yno gwarandaw offeren
aoruc ef kyn y vynet. a phawb aaeth yngaredic y
offrwm yr anryded idaw ef. Y vorwyn agerdawd or
blaen yr honn a wydyat y fford ar lle yd oed marchawc
y dreic yn cartrefu yndaw. a marchogaeth a orugant
yny doethant y ynys yr eliffantyeit. A marchawc y
dreic adisgynnassei dan vric oliwyden y eisted gwedy
daruot idaw lad marchawc y arglwydes y kylch eur.
ahitheu aoed yn eisted ar ffenestyr y chastell ac yn
edrych ar lad y marchawc yr hynn aoed dost genthi.
ac yn dywedut. Oia varglwyd tec awelafi vyth march-
awc adialo ar y lleidyr racko y draha. am lad
vynggwyr adiua vynggwlat ual hynn. ac ar hynny
arganuot y uorwyn aoruc hi yn dyuot apharedur gyt a
hi. a hitheu a griawd arnaw ef ac adywawt. Tydi
varchawc heb hi o ny thebygy vot ynot o nerth a
chedernit mwy noc mywn un arall na dynessa att y

diawl hwnnw. Ac or tebygy ditheu dy vot ual y
gellych oruot arnaw mi arodaf ytt y kylch eur yssyd
ymma. ac os ti aoruyd arnaw mi agredaf yr gret y
credy ditheu. kanys mi aatwaen ar dy daryan dy uot yn
gristawn. Ac os tydi a oruyd arnaw ef yna y gallaf-
inneu adnabot vot yn well awch cret chwi nor einym
ni ageni iessu grist o veir. llawen vu gan baredur yr
hynn a glybu y vorwyn yn y dywedut. ac ymorchymun
y duw ac y ueir aoruc. ac ymennynnu o lit megys
llew. Ac yna ef aarganuu marchawc y dreic yn mynet
ar y varch yn anghyuartal pob peth or a welit arnaw
rac y veint. kanys eiryoet ny welsei ef dyn aallei vot
yngymeint ac ef. ae daryan oed uawr ac anghyuartal ac
yn burdu. ac ymperued y daryan ef awelei penn y
dreic yr honn oed yn gollwng tanllwytheu. afflam
drwydi. ar fflam honno oed yndrewi cwbwl or maes.
Y vorwyn aedewis y marchawc aoed ar yr elor y gyt ac
wynt yny maes ac aaeth tu ar castell. Arglwyd heb hi
ar y tir yma y llas dy gevynderw di. ac yttitheu y gadaw-
afinneu yma ef. kanys myui ae kytuum ef yndigawn.
ac am hynny dial ditheu ef os mynny. Myui ae gadaw-
af ef ytti. kanys myui awneuthum amdanaw ef gy-
meint ac na dylyir vynggoganu. Ac ar hynny ydaeth
hi ymeith parth ar castell.

CXCI. Marchawc y dreic danllet a arganuu baredur
yn dyuot ehun. a hynny a vu anustru ac am hachus
ganthaw gymryt dim oe waew. namyn tynnu y gledyf
awnaeth ef ae gyrchu. ar hynny paredur ae kyrchawd
ynteu agwaew. ac ageissyawd vrath ymperued y dar-
yan. ar marchawc a deflis fflam yn erbyn dyrnawt y
gwaew yny losges hyt y dwrn. Ar marchawc yna
aossodes ar benn paredur ae gledyf. Eissyoes paredur
a ymgudyawd yngkysgawt y daryan yn yrhonn yd oed
y obeith ef. hyt na allawd y cledyf chweith argywed
orbyt yr daryan. Ioseph yssyd yn tystolyaethu panyw
ioseph o arimathia abarassei roi ymywn bogel y daryan
peth o waet iessu grist. ac or wisc avuassei ymdanaw.
Aphan weles y lleidyr na allei aflessu paredur nar dar-
yan. ef a lidiawd yn uawr. kanys ny rodassei ef eiryoet

U U

dyrnawt y uarchawc ny vei uarw arnaw. Ac yna troi
aoruc ef penn y dreic ae daryan ar vedyr llosgi taryan
baredur. Eissyoes y fflam adoeth o benn y dreic parth
atharyan paredur a ymchoelawd drachevyn yny gwrth-
wyneb megys pei gan wynt y troei. heb allel dyuot yn
erbyn paredur. llidiaw yna aoruc y marchawc a dyuot
racdaw hyt y lle ydoed y marchawc marw ar yr elor. a
throi penn y dreic tu ac attaw awnaeth. a gollwng fflam
yny losges yn lludw. am gladu hwnn heb ef wrth bared-
ur yr wyt yn ryd. Yn lle gwir heb y paredur drwc a
beth yw gennyfi hynny. a minneu ae diolchaf ytti yn
llawen. Y vorwyn adathoed ygyt a pharedur yno
aoed ar un or bylcheu ygyt ar arglwydes yn edrych. ac
adywawt o hyt y llef. Paredur heb hi llyna y kewilyd
yn vwy. Kewilyd vu gan baredur welet llosgi y gev-
ynderw yn lludw yn y wyd. ac a weles vot gyt ar
marchawc nerth kythreul. ac ny wydyat yn y byt pa
ffuryf y gallei dial arnaw hynny. Ac yna ef adoeth
tuac attaw. ae gledyf yn noeth yny law. ac ymbric y
daryan ae trewis yny hyll hyt y pherued yny lle ydoed
penn y dreic. yny goches cledyf paredur yngyngochet
a chledyf y marchawc. ar vorwyn yna adywawt ohyt y
llef. Arglwyd heb hi y mae dy gledyf wedy gwaethau
yn vawr. kanys ef a dywedir na ledir ef onyt ar un
dyrnawt. ae vedru heuyt yn un lle. dyeithyr ny wn
i pa le arnaw ef. Ac yna paredur aedrychawd ar y gled
yr hwnn aoed wedy cochi gan dan y dreic. ac adrewis
y marchawc ar y benn yny vyd yngogwydaw ar goryf
y gyfrwy. Ar marchawc a ymgyfodes arhynt ac yn
llidiawc ac ae trewis ynteu ar y ysgwyd deheu yny dyrr
y luric ae actwn. ac yny dyrr y kic ar croen gyt ae
losgi hyt yr asgwrn. Ac ar dynyat y gledyf paredur
ae trewis ynteu. yny tyrr kwbwl or ysgwyd ar balueis
hyt ynghoryf y kyfrwy. ac ynteu yna a roes goveich ual
y clywei ymarw yn y daear. yr hynny ual kynt ny
wnaeth ef dim o arwydyon goruot arnaw. namyn dyuot
tu ac att baredur kyntaf ac y gallawd y geissyaw llosgi
y daryan. Eissyoes ny thygyawd hynny idaw. kanys ny
allei ef waethau y daryan honno o dim. Ac yna paredur

aweles penn y dreic yn vawr ac yn ehalaeth ae amcanu
aoruc ef yn unyawnaf ac y gallawd ae vedru ymperued
y breuant ae gledyf yny roes bloed aruthur ual y clyw-
it cwbwl or fforest ar maes yn datseinyaw. aphenn y
dreic yna adroes tu ac att y meistyr a gollwng fflam
am y benn aoruc yny lysc ynteu yn lludw. ar penn
yna adifflannawd megys pei mellden vei. Yr arglwydes
or castell a vu lawen am hynny ac nyt oed ryued idi.
ac adoeth yn erbyn paredur. ac aweles y uot wedyr
vriwo yndrwc yn yr ysgwyd idaw. Ar unbennes ady-
wawt na bydei iach vyth yny gaffei beth o ludw y
marchawc marw ae dodi ar y dyrnawt. Yna drwy
lewenyd y ducpwyt ef y vyny. ac y diosget y arueu y
ymdanaw. a golchi y dyrnawt aoed arnaw. ac y roet y
lludw arnaw oe iachau. ac y gwisgwyt glandillat ym-
danaw. a gwedy hynny yr arglwydes aberis dyuynnu
kwbwl oe holl uarchogyon urdolyon hyt geyr y bronn.
arglwydi heb hi. weldyyma y gwr a iachaawd ymi
vynghyuoeth am heneit. ach eneidyeu chwitheu heuyt.
A chwi a wdawch panyw darogan oed na chaffem ni
hedwch ganthaw ef yny delei y marchawc ar penn eur
arnaw. a llyma hwnnw. ac am hynny minneu a vynnaf
awch bot chwi ar y ewyllys ef. Ninneu a vydwn yn
llawen heb wynteu. Ac yna yr arglwydes aaeth y
gyrchu y kylch eur ac ae gossodes am y benn ef. a
gwedy hynny arodes y gledyf yn y law. ac a dywawt.
Arglwyd heb hi ar ny mynno credu ae vedydyaw. llad
di y benn ef ath gledyf. ami ath warantaf di a hi ehun
yngyntaf aberis y bedydyaw. A gwedy hynny y lleill
oll a vedydywyt. Ioseph yssyd yn dwyn ar gof yni
panyw eliza. oed henw bedyd yr arglwydes. a buchedockau
ohonei yn santeid ac yn vorwyn tra vu vyw. ac etto y
mae y chorff hi yn gwneuthur gwyrtheu gwedy mynet
ac ef hyt yn iwerdon. ac yno ymae eglwys anrydedus
idi. Yno y bu baredur yny vu iach. ar chwedleu hynny
aaeth y bop lle. a dywedut. panyw y marchawc ar kylch
eur a oruu ar varchawc y dreic danllet. Y llewenyd
am hynny avu vawr ymhop lle. ar chwedleu a aeth y lys
arthur. Eissyoes ryued vu ganthunt pwy oed y march-
awc ar kylch eur kanys nys atwaenynt wy.

CXCII.—Pan vu iach paredur ef aaeth ymeith or
castell. wedy adaw ohonaw kwbwl or wlat ar y ewyllys
ef. ar arglwydes adywawt wrthaw y kadwei hi y kylch
cur os mynnei ef ar y uedyr ef. neu ynteu ae dygei
ganthaw ehun. Ac ynteu aegedewis ygyt ahi am na
wydyat pa wlat y damwheinyei idaw vynet. Yr ystorya
yssyd yn dywedut marchogaeth ohonaw odyno. yny
doeth diwarnawt hyt yngkastell y twr elydyn. ac yn y
castell hwnnw yr oedynt llawer yn adoli y twr elydyn.
ac yn credu idaw. a heb gredu dim y duw. Y twr
hwnnw a daroed y ossot ar bedeir colofyn o vaen mar-
mor. ac ef a roi breferat ympob awr or dyd ual y clywit
hanner milltir yny gylch. Ac yndaw yr oed yspryt
drwc yr hwnn a attebei y bawp ohonunt o bop peth or
aovynnynt. Ac ar y porth y fford ydeit yr castell
ymywn yr oedynt deu wr wedyr wneuthur o elydyn
drwy geluydyt nigromawns. Ac yn llaw bop un ydoed
ord o haearn. ac ar rei hynny yn ffustaw y llawr bob
eilwers ynffestaf ac y gellynt hyt nat oed neb a lyuassei.
nac a amcanei vynet yr porth rac eu hovyn. Ar castell
heuyt aoed yngyngadarnet o bop parth idaw ac nat oed
neb aallei na dyuot ymywn na mynet allan. onyt drwy
y porth. ny lyuassei neb ynteu y fford honno vynet.
Paredur aedrychawd ar gedernyt y castell. ac ar berig-
lwyd y porth. ac a vu ryued ganthaw. namyn yr hynny
ef adoeth ar hyt y bont hyt yn ymyl y mileinyeit elyd-
yn aoedynt yn gwarchadw y twr. Ac yna ef aglywei
lef uchbenn y porth yn dywedut wrthaw. dabre ymywn
yndiarswyt ac na vygyla o dim. Ac ynteu agyrchawd
y mywn. ar mileinyeit abeidyassant ae hymguraw. ac
ynteu adoeth hyt y lle yd oedynt llawer o dynyon
angcredadun yneisted ac yn adoli yr twr elydyn. Ar
twr yn brefu yngynffested ac na allei neb glywet y gilyd.
ac wynteu aedrychassant ar baredur. Ac avu ryued
ganthunt pa vod y dathoed ef ymywn. Ny dywedas-
sant wynteu ungeir wrthaw ef. rac meint y credynt yr
dryc yspryt aoed yn y twr. Aphwy bynnac a vynnei
eu llad wy. nys didorynt wy. kanys credu yd oedynt
vot eu heneidyeu yn iach drwy eu gwangret. ac ny

wydynt wy vot amgen gret yn y byt no hynny. Y gyt
a hynny. ny wydynt dim y wrth nerth arueu. ac nyt
oed reit udunt rac cadarnet oed y castell. Y gyt a
hynny heuyt yd oed y kythreul yn roi yno amylder o
bop da or a vei reit wrthunt. Pan weles paredur na
mynnynt ymdidan ac ef. ef aaeth yr neill hanner ac ae
gelwis wynteu yn y gylch. a rei onadunt a doeth attaw.
ereill ny doethant. Ac yna y llef aerchis y paredur
peri udunt vynet drwy y porth. ac yna ef awelei pwy
a vynnei gredu y duw onadunt. Yna paredur adyn-
nawd y gledyf ac ae gyrrawd oe vlaen tu ar porth. ar
neb ny mynnei uynet yr porth nys eiryachei baredur
ef. ac uelly ny dienghis yr un or deudec aphump cant
namyn tri ar dec heb eu llad or gwyr elydyn. ar rei
hynny agredassant y duw. Ar dryc yspryt aoed yn y
twr adifflannawd ymeith megys mellden. ar daear a
lyngkawd y twr hyt na welit dim ohonaw. gwedy
hynny wynt abarassant kyrchu meudwy yr fforest oe
bedydyaw. a bwrw kyrff y rei meirw ymeith. ar meudwy
ae bedydyawd wy aelwit denis. ar castell aelwit y cas-
tell profadwy wedy hynny. Yno y buant wy yny daroed
yr gret newyd dyuot y bop lle yn yr ynys. ac yn buch-
edockau megys seint heb allel o neb dyuot attunt o
ny bei gristawn credadwy. A gwedy kymell o honaw
ef arnunt wy gredu ympob lle yn yr ynys. y trywyr
ardec adoethant or castell. ac aaethant yn ueudwyeit ar
hyt y fforestyd y benydyaw eu kyrff am y gwangret a
gynhalyassynt hyt hynny.

CXCIII.—Paredur diwarnawt adoeth y ty y brenhin
meudwy y ewythyr yr hwnn a vu lawen wrthaw. Par-
edur yna adywawt y damweineu ryuedaf agyuaruu
ac ef yr pan athoed y wrthaw. a ryued yw gennyf arg-
lwyd ewythyr am aniueil gwynn bach. ryuedu yd wyf
amdanaw. a menegi yr meudwy y antur aoruc. Varg-
lwyd nei heb y meudwy mi awnn y car duw di pan
dangosso ytt y kyfryw beth a hynny. Yr aniueil ufyd
bychan aweleist di ar deudec ki yndi aarwydockaa
iessu grist. ar deudecki a gyffelybir yr idewon. y rei
agreawd ef ar y delw ehun. a gwedy daruot idaw ef eu

creu wy. ef ae profes wynt y edrych pagymeint y
kerynt wy efo. ac ae hanuones yr diffeith yn y lle y
buant deugeint mlyned heb vwyt onyt ual yr anuonei
ef y manna or nef udunt. nyt oed arnunt neb ryw an-
hyfrydwch or byt. Ac yna diwarnawt wynt aaethant
ynghyngor. ac un onadunt adywawt. Pei llidiei
duw wrthym ni adwyn y manna y gennym. beth awna-
ewch chwi wedy hynny. ny phery duw ynwastat. Yna
wynteu adywedassant y gwneynt ystor udunt or manna.
Ac yna wynt ae kynnullassant ac ae rodassant yny
daear mywn seleri eu lloneit. ac yna duw aweles hynny
ac ae gwybu ac alidyawd wrthunt. ac aduc y manna
y ganthunt. Aphan doethant wy yr seleri y geissyaw
eu kuduaeu. nyt oed yno dim onyt seirff a nadref.
Aphan wybuant wy sorri oduw wrthunt wynt aaethant
pob un yny gyfeir ar hyt yr estronyon wledyd. Ac
uelly vy nei y deudecki ynt yr idewon. y rei ny myn-
nassant gredu y duw nae garu. ac ae dryllyassant yn
gyn vileinet ac y gwnaeth y kwn yr aniueil. ac yn
vileinach. Y marchawc urdawl ar vorwyn aweleist di
yn roi dryllyeu yr aniueil ymywn llestri o eur gan-
thunt. a arwydockaa dwywolyaeth y tat yr hwnn ny
diodefawd lleihau dim o gorff y vab. Arglwyd ewyth-
yr heb y paredur teilwng oed gael ohonunt drwc
wedy crockyn yn arglwyd ni. ac ae gwnathoed wynteu
kynno hynny. Arglwyd y deu offeiryat adoethant hyt
y groes. Y neill onadunt awediawd y groes ac ae cus-
sanawd ar llall ae curawd ac yscwrs dan wylaw a
chystud mawr. Ie vy nei y tec heb ef. kystal y credei
yr hwnn aoed yn y churaw hi ynduw ar llall. y neill
oed yn gwediaw y groes o achaws poeni corff iessu
grist ar y groc yr prynu pobyl y byt o geithiwet
uffern. y rei a vydynt yno etto panabei eu prynu
ohonaw ef. am hynny yd oed ef yn gwediaw y groes
yn llawen. Y llall aoed yny churo hi dan wylaw. o
achaws meint vu dolur iessu grist ar brenn y groc yn
diodef drossom ni. a mawr iawn vu y dolur ef. kanys
nyt oes yn vyw aallei ysgriuennu na dywedut meint vu
y dolur. ac am hynny yd oed yn maedu y groes ac yn

y chussanu. ac ny bu ganthaw ef amgen vedwl. ac
uelly y gwnant wy yn vynych. Ac yny fforest honno
y maent wy yn trigyaw. ar hwnn awedia y groes
aelwir ionas. ar llall ae maed aelwir alexis. A chanys
daruu ytti trossi pawp fford y kerdeist ar gret a ffyd.
reit vyd ytt vynet etto y orffenn peth yssyd yn eissei.
kanys kwbwl o wlat brenhin peleur yssyd wedy ymadaw
ar gristonogaeth a mynet yn idewon. A hynny drwy
allu achedernyt brenhin y castell marw vymbrawt i ath
ewythyr ditheu. yr hwnn a aeth ym medyant tir bren-
hin peleur ae gastell. ac am hynny y mae reit y titheu
roi kynghor y emendau hynny. kanys nyt emendeir
hynny vyth drwy dyn or byt onyt trwydot ti. kanys y
wlat ar castell a dyly bot yn dy uedyant ti.

CXCIV.—Arglwyd nei heb y meudwy y castell
yssyd gwedy y gadarnhau o newyd. kanys yno y mae
naw pont newyd wedyr wneuthur. ac ar bop pont y
byd tri marchawc urdawl. ath ewythyr ditheu yssyd
yn cadw y castell or tu mywn idaw. Eissyoes yr pan
vu uarw brenhin peleur. ny wys beth adarvu yr march-
ogyon aoedynt yno. nac yr offeiryeit. a seint greal
heuyt adifflannawd heb wybot y bale. ar capel y bu
seint greal yndaw yssyd diffeith. Ar meudwyeit or
fforestyd yssyd yn gweidi ac yn llefein amdanat. kanys
yr ystalym ny welsant wy varchawc urdawl yn march-
ogaeth yno. Ac os tydi aorffenn eu dwyn wy y gret
ti a geffy diolwch gan. Arglwyd ewythyr heb y
paredur. kanys ytwyt ti ymkynghori mi aaf yno. ac
nyt iawn idaw ef gael nar castell nac ar enryded. amam
i adyly y gael. kanys hyn yw hi noc efo ar ol brenhin
peleur. varglwyd nei heb y meudwy y mae ymi yma
mul cryf. kymmer hwnnw a dwc y gyt athi. achret y
duw ynda. ac yr arglwydes ueir wyry. kanys kadarnach
ȳw ef no thydi ac no neb. ac y mae yn gwarchadw y
naw pont. chwech arhugeint o varchogyon urdolyon.
yn wylwyr dewron kedyrn. ac na chretet neb yr hynny
onyt duw alauurya y gyt ac ef. Ac am hynny arglwyd
bit yth gof iessu grist ar arglwydes ueir y vam.
Aphan yth orthrymer di esgyn ar dy uul. ac ymdiriet

ynduw. ac uelly y kyll dy elynyon di eu nerth. ac nyt
oes dim kystal y diua gelynyon anerth duw. ef awyr
pawb mae goreu marchawc urdawl wyt ti or byt. Yr
hynny nac ymdiriet ti yn dy nerth dy hun yn ormod
yn erbyn hynn o wyr ony byd duw gyt athi. Paredur
awarandewis ar y ewythyr yn y gynghori. ac ynteu ae
kedwis ganthaw. Arglwyd nei heb y meudwy y mae
ar y porth deu lew. un gwynn ac arall coch. yr gwynn
y credy di kanys oblegyt duw ymae. ac edrych arnaw
ar y geniuer kyuyngrwyd a vo arnat. ac ynteu aedrych
arnat titheu. ac adnebyd di y ewyllys drwy wyrtheu
duw. a llauurya wrth yr arwydyon awelych arnaw.
kanys nyt oes yndaw ef uedwl namyn unda. ac ny
deuy ar benn y ennill y naw pont yn amgenach. Ar
hynny paredur aaeth ymeith y wrth y ewythyr. ar
mul ae kanlynawd megys pei at uei milgi. a march-
ogaeth aoruc ef parth athir brenhin peleur. yny weles
meudwy yn sefyll odieithyr y gudugyll allan. Ac yr
awr y gweles ef y daryan ar groes yndi ef adywawt.
Arglwyd heb ef. mi awnn mae cristawn wyt ti or rei
nyweleis i yr ystalym yr un. ac y mae brenhin y
castell marw. arglwyd yn an gyrru ni ymeith or
fforestyd yma. kanys efo awadawd duw a meir y vam.
ac am hynny ny lyuasswn ninheu drigyaw dros y nawd
ef. Myn vyngcret i heb y paredur chwi adorrwch y
nawd ef ynehegyr. kanys duw avyd nerth y nyni. A oes
mwy yny fforest honn namyn ti dy hun. Oes arglwyd
heb ef deudec yn y fforest honn. ac yd oedem gwedy
kyttuuno ar vynet y tir lloegyr y benydyaw yn kyrff
yr karyat duw. ac adaw an tei ac an capeleu rac ovyn y
brenhin drwc a vedyannawd y wlat. Paredur agerdawd
gyt ar meudwy hyt y lle ydoed oet rwng y meudwyeit
y dyuot y gyt. Ac yno paredur aarganuu ioseus uab
brenhin peles y gevynderw ac avu lawen wrthaw. Arg-
lwydi heb y meudwy ymchoelwch y gyt ar gwr yma.
efo awch amdiffyn chwi drwy nerth duw. Ac yna
paredur aerchis udunt wediaw duw drostaw ar adel
idaw ennill yr hynn adylyei vot yn eidaw drwy wir
dylyet. Yna wynt anessaassant tu ar castell. ac ef

awydyat rei onadunt panyw paredur aennillei y castell
y ar ylleill. kanys darogan oed yr neb a dygei y daryan
o lys arthur ennill kyuoeth brenhin peleur. ac ennill y
greal o anuod yr angcredadun. Y marchogyon urdolyon
aarganuuant paredur yndyuot ar doryf o veudwyeit
ygyt ac ef. ac ar deu ergyt saeth y wrth bont y castell
yd oed capel un ffunyt ar hwnn aoed yn ymyl camalot
yn yr hwnn yr oed ysgrin ac ny wydit pwy bioed. Par-
edur adoeth tu ac yno ac aossodes y waew ae daryan
wrth y capel ac a ffrwynglymod y varch ae vul. Ac
odyna ef adoeth at yr ysgrin. Yna caeat yr ysgrin
agyuodes ac aymollyngawd gan ystlys yr ysgrin yr
llawr. ual y gwelit yn amlwc vot yndi varchawc urdawl
yn gorwed. ac yn ymyl y draet llythyr yn tystolyaethu
panyw y marchawc hwnnw a elwit Ioseph. Pan weles
y meudwyeit yr ysgrin yn agoret y dywedassant wynt-
eu. Arglwyd heb wy ar yr arwyd honn y gwdam ni
panyw tydi yw y marchawc da. ar marchogyon aoedynt
yn gwarchadw y pynt awybuant vot yr ysgrin wedy
agori. Ac yna yr adnabuant wy panyw efo oed y march-
awc yd ymdangossei y greal idaw. ahynny adywed-
assant oe harglwyd. Ac ynteu adywawt ac aerchis na
symlei arnunt dim. Ac yna paredur aesgynnawd yn
aruawc ar y uarch. Ar meudwyeit a wediassant duw
ar y nerthau. ac ynteu a gymerth y waew yn y law
ac a doeth tuac att y marchogyon aoedynt yn cadw y
bont gyntaf. ar marchogyon a ymerbynnassant ac ef. ac
ynteu agyrchawd y kyntaf a gyuaruu ac ef ae trewis yn
y vyd dros bedrein y uarch dros y bont ymperued y
dwfyr. ar tri ereill aymladawd ynffest ac ef. namyn or
diwed paredur ae lladawd wyntwy. ac ae bwryawd yn
galaned dros y bont yr auon. Y rei or eil bont adoeth-
ant ac a ymladassant yn ffest ac ef. Ac yna ioseus y
gevynderw adywawt wrth y meudwyeit. pany bei rac
ovyn y bechawt yr aey oe gymorth. Yna y meudwy
ieuanc a vwryawd y gapan ymeith. ac oe beis ae yscap-
lan ef adoeth ac a ymauaelawd ar hwnn ar un a oed
daeraf ar baredur. ac ae trewis dros y bont yr gwaret.
a pharedur a ladawd y deu ereill. Aphan daruu idaw

ef oruot ar y dwy bont gyntaf yd oed yn vlin. a medyl-
yaw aoruc ef am aruer y llewot adywedassei y ewythyr
wrthaw. ac edrych aoruc ef tu ar porth. ac arganuot y
llew gwynn yn sefyll. Paredur aedrychawd ar y llew
ac aadnabu arnaw. ony bei drwy wyrtheu duw na allei
neb oruot ar y dryded bont. rac kadarnet y gwyr aoed
yn y gwarchadw. Ac yna paredur adoeth draegeuyn.
Agwedy pellau ychydic y wrthunt. neur daroed kyuodi
y bont yuyny. Yna paredur adoeth att y mul a ras-
soed y·ewythyr idaw. ac aesgynnawd arnaw. Ac adyn-
nawd y gledyf. Aphan weles y llew gwynn paredur
yndyuot ef adorres y gadwyn. athrwy gwbwl or march-
ogyon urdolyon. ef adoeth hyt y bont ae gostyngawd.
Yna paredur adoeth ar gevyn y vul hyt att y rei aoed-
ynt yn gwarchadw y dryded bont. Ac adrewis un
onadunt yny vyd y gledyf drwy y arueu hyt y dwyen.
Ac ynteu yn uarw dros y bont. Ioseus ueudwy adoeth
racdaw. ac aymladawd ynffest ar deu ereill yny archas-
sant nawd yr duw. ac wynteu agredynt ar eu hewyll-
ys y duw ac y ueir. ar rei aoed ar y bedwared bont
awnaethant yn yr un ffunyt. Ac yna paredur aroes
eu bywyt udunt or credynt y duw. Yna medylyaw
aoruc paredur vot yn vawr gwyrtheu duw. a disgynnu
y ar y mul amynet draegevyn ac esgynnu ar y march
aoruc. adyuot att y rei aoed yn gwarchadw y bymhet
bont. ac wynteu a ymamdiffynnassant o gedernyt yny
erbyn. Ioseus adoeth ac ae henkiliawd yny gafas le
llaw arnunt ac ef apharedur ae lladassant oll. ac ae
bwryassant dros y bont. Pan weles y rei aoed yn cadw
y chwechet bont daruot ennill pob un hyt attynt wy.
wynteu a ymrodassant y baredur. ar seithuet bont yn
un ffunyt. Pan weles y llew coch ar marchogyon aoed-
ynt ar y dwybont ereill hynny ynteu alidiawd. ac
ohyt y gadwyn ruthraw aoruc ef. yny vyd ymplith y
marchogyon urdolyon acheissyaw eu llad o digyoveint.
Ar llew gwynn panweles hynny a lidiawd wrthaw ynteu
ac ae lladawd. Agwedy hynny aoruu ar y marchogyon
sefyll. Ac edrych aoruc paredur arnunt. ac wynteu a
archassant y nawd. ac ynteu gwedy hynny a gym-
erth y uarch ac aaeth yr castell.

CXCV.—Ema y mae yr ymdidan yntraethu vot arthur diwarnawt yngkaer llion arwysc a llawer o vilwyr gyt ac ef o bop parth idaw yn eisted. y brenhin aedrychawd ar ffenestri y neuad ac a arganuu deu baladyr yr heul yn dyuot y mywn. y bop ystlys yr neuad. ac yn goleuhau kwbyl or neuad. a ryued vu gan y brenhin hynny. a gyrru kei allan aoruc y edrych beth oed hynny. a chei aaeth allan. ac aarganuu dwy heul ar yr awyr un yny deheu ar llall yn y dwyrein. Y mywn y doeth ef draegeuyn adywedut hynny yr brenhin. Yna ryued vu gan arthur hynny agwediaw duw aoruc ar dangos idaw beth aarwydockaei hynny. ac ar hynny ef a glywei lef yn dywedut wrthaw. Tydi vrenhin na ryueda di welet dwy heul ar yr awyr. kanys ef adichawn duw wneuthur hynny. kanys greawdyr yw ef. a gwybyd di panyw o achaws y marchawc da aduc y daryan oth lys di y tir brenhin peleur. ac aoresgynnawd y castell yar y brenhin drwc y gwnaeth duw hynny. Ac ymae duw yn erchi yttitheu vynet yno ar milwyr goreu oth lys ygyt athi. kanys ny allut ti vyth vynet y bererindawt well. aphan delych odyno yna y byd dy gret wedy dwblaw ytt. Ac ar hynny y llef adewis. digrif vu gan arthur yrhynn aglywei. ac ual y bydynt wy velly nachaf vorwyn ieuanc dec yndyuot ymywn ac yn kyuarch gwell y arthur. a phrenuol tec yny llaw. Arglwyd heb hi mi adeuthum yth lys di. wrth y bot ynbennaf or holl vyt. ac yr wyf yndwyn ytt y llestyr hwnn. ac y mae yndaw penn marchawc urdawl. ac ny dyly neb y agori onyt y neb a ladawd y marchawc. ac am hynny yd archafinneu ytti yr duw roi dy law yngyntaf ar y prenuol. a mi aarchaf ytti yr duw. os ytti y perthyn y neb pioed y penn neu bwybynnac or llys ae hagoro. y gadw hyt ym penn y deudecuet dyd gwedy delych or greal. A unbennes heb y brenhin padelw y gwybyd neb paryw wr oed y marchawc. Arglwyd heb hi y neb aagoro y prenuol ef adyweit kwbyl or gwir megys y bu amdanaw. Yna y brenhin aerchis idi vynet y eisted ac y vwyta. ae hanrydedu yn vawr awnaethpwyt. Aphan-

daruu idi vwyta hi adoeth geyr bronn y brenhin.
Arglwyd heb hi kwpla dy edewit.   Yn llawen heb ef.
yna efo aroes y law ar y prenuol. ar uedyr y agori ac
nys gallawd. ac yr awr y roes ef y law arnaw ef adoeth
chwys idaw yn un ffunyt. aphei darffei y wlychu a
dwfyr. a ryued vu gan arthur hynny.   A gwedy hynny
lawnslot ae proves. ac odyna gwalchmei. a chwbyl or
lleill y am benn hynny.   Kei hir aoed yn gwassanaethu.
ac a gigleu daruot y arthur achwbyl or llys geissyaw
agori y prenuol ae vethu arnunt. adyuot aoruc ynteu
heb dyvyn or byt arnaw.   Kei heb yr arthur dabre yma.
neur daroed ym dy adel dros gof.   Myn vyngcret heb
y kei ny dylyut ti vyth vynggadel dros gof. kanys
kystal milwr oedywn i ar lleill ae profes.   Kei heb y
brenhin ot egyr y prenvol ac o lledeist di y marchawc
bieu y penn yssyd yndo ef awybydir arnat. ac myn duw
ny mynnwn i y agori ef y gennyfi. kanys ny bu eiryoet
yn varchawc urdawl yr tlottet uei ny bei idaw ryw
dyn. athitheu nyt wyt garedic di y gan bawp.   Myn
vympenn i heb y kei myui a vynnwn vot gynneu y
geniuer un ac aledeis i yny neuad onyt penn un.
A llythyr yn menegi panyw myui ae lladassei. agwedy
hynny tydi agredut vy mot i ual ydwyf oachaws ereill
ny chredant vy mot yngystal ac ydwyf.   Ac arhynny
ydoeth ef geyrbronn yn lle ydoed y prenuol. ae gymryt
yn y law yn hy aoruc.   A roi y neill law ydanaw ar
llall y arnaw. ac ar hynny agori awnaeth y prenuol. ac
arganuot y penn yn amlwc awnaeth pawb. ac yna
arogleu tec agyuodes or prenuol. weldy arglwyd heb y
kei ti aelly wybot gwneuthur ohonafi rymuster yn dy
wassanaeth di. ac nyt oes or milwyr yssyd hoff gennyt ti
yna a allei agori y prenuol. nac yrdunt wy ny wybydut
ti beth aoed yn y prenuol.   Arglwyd heb y vorwyn par
darllein y llythyr yssyd yn y prenuol athi a wybydy
o ba lines yd henyw y marchawc.   Yna y brenhin
aberis galw ar un or offeiryeit. ac aerchis idaw dywedut
yn eglur ual y clywei bawp beth aoed yn y llythyr.
A gwedy daruot idaw edrych arnaw ef a ucheneityawd
ac adywawt. arglwyd heb ef. gwarandaw arnafi ynda.

y llythyr hwnn yssyd yn dywedut panyw y marchawc
hwnn aelwit llacheu. a mab oed hwnnw y arthur o
wenhwyuar y vam. A llacheu diwarnawt aladawd
logrin gawr. achei adoeth fford yno. ac aarganuu llacheu
yn kysgu ar warthaf y kawr. a chei yna adorres penn
llacheu ac ae kudyawd. ac agymerth penn logrin ac ae
duc y lys arthur. ac adywawt panyw efo ae lladassei.
Eissyoes kelwyd adywawt. Pan gigleu arthur a
gwenhwyvar ual y buassei y damchwein. tristau yn
uawr awnaethant. Ac yna y vrenhines a gymerth penn
y mab y rwng y dwylaw ac ae hadnabu yn hyspys o
achaws aoed ar y wyneb. ar brenhin adebygassei vot y
vab yn vyw etto. Aphan doeth y chwedleu yr llys. y
dywedut panyw y marchawc ar kylch eur aladawd
marchawc y dreic. ef adebygassei arthur panyw llacheu
oed hwnnw. kanys o eur oed idaw y arwydockau
panyw mab y brenhin oed. Gwalchmei a lawnslot
a chwbyl or llys aoedynt yndrist oachaws angeu
llacheu. Aphany bei yr amot awnathoed y vorwyn
am gymryt oet hyt ympenn y deudecuet dyd gwe
pan delei or greal. ef adalyssit hynny arnaw kynn
y vynet or llys. kanys kwbyl o vilwyr y vort gronn
aoedynt kyndristet am angheu llacheu. ac na wydynt
beth awneynt. Ar brenhin ar vrenhines aoedynt yngyn-
dristet ac na lyuassei neb dywedut wrthunt na drwc na
da. Yr unbennes adugassei y prenuol yno adialawd y
chewilyd ar gei yndadigawn diwarnawt. ac ny wybassit
hynny arnaw ef mor ehegyr ac y gwybuwyt pany bei
y vorwyn ehun. aphan oerawd y dolur hwnnw gwalch-
mei a lawnslot a dywedassant wrth arthur. Arglwyd
heb wynt ti a wdost erchi oduw ytti vynet yr castell
avu eidaw brenhin peleur. y bererindawt seint greal.
Arglwydi heb y brenhin aminneu aaf yn llawen. Yna y
brenhin a ymgyweiryawd ac adywawt y mae lawnslot a
gwalchmei aaei y gyt ac ef. heb neb mwy namyn un
ysgwier ae gwassanaethei ar vrenhines heuyt adugassei
ef y gyt ac wynt panybei veint y thristit am y mab. a
chynn mynet y brenhin ymeith ef aberis dwyn penn y
vab y ynys auallach yny lle yd oed gapel y ueir

a meudwy santeid yntrigyaw yn wastat. y brenhin
a gychwynnawd ymeith drwy gymryt kennat y
vrenhines a chwbyl or milwyr. a gwalchmei a lawn-
slot gyt ac ef. a chei ynteu a edewis y llys rac ovyn
y milwyr ac aaeth y vryttaen vechan. Aphan gig-
leu pawp or ynyssoed hynny y ovyn aaeth ympob lle
o vryttaen uawr. ac nyt oed da y ryngthaw ac arthur.
achaws kynnal eiryoet hyt y gallyssei awnathoed yn
erbyn arthur. kanys gwlat gadarn oed yr eidaw o drefi
a chestyll. a milwyr da afforestyd. Ef a anuones gen-
nadeu yn ol arthur y dywedut y kynhalyei ef o anuod
arthur ae vilwyr. yn y wlat honno.

CXCVI.—Ema y mae y kyuarwydyt yn menegi
varchogaeth o arthur ae gedymdeithyon yny oed agos
yr nos. ac yna wynt adoethant y fforest pryt na welynt
neb ryw gyuanned yn lle or byt. Ac yna wynt abaras-
sant y un or gweissyon edrych awelei neb ryw gyuanned
yn lle or byt y gellynt lettyu yndaw. Y gwas ae-
drychawd ac adywawt y gwelei dan mawr argynnwll y
wrthaw. Amkana yn da heb y lawnslot ual y gwypych
yn dwyn yn gyuarwyd yno. ac ynteu adywawt y
dygei wynt yndadigawn. Y gwas adoeth oe blaen yny
welsant y tan ar ty. adyuot awnaethant dros bont ac yr
ty ymywn y doethant. ar lle awelynt yn aruthyr ac yn
ffyrnic y diwyc. ac eisted a orugant yn aruoc yn ymyl
y tan. Ac erchi awnaethant yr ysgwier vynet yr ys-
tauelloed y edrych beth awelei. ac ynteu aaeth a buan-
ach ympell ydoeth ef allan noc yd aeth y mywn. y
brenhin yna aovynnawd idaw beth oed arnaw. ac ynteu
a dywawt nat athoed eiryoet y le aruthrach. kanys y
mae yn yr ystauell honn obenneu adwylaw dynyon
mwy no deucant. Ac yna yn dechrynedic eisted awn-
aeth ef ac o vreid na lywygawd. Lawnslot yna aaeth
y mywn y edrych a ydoed yn dywedut gwir. ac a weles
yno niuer anghyuartal o wyr meirw. a thracheuyn y
doeth ef dan chwerthin. Y brenhin aovynnawd aoed
wir a dywedassei yr ysgwier. Gwir arglwyd heb ynteu.
ac ny weleis eirmoet o dynyon yn veirw gymeint ac
yssyd yno. Myn duw heb y gwalchmei kanys meirw

ynt nyt reit yn eu hovyn. duw an diangho ninneu rac
ereill byw. Megys y bydynt wy yn ymdidan nachaf
wreic ieuanc yndyuot ymywn ehun dan gwynouein
mawr. Och duw medei hi adaw diued vyth ar y penyt
hwnn. Ac arganuot aoruc hi y marchogyon yn eisted
wrth y tan. Oia duw heb hi a ydiw efo yma. yr hwnn
y dylywn vynet or dolur hwnn oe achaws. Y marchog-
yon yna aedrychawd arnei. a hitheu ae gwallt yng-
kylch y hysgwydeu. ae dillat aoed yn drylleu yn y
chylch ae thraet yn waetlyt. ac yr hynny yd oed hi yn
un or gwaged tecaf. a hanner gwr marw ar y hysgwyd.
a bwrw hwnnw awnaeth hi ygyt ar rei ereill yn yr
ystauell. a hi aadnabu lawnslot yr awr y gweles y
diolwch y duw hi. ydwyfi yn gorffen vympenyt. Arg-
lwyd heb hi grassaw duw wrthyt. antur da y titheu heb
ef. Lawnslot yna aedrychawd arnei yngraff. ac yn
ryued ganthaw y hymdygyat. A unbennes heb y lawn-
slot awyt teilwng di oblegyt duw. Wyf ynhyspys heb
hi myui y vorwyn aweleist di yn arglwydes ar gastell y
barueu. yr honn a nottaei wneuthur drudannyaeth
megys y gweleist di. pan vuost yno. yn ymwelet ami
pan yttoedut yn mynet y geissyaw seint greal. ac am y
mileindra awnaethpwyt yno aphob dyn or a delei ydwyf-
inneu yn diodef y penyt hwnn. ac ny chaffwn vynet
ohonaw yny delut ti ym rydhau. a thrahaus oed yr
aruer drwc aoed yno. kanys ny deuei neb geirbronn
vyngcastell i ny pharwn torri ae y drwyn ae danned ae
tynnu y lygeit. ae torri yndwylaw. ae ynteu eu traet.
ac am hynny ydwyfinneu ual hynn yn y penyt hwnn.
kanys reit vu ym dwyn pawb or aledit yny fforest
honn ar vyngkevyn. ar marchawc adugum i yr awrhonn
ef avu yn lladedic yr ystalym yny fforest yny daruu
y vwystuilot bwytta mwy nor neill hanner ohonaw. ac
yr awrhonn ydwyfi yn ryd or penyt hwnn. kanys doeth-
ost di yma. A unbennes heb y lawnslot. digrif yw
gennyfi hynny. A hevyt heb hi yndyuot yma yr wyf
oth garyat ti. kanys ny chereis i eirmoet wr yngy-
meint athi. Arglwyd heb hi ny wdost di etto beth yw
kynnedyf y lle hwnn. kanys kynn y dyd ef adaw yma

ymywn toryf o varchogyon duon hagyr aruthyr y
ymlad bop un ae gilyd benndraphenn. a duw ath di-
hango di rac angheu y ganthunt. ac ef a bery hynny
ynhir. ar nos gyntaf y deuthum i yma. ef adoeth
marchawc urdawl y lettyu o antur. ef awnaeth ym
gwmpas ae gledyf yr hwnn y ffoeis i racdunt wy. athra-
bwyfi yn hwnnw nyt reit ym eu hovyn wynt namyn
ymdiret ynduw ac yn yr arglwydes veir. ac uelly y
gwnewch chwitheu or gwnewch iawn. Ac yna lawn-
slot a gymerth y gledyf ac ymperued y ty ef awnaeth
cwmpas. ac yn hwnnw yr eistedassant wy. Ac ual y
bydynt yn eisted uelly wynt twryf y marchogyon yn
dyuot. megys y tebygit udunt wy vot y byt yn diwreid-
yaw ar fforest yn digwydyaw. A gwedy hynny nachaf
wynt yn dyuot y mywn. ac etewyn tanllyt yn llaw bop
un ohonunt. ac ar rei hynny yn ymffust bop un ae
gilyd. Ac yr hynny ryw darestwng awnaethant wy y
arthur ae gedymdeithyon. Eissyoes ny allassant wy
argywedu udunt namyn eu taflu obell ar prenneu tan-
llyt. Yna lawnslot agyuodes yuyny ar uedyr mynet
y ymlad ac wynt. ar uorwyn ae gwediawd ac aerchis
idaw nat ysgogei or cwmpas o ny mynnei y golli. ac
ynteu a dywawt mae ry gachyat a ry lyfwr oed udunt
vygylu yr delweu meirw. Mynduw heb y vorwyn
ot ey di dros y cwmpas ti ageffy ormod o drwc ganth-
unt. kanys ysprydoed drwc ynt.

CXCVII.—Ny allawd lawnslot yr hynny beidyaw
a mynet attunt. a thynnu cledyf awnaeth ef. atharaw
yn eu plith. ac wynteu adynessaassant o bop parth am
y benn. ac ynteu yn ymamdiffyn yn wrawl yn eu
herbyn. dan drychu eu hetewynnyon tanllyt yny yttoed
y glo tanllyt hwnnw yn neidyaw ar draws y ty. Yna
arthur a gwalchmei agyfodassant y vyny o amdiffyn
lawnslot ac eu kuraw awnaethant ac eu dryllyaw. yny
yttoedynt yn syrthyaw yr llawr megys lludw o ulw
ffagleu. ar eneidyeu truein aoed yndunt awelit yn un
ffunyt a brein yn mynet trwy nenn y ty allan. a
ryued vu ganthunt beth oed hynny. ac adywedassant
mae llyna le drwc aflonyd oed hwnnw. Ac odyna y

orffowys yd aethant. ac ny allassant nac ny chawssant
haeach o orffowys kynn y dyd. Ac yna kychwyn y
vyny ac aadawssant y lle hwnnw. a marchogaeth
awnaethant wy yn hyt y dyd hwnnw. drwy fforestyd
ynyal dyrys. Ac yn y diwed wynt aarganuuant gyu-
anned y wrthunt. athu ac yno ydoethant ac yn ymyl
y ty disgynnu aorugant. a dyuot ymywn. aphan doeth-
ant. wynt a welynt yno marchawc urdawl a gwreic dec
ygyt ac ef. Ac yna y marchawc adywawt wrth lawns-
lot. Myn vympenn i heb ef myui ath atwaen di yn
hyspys. kanys ti alesteiryeist ym gael yr hynn mwyaf
agereis or holl vyt. ac om anuod ti abereist ym briodi
y wreic honn yma. yr honn ny chafas yr hynny etto
chweith llewenyd y gennyfi. ac nys keiff byth. A unben
heb y lawnslot gwna yr hynn avynnych amdanei kanys
ti bieu. ac ny pharwn i ytti y phriodi hi pany bei y
mileindra ar kewilyd yd oedut titheu yny wneuthur
idi ac oe chenedyl. Myn vympenn i heb y marchawc
yr honn yd oedwn i yny charu yr awr honno dim ohon-
at ti nys car hi. ahi awna eniwet ytt os dichawn. a
hitheu ae dichawn. Nym tawr heb y lawnslot. myui a
ymdideneis a hi wedy hynny. ahi adywawt wrthyfi y
hewyllys. Yna y marchawc aerchis roi dwfyr y ym-
olchi. ar wreic a gymerth y kawc ar lafwr ac ae kennig-
yawd yr marchogyon. A unbennes heb y brenhin ny
mynnwn i y ryw wassanaeth hwnnw oth law di. Ar
vyngcret heb (gwr) y ty ef a vyd reit y gymryt ac
ny cheffwch chwi yny gwassanaeth hwnnw neb namyn
hi. Lawnslot a adnabu vot y gwr yn vilein. ac ef
awelei y bwrd ynllawn o vwydeu da. ac a vedylyawd
nat oed da udunt golli eu hesmwythdra o achaws yr
anesmwythdra a vuassei arnunt y nos gynt. Yna
kymryt y dwfyr awnaethant y gan y wreic. ar gwr ae
gossodes y eisted. ar brenhin aerchis yr wreic eisted y
gyt ac wynt. Nac ef heb y gwr ny doeth idi y dyd
hwnnw etto. Yna ygyt ar ysgwieryeit yd eistedawd
hi megys y gwnaei ynwastat. Drwc vu gan arthur ae
gedymdeithyon hynny. ny mynnynt wynteu wrth-
wynebu yr gwr yn y ty ehun. Pan daruu udunt

Y Y

vwyta y marchawc adywawt wrth lawnslot. ti awely y
ryw anryded agafas hi achaws awnaethost di ac myn-
duw tra vwyf vyw i ny cheiff hi o anryded mwy. kanys
uclly yd edeweis i yr honn agarafi yn vwy no hi.
Arglwyd heb y lawnslot. ef awelir ymi dy uot ti heb
allel ymadaw aphechawt. a mi adebygaf heuyt nat
diogan hynny ytt. Yna lawnslot a dywawt wrthaw
ynggwyd arthur a gwalchmei. pany bei lettyu or gwr
ef. y collei beth oe waet. neu ynteu avei well wrth y
wreic. oe vod neu oe anuod. megys y gwnathoed pan y
priodassei. Yno y buant wy hyt trannoeth yny aeth-
ant ymeith. a marchogaeth aorugant yny doethant y
tir nyt oed amyl sathyrua dynyon yndaw. ac arganuot
castell awnaethant. a mur kadarn yny gylch. namyn y
uot wedyr sudaw haeach oll. ac or tu hwnnw nyt oed
yn vyw yn dyn aallei dynessau attaw. yr hynny ual
kynt yd oed fford y vynet idaw ef. ac yno y doethant
wy. ac arganuot capel aorugant yn ymyl hen neuad.
Ac yn y capel wynt a welynt offeiryat prud hen. ac
attaw y doethant. a disgynnu aorugant a govyn yr
offeiryat pwy bioed y castell. ac ynteu adywawt mae
castell tindagoyl oed. Paham heb y brenhin y sudawd
yr ystlys racko idaw ef ar tir yny gylch. Mi aedy-
wedaf ytt heb yr offeiryat.
    CXCVIII.—Uthur benndragon heb ef tat arthur.
awnaeth gwled uawr. ac adyuynnawd attaw kwbyl oe
holl ieirll ae varwnyeit. ar iarll bioed y castell hwnn
aelwit gwrlois. aaeth yr wled ae wreic ygyt ac ef yr
honn aelwit eigyr. a theckaf gwreic yny byt oed. ar
brenhin uthur ae karawd hi rac y thecket. ac ae han-
rydedawd yny wled yn vwy no neb ac aoed yn y llys.
Ac yna gwrlois aadnabu hynny ac affoes or llys rac
ovyn y brenhin. ae wreic ganthaw hyt y castell yma.
Ac yna uthur alidiawd ac aerchis idaw dyuot yr llys
draegevyn ef ac wreic. y wneuthur iawn idaw am y
kewilyd awnathoed. nyt amgen no mynet or llys heb
gennat. Ac ynteu adywawt na deuei ef. Ac yna
uthur ae lu adoethant hyt yma y geissyaw y castell
adwyn y wreic y dreis. A gwrlois ynteu aathoed idaw

y geissyaw nerth idaw. Ac ygyt ac uthur yr oed
myrdin yn yr amser hwnnw. yr hwnn a roes drych
gwrlois ar uthur. Ar nos honno ef agysgawd uthur y
gyt ac eigyr. ac oweithret y nos honno y kaffat arthur.
Ac yna yr offeiryat adoeth y gyt ac arthur yr capel.
ac or tu allan yr capel yr oed ysgrin vawr. Arglwydi
heb ef yn yr ysgrin honn y roet corff myrdin. a gwy-
bydwch chwi yn lle gwir nat ydiw y gorff ef yn yr
ysgrin yr awrhonn. kanys yr awr y roet y gorff yndi. ef
aaethpwyt ac ef ymeith. ny wnn i ae oblegyt duw. ae
oblegyt diawl. Arglwyd heb yr arthur beth a daruu
y wrlois. Y lad or llu heb ynteu. ac arbenn y
chwechet wythnos wedy hynny. y priodes uthur eigyr.
a megys y dywedeis i ytti y kaffat arthur mywn
pechawt. yr hwnn yssyd yr awr honn yn oreu brenhin
or holl vyt. Pangigleu arthur hynny kyt gwydyat.
kewilyd mawr avu arnaw. o achaws bot gwalchmei a
lawnslot yno. Y nos honno y trigyassant wy yno.
Athrannoeth wedy offeren wynt aaethant ymeith.

CXCIX.—Gwalchmei a lawnslot y rei aoedynt yn
tybyeit adnabot y fforestyd ae kawssant mor symud-
edic ac mor amryuaelus ac na wydynt pa le yr oedynt.
Ioseph yssyd yn tystolyaethu vot ansawd affuryf yr
ynyssed yn symudaw oachaws yr amryuaelyon antur-
yeu aoedynt yndyuot oblegyt duw. kanys ny rangyssei
eu bod yr milwyr eu pererindawt yngystal ac yd oed
yn rengi udunt pany bei yr amryuaelyon anturyeu.
Ac nyt aeth yr bererindawt honn o wlat yny byt nac o
lys brenhin or byt. kymmeint ac aaeth o lys arthur
ehun. aphany bei vot duw yn eu karu ny ellynt wy
godef y geniuer poen athrallawt aoed arnunt yn gystal
ac yd oedynt. ac na ryuedet neb eu bot wy yn
vilwyr da eu gweithredoed. kanys kymeint y credynt
y Iessu grist ac yr arglwydes veir. ac nat oed chweith
ovyn nac argysswr arnunt. A charu duw ae anrydedu
awneynt. a marchogaeth a wnaethant wy yny doeth-
ant y fforest uawr. Ac yno y doethant yn agos yr lle
y dylyei lawnslot vynet y gywiraw y lw. am y march-
awc or dinas atueiledic. Ac·yna y dywawt ef y arthur

kwbyl or damchwein. ac y bydei reit idaw vynet yno
ony bydei gelwydawc. Ac yna marchogaeth awnaeth-
ant. yny doethant y le yr oed yr holl ffyrd yn ymgyn-
nullaw ygyt. Arglwyd heb y lawnslot reit yw ymi
vynet y gywiraw vyngcret. ac ympcrigyl arglwyd ny
wnn i awelafi dydi vyth bellach. kanys mi aledeis penn
marchawc yny dinas racko megys y bu reit ym dyngu
kynn y varw ef ar dyuot yno yn y kyfryw antur y lad
vympenn. megys y roes ynteu y benn y minneu oe lad.
ac ny mynnaf inneu arglwyd vy ffaelu nam bot yn ffals
dros odef angeu ar vyngcorff. ac os duw avynn vyn
diangk i yn vyw mi a deuaf ar dol di gyntaf ac y
gallwyf. Ac yna y brenhin aaeth dwylaw mynwgyl
idaw ac oe gussanu. dan wediaw duw ar vot yn iach-
wyawdyr oe eneit ae gorff. ae gadw rac angheu ual y
gellynt ymgaffael yn ehegyr. Lawnslot aarchassei
annerch y vrenhines yn llawen. panybei rac tybyeit
o arthur neu walchmei arnaw amgen no da. Y charyat
hi eissyoes aoed gwedy gwreidyaw yny gallon ef yn-
gymeint ac na allei y hesgussaw.

CC.—Marchogaeth uelly yn uedylgar ac yndrist aoruc
lawnslot yny oed agos y hanner dyd. ac yna y doeth ef yr
dinas atueilyedic. ar dinas yn gynwacket. ac yn gyndi-
ffeithet ac y gwelsei ef orblaen. A gwedy y dyuot hyt y
lle y lladyssei ef penn y marchawc. ny bu hir y bu ef yno
pan gigleu cri mawr tosturyus gan wraged a meibyon
a morynyon. ac yn dywedut och duw. llwyr yn twyll-
awd y marchawc aladawd y llall yma pryt nat ydiw
yn dyuot. hediw yd oed yr oet dyd idaw y dyuot y
gywiraw y eir. ac ny dylyit vyth credu yr un onadunt
kanys ffaelawd hwnn. Ac uelly y ffaelassant y lleill
oll oe vlaen. ac y ffaela ynteu rac ovyn y angheu. Ac
uelly y bu lawnslot ynhir yn gwarandaw arnunt. adis-
gynnu awnaeth ef yny diwed. Ac ar hynny ef awelei
varchawc urdawl yn disgyn or neuad ar hyt pont grech
y waeret. ar vwyall yn y law. Lawnslot yna aovyn-
nawd idaw. A unben heb ef beth awney di ar vwyall
honno. Myn vympenn heb y marchawc ti ae gwybydy
kynn dy uynet. mi a vynnaf heb ef wneuthur ual y

gwnaethost ditheu ar marchawc arall. ae vy llad i
yssyd yth vryt ti heb y lawnslot. Ti ae gwybydy heb
ynteu os ef kynn dy vynet odyma. a dabre heb ef a
gostwng ar dal dy linyeu. ac estyn dy wdwf y lad dy
benn. ac ony wney di hynny oth vod ti a geffy abaro
ytt y wneuthur oth anuod. pettut ar dy ugeinuet. a
mi adebygaf na doethost di yma ony y gywiraw dy
gret. Yna dilis oed ganthaw y varw. kanys yny vryt
ydoed gywiraw yr hynn aadawssei. Ac yna heb dy-
wedut mwy gostwng ar dal y linyeu aoruc lawnslot ac
erchi oe iachwyawdyr drugared am y bechodeu. ac
heuyt ymbil aoruc ef am roi trugared y wenhwyuar. a
dywedut. Och arglwydes dec nyt oes fford ymi yth
welet bellach vyth. a phei gwelswn i di unweith kynn
vy marw esmwythach vydei gennyf vy angheu. ac am
nat oes ym obeith yth welet vyth. tristach wyf noc om
angheu. a mi a warantaf ytti y car vy eneit i dydi yn
y byt arall yn gystal ac yn y byt hwnn. Ac ar hynny
gollwng dagreu ar hyt y wyneb awnaeth ef. ac yr pan
vuassei varchawc urdawl med y kyuarwydyt nyt wyl-
awd yr gouit or a vu arnaw hyt yr awr honno. ac
unweith arall. ac yna ef agymerth teir dalen o lysseu.
ac ae kymunawd ehun. ac aymorchymynnawd y duw.
ac odyna ef aostyngawd y benn ae wdyf. ar marchawc
aossodes arnaw. A phan gigleu cf y dyrnawt yn dis-
gynnu ar y vynwgyl. ef a drosses y benn. ar vwyall
agerdawd heibyaw hyt y llawr. Ac yna y marchawc
adywawt wrthaw. Nyt uelly arglwyd heb ef y gwnaeth
vy mrawt i yr hwnn aledeist di y benn ef. namyn daly
yn digyffro y benn ae vynwgyl. ac uelly y byd reit y
titheu.

CCI.—Ac ar hynny nachaf dwy vorynyon ieueinc
yn gostwng eu penneu drwy ffenestyr ar y neuad. ac
yn adnabot lawnslot. a megys y bydei y marchawc yn
gossot yr eil dyrnawt arnaw. un or morynyon adywawt
wrthaw. Os vyngharyat i a vynny di y gael vyth gollwng
y marchawc hwnnw yn ryd. Ac ony wney hynny ti
a ffeilyeist ar vyngharyat i. Ar hynny y marchawc
adaflawd y vwyall oe law. ac aerchis nawd y lawnslot.

am awnaethost ti ae keffy yn llawen heb y lawnslot. vy
mod am nawd yr nam lledych. Na ladaf heb ynteu
namyn yth gannhorthwy y bydaf ympoblle ar y bych
ditheu. kyt lledych di vymmrawt i. Y morynnyon a-
doethant or lle yroedynt hyt att lawnslot. arglwyd heb
y morynnyon ni adylyem dy garu di yn vwy no neb or
byt. a nyni arglwyd heb wynt yw y dwy chwioryd
aweleist di yny castell tlawt yny lle y buost di ti a
gwalchmei nossweith. pan rodassawch y ni y da aennill-
assawch y gan y lladron. pan y lladyssawch. Ar
castell tlawt aweleist di. nar dinas yma. ny buassei
gyflawn o dynyon vyth pany bei dy gywirdeb di. ac ef
adoeth yma oth vlaen di ugein marchawc ual y doeth-
ost ditheu. ac ny bu onadunt yr un ny ladei yni ae
brawt ae ewythyr ae kevynderw. ac ef avu reit y bawp
dyngu ual y tyngeist ditheu. aphawb affaelyawd ac
adyngassant anudon rac ovyn angeu. Aphei ffaelyas-
sut titheu ni agollassem y dinas hwnn vyth heb obeith
oe gael drachevyn. Yna y morynyon ar marchawc
urdawl. adugassant lawnslot drwy lewenyd mawr yr
neuad. Ac yna diosc y arueu awnaethpwyt. a gwisg-
aw glan dillat ymdanaw. ac ef aglywei y llewenyd
mwyaf yn llawer o leoed yn y dinas ac odieithyr y
dinas. Arglwyd heb yr un or morwynyon ti a gly-
(wy) veint y llewenyd yssyd o achaws dy dyuodyat ti
yma. kanys y barwnyeit a phorthmyn y dref yssyd yn
dyuot yr dinas y drigyaw. ac wynt a wdant dyuot ti
yma. Lawnslot yna a gyuodes y vyny. ac aogwydawd
ar un o ffenestri y neuad. ac aedrychawd allan. ac
a weles y dref yn llenwi or tylwyth teckaf or awelsei
neb eiryoet. ac offeiryeit a gwyr crevyd oe blaen yn
dywedut molyanneu y duw am vot udunt rydit y dyuot
draekeuyn. Lawnslot a vu anrydedus yny castell
hwnnw ac yn y dinas. ar marchogyon ae gwassan-
aethassant yn garedic. Yma y mae yr ymdidan yn
tewi am lawnslot. ac yn traethu am arthur a gwalchmei.

CCII.—Ema ymae yr ystorya yn traethu vot arthur
a gwalchmei yn marchogaeth. ac yn damunaw chwedleu
y wrth lawnslot. Ac ar hynny wynt awelynt march-

awc a brys mawr arnaw ac yn aruawc obop arueu. A
gwalchmei aovynnawd idaw o ba le ydoed yn dyuot. Yd
wyf heb ynteu yn dyuot o wlat brenhines y kylch eur. yr
honn y kyuaruu a hi gouit mawr. kanys mab y wreic
wedw a enillawd y kylch eur y genthi. ac ae gedewis
y gyt ahi oe gadw. Ac yr awr honn y doeth gwr
aelwir nabigawns. ac ae duc y genthi. ac ae roes ynllaw
morwyn. ac aerchis y dwyn y gynnulleitua o varch-
ogyon urdolyon athwrneimant a vyd yn ymyl pebylleu
y dwy vorwyn. ae roi awnaeth yr goreu or twrneimant
hwnnw. a nabigawns adaw yno oe ennill yr eilweith
herwyd nerth y arueu. Y marchawc aaeth ymeith. ac
arthur a gwalchmei agerdassant racdunt yny doethant
yr pebylleu. or lle y gwaredawd gwalchmei yr aruer
drwc yarnunt. ac yr oed y pebyll yn gyngyweiryet ac
y gwelsei walchmei gynt.

CCIII.—Gwalchmei yna aberis y arthur eisted ar
gylchet. a diosc eu harueu awnaethant. ac ymolchi.
Gwalchmei aroes y law ar y gist aoed is traet y gwely
ac ae kafas yn agoret. athynnu dillat tec aoruc ef
odyno ae gwisgaw ymdanunt. aphandaruu udunt
wy wisgaw ymdanunt. odit oed gael deu wr degach noc
oedynt. ac ar hynny nachaf y morynyon yn dyuot
ymywn. Grassaw duw wrthywch heb y gwalchmei.
Antur da arodo duw y chwitheu heb wynt. Ef
awelir y mi heb un or morynyon dy uot ti yn kymryt
yssyd yma ynhy heb gennat neb. ac ny elleist di
eiryoet wneuthur dim on hadolwn ni yrom. Ac nyt
oes yny wlat honn varchawc ny bei digrif ganthaw
wneuthur yr hynn aadolygassom ni ytti y wneuthur.
ac ny bei hoff gael yn karyat ni. ani ae kynnigyassam
yt. athitheu o achaws dy vilwryaeth ny bu wiw gennyt
dim ywrthym ni. a phadelw y gelly di wneuthur hyder
y gymryt dim or einym ni. pryt na allem ninneu hyder
ar y teu ditheu. A unbennes heb y gwalchmei ar dy
gwrteissi di y mae vy hyder i ac aruer y pebyll. Ti
adywedeist ym pan vwryeist yr aruer drwc y ar y
pebyll nat oed gwrteissi ny cheffit yma ymywn. Gwir
adywedy heb y gwalchmei. eissyoes heb hi ef adylyit

ysgaelussaw gwneuthur cwrteissi ytti. athalu mileindra
dros vileindra arall.   Yma auory y dechreuir twrnei-
mant mawr. yr lle y daw llawer o varchogyon urdol-
yon da. ac ef aroir y kylch eur yr goreu awnel ac
adigono yny twrneimant hwnnw. ac ef abery dridiou.
a mi aallaf warantu heb hi vot yn einwch chwi y
llettyeu goreu.
    CCIV.—Ac yna y ieuaf or morynyon aedrychawd
ar arthur. a thitheu arglwyd heb hi a vydy di kyn
estroneidyet wrthyfi ac y mae gwalchmei wrth y llall.
A unbennes heb yr arthur. gwnaet walchmei yr hynn
a vynno. a minneu awnaf yn ol vy medwl inneu. athu
ac attat ti ny bydafi estron. namyn pob ryw anryded
or aallwyf ywneuthur mi ae gwnaf ytt. ac awnaf dy
holl ewyllys yn llawen.   Duw adalo ytt heb yr
unbennes. wrth hynny heb hi ti avydy uarchawc
urdawl ymi yn y twrneimant avory.   A unbennes heb
y brenhin ny wrthodafi hynny oth garyat ti. a llawen
yw gennyfi pei gallwn wneuthur peth arangei vod ytt
y wneuthur. kanys yr y morynyon y dyly y marchog-
yon urdolyon llauuryaw.   Arglwyd heb hi pwy yw
dy enw di. Ef amgelwir i arthur o tindagol heb ynteu.
Adeirit ytti y brenhin arthur heb hi. mi avum heb
ynteu yny lys ef lawer gweith. aphei na charei ef
vyui ny chaffwn i y ganlyn ef. na gwalchmei. Yr
unbennes vyth aoed yn edrych ar arthur. ac ny wydyat
hi panyw y brenhin oed ef. a hoff vu genthi y aruer.
Ef adichawn y brenhin heb hi vot ynhy. ovot idaw
orderch osmynn. Eissyoes llawer oed oe dywedut y
rwng y uedylyeu ef ae arwydyon. kanys ydoed yndang-
os arwydyon tec ynyr rei yr oed y vorwyn yn
ymdiryet yn vawr.   Y morynyon aberis ystablu y
meirch a dwyn bwyt udunt. a gwassanaethu ar y
marchogyon yn diamdlawt. Ac odyna dwyn eu harueu
geyr eu bronn awnaethpwyt. ac nyt aethant y wrthunt
yny disgynnawd kysgu arnunt. ar marchogyon adoeth-
ant obell yno a barassant gwneuthur lluesteu udunt ar
hyt y meyssyd.   Aphan vu dyd drannoeth arthur a
gwalchmei agyuodassant y uyny. ar hynaf or moryn-

yon adoeth att walchmei. Arglwyd heb hi mi a
vynnaf dwyn ohonat hediw yrofi arueu cochyon. y rei
arodafi ytti. ac edrych ditheu ar eu racdylyu wynt
ynda. kanys ny mynnafi dy adnabot ti ar dy arueu dy
hun. namyn dy alw y marchawc ar arueu cochyon.
Duw a dalo ytt heb y gwalchmei. aminneu alafuryaf
hediw yr dy vwyn yn oreu ac y gallwyf. ar ieuaf
adoeth att y brenhin. Arglwyd heb hi. vy chwaer i
awnaeth y rod. a minneu awnaf y meu inneu. minneu a
rodaf y titheu arueu eureit goreu aweleist eiryoet. ami
adebygaf y racdylyy di wynt ynda. Ac yr duw
heb hi delit yn dy gof vyui tra vych yn y twrneimant.
Duw adalo ytt heb y brenhin. nyt oes debygafi
yny byt marchawc or athwelei ny dylyei dyuot dy gof
idaw.

CCV.—Arthur yna awisgawd y arueu ymdanaw.
a gwalchmei yn yr un ffunyt. ar vorwyn bioed roi y
kylch eur adoeth yno. Nabigawns adoeth athoryf
vawr o varchogyon y gyt ac ef. ar twrneimant adech-
reuwyt o bop parth. ar ieuaf or morynyon adywawt
wrth arthur. Gwybyd di heb hi. nat oes yma hediw
gwr kystal y arueu athydi. edrych ditheu ar dy uot yn
varchawc da yrofi. Duw agannatto ym vot uelly heb
yr arthur. athynnu avwyneu eu ffrwyneu attunt
awnaethant. a chymryt neityeu gan eu meirch. Ac
yna y ieuaf or morynyon adywawt wrth y llall. Ponyt
hoff gennyt ti vyngkedymdeith i heb hi. Hoff heb
hitheu. gwalchmei nyt ydiw yn atteb ymi ar vy
ewyllys. ar hynny arthur agwalchmei adrawssant yn y
pres. megys deu lew. ac ar eu dyuodyat wynt adrawss-
sant deu varchawc dan draet eu meirch yr llawr. A
gwalchmei agymerth eu meirch ac ae roes yn llaw
ysgwier yr arglwyd. y erchi eu dwyn yr morynyon.
A gwedy hynny nyt edrychassant wy ac ny rodassant
eu bryt ar ennill. ac nyt ymgyhyrdassant wy nac
athoryf nac abydin nys tyllynt ac nys byrynt dan
draet eu meirch yr llawr. hyt nat oed neb yn gallel
godef eu dyrnodeu. Nabigawns aarganuu walchmei
ac ae kyrchawd. a gwalchmei ynteu yngyffysget yny

Z Z

syrthyawd nabigawns ac ef ae varch yr llawr. arthur
or tu arall nyt oed segur ynteu. Aphawb yn arlloessi
fford idaw. ac yr oed lawer o wyr ereill yn ymlad ynda.
Eissyoes nyt oed neb aellit y gyffelybu udunt wy.
wynt arodassant lawer odyrnodeu y dyd hwnnw. ac ae
herbynnassant heuyt. A gwedy pryt gosper pawp
aaeth y letty. aphawb aoed yn dywedut ar hyt y
pebylleu panyw y marchawc ar arueu eureit ar llall ar
arueu cochyon avuassynt oreu y dyd hwnnw. Arthur
a gwalchmei adoethant yr pebyll. ac abarassant tynnu
eu harueu y amdanunt. a gwisgaw glandillat. ar moryn-
yon aoedynt yn eu gwassanaethu ynllawen. Ac ar
hynny nachaf corr y morynyon yn dyuot ymywn ac yn
dywedut wrthunt. bydwch lawen heb ef. kanys y mae
pawp yn kyttuunaw panyw awch marchogyon chwi
avu oreu hediw. Arthur agwalchmei aaethant y
vwyta. ar morynyon a wassanaethassant arnunt o bop
aruer bwydeu ae diodyd oed win achareleu. Y brenhin
aerchis oe vorwyn ef eisted gyferbyn ac ef. a gwalchmei
yr un ffunyt am y vorwyn ynteu. a gwedy daruot
udunt vwyta wynt aaethant y gysgu kanys blin allud-
edic oedynt gan y dyrnodeu agymerassynt ac a rodas-
synt wynteu y ereill. a chysgu awnaethant wy hyt
trannoeth. Aphan ymdangosses y dyd udunt wynt a
gyvodassant y vyny. Ac ar hynny nachaf y ieuaf or
morynyon yn dyuot ac ynkyuarch gwell y arthur.
Duw arodo enryded allewenyd y titheu heb yr arthur.
Gwalchmei heb y llall adaw cof ytti y brenhin yr
hwnn ydoed y dir yn gaedic o vur maen. yn y gylch o
gylch. yny lle y llettyeist di nosweith. athi yndyuot o
geissyaw y cledyf yr hwnn y llas penn ieuan uedydywr.
ac ef a vynnassit dwyn y cledyf y gennyt. adrwc vu
gennyt titheu hynny. Eissyoes ef aroespwyt itt drwy
amot gwneuthur o honat yrhynn kyntaf aarchei
uorwyn ytt. a thitheu ae kennetteeist idaw ar dy gret.
Hynny heb y gwalchmei adaw cof ymi ynda. Minneu
aarchaf ytti yr duw yr dy brovi awyt kyngywiret ti ac y
dywedir. ar dy uot hediw ynwaethaf or adel yr twrnei-
mant. ac ny cheffy amgen arueu nor teu dyhun yr peri

y bawp dy adnabot. ac ony wney di uelly ti affeylyest
oth gret. a minneu af vy hun y venegi idaw dorri
ohonat amot ac ef. A unbennes heb y gwalchmei ny
thorreis i amot a neb eirmoet o gallwn y gywiraw. nac
or bei gennyf fford oe gywiraw.

CCVI.—Gwalchmei yna awisgawd y arueu ehun. ac
uelly yr ymduc yn y dyd hwnnw hyt nat oed neb yny
twrneimant ny bei well noc efo. ac yn y oed lawer yn
ryuedu ac yn dywedut na welsynt eiryoet arueu tec y wr
waeth ae dylyei noc (efo). Meliot o loegyr aoed yn mynet
y geissyaw gwalchmei. ac agyvaruu athylwyth yn
dyuot or twrneimant. ac ef aovynnawd udunt
awydynt wy un chwedyl y wrth walchmei. ac un aovyn-
nawd idaw y baryw beth y keissyei ef walchmei.
Arglwyd heb y meliot gwr idaw wyfi o tir a daear. ac
ef a dyly dyuot y warantu ym vyntir am daear yn
erbyn pob dyn a nabigawns aduc y gennyf vyntir am
daear. ac oe geissyaw ynteu yd afi ymkymhorth o gael
vyntir drachevyn. Mynn vympenn i heb yr un or march-
ogyon urdolyon ny wdam ni pa delw y dichawn ef
rymyaw y ereill pryt na ellei y nerthau ehun. ef a vu
walchmei heb wy yny gynnulleitua ar twrneimant. a
gwybyd di yn lle gwir na bu yno varchawc urdawl
waeth noc efo. A phangigleu meliot y chwedleu
hynny ef aymchoelawd draegevyn. ac arthur a gwalch-
mei or tu arall a gychwynnassant or pebyll. a march-
ogaeth awnaethant gyntaf ac y gallyssant parth ar lle
yr oed yn eu bryt vynet. ac yn chwannawc ganthunt
pei clywynt chwedleu y wrth lawnslot. a cherdet awn-
aethant yny doethant yr ty atueiledic yr lle y dugassei
y bitheiat gynt walchmei. yny lle y gwelsei ef y march-
awc urdawl adaroed y lawnslot y lad. ac yno y
llettyassant wy y nos honno. ac yd oed yno varchogyon
urdolyon yn eu hadnabot. Y wreic bioed y ty a
anuones yr wlat gennadeu y geissyaw. ac y dywedut
bot yno y gyt a hi y rei a notteynt lad eu kedym-
deithyon ar hyt y fforestyd. Eissyoes gwell oed gan
y wreic pei lawnslot avei yno. kanys ef a ladyssei y
brawt. Yno y doethant llawer o varchogyon yr gorth-

rymu arthur a gwalchmei. y wreic eissyoes a vu kyn-
gwrteisset ac na odefawd gwneuthur yno chweith drwc
udunt. Seith marchawc adoethant drwy gedernit
mawr y gadw y bont. hyt nat oed fford y arthur nac y
walchmei y vynet ymeith. onyt eynt dros benneu eu
gwewyr.

CCVII.—Traethu y mae yr ystorya honn dyuot o
lawnslot or dinas tlawt amarchogaeth ohonaw yny
doeth y fforest. yn yr honn y kyuaruu meliot ac ef yn
drist ac yn aflawen am y chwedleu aglywssei y wrth
walchmei. Lawnslot yna aovynnawd idaw obale yd
oed yndyuot. Ac ynteu a dywawt mae o geissyaw
gwalchmei. yr hwnn y clywssei chwedleu nyt oed dec
ganthaw dim ohonunt y wrthaw. Paham heb y lawn-
slot a glyweist di amdanaw ef amgen no da. Kigleu
heb ynteu herwyd (y dywet) pwyt ym. kanys gynt yr
oed ef yn vilwr da clotuawr. ac yr awrhonn nyt oes yny
byt un waeth noc ef. kanys ef a vu yny twrneimant. a
mi a gyfaruuum ar toruooed yndyuot odyno. y rei
aoedynt yn dywedut na welsynt eiryoet cachadrwyd
na llyvyrder vwy ar wr nac aoed arnaw ef. Eissyoes
medynt wy yr oed y gyt ac ef varchawc urdawl da
dewr. Yn wir heb y lawnslot ny allafi credu vyth y
vot ef yn gachyat nac yn llwfyr. a mi aaf oe geissyaw
ef ac or mynny ditheu dyuot dabre. Yna meliot a gy-
chwynnawd y gyt a lawnslot ac y gyt wynt a varchoca-
assant yny doethant hyt yn ymyl y ty atueilyedic. yn
y lle yd oed y brenhin a gwalchmei. ac yd oedynt wedy
esgynnu ar vedyr mynet ymeith. eissyoes nyt yttoed-
ynt wy mor dilesteir udunt a hynny. nyt oed dec
ganthunt wynteu trigyaw yno. Ac yna dyuot tu ac
att y seith marchawc awnaethant y rei aoedynt yn
aruawc. atharaw yn eu plith. ac wynteu ae herbynnas-
sant ar benneu eu gwewyr.

CCVIII.—Ac ar hynny y doeth lawnslot a meliot
attunt. Ac arhynt yd nabu arthur agwalchmei ef. ac ar y
dyuotyat ef a drewis un yny vyd drwy berued y gorff.
a meliot aladawd un arall. Aphan weles arthur agwalch-
mei hynny llawen vu ganthunt. Ac yna lawnslot a

meliot arydhaawd y bont y arthur ac y walchmei.
Y lleill a ffoassant heb lyuassu aros mwy arnunt. Ac
yna y wreic bioed y ty adoeth hyt geyrbronn lawnslot.
Ac adywawt wrthaw dan y adnabot. lawnslot heb hi ti
aledeist tat y mab hwnn. ac os da gan duw efo neu
arall adieyl arnat ti hynny etto. Tewi awnaeth lawn-
slot wrthi hi yr hynny. amynet ymeith awnaethant wy
odyno. agwalchmei a vu lawen wrth veliot. Arglwyd
heb y meliot yrwyfi yndyuot yngkwyn attat ti rac nab-
igawns or greic. yr hwnn yssyd gwedy vyndidreftadu
i. ac adyngawd nac yrot ti nac yr neb ac yssyd vyw
nas kaffafi vyth drachevyn. Ac ony deuy di yr awr
honn y gyt ami nyskaffafi vyth. Ie heb y gwalchmei
myui aaf yn llawen gyt athydi drwy gennat arthur.
ami adeuaf dramkevyn yn gyntaf ac y gallwyf. Arth-
ur a lawnslot a gerdassant gyntaf ac y gallassant
wynteu parth athir brenhin peleur. agwalchmei auarch-
ocaawd yny doeth y tir nabigawns. Yna meliot a
anuones kennat attaw. y dywedut idaw vot gwalchmei
gwedy dyuot ae vot ynbarawt y gynnal dylyet meliot
oeblegyt ef. kanys gwr idaw ydiw. Nabigawns yna
aoed iach or dyrnawt a gawssoedyat yn y twrneimant.
ac ny bu uawr iawn ganthaw ef walchmei o achaws y
cachatrwyd ar llyvyrder awelsei arnaw yn y twrnei-
mant. Ac yna erchi aoruc ef oe varchogyon urdolyon
nat ymyrrynt y ryngthunt. kanys pet vei chwech
marchawc oe gyfryw wyr ef. ef aorvydei arnunt herwyd
adebygei. Ac ar hynny y doeth ef allan yn aruawc.
Gwalchmei ae gweles ac ae harhoes. a nabigawns ae
kyrchawd heb dywedut un geir wrthaw. ac ae trewis
yntewdwr y daryan yny vyd y gwaew yn drylleu ywch
y benn. a gwalchmei ae hamkanawd ynteu. ac ae trewis
yny vyd blaen y gwaew drwy berued y gorff. Ac yny
vyd ynteu yn varw yr llawr. Y marchogyon yna a
hwylyassant y walchmei. eissyoes y ryngthaw efo
ameliot wynt aymdifferassant ynda. ac yr castell y
doethant wy dan ymlad. ac wynt ae gwasgassant wynt
yn gyngyvynget ac y bu reit udunt. wneuthur gwrog-
aeth y veliot a roi yr agoryadeu yny law. agwedy daruot

y veliot gaffael medyant ar gwbyl oe holl tir. gwalchmei
a ymchoelawd draegevyn yn ol arthur a lawnslot. ac ef
a gyuaruu ac ef morwyn ieuanc dec abrys mawr arnei.
A unbennes heb ef duw arwydhao ragot ac y ba le os
da gan duw yr ey di ar brys hwnn arnat. Arglwyd
heb hi mi aaf yr dyrua vwyaf a weleist eirioet o varch-
ogyon urdolyon. Pa le y mae hynny heb y gwalchmei.
Y mae heb hitheu yn y llannerch dan y paleis. ac y
geissyaw y marchawc ar arueu eureit idaw yd af i yno.
yr hwnn aennillawd y kylch eur yn ymyl y pebyll ac
awdost di un chwedyl y wrthaw ef. A unbennes heb
y gwalchmei beth a vynnut ti ac efo. Arglwyd heb
hitheu mi a vynnwn ywelet. kanys mab y wreic wedw
yr hwnn ae hennillawd yn y vlaen ef. amgyrrawd i oe
geissyaw ef. ac y adolwyn idaw othosturyawd eiryoet
wrth na gwreic na morwyn dosturyaw wrth vy arg-
lwydes i. a dial ar nabigawns y dwyll ar dreis awnaeth
am dwyn y genthi y kylch eur. a llad y marchogyon.
A unbennes heb y gwalchmei na lauurya di dim yr
hynny. kanys gwybyd di yn lle gwir mae y neb a
enillawd y kylch eur neu arall drostaw ynteu aladawd
nabigawns. Arglwyd heb hi padelw y gwdost ti hynny.
Mi aweleis y lad heb ynteu. ac yn arwyd ytti ar hynny
llymma y gennyfi y kylch eur. a mi ae dygaf yr rydhau
dy arglwydes di yr gwr a enillawd y greal. llawen vu
gan y vorwyn hynny a hi aymchoelawd drachevyn y
venegi hynny oe harglwydes.

CCIX.—Gwalchmei a gerdawd racdaw parth ar
dyrua adywedassei y vorwyn. o dybyeit o clywei
arthur a lawnslot y deuynt wynteu yno. ac ny marchoc-
aawd ef haeach pan gyfarvu ac ef gwas ieuanc. yr
hwnn a debygei ef y vot yn vlin ef ae varch. Gwalch-
mei aovynnawd idaw obale yd oed yn dyuot. Ac
ynteu adywawt panyw o lys arthur. yn y lle yd oed
ryuel mawr kanys ny wydit un chwedyl y wrth arthur.
namyn rei adywedei panyw marw vuassei. kanys yr
pan athoed ef a gwalchmei a lawnslot o gaerllion. ny
chlywssit un chwedyl y wrthunt. Ar vrenhines yssyd
kyndristet oe achaws ef ac o achaws angheu llacheu y

mab ac y tebic y byd marw yn ehegyr. Briant or
ynyssed a chei yssyd yn llosgi y wlat. ac yn dyuot y
dwyn yr anreitheu hyt geyr bronn castell kaer llion. ac
o gwbyl o vilwyr y vort gronn nyt oes yno neb onyt
pymthec arhugeint. ac ohynny y mae dec gwedy
briwaw yndrwc gan dylwyth briant. Pan gigleu gwalch-
mei y chwedleu hynny trwm athrist vu ganthaw y
vedwl. ef a varchockaawd gyntaf ac y gallawd ar gwas
ae kanlynawd yny doethant yr dyrua. yna gwalchmei
a arganuu arthur a lawnslot. ar marchogyon urdolyon
adoethant yno o amryuaelyon deyrnassoed. kanys
marchawc a dathoed yno ac amws gwynn ac a choron
eur ganthaw. ac aberis crio a menegi ympob teyrnas
panyw y neb goreu a wnaey yn y twrneimant hwnnw a
gaffei y goron ar march. Ac y caffei vot yn arglwyd
ar tir yr arglwydes bioed y goron. ac o achaws y
chwedleu hynny y doeth yno llawer o varchogyon
urdolyon mwy noc adeuei gynt. a gwedy hynny arthur
agwalchmei a lawnslot a nessaassant or neilltu.

CCX.—Menegi ymae y kyuarwydyt kymryt o arthur
y daryan eureit arodassei y vorwyn idaw yn y pebyll.
Gwalchmei agymerth yr eidaw ynteu ehun. Lawnslot
agymmerth taryan werd yr honn adugassei o garyat y
marchawc aladyssit yny fforest yny amdiffyn ef. ac yny
twrneimant y trawssant wy yll tri megys llewot
adianghei oc eu cadwyneu. ac ar hynt wynt a draws-
sant tri marchawc urdawl y lawr ar y dyuodyat o
gyfadnabot ac wynt. ac odyna wynt a chwilyassant
bop toryf a phob bydin. ac a vwryassant lawer o wyr a
meirch y lawr. ac ny chyvaruu yn y dyd hwnnw neb
ar brenhin neb nys bwryei y lawr neu ynteu agollei y
daryan. Gwalchmei a lawnslot nyt oedynt segur
wynteu or parth arall. Pawb eissyoes aoed yn edrych
ar y brenhin. kanys kynnal y le yd oed ef megys nat
oed neb alyuasse nae gyrchu nae aros. y twrneimant
abarhaawd yny mod hwnnw deu diwarnawt. a phan
daruu ef a varnawd pawp panyw y marchawc ar arueu
eureit avuassei oreu. Yna y marchawc a dathoed ar
goron yno agyrchawd att arthur ac nys adnabu ef.

Arglwyd heb ef ti aennilleist y goron honn ar march
hwnn. athi a dylyut vot ynllawen ot wyt mor rymus
di ac y gellych amdiffyn achynnal tir y vrenhines oreu
oc a vu yn yr holl vyt. Ac anrydedus yw ytt ac y
chenedyl ot wyt kyn gryfet ti ac y gellych y gynnal.
Pwy bioed y wlat honno heb yr arthur. Arglwyd heb
ynteu arthur bioed y vrenhinyaeth. ac ny bu yn yr
holl vyt wr well noc ef. ac yd ys yndywedut yuarw yn
y tir yma. or achaws y mae dolur mawr yn y wlat
honno. ar varchogyon urdolyon yssyd gwedy kaeu
kaerllion arnunt rac ovyn briant. Pan gigleu arthur
y chwedleu hynny ny bu lawen iawn ganthaw. ac ar
neilltu yd aeth ef dan wneuthur y kwyn mwyhaf. Ny
wydyat lawnslot or tu arall beth awnaei. ac y dywawt
ef yna y rwng y danned panyw yr awr honno y ffael-
assei y lewenyd idaw ae vilwryaeth a vydei reit idaw y
gaffael wrth orffowys. kanys collassei y vrenhines yr
honn aoed yn roi nerth a challon ahyder yndaw. Ac
yna y dagreu aoed yn redec yn amyl. aphei llyuassei ef
wneuthur a vei vwy ef ae gwnaei. am y dolur yd oed
arthur yn y wneuthur nyt reit govyn aoed uawr. Yna
ef aedrychawd ar y march ar goron kanys ef ae rodassei
idi oe charyat y wenhwyuar. Gwalchmei heuyt nyt
oed lawen. Mi aallaf dywedut yn lle gwir heb ef
os marw hi na welir vyth brenhines kyffelyb idi.
Arglwyd heb y lawnslot wrth y brenhin o reingk bod
ytti ac y walchmei myui aaf tu achaer llion ac agym-
horthaf y tylwyth yno o gadw y wlat yn oreu ac y
gallwyf yny delych di or greal. Yn wir heb y
gwalchmei wrth arthur da y dywawt lawnslot. Myn
vympenn heb yr arthur ar hynny y mae vy adolwc ytt
drwy dalu ohonafi ytti dros dy drauel. ac yr wyf yth
wneuthur yn gaptaen drossof yny delwyf drachevyn.
Lawnslot yna agymerth kennat y brenhin. ac avarch-
ocaawd drwy lit ac irlloned mawr parth a chaerllion
megys y gallawd gyntaf.

CCXI.—Menegi y mae yr ymdidan yma marchogaeth
o arthur apheri ohonaw dwyn y march ar goron eur
gyt ac ef yny doeth yr castell a vuassei eidaw brenhin

peleur. ac ae gweles yn gyndecket ac yn gyuoethocket
ac y clywsawch chwitheu or blaen. Paredur yna a vu
lawen wrthunt. ac agymerth arthur ac ae duc yr capel
yn y lle yd oed y greal. Gwalchmei yna aaeth ar kylch
eur yn offrwm. ac arthur aaeth y offrwm ar goron
avuassei eidaw y vrenhines. aphan glybu paredur varw
gwenhwyuar drwc vu ganthaw. Ac yna paredur
adangosses y arthur ysgrin brenhin peleur. ac adywawt
na roes neb yr ysgrin yno namyn duw oe orchymyn.
ac adangosses kyvyrlit tec aoed ar warthaf yr ysgrin.
ac adywawt y keffit yno beunyd kyuyrlit o amryuael
liw yn gyndecket a hwnnw. Y brenhin yna aedrychawd
ar yr ysgrin. ac a dywawt na weles eiryoet yr un
kyndecket a hi. Y brenhin a vu yno dalym ynesmwyth
arnaw. ac edrych aoruc ef amlet pob da yno. kanys
nyt oed yno eissyeu dim or a vei reit y gorff dyn
wrthaw. ac avon uawr aoed yngkylch y castell. ac arhyt
honno y deuei bop da yr castell or avei reit wrthaw.
Ioseph yssyd yn tystolyaethu panyw o baradwys yr
oed yr avon honno yn dyuot. Ar y castell yd oed tri
henw. un onadunt oed edom. ar llall castell y llewenyd.
ar trydyd oed castell yr eneidyeu. allyna paham y
cafas ef yr henw hwnnw. am na bu uarw neb yno nyt
elei y eneit y baradwys. A megys y bydei arthur yno
diwarnawt yn edrych drwy un or ffenestri. a gwalch-
mei a pharedur ygyt ac ef. ef awelei processio mawr a
dillat gwynyon ymdan bawp. ac yn llaw y blaenaf
onadunt yd oed croes vawrdec. a chroes bechan ynllaw
bop un or lleill. ac yn llaw ereill torseu o gwyr yn
llosgi. ac yn dyuot dan ganu. ac am vynwgyl yr olaf oll
ydoed cloch. Arglwyd duw heb y brenhin pa ryw
dylwyth yw y rei racko. Arglwyd heb y paredur mi
a atwaen bawp ohonunt namyn yr olaf. Y lleill vy
meudwyeit i ynt or fforest racko. yssyd yn dyuot y
ganu geirbronn seint greal. ac uelly y gwnant wy tri
dieu bop wythnos. Aphan doethant wy yr castell
wynt agyrchassant y capel arhynt. Ac yna y kymer-
assant wy y gloch y gan yr olaf ac ae hoffrymassant yr
allawr. A gwedy hynny wynt adechreuassant canu

3 A

molyanneu y duw yn ogonedus. Yr ystorya ysyd yn
tystolyaethu nat oed yn yr amser hwnnw ynghwbyl o
vryttaen vawr chweith caregyl. nyt ydiw ynteu yn
dywedut na bei yn lle arall. Y greal yna a ymdangosses
ar secret yr offeren yn tri mod. Aphan daruu yr
offeren ef agafas yr offeiryat llythyr bychan ar yr
allawr yr hwnn aoed yn dywedut panyw yn y kyfryw
lestyr a hwnnw y mynnei yr arglwyd kyssegru y gorff.
llawen vu gan y brenhin welet yr hynn aweles. a
chymryt yny gof awnaeth ef henw caregyl ae ffuryf. a
gwedy hynny ef aovynnawd yr meudwy a duc y gloch
yno. obale y dathoed y ryw beth hwnnw. Arglwyd heb
y meudwy wrth walchmei myui yw y brenhin y lled-
eist di y kawr oe achaws. Ac am hynny y kennetteis i
ytti y cledyf y llas penn ieuan vedydywr ac ef. yr
hwnn awelafi racko yr awrhonn. Mi abereis arglwyd
vy meudwyaw geyr dy vronn di. a chwbyl om
kyuoeth. A gwedy hynny mi aeuthum y gudugyl yn
ymyl y mor y benydyaw vyngcorff. anosweith ini
agyuodeis ac a edrycheis ar y mor y dan y kudugyl.
Ac a arganvuum ysgraff gwedy kymryt tir. ac adeuthum
inneu parth ac yno y edrych beth aoed yndi. ami
aweleis yno tri offeiryat ae hysgolheigyon y gyt ac
wynt. ac adywedassant ym panyw grygor oed henw
pob un onadunt. ac wynt ahanoedynt odir y promission.
ac adywedassant ym panyw salamon awnathoed teir
cloch. yr enryded y duw ameir ar holl seint. athrwy
orchymun duw yd anuonet wynt yr ynys honn am nat
oed yr un yndi. Ac wynt adywedassant ymi y
kymerynt arnunt gwbyl om pechawt. athan yr amot
hwnnw y dugum inneu y gloch honn. kanys duw a vynn
bot honn yma yn exawmpyl y ereill. y wneuthur y
kyffelyb wrthi. Myn vyngcret i heb y paredur mi
aatwaen dy vot ti yn wr da. llawen vu arthur am
dyuotyat y gloch yno. Ac ef awelit y arthur panyw
un ffunyt a honno a glybu ef y chanu ar y fford. Y
meudwyeit a aethant adref bawp yny gyveir ar ol eu
gwassanaeth. Ac megys yd oed arthur diwarnawt yn
bwyta. apharedur a gwalchmei ygyt ac ef. ar march-

ogyon prud or ty heuyt. nachaf un o teir morynyon y
gadeir yndyuot ymywn gwedy y tharaw a gwaew
drwy berued y breich deheu idi. Arglwyd heb hi
wrth baredur ystyrya y wrth dy vam ath chwaer.
canys alistor keuynderw y arglwyd y corsyd yssyd yn
ryuelu ar dy vam di. ac aduc dy chwaer y dreis heuyt
ac ae hanuones y gastell idaw ehun. ac adywawt y
mynn y tir heb y diolch ytt. Eissyoes nyt oes yn yr
holl vyt aruer vileinach ar wr noc yssyd arnaw ef.
kanys pan darffo idaw briodi morwyn pa un bynnac
vo. ef a lad y phenn kynn kwbyl o benn y vlwydyn.
a gwedy hynny ef ageis un arall. o beth arall arglwyd
y mae arnaw ynteu aruer da ny chewilydya ynteu yr
un yny priotto. ac ydoedwn i arglwyd gyt ath chwaer
pan anafawd ef vyvi val hynn. ac am hynny y mae dy
vam di yn erchi ytti yr duw achubeit dy chwaer ar yr
hynt honn. athi aedeweist pan aethost y wrthi y
nerthau y geniuer gweith y bei reit idi.

CCXII.—Paredur pan gigleu y chwedleu hynny ny
bu dec ganthaw eu clybot. ar vyngcret heb yr arthur
iawn oed emendau y kewilyd hwnn. Yna wynt
agyuodassant o vwyta. Arglwyd heb yr arthur wrth
baredur myui vi agwalchmei aaf yr hynt honno os
mynny di. Nac ef heb y paredur duw adalo ytti ymae
ytt awnelych megys y minneu. ac yd wyfi arglwyd heb
ef yth adaw di yn arglwyd ar gastell camalot ar ol vy
mam i. ac nyt oes yny byt lle degach noc y mae. ac nyt
oes ar gwbyl o dir kymry lle degach noc y mae y
castell yn eisted arnaw ympenn kymry y tu ar dwyr-
ein. Yma y mae yr ymdidan yn tewi am baredur ac yn
trossi ar arthur a gwalchmei.

CCXIII.—Dywedut y mae yr ymdidan yma kymryt
o arthur a gwalchmei gennat paredur. ar brenhin aroes
y baredur y march a ennillawd gyt ar goron eur. a
marchogaeth awnaethant wy yny doethant y hen
gastell aoed ymywn fforest. Y castell aoed yn lle tec
pet uei amgeled amdanaw. eissyoes nyt oed yndaw ef
namyn un offeiryat ae ysgolheic. y rei hynny aoedynt
yno ynbuchedocau oe llauur ehunein. Yno y bu arthur

a gwalchmei y nos honno. Athrannoeth wynt adoeth-
ant y gapel teckaf or awelsynt haeach eiryoet y
warandaw offeren. ac edrych awnaethant ar liw y capel.
ac ar yr ystorya aoed yndaw rac y thecket. Aphan
daruu yr offeren yr offeiryat adoeth attunt. arglwydi
heb ef pony welir y chwi vot yndec yr ystorya arlliw
yssyd ar y capel hwnn. Tec y rofi aduw heb yr arthur.
Rofi aduw heb yr offeiryat ystec a wr a beris y
wneuthur ynteu. ac ef agarei yn uawr y wreic ar mab
y peris y wneuthur oe hachaws. Obwy y mae yr
ystorya heb yr arthur. Or gwr da gynt bioed y lle
yma heb yr offeiryat. ac o walchmei ac oe vam. Yma
arglwyd heb ef y ganet gwalchmei ac y bedydwyt ual
y gelly y dyall ar yr ystorya. ac yroet yn henw arnaw
gwalchmei. achaws uelly y gelwit y gwr bioed y castell.
ae vam ynteu ae cafas o vrenhin coronawc. ac ny
mynnawd hi wybot hynny. ac ae hanuones hyt at y
gwr bioed y ty yma y erchi idaw drwy y hadolwc
y anuon yn lle y collit. ac ony wnaey ef hynny hi
awnaei y arall y wneuthur. Ar marchawc da bioed y
ty ny mynnawd ef wneuthur hynny. namyn ef aberis
gwneuthur llythyreu y dywedut y vot yn etiued
brenhinawl. ac a anuones eur ac aryant y beri y
veithryn. ac ae hanuones y wlat bell at wr perchen y
dy ae wreic. ac aerchis udunt y veithryn yn annwyl.
ac wynt a geffynt les mawr oe achaws. Gwedy hynny
y gwr a ymchoelawd draegevyn. ar lleill a vagassant y
mab yn anrydedus ac ae carassant yn vawr yny vu
grynffast mawr. gwedy hynny wynt ae hanuonassant
ef y ruuein hyt att y pap. adangos yr pap a wnaethant
wy y llythyreu inseiledic. ar pap aweles ac a wybu y
vot yn vab y vrenhin. athosturyaw wrthaw aoruc a
synnyeit arnaw. adywedut mae un oe rieni oed.
Gwedy hynny ef aetholet y vot yn amherawdyr yn
ruuein ac ynteu awrthodes hynny rac lliwyaw y
anedigaeth idaw yr hynn agelassit yr ystalym. Odyna
ef adoeth oruuein ac a vu yma gwedy hynny. ac ef
adywedir yr awrhonn y vot yn un or marchogyon
urdolyon goreu or holl vyt. ac am hynny ny leueis neb

dyuot y vedyannu y castell hwnn rac y ovyn ef. kanys
pan vu varw y gwr bioed ef ae gedewis y walchmei y
vab maeth. ac am gwnaeth inneu yn warcheitwat
arnaw yny delei walchmei yma. Y brenhin yna
aedrychawd ar walchmei ac ae gweles yngewilydyus.
Vy nei y tec heb yr arthur na symlet arnat ti dim
ohynn. kanys ti aelly lliwyaw y minneu y kyfryw
ansawd a honno. athi adylyut uot yn llawen yr hynny.
ac anrydedu yn vawr y lle yth anet yndaw. Pan
wybu yr offeiryat panyw gwalchmei aoed yno ef avu
lawen ganthaw y vryt. achewilydyus hevyt vu am
dywetut ohonaw ar ostec megys y dywedassei. ac
adywawt. Nyt reit ytti arglwyd un kewilyd heb ef
kanys ef ath deilyngwyt ti yn ruuein mywn priodas y
rwng dy vam a loch dy dat. ac ef adyly arthur wybot
hynny. abendigedic vo duw am dy dyuodyat yma.
Yma y mae yr ymdidan yn tewi am arthur a gwalch-
mei ac yn trossi ar vab y marchawc or ty atueilyedic yr
lle y duc y bitheiat walchmei.

CCXIV.—Traethu ymae yr ymdidan yma vot mab
da yr marchawc or ty atueilyedic. ae henw oed melian-
us yr hwnn nyt ebryvygawd angheu y dat. ef agigleu
vot briant or ynyssed yn wr kadarn galluawc. ac yn
ryuelu yn erbyn arthur. ef adoeth tu ac yno. ac
adywawt idaw padelw y daroed y lawnslot llad y dat.
ac aadolygawd idaw y wneuthur yn varchawc urdawl.
kanys chwannawc oed y dial y dat. ac ef ae kymhorthei
ynteu o gynnal y ryuel. yn oreu ac y gallei. Yna
briant ae gwnaeth yn varchawc urdawl. ac yr oed yn
was tec herwyd y oetran. ac yn chwannawc y welet
lawnslot. a ryued oed ganthunt yn y wlat beth adaroed
idaw. ac yr oedynt yn tybyeit daruot y lad neu y varw
ynteu. Eissyoes ny daroed idaw efo yr un ohynny.
namyn iach oed ef allawen pany bei y vot yn drist am
varwolyaeth gwenhwyuar. ar tristit hwnnw nyt yttoed
ef yn gallel y ysgaelussaw. a megys yr oed ef diwar-
nawt yn marchogaeth ef aodiwedawd morwyn ieuanc yr
honn a oed yn canu a diruawr lewenyd genthi. ac yn
dywedut. Myn duw medei hi os y marchawc yma ae

mynn mi a wnn lle y keiff ef letty da heno. A
unbennes heb y lawnslot lletty da aoed reit y minneu
wrthaw. kanys blin alludedic wyf. velly heb hi y
gweleis bawp or adelei o dir brenhin peleur. kanys ny
allei neb odef poen athrauael ony bei y vot yn varch-
awc da. A unben heb hi weldyma dy fford di heb y
groes yssyd oth vlaen. aminneu aaf yr fford yma. ac
agatuyd mi adeuaf yr castell y bych ditheu heno
yndaw. ar hynny lawnslot aaeth ymeith. Myn
vympenn i heb y vorwyn weldyma lawnslot. ac nyt
ydiw ef ym adnabot i. ac oe dewrder ef ae kedernyt y
colleis i y gwr mwyaf agarwn. kanys ef agymhellawd
arnaw briodi un arall nyskarei ynteu yngymeint
amyui. ac ef aellir gwybot hynny etto. kanys yr hynny
etto ny bwyttaawd hi ar un bwrd ac efo. namyn ygyt
ae ysgwieryeit. ac ny wna neb yrdi hi yno dim. ac os
da gan duw mi abaraf dial hynny arnaw kynn y vynet
or castell yr a idaw heno y lettyu.

CCXV.—Lawnslot agerdawd tu ar castell. ac ef
awelei ywch penn y porth penneu deudec o varchogyon
urdolyon yngcroc. ac ef a welei varchawc urdawl yn
dyuot or fforest. ac ynteu aovynnawd idaw paryw gas-
tell oed hwnnw. ac ynteu adywawt mae castell y griff-
wns. Paham heb y lawnslot y croget racko y sawl
benneu yssyd. Arglwyd y marchawc merch y gwr
bieu y castell yssyd deckaf dyn yn yr holl vyt. ac ny
mynnir gwr idi namyn y neb aallo tynnu cledyf yssyd
yny castell ymywn colovyn ymperued y neuad. ar neb
ae tynno. hwnnw ae keiff hi. achwbyl or rei awely di eu
penneu racko ae proues ac ny thygyawd udunt. ac am
na thynnassant wy y cledyf y llas eu penneu ac nyt oes
dynghetuen y neb y dynnu ef. ony byd un or rei yr
ymdangosses y greal udunt neu un or rei a vu yno. ac
o mynny di vyngcredu i. ti aey y le arall y lettyu.
kanys ot ey di yna ef a vyd reit ytt odef y penyt racko.
neu ditheu a dynno y cledyf or lle y mae. ac ny dylyy
di vot yn drwc gael rybud yn erbyn dy afles. Y gyt
a hynny heuyt y mae y dan y daear deu griffwns a
llew y mywn gogof y rei alyngkyassant mwy no deu-

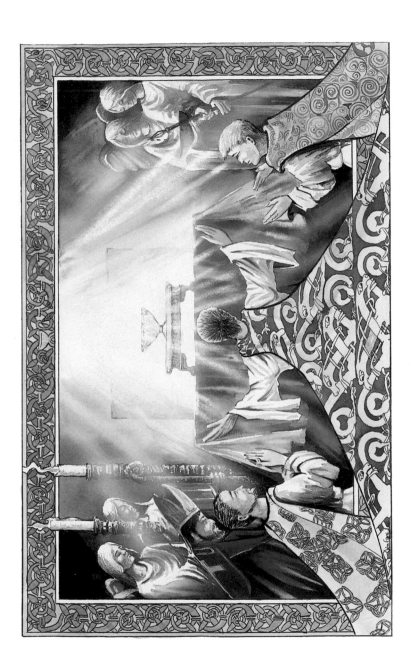

geint marchawc. Arglwyd heb y lawnslot y mae yn
nos ac ny wnn i heno bellach pa le yr af. kanys nyt
wyf gyfarwyd iawn ar y fforestyd. Nyt ydwyfi heb y
marchawc yn dywedut hynny namyn yr da ytti. a duw
awnel ytt drwy anryded diangk odyna. Lawnslot a
weles porth y castell yn agoret ac ymywn y doeth ef
yn aruawc. ac yn drws y ncuad disgynnu aoruc. aphan
doeth ef ymywn. ef awelei wraged ieueingk a march-
ogyon urdolyon yn gware gwydbwyll. yr hynny ny
weles neb yn dywedut un geir wrthaw ef a vei na
chwrteis na charedic onyt yr arglwyd bioed y castell
ehun. kanys yr aruer aoed uelly ar y castell. Yna y
gwr bioed y castell aerchis yr gwyreeingk tynnu y
arueu y am y marchawc. Arglwyd heb y lawnslot
myui a allaf odef vy arueu ymdanaf. Nyt yma heb y
gwr y bwytey di ath arueu ymdanat. ar hynny diosc
y arueu aoruc lawnslot. ar arglwyd aberis dwyn dillat
da idaw oe gwisgaw. Y byrdeu adyrchafwyt. ar bwyd-
eu aoed yn barawt. Merch yr arglwyd a doeth o un or
ystauelleu allan. a deu varchawc urdawl gyt a hi un
o bop tu idi. yny chanhebrwng hyt y neuad. Lawn-
slot a gyuarchawd gwell idi. a hitheu a vu lawen
wrthaw ef. aphan daruu udunt vwyta nachaf y vor-
wyn agyuaruuassei a lawnslot yn y fforest yn dyuot y
mywn. Arglwyd heb hi wrth y gwr bioed y castell y
mae yma heno y gyt athi yn llettyu dy elyn marwawl.
llyma heb hi yr hwnn aladawd dy vrawt ti. nyt amgen
noc arglwyd y ty atueiledic. Myn vympenn i heb yr
arglwyd nysgwydywn i ac nys credafinneu yny profwyf.
Tydi varchawc heb yr arglwyd wrth lawnslot gwna yr
arch awnaeth ereill othulaen yma. Paryw arch yw
honno heb y lawnslot. Weldyma ytti heb yr arglwyd
vy merch i ot wyt gystal gwr ac y dylyych y chael.
nyt oes yny byt wr or auei ganthaw gael gwreic ny
dylyei roi poen ar y gorff y geissyaw honn racko. Pei
tebygwn inneu heb y lawnslot y rout ti hi ymi minneu
ae harchwn hitheu yn llawen. Lawnslot eissyoes aoed
yn dywedut amgen noc yr oed yn y vedylyaw. Yna
ef a gyuodes y ovyn paryw aruer oed. apha ffuryf y

kaffei ef y verch. ac wynteu adangossassant idaw y
golovyn ar cledyf yndi. Dos heb ef megys yd aeth y
lleill y rei affaelawd ar eu heneidyeu. ac ar vy merch
inneu heuyt. am na ellynt dynnu y cledyf racko or
golovyn. Duw am diangho heb y lawnslot rac y kyf-
ryw diffyc hwnnw. Lawnslot adoeth tu ar golovyn
gyntaf ac y gallawd. ac aroes y dwylaw ar dwrn y
cledyf. ac aroes hwrd arnaw yny ytoed y golovyn
gwedy gwyraw. ac ynteu ae dorr y vyny ar cledyf yny
law ymperued y neuad. llawen vu gan yr unbennes
hynny. Arglwyd heb y vorwyn arall y lleidyr racko
aladawd dy vrawt ti. ual kynt yr hynny dilis yw mae
un or marchogyon goreu or holl vyt yw ef. ac o gwney di
vyngkyngor i ny wney di gadel idaw ef diangk. ac
alwyssen yw y lad. kanys os lledy. ti a iachaey y lawer
dyn y eneit. Merch yr arglwyd a vu anuodlawn yr
vorwyn am ydoed yny dywedut. ac edrych awnaeth hi
ar lawnslot dan ucheneidyaw. ac ny lyuassei hi wneuth-
ur amgen. Aryued vu genthi allel o lawnslot dynnu
y cledyf or golovyn. ac nat ytoed yny herchi hitheu.
Eissyoes lawnslot aoed yn medylyaw yn vwy am beth
arall. kanys yr pan anyssit eiryoet ny buassei kyn-
dristet ac yr oed o achaws marwolyaeth y vrenhines.
Yna ef aerchis yr arglwyd gynnal amot ac ef. Nys
dylyaf heb yr arglwyd. kanys ny dyly neb roi y verch
yw elyn. athitheu a ledeist vymrawt. aphei ron ymi y
roi hi ytti ny dylyei hi dy garu di vyth. ac os carei hi
awnaei yn ffol. Drwc vu gan y verch glybot y that
yn dywedut uelly. ahi a vynnei pet vei hi a lawnslot
yn y fforest. Eissyoes ny mynnei lawnslot y vot yny
mod ydoed hi yny vedylyaw. Yna yr arglwyd aerchis
gwarchadw y porth ynda rac dianc lawnslot. ac aorch-
ymynnawd yr marchogyon y wylyat dan boen eu heneid-
yeu. ae bot yn barawt erbyn trannoeth yn eu harueu.
kanys yna y mynnei ef torri pen lawnslot ae grogy y
gyt ar lleill. Y verch a wybu y chwedleu hynny ac a
vu drist genthi. kanys tebic oed genthi vyth na chaffei
lewenyd os y lad awneit yny mod hwnnw. ahi aanuones
annerch attaw megys att y neb mwyaf agarei. ac

aerchis idaw vot yn y aruot yr amdiffyn y eneit. kanys
y that aoed ar vedyr y lad. Arglwyd heb y gennat y
mae yma deudec marchawc urdawl yn aruawc yn
gwarchadw y porth. ac yn dywedut yth ledir di. ual y
llas y lleill. ac ef adaw yno deudec ereill. ac nyt oes yn
y byt varchawc aallo dianc yr porth o anuod y pedwar
arhugeint. Eissyoes y mae hi yn erchi ytti vynet
fford yr ogof yssyd yma dan y daear. ac yno ti ageffy
fford y vynet dan y daear yny delych yr fforest. Eissyoes
y mae yno llew creulonaf or holl vyt. a deu aniueil
ereill aruthyr. ac y mae arnunt ryw eilun. kynhebic eu
haruer y dyn. a danned ki idaw. ac oe wregys y vyny
yn eryr. ac ohynny y waeret yn llew. a chlusteu assen
idaw. ac yr fford honno y mae vy arglwydes i yn erchi
ytti vynet yr mwyn y neb uwyaf agereist eiryoet
ac na ffeylych ar hynny. kanys hi a vynn ymdidan
athi ar y penn arall yr ogof. ac a beir dwyn dy varch ytt.
Myn vympenn i heb y lawnslot panybei erchi o honei
hi ymi vynet yr mwyn y neb mwyaf agereis eirmoet.
ac yr y charyat hitheu heuyt ys oed gwell gennyf
ymanturyaw ar gwyr noc ar aniueilyeit. kanys mwy
vydei vy enryded o ymrydhau ar gwyr no mynet yny
mod hwnnw. Hi adywawt heb y gennat ony wnelut ti
uelly nat ymgedei hi amdanat ti mwy. a llyma vitheiat
bychan yr hwnn adygy di yr ogof y gyt athi. ac yr
awr y gwelych di yr aniueilyeit. dot y bitheiat geyr eu
bronn. ac wynteu avyd ganthunt ryw vedwl ar y
adnabot ef megys na wnelont ytti chweith drwc. ac
nyt oes yn yr holl vyt uilwr adianghei yn amgenach
vod no hynny heb y lyngku ohonunt. Eissyoes rac y
llew nyt oes ath amdiffyno di onyt duw. Ie heb y
lawnslot dywet yr unbennes y gwnafi hynny yn llawen.
Eissyoes cachadrwyd a llyuyrder mawr y bernir ymi
vynet ym mysc yr aniueilyeit ac adaw y gwyr. Hynny
a dywetpwyt yr unbennes. a ryued vu genthi hitheu
hynny.

CCXVI.—Lawnslot yna a wisgawd y arueu. ac
adoeth yr ogof ar bytheiat yny ol. ac ef adoeth yr lle
yr oed y griffyeit. ac yr awr y clywssant wy efo yn

3 B

dyuot. wynt aellyngassant ryw fflam danawl oe
geneueu. yny oed kwbyl or ogof yn goleuhau ac wrth
y fflam honno wynt awelsant y ki ac ae kymerassant
ac a wnaethant ryw solans a llewenyd idaw. Athra
vuant wy yn hynny lawnslot agerdawd racdaw yny
doeth yr lle yr oed y llew. ar llew yna ae kyrchawd ac
ae keissyawd ae ewined. A lawnslot ae trewis ynteu
yn y vyd un oe vordwydyd y wrthaw. ar llew yna ae
godiwedawd ynteu ar y deu troet vlaen. ac a dynnawd
hanner y luryc y wrthaw. a breid nasblingawd ynteu.
Lawnslot yna alityawd wrthaw. ac ae trewis yny vyd
y cledyf drwy y gallon. ar llew yna a syrthyawd yn
varw yr llawr. ac aroes ryw vreuarat aruthyr ual y
clywei y marw dan y daear. ac ar hynny lawnslot
aaeth ymeith ac adoeth ymaes or ogof ac y herber aoed
yn agos yr fforest. ac asychawd y gledyf yn y gwellt
glas ac ae roes yn y wein. Yr unbennes awybu llad y
llew. ac ar hynny nachaf hi yn dyuot. Arglwyd heb
hi a vriweist di yndrwc. A unbennes heb ynteu nado.
Y diolwch y duw heb hi. ac yn llaw morwyn arall
nachaf march lawnslot yn dyuot. A unben heb y
verch ef awelir ymi nat wyt lawen iawn di. A un-
bennes heb ynteu iawn yw ym hynny. kanys mi agolleis
y wreic vwyaf agereis eirmoet. Titheu heb hi am
ennilleist inneu. ac ef adywedir nat oes yn y deyrnas
honn vorwyn degach no myui. ac am dy garu ohonaf
yd amdiffynneis ytt dy eneit. A unbennes heb y lawn-
slot duw adalo ytt. dy garyat ti yssyd uawr gennyfi.
eissyoes nathydi nagwreic or byt ny dylyei ymdiriet
ynofi. ot ebryuygwn y caryat yssyd yn vyngcallon yn
gorwed. ac rac meint y cwrteissi aoed yndi hi ny charafi
vyth na gwreic na morwyn yn ormod. kanys y duw y
gorchymynnafi gwbyl or lleill. ac y gennyt titheu
kennat a gymeraf megys y gan yr honn y mynnaf vot
ar y hewyllys orbyd reit ytt wrthyf. Och duw heb hi
kanys uelly y collaf ymarchawc goreu or holl (vyt.)
lawnslot heb hi ti am twylleist i adrwc yw gennyf dy
diangk ath eneit ynot om plegyt i. ac ys oed gwell
gennyf dydi yn varw ygyt ami noc arall yn vyw.

Och duw heb hi na daruu torri dy benn di ae grogi
y gyt ar lleill. ac y uelly y caffwn i digawn o edrych
arnat ti. Lawnslot ny roi nytwyd yr yd oed hi yny
dywedut o achaws y dolur aoed yn y gallon. Yna
lawnslot aesgynnawd ar y varch ac aaeth ymeith. ac yr
fforest yr aeth ef a hitheu aymchoelawd yr castell.
Yr arglwyd a gyuodes pan y gweles yn dyd. ac ady-
wawt wrth y varchogyon. awn heb ef y lad penn lawn-
slot. Yna ef aberis y geissyaw ar hyt kwbyl or neuad
ar ystauelloed. eissyoes ny chaat dim ohonaw ef. Mi
a debygaf heb yr arglwyd yuynet ef yr ogof. ac ot aeth
ef yno dilis yw y vwyta or griffyeit. Yna ef aanuones
deu orrei hynaf adewraf oe varchogyon y edrych aoed
wir hynny. ar bitheiat yna a dathoed yn ol y vorwyn
yroedynt y griffyeit wedy llidiaw. ac yr awr y gwel-
sant wy y marchogyon wynt ae deiuyassant ac ae
llosgassant. Aphan wybu yr arglwyd hynny trist vu
ganthaw varw y varchogyon. adyuot awnaeth yr lle yr
oed y verch yn y hastauell yn wylaw. ac ynteu a
tybyawd mae o achaws marwolyaeth y marchogyon.
Ac ar hynny nachaf y chwedleu yndyuot ac yn
dywedut llad y llew. ac ar hynny y gwybu ef diangk
lawnslot. ac erchi y ymlit aoruc. eissyoes nyt oed neb
kynhyet ae ymlit ef. Ef a vynnassei y vorwyn hagen
pei as ymlityassynt drwy amot y dwyn ohonunt
drachevyn. kanys ydoed hi wedy ennynnu oe garyat ef.
hyt na wydyat beth awnaey. Eissyoes lawnslot aoed
yn medylyaw am beth arall heb didarbot ohonei hi
dim. namyn marchogaeth awnaeth ef yn vedylgar yny
doeth y lynn ynyal amgylch pryt gosper or dyd. ac yn
llet y glynn yd oed deng milltir. ac obop parth y
hynny yd oedynt fforestyd ynyal. Ac yna ef aarganuu
capel bychan newyd wneuthur. gwedy y doi o blwm.
ac ar y warthaf yr oed dwy groes o eur. ac yn ymyl y
capel yr oedynt tri thei. ac yn ymyl y capel ffynnawn
deckaf or byt. ac wrth bop ty yngyssylldedic ef awelei
gard gaeedic. Lawnslot a dynessaawd att y capel. ac
ef a glywei ganu gosper. ac ef a arganuu lwybyr
bychan fford yr eit yr capel ac yr tei. ar capel aoed

ar ychydic vynyd crwnn. ual na allei neb a march
vynet yno. Ac yna disgynnu aoruc ef athywyssyaw
y varch yn y ol. ac edrych aoruc ef yr capel. ac ef a
arganvu tri meudwy yn canu eu gosper. Yna ef a
gyuarchawd gwell udunt. ac aovynnawd paryw le oed
hwnnw. ac wynteu a dywedassant panyw ynys
avallach y gelwit. ac wynt abarassant ystablu y march.
ac ynteu aedewis y waew ae daryan allan. ac adoeth yr
capel. ac adywawt na weles eiryoet capel degach. ac
yno ef aweles teir allawr yndigawn daet eu hadurnyat
o gyvyrlideu sidan. ac o grwys eur arei aryant. ar
delweu yn newyd wneuthur. ar capel yn lliwedic o
liweu eureit tec. ac ymperued y capel yd oedynt dwy
ysgrin. a phedwar tors o gwyr y mywn pedwar
canhwyllbren o eur. ac ar warthaf yr ysgrineu yd
oedynt dwy lenn eureit. Arglwydi heb y lawnslot
pwy bioed yr ysgrineu hynn. Arglwyd heb yr un or
meudwyeit. arthur bieu y neill agwenhwyuar bieu y
llall. Nyt marw arthur heb y lawnslot etto. Na
varw osdaganduw heb wynteu. eissyoes corff gwen-
hwyuar yssyd yny nessaf attat ti. ac yn y llall y mae
penn llacheu y mab hitheu yny vo marw arthur. Ar
vrenhines a gymynnawd y chorff oe gladu yn y ymyl
ef. ac ar hynny y mae gennym syartrassei dan inseil.
a hi a beris yn y bywyt wneuthur y capel hwnn yny
mod y gwely di. Aphangigleu lawnslot vot corff y
vrenhines yno. ef a golles y barabyl hyt na allei
dywedut ungeir. Eissyoes ny lyuassawd ef wneuthur
amgen dristit rac y adnabot arnaw. ac ef awnaeth lles
mawr idaw vot delw veir gyuerbyn ar ysgrin. Ac
yna gostwng ar dal y linyeu geyrbronn y delw awnaeth
ef. ae ogwyd ar yr ysgrin megys y tybyit arnaw efo
panyw adoli yr delw yr oed. ac yna roi y wyneb ae
eneu wrth yr ysgrin ae chwynaw yn y mod hwnn.

CCXVII.—Arglwydes heb ef panyw bei rac ovyn
gogan ygan y bobyl nyt awn i odyma vyth ac yma
y trigywn y iachau vy eneit. ac y wediaw dros y teu
ditheu. adigrif oed gennyf vot yn y lle y gwelwn dy
ysgrin di. Och duw kannatta ym vy marw vn ehegyr.

a dyuot ym vy angheu yny ryw le y gallwyf gael
vyngcladu yn y capel hwnn. ar nos adoeth. ac un or
ysgolheigyon a dywawt yr meudwyeit na welsynt
eiryoet dyn un garedigrwyd y wediaw duw ac oed y
marchawc aoed yny capel. ac un or meudwyeit
adywawt nat oed yny byt dynyon vwy agarei duw no
rei or marchogyon urdolyon. Ac yna wynt adoethant
yr capel y erchi y lawnslot dyuot y vwyta. ac odyna
y orffowys. ac ynteu adywawt na bwytaei dim y nos
honno. kanys ef avwytayssei or blaen. ac yma heb ef y
trigyafi hyt avory y wediaw geyr bronn delw veir. ar
gwyrda nyt archassant idaw mwy. namyn dywedut y
vot yn wrda y vuched. Yno y bu lawnslot y nos
honno hyt trannoeth. Ar bore drannoeth y meudwyeit
a ymbaratoassant y ganu eu gwassanaeth. ac yno y bu
ef yny daruu y teir offeren. Aphan daruu udunt wy
canu offerenneu lawnslot agymerth eu kennat. A
mynet ymeith or capel aoruc dan orchymun eneit y
vrenhines y duw. ac ar hynny esgynnu ar y varch
awnaeth ef acherdet racdaw. yny doeth y ymyl
kaerllion. ac arganuot awnaeth ef y wlat wedyr
distrywaw. ar dinassoed wedyr losgi yr hynn a vu
drist ganthaw. Ac ar hynny nachaf varchawc urdawl
yn dyuot or parth hwnnw yr wlat wedy y vriwaw yn
drwc. Lawnslot aovynnawd idaw obale yr oed yn
dyuot. Ac ynteu adywawt panyw o gaerllion. ac yd
oed gei yno ar y drydyd o varchogyon urdolyon yn
mynet ac owen vrych yngkarchar y gastell y greic
calet. a mi a geisseis y nerthu heb ef. ac wynteu am
anafassant i yny mod y gwely di. A ydynt wy
ynepell heb y lawnslot. Arglwyd heb y marchawc yr
awrhonn yr aethant wy heb y fforest racko. ac or
mynny di vynet oe hymlit wy mi aaf gyt athi. ac ath
nerthaf yn oreu ac y gallwyf. Lawnslot yna adrewis
y varch a dwy yspardun. ar marchawc arall yny ol
ynteu. ac ef aarganuu owein ganthaw yn rwym ar
warthaf keffyl tuthyawc. Ac yna lawnslot ae godi-
wedawd ac adywawt wrthaw. Myn vympenn i heb ef
wrth gei ti a dylyut uedylyaw vot yndigawn awnath-

oedut y arthur o enwired a drwc am lad ohonat y uab.
kynnyt elut y diua y gyuoeth yn y mod hwnn. Ac ar
hynny brathu y varch aoruc ef tu achei. achei aymchoel-
awd arnaw ynteu. aphob un onadunt adrewis y gilyd
yny yttoedynt yn colli eu gwarthafleu. ac ar y dyrnawt
adrewis lawnslot ef aaeth penn y waew hyt y esgyll
ymywn kei. Achei a torres y baladyr. athrist vu
ganthaw pan wybu y vriwaw. ar marchawc arall
briwedic a vwryawd un o varchogyon kei yr llawr.
Yna lawnslot agymerth march yr un a vwryassit ac ae
roes y owein ac ae roes ar y warthaf. yr hwnn aoed
gwedy y vriwaw yndoluryus hyt na allei ymgynnal o
nyt o abreid. Yna kei a dynnawd cledyf ac a hwylyawd
idaw megys llew kyndeiryawc. a lawnslot yna aweles
owein ar llall heuyt gwedy briwaw yn drwc. ac
auedylyawd nat oed les idaw aros ymguraw ehun
ynerbyn y trywyr rac ovyn dyuot nerth heuyt att gei.
Ac yna efo aerchis y owein ac yr llall gerdet orblaen.
achei aoed yno ar y trydyd yn ymglockyn ac ynteu.
ac yn keissyaw y aflessu or tu draegevyn. Ac uelly
dan amdiffyn y gedymdeithyon y kerdawd lawnslot. ac
ef a ymchoelei weitheu tu ac att gei. ae gedymdeithyon
yny gyffelyb y gwnaei y tramynyat yrkwn. Kei eissyoes
aroi idaw ef dyrnodeu creulawn trymyon pan y godi-
wedei. a lawnslot idaw ynteu. ac uelly yr ymam-
diffynnei lawnslot. Aphan weles kei na allawd aflessu
lawnslot. ef a ymchoelawd draegevyn yn llidiawc ac
amedwl ganthaw ar dial y gam. kanys nyt oed yn yr
holl vyt gwr kyngasset ganthaw ef a lawnslot. a
dyuot awnaeth ef draegevyn hyt yngkastell y
greic calet. Ac yna briant or ynyssed aovynnawd
idaw pwy ae briwassei. ac ynteu adywawt y vot yn
dwyn owein vrych yngkarchar pandoeth lawnslot oe
amdiffyn. Paham heb ef adoeth y brenhin. Nysgwnn
heb y kei. Briant ae varchogyon a vu diogel ganthunt
kanys dathoed lawnslot ehun uarw arthur agwalchmei.
ac am hynny ydoed arnunt diruawr lewenyd. Kei
aberis tynnu y arueu y ymdanaw ac edrych y dyrnawt
yr hwnn aoed yn lle periglus arnaw.

CCXVIII.—Lawnslot ynteu adoeth y gaerllion
arwysc yny lle yd oedynt ychydic o bobyl dechrynedic
drist. yn cwynaw ac yn gweidi am arthur. ac yn
dywedut nat oed wiw udunt aros chweith kanhorthwy.
Ac yr awr y gwelsant wy lawnslot wynt awnaethant
y llewenyd mwyaf. ar chwedleu hynny aaeth att y march-
ogyon aoedynt yn y castell. ac wynteu a doethant yny
erbyn ef oll namyn y rei briwedic. ac a ducpwyt y vyny
drwy diruawr lewenyd. Ac yna govyn chwedleu y wrth
arthur awnaethant wy. a lawnslot adywawt ymwahanu
ohonaw ac arthur yn llannerch y paleis. yn y lle yr ennill-
awd ef yr amws gwynn ar goron eur. Gan hynny y mae
ef a gwalchmei yn vyw heb wynt. Ydynt osdaganduw
heb y lawnslot. ac yna llawenach uuant noc or blaen.
adywedut a orugant y lawnslot ual y gorthrymassei
vriant a chei wynt. Myn vyngcret i heb y lawnslot ny
dylyei gei wneuthur chweith drwc y arthur mwy noc
awnathoed. ac efo aaeth debygafi or maes a llun penn
vynggwaew i yndaw pan achubeis i owein y ganthaw.
llawen vu y marchogyon wrth lawnslot. Eissyoes
trist oed ef o achaws llawer or aoed yn vriwedic yno.
Elinaus or ty atueilyedic aoed yngkastell y greic
calet y gyt a chei. ac yn llawen ganthaw glybot dyuot
lawnslot adref. ac adywawt nat oed yn y byt y
gyngasset ganthaw. Ae vedwl oed ar dial y dat
arnaw os gallei. Ef adoeth diwarnawt gyuerbyn a
chaerllion ar y decuet o varchogyon urdolyon yn
aruawc o bop arueu. ac agynnullassant yr anrheithyeu
y rwng kaerllion ar fforest. Lawnslot yna adoeth
allan ar y seithuet or marchogyon goreu or castell. ac
yn ol y rei a oed ar anreith ganthunt y doeth ef. ar
kyntaf a gyfaruu ac ef onadunt ef ae trewis yny vyd y
waew trwydaw. ar marchogyon ereill atorres eu
pelydyr ar y lleill. ac uelly ymguraw awnaethant yny
syrthyawd y rwng pob tu ae gilyd pedwar yr llawr
yn veirw. ac ef a vriwyt llawer. Elinaus or ty
atueilyedic aarganuu lawnslot. ac a vu lawen ganthaw
hynny. ac ae trewis yn y daryan yn gynffestet ac yny
vyd y gwaew yndrylleu ywch y benn. alawnslot ae

trewis ynteu yngkedernyt y daryan yny orvu arnaw ef
ymovyn pedrein y varch. ac yr llawr ynwysc y benn
ae draet yn uchaf. Ac yna lawnslot avynnassei dis-
gynnu ar vedyr y daly. pan doeth briant or ynyssed
achadernyt mawr ygyt ac ef. a pheri idaw esgynnu
drachevyn ar y varch. Yr ymlad a dwblawd o bop
parth gan varchogyon yn dyuot or greic calet. ac o
gaer llion. yny glywit y pelydyr yn torri. ar dyrnodeu
yn amyl gan y cledyfeu. Ac ar hynny lawnslot a
briant a ymgyrchassant yn greulawn. yny ytoed eu
gwaewyr yn tyllu eu taryaneu ae llurygeu. a phenneu
eu gwaewyr yn ymgyhwrd ae knawt. ar gwaewyr yn
dryllyaw ac yny vyd eu corffeu ygyt ar meirch yn
tramkwydaw y danunt. ae llygeit yndisserennu. Ac
yna tynnu cledyfeu awnaethant wy adyuot bop un yn
erbyn eu gilyd megys llewot. ac ymguraw awnaethant
yny oed y tan yn neityaw oe helymeu. ac ar hynny
elinaus or ty atueilyedic adoeth tu ac att lawnslot yn
nerth y vriant pan neityawd lucanus vwtler yn y
erbyn. atharaw elinaus ae waew yny vyd drwy y
daryan ac yny vreich. ac yna lucanus aysglyffyawd y
ffrwyn ar vedyr y anuon yngcarchar pandoeth tylwyth
briant ae amdiffyn. Y vrwydyr abarhawd yn hir y
rwng briant a lawnslot. kanys llidiawc oed bop un
wrth y gilyd onadunt. ac yn enwedic llidiawc oed
vriant. kanys briwaw awnathoed yndrwc. a llawer oe
waet yn colli. ac amyl oed y niuer. Aphob un a
ymauaelawd aegilyd onadunt arvedyr eu daly.
eissyoes y kedernit o bopparth ae llesteiryawd. Ac
uelly y parhaawd yr ymlad y ryngthunt yny gwahan-
awd y nos wynt. ac or diwed ny allawd briant gael y
gware goreu nae ludyas yr lleill. kanys lawnslot aoed
yn mynet aphedwar o varchogyon briant a hynny yn
vriwedic yngkarchar. heb y rei a drigyawd ar y maes.
Briant or ynyssed ac elinaus adoethant drachevyn
yndoluryus. ac yn drist am eu kedymdeithyon a-
dalyssit ac aladyssit. a lawnslot ae gedymdeithyon
adoethant dracheuyn drwy lewenyd y gaer llion. ac a
dywedassant panyw donyawc vu udunt a chadarn

dyuotyat lawnslot yny delei arthur adref. Y march-
ogyon briwedic or castell aoedynt yn iachau yr hynn
aoed digrif gan lawnslot yny yttoedynt gyt ac ef yn
cadw y castell pymthec arhugeint o varchogyon heb y
rei adugassit yngcarchar. Yma y mae yr ymadrawd
yn tewi am lawnslot. ac yn traethu o arthur ac o
walchmei.

CCXIX.—Er ymadrawd yssyd yndywedut vot
arthur agwalchmei yn y lle y dywawt yr offeiryat y
walchmei padelw y ganydoèd. ac ny allassant wy vynet
odyno ar eu hewyllys. kanys anores vastart yr hwnn
oed vrawt y nabigans or greic. a gwalchmei a ladyssei
y nabigans hwnnw o achaws meliot o loegyr. ac anores
awybu eu bot wy yno ac agasglawd llawer o varchogyon
urdolyon gyt ac ef. ac adoethant oe hattal yny castell.
anores adywawt nat eynt wy o dyno yny darffei udunt
daly gwalchmei. ac arthur. neu wynteu a veynt varw
onewyn. Nyt oed neb gyt ac arthur ymywn namyn
gwalchmei a phump marchawc urdawl or wlat ygyt ac
wynt. ac yr oed gyt ac anores pump marchawc
arhugeint. Yna y brenhin adywawt wrth walchmei
nat oed anrydedus udunt wy vot mywn gwarchae ual
yr oedynt. abot yn well udunt veirw drwy anryded.
no bot yn vyw drwy gewilyd. Arthur a gwalchmei
ar pump ereill awisgassant eu harueu ymdanunt
diwarnawt. ac adoethant allan. anores ae wyr ynteu ae
herbynnassant ar benneu eu gwaewyr. Yna arthur a
gwalchmei ac eu kedymdeithyon adrawssant yn eu
plith. aphob un onadunt a vwryawd un or lleill yr llawr.
Ac yna anores agewilydyawd yn uawr gwelet y wyr
yn gyn amlet ac yr oedynt ac yngadel y ychydic o
niuer oruot arnunt. Ac yna estynnu y waew y
wrthaw aoruc ef atharaw un o varchogyon arthur yny
vyd yn uarw yr llawr. ac odyna dyuot att walchmei ae
daraw yn gyngreulonet ac yny tyllawd y daryan.
Yna gwalchmei alidiawd ac ae trewis ynteu yny vyd
yn torsteinyaw ar bedrein y varch. Yna anores a
ymgyuodes yn wrawl y uyny ac aduc ruthur y arthur
yr hwnn aoed geyr y vron. ac ny wydyat ef panyw

3 c

arthur oed. Ac yna arthur adrewis dyrnawt arnaw.
yny tyrr y breich deheu idaw ar paladyr yr maes. ac
yna kedernyt y marchogyon aoed yn eu gwrthrymu
yn vawr. ac nyt athoedynt wy odyno yn iach nac yn
gyua. pei nabei dyuot meliot o loegyr attunt. ar y
bymthecuet o uarchogyon urdolyon. yr hwnn aglywssei
vot arthur a gwalchmei yny damgyvyngrwyd hwnnw.
kanys neur daroed yna llad y pump marchawc aoed
gyt ac arthur. ac nyt oed namyn wynt yll deu. ac
wynteu yn ymamdiffyn yn wrawl megys a debygynt eu
bot ar angeu. kanys nyt oed gyuartal ugeint yn erbyn
deu. ac ar hynny nachaf meliot ar y bymthecvet yn
taraw yn eu plith. ac yn dwyn arthur a gwalchmei y
ganthunt. ac wynt aladassant yngkylch dec. ar lleill a
ffoassant a hanner eu harglwyd ganthunt. gwalchmei
yna adiolches y veliot y gywirdeb ae garedigrwyd am
amdiffyn eu heneidyeu udunt. Yna arthur a gwalch-
mei a rodassant y castell hwnnw y veliot. kanys ef ae
haedyssei arnunt. Meliot ae kymerth dan y diolwch
udunt. Ac adolygawd y walchmei o chlywei vot
perigyl or byt arnaw dyuot oe gymorth. Ar vyngcret
heb y gwalchmei nat reit ytt adolwyn hynny. kanys ti
yw un or rei mwyaf adylyaf y garu or byt. ac ar hynny
arthur a gwalchmei agerdassant ymeith. a meliot a
ystoryawd y castell.

CCXX.—Dywedut y mae yr ymadrawd yma varch-
ogaeth o arthur a gwalchmei yny doethant y ynys
avallach yn y lle y cladyssit y vrenhines. ac ygyt ar
meudwyeit yno y buant wy nosweith y rei awnaeth
llewenyd mawr udunt. Eissyoes ef aellir gwybot yn
lle gwir nat oed dra llawen y brenhin y nos honno.
namyn atnewydu awnaeth y dristit a dywedut nat oed
yn y byt lle kyn iawnet idaw y anrydedu ahwnnw.
Trannoeth y bore gwedy offeren wynt aaethant ymeith
yn unyawnaf agellynt tu achaerllion. ar brenhin
aweles y dir wedyr distryw ynllawer o leoed yr
hynn aoed drist ganthaw. ac ef awybu yn hyspys
panyw kei aoed yn ryuelu arnaw y gyt ar lleill. a
ryued vu ganthaw ef vot kei yn gynhyet a hynny.

a thu achaerllion y doeth ef. Aphan wybu lawnslot
ae-gedymdeithyon hynny llawen vu ganthunt adyuot
yny erbyn aorugant. Y chwedleu hynny aaeth y bop
lle arhyt y kyuoeth. allawen vu bawp o hynny.
kanys llawer a oed yn tybyeit y varw. Pan wybu
dylwyth castell y greic calet y dyuot ef adref. ny bu
digrif ganthunt wy hynny na chyuyl. eissyoes kei aoed
gwedy y iachau oe dyrnawt. ac ef a vedylyawd mae
ffolineb mawr oed idaw othrigyei mwy yno yr
ryuelu ar arthur. kanys o chaffei arthur le llaw arnaw.
ef a allei wybot bot y vuched wedy teruynu. Kei
aaeth ymeith hyt ymbryttaen vechan. ac yno ef aberis
cadarnhau castell idaw yn yr hwnn y bu ef yn hir o
amser heb ryuelu o arthur arnaw. kanys yd oed idaw
yn lle arall awnelei. Ef aellir gwybot nat oed vychan
y llewenyd aoed yny wlat am dyuotyat arthur y gaer-
llion a phawb adoethant yno.

CCXXI.—Briant nyt ysgaelussawd ef y ualchder.
namyn kadarnhau ryuel awnaeth ef yn vwyaf ac y
gallawd. ac elinans a dyngawd na ffaelyei ef idaw tra
vei vyw. ac na orffowyssei vyth yny gaffei dial y dat
ar lawnslot. amegys yr oed arthur diwarnawt yn
bwyta yny neuad yngkaerllion. allawer o varchogyon
urdolyon y gyt ac ef. ac ar yneill hanner idaw gwalch-
mei. a lawnslot ar y tu arall. ac owein uab uryen. a
sagamor damunedic. ac owein vrych. a llawer o
varchogyon ereill. dieithyr nat oed yno gymcint ac
anotteynt vot. Lucanus vwtler aoed yn gwassanaethu
ar gorlwch eur geyr bronn y brenhin. Yna arthur
aedrychawd ar hyt y neuad. ac adoeth cof idaw y
vrenhines. a medylyaw aoruc ef a pheidyaw a bwyta.
ac yn y vedwl y doeth bot y lys wedy tlodi yn vawr
o achaws marwolyaeth y vrenhines. ac ual y byd ef yn
medylyaw uelly nachaf varchawc urdawl yndyuot y
mywn yn aruawc. ac yn sefyll geyr bronn arthur ae
ogwyd ar y waew. ac yn dywedut. Arglwyd heb ef
gwarandaw arnafi or reingk bod ytt. Magdalans o
orient am anuones i yman attat ti. y erchi ytt ymadaw
ar vort gronn. kanys nyt oes ytti dylyet orbyt arnei

hi. kanys bu uarw y vrenhines. ac ynteu yssyd nessaf
etiued idi hi. Ac ony mynny di wneuthur hynny.
llyma efo drwydofi yth rybudyaw di y ymoglyt racdaw
ef megys yr hwnn y mae yn dwyn y dref tat y,
ganthaw. kanys y mae yn elyn ytt o dwy fford. un yw
o achaws y vort gronn yr honn ydwyt ti yny chynnal
yngkam. ar llall am dy vot yn credu yr gret newyd.
ac y mae ef yn dywedut drwydofi. os tydi a vynny
ymadaw ar gret honno. achymryt brenhines laudyr y
chwaer ef yn wreic briawt yt. ynteu a at yn ryd ytt
y vort gronn ac a vyd nerth ytt ym poblle. ac ony
wney di uelly nac ymdiryet ti yndaw efo. ac ar
hynny y marchawc aaeth ymeith. ac arthur adrigyawd
yno yn vedylgar. Agwedy daruot bwyta ef agyuodes
y vyny. ac a alwawd attaw walchmei alawnslot a
chwbyl oe vilwyr y gymryt kynghor. Arglwyd heb y
gwalchmei ti a amdiffynny dy gyuoeth yn oreu ac y
gellych a ninneu ath gymhorthwn di ar orthrymu
dy elynyon. Brytaen vawr yssyd etto ar dy ewyllys
di. heb golli ohonat ohonei etto na thref na chastell. a
briant or ynyssed ny losges etto onyt ychydic or wlat.
ac nyt collet mawr hynny etto. ac ef aellir peri idaw
emendau hynny. ac osit y vrenhin magdalans allu
mawr y ryuelu arnat ti tu ar occident. anuon ditheu
y rei goreu oth vilwyr y amdiffyn dy wlat racdaw ef.
CCXXII.—Yngkaerllion y bu arthur yngorffowys
yn hir ac yn credu y duw ac yr arglwydes veir. ac ef
adugassei exawmpyl y wneuthur caregleu wrthaw o
lys brenhin peleur. Ac ef aorchymynnawd gwneuthur
y kyffelyp ympoblle yny gyuoeth yr gwassanaethu
duw yn anrydedussach. ac aorchymynnawd peri
gwneuthur clych ympoblle yny deyrnas. a bot y bop
eglwys herwyd y chyuoethogrwyd. a hynny arangawd
bod y bawp or deyrnas. a diwarnawt ef adoeth
chwedleu attaw vot briant or ynyssed ac elinans yn
marchogaeth ar hyt y wlat athoryf vawr y gyt ac
wynt. ae bryt ar vynet y losgi penwed. ony bei yno ae
hamdiffynnei. Ac yna arthur awisgawd y arueu
ymdanaw ac adoeth allan. a chwmpaeni mawr y gyt ac

ef o varchogyon yn aruawc. a marchogaeth awnaethant
yny welsant vriant ae dylwyth. a briant ae gweles
wynteu. ac yna ordinhau eu bydinoed aorugant o bop
parth. ac ymgyrchu awnaethant yn gyngadarnet ac y
tebygit bot y daear yn crynu. Elinans aoed yn
keissyaw lawnslot ympoblle yny kafas. ac yn vywyawl
y daraw a gwaew yn y vyd y daryan wedyr dyllu.
a lawnslot ae trewis ynteu yngkedernit y dwy vronn.
yny vyd y gwaew drwy y balueis allan. ae blannu
yndaw awnaeth yny dorres y veingevyn. ar paladyr
yn drylleu. ac yny dric dryll y paladyr yndaw ef.
Ac yna ae trewis ynteu yr eil dyrnawt. yny vyd y
gwaew drwy y daryan a thrwy y vreich assw idaw yn
drylleu. Yna lawnslot alidiawd ac adynnawd y gledyf
pan wybu y vriwaw. ac ae trewis yn llidiawc ar draws
y balueis ae daryan yny hyll y daryan yn dwy esgyren.
ac yny vyd yr ysgwyd y wrthaw. ac ar hynny dryll y
gwaew adigwydawd yr llawr o honaw. Yna elinans
awybu y lad. ac a ymchoelawd draegevyn yndrist ac
yndoluryus. Y marchogyon ereill a hwylyassant y
lawnslot. a gwalchmei a sagamor aoedynt heuyt a
govit arnunt gan dylwyth briant. ac a nerth y vriant
yndyuot yn y ol. y marchogyon goreu aoedynt yny
damgyvyngrwyd. Arthur abriant aoedynt ymperued
y pres. a thylwyth briant adoethant ac aymauaelassant
affrwyn march arthur ar wedyr mynet ac ef yngharch-
ar. Ac ynteu a ymamdiffynawd yn wrawl racdunt.
ac a wnaeth cwmpas yn y gylch. megys y gwnaei y
tramynyat rac y kwn. ar hynny owein alucanus
adorrassant y pres. a sagamor damunedic adoeth o
nerth traet y varch. ac a drewis briant yny vyd ef ae
varch yr llawr. ac ar y kwymp hwnnw y torres briant
y vordwyt. Ac yna sagamor adynnawd y gledyf ac
ageissyawd gwan briant yny voly pan waedawd arthur
arnaw y erchi idaw naslladei. Ny bu o gedernyt gan
dylwyth briant y achub ar y weith honno. namyn
kiliaw draekevyn awnaethant wy affo. kanys blin
alludedic oedynt. Arthur yna aerchis dwyn briant
y gaerllion. a dwyn y rei briwedic y gyt ac ef. llawen

vu gan y bobyl o gaer llion hynny. Elinans ynteu
aducpwyt y gastell y greic calet yr hwnn ny bu
vyw haeach enkyt. Arthur aberis carcharu briant
ac yny garchar y vedeginyaethu. yny vu iach. ac
yno yd attalwyt briant yny roes diogelrwyd y
arthur ar y dir ae daear ae da. a briant a was-
sanaethawd arthur. lawnslot a vu iach or briw agaws-
soed. achwbyl or marchogyon ereill yam hynny.
uvyd vu briant y orchymynneu arthur ympoblle yny
ytoed y brenhin yncredu oe gynghor ef yn vwy noc y
neb. a drwc vu gan y brenhin vynet kei ymeith heb
gael dial arnaw lad y vab yn ffyrnic. a gwedy hynny
ryuelu arnaw. agovit mawr oed y wr distadyl gwn-
euthur kyflavan kymeint ahonno. ac am hynny y dylyei
yr estrawn dial hynny arnaw yn gystal ar kyfnessaf
rac bot hynny yn exawmpyl y ereill y wneuthur y
kyfryw anffydlawnder.

CCXXIII.—Ovyn briant aaeth dros gwbyl o vrytaen
uawr. Ar brenhin aorchymynnawd y bawp wneuthur
gorchymynneu briant. A megys yr oed ef diwarnawt
yngkaerllion nachaf vorwyn ieuanc yn dyuot ymywn
vr neuad. Arglwyd heb hi brenhines laudyr am
anuones i yma y erchi ytti wneuthur yrhynn aerchis
y brawt hi ytti. a hi a vynn bot yn vrenhines ac yn
arglwydes ar dy vrenhinyaeth di. ae chymryt hitheu
ohonat yn wreic ytt. kanys bonhedic yw achyuoethawc
athec. ac y mae yn erchi ytt yr y charyat hi gwrthlad
ohonat oth wlat y gret newyd. achredu yr duw y cret
hitheu idaw. ac onyt tydi a wna hynny nac ymdiryet
ti vot yn deu ytti dim or wlat honn. kanys brenhin
magdalans y brawt hi yssyd gwedy ymgyweiryaw a
lluydaw ar vedyr dyuot y losgi alban. ac adyngawd na
orffowyssei vyth yny darffei idaw diua kwbyl or holl
ynyssed yssyd berthynas yth wlat ti. ac odyna ef
adaw y vrytaen y dwyn y gennyt breint y vort gronn
yr honn adyly bot yn eidaw ef o dylyet. am arglwydes
i adeuei ehun pany bei un peth. nyt amgen na mynn
vyth edrych ar yr un or cristonogyon. ac yr awr
gyntaf y gweles hi gristawn hi aberis cudyaw y llygeit

rac y welet yr eilweith. ac rac meint y car hi y duw
ac yr anrydeda ef. ef awnaeth yngaredic ahi dwyn
lleuuer y deu lygat y genthi ual nabo reit idi cudyaw
y hwyneb nae llygeit rac gwelet cristawn vyth.
allawen iawn yw genthi hynny. achyn decket yw y
llygeit hi yr hynny a chynt. Eissyoes mawr yw y
hymdiret hi yny brawt yr hwnn aedewis idi diua
cwbyl or rei agredei yr gret newyd. Aphandarffo idaw
ef eu diua wyntwy ymbrytaen uawr ac yn yr ynyssed
ereill hyt na allo hi welet yr un. yna y ryd duw y
golygon idi. yn gwbyl drachevyn. ac hyt hynny ny
mynn hi welet dim.

CCXXIV.—A unbennes heb yr arthur myui a wnn
beth a dywedeist di. a dywet ti yth arglwydes y
gennyfi nat ebryvygafi y gret aordinhaawd duw drwy
y diodefedigaeth ar brenn y groc yr caryat yssyd y
gennyfi arnei hi. a dywet y gennyfi idi hi panyw y
grist y credafi ac y veir y vam. ac o achaws y ffals gret
yssyd genthi hi y mae yn dalles. ac vyth ny wyl hi
yny gretto yr gwr yrwyfinneu yn credu idaw. a dywet
heuyt y gennyf idi hynn na byd hi vyth vrenhines ar
vyngkyuoeth i yny vo un gret ac un glot ar honn a vu
gyt ami or blaen. Gan hynny heb y vorwyn titheu
aglywy chwedleu ny bych vodlawn udunt yn ehegyr.
Y vorwyn a gychwynnawd o gaerllion. ac adoeth yr
lle yd oed y harglwydes. ac adywawt idi ual y dywed-
assei arthur. ae velly heb hitheu. myui yny garu efo
yn vwy nor holl vyt. ac ynteu yn gwrthot vy ewyllys
i am gorchymyn. nyt oes idaw fford y barhau gan
hynny. Ac yna anuon awnaeth hi gennat at y brawt
y dywedut idaw ony efo a dialci ar arthur adywed-
assei. neu y dwyn attei yngcarchar. y ryuelei ehun
arnaw ef.

CCXXV.—Pell a meith med yr ystorya oed dir
brenhin magalans y wrth gyuoeth arthur. kanys reit
vydei vynet drwy deu vor kynn dyuot yr lle nessaf o
tir arthur odyno. ar gwrda hwnnw adoeth ac adiriawd
yn yr alban. ac amylder o bobloed gyt ac ef. aphan
wybu y wlat hynny wynt aystoryassant yn eu herbyn.

ac ymamdiffynnassant racdaw. Brenhin magdalans ayrrassei ywrthaw niuer mawr oe wyr y losgi y wlat. agwyr y wlat aymdiffynnassant y kestyll racdunt. ac odyna wynt aanuonassant gennadeu at arthur. y dywedut idaw y kyflwr. a meint adathoed o niuer am eu penn. ac adolwc idaw dyuot yn ehegyr y amdiffyn y wlat. neu ynteu anuon drostaw ae hamdiffynnei. ac ony wnaei ef hynny ef a gollei y wlat. Pan gigleu arthur y chwedleu hynny. ef aovynnawd kynghor oe varchogyon ae oe vilwyr. Ac yna briant adywawt mae goreu kynghor oed idaw anuon lawnslot kanys milwr kadarn oed ac awydyat lawer y wrth ryuel. A mwy oed yndaw o gywirdeb noc yn neb. Arthur yna aberis y alw geyrbronn. ac adywawt wrthaw. mwy yw vy ymdiret i ynot ti noc yn neb. ac am hynny adolwyn yw gennyf ytt vynet drossof yr angenn hwnn megys yd aethost lawer gweith. a mi arodaf ygyt a thi deugein o varchogyon urdolyon heb ae kanhymdao. Arglwyd heb y lawnslot yn erbyn dy ewyllys di ny bydafi. Eissyoes ymae yn dylys di wyr yssyd well no myui ac yssyd gadarnach oe hanuon yno. ac nyt yr llyvyrder or byt yrwyfi yn dywedut hynny. apharawt wyfi y wneuthur dy ewyllys di. ar brenhin adiolches idaw hynny yn vawr. Lawnslot a gychwynnawd or llys ar deugeint marchawc y gyt ac ef. a marchogaeth awnaethant yny doethant y dir yr alban. yny lle ydoed magdalans gwedy kymryt tir. Pan wybu y wlat dyuot lawnslot attunt wynt avuant lawen. kanys wynt aglywssynt lawer gweith ymdidan y wrth y vilwryaeth ef. ac am hynny uyudhau idaw awnaethant a bot wrth y ewyllys ae gynghor. ae erbynnyeit megys pei brenhin arnunt uei. adiwarnawt magdalans vrenhin adoeth y maes oe longeu yr tir y roi bateil yr rei or wlat. a lawnslot ae herbynnyawd yn wrawl. ac a ladawd llawer oe wyr. a rei onadunt aoedynt yn mynnu ffo tu ae llestri. Eissyoes neur daroed y lawnslot torri llawer ohonunt. Magdalans adoeth yn lledradeid y long ehun. ac aberis eu gollwng yr mor

gyntaf ac y gallawd. ar rei ny chafas eu llestri yn
barawt onadunt wynt adrigyassant ar y meyssyd
yndrylleu. Magdalans aymchoelawd draegevyn. ac
or ugeinllonglwyth adoeth ygyt ac ef. nyt aeth adref
yr un namyn dwy. y tir a drigyawd ynhedwch. a
lawnslot adrigyawd yno dalym oenkyt. ar bobyl or
wlat yn y garu yn vawr. ac yn kanmawl y vilwryaeth
ae daeoni yn vawr.

CCXXVI.—Megys y bydei arthur diwarnawt yn
bwyta ae vilwyr o bopparth idaw. ac yn tybyeit kael
llonydwch oblegyt ryuel. nachaf varchawc urdawl yn-
dyuot y mywn ac yn sefyll geyrbronn arthur. heb
gyuarch gwell idaw odim. ac yn dywedut. Arglwyd
heb ef mae lawnslot. A unben heb y brenhin nyt ydiw
yny wlat honn. Mynvyngcret heb y marchawc drwc
yw gennyfi nat ydiw ef. Pa le bynnac y bo ef heb yr
arthur y mae yn wr y mi ac om llys. Ie heb y march-
awc. brenhin claudas yssyd yn anuon attat ti y gen-
nyfi y dywedut y vot ef yn elyn y lawnslot. ac y titheu
oe achaws ynteu os kynhely ef o hynn allan. kanys ef
aladawd elinans y nei uab y chwaer. ac aladawd y dat
heuyt. eissyoes ny deu...at ef yr brenhin. onyt o gyu-
athrach. Ny wnn i heb yr arthur pa delw y dechreu-
awd yr elynnyaeth y ryngthunt wy. namyn hynn
awnn i vot y brenhin hwnnw yn kynnal llawer o gestyll
y rei adylyei vot yn dref tat y lawnslot. ac aducpwyt y
gan y dat. ac am hynny reit yw y bawp geissyaw y wir
dylyet. a dywet ti y vrenhin claudas y gennyfi. na
ffaelyafi vyth ym gwr yny aller profi twyll arnaw ym-
kyueir. Ac o gwelafi vot lawnslot ar y cam mi ae gwed-
iaf ar y dyuot yr iawn. ac ony mynn ef emendau or
byd ar y cam yna ni aadwn yr gyvreith gerdet. Aphryt
na mynno nac efo nac arall garu y wirioned. ny dyly na
minneu nac arall y garu ynteu. Aphan glywo lawns-
lot y chwedleu hynn mi aatwaen ar y gymhenndawt ef
y gwna kyfyawnder ympoblle ar y dylyo y wneuthur.
Ie heb y marchawc tydi a glywy a dywetafi. os kynhely
di efo o hynn allan ef a vyd gelyn ytt. ac am awnaeth-
ost nyt bodlawn ytt. ac ar hynny y marchawc aaeth

3 D

ymeith. ac arthur aberis galw briant attaw a llawer or
marchogyon ereill. ac aovynnawd kynghor udunt. Yna
owein adywawt. arglwyd heb ef. dilis yw. lawnslot alad-
awd elinans. a hynny yndywassanaeth di. megys yr
hwnn aoed yn ryuelu arnat heb y haedu arnaw. ac or
bei efo elyn y lawnslot. paham na deuei ynteu y geis-
syaw kyvyawnder yth lys di ac ef ae kawssoedyat ual y
kafas pawp. apheth bynnac ahaedassei lawnslot ar eli-
nans. ny haedassut ti ar elinans dim drwc. yr hwnn alad-
awd lawnslot ef yn dy reit ti. ac am hynny kam debyg-
gwn i oed y vrenhin claudas ryuelu arnat ti dim.
Owein heb y briant dilis yw panyw lawnslot aladawd
arglwyd y ty atueilyedic. ac elinans y vab yr hwnn
adoeth ym nerthau i. pan oed drwc y rof ac arthur.
Aphan wybu lawnslot lad ohonaw y dat ef. ef a dylyas-
sei peidiaw a llad y vab. acheissyaw hedwch a charyat
y ganthaw. Briant heb y gwalchmei lawnslot nyt
ytiw yma. namyn ynggwassanaeth yr amherawdyr arth-
ur y mae ual y gwdost di. ac y gyt a hynny ti a
wdost panyw elinans adoeth attat ti. athitheu ae
gwnaethost ef yn varchawc urdawl. agwedy hynny ef
aryuelawd ar arthur. ac arthur gwedy mynet y bererin-
dawt heb vot yn gyfiawn ryuelu arnaw. ac heb hanuot
heuyt oth wlat titheu. ac ual yr oed arthur yn mynet
oe bererindawt ef a dywetpwyt idaw ual yd oedewch
chwi yn kyweiryaw y wlat ef. Ac yna ynteu aanuones
lawnslot y amdiffyn y wlat ragawch chwi. yr hwnn ae
hamdiffynnawd achwi awdawch padelw yny doeth arth-
ur adref. Ac ef a wybu elinans pandoeth arthur
adref. yr hwnn ny wnaeth cam a neb eiryoet. ac aollyng-
ei y iawn y pawb. ac yn enwedic yn y lys. Paham
na deuei elinans yna y brofi ar lawnslot. aphei dathoed
ef a gawssoedyat gyfreith a chyfyawnder. Sef aoruc
ynteu ryuelu ar arthur. ac yn amdiffyn dylyet a chyf-
yawnder arthur y lladawd lawslot efo yn y ryuel hwnnw.
ac ossit neb adywetto na bo kyfiawn y lladawd lawns-
lot elinans pa ffuryf bynnac y bu y ryngthaw ae dat.
llyma vyngcorffi yny erbyn yr hwnn a vynno ae yr awr-
honn ae ynteu amser arall. Gwalchmei heb y briant

ny cheffy di yma hediw a gymero gwystyl am hynny.
namyn hynn a dywedafi nat reit y arthur wrth mwy o
ryuel noc yssyd arnaw. ac na dyly ynteu wneuthur
idaw y gedymdeithyon yn elynyon idaw. na thitheu
ny dylyut y gynghori ef ar hynny. Ti awdost vot
brenhin magdalans yn ryuelu arnaw. ac os brenhin
claudas aryuela heuyt arnaw. wynt arodant idaw dig-
awn oe wneuthur. ac am hynny y kynghorwn i idaw
efo yr hedwch yr deyrnas. ac yr kynnal y gedymdeith-
yon yn y law gwrthlad lawnslot oe lys blwydyn-
gweith ynyelei y chwedleu at vrenhin claudas daruot y
wrthlad orllys. ac uelly y keffit caryat brenhin claudas.
CCXXVII. — Sagamor damunedic yna adywawt wrth
briant. pwy bynnac arodei y arthur y ryw gynghor
ahwnnw am y vilwr kywir. os lawnslot awassanaethawd
arthur yngywir. ac os lawnslot aladawd elinans yr
hwnn aoed yn ryuelu ar arthur. a heb na murn na
lletrat y las lawnslot ef. os arthur gwedy hynny awrth-
ladei lawnslot ac ae gyrrei ymeith ywrthaw. ys da
lawnslot a gawssoedyat ef. a gwedy hynny ac atuyd
brenhin claudas abarei yspio lawnslot oe lad. allyna
avydei anryded mawr y arthur. Nyt ydwyfi yndy-
wedut hynny yr bot ar lawnslot ovyn brenhin claudas
corff ynerbyn corff. nac ovyn y milwr goreu oe gyuoeth.
allawer peth adoeth y dyn heb ymoglyt racdaw. Ac
os arthur a ryd kennat y lawnslot vlwydyn y vot y
wrthaw. ef adebygir mae llyvyrder ac ovyn. ac na ly-
uassei arthur y gynnal rac y llall. Y gyt a hynny hevyt
heb ef na myui nac arall ny dylyei ymdiryet vyth y
arthur gwedy hynny. Sagamor heb y briant. gwell
oed y arthur y gannattau ef vlwydyn y wrthaw no
godef ryuel arnaw. a diua y wlat oe achaws. Y balch
or llanerch adywawt anwaret idaw y neb aethrotto
milwr da y wrth y arglwyd. ac yr na bo lawnslot yma
na dywet ti amdanaw ef y peth nysdylyych. kystal y
kafas llys arthur glot ac enryded oblegyt lawnslot ac
oblegyt grymussaf oc yssyd yny llys. ac onybei lawns-
lot yndi agatvyd ef avydei waeth y chlot noc y mae.
ac nyt oes yn holl vrytaen milwr rymussach na mwy y

argysswr ar bawp no lawnslot. ac o char y brenhin dydi
na wna di idaw efo gassau y wyr. kanys y mae ryw
pedwargwyr neu bump pei ascollei ef oth achaws di.
ny chaffei ef vyth oth blegyt ti eu kystal wy. Lawns-
lot avu yn gwassanaethu arthur yr ystalym. a gwell vu
lawnslot idaw efo no thydi. ac os brenhin claudas a
ryuela ar arthur o achaws lawnslot. ef aellir godef
hynny. kanys y mae y arthur o vilwyr da mwy noc y
vrenhin or byt.

CCXXVIII.—Dywedut y mae yr ymdidan yma y
llidiassei y balch wrth vriant a briant wrthaw ynteu.
pany bei vot y brenhin yno yr hwnn adorres yr ymdi-
dan yryngthunt.   Pan wybu y brenhin daruot y lawns-
lot oruot ar magdalans allad kanmwyaf y wyr. ef aan-
uones kennadeu y erchi idaw dyuot draegevyn. aphan
gychwynnawd lawnslot ar vedyr dyuot. ny bu hyfryt
gan y wlat. adyuot aoruc ef hyt att y brenhin. a chw-
byl or llys a vuant lawen wrthaw. kanys karedic oed
gan bawb.   Rei adywawt idaw y chwedleu y wrth
brenhin claudas. ar parableu adywedassei vriant am-
danaw. ny wnaeth Lawnslot yr hynny namyn tewi me-
gys y neb awydyat dyuot yn anrydedus o bop anghyf-
lwr.   Lawnslot adrigyawd yn y llys yn hir o debygu
yd anuonei vrenhin claudas yno ryw gennat.   Briant
eissyoes a vynnei pei y brenhin ae gwrthladei. kanys
cassach oed ganthaw lawnslot no neb or llys. kanys efo
vwyaf ae gorthrymassei.

CCXXIX.—Magdalans o orient a gigleu vynet
lawnslot draegevyn ac adaw gwlat alban yn wac onyt
oe thylwyth ehun.   Ac yna ef aberis paratoi y longeu
ac eu hystoryaw. ac adoeth draegevyn yr alban a llu
mawr gyt ac ef. ac alosges y wlat ympob lle ac ae di-
uaawd. ac awnaeth mwy o drwc noc anottaawd or blaen.
Yna y rei or wlat aanuonassant genadeu att arthur y
erchi idaw anuon nerth attunt. neu wynteu a rodynt y
wlat ar kestyll kanys ny ellynt barhau mwy. Yna y
brenhin a gymerth kynghor y edrych pwy a anuonei
attunt. ac wynteu adywedassant bot yno lawnslot or
blaen. anuoner briant yno weithyon kanys mwyaf y

credy idaw. Yna y brenhin aanuones briant adeugeint
marchawc urdawl ygyt ac ef ual y danuonassei gyt a
lawnslot. Briant yr hwnn ny charei ef haeach o arth-
ur adoeth yno. ac aamdiffynnawd y wlat yn ysgaelus.
ac wynteu adoethant diwarnawt y wneuthur bateil. a
magdalans a oruu ar vriant. ac aladawd y varchogyon
urdolyon oll. Ac yna tylwyth magdalans awasgar-
assant arhyt y wlat. ac agymerassant y kestyll
ar trefi ac ae distrywassant. a chwbyl ar ny
mynnei gredu y eu duw wy. llad eu penneu awn-
eynt. Ac yna .tylwyth y wlat adywedassant pei
lawnslot a vei yno. na bydei udunt y damchwein
ual ydoed. Briant adoeth draegevyn megys y neb
nysdidorei vot y ryuel yn tyuu o bopparth. Apha
da bynnac awnelei ef y arthur. nyscarei ef vyth. ny
lyuassei ynteu wneuthur drwc yny lle yr adnabydit
arnaw. kanys y rei goreu oe wyr aladyssit yn y vateil.
ac am hynny oachaws lawnslot ac ereill aoedynt yn y
llys ny beidyei y brofi. ac ys oed gwell ganthaw na bei
yr un yn y llys noe vot.

CCXXX.—Diwarnawt ydoed arthur yngkaerllion
yn kynnal gwyl. a llawer o vilwyr gwedy dyuot yr
wled. y brenhin aaeth y eisted. ar dyd aoed yndec ac
yn eglur. ar awyr aoed pur a glan. Sagamor a lucanus
vwtler aoedynt yn gwassanaethu geyr bronn y bren-
hin. A megys yr oedynt wy gwedy gwassanaethu or
anrec kyntaf. nachaf dyrnawt a chwarel megys pei
delei o albryst ac yntaraw ymperued y golovyn aced
yny neuad geyrbronn y brenhin. ac edrych a wnaeth
pawp ar y gilyd a ryuedu hynny. kanys y kwarel
aoed yn un ffunyt aphei at vei yn eur oll. ac yny
gylch yr oedynt gwedy eu sawduryaw mein mawr-
weirthyawc. Y brenhin yna adywawt na doeth eiryoet
kwarel kyndecket ahwnnw o le tlawt. Gwalchmei
alawnslot a dywedassant na welsynt eiryoet y gyn
decket. ac ef a drewis yn gyn ffestet yny golovyn ac o
vreid y gwelit dim or haearn. Ac ar hynny nachaf
vorwyn dec yn dyuot ar geuyn mul a digawn o adurn
yn y chylch. A chyfrwy y mul aoed o asgwrn

moruil. ae ffrwyn o eur. a gwisc o vliant ymdanei. a
gwas ieuanc yny hol hitheu. a hi adoeth hyt geyr
bronn y brenhin. Arglwyd heb hi mi adeuthum yma
y erchi rod ytt. ac ny disgynnafi odyma yny
kenhettcych ym. kanys uelly y mae y dynghetuen
ym. · ac am hynny y deuthum i yma. kanys mi
a gigleu tystolyaethu ynllawer lle ar y bum nawdost
di nackau. A unbennes heb y brenhin. dywet ym
paryw rod avynny y gaffael y gennyfi. Arglwyd heb
hi mi aarchaf ytt yr duw peri yr marchawc a allo
tynnu y kwarel or lle mae vynet ym anghenreit i.
A unbennes heb yr arthur dywet titheu paryw
anghenreit yw hwnnw. Arglwyd heb hi mi ae dy-
wedaf ytt pan welwyf y marchawc a dynno y kwarel
or lle y mae. A unbennes heb y brenhin disgyn. osda
gan duw nyt ey di omllys i drwy dy nackau. Lucanus
yna ae kymerth rwng y dwylaw ac ae roes ar y llawr.
ac aerchis mynet ar mul yr ystabyl. Aphan daruu yr
unbennes ymolchi ef ae gossodes y eisted yn ymyl
owein yr hwnn ae gwassanaethawd ac ae hanryded-
awd. Aphan daruu udunt vwyta y vorwyn awedi-
awd y brenhin ar wneuthur yr hynn aadolygassei
idaw. Arglwyd heb hi ymae yma lawer o vilwyr da.
ac ef adichawn vot ynllawen y neb a allo tynnu y
kwarel odyracko. kanys ynlle gwir nys tynn odyno
onyt milwr da. ac ny dichawn neb wneuthur vy
anghenreit inneu onyt efo. Gwalchmei heb yr arthur
a roy di dy law ar y kwarel. Och arglwyd heb y
gwalchmei ny wney di ymi gewilyd. Ac myn y gret
a dyly duw ymi ny rofi vy llaw arnaw ef hediw
ymblaen lawnslot. ony byd rac dy lidyaw di. kanys
nyt oed enryded ymi dechreu ymblaen y geniuer milwr
da yssyd yman. Owein heb y brenhin a roy di dy
law ar y kwarel. Arglwyd heb ef nyt oes dim nys-
gwnelwn i yrot ti os gallwn. am hynn eissyoes yr duw
na chymell di vyui oe wneuthur. Sagamor heb y
brenhin. a velly ditheu. beth awnewch chwi. Arglwyd
heb ynteu pandarffo y lawnslot provi tynnu y kwarel
ni awnawn yr hynn avynnych. ac oe vlaen efo nyt awn

ni os da gan duw. A unbennes heb yr arthur ymbil
a lawnslot am vynet. a gwedy hynny ef aa y lleill or
byd reit. Lawnslot heb y vorwyn yr mwyn y neb
mwyaf a gereist eiryoet. na nackaa vi yn yr hynt
honn. ac or byd· reit y lleill ae kanhattánt. ac ny
chafinneu arglwyd hirdrigyaw yma. A unbennes heb
y lawnslot pechawt yw ytt vyntynghetuennu o dim
yn y byt. kanys y mae ryw vilwyr yma am goganeynt
i. ac am gelwynt yn vostywr ot awn i yn eu blaen.
Nac oes myn vyngcret heb y brenhin. namyn mwy
yth ganmolant yn lle dy gwrteyssi. a heuyt clotuawr
ac enrydedus yw yttitheu or gelly y tynnu. ac alussen
yw kymhorth morwyn heuyt. ac yr wyfinneu yth
wediaw yr y gret adylyydi ymi ar roi dy law ar y
kwarel ymblaen y lleill. Lawnslot ny mynnawd torri
gorchymyn y brenhin. ac y gyt a hynny heuyt ef
adoeth cof idaw y dynghetuennu or vorwyn ef yr
mwyn y neb mwyaf a garyssei eiryoet. a dilis nat oed
dim kymeint agarei ef ar vrenhines kyt bei marw.
Ac yna ef a gyuodes y vyny. ac avwryawd y vantell y
wrthaw. ac adoeth att y golovyn. ac aroes y law ar y
kwarel. ac a roes tynn yr kwarel yny vyd y golovyn yn
crynu. ac ae tynnawd allan. ac odyna ae roes yr
vorwyn. Aphan daruu idaw ef hynny hitheu ady-
wawt yr awr honn y dylyafi dywedut vy neges. ac nyt
oed marchawc yma adynnei y kwarel onyt efo. athitheu
arglwyd aedeweist ymi. gwneuthur or marchawc ae
tynnei vy neges os gallei. ac nyt archafinneu idaw ef
wneuthur peth ny allo y wneuthur. Ef a vyd reit
idaw vynet yr capel periglus gyntaf ac y gallo. ac
ymae yno marchawc gwedy y amdoi yny ysgrin. a
chymeret ef beth or amdo ar cledyf yssyd geyr y
ystlys a dyget ymi hyt y castell periglus. a gwedy del
ef hyt yno. ef a vyd reit idaw vynet hyt y castell y
lladawd y llew y dan y daear. yn y lle y mae y deu
griffwns. ac yno llad penn un or deu griffwns ae dwyn
ymi hyt y castell periglus. kanys marchawc urdawl
yssyd yno ynglaf. yr hwnn ny byd iach vyth onys
keiff. A unbennes heb y lawnslot mi awelaf na rout

ti haeach yr vy mywyd i. am keffych di dy ewyllys.
Myui awnn heb hi na allei neb hynny namyn tydi. ac
ny mynnwn i ytti gael dy angeu. kanys pei at ueut
marw di ny chaffei y marchawc y iechyt vyth. ac oe
achaws ef ydwyt ti yn mynet yr gwassanaeth hwnn.
athi awely y vorwyn ieuanc deckaf or aweleist
eiryoet. ar honn vwyaf ath gar ditheu or byt. ac os hi
avynn dy nerthau di. ti agwpley hynn yn da. amogel
bellach rac hir drigyaw yn hynn. a bryssya oe gwplau.
kanys arnat ti y disgynnawd y gweith hwnn. kanys
bo hwyaf yr arhoych mwyaf ageffy o berigyl. ac ef ar
allei heuyt damchweinyaw ryw wrthwyneb ytt. ar
hynny yr unbennes agymerth y chennat ac aaeth
ymeith or llys. Ac yn mynet y dywawt wrthi ehun.
lawnslot heb hi y boen honn ar drafael abereis i ytti y
gael. dy angheu ditheu nys mynnwn i. anesmwythdra
nymtawrinneu ytti y gael. ac yr wyt yn mynet yr
deule bericlaf or holl vyt. ami adylywn dy gassau di.
kanys ti adugost y gennyf y gwr mwyaf agereis
eirmoet. ac ae rodeist y arall. ac nyt a hynny dros y
gennyf tra vwyf vyw. Ar hynny ynteu lawnslot
aaeth or llys drwy gennat arthur achwbyl o varch-
ogyon y llys. ac odieithyr kaerllion y doeth ef. ar
fforest agyrchawd acherdet racdaw awnaeth dan wediaw
duw ar y dwyn yn iach draegevyn.

CCXXXI.—Ema ymae yr ymdidan yntewi am
lawnslot. ac yn dywedut vot briant gwedy dyuot
adref y gaerllion. ac or deugeint marchawc urdawl
aaeth gyt ac ef ny doeth adref namyn pymthec. or
achaws yr oed arthur yn drist. ac y dywawt. llei yssyd
ym ogedymdeithyon bellach noc aoed. Y niuer o
wlat yr alban aanuonassant at arthur y erchi idaw
anuon lawnslot attunt onymynnei golli y wlat yn
dragywyd kanys ny welsant eiryoet gwr avedrei
colledu y elynyon yn well noc ef. Yna arthur aovyn-
nawd y vriant pa ffuryf y collassei y wyr. Arglwyd
heb y briant. magdalans yssyd a gallu mawr y gyt ac
ef. aphan del kedernyt am eu penn wynt awnant
gestyll oe llongeu hyt na allo neb parhau yn eu

herbyn. ac ny welet eiryoet ryuelwyr un ystryw
ac wynt. aphell arglwyd ydiw y wlat honno y
wrthyt ti. ac ef agosta ytt vwy oe chynnal noc
adal. ac ogwney di vyngkyngor i ti ae hysgaelussy
hi. ac amdiffynnet gwyr y wlat hi os mynnant.
Briant heb y brenhin gormod gogan oed hwnnw y
myui. ac ny dyly gwrda or byt ysgaelussaw nac yr
cost nac yr llavur y peth a vo eidaw. ac ot ysgael-
ussafi y wlat heb anuon idi nerth achynghor ny
roir nytwyd yrof. ac y gyt a hynny vy angklotuori
awneir. a dywedut na allaf gynnal vyngkyuoeth
arnaf. A gwaeth yw gennyf no cholli y wlat vot y
bobyl ynreit udunt rac ovyn eu hangeu credu yr
angcret etto. ami awnawn pei darffei y lawnslot orffen
yr hynn ydaeth y wneuthur y yrru yno. kanys ny
chatwei neb y wlat yn well noc efo. Aphei buassei ef
yno ar y deugeinuet o varchogyon urdolyon y gyt
a gwyr y wlat ny bydei yn emawr o bara ar vagdalans.
Gwyr y wlat heb y briant ny roynt nytwyd yr neb
onyt yr lawnslot. ac wynt adywedassant pei as
anuonut ti efo yno y gwneynt wy efo yn vrenhin
arnunt. Ef ar allei udunt wy dywedut hynny heb yr
arthur. lawnslot eissyoes ny wnaei ef dim ar avei yn
erbyn vy ewyllys i. Arglwyd heb y briant kanny
mynny di vyngcredu i ny dywedafi yttitheu mwy.
namyn hynn awnn i y vilwryaeth ef awna ytti vwy o
afles noc oles or diwed. onyt ymogely ynwell nac yd
ymogeleist hyt hynn.

CCXXXII.—Tewi ymae yr ymadrawd am vriant yr
hwnn ydoed arthur yn y gredu yn ormod. ac yn-
dywedut am lawnslot y vot yn kerdet drwy amryuael-
yon leoed a fforestyd. yn vedylgar. ac ny marchocaawd
ef haeach. yny gyvaruu ac ef marchawc urdawl wedyr
vrivaw yn drwc. A lawnslot aovynnawd idaw pwy
ae briwassei yn y mod hwnnw ac obale ydoed yn-
dyuot. Arglwyd heb ynteu or capel periglus or lle
ny allwn i ymamdiffyn rac ysprydyoed drwc aoed yno
y rei am anafawd i ynymod y gwely di. Aphany bei
dyuot morwyn yno or fforest nyt athoedwn i yn vyw

odyno. A hi am nerthawd i dan amot or dam-
chweinyei ym welet lawnslot neu paredur neu walchmei
erchi yr kyntaf awelwn onadunt vryssyaw attei.
aryued yw genthi hwyret ymaent heb dyuot yr capel.
kanys ny dyly dyuot yno onyt un onadunt wy ylltri.
a ryued yw gennyfinneu vot yndi hi o hyder drigyaw
yno. kanys periglussaf lle or a weleis eirmoet yssyd
yno. ac un or rei tecaf yw hitheu. ahi adaw yno yn
vynych ehun. ac ymae yno marchawc newydlad wedyr
gladu mywn ysgrin. ac ny bu eiryoet medynt wy wr
greulonach na dewrach no hwnnw. A wydut ti heb y
lawnslot pwy oed y henw ef. Ef aelwit heb ef anores
vastart. ac nyt oes idaw vreich namyn un. Y breich
arall ynteu a torrassit yn ymyl y castell a roes
gwalchmei y veliot am y dyuot oe amdiffyn ef ac
arthur y gan anores ae dylwyth. a gwedy hynny ef
adoeth y geissyaw y castell y ar veliot. a meliot ae
lladawd ynteu. ac ynteu a vriwawd meliot yn drwc. ac
ny byd iach vyth yny gaffo y cledyf yr hwnn y
briwyt ac ef. ar cledyf yssyd yn yr ysgrin gan ystlys
anores. aphei gwelwn i yr un onadunt wy mi awnawn
neges yr unbennes wrthaw. A unben heb y lawnslot
ti aweleist un onadunt kanys myui yw lawnslot. ac
am dy welet di mor vriwedic ac ydwyt. yr wyfinneu
yndywedut ytti vy henw yndirgel. Arglwyd heb y
marchawc duw ath gatwo rac drwc kanys yr wyt yn
mynet y le periglus iawn. Eissyoes yr unbennes yssyd
ynchwannawc yth welet ti ny wnn i y babeth. namyn
hi a dichawn dy amdiffyn di os mynn. A unben heb
y lawnslot aamdiffynnawd duw vyui o lawer perigyl.
ac ef am amdiffyn etto o hwnn os da gan duw. ac ar
hynny ymwahanu awnaethant wy. a lawnslot a varch-
ockaawd. yny doeth yr capel periglus. yr hwnn aoed
ymywn glynn yn y fforest. a mynnwent vechan gaedic
yny gylch. achroes hen oed odieithyr y capel. Yna
lawnslot adoeth ymywn yn y arueu. ac ymgroessi aoruc
ac ymorchymun y duw. ac ef awelei yny vynwent
vedeu llawer. a gwedy nossi ef a glywei dynyon debygei
ef yngkylch y vynnwent yn dywedut yn issel bop un

wrth y gilyd. dieithyr nat ytoed ef yn dyall beth a
dywedynt wy. ac nys gwelei heuyt yn amlwc. Ef
awelit idaw ynteu eu bot wy yn vawr ac yn uchel.
Ac yna ef aarganuu ortu allan yrcapel rastyl agweir
meirch yndi. ac ynteu aossodes y uarch ef yno. A
gwedy hynny ef adynnawd y daryan y am y vynwgyl.
ac aeduc yr capel. ac nyt oed oleu iawn y capel. kanys
nyt oed yndaw dim onyt un lamp dywyll. Aphan
daruu idaw ef canu y badereu a gwediaw geyr bronn
delw veir. ef adoeth y ymyl yr ysgrin ar ysgrin a
ymagores ehun. yny welei ef y marchawc yr hwnn oed
vawr ac aruthur. ar amdo aoed ymdanaw aoed waet-
lyt. Yna efo agymerth y cledyf aoed geyr y ystlys.
a gwedy hynny ef a gymerth y marchawc ac ae dyrch-
afawd y vyny. ac ydoed yn gyndrymet ac o abreid
vyth yr ysgogei. Ac yna ef adorres hanner yr amdo.
ar ysgrin a chwydawd yn gymeint ac y tebygassei ef y
syrthyei y capel pan gymerth yr amdo. ac ar hynny
caeu yr ysgrin aoruc ef. adyuot hyt ar drws y capel. ac
ef aarganuu gwyr ar veirch ymperued y vynwent her-
wyd adebygei ef. ac eu bryt ar ymlad. ac ef a debygit
idaw efo eu bot wy yny wylyat ef ac yny yspiaw. ac
ar hynny ef awelei vorwyn ieuanc yn ogwta yn dyuot
ar draws y vynwent. ac abrys mawr arnei. ac yn dy-
wetut wrth y marchogyon duon. nac ysgogwch chwi
heb hi yny wypwyfi pwy yw efo. Yna hi adoeth tu ar
capel ac adywawt wrth lawnslot. Tydi heb hi dot y
cledyf yr llawr. ar hynn agymereist y wrth y marchawc
marw. Beth aberthyn ytti heb y lawnslot ar yr hynn
agymereisi y ganthaw ef. Am y gymryt o honat heb
vyngkennat i heb hi. Ami avum yma yn gwarchadw
y lle hwnn ar capel yr ystalym. ac am hynny dywet
ym dy henw. A unbennes heb y lawnslot beth aen-
nilly di yr gwybot vy henw i. Nysgwnn heb hi beth
vyd ym hynny ae ennill ae collet. namyn mi aweleis
amser y govynnwn i dy henw di yn anhegarach ytt.
A unbennes heb ef. ef am gelwir lawnslot dy lac. Gan
hynny heb hi ty a dylyy gael y cledyf ar amdo. a
chanys kefeist dabre y gyt ami ym castell. kanys mi

ath damuneis lawer gweith ti apharedur a gwalchmei.
a dabre di ygyt amyui athi awely y teir ysgrin abereis eu
gwneuthur ar awch medyr chwi awch tri. A unbennes
heb y lawnslot ny mynnafi welet vy med mor ehegyr a
hynn. Myn vympenn i heb hi ony deuy di nyt ey
odyma ual y tebygy. kanys y rei awely di racko dieuyl
daearawl ynt yn gwarchadw y vynnwent honn ac wynt
awnant vy ewyllys i. Os da gan duw heb y lawnslot
nyt reit y gristawn ovyn dy dieuyl di. Och lawnslot
heb hi mi a archaf ytti yr duw dyuot y gyt a mi ym
castell. a mi ath amdiffynnaf di yma oth eneit ath
gorff. ac ony mynny di wneuthur hynny dot y cledyf
ar amdo yny lle y kefeist. a dos lle y mynnych. A un-
bennes heb y lawnslot yth gastell di nyt afi ac ny
mynnaf vynet. ac nac arch ym hynny mwy. kanys y
mae ym negeseu ereill yw gwneuthur. nar cledyf nys
rodaf inneu y wrthyf yr adel ym. kanys y mae yn glaf
marchawc adyly bot yn iach oblegyt y cledyf hwnn.
yr hwnn a vydei varw onys kaffei. A gormod gouit
oed y varw ef. Och lawnslot heb hi dy druttet ti
ymkyueir i. adrwc yw gennyfi vot y cledyf y gyt
athydi. aphany bei y vot ef gennyt ti nyt aut ar dy
ewyllys odyma. ac ygyt a hynny mi abarasswn dy
dwyn ym castell lle nyt aut ohonaw vyth tra veut
byw. ami a vum yr ystalym yngwylaw y fforest honn
amdanat ti. Ac yr awrhonn oblegyt y cledyf hwnnw
ti amsomeist i. kanys nyt oes neb a allo ytti dim o
argywed tra vo y cledyf gennyt. nath attal yma heuyt
am yr hynn ydwyf drist i. Nyt trist gennyfi hynny
heb y lawnslot. Ac yna lawnslot a gymerth kennat y
gan y vorwyn. yr honn ny rengis bod idi dim oe
vynetyat. ac yna ef agymmerth y arueu ac aaeth ar
y varch a thrwy y vynnwent. ac aedrychawd ar y
bobyl drwc hynny. y rei adebygei ef eu bot ar vedyr y
lyngku yn vyw. a chilyaw y ar y fford ef a wnaethant
wy yr hynny heb allel argywedu idaw. a cherdet rac-
daw aoruc drwy y fforestyd yny ytoed y dyd yn ym-
dywynnygu. ac ar y fford ef agyfaruu ac ef kudugyl
meudwy yny lle gwarandawawd offeren. ac yno bwyta

ychydic aoruc. A gwedy hynny ef a varchocaawd yny
ytoed yr heul yn mynet y gyscu heb welet na thy
na chyuanned. ac adoeth nos arnaw yny fforest hyt na
wydyat lawnslot y pa fford yr aei. am nat oed vynych
idaw vot yn y wlat honno. a marchogaeth uelly aoruc
yny doeth y ymyl avon vechan. ac yn ymyl yr avon yr
oed lwybyr bychan. yr hwnn a ganlynawd ef yny
doeth o vywn gard a glaswellt yn tyuu yndi ar porth
aoed ar yr ard aoed yn agoret. Ac yn gaeat yny
chylch ogylch ovur maen. Ac yna lawnslot agaeawd
y porth yny ol ac adynnawd y ffrwyn o benn y varch
agadel idaw bori. Ac nyt ytoed ef yngwelet y castell
aoed yno rac hyt y gwyd aoed yny gylch. ac rac
tywyllet y nos. ac ny wydyat pale ydathoed idaw. Ac
yna ef aroes y daryan dan y benn ac agysgawd. Aphei
gwypei efo pale y dathoed ny chysgei chweith. kanys
ydoed ef yn agos yr ogof yn y lle y iladyssei y llew. ac
yn y lle yd oed y griffyeit gwedy dyuot yn llawn or
fforest yn kysgu. ac am hynny y gadyssit y porth yn
agoret. Yna un or morynyon or castell adoeth ar
bytheiat bach yny llaw rac ovyn y griffyeit y gaeu y
porth. ac yr awr y doeth hi tu ar porth hi aarganuu
lawnslot yn kysgu. ahitheu aymchoelawd draechevyn.
ac avanagawd hynny yw meistres. ac adywawt. Arg-
lwydes heb hi y mae lawnslot yn kysgu yn yr herber.
a hitheu a gyuodes y vyny yn vuan ac adoeth hyt yn
lle yr oed lawnslot yn kysgu. ac aeistedawd gan y
ystlys. ac edrych arnaw aoruc hi dan ucheneityaw.
adynessau yn nessaf ac y gallawd tu ac attaw. a dy-
wedut. Arglwyd duw heb hi beth awnafi. os myui ae
deffry ef yr awr honn. ny didawr chwedyl y wrthyf.
ac ny chaffaf kymeint achussan y ganthaw. Os minneu
ae cussanaf ef yny gwsc ef adeffry hevyt arhynt. ac
am hynny gwell gwell yw gennyf ym gaffael yr hynn
aallwyf y gael. no bot heb dim. ac os myui ae cussana
efo. ny chassaa ef vyui agatvyd yr hynny mwy no
chynt. A minneu heuyt aallaf vocsachu gael kymeint
a hynny. ac yna y gussanu aoruc hi deirgweith.
ac ar hynny lawnslot adeffroes. ac a neityawd yny

sefyll ac aroes arwyd y groc arnaw. ac aedrychawd ar
y vorwyn ac adywawt. och duw heb ef pale yrwyfi.
A unben heb hi yrwyt ynymyl y neb aroes .kwbyl oe
challon ae charyat arnat heb y ediuaru. A minneu
arnat titheu heb y lawnslot. kanys pwy bynnac amcaro
i ny chassaafi hwnnw vyth. Arglwyd heb hi y castell
racko yssyd ar dy ewyllys di ac yth uedyant onyt tydi
ae gwrthyt. ac amdanafinneu heuyt y gelly di wneuthur
yr hynn avynnych. Arglwydes heb y lawnslot neges-
sawl wyf i yr awrhonn. kanys keissyaw medeginyaeth
y varchawc urdawl yd wyf. yr hwnn ny byd iach vyth
ony byd dwyn ohonaf idaw penn un or griffyeit. Byd
myn llaw duw heb hi. ahynny abereis i yr vorwyn y
dywedut wrthyt ti. yr peri ytt dyuot y ymwelet
ami hyt yma. A unbennes heb y lawnslot minneu
adeuthum. achanys gweleist ditheu vinneu mi aaf dram-
kevyn. kanys nyt anghenreit ym ǥael penn y griff.
Och duw heb hi dy daet milwr di ynryw ǥyflwr. ath
lesget titheu ath drycket ynghyflwr arall. ny thebygwn
i yn yr holl vyt varchawc urdawl am gwrthodei i onyt
tydi. a hynny yssyd yn dyuot y titheu o valchder ac
oryuic. ami a vynnwn heb hi pei y griffyeit ath lyngk-
assei di gynno hynn. pan vuost yma. aphei tebygwn
etto aros ohonat ti minneu abarwn udunt wy dyuot
yma. Arhoaf myn vyngcret heb y lawnslot os mynny
ditheu eu gyrru wy yma. Gwir yw debycafi heb hi
kanys diawl a roes ynot ormot o vilwryaeth. aphanybei
hynny ny pharhaut ti dim ynerbyn un onadunt wy.
aphei tebygasswn i ym ffaelyaw yny mod hwnn arnat
ti mi abarasswn ymtat dyuot yma y gyt ami. ae
varchogyon urdolyon gyt ac ef yth lad pan yttoedut
ynkysgu. A unbennes heb y lawnslot. dywet ti yr
hynn a vynnych. ti awnaethost debygafi ual·nat reit
ym dy ovyn di vyth. kanys pwy bynnac agussano gwr
neu wreic. agwedy hynny a vedylyaw y angheu idaw.
ymae hwnnw yn traetur. Lawnslot heb hi mi a gy-
mereis yr hynn aelleis y gaffael y wrthyt. ac nyt reit
ymi diolwch ytti agefeis.

    CCXXXIII.—Lawnslot yna a gymerth y ffrwyn ac

aeroes ympenn y march. ac agychwynnawd ymeith
gyntaf ac y gallawd. kanys oe vod ny mynnei y vot
mywn perigyl mawr heb ystyr. a hitheu adoeth drae-
chevyn yn drist ac yndoluryus. ac yw hystauell y
kyrchawd hi yn llidiawc am vot y neb mwyaf agarei or
holl vyt yn pellau y wrthi. am yr hyn ny thebygei hi
gael llewenyd vyth. Lawnslot avarchockaawd racdaw
yny doeth am hanner ryw diwarnawt yr castell periglus
yn y lle yd oed meliot yn glaf. Yr unbennes adoeth
yn y erbyn ac a dywawt. Lawnslot heb hi grassaw
duw wrthyt. Antur da a rodo duw yttitheu heb y
lawnslot panybei dy drycket ym kyveir. Yna disgynnu
aoruc ef adyuot yr neuad. ar unbennes a beris diosc
y arueu y amdanaw a roi dillat idaw oe gwisgaw. a un-
bennes heb y lawnslot weldyma beth or amdo aercheist
di ymi. ac weldyma y cledyf. ac eissyoes ti amgwatt-
wereist i am benn y griff. Gwir adywedy di heb hi
oachaws y vorwyn or castell yr honn nyt oed gas
genthi di. y gwneuthum i hynny. kanys hi amgwedi-
assei i. ar dywedut hynny wrthyt. Aphony weles hi
dydi. Gweles heb ynteu. Yr unbennes yna agymerth
lawnslot ac ae duc yr lle yroed meliot ynglaf ymywn
gwely tec. A lawnslot yna aeistedawd geyr y law ac
aovynnawd padelw yroed. Meliot heb y vorwyn
weldyma lawnslot dy lac yndyuot ath iechyt ytt.
Arglwyd heb ef grassaw duw wrthyt. Duw or nef heb
y lawnslot a ro iechyt ytt yn ehegyr. Yr duw heb y
meliot pa delw y mae gwalchmei. Pan deuthum i
y wrthaw ef heb y lawnslot ydoed yn iach. aphei
gwypei ef dy vot ti ual yd wyt ef a vydei drwm gan-
thaw ef achan y brenhin. Arglwyd heb ef y marchawc
adoeth y geissyaw dwyn y castell y arnaf arassoedynt
wy am anafawd i ual hynn. ac ynteu a vu uarw
gwedy hynny. namyn y dyrnodeu aroes ef ymi a vuant
ry greulawn. kanys ny ellit vy iachau i vyth panybei
gael y cledyf ym brathwyt ac ef. achael peth o amdo y
marchawc. Arglwyd heb y vorwyn ynteu aduc ytti bop
un onadunt ac weldyyma wynt. Arglwyd duw heb ef
adalo ytt. Ympob ryw vod y mae dy vilwryaeth di yn

ymdangos. kanys panybei deilyngdawt dy vilwryaeth
di. nyt ymagorei yr ysgrin yrot vyth. ac ny allut gael
nar cleayf nar amdo. Y gyt a hynny hevyt nyt aeth
yno eiryoet marchawc urdawl adelei draegevyn heb y
lad neu y anafu onyt tydi. Yna y dinoethwyt un or
seith gweli aoed ym mèliot. a lawnslot aroes y cledyf
ar amdo ar y weli. ar dyrnawt adechreuawd chwyssu
arhynt. ameliot adywawt arnaw ehun y bydei iach.
Llawen vu gan lawnslot pan wybu y bydei iach meliot.

CCXXXIV.—Lawnslot heb y vorwyn mi ath gesseeis
yn vawr yr pan dugost y gennyf y gwr mwyaf agarwn.
ac a bereist idaw briodi un arall. ac yr gwneuthur afles
a blinder ytt. mi aroessum boen mawr arnaf vy hun
lawer gweith. Kanys tydi awnaethost ymi y tristit
mwyaf a gefeis eirmoet. kanys efo am carawd i yn vawr
aminneu ae kereis ynteu. ac ny ffaelya ef oe garyat ymi
byth. Eissyoes pellach yw hi ywrthyfi noc y bu. ac
o achaws y gymwynas awnaethost di ymi yn yr hynt
honn. mi arof vy llw ytti nat reit ytt ovyn gwneuthur
ohonafi ytti chweith drwc vyth. Duw adalo ytt hynny
heb y lawnslot. Yny castell hwnnw y llettyawd ef y
nos honno. athrannoeth ef aaeth ymeith. a gwedy daruot
idaw kymryt kennat ef agerdawd tu a llys arthur. yr
honn oed digawn meint y dechryn. kanys magdalans
aoed yn ennill llawer or ynyssed yar arthur. aphawb
or a ennillei ef agymhellei arnunt gredu y gret efo. ac
ydoedynt wynteu yn credu rac ovyn eu hangeu. Y gyt
a hynny heuyt gwalchmei ac owein a sagamor ar balch
or llannerch. a llawer or llys aathoedynt y geissyaw an-
turyeu ual y gnotteynt. a hynny am vot arthur yn credu
briant yn vwy noc wyntwy.

CCXXXV.—Gwedy mynet lawnslot o gaerllion ef a
anuones arthur nerth yn vynych y ymlad yn erbyn mag-
dalans. ac nyt aeth yno neb ny deuei adref wedy goruot
arnaw. Magdalans aoed yn ymdiryet ar wneuthur y
chwaer yn vrenhines. ual y gadawssei idi. Arthur
ynteu aoed yn damunaw vyth gwelet lawnslot yn
dyuot. ac yn dywedut pei lawnslot avuassei yno ual y
buassei y lleill na chynnydassei y elynyon arnaw ual yd

oedynt yn kynnydu. ac ar damgyuyngrwyd hwnnw
ar arthur nachaf lawnslot yn dyuot. or hynn y bu arthur
lawen. Lawnslot awybu nat oed na gwalchmei nac
owein na llawer or lleill yn y llys. ae bot yn chwannogach
y vot odieithyr y llys noc yndi a hynny o achaws briant.
Ac yna ynteu a geissyawd mynet yn eu hol wynteu pan
y lludyawd y brenhin idaw. a dywedut wrthaw. lawnslot
heb ef yr wyfi yn adolwyn ytt yn y meint y gallwyf ar
roi ohonat nerth a chyngor ym ar amdiffyn vynggwlat.
kanys ymae gennyf ymdiryet mawr ynot ti. Arglwyd
heb y lawnslot nam kynghor i nam nerth ny ffaela ytti
vyth. Mogel ditheu rac ffaelyaw y minneu. Ny dyly-
afi heb yr arthur ffaelyaw ytti ac nysgwnaf. kanys mi
affaelywn y myhun yngyntaf.

CCXXXVI.—Yr ystorya yssyd yndywedut rodi or
brenhin ygyt a lawnslot deugeint marchawc urdawl.
a dyuot ohonaw hyt y lle yd oed magdalans. a chynn
gwybot ohonaw ef y dyuot neurdaroed y lawnslot
dryllyaw raffeu y llestri ar hwyleu ar hwylbrenneu. ar
sawl agafas or llestri ef aberis eu llosgi. ar dryll arall
aaeth gan y mor. Agwedy hynny wynt a drawssant
ym mysc tylwyth magdalans ac ae lladassant. ar rei ona-
dunt affoassant tu ae llongeu. ac ny bu y vwyn y
kyweirdeb agawssant arnunt. ar brenhin ehun ageis-
syawd tu ae long. a lawnslot ae hymlityawd hyt y mor.
ac yno ynggwyd ywyr ef ae lladawd. agwedy hynny
wynt aladassant y gwyr ac ae bwryassant gan y mor.
Yr ynys honno arydhawyt trwy lawnslot. Odyna ef
aaeth yr ynyssed ereill adaroed y vagdalans eu hennill
ac eu trossi yr gret drwc rac ovyn eu hangeu.
ac ynteu ae gossodes wynt yn y mod y buassynt or
blaen. Ac uelly efo agerdawd o ynys pygilyd yny
doeth yr alban yn y lle y buassei gynt. Aphan y gweles
niuer y wlat ef yndyuot wynt a wybuant daruot idaw
llad magdalans. a diruawr lewenyd a gymerassant yn-
dunt. Odyna ef aberis parattoi llestri idaw y vynet y
vrenhinyaeth orient yr honn a vuassei eidaw magdalans.
arwlat honno aoed yn wac. ac yn enwedic o arglwydi.
kanys lawnslot ae lladassei ygyt a magdalans. Lawns-

3 F

lot hagen adugassei gyt ac efo y milwyr goreu. ac adoeth
yr wlat a llynges vawr ygyt ac ef. ac adechreuawd eu
distrywyaw y rei aoed yny deyrnas yn angcredadun
bobyl. ac awelsant na ellynt amdiffyn y wlat kanys
buassei varw eu harglwyd. llawer onadunt hagen aadas-
sant eu llad am na mynnynt ymadaw ae gwangret ar
rei avynnassant gredu y duw wynt agawssant nawd.
Yna lawnslot aberis dryllyaw y dinewyt yr rei yr oedynt
wy yncredu udunt. kanys y rei hynny a attebei udunt
drwy y dryc ysprydoed aoed yndunt. Agwedy hynny
ef aberis gwneuthur delweu y veir ac yr groc yr
kadarnhau y rei or wlat yn y gret. Y rei kadarnaf
agrymussaf or wlat a ymgynnullassant diwarnawt ygyt
ac a dywedassant. nat oed iawn vot y wlat heb vren-
hin arnei. ac ar hynny kytunaw awnaethant a dyuot
att lawnslot. ac adywedassant y mynnynt wy y vot ef
yn vrenhin arnunt. kanys ennillassei y deyrnas.
Lawnslot yna a diolches hynny yn vawr udunt ac
adywawt wrthunt. nac ar y wlat honno nac ar un arall na
bydei ef vrenhin vyth onyt arthur ae gwnelei yngyntaf.
kanys kwbyl or ennill awneuthum i heb ef efo bieu. ac
yny enw y gwnaethpwyt. ac efo am gyrrawd i yma ae
varchogyon urdolyon ygyt a mi.

CCXXXVII.—Brenhin claudas agigleu y lawnslot
llad magdalans ac ennill y vrenhinyaeth. ac nat oed un
ynys yngallel ymamdiffyn yny erbyn. ny bu hoff gan-
thaw glybot canmawl y vilwryaeth yngymeint ahynny.
kanys ef adoeth cof idaw ennill ohonaw lawer o diroed
y ar vrenhin bann o vannawc tat lawnslot. ac am hynny
yd oed drist ef. am glybot clot lawnslot yn mynet dros
bawp. a bot lawnslot yn etiued oe dat. Ac yna brenhin
claudas aanuones kennat diwarnawt att briant y erchi
idaw os gallei erchi apheri y arthur roi kennat y lawns-
lot y vynet ymeith y wrthaw. ac ynteu adalei idaw
dros y lauur. ac ae kymhorthei gwedy hynny o gymryt
dial gan y elynyon. Kanys pei lawnslot ef a gwalchmei
aveynt odieithyr y llys. nyt oed ovyn y lleill. ac uelly
y gellynt wy gaffael eu hewyllys ar y wlat. Briant
ynteu a anuones y gennat drachevyn at vrenhin claudas.

y dywetut idaw nat (oed) yny llys na gwalchmei nac
owein na llawer or lleill. ac amhynny erchi idaw na
russyei dyuot pan y mynnei. ac ynteu awnaei y lawnslot
yn dieu adaw y llys yn ehegyr.

CCXXXVIII.—Chwedleu adoeth y lys arthur ry
daruot y lawnslot lad brenhin orient. a distrywyaw y
bobyl ae llad. ac odyna y vynet y wlat y brenhin ae
hennill oll. apheri yr bobyl rac ovyn eu hangeu gredu
yr wirgroc. ac y gret grist. Briant yna ny bu lawen
ganthaw dim or chwedleu hynny. ac ef adoeth diwar-
nawt att arthur yndirgel. ac adywawt. Arglwyd heb ef
mi adylyaf dy rybudyaw a gwrthlad dy gewilyd ath
gollet y wrthyt. kanys ti am gwnaethost yn ystiwart
ar gwbyl oth vrenhinyaeth. ac am hynny ydwyf yn
tybyeit bot gennyt ymdiryet mawr ynofi. ac am hynny
ny dylyafinneu vot yn un a gwneuthur yttitheu afles.
ami a dylyaf dy anrydedu a gwellau dy anryded yn
oreu ac y gallwyf. ac ony wnawn hynny ny bydwn wr
kywir ytt. Wrth hynny arglwyd chwedleu yssyd ym
gwedyr dyuot bot brenhinyaeth magdalans a gwyr yr
alban a chwbyl or ynyssed ereill gwedy kytunaw ac
ymgredu drwy aruoll ar wneuthur lawnslot yn vrenhin
arnunt. a gwedy hynny wynt a ymgytunassant am
ryuelu arnat ti. ac amdyuot yr wlat honn gyntaf ac y
gellynt. ac ynteu adyngawd udunt ar wneuthur kwbyl
oc eu holl ewyllys wynt ac o vynet gyt ac wynt y bop
lle or ymynnynt. ac yn bendiadnot yth diwreidyaw di
oth gynoeth. ac onyt ymogely di rac hynny ti aelly
gael collet ac afles achewilyd. Myn vympenn i heb yr
arthur ny thebygafi vedylyaw o lawnslot hynny. na bot
callon drwc ganthaw ym kyueir. Myn vyngcret i heb
y briant mi adnabuum hynny arnaw yr ystalym. yr
hynny ny dyly neb dywedut oe arglwyd yn ehegyr yr
hynn mwyaf awypo rac tybyeit wrthaw y vot yn
ethrodwr. Eissyoes nyt oes bellach dim agelwyfi ragot
ti rac meint dy ymdiryet ym. ar anryded awnaethost
amdanaf. athydi aelly ymdiryet ymi kanys minneu a
roessum kwbyl om daear ytti ar dy ewyllys. or achaws
y gelly di ymrydhau y wrth dy elynyon os mynny.

kanys ti awdost nat oes yth lys di marchawc vwy y allu
no myui. Myn vyngcret i heb yr arthur briant mi ath
garaf di o hynn allan. a thra vwyf vyw nyt oes aallo
dwyn dy garyat y wrthyf. na thitheu nyth dygir vyth
om gwassanaeth i tra welwyf ffydlondeb ynot. Ac am
hynny mi aanuonaf lythyreu y erchi y lawnslot dyuot
draegeuyn. Aphandel ef ni a ymlycawn yr hynn ydwyt
ti yny dywedut. kanys ny mynnafi dysgu nac idaw
ef nac y neb om gwyr i yr kadarnet vo wrthwynebu
ohonaw ef ymi. kanys yr arglwyd adyly bot yngadarnach
noe wr. megys y bo y ovyn ar ereill. Yna y brenhin
aanuones kennat yn ol lawnslot. ar gennat adoeth hyt
att lawnslot yn lle ydoed ymbrenhinyaeth orient. ac
aroes y llythyreu yny law. Ac yr awr y darlleawd ef yr
hynn aoed yn y llythyreu ef agymerth y gennat y gan
bawp or wlat y rei aoedynt drist adoluryus am y vyned-
yat ef ymeith.

CCXXXIX.—Lawnslot agerdawd racdaw yny doeth
y gaerllion. ac yna lawnslot adoeth hyt geyrbronn
arthur. ac aroes idaw y deugeint marchawc urdawl yn
y mod yr athoedynt gyt ac ef. Yna y brenhin aerchis
y vriant wisgaw arueu ef adeugeint o varchogyon urdol-
yon y daly lawnslot. ae bot gwedy kinyaw barawt yn
y neuad ae kwrprieu ar warthaf eu harueu. ac wynteu
aorugant uelly. ar chwedleu adoeth att lawnslot y
dywetut peri or brenhin dwyn deugeint marchawc yn
aruawc yr neuad. Lawnslot yna a vedylyawd vot ryw
orchest ar y brenhin pan wnelei hynny a bot ynda
idaw ynteu wisgaw y arueu. ac yn aruawc y doeth ef yr
lle yd oed arthur. Arglwyd heb y briant y mae ryw
uedwl gan lawnslot pan del yn aruawc ymywn heb dy
orchymyn di. Ac am hynny ti adylyut ovyn idaw
paham ymae ef yndyuot uelly y wneuthur drwc ytt.
aphadelw yr heydeist arnaw ef hynny. Ac yna y
brenhin aovynnawd. lawnslot heb ef. paham y doethost
di ynaruawc yma. Arglwyd heb y lawnslot ef ady-
wetpwyt ym vot marchogyon ereill yn aruawc yma
heuyt. ac ovyn aaeth arnafinneu vot ryw ormes gwedy
dyuot yma arnat. Amgen vedwl no hwnnw heb yr

arthur auu gennyt ti herwyd adywetpwyt ymi. aphei
gwac uei y neuad o dynyon mi adebygaf y lladut ti
vyui. ac arhynny y brenhin aerchis daly lawnslot.
Y marchogyon yna aneityassant o bop parth idaw.
kanys ny lyuessynt wy dorri gorchymun y brenhin.
ac heuyt tylwyth briant oedynt ganmwyaf. Aphan y
gweles lawnslot wynt yndyuot tu ac attaw ef adyn-
nawd y gledyf ac adywawt. Myn vympenn i heb ef
wrth arthur ny thebygasswn i dim or dwyll honn. ac
ysdrwc adal yw hwnn ymi dros y gwassanaeth a
wneuthum i ytti. Ac yna gossot awnaeth pawp ar
untu ar daly lawnslot. ac ynteu agerdawd dan ym-
amdiffyn y ganthunt yny doeth hyt ym mur yneuad.
or hwnn y goruc ef gastell ortu draegevyn idaw.
achynn y dyuot hyt y mur neurdaroed idaw sarhau
seith onadunt rwng yrei a ladyssei ac a sarhayssei. ac
uelly yr amdiffynnawd ef yn wrawl obop tu idaw.
Eissyoes yr oedynt wy ynroi idaw ef dyrnodeu creu-
lawn drwc. ac nyt oed gyffelyb dec arhugeint neu
deugeint o dyrnodeu y un dyrnawt. namyn ryuedawt
oed padelw y gallei un gwr parhau yn erbyn y sawl
wyr hynny. Lawnslot aymamdiffynnawd ynoreu ac y
gallawd. a chynn y daly ef awnaeth y werth. kanys or
deugeint marchawc nyt aeth yr un yn gyua y wrthaw
namyn ugeint. Briant ehun aymyrrawd ar daly lawns-
lot. a lawnslot aetrewis ynteu arhyt y penn yny dyrr
yr helym. ac yny vyd y gwaet ynffrydyeu yr llawr. ar
cledyf adisgynnawd ar hyt ystlys y penn idaw yny
eillya y clust deheu idaw ymeith. ac yny vyd y cledyf
yny balueis idaw. ac arhynny y dalwyt lawnslot. ar
brenhin aorchymynnawd na wnelit chweith drwc idaw.
namyn y roi yngcarchar. a ryued vu gan lawnslot
paham y parassei y brenhin wneuthur hynny ac ef.
Yna lawnslot aroet yngcarchar ual yd erchis y brenhin.
a drwc vu gan bawp or llys hynny onyt gan vriant ae
varchogyon. Eissyoes ef a dichawn bot yn ediuar
ganthaw hynny etto. kanys or achaws hwnnw y doeth
y angeu ef. ac yny pwngk y dywetpwyt llygru llys
arthur. kanys rodassit gwalchmei yngkarchar. ac o

achaws bot gwalchmei ar milwyr goreu gwedy pellau y
wrth y llys. am vot y brenhin yncredu y vriant yn
vwy noc udunt wy.

CCXL.—Ema ymae yr ymdidan yn tewi am lawnslot.
ac yn trossi ar baredur. yr hwnn ny bydei lawen pei
gwypei y chwedyleu mal ydoedynt o lys arthur. ef
aaeth ymeith o lys y ewythyr yr honn a ennillassei ef.
a thrist yttoed am y chwedleu aglywssei am y chwaer
y dwyn o aristor hi o dreis. ae hanuon att gwnstabyl
idaw awnathoed oe chadw yny priotei. ac ar benn y
vlwydyn y torrei y phenn. ac uelly yr oed y aruer am
gwbyl or a vuassei ygyt ac ef o wraged.   Paredur
avarchocaawd diwarnawt tu a llys brenhin meudwy y
ewythyr. ac am bryt gosper ef adoeth tu ac yno.   Ac
ef awelei tri meudwy or tu allan yr cudugyl.   Yna ef a
disgynnawd ac aaeth yn eu herbyn.   Arglwyd heb wy
na dos di ymywn. kanys ydys yn amdoi corff yno
ymywn.   Pwy bieu y corff heb y peredur.   Arglwyd
heb y meudwyeit corff brenhin peles yw. ac yma y
doeth marchawc urdawl yr hwnn aelwit aristor. ac ae
lladawd gwedy offeren. a hynny o achaws nei aoed
idaw aelwit paredur. yr hwnn ny char ef dim ohonaw.
Pangigleu paredur y chwedleu hynny ny bu dec
ganthaw. ac yno y trigyawd ef y nos honno. athran-
noeth y bore ef avu yno wrth gladu y ewythyr.

CCXLI.—Aphandaruu yr offeren ef agychwynnawd
paredur ymeith. megys y neb aoed chwannawc y dial
ar aristor y kewilyd awnathoed. ac megys y bydei ef
uelly nachaf vorwyn ieuanc yn dyuot ymywn.   Arg-
lwyd heb hi mi a vum yth geissyaw di yr ystalym. ac
ef a wyr gwalchmei hynny. ac weldy racko arwyd ytt
ar hynny. nyt amgen nor penn raco. yr hwnn aroes
arthur ymi yn ymyl capel seint awstin.   A unbennes
heb y paredur beth avynnut ti amyui yr hynny.   Mi
avynnwn heb hi dyuot ohonat ti y dial dy gevynderw
nyt amgen no mab brwnsbrandalis. yr hwnn nyt oed
yn y byt marchawc well noc ef. pei kawssoedyat
hoedyl. aphandarffo ytti y dial ef. minneu agaffaf vyng-
castell yr hwnn ny cheffir vyth yny dialer ef.   Pwy ae

lladawd ef heb y paredur. Arglwyd heb hi y march-
awc urdawl coch or fforest dovyn. yr hwnn yssyd ygyt
a llew aruthur engiryawl gyt ac ef yny ganlyn vyth.
Ac yn lledrat y lladawd ef dy gevynderw di. kanys
pei aruawc uei ef ual yr oed ynteu nys lladei vyth.
A unbennes heb y paredur. drwc yw gennyfi y varw ef.
a marw brenhin peles vy ewythyr yr hwnn alas om
achaws i. ac ys anffydlawn a wr aaei yr llit wrth arall
y lad meudwy sant yr hwnn ny wnaei drwc ac nys
mynnei nac idaw efo nac y neb. a llawen vydei gennyf
pei asgwelwn unweith. ac uelly ymae ynteu amdan-
afinneu. kanys kyn gasset yw ganthaw efo vyui achen-
nyfinneu efo. Arglwyd heb y vorwyn kymeint yw
balchder hwnnw ac y tebic nat oes yny byt milwr
kystal ac ef. aphei gwypei ef dy vot ti yma pei ron
dy vot ar dy drydyd. ef adeuei ar hynt hyt attat. A
unbennes heb y paredur poet ar antur drwc y del pan
del gyntaf. Arglwyd heb y vorwyn y fforest dofyn lle y
mae y marchawc coch ar llew ygyt ac ef yssyd yn agos
y gastell aristor. ac agatvyd kynn dy dyuotti yr fforest
honno ni aglywn chwedyleu newyd y wrthaw. Ni
a archwn y duw y glywet heb y paredur.

CCXLII.—Er ymdidan yssyd yn dywedut marchog-
aeth o baredur yndrist am angeu y ewythyr. athan
wediaw duw argyuaruot ac ef aristor. ar vorwyn ae
kanlynawd. ac yn damunaw yr oed eu bot yny fforest
dovyn. A megys y bydei baredur yn marchogaeth drwy
berued y fforest. ef awelei oe vlaen deu was ieueinc. a
dwy ewic ganthunt gwedy eu trwssyaw ar gevyn
meirch. Paredur yna adoeth attunt gyntaf ac y gall-
awd. ac a beris udunt aros. A unbyn heb ef pa le y
dygwch chwi yr ewigot hynny. Arglwyd heb y
gweissyon y gastell aristor. Aoes lawer o varchogyon
yno gyt ac efo heb y paredur. Arglwyd heb wynteu
nyt oes yr awrhonn neb. kanys wynt aaethant y wahawd
pawb arhyt y gwledyd y dyuot y neithyawr y mae
aristor yn y darparu ac yny harwylaw. kanys ef a vynn
priodi merch y wreic wedw. yr honn aduc ef y dreis o
gastell y mam. ac ae roes att gwnstabyl prud yssyd

idaw oe chadw yny priottei. ac y mae pawp yn drist
rac y thecket. ac am y bot yn chwaer yr marchawc
goreu or holl vyt. kanys ef a dyrr y phenn ar benn y
vlwydyn or dyd y priotto. Pony wnaei lawer oda heb
y paredur y neb a dorrei y gynnedyf honno arnaw ef.
Gwnaei yn lle gwir heb y gweissyon. ac ef avydei
vodlawn duw idaw heuyt. kanys mwy yw y creulon-
der hwnnw no dim. ac y gyt a hynny. heuyt yd ys yn
y oganu yn vawr am lad y brenhin meudwy. ac y mae
yndamunaw beunyd kyuaruot ac ef mab y wreic wedw.
kanys gwell oed ganthaw pei darffei idaw llad hwnnw
no neb. Pale y mae awch arglwyd chwi yr awrhonn
heb y paredur. Arglwyd heb wynt yr awr honn y
gadawssam ni efo yny fforest honn yma yn ymlad a
marchawc urdawl grymus. ac ef adywawt mae y march-
awc urdawl dewr y gelwit ef. ac am dywedut
ohonaw mae marchawc y baredur oed. y mae aristor
ynkeissyaw y lad. ac efo aerchis yni gerdet or blaen
ac adywawt y goruydei arnaw yn y lle. ac yr awr
yd aetham ni y wrthunt. ni a glywem eu dyrn-
odeu pob un onadunt ar y gilyd. Ac aristor yssyd
gyn greulonet ac nat oes marchawc or agaffo ef
yn y fforest honn nys llado os dichawn. Pan gigleu
paredur y chwedleu hynny ef aaeth ymeith y wrth
y gweissyon gyntaf ac y gallawd. ac ny marchoc-
kaawd ef hanner milltir pan gigleu eu dyrnodeu wy
ar eu helmeu. A llawen vu ganthaw allel or marchawc
dewr gynnal ymlad yn erbyn aristor yn gyhyt a hynny.
ac eissyoes ny wydyat paredur y govit aoed ar y march-
awc ehovyn. kanys neur daroed y daraw a gwaew
drwy y gorff yny yttoed y waet yn colli o bop tu idaw.
Aristor heuyt nyt oed gyua ynteu. kanys yr oed gwedy
briwyaw yn deu le. ac yr awr y gweles paredur efo. ef
adrewis y varch a dwy yspardun. ac adoeth attaw. ac
ae trewis a gwaew yngkedernyt y dwy vronn yny ytoed
yn colli y warthafleu. ac yny ogwydawd ar bedrein y
varch. ac odyna dywedut wrthaw. Llyma vyui
gwedy dyuot y neithyawr vy chwaer heb ef. ac ny
dylyei y neithyawr hi vot hebofi. Aristor yna agyuodes

ynffenedic ac yn llidiawc wrth baredur. athu ac attaw y
doeth ef megys pet uei gwedy candeiryogi. atharaw
paredur aoruc ar hyt y helym dyrnawt mawr estronawl.
Y marchawc ehovyn yna agilyawd draegevyn. kanys
yr oed gwedy y anafu hyt ar angeu. ahir heuyt y
buassei yn kynnal y vrwydyr. Paredur agigleu y
dyrnawt yn drwm ac yn vawr. ac adoeth ynllidiawc tu
ac att aristor ac ae trewis ae waew. yny vyd aristor ae
varch yr llawr ar·gwaew trwydaw ynteu. ac ar hynt
disgynnu aoruc. a llaessu carreieu y helym. Beth
awney di uelly heb aristor. Torri dy benn di heb y
paredur. ae dwyn yn anrec ymchwaeri. yr honn y
ffaelyeist di ohonei. Ny wney di hynny heb yr aristor
namyn gollwng vi ymeith. a mi a vadeuaf ytt vyndryc-
ewyllys. Dy dryc ewyllys di heb y paredur aallafi y
odef yn hawd. Yna torri penn aristor aoruc paredur
ae grogi wrth goryf y gyfrwy. adyuot att y marchawc
ehovyn. a govyn idaw padelw yr oed. Arglwyd heb ef
agos wyfi y angeu. Eissyoes hyfrydach yw gennyf
kanys gweleis di kynn vy marw. Yna paredur aesgyn-
nawd ar y varch ac a gymerth y waew. ac aduc ygyt
ac ef y marchawc ehovyn yny doeth y gudugyl meudwy
aoed agos yno. ac ae disgynnawd yn arafaf ac y gallawd.
ac adiosges y arueu. ac aberis idaw gyffessu y holl
bechodeu. ac aberis y amdoi wedi y varw. ac aroes yr
meudwy march aristor a march y marchawc heuyt yr
gwediaw rac y eneit. Aphan daruu yr offeren achladu
y corff paredur aaeth ymeith yndoluryus am angheu
y marchawc. Arglwyd heb y vorwyn llei yssyd ytt
bellach oe wneuthur. kanys rydheeist y wlat honn or
lleidyr aoed yndiua kwbyl ohonei. achanys goruuost ti
ar y lleidyr hwnn. Iessu grist awnel ytt gael ym-
gyuaruot ar marchawc coch yr hwnn aladawd dy
gevynderw. ac nyt oes arnafi ovyn na orffych di arnaw
ef os gwely. Eissyoes ovyn yssyd arnafi rac y llew.
kanys ef agar y veistyr ae varch yn vwy no neb.

CCXLIII.—Paredur yna agerdawd heb aros mwy
arnaw tu ar fforest dovyn. ar vorwyn yn y ol ynteu.
Ac ual y bydei ef uelly nachaf varchawc gwedy y

3 G

anavu yndrwc ae varch yn yr un ffunyt yn kyfaruot ac
ef. Arglwyd heb ef wrth baredur. na dos di yr fforest
honno. ac o vreid y deuthum i odyno. kanys ymae yno
marchawc allew ygyt amkyweiryawd i ual hynn. a
chymeint yw vy ovyn rac y fforest yssyd om blaen ac
rac honn. kanys ymae yno varchawc yrhwnn aelwir
aristor ac aruthra y bawp heb achaws ac alad pawp.
Myn vyngcret i heb y vorwyn nyt reit ytti ovyn
hwnnw vyth. kanys weldy racko y benn ef. Myn
vympenn i heb y marchawc ys da chwedyl a dywedy di.
a mi awnn nat ytiw heb gedernyt mawr y neb ae
lladawd ef. ac arhynny y marchawc aaeth ymmeith.
y llew eissyoes adaroed idaw y anafu ef yny glun. hyt
na allei onyt o vreid na cherdet na marchogaeth. Ha
varchawc heb y paredur dos y ty y meudwy yssyd yny
fforest. ac arch idaw y gennyfi roi ytt un or meirch
aedeweis i yno. kanys mi awelaf vot yn reit ytt wrthaw.
athitheu ae diolchy idaw yn ryw vod arall. a gwell yw
ganthaw ynteu beth arall nor march. Y marchawc
aaeth ymeith dan diolch y baredur hynny. ac adoeth y
ty ymeudwy ac adywawt idaw ual yr archyssit idaw y
wneuthur. Ar meudwy aerchis idaw gymryt yr hwnn
a vynnei yr caryat ar y marchawc ae gadawssei yno.
Ac yna ef agymerth march aristor kanys goreu oed ac
aesgynnawd. a chymryt kennat y meudwy aoruc ef.
adywedut y diolchei idaw hynny os gallei. Eissyoes
ys buassei well yr marchawc na chymmerassei dim or
march kanys ef a las oe achaws wedy hynny. Kanys
marchawc o gastell aristor ae godiwedawd yny fforest.
ac aadnabu march y arglwyd. ac aglywssei marw
aristor. ac aathoed oe geissyaw. ac ymlad awnaeth ef
ar marchawc yny lladawd. achymryt y march a mynet
ac ef ymeith. Paredur auarchocaawd tu ar fforest
dovyn yr honn aoed vawr ac ehalaeth. Aphan doeth ef yr
fforest ymywn ny marchocaawd ef haeach yny arganuu
y llew yn gorwed y mywn llannerch dan vric prenn.
ac yn aros y veistyr yr hwnn aathoed yr fforest. ac
ef awydyat panyw yr fford honno y deuei y marchawc
ar hyt y fforest. ac am hynny ydoed ynteu yno yn

aros. Yr unbennes agilyawd ychydic draechevyn rac
ovyn y llew. Paredur ynteu aaeth parth ac att y llew
yr hwnn aoed yn dyuot yny erbyn ynteu ae lygeit
yn chwydedic yny benn ae savyn yn agoret. Paredur
yna aamcanawd arnaw ac adebygassei y daraw ym-
perued y danned. ar llew ac gochclawd. namyn y dyrn-
awt ae godiwedawd yny breich blaen deheu idaw. ar
llew a gyrhaedawd y varch ynteu ae ewined yny grwper.
ac adynnawd ganthaw y kic ar croen. ar march pan
gigleu y vriwaw velly ef adrewis y llew ae deu droet
ol. yny yttoed y ysgithred yny wdwf. Yna y llew
aroes diaspat ual y clywit dwy villdir yny fforest.
Yna y marchawc coch a gigleu diaspat y llew athu ac
yno y doeth ef gyntaf ac y gallawd. Eissyoes kynn y
dyuot ef neurdaroed y paredur lad y llew yn gwbyl.
Pan weles y marchawc coch y lew yn uarw. ef avu
drist ganthaw hynny. ac adywawt wrth paredur. Myn
vyngcret heb ef. gormod gollet awnaethost ym. Ys
mwy awnaethost di heb y paredur pan ledeist vab vy
ewythyr. Ac ar hynny paredur heb dywedut mwy ae
kyrchawd. ar marchawc ae kyrchawd ynteu. ac adorres
y baladyr arnaw. apharedur ae trewis ynteu yny vyd y
waew trwydaw. ac yny vyd ynteu yr llawr ef ae varch.
Yna paredur adisgynnawd y ar y varch briwedic
ehun. ac aesgynnawd ar varch y marchawc coch. kanys
ny allei ef ymdiryet yr eidyaw ehun. Arglwyd heb yr
unbennes vyngcastell i yssyd yny fforest honn. yr
hwnn aduc y marchawc hwnn y gennyfi. ac am hynny
arglwyd heb hi dabre gyt ami yny vwyf diogel ohonaw.
A unbennes heb y paredur mi aaf yn llawen. a march-
ogaeth aorugant wy trwy y fforest yny doethant yr
castell adugassit y gan y vorwyn yr hwnn aoed yn
eisted yny lle teckaf ar y fforest. ac yn gayedic o vur
uchel a bylcheu tec arnaw. Y chwedleu adoeth yr
castell dywedut marw eu harglwyd. Paredur aberis y
bawp or aoed yno wrhau idi hi. ac wynteu awnaethant
hynny. kanys wynt awydynt panyw y threftat hi oed.
Y vorwyn aberis cladu y penn adugassei ygyt ahi.
Aphan vu digrif gan baredur vynet odyno ef aaeth.

ar vorwyn adiolches idaw awnathoed yrdi. kanys pany
bei efo ny chassoed hi vyth y chastell.

CCXLIV.—Ioseus yssyd yn hyspyssu yr hwnn a
drosses yr ystorya honn o ladin yn ffranghec. ac yn
dywedut nat reit y neb amheu bot yr anturyeu hynn
gynt ymbryttaen vawr. ac yny teyrnassoed ereill. A
mwy no hynn. dieithyr y rei hynn yma yssyd hyspys-
saf. Yr ystorya yssyd yndywedut dyuot o baredur
hyt y lle yd oed y chwaer yndristaf dyn or a welsei
eiryoet. ac nyt oed ryued idi. rac mynet o honei yny
mod yr oedit yny darogan idi. ac yn lleuein am y mam
yr honn aoed yngyndristet ahitheu. Y kwnstabyl yr
hwnn aoed yny gwarchadw aoed yn y didanu. ac yn
ymelldigaw y brawt am nat ydoed yn dyuot oe dwyn
odyno ac ny wydyat ef y vot yn gyn nesset ac yr oed.
Ar hynny paredur adoeth yn aruawc yr lle adisgynnu
aoruc ef ar y disgynuaen.   Y chwedleu adoeth attunt
y dywedut bot marchawc urdawl yn aruawc o bop
arueu wedy disgynnu yn y plas.   Y kwnstabyl adoeth
yny erbyn ac avu ryued ganthaw pa un oed. namyn
tybyeit yr oed panyw un o varchogyon aristor oed.
Arglwyd heb y kwnstabyl grassaw duw wrthyt.   Antur
da arodo duw yttitheu heb y paredur. ac yny law
yroed penn aristor herwyd y wallt. ac yr neuad y
doeth ef. ac odyno yr ystauell yn y lle yr oed y
chwaer yn wylaw.   A unbennes heb ef peit ath wylaw
kanys neur ffaelawd dy neithyawr di. allyma arwyd
ytt ar hynny trwy yr honn y gelly adnabot y vot
ynwir.   Ac yna taflu penn aristor geyr y bronn hi.
adywedut. llyna benn y gwr a vynnassei dy briodi di.
Y vorwyn yna aadnabu panyw y brawt aoed yndywedut
yn yr arueu wrthi. achyuodi y vyny awnaeth a gwneuth-
ur y llewenyd mwyaf or awnaeth dyn eiryoet y arall.
achwbyl or aoed yn edrych aoedynt yntosturyaw wrth
y llewenyd hwnnw.   Y kyuarwydyt yssyd yn dywedut
trigyaw ohonaw ef yno y nos honno. ar kwnstabyl a vu
lawen wrthaw.   Y vorwyn aberis bwrw y penn y
mywn auon aoed yn agos yno.   Y kwnstabyl avu
lawen achaws marw aristor am y creulonder ar milein-

dra aoed yndaw. A gwedy bot paredur yno hyt tra
vu digrif ganthaw ef adiolches yr kwnstabyl y lewenyd
ar anryded awnathoed oe chwaer. ef aaeth ymeith ae
chwaer ygyt ac ef ar gevyn y mul adathoed yno
ydanei. a marchogaeth aorugant wy trwy syurneioed
yny doethant hyt yngcastell camalot yny lle yr oed eu
mam yn digawn y thristet am y merch. ac heb dybyeit
vyth y gwelet. ac nyt oed lawen heuyt am y brawt yr
hwnn adaroed y aristor y lad. Paredur adoeth yr
ystauell yn lle yr oed y vam yn gorwed. ae chwaer yn
y law. ac yr awr y hadnabu hi wyntwy hi awylawd
olewenyd. ac wedy hynny hi aaeth dwylaw mynwgyl
udunt. ahi adywawt varglwyd vab heb hi. bendigedic
vo yr awr yth anet ti. kanys drwydot ti y mae kwbyl
om tristit i yn trossi ar lewenyd. Yr awrhonn yr oed
hyfryt gennyfi varw pei duw ae mynnei. kanys digawn
hyt y bum vyw. Nyt reit ytti damunaw dy angeu
etto heb y paredur. kanys ny wnaethost eiryoet y neb
chweith drwc. ac os da gan duw nyt yma y bydy varw
di. namyn yngcastell brenhin peleur yn y lle y mae y
greal. Varglwyd vab heb hi da y dywedy hi. ami a
vynnwyf vy mot i yno. Arglwydes heb y paredur duw
alauurya kymeint yrot ac y bych di yno etto. Ac onyt
vy chwaer i ny mynn priodi gwr ni ae gossodwn yn y
lle y gallo ymgynnal yn anrydedus. Yn lle gwir heb
hi vymrawt y tec nympriodir i a gwr vyth onyt a duw.
Varglwyd vab heb y wreic morwyn y gadeir aaeth yth
geissyaw di y bop lle. ac ny orffowys vyth ynyth gaffo.
Arglwydes heb ef yn ryw le y keiff hi chwedleu y
wrthyfi. neu vinneu y wrthi hi. Varglwyd heb hi wel-
dyma y vorwyn a vriwawd y breich pan ducpwyt dy
chwaer di y dreis. Padrwc yw hynny heb y paredur.
minneu ae dieleis arnaw ef. ac yna y dywawt ef oe
vam y anturyeu. Yno y trigyawd ef dalym mawr gyt
ae vam.

CCXLV.—Ac yna paredur agymerth kennat y vam
ac adywawt na daroed idaw orffen cwbwl oe anturyeu
etto. Y vam ae chwaer adrigyassant yno drwy vuch-
edockau ynda. Y vorwyn aberis gwneuthur capel

mawrdec uch benn yr ysgrin aoed y rwng y castell
ar fforest ac aberis y adurnaw o lyfreu a gwisgoed tec.
ac a gyflogawd offeiryat y ganu offeren yno beunyd.
Gwedy hynny med yr ystorya ef aadeilywyt yno man-
achlawc wenn. ac ydys yn tystolyaethu bot yno man-
achlawc etto yn gyuoethawc. Paredur ynteu agy-
chwynnawd o gamalot ac adoeth y fforest vawr. A
marchogaeth aoruc ef yny yttoed yn bryt gosper. Ac
yna ef adoeth y lys marchawc aoed yny fforest. Yno
y llettyawd ef. ar marchawc a vu lawen wrthaw. ac a
beris tynnu y arueu y amdanaw. a dwyn glan dillat
idaw oe gwisgaw. Paredur aweles y gwr yn vedylgar
ac yn ucheneidyaw bop awr. Arglwyd heb y paredur
ef awelir ymi nat wyt lawen di. Gwir yw heb y
marchawc kanys ef alas brawt ym ynymyl y fforest
dovyn nyt pell o amser. ac am hynny ny allafi vot yn
llawen vyth kanys gwr da kywir oed. A unben heb y
paredur awdost di pwy aelladawd ef. Gwnn arglwyd
heb ynteu. seith o varchogyon aristor. am y vot yn
marchogaeth march a vuassei eidaw aristor. yr hwnn
adaroed y uarchawc arall y lad. a meudwy arodassei
y march ym brawt. kanys llew y marchawc urdawl
coch aanauyssei march vy mrawt i. Ny bu lawen
iawn gan baredur dim or chwedleu. kanys efo aarch-
assei yr marchawc vynet y gyrchu y march. A unben
heb y paredur mi adebygaf na haedassei dy vrawt ti
dim oe angheu. kanys nyt efo aladyssei y marchawc.
Mi awnn hynny heb y gwr marchawc arall aladawd y
marchawc. ar marchawc coch heuyt. Tewi awnaeth ar
hynny. ac yno y nos honno y kysgawd ef. A thran-
noeth y bore ef agerdawd ymeith yny doeth y dy
meudwy. yn y lle y gwerendewis ef offeren. a gwedy
offeren y meudwy adoeth attaw ac adywawt. Arglwyd
heb ef y mae marchogyon yn y fforest honn yngwylyat
am uarchawc urdawl. yr hwnn aladawd aristor ar
marchawc coch ar llew hefyt ac ny chyuaruuant a neb
nys lledynt yr hynny hyt hediw o achaws y marchawc
hwnnw. Duw am diangho heb y paredur rac kyu-
aruot ami neb orabucho chweith drwc ym. Ef a gy-

chwynnawd odyno ac a varchockaawd yny doeth y lan-
nerch yn y fforest. ac yno yd arganuu ef y marchawc
ar gevyn march aristor o achaws yr hwnn y lladyssit y
marchawc arall. a marchawc arall gyt ac ef. ac yna
wynt asafassant pan welsant paredur yn dyuot. Myn
vympenn i heb yr un kyfryw daryan a honn racko oed
yr marchawc aladawd aristor yny mod y menegit ymi.
ac agatvyd efo ydiw. adyuot tu ac attaw awnaethant
wy ar eu llawn redec. Pan y gweles paredur wynt yn
dyuot nyt ysgaelussawd ef y ysparduneu. namyn eu-
dangos yr march awnaeth adyuot yn eu herbyn. ac
wynteu ae trawssant ef ar untu yny torres eu pelydyr.
Ac yna paredur aodiwedawd yr hwnn aoed ar varch
aristor. ac ae trewis yny aeth y waew trwydaw mwy
no hyt llath. ac ynteu yn uarw yr llawr. ac odyno ef
adoeth att y llall yr hwnn aoed yn mynnu ffo. ac ae
trewis a chledyf yny vyd y balueis y wrthaw ymeith ac
yny syrth ynteu yn uarw. a chymryt eu meirch aoruc
ef a rwymaw eu ffrwyneu y gyt ac eu gyrru geyr y
vronn yny doeth y ty y meudwy yr hwnn arodassei y
march yr gwr a ladyssit ac adywawt. Arglwyd heb ef
weldyma y meirch hynn ytt kanys gwnn i na nackey
di neb o honunt or y bo y eissyeu arnaw. Arglwyd
heb y meudwy ef a vu yma tri marchawc yr awr honn.
ac yr awr y clywssant wy llad y deu bioed y meirch
hynn. wynteu a ffoassant. a minneu aercheis udunt wy
vynet y edrych aoed wir hynny. ac un onadunt a
dywawt nat oed da mynet y berigyl kymeint ahwnnw.

CCXLVI.—Paredur yr hwnn tra vu yn y byt ny
allawd buchedocau onyt y mywn trallawt a thwrnei-
meint. a gychwynnawd y wrth y meudwy. ac ual y byd
ef yn marchogaeth uelly ymperued y fforest nachaf
varchawc urdawl yn kyuaruot ac ef. ar marchawc
aadnabu baredur yr awr y gweles. ac a gyuarchawd
gwell idaw. Paredur yna aovynnawd idaw oba le yr
oed yn dyuot. Arglwyd heb ef or fforest yma yny lle
y kiglef dostur mawr gan uarchawc urdawl yn gwneuth-
ur mileindra mawr a morwyn ieuanc yr honn yr oed
ef yn y churaw ac yscors. ac yr oedwn i or neill tu yr

llannerch ac ynteu or tu arall yny churaw hi. ac yn
dywedut wrthi. llyna ytti yr amarch y vab y wreic
wedw. yr hwnn aroes ytt dy gastell. ac yr mwyhau y
amarch ef mi ath vwryaf yn ffos y seirff. ac yny ol
ynteu yr oed marchawc urdawl prud ac offeiryat yny
wediaw dros y vorwyn. ac ynteu yn gyngreulonet ac
na wnaey yrdunt wy dim. namyn llidiaw yn vwy oc eu
hachaws. Y marchawc ar hynny aaeth ymeith. aphar-
edur a vedylyawd bot ynda idaw mynet yn ol y vor-
wyn. kanys honno oed y vorwyn y rydassei ef y chas-
tell idi kynno hynny. Ac yna marchogaeth aoruc ef
drwy y fforest yny doeth yny thewdwr. ac yna kyn-
sefyll ychydic aoruc. ac ar hynny ef a glywei diaspat y
vorwyn yr honn aoed mywn glynn mawr yn y lle yd
oed ffos y seirff. a hitheu yn erchi y nawd ef. ar march-
awc aoed yn roi dyrnodeu mynych idi ar yscors am y
bot yn criaw yn uchel. Paredur heb ymaros mwy
adoeth tuac attynt. Ac yr awr y gweles hi baredur hi
ae hadnabu. ac aerchis idaw yr duw y chanhorthwyaw.
dan dywedut. Arglwyd ti aroeist ym vyngkastell. yr
hwnn a duc y gwr yman y gennyf. ac ymae yn keis-
syaw dwyn vy eneit heuyt y gennyf. Y marchawc ar
hynt yr awr y gweles ef baredur aadnabu y march aoed
ydanaw. ac adywawt. Tydi uarchawc heb ef y march
hwnnw a vu eidaw y marchawc coch or fforest dovyn y
gwr avu arglwyd arnafi. ac yr awr honn y gwnn i
panyw tydi ae lladawd ef. Ef ar allei heb y paredur
mae gwir y dywedy di. ac ynteu ahaedawd y lad. kanys
ynteu adorrassei benn vyngkevynderw i. Mynvym-
penn i heb y marchawc kanys tydi ae lladawd ef. llyma
vinneu yn elyn ytt. a chiliaw draegevyn aoruc yrdyuot
att paredur. apharedur attaw ynteu. ac ymgyhwrd
aorugant o nerth traet eu meirch. a pharedur adrewis
y marchawc yny vyd dros bedrein y uarch yr llawr. ac
ar y kwymp hwnnw torri y esgeir hyt na allei ymdroi
yn y lle yroed. Paredur a disgynnawd ac adoeth parth
ac attaw. ar marchawc aerchis y nawd nas lladei. A
pharedur adywawt nat oed reit idaw un ovyn y varw
yno. Eissyoes y kyfryw angheu ac avynnassut ti y

wneuthur yr vorwyn ti ae keffy. Ac yna ef alusgawd
y marchawc hyt y ffos yn y lle yd oedynt amylder o
natred aseirff hyt nat oed fford idaw ef y hirbarhau
yno. Y vorwyn ynteu adiolches y baredur y lauur
drosti ympob amser. ac ymeith y kerdawd hi yny doeth
y chastell ehun. ac ohynny allan ny bu arnei chweith
ryuel vyth rac creulonet y dialyssei baredur ar bawp or
aoed elynyon idi.

CCXLVII.—Paredur agychwynnawd ymeith. megys
y neb ny mynnei vot yn y byt onyt trwy lauur agovit.
amarchogaeth aoruc drwy syurneioed yny doeth y dir
tec. a chestyll kedyrn arnaw. ac ny chredit chweith y
duw yny wlat honno. namyn y delweu dinewyt y cred-
ynt wy. yn yr rei yr oedynt dryc ysprydoed a dieuyl
yn atteb udunt. Ar hynny nachaf yn kyuaruot ac ef
marchawc urdawl ac yndywedut wrth baredur. Arg-
lwyd heb ef ymchoel drachevyn. kanys nyt anghenreit
ytt vynet hwy no hynn. achaws y bobyl or wlat honn
nyt ydynt wy yn credu dim y duw. Ac ef a uu reit
ymi roi ranswn yrcael mynet drwy y wlat awely di.
kanys brenhines y wlat honn yssyd chwaer y vrenhin
orient. a lawnslot aladawd y brenhin hwnnw mywn
bateil. ac aladawd y wyr. ac aennillawd y vrenhinyaeth.
ac aberis udunt gredu y duw. ac or achaws hwnnw y
mae y vrenhines yma yn gyngreulonet ac ymae yn cas-
sau pob cristawn. ac am hynny y mae gwedy gwediaw
y duw hi ar na welo dim or byt yny darffo distryw y
gret newyd. an duw ni holl gyuoethawc awnaeth hynny.
ac y mae hi yncredu panyw y delweu hi awnaeth hynny
yrdi. ac yn dywedut panyw pan ballo y gret newyd y
gwyl hi. Ac hyt hynny ny mynn hi welet dim. ac nyt
ytwyfi yn dywedut hynn ytt onyt yr na mynnwnn dy
vynet y le y kaffut afles ohonaw. Duw adalo ytt heb
y paredur. yr hynny nyt oes yny byt milwryaeth kyn-
decket ar honn awneler yr gwellau cret duw. ac ef
adyly pawp lauuryaw yr duw mwy noc yr neb. a reit-
yach oed yni peisgwnelem gymryt poen arnam yrdaw
ef. noc idaw ef yrom ni. Yna ef a gerdawd ymeith. a
llawen vu ganthaw glybot daruot y lawnslot ennill

brenhinyaeth ae throssi y gret grist. Eissyoes pei
gwypei ef rydaruot yr brenhin y roi ef yngcarchar ny
bydei lawen ganthaw. kanys lawnslot oed gar ached-
ymdeith idaw. ac yn vilwr da heuyt. a marchogaeth
awnaeth ef yny doeth yn nos arnaw. Ac yna ef a
arganuu gastell kadarn. aphynt troedic ynymyl y
porth. a hendwfyr mawrdwfyn yngkylch y castell. ac
ar borth y castell yd oed gwas ieuanc achadwyn hae-
arn am y vynwgyl. aphenn y gadwyn gwedy y gossot
ymywn kyff ynymyl y porth. a chyhyt oed y gadwyn ar
bont. ac yn erbyn paredur ydoeth ef pan y gweles yn
dyuot tu ar castell. Arglwyd heb ef. ef awelir ymi
dy uot ti yngristawn. A unben heb y paredur gwir yw.
Gan hynny heb y gwas ny deuy di yr castell hwnn.
Paham unben heb y paredur. Arglwyd heb y gwas
mi aedywedaf ytt. cristawn wyf i megys titheu. ac ef
am roet i yny penyt hwnn ac y warchadw y porth mal
y gwely di. ac nyt oes yn yr holl vyt castell greulon-
ach no hwnn yma. aphawp or wlat ae geilw y castell
candeiryawc. kanys yma y mae trywyr tec ieueinc. ac
yr awr y gwelont wy gristawn wynt aant odieithyr eu
synnwyr ac yn gyndeiryawgyon hyt nat oes dim aallo
parhau yn eu herbyn. Ygyt a hynny y mae yma
morwyn ieuanc deckaf or byt. a honno ae gweircheidw
wy yr awr y kandeiryocont. ac y mae arnunt wy y hovyn
hi yngymeint ac na lyuassant torri y gorchymynneu. a
phany bei y bot hi a diueynt lawer odynyon. ac am vy
mot i ual hynn yr ystalym ny chwyfant wy wrthyfi. a
llawer cristawn adoeth yma heb vynet yr un draegevyn
vyth. A unben heb y paredur myui aaf ymywn os
gallaf. kanys ny wnn i heno bellach y ba le yr af.
ac ygyt a hynny gobeith yw gennyf bot yngadarnach
duw no diawl. ac ymywn y doeth ef ac ymperued y
plas y disgynnawd. Yr unbennes aoed ar un o ffen-
estri y neuad ac adoeth y waeret. Ac yr awr y
gweles hi baredur hi aadnabu panyw cristawn oed
achaws y groes aoed ar y daryan. a hi adywawt.
arglwyd heb hi yr duw na dabre di yma ymywn.
kanys ymaent yn y neuad yma yn gware y tri gweis

teckaf or aweles neb eiryoet. ae ymaent yndri broder.
ac wynt agandeiryogant yr awr yth welont. ac odidawc
oed y dyn edrych ar y ryw wyrtheu hwnnw. kanys
iawn yw y bawp ar ny chretto y duw vynet odieithyr
y synnwyr panwelo peth oblegyt duw. Paredur yna
adoeth yn aruawc yr neuad y vyny yr yroed y vorwyn
yny dywedut. ahitheu yn y ol ynteu. Y trywyr yna
aarganuu baredur yny arueu. ar groes yn y daryan. ac
aneidyassant y vyny odieithyr eu synnwyr ac yngan-
deirogyon. aphob un yn ymdidan ae gilyd ac yn brefu
megys dieuyl. ac yna wynt agymerassant gisarmeu a-
chledyfeu. ac a vynnassant hwylyaw y baredur. Eissyoes
nyt ytoed duw yn gadel udunt wy argywedu idaw ef.
ac yna pryt na allassant wy hwylyaw y baredur pob
un ahwylawd y gilyd onadunt. ac ymlad aorugant yny
ladawd pob un y gilyd heb vynnu bot wrth orchymyn-
neu y vorwyn.
CCXLVIII.—Paredur yna aedrychawd ar y gweis-
syon pob un yn llad y gilyd. ac a vedylyawd panyw
mawr oed y gwyrtheu hynny. ac aweles y vorwyn yn
drist iawn. ac yn wylaw. A unbennes heb y paredur
nac wyl dim. namyn ediuaret arnat y gamgret y buost
yny chynnal hyt yr awrhonn. kanys pawp ar ny myn-
nont credu yn duw ni y maent megys ynvydyon ac
odieithyr eu synnwyr ac yngandeirogyon megys dieuyl.
Paredur yna aberis yr gweissyon vwrw kyrff y rei
meirw allan. ac eu bwrw mywn auon redegawc aoed yn
agos yno. aphan daruu hynny ef aladawd kwbyl or
aoed yny castell ar ny mynnassant gredu y duw. hyt nat
oed yny castell neb onyt y vorwyn ehun. ar rei aoed
yny gwassanaeth hitheu. ar cristawn aoed wrth y gad-
wyn ef arydhaawd ac ae duc yr neuad gyt ac ef. ac
aberis idaw dynnu y arueu y amdanaw. a gwedy
hynny gwisgaw dillat da ymdanaw. Yuorwyn aedrych-
awd arnaw ac ae gweles yn wr tec ffurueid ac ae han-
rydedawd. Eissyoes ny allawd hi ebryfygu y dolur
ae thristit am y brodyr. A unbennes heb y paredur
ny thal dim ytti dy dristit. ac am hynny gollwng dros
gof. Paredur aedrychawd arnei rac y thecket. a hitheu

aebryfygawd y dolur o chwant edrych arnaw ynteu.
ae garu arhynt awnaeth hi. adywedut yny medwl
ehun pei efo a vynnei gredu oe duw hi y gwnaei hi efo
yn arglwyd ar y castell ac arnei hitheu heuyt. Eissyoes
ny wydyat hi uedylyeu paredur. aphei asgwypei nyt
amcanei hi hynny. kanys pei crettei hi oe duw ef. ny
wnaei efo y medwl hi am hynny. ac med y kyuarwydyt
ny chollei y wyrdawt yr gwreic or byt. ac ny bu nac
achaws na medwl y ryngthaw a gwreic or byt. namyn
yndihalawc obop godineb y bu varw ef. ac nyt
yttoed hi yn tybyeit hynny. namyn tybyeit mae hoff
oed ganthaw pei hi ae carei efo rac meint oed y theg-
wch. Paredur yna aovynnawd idi beth yr oed yny
uedylyaw. a hitheu adywawt nat ytoed yn medylyaw
amgen no da os efo ae mynnei. ac yna hi a adefawd
y medwl wrthaw. a unbennes heb y paredur. ny thal
dim y medwl hwnnw. Aphei atueut gwr di ual yr
wyfi ef aathoed dy diwed di ygyt ar lleill. ac os da
gan duw ef a newitya dy uedwl di etto. Gwir yw
heb hi or mynny di vyngkaru i mal y dyly marchawc
urdawl garu unbennes dec uonhedic mi awnaf aerchych
di ami agredaf yr gret y credy ditheu. Mi awrantaf ytti
heb y paredur ual yr wyf gristawn i. ochymery di
uedyd ar dy garu di megys y car y neb agretto y duw
y llall. ac ny cheissyafi mwy heb hitheu. ac yna hi
aberis mynet yn ol meudwy santeid yr hwnn aoed yny
fforest drwy gyngreir. a hwnnw adoeth yn vuan pan
gigleu y chwedleu. Ac yna hi a vedydywyt ahi ae
hunbennesseu. a pharedur a vu dat bedyd idi hi.
Ioseph yssyd yn tystolyaethu panyw celester oed y
henw hi a llawen uu hi am y bedydyaw. ahi a drosses
y medwl ar da. ar meudwy adrigyawd yno ygyt ahi
yn hir yndysgu idi padelw y credei y duw. ac uelly y
bu y vorwyn honno yn buchedocau yny vu uarw.

CCXLIX.—Paredur agerdawd ymeith drwy diolwch
y duw y cwrteisi awnathoed am gannatau idaw oruot
argastell kyn greulonet a hwnnw. ae drossi y gret
grist. amarchogaeth aoruc ef yn aruawc yny doeth y
wlat yr honn yr oed yndi cwynuan uawr. ac yndywedut

yr oedynt. pei deuei ef yma neurdaroed idaw yndis-
trywaw ni haeach. kanys neurdaruu idaw oruot ar y
castell cadarnaf or wlat. a marchogaeth aoruc ef yny
doeth yn ymyl hen gastell aoed yn mhenn fforest. Ac
yno yn ymyl porth y castell ef awelei gynnulleitua
uawr odynyon ygyt. ac awelei was ieuanc yn dyuot y
wrthunt. ac ef aovynnawd yr gwas paryw gastell oed
hwnnw. Arglwyd heb y gwas brenhines landyr yssyd
racko. yn peri y dwyn hyt y porth att y marchogyon
urdolyon y rei awely dy racko. kanys hi agigleu marw
y marchogyon or castell kandeiryawc ar marchawc ae
hennillawd aberis bedydyaw y vorwyn yssyd yno.
Aryued vu ganthunt padelw vu hynny. Sef ymae ar
y vrenhines racko ovyn mawr colli ohonei y thir. kanys
magdalans vrenhin orient a vu varw. yr hwnn oed
vrawt idi. ac nyt oes bellach idi chweith canhorthwy.
ac heuyt hi agigleu panyw y marchawc a ennillawd y
castell kandeiryawc yssyd oreu marchawc or holl vyt.
ac nat oes neb aallo parhau yny erbyn. ac rac y ovyn ef
y mae hi yn mudaw y gastell yssyd gadarnach idi no
hwnn racko. ar hynny y gwas aaeth ymeith. apharedur
adoeth parth a phorth y castell. ar bobyl aoed ygyt ar
vrenhines aaruuant y groes goch aoed yntaryan pared-
ur. ac adywedassant wrth y vrenhines. weldyma heb
wy varchawc cristawn yndyuot tu ar castell. Mogelwch
heb hitheu rac nabo ef vo yr hwnn bieu dileu awch
cret chwi. Paredur adoeth parth ac yno yn aruawc
adisgynnu aoruc. Y vrenhines aovynnawd idaw pa
un oed a pheth ageissyei. Arglwydes heb y paredur
nyt ytwyfi yn keissyaw namyn da alles ytti. onyt ti ae
gwrthyt. Ydwyt heb hi yn dyuot or castell candeiry-
awc. Arglwydes heb ef mi a vum yny castell hwnnw.
a mi a vynnwn pei dy gastell di avei ar ewyllys y
iachwyawdyr yn y mod y mae hwnnw. Myn vy ffyd i
heb hi os dy arglwyd di yssyd mor hollgyuoethawc ac
y dywedir y vot. ynteu avyd yn ehegyr. Arglwydes
heb y paredur mwy yw y wrhydri ef noc y dywedir.
Mi avynnwn heb hi glybot hynny yn ehegyr. ac yr
wyfinneu yn adolwyn ytt nat elych y wrthyf yny

profwyf. Paredur a ganhadawd hynny yn llawen. a
hitheu a ymchoelawd drachevyn yr castell. a pharedur
ygyt ahi. ac adoethant yr castell. a phawb or aoed
yno y mywn aoedynt yn ryuedu bot yr arglwydes yn
ymdidan uelly apharedur. kanys yr pan gollassei y
golwc ny allyssei arnei adel cristawn yny chyvyl. ac
am hynny y mynnawd dallu ohonei rac gwelet yr un
onadunt. ac yr awrhonn eissyoes hi a vynnei welet
paredur. kanys y tylwyth aoedynt yny chylch aoedynt
yn dywedut nat oed yny byt gwr degach noc ef.
Paredur adrigyawd yno y nos honno. ac a vedylyawd
bot yndigrif idaw pei gallei y throssi y gret. kanys ef
awydyat pei y hi adrossei y credei bawp or lleill.
    CCL.—Gwedy bot paredur y nos honno yn y castell.
y vrenhines drannoeth a gyuodes y vyny. ac aberis
dwyn attei y rei balchaf oe chyuoeth. a dyuot aoruc
hitheu oe hystauell yr neuad hyt yn lle yr oed baredur.
ac yn gwelet yn gynegluret ac y gwelsei egluraf
eiryoet. a phawb a oed yn ryuedu hynny. Arglwydi
heb hi gwarandewch arnafi yn dywedut ywch y gwir
yn y mod y daru ym. val yr oedywn i yn kyscu neith-
ywyr yn vynggwely heb welet dim. mi awedieis ar
vynduw i ar roi ohonaw ym vynggolwc. ac ef awelit
ym y vot ef ym atteb i ac yn dywedut nat oed idaw ef
gennat y hynny. ony bei beri ohonafinneu llad y
marchawc adathoed yma. ac ony wnawn hynny. ef
alidiei wrthyf. Aphan y kiglefi wyntwy yn dywedut
na ellynt chweith gwaret ym. ef adoeth cof y minneu
henw crist yr hwnn y mae y rei or gret newyd yn
credu idaw. ami ae gwedieis ef ac aadolygeis idaw ot
oed gymeint y vedyant ef ae allu ac y dywedit ar roi
ym vynggolwc drwy amot credu ohonafinneu idaw ef.
Ac arhynny mi agysgeis. ac ef awelit ym vy mot yn-
gwelet yr arglwydes deckaf or holl vyt yn ymrydhau
o vab bychan. a hynny yn y castell yman. ac yny
chylch yr oed goleuni kymeint aphet uei yr heul yn-
disgleiryaw. Aphan anet y mab yroed yn gyndecket
ac yn gynvonhediket y diwyc ac y renghis bod yn
vawr ym edrych arnaw. ac ef awelit ym vot wrth y

rydhaedigaeth hi y niuer teckaf or holl vyt. ac esgyll
udunt megys y adar. ar llewenyd mwyaf ganthunt.
ac ef awelit heuyt ym vot gwr prud y gyt ar arg-
lwydes yndywedut na chollassei hi dim oe morwyndawt
yr hynny. ac esmwyth uu gennyf tra vum yngwelet
hynny. Ac odyna mi awelwn ryw dynyon yn rwymaw
y gwr gwirion wrth golovyn. ac yn y uaedu ac ysgyrseu
yn gynffestet ac yny yttoed y gwaet yn redec yn ffryd-
yeu yr llawr. Achyn dristet vu gennyf hynny ac y
bu reit ym wylaw. a ryued uu gennyf pa ffuryf y dath-
oed y weledigaeth honno ym. A gwedy hynny mi
awelwn wyr yn kymryt y gwr rwymedic gynneu ac yn
y roi ar brenn y groc. ac yn pwyaw hoelyon yny draet
ac yny dwylaw. ac odyna yny daraw agwaew yn y
ystlys. ac yna ef a vu reit ym wylaw o dostur. ac
yno y gweleis i dan y hadnabot y wreic awelswn yn
ymrydhau y ar y mab ar neill tu. eissyoes nyt oed neb
aallei dywedut nac amkanu y dolur ar tristit a oed y
wreic yny wneuthur. ac or tu arall yr groc mi awelwn
wr heb dim o lewenyd arnaw. ac eissyoes ydoed ef yn
didanu y wreic yn oreu ac y gallei. Ygyt a hynny
mi awelwn ryw dynyon ynkynnullaw gwaet y diodefed-
ic. ac yny roi mywn llestyr o aryant. ac odyna mi
awelwn y dynnu ef y ar y pren croessedic hwnnw ae
roi y mywn bed ac ysgrin o vaen. a mi avum kyn
dristet traegweleis uelly. ac y bu reit ym wylaw. ac yn
yr wylaw hwnnw deffroi aorugum. Yn yr arglwyd
hwnnw y dylyir credu kanys ef adiodefawd angeu
yrom ni. ac idaw efo y mynnafi credu chonawch chwi
oll. ac ymadaw ohonawch ar hwnn aelwch chwi duw.
kanys hwnnw yssyd diawl. ac ny dichawn ywch neb
ryw les. ac ar ny mynno credu idaw mi a baraf idaw
angheu dybryt. Yr arglwydes yna aberis y bedydyaw
achwbyl or ae mynnawd y gyt ahi. ac ar nys mynnawd
hi aberis y distrywaw ae diua or byt. Yr ystorya honn
yssyd yn tystolyaethu ac yn hyspyssu yni panyw
salubre y gelwit yr arglwydes. ac uelly y buchedoc-
kaawd hi ymywn cret da yny bu varw. Apharedur
aaeth ymeith yndigrif ganthaw vot yr arglwydes ae
thylwyth yn credu y duw ac yr seint.

CCLI.—Gwedy hynny y kyuarwydyt yssyd yn hyspyssu vot meliot o loegyr wedy kychwyn yn iach ac yn llawen or castell periglus o achaws y cledyf ar amdo adugassei lawnslot idaw or capel periglus. ac yr hynny etto yd oed ef yn drist ac yn doluryus achaws y chwedleu aglywei. nyt amgen no bot gwalch-mei yngkarchar. ac ny wydyat ef pa le. namyn clywet awnathoed mae kenedyl yr marchogyon or castell candeiryawc ae dalyassei o achaws paredur yr hwnn aennillassei y castell candeiryawc. ac yna meliot adywawt na bydei iach vyth yny gaffei ymwelet a gwalchmei. a marchogaeth awnaeth ef dan wediaw duw ar gael diheurwyd ywrth y arglwyd. ac uelly march-ogaeth aoruc ef arhyt fforestyd ynyal yny uu agos yr nos heb gael neb ryw gyuanned. Ac yna edrych yn unyawn oe vlaen awnaeth ef ac arganuot morwyn ieuanc yn eisted a chwynuan uawr genthi. Y lleuat aoed dywyll ar lle aoed beriglus. A unbennes heb y meliot paham yd eistedy di uelly. Arglwyd heb hi wrth na allaf amgen. ac yr hynny mwy yw y perigyl yma noc y tebygy di. ac or mynny di wybot paham ydwyfi yma edrych y vyny. a thi ae gwybydy. Meliot aedrychawd. ac aarganuu y uch benn y vorwyn deu varchawc urdawl yn eu harueu yngcroc ymbric prenn. A ryued uu ganthaw hynny. A unbennes heb y meliot pwy aladawd y marchogyon racko mor vileiny-eid a hynn. Arglwyd heb hi y marchawc or galis yr hwnn yssyd yn mynnychu yr mor. Paham heb ef y croget wyntwy. Am eu bot yn credu y duw ac y vam. ac yma y byd reit ymi eu gwarchadw wyntwy hyt ympenn y deugeinuet dyd. rac eu tynnu odyma. kanys pei tynnit wy ef agollei y gastell medei ef. ac ynteu a torrei vympenn i. Myn vyngcret heb y meliot ys mileinyeid a swyd yssyd ytt. ac ny bydy di mwy yny mod hwnnw. Och arglywyd heb hi ef am lledir inneu. kanys kyngreulonet yw y marchawc ac nat oes neb aallo parhau yn y erbyn. A unbennes heb y meliot mawr a gewilyd oed y mi or gadwn y marchogyon urdolyon yny mod racko. ac ef a liwit y uarchogyon

ereill hynny. Yna meliot ae tynnawd wyntwy yr
llawr ac ae cladawd. Arglwyd heb y vorwyn ony med-
ylyy di am vynggwarantu i y marchawc am llad. ac
auory y bore pryt na welo ef wyntwy yngcroc. ef a-
chwilya y fforest ym keissyaw I ynymkaffo ac odyna
ef am llad. ac odyna meliot agerdawd arhyt y fforest ef
ar uorwyn yny doethant y gapel yn y lle y gnottaey
vot meudwy yr hwnn adaroed yr marchawc or galis y
distrywyaw. ac yno ef adisgynnawd. ac adoethant ef ar
uorwyn y mywn yn y lle ydoed amylder o oleuni. a mor-
wyn arall aoed yno yn gwylyaw marchawc marw. a
ryued vu gan veliot hynny. A unbennes heb y meliot
pa bryt y llas y marchawc yma. Arglwyd heb hi y
bore doe y lladawd y marchawc or galis ef. ac ual hynn
y byd reit ymi y wylyat ef heno. ac auory ef adaw yma.
ac odyma ef aa hyt y mywn castell. yn lle y byd y
walchmei ymlad allew ahynny heb aruei. am arglwydes
inneu mi ar vorwyn adugost di yma a dygir hyt y lle y
byd yr ymlad y rwng y llew agwalchmei. A gwedy
darffo idaw ef llad gwalchmei. ef aollyngir y diua yn
arglwydes ninneu ony pheit ar gret newyd yr honn a
gymerth hi yny castell candeiryawc yny lle yr oed ac
ymae etto. ac yno y byd reit y ninneu gymryt yn angh-
eu. llawen vu gan veliot y chwedleu am glybot y kaffei
welet gwalchmei drannoeth. ac am y vot yn vyw. Arg-
lwyd heb yr unbennes. yrduw keis amdiffyn y vorwyn
honn auory. kanys y marchawc a ynvytta olit pan y
gwelo hi yma. ac wrthyt titheu dy hun heuyt. Paham
heb y meliot ponyt gwr yw efo megys minneu. Ie arg-
lwyd heb hi. namyn creulonach yw ef a ffyrnigach no
thydi ar y weletyat. Yno y bu ueliot y nos honno hyt
trannoeth. ac ar hynny ef aglywei drwst y marchawc
yndyuot trwy y fforest megys tymestyl uawr. ac yr
oed gyt ac ef arglwydes y castell candeiryawc ac yr oed
yny pherchi yndrwc ac yny churaw ac ysgwrs. ac yn
bygythyaw y vorwyn aadyssei dynnu y marchogyon yr
llawr. Meliot ae harganuu yndyuot. a chorr yn y ol. yr
hwnn a dywawt. Weldy racko heb ef yr hwnn y coll-
eist di dy gastell oe achaws. ac arhynt distrywa ef. a

3 I

gwedy hynny ni awn wrth angeu gwalchmei. ac yr
awr y gweles meliot ef. ef aesgynnawd ar y varch.
Ae tydi heb y marchawc or galis adynnawd vy march-
ogyon i yr llawr. Myn vympenn i heb y meliot nyt
oed deu di yr un onadunt. namyn duw bioedynt. athi
awnaethost gormod o drwc pan y lledeist wynt yn y
mod hwnnw. Ac ar hynny ymgyrchu aorugant. a
meliot ae trewis ef yngkedernyt y daryan yny vyd
trwydi a thrwy y luric. ac yny vyd y gwaew yny
dwyvronn. Y marchawc yna adrewis meliot yny vyd
y gwaew drwy y daryan. ac y rwng breich ac ystlys
idaw ynteu mwy no llatheit. Athynnu y waew attaw
aoruc ef olit. a mynet y gymryt redec oe varch aruedyr
roi dyrnawt a vei well. Ac yna y corr adywawt. paham
y gedy di y hwnn racko barhau yth erbyn. ac ar y
geir hwnnw kyrchu meliot aoruc ef. ae daraw yny vyd
y gwaew yn drylleu. Meliot eissyoes ae trewis ynteu
yn well. kanys ef ablannawd y gledyf ymperued y
gorff. ac ae gythyawd yny vyd dan draet y varch yr
llawr yn varw. Y corr yna ageissyawd ffo. Eissyoes
meliot nys gadawd idaw. namyn torri y benn aoruc.
or achaws y diolches y vorwyn idaw yn vawr. Meliot
yna adisgynnawd ac agladawd y marchawc aoed yny
capel yn varw. agwedy hynny ef adywawt wrth y
vorwyn nat oed fford idaw y drigyaw yno hwy no
hynny. kanys ef aaei y nerthau gwalchmei os gallei.
Yr unbennesseu a diolchassant idaw y lauur ac aaeth-
ant drachevyn. ar neill or morynyon agymerth march
y gwr marw. ar llall agymerth march y corr. Meliot
ynteu agerdawd racdaw megys yr hwnn a uynnei yn
llawen glybot chwedleu y wrth walchmei. Ac ual y
byd ef yn marchogaeth uelly. ef a welei uarchawc yn
dyuot a brys mawr arnaw ac yn aruawc. Tydi uarch-
awc heb ef wrth veliot. A wdost di dywedut ymi un
chwedyl y wrth y marchawc or galis. Beth a vynnut
di ac efo heb y meliot. Arglwyd heb ef y marchawc or
twr coch aberis dwyn gwalchmei hyt ymywn llannerch
or fforest honn. yn y lle y byd reit idaw ymlad heb
arueu a llew. ac y mae yn aros yny del y marchawc or

galis. yr hwnn adyly dwyn ygyt ac ef dwy vorynyon.
ac yr rei hynny y rydheir y llew gwedy llader gwalch-
mei. A vyd yr ymlad ryngthunt wy y rawc heb y
meliot. Na vyd heb ynteu yny del y marchawc or galis.
Yr hynny ymae gwalchmei yno gwedy y rwymaw wrth
brenn yny del ef. ac y mae yn y warchadw deu uarchawc
urdawl. a dywet titheu y minneu or gwdost un chwedyl
y wrth y marchawc or galis. Kerda ragot heb y meliot
athi awybydy chwedleu y wrthaw yn ehegyr. Meliot
agerdawd ac adynessaawd att y llanerch yr honn yr
oed walchmei yndi. Ac yna ef aarganuu y march-
ogyon yn gwarchadw gwalchmei. ac ot oed ovyn ar
walchmei. nyt oed ryued. Kanys yd oed yntybyeit
bot y dyd wedyr dyuot. Yna meliot aweles gwalch-
mei gwedy y rwymaw achadwyneu heyrn. yn gynffestet
ac na allei ymgyffroi or lle ydoed. Tost a thrist vu
gan veliot hynny. Adywedut yny uedwl ehun bot yn
well ganthaw efo y varw yn gyntaf no gwelet angheu
gwalchmei. Ac yna brathu y uarch adwy yspardun
achyrchu un or marchogyon. ae daraw yny vyd y
gwaew trwydaw. Ac yny vyd ynteu yn varw yr llawr.
ar llall avynnassei ffo tu arcastell y geissyaw nerth pan
y lludyawd meliot ae lad heuyt aoruc. Ac odyna ef
adoeth att walchmei ac adorres y cadwyneu y arnaw.
ac ae gollyngawd ymeith yn ryd. ac a dywawt wrthaw.
Arglwyd heb ef. Myui yw meliot dy uarchawc di.
Aphan rydhawyt gwalchmei ot oed lawen nyt oed reit
y ryuedu. Y marchogyon or twr coch a wybuant y
vrenhines landyr gymryt bedyd. a bot y marchawc
abaryssei idi gredu yn dyuot ar hyt y byt yr hwnn ny
allei neb parhau yn y erbyn. ac wynt awybuant heuyt
daruot llad y marchawc or galis. a rydhau gwalchmei
allad y marchogyon aoedynt yn y warchadw. Ac yna
wynt avedylyassant nat oed fford udunt y barhau. Ac
yna gadaw y castell awnaethant wy adywedut yd eynt
drwy y mor. kanys yno nyt oed reit udunt un ovyn.

CCLII.—Aphan daruu y ueliot rydhau gwalchmei.
ef awnaeth kymeint ae wneuthur yn aruawc o arueu y
marchogyon meirw. Gwalchmei yna aesgynnawd ar y

march adewissawd. A ryued uu ganthunt na welynt
neb yn dyuot or castell yn eu hol. Meliot heb y
gwalchmei ti am rydheeist i o angheu yr awrhonn. ac
un weith arall heuyt. ac nyt ymgedymdeitheeis eir-
moet a marchawc awnelei ym oles gymeint ac awnaeth-
ost di. Ac yna marchogaeth aorugant yny doethant
yn agos yr castell. ac ny chlywynt wy yno neb ryw son
or byt. Ac ny welynt neb yn dyuot ohonaw. A ryued
vu ganthunt nawelynt neb yn dyuot yn eu hol. a
marchogaeth aorugant wy yny doethant y benn y fforest
ual y gwelynt y mor yn agos udunt. ac yno wynt
awelynt long. ac awelynt varchawc urdawl yn ymguraw
achwbyl ac aoed ygyt ac ef. ac yd oed y marchawc yn
eu curaw yn gynffestet ac yny ytoed lawer onadunt yn
syrthyaw y wysc eu penneu yr mor. a thu ac yno y
doethant wy gyntaf ac y gallassant. Aphan doethant
wy yn agos yr mor. wynt aadnabuant panyw paredur
aoed yn ymguraw ac wynt. A chynn eu dyuot wy y
lann y mor. yr oed y llong gwedy pellau yn y weilgi.
ac ynteu vyth yn ymguraw aphawb aoed yny llong.
Meliot heb y gwalchmei. Weldy racko paredur. ami
aallaf dywedut yn lle gwir y vot ymperigyl mawr am
y eneit kanys y llong racko adeflir y ryw dir ny chlyw-
er vyth un chwedyl y wrthaw onyt duw a ymgeleda
amdanaw. ac ochollir ef mi aallaf dywedut na chynyda
marchawc vyth ar gret grist yngymeint ac efo. Gwalch-
mei a weles y llong yn pellau yr mor. apharedur yn
ymguraw a phawb or aoed yndi. a doluryus oed gan-
thaw nat yttoed yno kynn pellau y llong. ac ymchoelut
aorugant wy yn drist o achaws paredur. kanys ny
wydynt wy ym pa wlat y tiriei y llong. a phei gellynt y
hymlit wynt ae hymlityynt. A marchogaeth aorugant
yny gyuaruu marchawc ac wynt. Gwalchmei aovyn-
nawd idaw o bale yr oed yn dyuot. ac ynteu a dywawt
mae olys arthur. Pa ryw chwedleu yssyd y gennyt ti
odyno heb y gwalchmei. Arglwyd heb y marchawc
rei drwc iawn. kanys arthur yssyd yn ysgaelussaw y
holl vilwyr o achaws briant or ynyssed. ac ef aberis
carcharu un or milwyr goreu or llys. Awdost di pwy

oed y henw ef heb y gwalchmei. Arglwyd heb ynteu
ef aelwit lawnslot dy lac. ac neurdaroed idaw ennill
kwbyl or holl diroed a dugassit y gan arthur ac a goll-
assei. ac ef aladyssei vrenhin magdalans. Achwbyl oe
vrenhinyaeth ef ae hennillassei. ac ae trossassei y gret
grist. ac yr awr y daruu idaw ef eu hennill ef a anuones
y brenhin yny ol ahynny drwy gyngor briant. ac ef
avyd ar arthur yn ehegyr eissyeu kedymdeithyon.
kanys brenhin claudas yssyd yn kynnullaw llu mawr y
gyt ac ef. ar vedyr ennill brenhinyaeth magdalans drach-
evyn. A gwedy hynny ef adaw am benn arthur. a
hynny drwy gyngor briant yr hwnn aanuones kennadeu
a llythyreu att vrenhin claudas. y erchi idaw luydaw.
Ie heb y gwalchmei. ef adyly bot arnaw eissyeu y neb
a ysgaelusso kyngor gwyr da yr twyllwr ymanhyedwr.
Ar hynny yr aethant wy ymeith y wrth y marchawc
yndrwc ganthunt vot lawnslot yngharchar. ac na
wnathoed eiryoet gweithret y dylyit y oganu oe
achaws.

CCLIII.—Yma y mae y kyuarwydyt yntewi am
walchmei a meliot. ac yn traethu am vrenin claudas. yr
hwnn agasglawd llu mawr drwy gyngor briant y ryuelu
ar arthur. kanys ef awydyat nat oed ygyt ac ef yr
ystor o vilwyr anoteynt vot. ygyt a hynny heuyt ef
awydyat ual yd oed kwbyl o lys arthur. ac ual yr oed
yr eidaw. ac am hynny ef a nessaawd ar gyuoeth
arthur gyntaf ac y gallawd gwedy daruot idaw ennill
brenhinyaeth magdalans. Eissyoes kwbyl or alban
aoed etto yn y erbyn. Y chwedleu adoeth y lys arthur
ual hynny. a dywedut idaw onyt anuonei nerth udunt
y roynt wy y wlat y vrenhin claudas. ac yd oedynt yn
gweidi ac yn llefein am lawnslot. ac yn dywedut pei
cassoedynt y kyfryw amdiffynnwr ac oed lawnslot arnunt
nat oed reit udunt ovyn neb ryw ormes. Arthur aan-
uones briant ynvynych y geissyaw amdiffyn y wlat. ac
ny doeth ef draegevyn eiryoet onyt trwy aruot arnaw.
a llad llawer oe wyr. Arthur aoed a chyflwr drwc
arnaw am na wydyat pa vyt yr oed na gwalchmei nac
owein uab uryen na neb or rei ereill da. y rei anotteynt

vot yno drwy y rei yr oed ovyn arthur ar bawp. a
chlot idaw yn mynet y bob gwlat.

CCLIV.—Diwarnawt yd oed y brenhin yn vedylgar
yngkaerllion ae ogwyd ar un o ffenestri y neuad. ef
adoeth cof idaw y vrenhines ar milwyr. ar amryuaelyon
anturyeu aoedynt yn dyuot yr llys. yn oes y vrenhines.
Ac ar hynny lucanus vwtler ae gweles ef yn vedylgar
uelly. ac a dynessaawd attaw ac adywawt.   Arglwyd
heb ef. ef awelir y mi nat wyt lawen di.   Gwir adywedy
lucanus heb yr arthur. kanys vy llewenyd yssyd wedy
pellau y wrthyf yn vawr yr pan vu uarw y urenhines
ac yr pan aeth gwalchmei ar milwyr ereill da y wrthyf.
ac nyt gwiw ganthunt bellach dyuot ym kyuyl. a
brenhin claudas heuyt yssyd ynryuelu arnaf. ac yn
ennill arnaf yr hynn nyt oed vynych y neb y ennill
arnaf. ac nyt oes gennyfinneu gallu y ludyas udunt wy
hynny o achaws mynet vynggwyr y wrthyf.   Arglwyd
heb y lucanus ny dylyy di kerydu neb amhynny onyt
ty hun. kanys ti awnaethost drwc yr neb awnaeth ytti
da. a da yr wyt yny wneuthur yr neb yssyd yth lygru
ac yth golledu. athi a rodeist yngkarchar un or march-
ogyon goreu ar aoed ar dy helw achywiraf. or achaws
y mae kwbyl or lleill yn pellau y wrthyt. ef ath was-
sanaethawd ynda ac yngywir. ac ny wnaeth dim yth
erbyn ual y dylyut wneuthur y kewilyd awnaethost
idaw. a gwybyd di ynlle gwir na phella dy elynyon y
wrthyt. yrot ti bellach. ony byd drwydaw ef athrwy dy
vilwyr ereill da.   A gwybyd di yn lle gwir mae paredur
a gwalchmei a lawnslot ac owein oedynt drych ac ex-
awmpyl y gwbyl oth lys ath gyuoeth.   Lucanus heb
yr arthur pei tebygwn allel ymdiryet vyth bellach y
lawnslot. mi abarwn y ollwng or carchar. kanys mi
awnn na bum gwrteis yny gyueir. a lawnslot yssyd
gyflawn o gallon uawr galet. ac ny wydyat ef adel
dros gof y blinder agafas yny gaffei y dial. kanys nyt
oes brenhin or holl vyt yr cadarnet vei ny lyuassei ef
ovyn y gyuyawnder idaw.   Arglwyd heb y lucanus ef
awyr lawnslot ony bei gynghor arall na wnathoedut
idaw dim oc awnaethost. ami a wnn hynn ar lawnslot

na wna ef ytti chweith drwc. kanys y mae yndaw efo
llawer o rym a chywirdeb. a thi awdost hynny ual y
profeist ef lawer gweith. ac or mynny di ostwng dy
elynyon achynnal dy deyrnas gollwng di efo or carchar.
ac ony wney di hynny ti a golly dy deyrnas drwy dwyll.
Arthur yna agordawd y gyngor lucanus vwtler. ac aberis
dwyn lawnslot geyr y vronn. Lawnslot heb y brenhin
padelw yd ymglywy di. Arglwyd heb y lawnslot.
anesmwyth iawn vu arnafi yr ystalym. ac os da gan
duw achennyt titheu ef avyd gwell ym ohynn allan.
Lawnslot heb y brenhin ydwyfi gwedy ediuaru arnaf
awneuthum yth gyueir di. a mi a vedylyeis yn
vynych am dy gywirdeb ymkyueir. a mi a ymendaaf
ytt ar dy ewyllys drwy amot dy garyat ti y minneu
yn gyngwplet ac y bu or blaen. Arglwyd heb y
lawnslot dy emendyat ti ath garyat yssyd hoffach gen-
nyfi y gaffael noc un neb. ac os da gan duw yr dim
or awnaethost di ymi ny wnafi chweith drwc y ti.
kanys ef awyr pawb nabum i yngcarchar nac yr twyll
nac yr brat or awneuthum yth gyueir. namyn o achaws
y vot ynda gennyt ti. a hynny ny ellir y liwaw y mi
vyth. a thitheu yssyd arglwyd arnafi. ac or gwney di
ymi chweith drwc y gogan yssyd deu ditheu. ac yr dim
or awnaethost di ymi. vy nerth i ny ffaelya ytti vyth.
ami arof vyngcorff yn anturyeu ympob lle drossot.
megys y rodeis lawer gweith.

CCLV.—Llewenyd mawr avu yny llys gan lawer
dyn pan wybuant gollwng lawnslot or carchar. Briant
hagen ar rei eidyaw nyt oedynt wy lawen. Arthur
yna aberis ardymheru lawnslot o enneint a dillat. ac
aerchis y bawp vot yn barawt wrth y ewyllys ef. ac
uelly y buant yny oed garedigach lawnslot yn y llys
no neb. A diwarnawt ef adoeth briant att arthur ac
adywawt. Arglwyd heb ef llyma lawnslot y gwr
am syrhaawd i yn dy wassanaeth di. ac nymtawr i
wybot ohonaw vy mot yn elyn idaw. Briant heb yr
arthur·oheydyeist di gael sarhaet or blaen ti adylyut
vot yndigawn gennyt hynny. a chanys da gennyt ti
vot yn elyn ymi. ny allafinneu arnaf vot yngedym-

deith y titheu. Arglwyd heb y briant wrth arthur.
tydi yssyd arglwyd arnafi. a minneu yssyd wr yttitheu.
Athi awdost vy mot i yngyngyuoethocket o dir ac o
gyuoeth ac o gedymdeithyon ac y gallwyf ymrydhau y
wrthyt dracheuyn. ac am hynny ny thrigyaf i mwy
yn dy lys di tra vo lawnslot yndi. ac na dywet ti vy
mot i yngadaw y llys yn vileinyeid om plegyt i. namyn
yny gadaw megys y neb a vei chwannawc y dial y
gewilyd pan welo lle ac amser. ami a welaf heuyt
vot yn vwy y kery di efo no myui. Briant heb yr
arthur tric yn y llys ami abaraf y lawnslot wneuthur
iawn ytt. a mi ae gwnaf vy hun ytt drostaw. Arglwyd
heb y briant myn vyngcret i ny chymerafi chweith
iawn nac y gennyt ti nac y gan arall. yny dynnwyf o
waet oe gorff ef gymeint ac a dynnawd ynteu or meu
i. ac nymtawr i wybot o honaw ef hynny. Ac ar hynny
briant a gychynnawd ymeith yn llidiawc. Eissyoes
panybei rac ovyn llidiaw o arthur ny marchockayssei ef
un villtir. Briant agerdawd racdaw parth achastell y
greic calet. ac adywawt bot yn well yr brenhin pei
lawnslot a vei etto yngkarchar kanys ef a gyffroei
idaw y kyfryw ryuel ac y collei y rann oreu oe gyuoeth.
Odyna ef aaeth att vrenhin claudas ac adywawt. yr
awrhonn heb ef yr oed reit ytti wrth nerth. kanys
lawnslot aellyngwyt or carchar. ac ynhoffach gan y
brenhin ef no neb. Ac yna ymdyngu aorugant wy
pob un y gilyd onadunt. na ffaelyei yr un y gilyd hyt
tra veynt vyw vyth yn dragywydawl.

Y trossyawdyr yssyd yma yn menegi yr darlleodron
mae drwc adoluryus yw ganthaw nawybu pale yn yr
ynys honn yr oed lys brenhin peleur. namyn hynn o
diwed ar yr ystorya honn ahyspyssafi y chwi. drwy
welet ohonaf inneu yn llyfreu ereill. Nyt amgen no
Ioseph yssyd yn tystolyaethu. mynet paredur or castell
yn ryw amser. ac ny wybuwyt med ef o hynny allan
un geir y wrthaw y mywn ystorya or byt. ac y mae yn
dywedut trigyaw Ioseph yn y castell a vu eidaw bren-
hin peleur. a chaeu y castell arnaw hyt na allei neb
vynet attaw y mywn. heb vuched idaw onyt yr hynn

avynnei duw y anuon idaw. Ac yno y bu ioseph yn
hir o amser wedy mynet paredur y wrthaw. ac yno y
bu varw ef. agwedy y varw ef y dechreuawd y castell
syrthyaw. Eissyoes y capel ny bu waeth ef o dim.
namyn yn yr un mod y trigyawd ef. ac uelly etto y
mae. Y lle hwnnw aoed bell y wrth dynyon. a lle
aruthur oed wedy y atueilyaw. Ar bobyl aoed ar y
tir ac yn yr ynyssoed nessaf idaw aoed ryued ganthunt
beth oed yno. Ac yna ef adoeth chwant y rei vynet y
edrych beth aoed yny lle hwnnw. ac wynt aaethant
ac ny doeth yr un onadunt drach eu kevyn. ac ny
wybuwyt un chwedyl vyth y wrthunt. Y chwedleu
hynny aaethant y bob gwlat. ac ny lyuassawd neb
wedy hynny vynet yno. namyn deu varchawc o gymry
y rei a glywssant ymdidan am hynny. ac oedynt wyr
ieueinc advwyndec. aphob un onadunt a ymgredawd
ae gilyd am vynet yno. ac yno wynt adoethant. ac
adrigyassant yno yn hir o amser. A gwedy eu dyuot
odyno wynt a ymborthassant megys meudwyeit. ac
awisgassant peisseu rawn ymdanunt. Ac uelly y gnot-
taassant gerdet arhyt fforestyd diffeith. ac ny bwyteynt
onyt gwreid llysseuoed. ac ansawd galet arnunt. eissy-
oes yr oed hynny yn rengi bod udunt wy. Aphan
ovynnit udunt paham y bydynt uelly. Ewch medynt
wynteu wrth y rei ae govynnei yr lle y buam ninneu
achwi ae gwybydwch. ac uelly yd attebynt y bawp.
Ac uelly y bu y marchogyon hynny yn y vuched sant-
eid honno yny vuant veirw. ac ny chaffat ganthunt
wy vyth hyspysrwyd amgen. Ac weldyma y chwi yr
hynn hyspyssaf a giglefi y wrth lys brenhin peleur.
Ac uelly y teruyna ystoryaeu seint greal.

Y DIWED.

THE HOLY GREAL.

The Holy Greal.

BEING A LITERAL TRANSLATION OF THE WELSH TEXT.

I.--As the emperor Arthur was in the court called Camalot, on the eve of Whitsunday, the age of the Lord Jesus Christ being four hundred and fifty-four, and with him there were of the warriors of the Round Table one hundred and fifty, and when all of them had sat down, and fallen upon eating, behold there cometh in, even to the presence of Arthur, a young gentleman, in armour, himself and his steed, who says to Arthur, Hail, emperor Arthur, says he. And to thee also, Sir, be it well, says Arthur. Lord, says the youth, is Lancelot any where here? He is, Sir, says Arthur, and he showed him to him. Then the youth came towards Lancelot, and besought him for the sake of what he ever loved most, to come with him as far as the forest that was near to them. What sort of business, Sir, hast thou with me? says Lancelot. Thou shalt see, Lord, when thou hast come there, says the youth. Gladly, says Lancelot, will I go with thee. And he then ordered his squire to bring him his arms, and so it was done. And when the king saw that, and the barons of the court, they were not pleased. And then Gwenhwyvar said, Lancelot, says she, hast thou only to leave us on so high a day as this? Lady, says the youth, know for a certainty that he will be here to-morrow by meal-time. In that case, says she, let him go with thee gladly. And thereupon they mounted their horses, he and the other knight.

II.—And after they had set out, they rode until they came to the forest ; and when they had ridden more than half a mile of it, they came to an abbey of women. And when they knew that it was Lancelot who was there, they were glad, and conducted him to a fair chamber to be unarmed. And when they had taken off his arms, behold, two of his cousins come to him, namely, Bort and Lionel, and they embraced one another. And Bort asked Lancelot what business had brought him to that place. We thought that thou wert at Camalot. He then told them how he had come there. And as they were conversing so, behold, there come to them three nuns, and a fair youth along with them, and the chief of them, weeping, led him by his hand. And when she came to Lancelot she said, Lord, says she, I am bringing to thee our foster child, and I pray thee to make him a knight, for we think that a better than he could not receive that dignity. And Lancelot saw that the youth was full

of every goodness and ripe in respect of stature and limbs, so that
it was thought that his like was never seen : and on account of the
humility that he saw in him, he was better pleased, and more ready
to dub him.   And he said to the nuns that he would gladly do what
they sought of him.   That night he remained there, and commanded
the youth to go to the church to watch.   And on the morrow, at the
hour of prime, Lancelot placed on his right foot a gilded spur, and Bort
gave him a kiss, and prayed to God to make him a good man, for he
had no lack of beauty.   And when all that was done, Lancelot asked
the youth if he would come with him to the Court of Arthur.   I will
not go with thee, Sir, says he.   The abbess then said to Lancelot
that they would send the youth there, when they saw that it was
time.   Then Lancelot set out, he and his cousins, and they rode
until they came to the Court of Arthur, and Arthur and his barons
had gone to church to hear high mass.   They dismounted and came
to the hall, and there they conversed about the youth whom Lancelot
had made a knight.   And Bort said that he never saw one more like to
Lancelot than him, and I think that he is Galaath, who was born of
the daughter of king Peles.   By my faith, says Lionel, I think that
it is he.   And so they conversed, to see what Lancelot would say.
However, Lancelot made no answer to what they said.   And then
they became silent on that subject, and came to see the seats of the
Round Table, and they found written on each seat the name of him
that owned each seat, and so they went until they came to the
perilous seat.   And there they saw newly wrought letters, and
some of the letters said, since Christ suffered on the cross, have not
four hundred and fifty-four years been completed, and on Whit-
sunday this seat ought to have its master.   By my faith, say they,
behold here a marvellous adventure.   By God's name, says Lancelot,
whoever would reckon would find according to right reckoning that
this day is the Whitsunday next after four hundred and fifty years of
the age of Jesus Christ.   According to the prophecy of Merdhin, who
made this seat, and said that no one would sit in it, until one came,
and that would be after four hundred and fifty-four years.   And
whoever should sit in it, he said that he would meet with his death,
and that is true, for every one that has sat in it hitherto, a wind has
taken them away, and it was a chance that any tidings were ever
heard of any of them afterwards.   Others of them were slain in the
seat with arms.   And I would, says Lancelot, that no one saw these
letters to-day until he came that is to achieve this adventure.   And
then Lionel said that he would cause that no one should read them
on that day, and he brought a covering of velvet, and spread it on
the seat.   And when Arthur came from church, and saw that
Lancelot had arrived, and his cousins along with him, so great was
the joy that arose among the warriors of the Round Table that it
was unequalled, on account of the arrival of Bort and Lionel, who
had not been for a length of time in Arthur's Court.   And Gwalchmei
asked them whether they had been well, and in good spirits, since
they had visited before, and they said that they had been.   Then

Arthur said that it was time for them to go to eat. Lord, says Kei, it appears to me that if thou wentest to eat now thou wouldst break thy custom, for it was always usual for thee not to go to eat on every high festival, until some adventure came to thy court. Kei, says Arthur, thou speakest truly, and that custom I have ever kept until this day, and I will keep it yet as long as I can. Nevertheless, so great was my joy on account of Lancelot and his cousins that I never remembered any thing of that custom. Let it come to thy remembrance then, said Kei.

III.—And when they were conversing so, behold, there cometh in to the king's presence a youth of comely aspect, and he salutes the king. Lord, says he, I have seen a wonderful thing, a stone floating in the stream above the water, and coming across the river to the bank. The king then, and his warriors along with him, came to the bank of the river. And when they arrived there, a mass of red marble stone had reached the shore, made like an altar, and in the stone there was, as they thought, an honourable sword. Its pommel was of precious stone, with letters of gold skilfully written in it. And then the barons read the letters. And the letters stated to this effect. No one will ever draw me hence, except him that will wear me on his thigh, and he will be the best knight of the whole world. And when Arthur saw that, he said, Lancelot, says he, in that case thou ownest the sword. And Lancelot then said, Lord, by God, it is not I, and I have not the assurance to place my hand upon it, for I am not so worthy as that I should take it, and great folly it were, if I thought to have it. Nevertheless, says Arthur, try to draw it from the stone. I will not try, by my faith, says Lancelot, for I know that whoever tries, and fails to draw it thence, will at some time have a blow from it. Dost thou know that? says Arthur. Yes truly I know, Lord, that to-day will appear the great adventures of the Greal. When Arthur saw that Lancelot would not attempt it, he said, Gwalchmei, my nephew, says he, try thou to draw the sword from the stone. Lord, says he, since Lancelot will not, it is not right that I should try it. What for that, says the King. Try thou to draw it, for it is not on account of the sword chiefly that I wish it, but to fulfil my will. Upon that, Gwalchmei placed his hand upon it, but he could not draw it from the stone. Gwalchmei, says Lancelot, know for a truth that that sword will reach thee nearer than thou wouldst, even for a castle. Lord, says Gwalchmei, I cannot help that. Nevertheless, if it should kill me, I would wish to fulfil my uncle's will. When the King heard that, he repented that he had driven Gwalchmei into so great a danger, and he called on Peredur, and commanded him to try to draw the sword from the stone. I will readily, says he, to join in fellowship with Gwalchmei, and he placed his hand upon the sword, but he also failed to draw it. Then all believed that Lancelot was right. Then Kei came, and said to Arthur, by the hand of my friend, says he, thou mayst at length go to eat, for thou hast not failed to see and meet with a wonderful thing. Let us go, then, says the King. To the Court they came, and after washing themselves every one went to sit in his usual place. And when all had gone, it was seen that Arthur's court had never been so full as it was on that day, for not one seat was empty, except the perilous seat itself. And when the first course was served, an event happened, which was so wonderful that all the doors and windows of the hall were shut without any one putting his hand on them, and yet it was no darker with them than before, and every one wondered at it. The King then said to his barons, Lords, says he, these are wonderful events ; and while they were so conversing, behold, they saw a venerable man coming in, clothed in white raiment, without any one of those that were in the hall knowing how he came in. And in his hand was a young knight, in red arms, without a sword. As soon as.he came in, he said, Peace to you, says he ; and after that he said, Arthur, says he, here I am bringing to thee the desired knight, that is descended from the line of the prophet David, and of Joseph of Arimathea by lineage, on whom rest all the adventures and wonders of Great Britain, and all countries. Arthur was pleased with those messages and tidings, and welcomed him, and said to him : O good man, says he, we have been expecting him for a length of time, and at last we suppose that by him will be achieved the adventures of the Holy Greal. By my faith, says the gray man, thou shalt see a fair commencement presently. And then the gray man caused the arms to be taken off the knight, and to leave him in a coat of red sendal, and a surcoat with a fur of white ermine. And then the gray man commanded the young knight to follow him. And so they came to the perilous seat, near the place where Lancelot was sitting. The gray man then lifted up the covering from the seat, and saw written thereon in new letters—Behold here the seat of Galaath. And the gray man said to the young knight, Sit thou in this place, for it is thine ; and he sat, and said to the venerable man; Thou mayst go back now, for thou knowest what was commanded thee. And the good man left him so, and went away, taking leave of Arthur and his barons. And then it was asked of him whence he came, and he said that he would not tell them there until another time. And so the gray man opened the door, and went away together with his companions that were awaiting him.

IV.—When the other warriors saw the youth sitting in the place where many a good man before them had been afraid, they were all astonished, because he was so young. And every one honoured him greatly, for they all thought that by him would be achieved the events of the Holy Greal, on account of the proof of the seat, where no one had ever sat without grief. And Lancelot, above all, honoured him, for he thought that it was he whom he had made a knight the morning before that ; and Lancelot asked him how he was, and he also declared to him many things. Then Bort and Lionel conversed about the youth, and the conversation progressed to such a degree that every one of the court said that he was Galaath, the son of Lancelot, by the daughter of King Peles. And then one of the pages of the chamber came and said to the queen : Lady, says he, a great marvel has come here to-day. What is that? says she. In the hall there is a youth sitting in the seat perilous. Between me and God, says she, God has been good to him to give him grace and honour to achieve what no one has ever achieved. Wherefore it may be believed that he will achieve greater things. And of what sort is his form? Lady, says he, he is one of the handsomest men in the world, and every one is saying that he is like to Lancelot. Upon that the Queen was desirous of seeing him, and then she knew evidently that he was the son of Lancelot by the daughter of King Peles his mother. And when the King had eaten and conversed, they came to the seat, and the King raised the covering that was under the youth, and found immediately the name of Galaath, and he showed it to Gwalchmei, and said to him, Gwalchmei, says he, to God I give thanks. See thou here the knight whom thou and all the companions of the Round Table have been longing for; therefore be ye well disposed to him, and honour him, for I know that he will not remain here long. Lord, says Gwalchmei, thou and I ought to honour him, as a great lord and master over us, for God has sent him to us to free us from the evil destinies and adventures that were in this Isle. Ah, sir, says Arthur, God's welcome to thee, and God repay thy coming here. Lord, says Galaath, here I ought to come, for hence will set out those who wish to be seekers of the Holy Greal. Ah, sir, like death to us was thy coming here to-day, on account of the marvel that happened this morning, in which failed all that are in this Court. Lord, says Galaath, where is that place? I will show it to thee, says Arthur, and they took his hand, and came from the Court, and the other barons along with them, to see whether Galaath could draw the sword from the stone. And so they all ran to see that event, not a man remaining in the court. And the Queen and her ladies, when they heard that, set out after them, and so she came with a great number of gentlewomen and young maidens with her, and a place was vacated for the Queen. Galaath, says Arthur, see here the marvel, namely, to draw this sword from this stone, which the chief of my men failed to do this day.

V.—And then Galaath said, Lord, says he, it was no wonder that they failed, for this adventure belonged not to them, but to me. And for that reason I brought not a sword with me to-day. And then Galaath put his hand on the sword, and drew it from the stone as if nothing held it, and after that he put it in a scabbard, and wore it on his thigh. Lord, says he, nothing is wanting to me now, except a shield. God will send thee a shield, says Arthur, as he sent the sword. And while they were so conversing, Lo, there cometh a gentle and fair young maiden along the side of the river, on the back of a palfrey, which had a sprightly pace. She saluted the King, and his companions, and asked whether Lancelot was there. O Lady, says Lancelot, behold me here. She then turned to him, and said to him weeping: O Lancelot, a horrible thing and wonderful has happened to thee since yesterday to this time. What, Lady, says he. By my faith, says she, I will tell thee plainly, so that all may hear. Whoever, says she, had said yesterday morning that thou wert the best knight of the world would have said the truth. However, whoever should say that to-day would tell a falsehood, for thou art proved in the case of this sword : and think no longer that thou art best. By my faith, lady, says Lancelot, I never thought it. And then she turned to Arthur, and said to him, Lord, says she, Naciens, the hermit, says to thee through me that the greatest honour will come to thee this day that ever came to a king in Great Britain, and in this manner, because the Holy Greal will appear to-day to thy court, and will feed the companions of the Round Table. And when she had so said, she departed, though many of the barons invited her if she pleased. And then the King said to his barons, O good men, says he, I know that the pilgrimage of the Holy Greal is approaching, and since I know that for a truth, and that ye will not be so fully together as ye are this day, I therefore beseech you to prepare and hold such a tournament as may be spoken of after us. And they agreed to it, and they came to the city, and took their arms. And the King would not have commanded that to them, except to know and see some of Galaath's prowess and military bearing, and thinking also that they would not come again for a long time. And when they had come to the meadow, all the members of the Court, great and small, Galaath donned his arms at the entreaty of the King and Queen, and Arthur offered him a shield, which he refused. Gwenhwyvar and her maidens looked at them from the top of the castle, and then Galaath began to joust with the warriors of the Round Table, and to break spears, and he strove with such power, that there was talk of no one but of himself alone. And by vesper time there was not one of the warriors of the Round Table whom he had not thrown down, except Gwalchmei, and Lancelot, and Peredur. And then Arthur commanded all to cease from that sport, lest it should cause a quarrel among them ; and he then desired Galaath to doff his helmet, and to carry it before him to the town. And so they proceeded through the city until they came to the Court. And when the Queen saw Galaath coming, she said undoubtedly that he was the son of Lancelot, and she descended, and they went together to hear vespers. And after vespers they came to the court, and the cloths were spread upon the tables ; and they went to sit in their places, as they had been the morning before. And when all had sat, and the noise had ceased, and the court was quiet, and they had begun to serve, they heard a tumult so great that they thought the whole court to be uprooted from the ground. And then they saw a ray of the sun shining a hundred times brighter than if it had been midday, and every one's face was brighter, through the grace of the Holy Ghost. And every one looked at each other, and there was not one that could say a single word. And after a length of time, when they had so been like dumb animals, there came in unto them the glorious vessel called the Greal, covered with white samite ; and though it was so seen, not one of them knew what conveyed it ; and as soon as it entered the door of the hall, the whole court was filled with perfumes, as if there had been there the flowers and costly ointments of the whole world, and so it proceeded to every place in the hall. And as it came before the tables, it filled them with every kind of meat that a man would wish to have. And when all were served according to their will, the Greal disappeared without one of them knowing where in the world. And then every one recovered his speech, and they gave thanks to God, that he had vouchsafed to send so fair a gift as that to feed them. And especially glad was Arthur, that he was so greatly honoured by God as that, above any king that had ever been in the isle of Great Britain before him. And so all of them were satisfied, as they knew that God would not neglect them, and so they conversed with excessive joy. Yes, says Gwalchmei, there is something for us to do with this, for there is no one here who has not been served with every precious food that he would earnestly desire himself. And I never heard that such a grace as this was ever to a king's court in the world, except to the court of king Peleur. And accordingly, I also will make a vow, that I will go to-morrow, without delaying any longer, to seek tidings of the Holy Greal. And I will hold that pilgrimage until the end of one day and a year, or longer, if necessary, until I shall see it plainer than I saw it here, if there will be an opportunity of seeing it ; and if not, I will return again. When the warriors of the Round Table heard that saying of Gwalchmei, they also arose, and came to the presence of Arthur, and said that they would do the same with the King's leave, and that they would never rest until they should eat at a table where they should be fed as well as they had been there. And when Arthur heard them making that vow, he was greatly grieved, for he knew that they would not be prevented, and said, Gwalchmei, says he, thou hast this night done more harm to my court than thou ever didst good, for it is thou that takest the companions of the Round Table from me, whom, when they have gone hence, I know truly that they will never come again in the same number, which is not pleasing to me, for I love them as much as if they were my sons. And in relation to that Arthur pondered long, and the result of his thoughts was that he shed tears abundantly. And after that he said, Gwalchmei, says he, thou hast caused me this pain and sorrow, consequently I shall never be glad until I know what will be the end of this quest. Lord, says Lancelot, such a man as thou ought not to take it so much to heart, but trust in God. And should we die in this quest, more honour would it be to us, than if we died in any other case. Lancelot, says Arthur, it was no wonder that I should be sorrowful, for I know not in all the world a Christian king, who has so many good warriors, and armed knights, as I had this morning.

VI.—And on that speech Gwalchmei knew not how to answer him, for he knew that he spoke the truth. And he repented greatly, if it availed. Nevertheless, that speech spread in every place, so that more of the court were sorrowful, than joyful. When Gwenhwyvar, however, heard that, there was no one of them all who was not grieved, and especially those who were wives and concubines of the companions of the Round Table. And it was no wonder for them. And then Gwenhwyvar asked of one of the squires, who had begun to make the quest, and were Gwalchmei and Lancelot agreeing to it? Yes, Lady, says he; and Gwalchmei began, and Lancelot after him, and afterwards all the rest after them, so that none of the companions of the Round Table will remain here, without going together on that quest. And when Gwenhwyvar heard that, so great was the sorrow and sadness of her, and her maidens, and gentlewomen, that it was thought, they would have died, and that on account of Lancelot, and she wept. And after a while she said, for a truth, says she, a great affliction to the world is this, for before the end of this quest many a good man will lose his life, and she wondered that Arthur ever allowed it, for the greater part of his barons were going on that expedition. And so they conversed weeping, she and her ladies. And then the women came to the hall, in the greatest grief, for each woman spoke of her lover to the youth, that they would go with him to seek the Holy Greal. There were some, however, who were pleased with that, but for the coming of a grave man clothed in a religious habit. And when he came in even to the presence of Arthur, he saluted the King, and said, so that all the Court might hear: Lords, says he, Naciens, the hermit, through me, commands all the companions, who have undertaken to go in quest of the Holy Greal, that they take with them neither wife nor concubine, lest they fall into deadly sins, and that no one enters upon the quest who has not confessed, or will go to confession. And in consequence of that speech, neither wife nor concubine went with them. And the King ordered lodging for that good grave man. The Queen sat by Galaath, and inquired much of his state, and he answered her. However, he answered nothing of his being the son of Lancelot. Yet, as before, from other expressions, she knew that he was the son of Lancelot. And, that she might know that from his own mouth, she asked him whose son he was, as before. Lady, says he, I do not know. Lord, says she too, do not conceal it, for thou needest not to be ashamed to name him, for there is not a better warrior than he, and he is descended from kings. And when Galaath heard these words he was greatly ashamed, and for shame answered her in this manner. Lady, says he, as thou knowest the name so evidently as that, thou canst tell me who he is, and if it is he who I think is my father, I will agree with thee. By the name of God, says she, I will declare it to thee. His name is Lancelot de Lac, the fairest of the knights, and the best, and most desired by all to see him, and the most beloved of those who have been born in our times, and therefore it appears to me that thou oughtest not to conceal his name either from me, or from others. Lady, says he, since thou knowest him, why should I say it? And so they conversed until the night was far advanced. And then Arthur himself took Galaath, and led him to his own chamber. And in Arthur's bed they both slept that night, and near them Lancelot and Gwalchmei lay together. And all the

rest went to their lodgings, thoughtfully grieved, every one of them.
And when it pleased our Lord Jesus Christ that the night should
pass away, and the day approach, all arose, and donned their arms.
And then Arthur came to Lancelot and Gwalchmei, and said, Gwalch-
mei, says he, if another had impoverished my court in the way that
thou hast impoverished it, I should not be well pleased with him, for
thou art taking from me the fairest company that ever was with lord
or king, and upon that he wept. And then so greatly was Gwalchmei
afraid of Arthur, that he did not dare to answer him, because he saw
him in such a rage. And then Arthur said, Lord Jesus Christ, says
he, I never thought that I should ever be separated from the com-
panions thou hadst sent me. And so they conversed until the sun
rose, and the dew was laid, and until the Court was full of the
barons. And then the Queen came to the hall, and said to the
King, Lord, says she, all the barons are awaiting thee to go and hear
mass. And then they arose, and all were there ready, and when
they had come to church, they heard mass, in their arms, their heads
only being bare. And they went to offer. And after the mass was
ended, then king Bandymagus said to Arthur: Lord, says he, since
we have undertaken this expedition without being able to refuse, I
would advise that the relics should be brought here, to cause the
companions to swear forthwith, that they will go to perform their
pilgrimage. Gladly, says Arthur, and do ye so. Then the clerks
were ordered to bring the relics, and the King called on Gwalchmei,
and said to him : Thou first, says he, madest this vow, therefore do
thou swear first. Then the king Bandymagus said, Lord, says he,
that thy grace may be well with thee, it is not he that shall swear
first, but the one whom God has given to be lord and master over us
in this expedition, namely, Galaath. And when he has sworn, we
will also swear after him.

VII.—And then Galaath was called, and he came, and bent on his
knees before the relics. And swore on the faith that he owed to his
lord, that he would maintain that quest and pilgrimage for a day and
a year, and longer if it were necessary ; and that he would never
come back to court again, until he became thoroughly acquainted with
the Holy Greal, if it were any way possible. And after that Lancelot
swore, and Gwalchmei, and Peredur, and Bort, and Lionel ; and all
the rest of the other warriors, every one after another. And so there
were found to have sworn one hundred and forty-eight, and these all
good men, without one craven among them ; and then they took
morsels and drinks. And when that was done, they put their hel-
mets on their heads, and saluted and bade adieu to the Queen. And
when she saw that it was of no avail to entreat them to remain
longer, she took the greatest grief and pain, as if her whole race and
companions were dead before her. And that she might not be
observed, she went to one of her chambers, and fell on one of the
beds, and afflicted herself there, so that no one had heart, however
firm and hard he might be, nor was there one that saw her, who was
not grieved and wretched to look upon her. And when Lancelot

was ready, there is no need to ask whether he also was grieved for
the pain felt by Gwenhwyvar. And he came towards the place,
whither he had seen her going. And when she saw him coming in
arms, she said in this manner: Ah, Lancelot, says she, thou hast
given me my death. When thou wishest to leave the court of my
lord the King, and to go to other strange lands, whence thou wilt
never come, unless God should send thee. Lady, says he, I shall
come, if it please God, sooner than thou supposest. O God! says
she, my heart does not allow that. Lady, says he, I will go forward,
with thy leave. Lancelot, says she, with my leave thou wouldst
never go. However, since it is necessary that thou shouldst go, go
in God's name, and in the keeping of him who suffered to be tor-
tured on the Cross-tree, to deliver the people of Adam from eternal
death. And may He send thee back again. Grant that it may be
so, says Lancelot. Then Lancelot set out from Gwenhwyvar, and
not without pain and sorrow. And when he came down, all had
mounted their horses, without any hindrance but the waiting for
him, and he also mounted his horse. And Arthur then came to
Galaath (who was setting out without a shield), and said to him:
O sir, says he, it seems to me not fair for thee, and not becoming to
see thee, setting out without a shield, like thy companions. Lord,
says he, I will bear no shield, until God sends one to me by accident,
as he sent this sword. In that case, says Arthur, God be a support
to thee. And thereupon all together set out from the Court, and
that weeping, and in the greatest sorrow, as was not surprising, for
none of them knew what accident might lead them. And when they
were come to the forest nearest to them, they stood by a cross; and
then Gwalchmei said to Arthur: Lord, says he, thou hast come far
enough, and return thou now. That returning again, says the King,
oppresses me greatly. Then Gwalchmei doffed his helmet, and em-
braced the King; and so did all the companions that were engaged
on the quest. And in bidding him adieu all wept abundantly, and
thereupon they separated, and Arthur came back to Camalot. And
the questants proceeded along the forest, until they came to Bagan's
castle; and that Bagan was a good and religious man, and one of the
best knights in the world. And when he saw that the questants
had come in, he ordered the gates to be shut, and to keep them
there that night, as if against their will, and he said, since God had
sent him so great an honour as their coming to him, that they should
not depart from him for one night. And then he ordered them to be
unarmed, and when everything was ready they went to eat. And
they were served abundantly, and all wondered how well stored the
castle was of all things. And when they had eaten, they went to
take counsel of what they should do on the morrow, and in their
consultation they decided to separate from one another, and the next
morning they went to hear mass. And after the mass, they donned
their arms, and mounted their horses, and took leave of the good
man that owned the castle, with thanks for his welcome. And when
they had come to the forest, they separated from one another, with

excessive grief, and weeping abundantly, on the part of those who were thought the most valiant of them. Here the story is silent of the whole quest, and turns to Galaath, for he was the chief of them.

VIII.—The history relates that, after the separation of the quest-ants, Galaath rode four days without seeing any accident worth men-tioning. And on the fifth day, at vesper time, he came into a white abbey, and when the monks saw him they came to meet him. And after dismounting, they prepared a stable for his horse, and conducted him to a fair chamber, and took off his arms, and brought other clothes to him. And there he found two of his fellow-companions, namely, king Bandymagus, and Owen, son of Urien. And they were mutually glad. And when they had supped that night, Galaath asked them what accident had brought them there. By my faith, say they, we came here to see a marvellous thing, which it was told us was in this place, namely, a shield, which no one placed about his neck without meeting with grief in consequence before the end of the day. And for that reason we came here, to see if that was true. By my faith, says Galaath, it is a marvel, if ye say truly ; and if ye cannot bear it, says he, I will bear it, for I have none. According to that, say they, we will leave it for thee to prove it, and to see whether truth is said of it. No, says Galaath, I will leave you to prove it, and to see its quality. And so they were that night. And they were welcomed, especially Galaath, when it was known that he was there. And the three slept together that night. And on the morrow they donned their arms, and went to hear mass. And after mass king Bandymagus asked one of the brethren, where was the shield that was spoken of. Why, says the brother ? My intention, says he, is to take it with me, to see whether truth is spoken respect-ing it. I would advise thee, says the brother, not to take it on any account, for I think that thou wilt only meet with disappointment and shame. Nevertheless, says the King, I would wish to get a sight of it, to see what work is on it. And then the brother brought it even before the great altar to show it to him, and he said that he had never seen one fairer than it, or more precious. And when Owen saw the shield, he said to the King : By God, says he, I would advise no one to be so bold as to bear this shield, unless he knew that he had leave to bear it. And by my faith, says he, it shall never go about my neck, for I know of myself that I am not so wor-thy as that I should bear it. By God, says the king Bandymagus, whatever may happen to me, I will carry it hence. And then he took it, and placed it about his neck, and bore it from the church, and mounted his horse. And then he said to Galaath, Lord, says he, if it please thee, I would beseech thee not to go hence until thou knowest what will have happened to me respecting this shield ; for if other than good should happen to me, I would that thou shouldst know it, for it is thou that wilt achieve this adventure. I will gladly wait, says Galaath, and then he went away, and a squire was dismissed with him, to see whether it would be necessary to carry the shield back again. And so they rode for two miles and more, and then in a wooded valley they see a hermit's house, and by the house they see a knight coming towards them, and his arms were white. And as soon as he saw King Bandymagus couching his spear he attacked him ; and the King met him, and immediately broke the knight's shaft. And the knight on his part struck the King under the shield, until the rings of his breastplate were torn, and until the spear entered his right shoulder, and he and his horse were thrown on the ground. And he took the shield from his neck, and said to him, in the hearing of the squire that accompanied him : Thou watery knight, false and fickle. Why daredst thou take this shield about thy neck, for it was not permitted but to the knight that is best of all the world ? And after that, he said to the squire : Return thou, and bear this shield to the knight of Jesus Christ, who is called Galaath; whom thou leftest a little while ago in the abbey, and enjoin him from the Lord Most High, to bear this shield about his neck, and he will ever find it as new and as fair as it is now. Lord, says the squire, wilt thou tell me thy name, that I may declare it to the knight, when I come to him ? My name, says he, thou canst know nothing of it, neither thou, nor any human being, and do thou what I have commanded thee. Lord, says he, since thou wilt not tell me thy name, I will ask thee, for God's sake, to tell me the truth about this shield, and why it was brought to this country, and why such a marvel should be as there is in this land. As thou hast adjured me so, says the knight, I will relate it to thee. And yet not to thyself will I relate it, but when thou shalt have returned with the knight that owns the shield. Lord, says the squire, wilt thou await me here ? I will wait gladly, says he.

IX.—And then the squire came to king Bandymagus, and asked him whether he was badly hurt. Yes, between me and God, says he, so that I shall not escape but by death, I suppose. Canst thou ride, says he ? I will try, says the King, and then he strove until he got behind the squire ; and they rode until they came again to the abbey. And when those that were in the abbey knew that they were coming, they went to meet them, and brought the King to the ground, and carried him to a chamber to examine his wound. And Galaath then asked the monk that was examining him, thinkest thou, says he; that he will recover, for too much affliction it would be for the world to lose so good a man as he is, so inconsiderately as that ? Lord, says the monk, he will escape, if God pleases. Nevertheless, says he, he is badly shattered, and that yet is not to be complained of, for he was cautioned about it. And as he bore the shield when he had been forbidden, consequently he ought to be considered a fool. And when they had dressed his wound, the squire then said to Galaath, so that all should hear, Lord, says he, the knight in white arms, who threw down the king Bandymagus, sends greeting to thee with this shield, and commands thee to take it from the chief Lord from this time forth. And if thou wishest to know the truth respecting the shield, and its marvels ; Let us go, me and thee, to him. And when the

monks heard that, they said : Blessed be, say they, the fate that
brought thee here, for to-day thou wilt cast off the evil adventures
from us all.   Then Owein brought his arms to Galaath, and put them
on him, and after that he mounted his horse, and placed the shield
about his neck, and with the leave of the monks he proceeded onwards.
And afterwards Owein mounted his horse, and said that he would go
along with them.   And Galaath said that he could not come without
danger, and therefore they separated, each of them from one another.
And Galaath and the squire came to the knight with white arms, and
they saluted one another, and conversed about the shield.   And
Galaath said to the knight : Through this shield, says he, many
troublesome adventures have happened here, according to what I hear,
and therefore I entreat thee, if it please thee, to tell me the truth
about it.   I will gladly tell thee, says the knight, for I know them.
Galaath, says the knight, there was a period of two hundred and forty
years after the passion of Jesus Christ, when Joseph of Arimathea
came ; he who buried Jesus Christ, and drew him down from the
cross ; and he set out from Jerusalem with his kindred, and pro-
ceeded, by the will of God, until they came to an island called Sar-
ram, where was the King of Sarram, who was called Evalac.   And at
that time there was war between Evalac and another powerful king,
called Tolomeus.   And when Evalac was prepared to go against Tolo-
meus, Joseph, the son of Joseph of Arimathea, said to him : If thou
wilt go to war so unadvisedly as thou art going, I will pledge my
faith to thee that thou wilt not return.   How dost thou advise me,
says Evalac, to go to war ?   I will gladly tell thee, says Joseph.   Then
he related to him the best points of the Gospels, and the form of the
new faith, and about the passion of our Lord Jesus Christ on the cross
tree.   And then he made a shield with a cross on it of red sendal ;
and said : King Evalac, says he, I will show thee plainly in what way
thou mayst know the miracles and strength of the King that suffered
on the cross.   And know for a certainty that Tolomeus will have mas-
tery over thee three nights and three days, and thou wilt be in danger
of death.   And when thou seest that thou canst not escape, then un-
cover thou the cross, and say, Lord God, who sufferedst death on such
a sign as this, deliver me harmless from this field to take faith and
religion.   And thereupon Evalac departed against Tolomeus.   And
when he came to such a danger that he thought for a certainty that
he would die, he uncovered the cross and his shield, and there he saw,
as he supposed, a man on the cross full of blood ; and then he said
the words that Joseph had taught him, by which he obtained victory
and honour, and mastery over Tolomeus.   And when he came again
to the city of Sarras, he declared to the people how he obtained vic-
tory by following the advice of Joseph.   And he did so much as to
accept baptism, he and Naciens, his son-in-law by his sister.   And
as they were being baptized, behold a man coming by, whose nose had
been cut off, and carrying his nose in his hand.   And then Joseph
commanded him to put his nose by the cross, and, as soon as it touched
the cross, his nose became entirely whole.   And along with that the

3 M

cross of sendal adhered to his nose, so that it could never be removed.
The name given then to Evalac was Moradrins. And so good was
he in his Christianity that God loved him, as will be known hereafter.
And afterwards it happened to Joseph, and Joseph his father, and a
number of his family with them, to set out from the city of Sarras,
and they came as far as Great Britain. And when they had come to
Britain, there came against them a savage and cruel king. And after
imprisoning Joseph and his father, the news spread over the isles,
and it came at last to Sarras.

X.—And then Moradrins summoned his power together, he and
Naciens the red, his son-in-law by his sister. And they came even
to Great Britain against the king that had imprisoned Joseph; and it
was not long before they overcame the king that owned the country,
and the people. And so they conquered through their Christianity
the whole extent of Great Britain. And so greatly did Moradrins love
Joseph, that neither he nor Naciens, nor his host, ever wished to
return to their country, but continued there with Joseph and his com-
panions, and went the way that they also went. And when God
willed to end the life of Joseph, Moradrins came, and wept abundantly,
for he knew that he would die; and he said to him: Lord companion,
says he, for thou art leaving me, and art going, what wilt thou leave
to me, so that thy remembrance shall not depart from me, for I left my
land and territories and country, all for the love of thee? Lord, says
Joseph, I will gladly leave thee a part of myself. And then he com-
manded Moradrins to bring to him the shield he had given him, when
he fought with Tolomeus. And then he brought it to him, for it
was not far from him, for it followed him wherever he went. And
when the shield came to Joseph, a bloody flux fell upon him, which
could not be stopped in any way. And then he took the shield, and
made a red cross upon it, which thou seest here now. And know thou
for a certainty that here is that shield. And then Joseph said to
him: See thou here, says he, what I leave thee, so that thou mayst
ever remember me. And thou mayst know that with my blood this
cross was made, and it will always be as fair and as fresh as it is now.
And besides, know for a truth, that no one will put it about his neck
without repenting, except Galaath himself, the last knight of the race
of Naciens. And therefore let no one be so bold as to take this shield,
except the one to whom God has assigned it. And as the exploits of
this shield are more marvellous than of any other, so will be the more
marvellous the exploits of the knight that will bear it, than of any
other in the world. Lord, says he, since this prophecy respecting the
shield is so good as thou sayest, show to me where I may leave it, for
I would wish to place it where that knight might have it when he
comes. Yes, says Joseph, leave it where Naciens directs to be buried,
for thither will come the knight on the sixth day after being made a
knight. And so thou, also, camest to the abbey, where Naciens was
buried; and thou seest, says he, that I have told thee all the truth
respecting the shield. And thereupon he vanished, without the
knowledge of him, or the squire, whither he went from them. And

then the squire dismounted before Galaath, and entreated him, for the love of Him, whose arms and signs he bore, to permit him to follow in his company. Assuredly, says Galaath, if I took any one to follow me I would take thee. Lord, says the squire, wilt thou for God's sake make me a knight, for, if it please God, I will consider it well beforehand. And then Galaath, for so flowingly was the squire weeping, that he pitied him, and consented that he should follow him. In that case, says the squire, thou wilt return to the abbey, for there I shall have a horse and arms, and thou oughtest to come there gladly, and not for my own sake, but on account of some other marvel that is to be seen there. And I will go gladly, says Galaath; and they returned to the abbey, where they were welcomed. And then Galaath asked where the marvel was that had been said to him to be there. Dost thou not know, says one of the monks, what sort of marvel that is? I know not yet, says Galaath.

XI.—And then one of the monks told him what sort of a voice continued to come through one of the tombs in the churchyard, so strongly that there was no one who heard it that lost not his strength, and memory, and senses, until the lapse of a length of time. And that voice we suppose to be on account of the master of hell. Show ye me, says Galaath, that place. And then they proceeded until they came to the churchyard. That tomb, says the monk, is under the great tree which thou seest yonder; and go thou, says he, and raise up the stone that is on the grave, and shame to me, if thou seest not there what will surprise thee. Then Galaath came towards it, and, when he approached the tomb, he heard a great tumult, and through it a cry, which said so that all could hear: O Galaath, the servant of Jesus Christ, approach me no nearer, for if thou wilt come near, I shall not be here. When Galaath heard that, it did not move him, but he came forward, and laid hold of the stone. And there he saw a great smoke coming out, and in the smoke a flame of terrible size, and in the flame the image of a man of prodigious stature and unsightliness. And then Galaath crossed himself, for he knew that he was the enemy of man, and there he heard a voice saying to him: Ah, holy Galaath, the way of truth, surrounded by angels, against whom my power cannot prevail. And thereupon Galaath, by putting on him the sign of the cross, raised up the tomb, and in it he saw a dead knight completely armed. And he commanded the monk to come to see what was in the tomb. And he came, and said that it was necessary to cast the body outside of the churchyard, for the ground was blessed and consecrated, and therefore the ground could not agree with that excommunicated body. And then the other monks took the body, and threw it outside the churchyard. And then Galaath asked the monk who had brought him there, whether he had done all that he ought to do. Yes, Lord, so that nothing more will ever be heard of the voice. Between me and God, says Galaath, I marvel much what is the meaning of these wonders. I will tell thee, says the monk. And then they came from the churchyard to the church, where Galaath had commanded the squire to watch that night. And to-morrow, says he, I will make thee a knight; and so he did. And the monks took Galaath, and brought him to a fair chamber, where he was disarmed, and they sat on a beautiful bed. And then the monk asked him if he wished to be told him the meaning of the adventures which he had there achieved. Yes, certainly, says Galaath. In yonder grave, says he, there were three things which may be taken in similitude. That is to say, the first is the hard and ponderous stone, which it was not easy to lift, which concealed the body. The second was the body, which it was necessary to remove from the place where it was. The third was the venomous and strange voice; and the reason why all that heard it lost their strength, and memory, and senses. These three things are to be taken in similitude, that is to say, the hard and ponderous gravestone that concealed the dead signifies the hardship which Jesus Christ had in this world. For at that time the father was not true to the son, nor the son to the father, for they were then, both the son and the father, raising to them gods anew continually. And then the Father of Heaven, when he saw so much iniquity as that on the earth amongst his people, he sent his only son to the earth to seek to renew the thoughts of their hearts. Nevertheless, it was easier for him to soften the hardest rocks than their hearts; for which reason the prophet David, by way of prophecy for Jesus Christ formerly, said—" He will be bloody even to death." And as God came to this world to free mankind from the evil belief and wearisome adventures that were on them; so we may understand, through similitude, that Jesus Christ has sent thee also, being his knight, to cast out the evil adventures and customs that were in the kingdom of England. And as it was prophesied that Jesus Christ would come to cast out wrong belief and evil adventures from us, so it was prophesied that thou, also, wouldst come to put an end to the adventures and evil destinies that are in this isle. And God's blessing on the destiny that sent thee to the world to us. And there is for thee what the tomb signifies. The second is the body that was in the tomb, which may be likened to the people, or else to the souls that were under the hardness, being hardened with the sins which they had committed. And this was a sign that they were in sins. For when Christ had come to them to the earth, they supposed that he was a sinner like one of themselves. And without believing him, they judged him, and hung him at the instigation of the evil one. In consequence, Vespasian came and destroyed all that believed in God at that time. And so thou mayst liken the grave and its hardness to the world in regard to God's religion, and the body to the people that are in it. The voice, also, that came from the grave, signifies the painful speech that was made at the crucifixion, when Pilate excused Jesus Christ to the people, by taking water to wash himself, and saying, I am innocent, says he, of the blood of this innocent one. And they answered him miserably, and said,—Let his blood be upon us, and on our children. And there is the speech which caused every one to lose his voice, and his strength, and his senses. And in that way thou mayst see the meaning of those three things. And but for thy coming, the events which thou hast seen would never have ceased. And when the evil spirit saw that thou, being clean, wert coming, and approaching him, he dared not await for thee as he would wait for sinners. And then that adventure failed, which will never occur here again. And there Galaath was that night.

XII.—And on the morrow he made the squire a knight, after he had watched in the church the night previous, as was the custom at that time. And then Galaath asked him whose son he was, and what was his name. And he said that his name was Melian, and that he was the son of the king of Mars. Since thou art a king's son, says Galaath, see and consider that thou art a knight true to God. Lord, says he, if it please God, I will consider it. And then Galaath donned his arms with the intention of setting out; and then Melian said: Lord, says he, thou hast made me a knight, and may God repay thee, and thou knowest, Lord, that whoever makes a knight is bound to give him the first gift that he asks, if it be just. Thou speakest truly, says Galaath. Lord, says he, it was for the sake of getting a gift of thee that I spoke. Tell thou, then, says Galaath, what sort of a gift is that, and even to my own detriment from it thou shalt have it. May God repay thee, Lord, says Melian. I will only ask to be left in thy company in this Quest until we meet with some marvel. Thou shalt have that gladly, says Galaath. And then they mounted their horses, and set out from the abbey, and rode every day during that week. And it happened on a Monday for them to come near a cross, that was in the junction of two roads. And on the top of the cross were letters to this effect: O ye adventurous knights, who are seeking adventures and marvels, behold here two roads, one on the right hand, and the other on the left. And I command that no one goes to the left, unless he is a good man, for he may be soon lost. And when Melian saw those letters, he said to Galaath: Lord, says he, with thy leave I will go to the road on the left. I would best advise thee, says Galaath, to let me go. No, I will not willingly, says Melian, for if a hard adventure should befal me on the road, if I escape, it will necessarily be known whether I am good or evil. Go thou then gladly, says Galaath, and God preserve thee from harm. Here the history is silent about Galaath, and treats of Melian riding on the left road all that day, and the next until prime, and then he came to fair meadows. And in the midst of one of those fair meadows he saw the most beautiful chair in the world. And in it was a crown of gold, and precious stones that glittered resplendently in it. And about the chair were tables placed on their trestles, full of all kinds of meat. And he looked at that, and coveted nothing but the crown. And he thought that God was good to whoever should wear it on his head in the presence of the people. And then he put his arm through the crown, and turned the head of his horse towards the forest. And he had not ridden far, when he saw coming after him a knight on horseback, completely armed, and saying to Melian: Thou knight, says he, hast done wrong in bringing the crown from the place where it was. And when

Melian heard him saying so, he prepared himself, with the intention of combating with him, and said : Lady Mary, says he, defend to-day thy new knight.   And thereupon the other knight attacked Melian, and struck him so rapidly that his shield split, and his breastplate was torn, and the spear in his left side, and himself and horse thrown down, and the spearhead in him. And then the knight came, and drew the crown from his arm, and returned to the road by which he had come.   And Melian remained there without being able to strike, after being bruised and crushed until he was near his death.   And he greatly rebuked himself, because he had not listened to the advice of Galaath.   And as he was thus grieving, behold Galaath coming to him ; and when he saw Melian in that plight, he was sorry, and said, Melian, says he, who has done this to thee ?   And when he heard Galaath speaking, he recognised him, and said : My Lord, says he, leave me not to die thus in this place, but take me to an abbey, where I can have my necessities before I die.   And thinkest thou, says Galaath, that thou wilt die ?   I think so indeed, says he.   And when they were in that conversation, behold the knight coming from the forest.   Lord knight, says he, defend thyself from me if thou canst, for I will do thee as much harm as I can.   Lord, says Melian, see here the knight that struck me, and do thou defend thyself from him now.   And then Galaath prepared to receive him.   And so great was the eagerness of the knight, and the running of the horse, that his first blow failed, and then Galaath struck him so that the spear went through his shoulder-blade, and himself and horse on the ground, and the shaft in pieces.   And thereupon, behold another knight coming, and striking Galaath with a spear, until it was in splinters above his head.   And then Galaath drew his sword, and struck him so that his nose was off, and then that one fled, for fear of being killed entirely.   And Galaath let him flee, as he did not wish to do him more harm.   And then Galaath came to Melian, and asked him what he wished.   Lord, says he, if thou wert to carry me to an abbey that is near, as much good would presently be done to me as is possible.   It appears to me, says Galaath, that it would be easier to conduct thee after pulling the iron out of thee.   No, my lord, says he, I will not put myself into so great a risk as that, lest I should die without confession.   And so Galaath took him as gently as he could, and went with him until he came to the abbey.   And the monks received him with great joy, and took Melian, and brought him to a fine chamber ; and when they had stripped him of his arms, they brought to him the Lord's body.   And when he had taken the communion, he said to Galaath : Lord, says he, try now to draw the head of the spear out of me, for I am ready to receive my death.   And then Galaath put his hand on the iron, and drew it.   And he then fainted from the excessive pain.   And then a monk of the house, who had been a knight, looked at the wound, and said to Galaath, that he would be alive and well by the end of the month.

XIII.—And there Galaath remained that day and the next, and until the end of three days, to see whether Melian would recover.

And then he asked him how he was.   And he said that he was
better. In that case, says Galaath, I may depart. O Lord, says
Melian, it would be a charity for thee to wait for me to go with
thee. O Sir, says Galaath, thou hast no need of me here, and
more needful it was for me also to be in another place, in quest
of the Holy Greal, which was commenced on account of me. What,
says one of the monks, is the pilgrimage of the Greal commenced?
Yes, between me and God, says Galaath, and we are companions
of the Quest. In that case, says the monk to the wounded
knight, it was on account of thy sins that this affliction happened to
thee. And if thou wilt tell me thy plight and course since this pil-
grimage began, I will tell thee on account of what sin thou wast
maimed. Lord, says Melian, I will tell thee. And then he related how
Galaath came to the abbey, and how he himself was made a knight,
and how he saw the letters on the cross which forbade any one to
go on the road to the left. And then the good man, who was full of
virtue, and a great scholar, said, truly, says he, that was one of the
adventures of the Holy Greal, for thou hast not said anything to me
now, that is not full of great meaning. For when thou wast made a
knight, thou wentest to confession, as one that ought to take the
dignity of a knight, and thou didst cleanse thyself from all the sin
that was on thee. And thence thou wentest as one of the Quest, as
thou oughtest; and when the devil saw it, he was sorry, and he
thought of paying thee when he saw thy condition, and he overcame
thee; and that is for thee where, when thou camest to the cross in
the sign that every knight ought to trust. And there thou sawest
letters, commanding that no one should go to the road on the left,
but to the road on the right, for that is the way of truth, the
way of Jesus Christ. On that road go the souls of the innocent.
And the left road may be understood as the way of sinners, and
a road dangerous to all that enter it, for the one road was not so
secure as the other. There were letters forbidding that any one
should go on the left road, unless he were better than others. That
is as much as to say that he is better and stronger in the love of
Jesus Christ than others, and that he could never fall into sin. And
when thou sawest the letters, thou wast astonished. And then the
enemy came and struck thee with one of his quarrels. And there is
for thee with which, with pride. For thou thoughtest to go the road
which was forbidden thee, having more hope in thine own strength,
than in the strength of Jesus Christ, and so thou wast disappointed.
For the letters said and meant heavenly warfare, and thou under-
stoodest it as worldly; in consequence of which thou didst fall into
pride, and sinnedst deadly. And when thou didst separate from
Galaath, the evil one found thee, and entered into thee. And then
too little mastery would he have had over thee, hadst thou not fallen
into another sin; and so from one sin to another until he should cast
thee to hell. Then he prepared before thee a crown of gold, and as
soon as thou sawest it, thou didst covet it. And at that point thou
didst fall into the second sin, namely, the lust of the world. And

when he saw that thou hadst fallen into the second sin by taking the crown, then he entered into another knight, a sinner, who maimed thee. And hadst thou not previously crossed thyself, he would have killed thee. Nevertheless, God permitted him to maim thee nearly to death, that another time thou shouldst not trust to thy body more than to Him. And that he might be known of thee, God sent to thee strength, namely, Galaath, who overcame the two knights, who may be likened to the two sins, into which thou hadst fallen. And there I have told thee the meaning of the adventures that have befallen thee.

XIV.—The following morning, when Galaath had heard mass, he set out with leave of Melian and the monks, and rode for many days. And one day he set out from the house of a courteous man, and being sorry that he had not heard mass on that day. And when he had ridden awhile he perceived a chapel, and he went towards it. And there was not worship upon him, nevertheless as before he bent on his knees, and prayed God for counsel. And when he had finished his prayer, he heard a voice saying to him: Thou adventurous knight, go straight to the Castle of the Maidens, to destroy the evil adventures that are there. And when he heard that, he gave thanks to God for vouchsafing to warn him. And then he mounted his horse, and rode until he saw a fair castle in a valley, and a large river flowing through it, which was called Severn, and in that direction he proceeded. And there met him a grave man with indifferent raiment. And the man saluted him. And Galaath answered him in the best manner that he could, and asked him how the castle before him was called. And he said that it was called the Castle of the Maidens, and every one within it is of evil plight, for there is no mercy there. And thitherward he proceeded until he saw a youth coming to forbid him the way; for there is not here, says he, a good road. However bad it may be, says Galaath, I will go towards that place. For what purpose? says the youth. To try to destroy the evil custom that is there, says Galaath. By my faith, says the youth, I fancy that custom will be too hard for thee, and wait thou for me here. And then the youth went to the castle; and Galaath did not wait long before he saw coming to him seven knights armed, who said and commanded Galaath to guard himself against them. Why, says Galaath, will ye all on one side fight with me? Yes, say the knights, for such is the custom here. When he heard that he loosened his horse towards them, and he struck the first that met him until he was on the ground, and he nearly broke his neck. And they also struck him then. However, he did not fall either from his saddle, or off his horse, for all that. And in that encounter they all broke their shafts; but before the shaft of Galaath was broken, he had thrown down three of the knights on the ground. And then he drew his sword, and they also drew theirs, and so they struck one another rapidly. Nevertheless, so well did Galaath bear the conflict, that they were all compelled to leave the field and retreat; and they wondered greatly that there was in earthly man half as much of strength.

And so the combat continued between them until it was mid-day, and the seven knights were so wearied, that they could not defend their lives in respect of fighting, and then they began to flee, and Galaath did not follow one of them, but went towards the gate of the castle. And there a grave man in a religious habit met him, and said to Galaath : Lord, says he, here are for thee the keys of this castle ; and he took them, and entered. And he saw there of maidens more than he could count, and each of them saying : Lord, God's welcome to thee, for we have been long expecting thee to deliver us, and blessed be God that hath sent thee here, and here we should ever be, but for thy coming to deliver us from this dolorous castle. And then they took hold of his horse's bridle, and led him to the court, and caused him to dismount as against his will, and he said that it was not yet time to lodge. And then one of the maidens said to him : Lord, says she, if thou wilt go hence in that way, those whom thou drovest hence a while ago by thy prowess, will come here again with strength, and will maintain the evil custom which they had here before, and so thou wilt lose thy labour so far. Then Galaath said that he was ready to do everything that he ought in that respect. Lord, say they, cause to summon all the knights of this domain, and their people to this place, and make them swear that this custom shall never be held in this place henceforth. And thereupon, behold a fair young maiden coming from one of the chambers with a horn of ivory in her hand, and placing it in the hand of Galaath, and saying to him : Lord, says she, if thou wishest the commonalty of the whole domain to come here, cause this horn to be sounded, and it will be heard for ten miles around. And Galaath then put it in the hand of a knight that was by his side, and that one blew it so that it was easily heard over all the domain. And then Galaath took off his arms, and sat on the side of a bed, and he asked the man, who had placed the keys in his hand, whether he was a priest. Yes, Lord, says he. Tell me, says Galaath, what sort of custom is here, and why those maidens were imprisoned in this place. Then the priest said that it was seven years since he came there to Duke Linoi, the one that owned the domain of the seven knights that fled from thee to-day. And the night that I came here, there arose a quarrel between the Duke and the seven knights, because of the Duke's daughter, who was courted by one of the seven knights. And the end of the quarrel was that the seven men killed the Duke and his son, and took his treasure, and summoned to them warriors, by whose power the men of the country were compelled to do them homage, which caused sorrow to the daughter. And she said to them as of prophecy : Lords, says she, if ye have obtained victory, I need not provide, for as ye have gained this castle because of a maiden, ye shall also lose it because of a maiden ; and ye will be conquered by the body of one man. And when they heard that, they swore that not one maiden should go that road whom they would not keep in prison, until the one knight came, who would conquer the whole seven of them. And so they did from that time until now. And for that reason this castle is called the Castle of the Maidens.

3 N

Is that maiden still alive ? says Galaath.　No, Lord, says he, but a younger sister of hers is alive.　Then during that conversation the people began to fill the castle ; and when everyone of the country knew that the seven knights were overcome, they were joyful, and did homage to Galaath, as if he was their lord.　And then Galaath commanded all to come to the presence of the Duke's daughter, and do homage to her, and swear that in their lifetime they would never suffer that evil custom among them.　And then Galaath commanded the maidens that were there to go to their own countries in safety.　That night Galaath remained there, and on the morrow there came news to the castle that Gwalchmei, and Gaharyet, and Owein, son of Urien, had met the seven knights, who had tried to kill Gwalchmei and his companions.　And yet upon themselves fell the slaughter, for Gwalchmei and his companions slew them.　And when Galaath heard that, he was surprised, and donned his arms, and set out from the castle, leaving all there in joy and peace.　And they accompanied him until he told them to return, and he rode on.　Here the history is silent about Galaath, and turns to Gwalchmei.

XV.—The story relates that Gwalchmei, after separating from his companion knights, met with no adventure worth mentioning, until he came to the abbey, whence Galaath took the shield.　And there it was told him how Galaath obtained the shield.　And then Gwalchmei asked them what way Galaath had gone.　And after it was told him, he proceeded on that way, and rode as far as the place where Melian was ill, and there he was that night, conversing with Melian. And on the morrow he set out, and said : O God ! says he, how unlucky I am ! riding so near to Galaath as I am, and without meeting with him especially.　And by God, if I came to a place where I could see him, I would never leave his company, if he were so desirous of mine as I am of his.　That speech was heard by one of the monks of the abbey, who answered him thus.　For a truth, says he, the society of you two is not similar ; for thou art a false, faithless knight, and he is true as he ought to be.　Lord, says Gwalchmei, it appears to me from what thou sayest, that thou knowest me.　I know thee, says he, better than thou supposest.　According to that, says Gwalchmei, thou canst tell me how I am so bad as thou sayest.　I will not tell thee, says he, and yet thou wilt soon have one that will tell thee.　And when they were so conversing, behold there cometh in an armed knight, and the monks then took him to be unarmed.　And then Gwalchmei knew that it was his brother Gahariet ; and then each of them was glad, and there they remained that night.　And on the morrow they donned their arms, and went to hear mass.　And after mass they rode until the hour of prime ; and then they saw before them Owein, son of Urien, riding, and they then desired him to await them.　And he recognised them, and they embraced him.　And Gwalchmei asked Owein what adventures had occurred to him since they had separated, and he said that he had seen none.　Let us three then now ride, said the brother Gwalchmei, until we meet with some adventure ; and so they agreed ; and they rode until they came towards the Castle of the Maidens.　And on that day

Galaath had overcome the seven knights; and they, when they fled, met with Gwalchmei and his companions. And then the seven brothers knew that they were some of the knights of the Quest; and one of them said to Gwalchmei : defend yourselves, said he, for ye have come upon death. Then Gwalchmei and his companions attacked them, and in the first onset three of the seven were slain, and then they drew their swords, and rushed on the rest. And it was not long before they slew them all, for they were tired, and there they left them dead, and departed from them. And they went not near the castle, but each separated from the other, and for that reason they lost Galaath. And Gwalchmei proceeded onwards until he came to the house of a hermit who was saying the vespers of Mary, and there he dismounted. And after vespers he begged for lodging, for God's sake, of the hermit, which he obtained with welcome. And that night the hermit asked him who he was, and what condition he was in; and he told him all his state. And when the good man knew that Gwalchmei was there, he said that he would be glad to know on what business he so laboured, and he preached to him, and showed by histories and fair accounts from the Gospels, that it was good for him to confess, and he advised him in the best way that he could. If thou wilt explain to me, says Gwalchmei, something that was said to me, I will declare to thee all my condition, for I know that thou art a priest. And then Gwalchmei looked at the hermit, and told him all his sins, and everything that he knew of, without concealing anything, and how the monk in the abbey called him a wicked false knight. And when Gwalchmei had done confessing, the hermit knew by him that he had not been in confession for fourteen years. Then the hermit said, justly, says he, art thou called a wicked and faithless knight; for when thou wast made a knight, that dignity was not given thee to serve the evil one, but to serve our Lord Jesus Christ, and to defend the church, and to repay to God the treasure he gave thee, that is to say, the soul. For that reason was given thee the dignity of a knight, and very badly hast thou deserved it; for altogether thou hast been serving the devil, and hast deserted thy Creator, and hast led the worst life, and thou art well known to him that called thee a wicked and faithless knight. And assuredly, says he, wert thou not a sinner as thou wast, the seven brothers would not have been slain on thy account, or to help thee. But they would have done their penance, probably, for their evil deeds, and would have made their peace between them and God; and Galaath, whom thou art going to seek, did not kill them, but he overcame them without killing them. And it was not without great meaning, says he, for the seven brothers, that kept the evil custom in the Castle of the Maidens, to take in every maiden that went by that road, whether right or wrong. For God's sake, says Gwalchmei, tell me that meaning, that I may say it when I come to Arthur's court. Gladly, says the hermit, will I tell thee. By the castle we ought to understand hell, and by the maidens we ought to understand the pure souls that were there in hell, having gone before the Passion of Christ, for all went there at that time, whether right or wrong. And by the seven knights we ought to understand the seven deadly sins that were then dominant in the world, for neither was there righteousness in the world, therefore all went to hell, the bad and the good. And when the Father of Heaven, that formed us, saw the manner of our lives to be so bad as that, He sent His Son to the earth to deliver the good souls, which may be likened to the maidens; and as He sent His Son to deliver the souls from pains, so He also sent His own knight to deliver the maidens from the painful prison that held them. When Gwalchmei heard him saying so, he was astonished. And then the hermit said: Gwalchmei, says he, if thou wouldst wish to leave the foul life that thou leadest, and hast followed hitherto, I could make peace between thee and God. For the Scripture says that there is no sinner, however great be his sins, if he asks for forgiveness by repentance to God, who will not obtain it. And then Gwalchmei said that he could not do any of the penance while engaged in his present work. And then the hermit was silent, for he saw that he was only losing his labour, without doing any good. The following morning Gwalchmei set out, and rode until two companions met him, namely, Gloual and Gifflet. And they rode together for four days without having any adventure. Here the story is silent about them all, and turns to Galaath.

XVI.—After Galaath had set out from the Castle of the Maidens, he rode until he came to a wild forest, and there he was met by Lancelot and Peredur riding, and they did not recognise him, because they had never seen his shield. And then Lancelot attacked him, and immediately broke a spear upon him; and Galaath struck him also, until he and his horse were on the ground, without doing him more harm. And then he drew his sword, because the shaft of his spear was broken, and he struck Peredur on his head, until he severed the helmet side and side by his head, and but for the turning of the sword in his hand, he would have killed him. Nevertheless, Peredur was forced to fall off his horse to the ground. And that combat took place near a hermitage, where there was the house of an anchoress. And when the anchoress saw Galaath departing, and leaving them disgraced, she said: Depart, knight, for truly had they known thee as well as I know thee, they would not have been so foolish as to encounter thee. And when Galaath heard that speech, he stayed not any longer, lest he should be recognised, but he spurred his horse, and went away. And when they perceived that, they mounted their horses, and pursued him. Nevertheless, they could not overtake him. And then so grieved were they that the knight had escaped from them, that they were ready to die where they were. Lord, says Lancelot, where is the counsel that thou hast? By God, says Peredur, I know none, for the knight is going so quickly that we know nothing of him. The night is also coming upon us, and therefore the best counsel is to return to the high road, lest we should go too far from it. Here is my pledge, says Lancelot, that I will never return until I know who is the knight with the white shield. Stay thou, then, here to-night, says Peredur, and to-morrow let us proceed, me and thee. And Lancelot said that he could not wait. Yes, says Peredur, God's help be to thee, for I will not go further than this, and I will return again to the house of the anchoress. And Lancelot then rode across the forest, without keeping to any road or path, and annoyed that the night was dark, and that he was unable to see for any distance far or near. And so he rode until he came near to a stone cross, which separated two roads, and after looking at the cross he saw under it a great stone of marble with letters, as he thought, upon it, but the night was so dark that he could not read them. And near it he saw an old chapel, and towards it he went ; and, after dismounting and leaving his horse tied to a tree, he came to the door of the chapel. But there were iron bars drawn crosswise over the door, so that neither he nor any one else could enter. And then he looked through the door, and perceived an altar with fair dressings upon it. And before it was a silver candlestick, and a wax taper burning in it. And when he saw that, he was desirous to go within, to see who lived there. And then he struck the bars, and when he did not succeed in getting in, he was grieved, and he came to his horse, and led it near to the cross, and then he drew off the bridle from his head, and let him graze. And after that he took off his helmet, and sword, and shield, and placed them by his side, and fell asleep. And when he was partly asleep, he saw on a horse-bier a sick man, and two palfreys under carrying it, and the man complaining greatly of his pain. And when he saw Lancelot, he looked at him without saying a word. And the knight that was on the bier came before the cross, and said, O God ! says he, was there ever on man so much pain as is upon me, who have done no evil at all. So that man continued to lament for a long time, and Lancelot, in intervals of sleep, listening to him. And when the knight had been long waiting there, Lancelot saw the candlestick, which he had before seen in the chapel, coming even before the cross, and he saw no one carrying it, at which he wondered. And then he saw the blessed vessel coming, which he had before seen in the court of Arthur, and which is called the Holy Greal. As soon as the sick knight saw it coming, he fell down to the ground from the place where he was, and clasping his hands, he said : Lord God, says he, He that made, for the sake of this vessel, sundry miracles in sundry diseases, alleviate the pain I suffer, that I may go as one of the Quest with the other good men. And then he crawled towards the vessel, in which was the Greal, and he took hold of it with both hands, and kissed it. And then the pain was assuaged, so that he could sleep and walk. And he said : Blessed be thou, O God, for I am now entirely whole ; and thereupon he fell asleep. And then the very precious vessel, with the candlestick before it, went back to the chapel, and Lancelot did not see, either in coming or going, what carried it. And though Lancelot saw the Holy Greal, God knows that his conscience was pricked, and in consequence he was often reproached and shamed.

XVII.—And upon that the knight started up, and went to kiss the cross. Then behold a squire came with armour, and asked the knight how he was, and the knight said that he had been relieved by the Holy Greal : but I am surprised, said he, with regard to that knight who is sleeping, and without moving, though the Holy Greal came here. On my faith, says the squire, he is a knight in sin without ever confessing, for which reason God willed that he should not see anything of this adventure. For a truth, says the knight, whoever he is, ho is unlucky, and I suppose that he is one of the knights of the Round Table. Leave him alone, says the squire, see here that I have brought thee thy arms. And then the knight put them on, and the squire came to the sword and helmet of Lancelot, which he took to the knight. And then he took Lancelot's horse, and his saddle, which he took to his lord, and said : Mount this horse, for better dost thou deserve a good horse than yonder lazy knight. And then the knight took the horse, and gave thanks to God, and went away. And he swore that he would never rest until he knew why the Holy Greal appeared in sundry places in England, more than anywhere else, and why it was brought to England. On my faith, says the squire, thou hast said enough, and God grant that thou achievest that honourably ; and so he set out along with the squire. And after they had gone about half a mile, Lancelot arose, and then he considered whether what he had seen was a dream, or something else. And then he came to the chapel, and perceived the candlestick ; yet he saw nothing of the Holy Greal. And while Lancelot was long meditating there, he heard a voice in the air, saying, Lancelot, harder than stone! more bitter than the wood ! Depart from this place. And why art thou so bold as to come where the Holy Greal is ? and the place stinketh on account of thee. And when he heard that speech, he went away wretchedly ashamed, weeping and cursing the hour in which he was born, and saying that he would never attain honour, for he had failed to see the Holy Greal. And when he came again to the cross, he found there neither his horse, nor his saddle, nor his helmet, nor his sword. And then he knew that what he had seen was true.

XVIII.—And then he began to be in pain from sorrow, and said : O God ! says he, now I know that it is my sins which have prevented me. And when I ought to have amended, the devil came, and took my sight from me on account of my sins ; and so he continued until the following day, and until he heard the birds singing, and the sun was shining. And then he saw that he was unprovided with any sort of arms ; and he set out along the forest, with neither horse nor saddle, nor sword, nor shield, nor helmet, on foot, until he came about the hour of prime to the house of a hermit, who was beginning to sing mass. Then he came sorrowfully to the chapel, and bent on his knees, and prayed to God, and heard the mass, and besought God for pardon of his sins. And when the hermit had ended the mass, Lancelot came to him, and prayed him, for God's sake, to counsel him. And the hermit asked him who he was, and whence he came. And then Lancelot said that he came from Arthur's Court. What sort of counsel, says the hermit, dost thou wish of me ? Is it to confess thee ?

Yes, Lord, says Lancelot; and then the hermit took him, and led him near the altar, and there they sat down, and the hermit asked him his name. And he said that it was Lancelot, and that he was the son of King Bann of Mannot. When the hermit heard that it was he that was there, considering how much had been said of him, he was surprised at the greatness of his sorrow, and said to him : Lord, says he, thou oughtest not to grieve, but to thank God that thou hast been made so comely and strong as thou art ; and we know not in the world thy equal. Besides that, he hath given to thee memory and sense, on account of which thou oughtest to shame the devils of hell, and serve God, and do his commands according to thy power. And thou knowest not the greatness of the gifts which God has given thee. And if he has been more liberal to thee than to others, and the devil has taken thee from him, thou oughtest to be greatly chastised. And therefore take care that thou art not likened to the wicked servant, of whom the Gospel speaks. When the good man formerly came, and called to him the three servants, and gave to one a bezant of gold, and to the other two, and to the third he gave five. And he that had received five went to gain with them, and so successfully, that when his master came to reckon with him, he said : Lord, says he, thou gavest to me five bezants of gold, and behold them here, and five others that I gained in addition to them. And when the master heard that speech, he said : Come forward, good servant, and enter the joy of thy Lord. And after that came he that had gained two bezants, and said, Lord, says he, thou gavest to me two bezants of gold ; behold them here, and two others that I have gained in addition to them. And then his lord said to him, as he said to the other. But the servant that had received only one bezant, hid his money in the ground, and withdrew from his lord without daring to show himself to him. That was a wicked and faithless servant, where none of the grace of the Holy Ghost had ever been. And knowest thou why I am saying this to thee ? Because of the many gifts which our Lord has given thee. For God has made thee more excellent in comeliness, and stronger than others, though to look at thee, one would think otherwise. And therefore I would advise thee to manage well what God has given thee, by increasing it ; and if thou hast committed sins, call for mercy by confession and repentance, and amending thy life. And I will warrant, if thou doest so, that God will do so much for thee as to call thee to him to partake of the joy of thy Lord.

XIX.—Lord, says Lancelot then, the words thou hast said about the three servants that received the gold, have deeply entered into my heart. For I know that I am made by God comely and strong, and endued with all gifts ; and I suppose that I have concealed them, insomuch that I cannot give account of them to my Lord, when he asks me. And therefore thou mayst liken me to the wicked servant that concealed the money, for I have served my enemy ever since I was born ; and forsook my Creator by reason of my excessive sins, in which the devil showed me pleasure in this world, but he did not show me the pains that I should have for them. When the hermit heard him speaking so, he said to him, weeping : Lancelot, says he, if thou hast been so wicked hitherto, and followed thine own path into error, strive to come at length to the way of truth. And then he showed to Lancelot the image of the cross, that was opposite to them. Dost thou not see, says he, the image of that cross, with its arms extended ; in the same manner as that is Jesus Christ, with His arms extended, ready to receive every sinner that will come to Him. And I know that He will not reject thee, if thou wilt come to Him by true confession, and repentance, and penance. And therefore tell me at once of all thy state, and I will listen, and will advise thee in the best way that I can. And then Lancelot pondered long with groaning that he would not tell him anything of his history between him and the Queen. Yet he longed to tell him if he could venture. And the hermit, by examples, gave him heart to confess his sins, and to repudiate them, and to take everlasting life, though he confessed his sins. Then Lancelot said : Lord, says he, I suppose myself as if dead, on account of the sin I have committed with a lady, namely Gwenhwyvar, Arthur's wife. She gave me much gold and silver, and other gifts, which I also gave to poor knights and to other noblemen. She commanded me to go into the honour that I am in, and from boasting and love of her did I accomplish the deeds, and great warlike exploits, of which there is so much talk. She caused me from being poor to be rich ; nevertheless, I know that on account of her sin God is offended with me, for He showed me that since last night until now. And then he told him how it happened to him the night before, and besought him, for God's sake, to advise him. For a surety, says the hermit, of little value is my advice to thee, unless thou undertakest determinedly that thou wilt never go near her, and if thou art willing to do that, I think that thy peace may be made with God, and the gates of heaven may be opened to thee, where is the life eternal. Nevertheless, in the state that thou art in, all advice would be vain. Lord, says Lancelot, there is nothing that thou mayst say which I will not do if I can. According to that, says the hermit, pledge thou thy faith that thou wilt never go into the company of the Queen, nor other company, on account of which God would be offended. And he gave his faith as a true knight. Tell me yet, says the hermit, thy adventure about the Holy Greal. And he told him, and related to him the three sentences which he had heard, namely, the stone, and wood, and fig-tree. And, for God's sake, tell me what those mean, for I am assured that thou knowest something certain about them. Thereupon the good man pondered for a long time, and afterwards said : truly Lancelot, says he, it is no wonder to me that those three sentences were said to thee, for thou hast ever been the most wonderful man that ever was. And therefore thou needest not to be surprised that was said to thee, what was more wonderful than to another. And since thou art desirous of knowing the truth of that, I will declare it. Thou saidst to me that thou, Lancelot, wast called harder than stone ; more bitter than stinking rotten wood ; more despised than a fig-tree ; depart hence. Why thou wast called harder than stone ; that has a wonderful meaning. Thou knowest that every stone is naturally hard, and some are harder than others. And by the hardness of the stone, we may understand those that sleep, and rejoice in their sin, and whose hearts are so hard, that there is neither water nor fire that can soften them, unless the fire of the Holy Ghost is able to enter their hearts. Yet the Holy Ghost will not enter where he knows that his enemy is there, and therefore the lodging must be clean where God enters. And on account of the hardness that was found in thy heart, it was said to thee that thou art harder than stone. That is as much as to say, that thou art a greater sinner than another. Didst thou not before hear the story of the man that gave his goods to his three servants, and how he said to the two good ones, and the third was a wicked servant? However, as before, see thou whether thou canst be like to him that received the five bezants to increase, and gain with them. It seems to me, however, that it relates to thee more; for whoever looked at all the warriors of this world, there would not be found given to one of them of the gift of God more than He gave to thee. For he gave thee comeliness, and sense to know evil from the good. Besides that, he gave thee boldness and strength. Besides that, he gave thee courage abundantly. The whole of which God lent to thee to be a good knight; and he gave not to thee all that to be lost, but to be increased. And thou wast so wicked a servant that thou didst leave him, and wentest to serve his enemy, that was warring against him. Thou mayst be likened to the evil warrior that left his lord, after having received his pay beforehand, and after that went to war against his lord with his enemy. So didst thou when Jesus Christ had given to thee the fair gifts that he gave; but thou wentest to serve the devil, who was warring against him. And therefore it may be said that thou art harder than stone, and thy sin greater than another's. Lord, says Lancelot, thou hast shown that to me more than sufficiently. Show me now, says he, why I am more bitter than rotten wood. I will show it gladly, says the hermit. Just now I said to thee, how there was hardness in thee, and where hardness is so grounded as in thee, sweetness cannot come from thence, for there is nothing but bitterness. And so much is there in thee of hellish bitterness, and stink of sins, as there ought to be of spiritual sweetness. And for that reason thou art so like to the dead stinking wood, which has neither sweetness nor life in it, but stink and bitterness. There I have showed thee how thou art harder than stone, and more bitter than the wood. And about the fig-tree, I will show thee the meaning. During the time when our Lord Jesus Christ was on earth, he came to the city of Jerusalem on Palm Sunday, on the back of a she ass. And then the sons of the Hebrews came to meet him singing. That day Jesus preached in Jerusalem, where every hardness lodged. And after labouring and preaching all the day long, he saw in the whole town no one that would give him lodging, on account of which he left the town. And when he came outside of the town, he came under a fig-tree, with the fairest leaves that any one had ever seen, and its branches full of leaves, and yet no fruit upon it. And when Jesus Christ came to it, and saw no fruit on it, He said: Cursed, says he, be the tree that

3 o

beareth no fruit upon it. And so God treated disrespectfully that tree. See thou, then, whether thou art like to that tree; thou art not, indeed, but yet worse; for when Jesus Christ came under the tree, he might have had leaves if he wished to take them. And when the Holy Greal came to thee, God knows that a single leaf is not to be had on thee, that is as much as that in thee there is neither good thought, nor good will, nor good works. And for that reason thou wert called as is said above. Assuredly, says Lancelot, thou hast explained the meaning of that so well, that every word that thou saidst, is lodged. And since thou hast said to me that I have not yet done so much, but that I may obtain the friendship of God, if I will take care from henceforth, I will swear first to God, and to thee afterwards, that I will never commit the sin of adultery. But for seeking adventures, and doing warlike deeds, I cannot refrain, as long as I am as well as I am. When the hermit heard him saying so, he was glad, and said: I desire no better than that, says he. And he then put penance on him, and absolved him, and besought him to remain there that night. And Lancelot answered, and said that he would be obliged to remain, as he had neither horse nor arms. By morning, says the hermit, I will provide them for thee, for there is near here a brother of mine, a knight, who will send me a horse and arms, and everything that may be necessary for thee before going hence. And there Lancelot remained with the courteous man, who had taught him by various parables, insomuch that Lancelot was truly penitent for the life which he had led before, for he knew that, if he died in that state, he would lose his soul, and the body also, probably, would be in a bad predicament. And here the history is silent about him, and treats of Peredur.

XX.—The narration says that when Peredur went from Lancelot, he returned back until he came to the house of the anchoress, where he thought that he should have information respecting the knight that had escaped from them. And when he came there, he struck the window. And then the anchoress opened the window for him, and asked who he was. And he said .that he proceeded and came from Arthur's Court, and I am called Peredur the Welshman. And when she heard his name, she welcomed him, for she loved him greatly, and so she ought, as she was his aunt. And then she called on the family that were within, and commanded them to serve him bounteously; and so they did. And after unarming and serving him, he asked if he might have some talk with the anchoress that night. Thou canst not to-night, say they, until to-morrow after mass. And on the morrow, after mass, he came to the anchoress, and saluted her, and said: Lady, says he, wilt thou tell me, for God's sake, some news of the knight that went this way yesterday? And then the anchoress asked Peredur why he inquired. Because, says he, I shall never be satisfied until I know where he may be, and until I fight with him; for he has caused me so much shame, that I cannot put up with it. Peredur, says she, wilt thou fight with him, and art thou desirous to be killed, as thy brothers were killed in their combats and tournaments? And a great satisfaction it is to thy family if thou art killed as they were. And know for a truth, if thou wilt fight with him, thou wilt lose thy life. It is true that the pilgrimage of the Greal is begun, and I suppose that thou art one of the companions; and thou wilt gain greater honour than thou supposest, if thou dost not fight with the knight, for we know in this country and in other countries, that the pilgrimage of the Greal must be achieved by three worthy knights, who will obtain the renown above all. And the two will be virgin knights, without ever having committed the sin of adultery with their bodies, or thinking of it. The third will be chaste, that is so much as that he never had a wife but once, and at that time he met with disappointment and trial, which will never happen to him more, and for that reason he is called chaste. And one of the two virgin knights is the one whom thou art seeking, and thou wilt be the second, and the third is Bort; by means of those three the Quest will be achieved. And since God has ordained those three to be separated, take care that thou fightest not with him, for if thou fightest with him, thou art seeking thy own destruction, for without doubt he is the best knight of the whole world. Lady, says he, it seems to me, from thy narration, that thou knowest who I am. Yes, between me and God, says she, and I ought to know it, for I am thy aunt, and thou art my nephew; and be not surprised at seeing me in so poor a dress as this; and know for a truth that I am the one that was called the Queen of the Waste Land that thou seest, and thou formerly sawest me one of the richest women in the world, nevertheless as before, my being rich was not so agreeable to me as this kind of life. When Peredur heard that his aunt was there, he was much pleased, and he besought her, for God's sake, to tell him who the knight was that he was seeking. Lord, says she, the knight whom thou sawest, is the knight that came to Arthur's Court in the red arms, and I will tell thee what his coming means. Thou well knowest that Jesus Christ first of all made what is called the Table, which is in Welsh the board that is eaten from. And after that two Tables were made, the one which Jesus Christ made; on which Jesus Christ and his disciples ate; that was the Table that fed the body and soul with heavenly food. At that table sat the companions, who were directing the body by the will of the soul. And on account of them the prophet David said: That is a graceful life where brethren come, and are of one mind and one action. And he said that by way of prophecy of the disciples of Christ, who sat at the table, between whom was peace and patience and every good work. After making the Table, another was made in the likeness of it, namely, the Table on which was placed the Holy Greal, on account of which there have been many marvels and miracles. For when Joseph of Arimathea came, and his son Joseph with him, to Great Britain, there came with them about four thousand people. And there came a fear on them, that they could not buy food for so great a number. And that day they proceeded through a forest, and on the morrow there met them a woman with ten loaves, coming from a bakehouse, and they bought the bread of her. And

after that there arose among them a quarrel in sharing the bread, for
what one chose, the other rejected.   And so they contended until a
messenger came to tell that to Joseph, the son of Joseph of Arimathea,
who was bishop and master over them.   And when he heard that, he
sent to fetch the one who had bought it.   And when he was come to
him, he took the bread to himself, and he paid its cost to the one
that had bought it ; and then he commanded all to sit promiscuously,
and placed a table between them, and on the head of the table was
placed the Holy Greal.   And then Joseph blessed the bread, and
brake it, and gave it to all the multitude.   And know thou for a
certainty that there was not one without having abundance of what
he desired.   On that table was a seat, where Joseph, the son of
Joseph, sat, which one Jesus Christ himself made, and consecrated
it, and ordained Joseph to provide for his Christianity.   And in that
seat Jesus Christ placed him to sit, and for that reason there was no
one who dared to sit in it after him.   And that seat was made in the
likeness of the seat, in which Jesus Christ had sat on Maundy Thurs-
day, in the company of his disciples.   And when the people, of whom
thou hearest, had come, and had proceeded through the country for a
great while, it happened that two brothers of the kindred of Joseph
bore envy towards him, because God had done so much for him, as to
choose him to be a chief over them.   And then they conversed
secretly, and said that they would not suffer him to be master over
them, and that they would not call him so from henceforth, for their
family was as good as he.   And on the morrow they came to a high
plain, and there, when it was mealtime, was placed a table between
them, and Joseph went to sit in his own seat. . And then the two
brothers above mentioned begrudged him, and drove him out of it,
and one of them sat in it.   And then God shewed fair miracles, for
as soon as he sat down, the ground swallowed him.   And that story
was known everywhere, and the seat was named from that time forth
the Perilous Seat, for no one dared to sit in it, except the one to
whom God had given permission.   And after that table was made
the Round Table, in the time of Uthur Benndragon, and that by the
counsel of Merdhin, and none was called a Round Table but that
alone, for when it was called the Round Table, we are to understand
by it, that it is as round as the whole world, for which reason it may
be likened to the world, for from every country where there was mili-
tary life, whether in Christendom or heathen lands, they were coming
to the Round Table to Arthur's Court.   And when God gave grace to
one to be one of the Companions of the Round Table, he was as well
pleased as if he gained the whole world ; and to be one of them, how-
ever well favoured, he would leave his mother and father, and his
estates, and land, and country, and thou knowest that, for hast thou
not left them, notwithstanding other honour thou mayst ever obtain?
And after Merdhin had ordained the Round Table, he said that the
pilgrimage of the Greal would be begun and ended by the companions
of the Round Table.   And then it was asked him how he knew who
would achieve it ; and he said that three of them would achieve it,

and two would be virgins of their bodies, and the third would be chaste, and one of the three would be superior to the others, as the lion is superior to the leopard, and that one will be master of all of the Quest. Nevertheless, all the companions of the Round Table will go to seek the Greal, until that knight comes among them. And then it was said to Merdhin: As thou knowest, say they, that so excellent a man as that will come here, why makest thou not for him a peculiar seat, where no one but himself should sit? I will make it, says Merdhin; and he made a magnificent seat, and when he had made it, he gave it a kiss, out of love of the knight that ought to sit in it. And then it was asked by Merdhin what would happen to those that sat in it. Indeed, says he, whoever will sit in it, one of two things will happen to him, either to die on the spot, or to be maimed, until he comes, who has a right to sit in it. By God, say those that were in the place, whoever will sit in it, will place himself in great danger.

XXI.—Ye speak truly, says Merdhin, and on account of the danger that is in it, I will put upon it the name of the Perilous Seat from henceforth. And see thou there, says the anchoress to Peredur, with what intention the Round Table was made, and why was made the Perilous Seat, in which many a good man was lost. And I will tell thee why the knight came to the hall with red arms about him. Thou hast heard that Jesus Christ among his disciples was master over them at the Table on Maundy Thursday, and in likeness of that that Joseph was master of the Table of the Holy Greal, and that this knight also is master of the Round Table. And Jesus Christ promised before his Passion that he would come to visit them after Thursday; and after his Passion they were awaiting his coming in sadness and sorrow. And after that he came to them often; and as they were on Whitsunday in a house, with the doors shut upon them, the Holy Ghost came to them in the form of fire to comfort them, and to confirm them in the faith. And then he commanded them all to separate from one another, and go to preach the Gospel in every place; and so it happened on that day to the disciples. In that way, in similitude, it seems to me that the knight who is master over you came to comfort you, and to confirm you. For as the Lord came to his disciples in the form of fire, so the knight came to you in red arms, which may be likened to the fire. And as Jesus Christ came to his disciples, the doors being shut upon them, so the knight came to you also, to the hall that was shut, without any one knowing what way he came in; and on that very day ye also took upon you to seek the Greal, to get which it will never be rested, until the truth is known about it. And there I have told thee the truth about the knight, for which reason thou oughtest not to fight with him, for he is above thee, because he has been chosen by God. He is thy near kinsman and brother in two ways, one because he is one of the companions of the Round Table, and the other because he is a companion and chief of the Quest. Lady, says Peredur, thou hast said so much that I am not desirous of ever fighting with him; and, for God's sake, tell me where thou supposest that I can get conversation with him, for if I once met him, I would never leave him. Thou wouldst do rightly, says she ; go thou, then, forward towards the castle of Goth, and there, I suppose, that he was last night with his cousins, and there thou wilt have tidings of him. And so Peredur continued to converse with his aunt until it was near mid-day. And then the anchoress said : Lord nephew, says she, stay here now to-night with me, for it is a long while since we have been together. Lady, says he, I shall not stay without compulsion, and, therefore, with thy leave, I will go on. No leave shalt thou have, says she. In that case, says he, I will remain. And he then doffed his arms, and tables were raised, and they went to eat. And after meat the anchoress conversed with him, and prayed him to keep his body as clean from all sin of adultery henceforth, as it was then : For if thou fallest into that sin, says she, thou wilt fail to see the Holy Ghost, like Lancelot, who delighted in that sin. God give me grace, says Peredur, to avoid it. During that day Peredur remained there ; and when they had done conversing about what was said above, Peredur asked his aunt what adventure had brought her there, and why she had left her lands and estate. Truly for fear of death, says she, I fled here, for thou knowest, when thou wentest to Arthur's Court, my lord was engaged in war with King Laban, and after the death of my husband, as it is not wonderful for a woman to be afraid, lest I should be taken and shamed, I took a portion of my goods and treasure, and came to this wilderness to avoid capture. And I caused a house to be made for me here, as thou seest, and I brought with me my priest, and these of the family of my court, and afterwards I took this habit upon me. And, as thou seest, it is my intention henceforth to spend my life as long as I live. This is a wonderful adventure, says Peredur ; and what became of thy son ? On my faith, says she, he went to serve King Peles ; and afterwards he was made a knight, and I hear that he is hunting after tournaments throughout Britain. I am not certain, for I have not seen him for two years. That night Peredur remained there with his aunt.

XXII.—And the next day, when Peredur had heard mass, he donned his arms, and proceeded onwards. And he rode without obtaining any news, or anything wonderful during the day, and at the close of the day he heard a bell ringing, and in that direction he turned, supposing that there was there some religious place. And when he came there, he saw there a fine building, strong with walls, and ditches, and fences, about that place. And to the gate he came, and requested it to be opened. And when he was let in, he was welcomed, and his horse taken to be stabled. And one of the monks took him to a fine chamber to be unarmed, and he was comfortable there that night. And next day he could not rise until it was prime, and then he went to church to hear mass, and there met him one of the monks, who was going to sing mass at an altar on the south side of the church. And about the altar was a pew made of iron lattice work placed crosswise, and a little door in it to go in, and towards it he went, as he wished to hear mass, and he endeavoured to go in, but he could not. And when he saw that, he bent on his knees outside the door, and he looked in between the lattice, and there he saw a fair bed adorned with ledges of golden silk, and all of it white except the gold. And Peredur considered the bed so intensely, that he knew that there was in it either a man or a woman. And when it was time for the priest to elevate the Host, the one that lay on the bed sat up, and Peredur perceived that he was a grave man, with a crown of gold on his head, and he was bared as low as his navel. And then Peredur saw that his hands, and shoulders, and his body, were full of scars. And when he saw the Host, the grave man lifted up his hand, and said : My Father of Heaven, says he, do not neglect me in my need. And in that manner he continued long after the sacrifice, praying to God; and his Creator. And there Peredur was long looking at the man, and wondering at that event, for he thought that the age of the man was a hundred and four years. And when the mass was ended, he saw the priest take the corpus, and bring it to the man, that was in the bed. And as soon as the man had taken the Lord's body, he saw the priest taking the crown from the man's head, and placing it on the altar, and then letting down the man to lie, and putting in order all about him ; and then the priest took off his vestment. Peredur then came to the lodging, where he had been sleeping the night before, and called to him one of the monks, and asked him to inform him who was the man he had seen in the church taking the Lord's body, and then lying down again ; and it seems to me that there is in that a great marvel, and, for God's sake, tell me what that is. Gladly, says the monk, will I tell thee. Thou hast heard, says he, that by God's command Joseph of Arimathea came to this country to establish Christianity in it ; and when he came, he found here much affliction and trouble from the Jews, that were in this country at that time. And at that time there was reigning in this isle a cruel king, who had no mercy, called Coel ; and when he heard that Christians were come to the country, and that with them was a vessel very precious for its miracles, from which all of them had their food, he took it for a fable, and he said that he would ascertain what that was quickly. And then he led his army, and went against them, and straightway he caught Joseph, and Joseph his son, and his two nephews, and a hundred others, and put them in prison. However, they had with them their sacred vessel, in consequence of which they had no fear of not having enough for the sustenance of their bodies. And so the King kept them in prison forty days, without sending to them any food, and he forbade any one to be so bold as to give them food. And within that time the news spread that a cruel king of Britain had imprisoned Joseph, for at that time no one was so much spoken of as Joseph and his son. And that news went so far that Moradrins, king of Sarras, became acquainted with it, who had been converted to Christianity by the teaching of Joseph. And when he heard that, he was sorry, and then he commanded his forces to be put in array. And when all things were ready, they entered the ships, and rested not until they came to this isle. And when they had landed, and put on their arms, they sent ambassadors to order the king to deliver Joseph and his companions from prison, otherwise they would lay waste the country. And Coel thought but lightly of this threat, but prepared himself against them, and his people engaged as soon as possible. And by the grace of God the victory turned to Moradrins by the killing of the cruel king and his people. King Moradrins himself, who was called Evalac when he was a Jew, performed such designs and triumphs on that day, that it was a wonder to his people how he continued. And when his arms were taken off him, so many blows and stabs were found in him, as would have killed any other man. And then it was asked him how he felt himself; and he said that he felt not any pain at all. And then with joy he delivered Joseph from prison. And then Joseph asked him what had caused him to come to that country; and he said that he came to liberate him. The next morning Joseph put on his episcopal vestment for the purpose of singing mass before the Holy Greal; and then King Moradrins, who was desirous of seeing the Greal plainly, approached nearer than he ought.

XXIII.—And there he heard a voice saying to him: Thou, King, go no nearer, for thou oughtest not. And then he went so far that no mortal tongue in the world could declare what he saw, nor earthly heart conceive it. And so desirous was he of seeing what he saw, that he approached nearer and nearer; and thereupon a sort of cloud descended before him, which took away the light of his eyes, and the power of his body, so that he could in no way help himself, because he had broken the commandment. And when he saw that his Lord was punishing him for breaking his commandment, he said, so that the people could hear: Lord Jesus Christ, says he, the true God, who hast showed me in this case that it is great folly to break thy commandment. And as I am content with so much penance for my labours and fightings ever, I pray thee also as a reward for the good I have done, that I die not until I see the knight who is to achieve the adventures of the Holy Greal, and will see it plainer than I saw it. And when he had prayed God for that, he heard a voice answering him in this wise: Let there be to thee no fear, for thy Lord has heard thy prayer; and thou shalt not die until that knight comes to visit thee. Then will be given to thee the light of thine eyes; then the wounds will be healed that are in thee. And so the voice conversed with him; and it seems to me that what the voice said is true. For since that time until this day there are a hundred and four years, and the man whom thou sawest on the bed to-day is he. And he has not seen anything, and his wounds are not yet healed, and we have heard that that knight is in this country. And so it happened to King Moradrins; besides, it is a hundred years since any earthly food has entered his head, except the Lord's body, as thou sawest to-day the priest after mass giving it to him. And so he is ever since the time of Joseph until now. In the same manner as it happened to the innocent Saint Simeon formerly, who made his prayer that he should not die, until he saw Jesus Christ; and he had an answer from

God that he should not ; and so Simeon also remained until his Saviour came to him to the Temple ; and he took him in his arms full of joy. And so I suppose that this man obtains his prayer, and is waiting the coming of the knight Galaath. And there I have told thee the truth of what thou askedst. Tell me now who thou art. And then he told him that he came from Arthur's Court, and I am called Peredur, the Welshman. And when the man heard that he was glad, for he had often heard talk of him, and he besought him, for God's sake, to remain with them that night. And he then said that he could not remain, because he had so much to do, and thereupon he took his leave, and departed, and he rode onwards until it was midday. And then the road led him through the most beautiful valley in the world, and there twenty armed men met him with a man newly-killed on a bier, and they asked Peredur who he was. And he said that he came from Arthur's Court, and they all shouted at him. And when he heard that, he prepared himself against them to defend himself. And he met the first, and struck him until he was under his horse's feet, and the horse on top of him. All the others came against him, and killed his horse under him. And then he arose quickly, and drew his sword. However, against those that were there, he might as well not, for they took hold of him, and threw him down, and pulled off his helmet, and crushed him badly in many places. And they would have killed him, had there not come across them the knight in red arms to defend him.

XXIV.—And when he saw the knight among his enemies in such danger as he was, he came to them, and commanded them to leave the knight. And then he struck one of them, until he was dead on the ground, and he broke his shaft, upon which he drew his sword, and by spurring his horse up and down, he beat all about him, so that there was no one on whom he could have a blow, who did not touch the ground. And when they saw him striking so cruelly as that, they waited no longer, but fled, and scattered through the forest, without one returning again, except the three that Peredur threw on the ground, and the other two whom Galaath had thrown. And then Galaath, to avoid being known, turned the head of his horse backwards towards the thickest part of the forest. And when Peredur saw him departing so, he began to shout after him, and begged him for God's sake to wait until he could speak with him ; and he did not answer him. And Peredur, not having a horse, went on foot after him as fast as he could. And there met him a yeoman on the back of a hackney, and a horse of arms in his hand, the fairest that a man ever saw. And when Peredur saw him, he knew not what he should do, for he would not take the horse against his will. And then he saluted the servant, and the servant responded : O sir, says Peredur, I would be a knight to thee, and a servant, and I would repay the compliment when I could, for the loan of the horse, until I overtook the knight that thou seest going yonder. I cannot, says the servant, in any way, for the owner of the horse would kill me if I brought it not to him. Oh, for God's sake, says Peredur, do what I ask thee ;

3 P

for, by God, I have never been so grieved, and if I lose yonder knight for want of a horse. By God, says the servant, thou shalt have no horse from me, unless thou takest it by force. When he heard that, he knew not what to do from grief, but he would not be guilty of violence to the servant. And then he took off his helmet from his head, and took his sword in his hand, and begged the servant, for God's sake, to cut off his head, for by my confession, says he, I would rather die than live, after losing yonder knight. By God, says the servant, if it please God, I will not cut off thy head, and I dare not give the horse to thee ; and then he went away. And Peredur remained there sad with care, so that he supposed that he would presently die. And when he was so grieving, he heard the sound of a horse, and then he opened his eyes, and perceived a knight coming along the road that the servant had gone, and the horse under him that he had asked of the servant. And Peredur recognised the horse, and yet he did not suppose that the knight had acquired it by force. And after a while, behold the servant, coming howling and bawling ; and when he saw Peredur he asked him whether he had seen the knight go by. I did, says Peredur, and why dost thou inquire about him ? Lord, says he, he took the horse from me by force, and he has ruined me, for my Lord will kill me wherever he finds me. What wouldst thou wish me to do then? says Peredur ; I cannot get it for thee. Lord, says he, mount this hackney, and if thou canst get the horse from him, let it be thine own. How, says Peredur, wilt thou get thy horse, if I gain the other ? Lord, says he, I will come after thee on foot. And then Peredur donned his helmet, and mounted the hackney, and struck after him as fast as the horse could carry him. And after leaving the forest, he came to fair meadows, and there he saw the knight going nimbly, and Peredur cried to him, and commanded him to return the horse to the servant, which he had taken by force from him.

XXV.—And when the knight heard that, he came to Peredur, and couched his spear. And Peredur also drew his sword, for he had no other weapon. And then the knight, who was desirous of freeing himself from them, came and struck the hackney in the breast, until it was dead on the ground, and as soon as he had done that he returned back to his road. When Peredur saw matters going so, he was so grieved that he knew not what to say. And after that he said to the knight that was going away : O craven in heart ! Cowardly in body ! return to fight with me on foot. And the knight went to the forest without having anything more to say to him. And when he saw that, he was sorely grieved, and called himself a wretch, for he had failed in his desire. And so he continued all day long, without seeing any one whatever that would bring him comfort. And when night had come upon him, he was so wearied that he could do nothing. Then sleep fell upon him, and he awoke not until it was midnight. And when he awoke, he saw before him a fair woman, who said to him fiercely : Peredur, says she, what dost thou here ? I am doing here neither harm nor good, says he, but if I had a horse I should be here but a short while. If thou wouldst pledge thy faith to me, says she, to do what I would ask of thee, when I have given thee notice, I would bring thee a good horse, that would carry thee wheresoever thou pleasest. When he heard that, he was so glad that he did not consider with whom he was speaking, for he thought that he was conversing with a woman. And yet it was the Devil that was endeavouring to deceive him, to the destruction of his soul. And then Peredur offered to be ready to do what she wished, after advising him. And she took his pledge upon that, and she then said: Wait thou for me here a short time. And then she went to the forest; and it was not long that she was there before bringing a beautiful horse, as black as a blackberry. And Peredur was astonished to see him, but as before he was so bold as to mount him, and he took his shield. And she said to him: Peredur, says she, thou art going, and therefore remember to pay me back the return as thou promisedst. I will do so gladly, says he. The moon was clear and bright, and the horse brought him in a short time from the forest, in which he was, more than two days' journey in length. And then he came through a large valley, and he left that also in a very short time, and afterwards he came to a prodigiously great river. And the horse, without delay, would have entered the river, when he restrained him. And because he saw no bridge, or any way that he could go through it, he thought of giving rein to the horse to swim through it. And then he raised his hand, and crossed himself. And when the foul thing perceived the sign of the Cross on him, because of his weight, he fell down, and, as if rolling over, he left Peredur on the land, and he struck his breast in the water, with cries and howling. And as soon as he entered the river, Peredur saw the river all on fire. When Peredur saw that adventure, he knew that it was the Devil seeking to deceive him. Then he crossed himself, and prayed God to keep him from falling into temptations, where he would wholly lose his soul; and not to lose the company of the elect of heaven because of them. And truly for thee, had he not crossed himself, the evil one would have led him to the water, where he would have lost his soul and body. And then he came from the water, and bent on his knees, and prayed to God; and so he continued in prayers until it was broad day. And then Peredur arose to see what plight he was in, for he thought that the evil one had carried him far. And he saw that he was in a high rocky mountain above the sea, and the sea on every side of it; and he saw in that island no habitation; and yet he was not by himself, for he saw many bears, and lions, and serpents, and fiery dragons. And so he did not feel his condition easy when he saw that, for he knew that they would not leave him in peace. Nevertheless, he that preserved Jonas in the belly of the whale, and kept in safety Daniel in the den of the seven lions, was a true shield to him, and defended him. And when he was so, he saw a serpent coming to him to the rock, and a little lion in the serpent's head, and following her he saw a strong, powerful lion, crying aloud in the greatest grief for the little lion. Then Peredur went after them, and when he came to them, the lion and the serpent were fighting. And then he thought of going to help the lion, and he drew his sword, and held his shield before him, and gave the serpent heavy blows about the head and ears. And she threw fire from her mouth and nostrils, insomuch that his shield and breastplate were burnt all in front of him. And when he saw that, he was not at all pleased, lest the fire and poison should touch his body. And then God willed that he should strike the serpent in the place where he had struck her before, in the middle of the head, until she fell dead on the ground. When the lion saw that he was freed from the serpent, he ran to Peredur, yet he did not attack him, but kissed his feet, and showed the greatest joy towards him. When Peredur saw that the lion had no intention of doing him any harm, he then placed his sword in its sheath, and threw the shield from him burning; and he took off his helmet from his head, to take breath, so great was the heat that he had from the reptile; and the lion continuing to show him the greatest joy that he could. When Peredur saw him in that way he stroked his head, saying: God hath sent this animal to keep me company.

XXVI.—And so during the day Peredur remained there until it was late in the evening; and then the big lion took the little one on his back, and went away. And when Peredur saw that he was there by himself, he was not very comfortable, and it was no wonder; yet good was his hope in God. And there was not in the world at that time a better man than he, and that quality he had, different to the usage of the country. For at that time so bad was the custom of the country of the Welsh, that if the father was ill in his bed, the son would come to him, and would pull him from bed, and drag him out, and kill him. And so also the father would do with the son; and that for fear of being reproached and twitted that they died on the straw of their bed. And when the father was seen killing the son, and the son the father, in that manner, all went armed to tournaments and combats, and so they were killed, and because they were killed in arms, they were said to be gentlemen. And when Peredur had been there as long as it was day, expecting to see either a ship or boat moving on the sea, night came upon him, and he crossed himself, raising his hands towards heaven. And he said: Lord Jesus Christ of Heaven, who saidst in the Gospel to the disciples: I am a good shepherd—a good shepherd will give his life for the sheep; and the bad shepherd, on the other hand, will let the sheep flee, rather than watch over them, and then the wolf will come, and destroy them. To Thee I pray to-night and always to be a good shepherd to my soul, lest the wolf should come which destroys the souls, and takes them from thee by evil temptations: and bring me back to faith, that I may be one of Thy sheep. And before he had said that, behold the lion, that had gone from him, lying by his feet; and then the night became dark, and he put his head on the breast of the lion, and fell asleep. And then he saw a dream, namely, he saw two women near him, one was grave and old, and the other with but little age upon her, and very fair she was ; and the one was on the back of the lion, and the other on the back of the serpent ; he looked on them, and he was surprised at seeing the women so masterly as that over the wild savage animals. And the younger came forward to Peredur, and said : My Lord salutes thee, and commands thee to prepare thyself, and to be ready to fight with the mightiest champion in the whole world, and if thou art conquered, know that thou wilt not be dismissed, but wilt be thrown into prison for life. When he heard that speech, he asked who was her lord : Truly, says she, one of the most mighty men in the whole world : accordingly, be ready to do battle against him to-morrow, so that thou mayest get honour ; and thereupon she went away, as he supposed. Then he saw the other coming to him on the back of the serpent, and saying : Peredur, says she, I have a complaint against thee, for thou hast done me an injury without deserving it. Peredur then answered her, and said that neither to her nor woman ever had he done an injury, as far as he knew. I will tell it to thee, says she. O Sir, says she, I nourished in my house an animal called a serpent, which did to me more good than thou supposest ; and that animal, I know not how, came as far as here ; and on this rock she met with a little lion, and thou wentest after her with thy naked sword, and killedst her, without the serpent having done to thee any harm, nor would I have done thee any mischief. And the lion was not thine, nor belonging to thee, that thou oughtest to fight for it. O Lady, says Peredur, the lion was not mine, neither hast thou ever done me harm, as far as I know, except that I thought that the lion was of more noble nature than the serpent, and less its oppression on the people. And I saw the serpent also take by force from the lion what was his, and therefore I ran after the serpent, and killed her. Notwithstanding as before, I did no harm at all. And then she said : Peredur, wilt thou do me no other recompense than that ? What sort, said he then, wouldst thou wish to have ? I would, says she, that thou wouldst do me homage for the disrespect. Here is my faith, says he, that I will not. It is necessary for thee to do it, says she, for thou didst homage to me sooner than thou supposest, and since I have received homage from thee sooner than another, I will not seek thee, but wherever I may find thee without a guardian, I will take thee as one in my possession sooner than another. And then he thought that that one went away, and he himself slept like a man oppressed with fatigue until the sun appeared on the next day. And then he arose and crossed himself, and prayed to the God of Heaven to send him counsel that would be good for the soul, for he was not concerned for the body. And then he looked about him, and he saw neither the serpent which he had killed, nor the lion ; and that greatly surprised him. And then he saw coming across the sea a vessel with a sail on it, and the wind behind it, driving it rapidly towards him. And when he saw that, he was pleased, thinking that there were men in it, and he approached the strand, and went down ; and when he came there, he saw the barge curtained with white samite, and in it he saw a man of fair age, clothed in a surplice, and a priest's attire upon him, and a crown of white samite about his head, and the name of Jesus Christ written on it. And then Peredur saluted him. May God amend thy condition also, Sir, says the man in the barge. And who art thou, Lord? says Peredur. I come, says he, from Arthur's Court. And what adventure has brought thee also here? says he. I know not, Lord, says Peredur, by what adventure or by what accident I came here. What wouldst thou wish, says the priest, if thou couldst obtain it? Lord, says he, I would wish, if I could have it, to go from this island to my brothers and companions of the Round Table in quest of the Greal; for in quest of no other object did I come from Arthur's Court. When God pleases, says the priest, thou shalt go from hence; and if He preferred that thou shouldst be in another place than this, thou wouldst be presently. And it is possible, says he, that God acts thus with thee in order to prove thee, and to know thee, to see what thou wouldst be, whether good or bad. And since thou wast made a knight, thy heart ought to have been so hard as not to yield to this worldly danger, and the heart of a knight ought to be undaunted and firm to subdue the enemy of his Lord; and a good knight will not turn his back until he has conquered him in battle. And so great a dignity as that ought not to be left, but to be borne with him. And then Peredur asked him from what country he came. I come, says he, from a country far from here. What adventure, says Peredur, caused thee, then, to come to a country so foreign as this? By my faith, says he, for the purpose of counselling and helping thee, and to hear thy state and confession, if thou wilt declare them to me. Thou art saying a marvel, says Peredur, that thou art come to advise me, and to help me; and I do not see how that can be, for no one knew that I was here, but God himself. Peredur, says he, I knew evidently that thou wast here, and thou hast not done any deed for a long time with which I am not acquainted as well as thyself. And then Peredur, because he heard the good man so eloquent, approached on board the ship, and asked the good man whether he would be pleased to interpret a dream for him, which he had seen. Speak boldly, says the good man, and I will interpret it for thee. And then Peredur told him all that he had seen, without omitting one word, as it is above.

XXVII.—And then the man said: Peredur, says he, about the two women thou sawest in thy sleep, there is great meaning in that. The woman that thou sawest riding on the lion may be likened to the new faith, which Jesus Christ brought on his back to the world and built for the Christians: that was the one that rode on the lion, namely, Jesus Christ, that is faith, and baptism, and hope—that is the hard stone, of which Jesus Christ says: On this stone will I build my church. And therefore it may be likened to the new faith, which was fairer than the other, and younger. And no wonder, for that was born with the creation of Jesus Christ; and the other was in the world before that. The young woman that came to visit thee, as if thou wert her son; that one came to give thee notice before the

blow, lest failure should be found upon thee. That one came to ask
of her Lord, namely, Jesus Christ, for thee to be ready to fight with
the cruellest champion of the whole world. And know thou from me,
that unless she loved thee, she would never have given thee notice to
fight the better, and to hold battle with him, namely, the Devil, who is
always fighting with the world by temptations and deadly sins ; and
after getting thee into sin, he would cast thee to Hell ; and there is
the one with whom thou must fight. And if he overcomes thee,
know thou, as the woman said to thee, that not one of thy limbs
will be delivered, but thou wilt be marred for ever. And thou
mayst see that truly ; for if he overcomes thee, he will take from
thee thy body and soul, and then he will send thee to the dark house
which is called Hell, where thou wilt suffer pain and martyrdom, as
long as God continues in Heaven. And there I have told thee what
means the woman that rode on the lion. Thou speakest truly, says
Peredur ; now about the other, thou canst tell me what she also
means. I will tell thee gladly, says he. The woman thou sawest
riding the serpent may be likened to the old faith, and the serpent
that conveyed her is likened to the Devil, who bears on his back sin
and iniquity, that is the serpent, who, through pride, was cast out of
Paradise. He is the serpent that said to Adam and Eve :—If ye eat
of the fruit of this tree, ye will be like unto God. And because of
that saying, there came into them a desire to be like unto God, and
they sinned deadly, and believed the Devil ; and for that cause they
were driven out of Paradise. And when that woman came before
thee, she complained to thee that thou hadst killed the serpent,
which thou hadst killed. And know thou, not for killing the ser-
pent, which thou killedst yesterday, but the serpent that she was
riding, that was the Devil. And knowest thou when thou dis-
appointedst him ? When he brought thee to this rock ; and then
thou didst put the sign of the cross upon thee, which he could not
sustain, and he was in such fear that he thought that he would die ;
and then he fled, as one ashamed and disappointed. And he thought
that he had gained thee then, but thou overcamest him in that way.
And therefore she came to ask thee to do homage to her for killing
the serpent, and then thou saidst that thou wouldst not. And she
then said that thou hadst done homage to her sooner than to the
Lord that thou wert serving. And she said truly ; for before thou
receivedst baptism, thou wast in her homage ; and as soon as thou
receivedst baptism, thou didst deny her homage. And there I have
told thee about each of them respectively what they meant, and now
I will depart, as I have business in another place ; and thou wilt
remain here. And think thou of the battle which thou must fight,
and if thou art overcome, thou wilt undoubtedly meet with what I
have said. And when he had so spoken, he departed ; and the wind
struck in the sail, and bore away the vessel, and the man, so that
Peredur saw no more of him. And then Peredur climbed up the
mountain, and there the lion met him, coming joyfully to meet him ;
and there he remained until near mid-day. And then he saw coming

along the sea a ship with rapid motion, as much as if all the winds of the world were in her sail. And before her he saw a sort of tempest, stirring up the sea to such a degree as to hinder him from seeing the ship ; yet, as before, she came nearer to him, so that he saw her coming ashore ; and upon her a very black sail, he knew not whether of woollen cloth or of hemp it was made. And he then descended from the rock, for the purpose of knowing what was in it, and he approached the ship. And when he had come to her side, he saw sitting the most beautiful woman in the world, with splendid clothes upon her. And as soon as she saw him, she sat up, and welcomed him, saying : Peredur, says she, what dost thou here, and what brought thee to a place so strange as this, whence thou wilt never go, unless accident should bring thee ? And I suppose, before departing hence, that thou wilt die of famine. By God's name, says Peredur, if I die of famine, that is a sign that I am not a true servant of my Lord ; for there is no one that would serve a lord as good as my Lord, if he will serve him with good heart, but will obtain from him what he asks. And he says himself in the Gospel, that his gate will not be shut against any one that seeks to come to it with good heart. When she heard him quoting from the Gospel, she turned to another speech, and said : Peredur, says she, knowest thou whence I come ? O Lady, says he, who taught thee my name ? I know who thou art, says she, as well as thyself. Whence comest thou then so ? says he. I come from the wasted forest, where I saw the most wonderful thing that I ever saw, no otherwise than a good knight, who has a white shield, with a red cross on the shield. For God's sake, Lady, tell me that event. I will not tell thee, says she, unless thou pledgest thy faith to do what I shall bid thee, and that when I give thee notice. And then he pledged his faith to her, as he knew not who she was. It is true, says she, that it is not long since I was in the wasted forest, this side of the river which is called Marchoys ; and there I saw a good knight, and two others before him fleeing, and for fear of him, they struck the water, and came through. Nevertheless, it fared ill with him that pursued them ; his horse was drowned, and he would have been drowned, unless he had turned back. There, I have told thee what I saw. Tell thou also to me now, how thou hast fared since thou hast been in this island, and thou wilt be lost unless thou gettest some one to take thee hence, for there is no one here that can do thee any good. And therefore thou oughtest to do so much for me as to deserve that I should take thee hence. O Lady, says he then, I suppose if it pleases my Lord, that I should go hence, I think that I should go ; and I would not wish to go, except with His will. Be silent about that now, says she. Hast thou eaten anything to-day ? No, says he, nothing of the meat of this world ; but there came here a courteous man, who told me many good words. I care nothing about meat while he is in my memory. Knowest thou, says she, who he was ? He was a necromancer, who of one word would make twelve, without ever saying a word of truth ; and if thou believest him, thou wilt never go hence, until thou art dead of famine, or slain by wild beasts. And thou mayst know that for a truth, for thou hast been here two nights and a day, and as much as is gone of this day. And He that thou callest upon has sent thee no meat, and a great recompense it is, if thou art lost here. O Lady, says he, who art thou, when thou offerest to take me hence? Lord, says she, I was a powerful maiden once, when I was wrongfully deprived of my inheritance. And so was it done to thee? says he. By God, thou wast badly treated; and how didst thou lose thy inheritance? Once I was serving, says she, the most powerful man in the whole world; and I was so fair, that there was not in the whole world one so fair as I, until all admired my beauty, and so I did myself without hesitation. And of that beauty I was prouder than I ought to have been, and I said some words which did not please my lord. And as soon as he heard the speech, he was enraged with me, so much that he would not endure me in his company. And he sent me away in poverty, and he disinherited me from that time forth, without mercy to me, or to any one that had been in my council. And so the powerful man drove me away to the wilderness, and he would have done worse than that, but for my own prudence; for as soon as I was driven away, I began to war against him. And I gained somewhat from him, and took a number of his men from him, who left him, and came to me, for there was nothing which they asked for, that I did not give them. And so I carry on war against him night and day, and collect knights and other people to me. And know thou for a truth, that there is not in the world a knight or good man, to whom I do not offer my goods to be on my side, and because I have heard of thee being a good man, I have come here. And thou oughtest to strengthen every maiden that is grievously oppressed, for thou art one of the companions of the Round Table; and thou knowest that I speak the truth, for when Arthur placed thee to sit at it, thou didst first swear that thou wouldst never fail to a wife or maiden, that was forcibly disinherited. Thou speakest truly, says Peredur; I did take that oath, and will maintain it; and for that reason I will go to assist thee. And so they were conversing until it was past mid-day, and then the lady said: There is here the most beautiful tent that thou hast ever seen, and if thou pleasest, I will order it to be drawn out, that we may sit in it out of the heat of the sun. I am agreeable to that, says Peredur. And then the tent was drawn, and she then said: Peredur, says she, come here to sit until the heat of the sun is lowered; and he then went inside, and slept in a bed, and then she caused his arms to be taken from him. And after he had slept a good while, she awoke him, and ordered a table to be raised, to go to eat; and so it was done. And he never saw a place more abounding in every good thing; and when he asked for drink, wine was brought to him.

XXVIII.—Peredur was surprised at getting wine, for at that time there was no wine in Great Britain, except in some very rich place. So Peredur drank wine fast, and became drunk beyond measure. And then he looked into the eyes of the lady, for so fair he saw her,

3 Q

and he knew that he had never seen one equal to her in beauty. And he loved so much, that he besought her affection, and that she would accede to his wishes. And she refused him, to cause him to be more eager for her. And he entreated her incessantly. And when she saw that he had fallen into love for her, she said to him : Peredur, says she, know thou for a truth that I will do nothing for thee unless thou pledgest thy faith to be of the same side with me against every man, and that thou wilt do nothing but what I may command. I will not, between me and God, says he ; and thereupon they gave mutual pledges. Then she said : Peredur, says she, know thou for a truth, that thou art not so desirous of having me, as I am to have thee ; and then she ordered her servants to make the bed. And then the bed was made in the middle of the tent ; and to that bed they went, Peredur and the maiden, to sleep. And when Peredur was about to lie down, and drawing the clothes upon him, he saw his sword lying on the ground ; and then he lowered his hand to raise it, and draw it to him. And when he took it, he saw a cross on the pommel of the sword, and then he recollected himself, and crossed himself. And immediately he saw the tent vanishing like smoke, and a sort of cloud fell about him, so that he saw nothing, but perceived such a stink about him that he thought that he was in hell. And then he said with the loudest voice : Lord Jesus Christ, help me, and let me not go to perdition. And then he looked about him, and saw neither tent nor maiden ; but he saw the barge on the sea, and the maiden in it, who said : Peredur, thou deceivedst me. And thereupon she struck in the sea under the sail, and a raging of the sea arose behind her, insomuch that he saw the barge all on fire. And when Peredur saw that event, he was astonished, and said : Oh, my Lord Jesus Christ, pardon my offending thee ; and then he drew his sword, and stabbed himself in his left thigh until his blood streamed out, and he said : Behold there, Lord, an atonement to thee, for my evil thoughts, and he was greatly afraid that God was offended with him. And then he arose naked except his drawers, and dressed himself, and bent on the rock, praying God to send him counsel, so that he might have mercy to his soul ; for he desired nothing else. And so he continued all day sorrowing, without being able to set out from the place where he was, on account of the wound in his thigh, and the loss of his blood. And when night came, he went to sleep on his breastplate, and tore the forepart of his shirt, and stopped the wound, and put on it the sign of the cross, and prayed to God incessantly until it was day, and being sorry that his enemy had nearly deceived him. And then he looked along the sea, and he perceived the ship which he had seen before, with the man in it, and then Peredur began to hope, for so good were the words that he had heard from him before then. And it was not long before the ship came to land, and then Peredur arose as well as he could, and saluted the man ; and he came to Peredur, and sat by his side, and said : Peredur, says he, how hast thou fared since I went from thee. By God, says Peredur, very badly ; for a maiden that came here nearly caused me to commit deadly sin with her. And then Peredur told the man his concern; and then the priest asked him whether he knew her. I do not, says he, but I know that it was the Devil that sent her to try to deceive me. And I would have been easily deceived, but for the sign of the cross, which I put upon me; by the virtues of which I regained my senses and reason. And the maiden fled away, and therefore, Lord, advise me, for it was never so necessary for me. Peredur, says he, then, thou art not sensible, when thou knowest not the one that fled from the sign of the cross. By my faith, I do not know, and therefore, Lord, tell me who she was, and who is the powerful man that disinherited her.

XXIX.—I will tell thee gladly, says the priest. It was the Devil himself, the master of hell. And it is true that he was once in heaven, in the company of angels; so fair and so bright as that no one equalled him; and on account of his comeliness he prided himself, and made attempts, thinking that he had as great right in heaven as God himself, and he said, I will ascend upon heaven, and be like to the chief Lord. And then our Lord, when he said that, cast him out of the seat that he was in, until he fell to hell. And when he saw himself cast out of the honourable seat to everlasting pains, he then thought of warring against the One that had cast him out. Yet he knew not how. And when the Lord had made Adam and Eve, and left them in Paradise, and commanded them that they should not eat of the fruit of the tree, he came and caused Eve to eat the apple, and to give it to Adam to eat, and in consequence of that they sinned deadly, and went to hell. That was the serpent thou sawest the hag riding in thy sleep. That one also came to thee last night to war against thee, and said that she would never rest night and day from warring against God. And she said truly, and thou mayst know that, for the Devil will never rest from endeavouring to draw his true knights from Jesus Christ. And when she had by her deceitful words got thee to agree with her, she ordered her tent to be taken out to lodge thee; then she said: Peredur, says she, come to sit until the sun goes down, and the night comes. The heavy tent which thou sawest may be likened to the force of this world, which will never be without sins in it; and as sin is always in the world, therefore she would not that thou shouldst have any other place than a tent, in which there was nothing but sin; and then she fed thee, and made thee drunk of sins. And when she asked thee to sit and rest until the night came; that may be understood by similitude, that is, commanding thee to sit and rest, until sad death comes, which may be likened to the night. And there I have told thee what sort of one the maiden was, and guard thyself well, that failure be not found upon thee a second time; for if thou failest again, thou wilt not have one to help thee. May God of Heaven, says Peredur, keep me from evil temptations! Then the man asked Peredur, how he felt himself from the wound that was in his thigh. By God, says Peredur, since thou sattest by my side, I feel no pain, and it seems to me, in consequence of the grace which I receive from thy words, that thou art not mortal, but spiritual; and thereupon he vanished, so that Peredur knew not where he went. And then he heard a voice saying: Peredur, thou hast conquered, and art whole; go to yonder ship, where adventure may lead thee, and fear not what thou mayst see or meet with, for God will be with thee. And when he heard those words, he was well pleased, and gave thanks to God, and donned his arms, and came to the ship, which struck into the sea forthwith, by the strength of the wind and sail. Here the story becomes silent about Peredur, and turns to Lancelot.

XXX.—Lancelot was in the Hermit's house, and there he continued for four days with the good man, who, by various examples and corrections, had converted him to good faith, and repentance for the life that he had previously led. And then the good man sent to a brother that he had, and asked him to send a horse and arms for a distressed knight, that was with him; and he sent them. And when Lancelot had obtained all that he wanted, he departed with the leave of the good man. And he rode through the forest until it was the hour of prime, and then there met him a youth, who asked him whence he came. And Lancelot said that he came from Arthur's Court. What is thy name? says he. I am called Lancelot de Lac. Lancelot de Lac? says the youth. It is not he that I seek, for in the whole world I do not know any man more unprosperous and unlucky than thee. O sir, says Lancelot, what knowest thou? I know, says he, that thou art the one to whom the Holy Greal appeared, and notwithstanding, God knows that thou didst not move a step from the place where thou wast. And truly there thou showedst that thou wast not a good man, nor true knight, but a false unrighteous one, when thou wouldst not do honour to thy Lord. And be not surprised if thou meetest with shame in this pilgrimage above all. When Lancelot heard him saying so, he was greatly grieved, for he knew that he was blameworthy, and he wept abundantly, and he left the youth there, aud rode pensive and sorrowful, until it was mid-day; and then he perceived the cell of a hermit, and towards it he turned. And when he was come there, he saw a religious man, grave, and sad, and thoughtful, sitting by the chapel, and saying: Lord Jesus, says he, why sufferedst thou this, for he hath been serving thee for a long time? And when Lancelot saw him weeping so abundantly as that, he was sorry, and saluted him, and said: God keep thee from harm, good man. Amen, says the man, for if he does not keep me, I am afraid that I shall soon be overcome. And God keep thee also from thy sins, for it is more needful to thee, than to any knight of my acquaintance. When Lancelot heard that, he thought whether he should dismount, and go to be advised by the man that day, for he knew him, as shown by the words which he had said. And then he approached the house, and perceived on the door, as he thought, a grave man, gray headed, dead, with a shirt about him. And when he had dismounted, he sat by the man, and asked him what death had happened to the man that was dead, with the shirt about him, and his hair coat far from him. I know not, says the man, but I suppose that it was on account of God that he died, and that he had broken an article of his religion when he threw the hair coat from him and took the shirt ; and in that thought that the evil one overtook him, and took his soul from him. And it is a great difficulty, for it is thirty years since he has been serving God. And then the good man went inside the chapel, and took a stole, and drew a book from his bosom, and read it. And when he had read a portion of the book, he saw the evil one before him, the most hideous object in the world. And then the Devil said, for what purpose, says he, hast thou troubled me to come here ? To tell me, says the man, in what manner this good man died, who was my companion, and to show what is become of his soul. And then the Devil answered him terribly, and said that he was overtaken in good plight, and that his soul was gone to Paradise. That could not be, says the good man, for that would be against the rule of our religion. In that case, says the Devil, I will tell thee how it happened to him. Thou knowest, says he, that he was a gentleman, and that the Lord of the Vale warred against the nephew of yonder man, who was called Agaraus. And when Agaraus saw the worst play turning to him, he came to consult with his uncle here ; and then the courteous man pitied him, and left his hermitage, and took arms, as he had been accustomed in his youth, and he went to strengthen his nephew. And when they were gathered together, they went to fight. And so well did yonder man labour in arms, that the Earl of the Vale was taken at the end of the third day ; and then peace was made between them, and the Earl was obliged to give security to Agaraus, that he would never war upon him. And when the war was over, the good man returned to his hermitage, keeping up his religion, as he had been accustomed. Yet when the Earl knew that he was overcome because of him, then he thought that two nephews, that he had, would be able to avenge his shame, and they said that they would avenge it. And then they came as far as here, and saw that the good man was at the consecration of his mass, and they dared not do him any harm at that time ; and they waited until he had ended his mass. And when he came out, they drew their swords, with the intention of cutting off his head. Nevertheless, He, whom he had been long serving, showed evident miracles upon him, insomuch that they were breaking their swords to pieces, without being able to do him any harm ; and he had nothing on but his clothes. And when they saw that, they lighted a fire, with the intention of burning him ; and they made their people strip off his clothes, namely, the hair coat which thou seest yonder. And when he perceived that he was as naked as that, he was ashamed, and begged of them for God's sake to leave some piece of cloth about him. And they swore that neither flax nor wool should go about him.

XXXI.—And when he heard that, he laughing said : and do you suppose, says he, to take my soul from me by means of yonder fire ? By my faith, says he, I shall not die on account of you to-day, unless it pleases my Lord, and myself, for that fire has no possession of me so much that it can burn a hair upon me ; and there is not a shirt, however thin it may be, that may be about me in yonder fire, that would be ever worse than before. And when they heard those words they mocked ; and one of them said that he would know whether that was true ; and he took off his shirt, and put it upon that man there, and they threw him into the fire, which has continued from yesterday morning until last night. And when the fire was extinguished, the man was as lively as he was before. And then he prayed Jesus Christ to take his soul to him ; and He received him, without injury to the shirt or himself. And when they saw that, they drew him out of the fire, and departed. Nevertheless, God took the soul to Paradise ; and there I have told thee his fate, and I will go away to my business. And as soon as he started off, thou wouldst see the oaks uprooted along the road that he went, with as great a tumult as if all the devils of hell were there. When the good man heard those tidings about his companion, he was well pleased that the good man's soul had escaped ; and he kissed his body, and said to Lancelot : Behold, says he, fair miracles, which God has shown in the case of this man. Lord, says Lancelot, who was the one that was speaking to thee ? This one, says he, will give counsel to all to lose their souls and bodies. And then Lancelot knew that it was the Devil. There Lancelot remained that night, and he doffed his arms. And then he came again to the man, and when he had sat by his side, the hermit said : Art thou not Lancelot, and what art thou seeking in that way ? Lord, says he, I am seeking the Holy Greal, as are all my companions. Seek it, says he, thou mayst easily ; but to find it thou hast failed, because thou art polluted with the foulest sins. And when it appeared to thee, thou couldst neither do it honour. Yet as before, many a man has lived in the darkness of sins, and afterwards God hath called him to light and mercy, if He saw a good penitent heart in him to do some good work. And before thou wast made a knight, Lancelot, thou wert endowed by nature with every good quality ; for first there was in thee chastity in the greatest degree, which thou wouldst not bend in thought or deed, on account of worldly adultery. Besides that, there was in thee humility, for thou hadst fear of thy Creator ; so that thou wouldst not commit iniquity against any one. Besides that, there was in thee justice in the highest degree, insomuch that thou wouldst take nothing wrongfully from any one ; nor wouldst give to any one wrongfully. Besides that, there was in thee mercy, insomuch that if all the goods of the world were thine, thou couldst give them for the love of thy Lord and Creator. And then there was the Fire of the Holy Ghost working in thee. And so being full of those gifts, thou camest to be made a knight, and servant of Jesus Christ. Then the Devil, when he saw thee full of those excellencies, was afraid that he could not draw thee from the road in which thou wast. And it was difficult for him to attack thee, because thou wast so well armed against him, and lest his labour should be in vain. And then he thought how he could deceive thee ; and he saw that it would be easier for him to deceive thee by means of a woman than in any other way, for the first man that existed was deceived by means of a woman. And Solomon, the wisest; and Samson, the strongest of men; and Absalom, the son of David, who was the handsomest in the world, were deceived by means of women. And since all these good men were overcome by means of women, there is no way for that person to continue, says the Devil for thee. And then the evil one entered into Gwenhwyvar, and caused her to look upon thee, the day thou wast made a knight. And then when thou sawest her looking upon thee, thou didst entertain a thought; and at that time the evil one struck thee with one of his quarrels, until thou didst stumble from thy proper way, and wentest to the wrong way, namely, to adultery. That road caused thee to waste thy body and soul. And then he took from thee thy sight, for as thy eyes warmed in the heat of adultery, thou drovest from thee humility, and calledst to thee pride, and didst walk with thy head high, without deference to any one. And as soon as the Devil knew that such were thy thoughts, then he entered into thee also; and so thou sentest from thee the grace of the Holy Ghost; and so thou leftest Jesus Christ, and becamest a man of the devils; for against chastity and humility thou entertainedst in thee adultery and pride, which drove the others away. And were it not to my peril, thou wouldst have seen the Holy Greal as clearly as the clearest in the pilgrimage. All this I am telling thee, because I am so sorry for thy state, for there is no place, whither thou wilt ever go, that thou wilt not be reproached with thy evil adventure, because thou didst not worship the Holy Greal. Yet, as before, thou hast not done so much against God, as that thou shalt not have mercy, if thou wilt seek it with good heart. And therefore, beseech thy Lord, for the sake of His Majesty, to call thee to partake of the prepared feast, which is spoken of in the Gospel, by parable.

XXXII.—There was once a good rich man, who prepared a marriage feast, and invited all his neighbours and friends to it. And after raising tables, he sent his servants to ask the guests to come to eat, for everything was ready; and they delayed so long that the good man was offended. And then when he saw that they would not come, he commanded his servants to go along the streets and roads, and blow horns, and ask all, poor and rich, to come to him to eat. And so they did, and they brought together so many people that the house was full. And when all had gone to sit down, the good man looked at them all, and he perceived a man among the rest, without wedding garments. And he then said; Ah, sir, says he, what dost thou want in here? I came here, says he, as the others came. No, thou didst not, by my faith, says the man; for all the others came full of joy, as they ought to come, and clothed with wedding garments; and thou hast come here with nothing on thee that relates to a marriage. And then the man commanded his servants to drive him out. And the man said, so that all could hear, that he had invited more people than had come to the marriage; for which reason it may be said that many are bidden and few chosen. This parable, which the Gospel mentions, we may see in the pilgrimage of the

Greal. And the marriage and the feast we may liken to the table of the Holy Greal, where the true knights eat; namely, those whom Jesus Christ found in wedding garments. The garments we may liken to good grace to do good works, and to confess often, and to abstain from sin; those were obtained by coming to the wedding, and there is no end of the feast. And the others, who do not go to confession, and do no good, will be driven away from the joy to everlasting pain, where they will have as much sorrow as the others will have joy. Then the man looked at Lancelot, and perceived him weeping abundantly, as if he saw dead before him what he had ever mostly loved. And then he asked Lancelot whether he had confessed lately; and he said that he had, and he told him all his state, how it had happened to him. And then the man asked Lancelot, by the faith that he owed to his Lord, to tell him which life he loved best; whether that in which he had lived before, or the other. And he then swore that he preferred a hundred times to remain in the life in which he was. And so they spent the day in conversation, until the night came; and then they went to eat, and afterwards to sleep. And on the next day, when they arose, they buried the body near the altar, and after that the man went to the hermit's house, and swore that he would not leave the service of God as long as he lived. And when he saw Lancelot setting out, and taking his arms, he ordered him, in God's name, to take the hair coat, that had been about the good man, and wear it about himself, as a penance for the sins he had committed; and I command thee also not to eat flesh, or to drink wine, or to be absent from hearing mass, when thou hast the opportunity. And Lancelot took that command, instead of penance, and wore the hair coat, and when he had prepared himself, he mounted his horse, and took his leave of the good man. And he gave it to him, with an entreaty that his mind would be for doing good, and that he be not one week without going to confession, lest he should be found wanting; and thereupon Lancelot set out, and rode until it was vesper time, without meeting with any adventure. And after a while a young maiden met him, riding on a palfrey; and as soon as she saw Lancelot, she saluted him, and asked him whither he was going. And Lancelot answered and said that he knew not where, but as adventure may lead me; for I know not where I may obtain what I am seeking. I know, says she, what thou art seeking; thou wast once nearer to it than thou art now. O Lady, says he, what thou sayest may be true. Canst thou tell me where I may have lodging to night? O sir, says she, thou shalt have it, and it will be very late before thou obtainest it, unless thou proceedest faster. Thereupon Lancelot went onwards, and came to a valley; and there he met the knight that had taken his arms by the cross, when he saw the Holy Greal. And that one came towards Lancelot, without saluting him, and saying: Guard thyself against me, otherwise thou art a dead man, if I overcome thee. And he couched his spear, and attacked him, and struck him so that his arms were broken at all points, except that his body escaped. And Lancelot struck him also, until he fell off his horse on the ground, and until the horse almost broke his neck. And then Lancelot took the horse by its bridle, and tied it to one of the trees, that the knight might find it when he arose from his swoon. And when he had done that, he went his way, and rode until it was night. And then he perceived a hermitage, and thitherward he came to lodge, and the hermit welcomed him, and brought his horse in, and enough food was given to it. And after that Lancelot was disarmed, and he and the hermit went to eat ; and after meat Lancelot on account of his weariness went to sleep until the next day.

XXXIII.—The next morning Lancelot arose and went to hear mass ; and after the ending of the mass, he took his arms and mounted his horse and went away, with the leave of his host. And he rode that day long through the forest without keeping either road or path, and he rode until it was evening. And then he came to a plain in the middle of the forest, and opposite to it he saw a strong castle enclosed by a wall and ditches, and before the castle there was a fair meadow, and in it about a hundred pavilions of various colours. And before the pavilions there were mounted on their horses about six hundred knights. And the one party had their arms white, and the other had black arms without any different arms except that. And all those who had on them black arms were on the side of the castle, and those with the white arms were on the side of the forest. And then they began the tournament on all sides valiantly, and he looked upon them to see which side was oppressed. And at last he saw the white men conquering and taking the place from the others, and yet they were more than the others. And when Lancelot saw that, he went towards those of the castle with the intention of helping them, and the first that met him, couching his spear he attacked him, and struck him until he was under the feet of his horse on the ground. And then he soon drew his sword, and scattered the tournament up and down, and in a short time he did so much by force of arms that there was no one who saw him that did not give him the praise. Yet as before he did not do so much that the men of the castle had the victory. Nevertheless as before he wounded many and slew others, and at last he was taken by strength, and they brought him to the forest. And then they said, Lancelot, say they, we have succeeded in making thee a prisoner, and if thou wishest to be freed, thou must do our will. Lords, says he then, as far as it may be just, I will do it, and thereupon he pledged his faith, and departed, leaving them in the forest. And when he had gone a distance from them, he considered that he had not done advantageously that day ; and said that he had never been in a combat without the victory and the praise being adjudged to him, except on that day. And besides that he had never been taken before then ; and he was greatly grieved in his mind, and said that there were upon him more sins than on any one, for his sins had taken from him his sight, and the strength of his body. And it is evident that I have lost my sight, says he, because I could not look upon the Holy Greal when it came to me. And with regard to the

3 R

strength of my body it is also evident, for I was never so tired of fighting as I am to-day, where there were no more people, but that at last I would cause them to flee away vanquished. And with those griev- ous thoughts he rode until night came upon him within a great and deep valley. And he dismounted there with the intention of lodging; aud he took the saddle off his horse, and the bridle from its head, and loosed it to graze. And he himself slept on the grass, for he was tired and weary. And when he had fallen asleep, there appeared to be coming from heaven towards him a good man who said to him : Thou man, poor in faith, why is it so easy with thee to turn thy mind towards thy deadly enemy ? And if thou takest not good care of thyself, he will cast thee into the depth of Hell. And when Lancelot heard that, he was not easy at those words ; yet he did not awake until the next day. And then he arose up, and he made upon him the sign of the cross, and saddled his horse, and as he was setting out he saw opportunely the house of an anchoress, where lived one of the best women in the world. Then he said it is doubtless now, says he, that there is not in the world a man more unlucky than I am. And I feel certain that it is my sins that are obstructing.

XXXIV.—Thitherwards came Lancelot to the house of the anchoress, and he dismounted, and tied his horse to a tree, and drew off his shield from about his neck, and doffed his helmet, and went into the chapel. And there he saw that the altar was dressed, and the priest, a grave man, on his knees praying to God. And after that, he put on his vestments, and began the Mass of the Blessed Mary. And when the Mass was ended, the anchoress then through a small window called to Lancelot ; for she thought that he was an adventurous knight ; and he came to her. And she also asked him whence he came, and whither he was going, and what was he seeking. And he told her all his condition word by word, and last of all he told her his ad- venture in the tournament the day before, and the vision he had seen in the night in his sleep. And when he had done telling, he besought her to advise him the best that she could. And she then said : Lan- celot, says she, thou hast been a worldly knight ; there has never been thy like in regard to adventures, and if marvellous adventures oc- curred to thee, let it not be a surprise to thee. But about the tournament yesterday, I will tell thee what that means, and after that I will tell thee why the tournament was held. To know who had most, and who had the best knights, whether Helieser, the son of Peles, or Argus the son of Helyen. And to know the one party from the other, Helieser caused his party to bear white arms ; and after combating together, the white ones were victorious, though the black ones were the most numerous. And therefore I will tell thee what that means. On Whitsunday in this year, as thou knowest, there was a tournament between the worldly and the heavenly knights. The meaning of that is : those that were in deadly sin are the worldly knights, and the heavenly ones are those that were not polluted in sins. The tournament is likened to the pilgrimage of the Greal ; and those who took upon them to be of the Quest, with their minds on the earth and on the world ; those may be likened to those wearing black arms, for it was the sins that gave them that hue. The others with white arms about them were the heavenly ones, that is as well as to say, they were chaste and pure in mind and deed. Yet the others were the more numerous. And when the tournament was begun, thou lookedst upon the sinners, and on the good men, and then it appeared to thee that the sinners were being vanquished, and then thou, being a sinner, wentest to help them, and to fight with the good men. And after fighting for a while thou becamest tired, insomuch that thou couldst not help thyself, and then the good men caught thee and brought thee to the forest. That is similar to the other night, when the Greal appeared to thee, when thou wast so weary and foul, that thou couldst not look upon it. And then despair entered thee, so that thou thoughtest that God would never have mercy on thee. And then came the hermits and good religious men, who caught thee, and bore thee to a life of truth, which is always fresh, and may be likened to the forest, and they counselled thee for the benefit of thy soul. And when thou camest from them thou wentest not to thy old way of sin. And yet as before, when thou rememberedst the works that thou wert accustomed to do, to gain the renown of this world and its pride, then thou wert grieved, because thou couldst not overcome the party opposed to thee, for which reason Jesus Christ was offended with thee, and showed to thee that in thy sleep, by saying that thou wert wicked and poor in faith, and brought to thy recollection, that unless thou guardest thyself, the Evil One would cast thee into the bottom of Hell. And there I have told thee the meaning of the tournament, and thy dream, that thou mayest not go out of thy way in the pursuit of empty renown. And know thou, if thou doest aught against thy Lord, he will let thee go from one sin to another, until thou goest to the bottom of Hell. The anchoress then became silent, and he said : Lady, says he, thou and the good men before have taught me so much, that if I fall into deadly sin, I ought to be punished more than another. God preserve thee, says she, from falling into sin. This forest, says she, is not so well inhabited as is needful, and therefore my advice to thee, as thou hast not had meat, is to take such charity as God has sent to me. By my faith, says he then, I have not tasted food either to-day or yesterday, and then the priest brought him what fare they had. And after that he set out with leave of the anchoress and the priest, and rode the day long, and that night he slept on the top a rock, without any company but God. And on the next day, when he saw the dawn, he crossed himself and went to his horse, and saddled it, and mounted it, and rode to a plain between two rocks, and came to a river called Marsois, which divided the forest into two parts. And then he thought that unless he went back again, there was no other road but to go through the river ; and then he placed his hope in God. And while he was so pondering, he saw coming from the water a great black knight, as black as a blackberry, and on the back of a horse as black as matched him. And when he saw Lancelot he couched his shaft towards him, without saying a word, and he struck Lancelot's horse until it was dead. And after killing the horse, he departed so that he was out of sight in a short time. And when he saw that his horse was killed, he was not enraged notwithstanding, for perhaps it was God that willed it. And on the bank of the river he doffed his arms and rested and awaited God's help to him, for he did not see how he was to escape with life, for he was confined in four ways. First, by wild forests on one side; and two rocks were on each side of him; and there was a deep and dangerous river. And there he remained praying to God against the temptations of the Devil, and that his soul might be a partaker of the joy of the kingdom of Heaven. Here the story becomes silent about Lancelot, and turns to Gwalchmei.

XXXV.—The story narrates that when Gwalchmei set out from his companions, he rode many days without meeting with any adventure, and so did his companions; for not a tenth part occurred to them of what were accustomed to occur, for which reason their pilgrimage was unpleasant to them. Gwalchmei, however, rode from Whitsunday until the vigil of Mary Magdalene without meeting with any adventure worth relating, at which he was much surprised, for in the pilgrimage of the Greal they supposed that there would be more adventures than at other times. And one day as he was riding by himself he was met by a companion of his, who was called Ector of the Moors, riding by himself; and then they were mutually glad and inquired of one another's state. And Ector said that he was well and in good spirits, except that he had not yet met with any adventure that he could wish. By my faith, says Gwalchmei, such was my intention of complaining to thee also; for, by God, says he, ever since I set out from Camalot I have neither met with any adventure, and I know not why, for it is not for want of travelling in distant countries and wild forests that I have not met with any; and I will pledge my faith to thee, as my companion, that I have gone by myself, and slain ten times as many as any one who has met with no adventure. And then Ector crossed himself: and Gwalchmei asked Ector whether he had met any of his companions, since he had started. I have met, says he, within fifteen days more than twenty at different times, and there was not one of them who did not complain of having no adventure. Didst thou hear, says he, any news of Lancelot? God knows that I know no more of him than if he had gone into the earth, and therefore I am afraid that he is somewhere in prison. Didst thou then, says he, hear anything of Peredur, or Galaath, or Bort? God knows that I have heard nothing either of them. Of those four no one knows anything of them. After they had been long conversing so, Ector said: Gwalchmei, says he, thou hast long been riding by thyself, and I have been doing the same thing. Let us two now ride together to see whether anything may occur to us. Let us go, then, says Gwalchmei; and may God send us to some place where we may meet with some chance that will please us. Ector then said: Lord, says he, the road I have travelled has offered no adventure, nor has the one that thou camest along; and therefore let us seek one that will be different. I am agreeable to that, says Gwalchmei; and then they went along a cross road that was in the valley where they met. And so they rode on one side through the forest for eight days without meeting with any adventure at all. And one day they were riding without meeting with man or woman; and that night they came between two mountains, and there they saw an old chapel with no one in it. And when they were come there, they dismounted, and left their spears and shields outside, and they took off the bridles from their horses' heads, and came into the chapel, and prayed to God, as good Christians ought to do. And when they had said their prayers, they went to sit down, and to converse of various matters. Yet about meat it was useless for them to converse, for there was none, and it was very dark upon them; and when they had been for a considerable time of the night watching so, they fell asleep. And then each of them saw a dream, and it ought not to be neglected to relate them. For instance Gwalchmei saw that he was in a fair meadow full of grass and flowers, and in that meadow was a rack and one hundred and fifty bulls, feeding out of it. And there was not one of those bulls which was not mottled, and every one of them remarkably proud, except three; and these were without any spot at all and tied by the neck. And there the bulls were saying to one another, let us flee from hence to seek a better pasture. And then the bulls went along the glade, and not along the meadow, and they stayed long. And when they returned, many of them were wanting; and those that returned were so tired and lean, that they could scarcely stand inside. And of the three bulls that they said were without spot on them, one returned and two remained. And when they were come to the rack, because they had no meat, they gave a monstrous sound, and separated some here, some there. And so Gwalchmei saw. Ector again saw another dream; namely, he saw himself and Lancelot descending from a chariot, and mounting two great horses, and each saying to the other: Let us go to seek what we shall not obtain. And then Lancelot proceeded until he was thrown on the ground from his horse by a grave man, and spoiled of his clothes; and after being spoiled, he put on other clothes.

XXXVI.—And then Lancelot mounted a she ass, and rode her until he came to the fairest fountain that was ever seen; and there he dismounted with the intention of drinking of the water. And when he was about to drink a draught of the water, the fountain withdrew so far from him, that he could get none of it. And when he saw that he could get none of the water, he returned to the place where he was before. And thence Ector saw that he was walking up and down, until he came to the house of a rich man who was celebrating a wedding. And there he asked for the door to be opened, and the good man himself came to the door to him and said to him: Thou knight, says he, seek a lodging in some other place than this; for no one shall come here to lodge whose riding and pride are so high as thine. And he then returned to the chariot, from which

he had descended. By this dream Ector was greatly disturbed ; and
then he awoke, and turned from one side to the other. And Gwalch-
mei had then awaked by reason of his dream also, and he heard Ector
turning, and he asked Ector if he was asleep. No, Lord, says he ; for
I awoke just now in consequence of a dream that I saw. By my
faith, says Gwalchmei, so it happened to me also. And while they
were so conversing, they saw coming in through the door of the
chapel a hand with the arm as far as the elbow ; and hanging from
the hand was a bridle, which was neither fair nor excellent, and in
the hand was a torch of wax burning and hurrying by them as far as
the altar. And then the hand disappeared with the light, so that
neither of them knew where it vanished. And then they heard a
voice saying to them : Ye knights, full of bad faith, poor of hope !
The three things ye have now seen, ye have failed in them, because ye
have no share in the adventures of the Holy Greal. And when they
heard that, they were greatly pained ; and then Gwalchmei asked
Ector if he had heard the words that were said to them. Yes,
says he, and I did not understand them. By God, says Gwalchmei,
the best advice would be for us, in respect of what we have heard
and seen to-night, to seek some religious man, who could interpret
for us our dreams. And so they were conversing until it was day ;
and when the day was come upon them, they went to their horses,
and put the saddles upon them ; and after donning their arms, they
departed. And when they were come to the vale, they met a young
yeoman on the back of a hackney ; and then the yeoman saluted
them, and they him. And then Gwalchmei said : Ah, sir, says he,
canst thou show us where there is a hermit's dwelling ? Yes, says
the yeoman, and then they turned to a little path on the right hand
side. This path, says he, will lead you to the house of a hermit which is
in a little mountain ; nevertheless be assured that ye cannot go there
on your horses. God's blessing to thee, says Gwalchmei ; and then
the youth turned to his road ; and they went along the path, and
rode until they came to the mountain, where they were obliged to
dismount ; and there they tied their horses by their bridles, and
walked along the ridge until they came to the house of the hermit,
who was called Naciens ; and know ye that his cell was a very poor
one, and small was his chapel. And in the garden they saw a grave
man gathering broom to be eaten, as one who had eaten no other
food for a long while ; and as soon as he saw them, he thought that
they were adventurous knights on behalf of the Greal and its pilgrim-
age. And then he came to meet them, and welcomed them ; and they
humbly saluted him. Then he asked them what adventure had brought
them there. Lord, says Gwalchmei, we were desirous of speaking to
thee, and to seek counsel of thee, in respect of the difficulty we are
in. And when he heard Gwalchmei so saying, he thought that they
were men conversant with worldly matters ; and then he said : Lords,
says he, I will not fail you in anything that I can in respect of coun-
sel. And then he took them with him and they came to the chapel ;
and he asked them who they were. And they told their names, so
that he knew both of them. And then he asked them what counsel

they were seeking. Lord, says Gwalchmei, I will tell thee ; and then he told him his affair, and his dream as ye heard before. And after that Ector told his dream also , and they besought the good man to tell them what those meant.

XXXVII.—O sir, says the hermit to Gwalchmei, in the meadow that thou sawest there was a rack, and by the rack that thou sawest there we understand the Round Table. For as there was a manger for each bull in the rack on each side, so there was in the Round Table a seat for each of the warriors on each side. By the meadow we may understand humility and patience in those for whom the Table was placed. And every knight that was admitted into the society of the Round Table was obliged to take his oath that he would be humble and patient. In the rack that thou sawest, there were one hundred and fifty of proud bulls of various colours. By the bulls thou mayest understand the warriors and the companions of the Round Table, which were varied in colour by their pride and their sins. These companions were variegated, for their sins and their pride were not confined within them, but showed themselves outside also in patches like the bulls. And three of them were without a spot on them, and two of them were pure white, and the third had one spot. The two pure white bulls are likened to Galaath and Peredur, who are fairer than all the rest, for they were full of every excellence, without ever the pollution of sin upon them. The third that had one spot upon him is Bort, who once lost his virginity and purity, on account of a carnal deed that he once committed with a woman ; and after that he kept himself in his chastity so well that he obtained forgiveness of God. Those three that were tied by their neck, that is equivalent to the three being bound in humility so much that pride could not come among them. And then the bulls said : Let us go to seek a pasture that is better than this ; that is equivalent to the warriors of the Round Table, who said : Let us go to seek the Holy Greal, where there is spiritual food, which the Holy Ghost will send to him that seeks by grace to sit at the table of the Holy Greal. Then they set out from the Court along the valley, and not along the meadow. When they went from the Court, they did not go to confess, as those ought who would go to the service of Jesus Christ, and they went not to humility and patience, which was likened to the meadow, but they went along the valleys and forests entangled with briars and thorns, which may be likened to Hell. And when the bulls came back again, they did not all come ; and those that came were dead of famine, and so lean that they could not stand on their feet. That is equivalent that the companions will never come home ; for some will kill one another, and some will come home, who, God knows, will not be able to stand on their feet, because they are so lean ; namely on account of their sins, until they fall into the midst of Hell. Of the three without a spot upon them two will remain, and one will come afterwards ; that is equivalent that of the three good knights, one will come to the Court. And know ye that it is not from a desire of the food in the rack that he will come, but to show the spirituality of the heavenly food, which ye lost on account of your sins. The other two will not come, for as soon as they taste the spiritual food they will never leave it. The last words of your dream, I will not interpret any of them, for probably ye would not like it. Lord, says Gwalchmei, may God reward thee for what thou hast done.

XXXVIII.—And then the good man said, and conversed with Ector. It appeared to thee, says he, that thou and Lancelot were descending from a chariot. That may be likened to mastery or else to lordship. That chariot may be likened to the honour that was paid to you in the Round Table. And when ye set out thence, ye set out and mounted two great steeds, which were no other than boasting and pride. Those are the steeds of the devil. And then ye said: Let us go to seek that which we shall not have, that is to say the Greal, and the mysteries of God, which were not vouchsafed to be shown to you, because ye were not worthy. And when ye had each separated from one another, Lancelot rode until he fell off his horse, and left his shield. That is as much as that he left pride; and knowest thou who threw him down? It was Jesus Christ. He humbled Lancelot, and spoiled him of his clothes—that is to say, of his sins, which were as raiment about him; and then he put on him again a raiment of prickly pain, namely, the hair coat that is about Lancelot; afterwards he was placed on the back of a she ass, that is to say, humility. It is a sign, the likening of a she ass to humility, for Jesus Christ rode one to Jerusalem. And be thou assured that he might have had the best steed had he wished it; yet he would not, but the she ass, though it be the ugliest of the animals. And that he did to show an example of humility to poor and rich. And thou sawest Lancelot riding the she ass, until he came to the brink of the most beautiful fountain that he had ever seen. And there Lancelot dismounted, and sought to drink a draught of the water, and the water then fled from him to the bottom of the earth. And when he saw that, he returned again. The fountain thou sawest, we liken to the Holy Greal, in which there is water; and when Lancelot came before the Holy Greal, he failed to see it. Yet he will not entirely fail, but for what he has done he shall have penance sufficiently oppressive; for he will be fourteen days without seeing, without hearing, without eating, without drinking, without being able to move either foot or hand. And then he will come to his senses and will relate what he saw. And thence he returns towards his chariot, that is the same as towards the Court. And thou also who wert riding the great steed everywhere up and down, wilt come to the court of King Peleur, where there is the marriage and great feast for the good knights. And when thou hast arrived there thou wilt ask for it to be opened. And then a proud man will come to thee, and will command thee to go to seek lodging somewhere else, for no one shall come here whose riding is so haughty as thine; which is as much as to say that no one shall go there, who is so proud as thou art, nor who is so abundant in sins as thou. And when thou seest that, thou wilt return to Arthur's Court without performing any part of thy career. And there I have told thee what thy dream means. Now I will tell thee what the hand thou sawest signifies. The hand thou sawest may be likened to almsgiving—namely, being desirous of giving goods to the poor with thine own hand; besides that thou knowest that with the bridle the horse is restrained from going according to his own will. So we also ought to guard and restrain ourselves from proceeding in deeds according to the will of the body. The waxen torch that was burning and shining may be likened to the words of the Gospel, that is throughout the world enlightening every good Christian. And when the hand had gone away, a voice spake unto you: In these three things have ye failed. That is equivalent to that ye failed in having no almsgiving in you, nor restraint from doing evil, nor any of the Gospel, or its light, nor the doctrines of Jesus Christ in you. For which reason ye lose the adventures of the Greal. There, says the good man, I have explained to you your dreams and the meanings of the hand. Thou sayest truly, says Gwalchmei. May God reward thee; and for God's sake tell us yet, why there do not occur to us of adventures as many as were wont before now. I will tell thee, says the good man. The adventures that are coming now, and will come; these are appearing on account of the Greal, and the signs of the Holy Greal will never appear to a sinner. And ye also, I suppose, have not been freed from your sins, inasmuch as not one adventure appears to you. Lord, says Gwalchmei, according to what thou sayest, that we are in deadly sin, in vain shall we labour more in this pilgrimage. Assuredly, says the man, thou sayest the truth. In that case, says Ector, it would be better for us to return to Arthur's Court. By the hand of God, says the hermit, I also would so advise you; for I will warrant you that those of you that are in deadly sin will gain nothing in this pilgrimage, but what they will of shame. And as soon as he said that they went away. And when they had gone some distance, the good man called to Gwalchmei, and said: Gwalchmei, says he, it is a long while since thou wast made a knight, and from that time until now thou hast not been able to do the least service for thy Creator, and thou art now an old tree with neither leaves nor fruit upon thee. And therefore think at length of giving the wood and bark to Jesus Christ, for thou hast given the bloom to the Devil. Lord, says Gwalchmei, if I had time to converse with thee, I would do so, but my companion is riding fast, and therefore I must go after him. And know thou for a surety that when I have the first opportunity of coming, I will come to converse with thee. And then they separated; and Gwalchmei and Ector rode until it was night, and then they came to the house of a forester, who welcomed them. The next morning they proceeded thence, and they were travelling so without meeting with any adventure. Here the story becomes silent respecting them, and treats of Bort.

XXXIX.—When Bort had set out from his companions, and from Lancelot, he rode until evening, and there met him a grave man with a religious habit upon him, and riding a she ass, and no one with him. And then Bort saluted him. And the courteous man answered him

3 s

in the best manner that he could ; and he recognised that he was an
adventurous knight. And then Bort asked him whence he was coming
so by himself. I am coming, says he, from seeing a servant that I
have ill in this forest. And thou also, who art thou ? I am a knight,
says he, from Arthur's Court, and one of the Quest of the Holy Greal.
By God, says he then, there are many of the Quest labouring in vain ;
for they are sinners, without being inclined to go to confession or to
repent ; and know thou for a truth, that no one shall see the Holy
Greal, except it be through the gate that is called Confession. By
God, says Bort, I suppose so. Art thou a priest ? says Bort. Yes,
Lord, by God, says he also. In that case, says Bort, I beseech thee,
for God's sake, to advise me in the best way that thou canst for the
benefit of soul and body. By God, says the man, thou art asking of
me a great thing ; and if I should refuse thee that, thou mightest
question me before God on the day of judgment ; and for that reason
I will advise thee in the best way that I can. And then he asked
him what was his name. And he said that Bort Agawns was his
name ; and I am the son of King Bort, and cousin to Lancelot. When
the good man heard those words, he said : Truly, says he, Bort, if
the Gospel says truly of thee, thou wilt be a good knight ; for Jesus
Christ says that a good tree bringeth forth good fruit. Thou art the
fruit that came from the good tree ; therefore thou also oughtest to
be good according to the Gospel, for thy father was one of the best
men that ever a king, for he was merciful and humble. And the
queen, who was thy mother, was as good a woman as the best of the
whole world. Those two persons were one tree by the bond of mar-
riage ; thou art the fruit, and therefore thou oughtest to be good.
Lord, says Bort, many sons of a bad mother and of a bad father have
been good ; and therefore it appears to me that the son goes on his
course neither according to the mother or the father, but according
to the heart that is in him. And so conversing they proceeded until
they came to the hermit's house ; and the hermit besought him to
dismount, and remain that night with him ; and on the next day he
would give him the best advice that he could. And then Bort dis-
mounted, and a scholar of the house took his horse and arranged it ;
and after that he helped him also to doff his arms. And then the
good man asked Bort to come to hear vespers, and so he did ; and
after vespers they went to eat bread and water. And the hermit said
that with such food as that good knights ought to feed their bodies, and
not with sweet food and dainties, which cause man and woman to sin
adulterously and deadly. And, by God, says he, if I thought that
thou wouldst do a certain thing for my sake, I would ask thee. And
Bort asked him what that was. By God, says he then, a thing that
would greatly benefit thy soul, and would sustain excellently thy
body. I then will do it joyfully, says Bort. Yea, says the man,
I also will command thee that thou eatest no other food than this
until thou art at the table of the Holy Greal. What knowest
thou, says Bort, that I shall ever be there ? I know, says he then,
that thou wilt be, thou and two others of the Companions of the

Round Table. In that case, says Bort, I also will pledge my faith as a true knight, that I will not eat other food until I am there. And there he was that night; and on the next morning the hermit came to him, and gave him a white coat. This, said he, thou wilt wear instead of a shirt, and in the name of penance. And he then took it and wore it about him, and then his arms, and came to the chapel, and confessed all his sins. And the hermit found his course of life so good, that he marvelled, and that he had never anything to do with woman except in the begetting of Helian the White; for which reason he ought to give thanks to his Lord. And when he had confessed, and taken his penance, he besought the good man, for God's sake, to give him his Lord's body. And the hermit commanded him to wait until the mass was finished, and he said that he would do so with pleasure, and then they went to the mass. And when the mass was over, the hermit came and gave him his Lord's body, and said: Lo, now thou art better armed than thou wert before. Take thou care not to anger so good a Lord as is with thee. May I not live to do so, says Bort. And then he took his arms and set out from thence with leave of the hermit, and he rode until it was vesper time. And then he looked into the sky, and saw a great bird flying above an old withered tree, with neither leaves nor fruit upon it. And when it had flown for a long time, then it lighted on the tree, where there were birds belonging to itself, but it knew not how many. Yet they were all dead; and when it saw them dead, then it struck itself with its beak under its breast, until its blood came out in streams, and about their heads. And as soon as the warm blood fell upon them they arose alive, and the old bird died. And Bort was astonished at that, for he knew that there was in that great meaning. And he remained there some time to see whether the old bird would arise alive. However, that was in vain, for it was dead. Then Bort proceeded along the road until it was late eventide, and then he came near to a great tower. And when he was come to the gate, he begged for lodging, which he obtained with welcome, and was brought to a chamber to be disarmed, and thence he was led to the hall, where was the lady that owned the lodgings, a beautiful and amiable woman, yet her dress was poor. And as soon as she saw Bort coming in she rose up immediately to meet him, and welcomed him; and he also saluted her; and then she took him, and placed him to sit by her side. And when meat was ready, he and she went to sit together, and squires of the house served them bountifully. And when he saw that, he considered that he would eat none of the flesh meat; and then he asked one of the servants to bring him water, and he then took three bits of the bread through the water. And when the good woman saw that, she asked was it because their meat did not please him, that he would not take it. No, between me and God, says he; I will eat no other food to-night; and she then did not presume to entreat him further. And when they had done eating, they went to sit in a glass window, she and Bort. And when they were so, lo, a youth came in and said: Lady, thy condition is not good, for thy sister has taken three castles from thee, and what belonged to them, and commanded me to tell thee, that she will not leave thee one foot of land, unless thou art ready to-morrow at the hour of prime, and a knight with thee, who will fight for thee against Briadan the Black, her lord. When the lady heard that, she was sorry and greatly distressed. When Bort saw that, he asked her why she was oppressed. Lord, says she then, I will tell thee. Formerly there was here a king called Amans, and he loved my sister, who is older than myself, and he owned the whole of this country and more besides, and he was our father. Yet he gave the whole of the dominion into her hand, and she brought evil customs into the country, and committed many deeds contrary to justice, so that she lost the whole of her men and of her territory. And when the king saw her administering badly he drove her from the country, and placed me in possession of all that she had. And as soon as he was dead, she began to war upon me and take from me the men and the land, and saying that she would not leave me anything unless there be war in my defence to-morrow, and a knight that will defend my right for me against Briadan. What sort of a man is Briadan? says Bort. One of the most powerful men, says she then, that are in this country. Send thou then, says Bort, to thy sister, to tell her that there is with thee a knight that will fight in thy be-half to-morrow. And when the lady heard that her joy was not little ; and then she sent a messenger to her sister, to tell her that there was with her a knight that would defend her just right on the morrow. Then Bort arose to sleep, and the Lady and her household conducted him to a fair chamber with a pleasant bed in it. And when he saw the bed so fair as it was, he commanded every one to go away. And they went, for that pleased him. And he then lay down on the hard floor, and his head on a chest. And so he prayed God to be a help to him in the battle on the next day ; and then he fell asleep. And after awhile he saw a dream ; no otherwise he saw two birds coming before him, one of them was as large and as white as a swan, and the other as black and as large as a raven ; yet it was a fair bird accord-ing to its breeding. The white bird came to him, and said to him : If thou wilt serve me, I will give thee all the wealth of the world, and will make thee as fair as I am. And he then asked who it was. Dost thou not see, says it, who I am? I am yet fairer and whiter than thou seest. And he answered it not a word. And then the other bird came to him, and said to him : It will be needful for thee to serve me, and do not take it at all ill from seeing me black ; and know thou for a truth that of more value is my blackness than the whiteness of others. And then that one went away. And after that vision another wonderful one came. That is to say, he saw that he was lodged in a fair chapel, and there he saw a man sitting in a chair. And on the left side of him he saw a column of red rotten wood, of so weak a condition that it was almost falling to the ground. And on the right side of him there were two branches of *fleurs-de-lis ;* and one of the branches touched the other too nearly, and prevented it from blossoming. And the man then separated each of them from one another : and it was not long after that when there was on each of them many blossoms and fruit. And then the man said to Bort : Would not he be a fool that left these blossoms to be lost for the purpose of saving yonder rotten tree from falling to the ground ? I would judge him a fool, says Bort, whoever lost the blossoms for the sake of the tree, from which no advantage could now ever be obtained. By that, says the man, thou seest a condition not to lose the blossoms for the sake of preserving the tree, for excessive heat might cause the blossoms to be lost. And so he saw the two visions in his sleep, and he awoke and crossed himself, and in praying to God he remained until it was day. And as soon as it was day, he went into the bed, and turned himself in it, that it might not be supposed that he slept elsewhere. And then the Lady came to him, and saluted him. And he also said : God give joy to thee also. And then the Lady brought him to the chapel, where he heard matins, and the mass of the day. And after that they came to the hall, and many of the knights and esquires along with them, whom the woman had caused to come to see the battle. And then the good woman besought Bort to go to eat. And he said that he would not have meat until the battle was ended; and thereupon Bort took his arms, and they mounted their horses, and the company that was with him, and the Lady also came altogether to the meadow. And there they saw a large company awaiting Bort ; and the Lady for whom the battle was. And when they were come to the meadow, the two sisters came together ; and then the woman, for whom Bort was, said : Lady, said she, I have a complaint against thee, that thou art taking from me the dominion which King Amans gave me, and took from thee, and deprived thee of thy patrimony on account of thy evil service. And the other said that she had never been deprived of her patrimony, and she was ready to prove that, if there was any one that dared to defend her.

XL.—And then Bort came, and said : I, says he, am ready to defend the right of this woman against any one that pleases. Then Briadan came, and said that he also would defend the right of his Lady, and there was not any one that thought he would be overcome ; for there was not in the world a man of better body than he. And then they separated each from the other, and they loosed their horses against one another, and on their coming with the force of their horses, each struck the other until their shields were perforated, and the breastplates torn ; and but for the breaking of their shafts each would have killed the other. And the spears struck their bodies so fast that their horses were falling, and they themselves over the cruppers of their horses to the ground. And as each was in full force, they drew their swords, and arose up, and turned their shields in front, and threshed rapidly where they thought it easiest to damage and break their armour, and make deep wounds in one another. And the man was stronger than Bort had supposed, and Bort thought that the man had just right ; and Briadan also struck Bort with frequent blows, which he bore in defending himself, without wishing to contend with him, but leaving to Briadan the victory. And when he saw Briadan without tiring and losing his breath, then Bort began to retreat to every place along the field; and in a short time Briadan fell. And then Bort snatched the helmet from his head, and dragged him up and down, and struck him with the pommel of his sword on his head, until the blood was about his eyes; and he said to him, that unless he yielded he would cut off his head. And then Briadan was silent, and Bort then set upon him with the intention of cutting off his head; and when he saw that, he prayed for his protection, on condition that he would never war on the young Lady. And when he had given a contract to that effect, Bort let him go. When the other woman saw that her knight was conquered, she fled from the field for fear of being imprisoned. And then Bort commanded all that were there to do homage to the young woman, and those that would not he destroyed; and so the young woman had her dominion by the fighting of Bort. Nevertheless the other woman carried on war against her as long as she lived, for envy caused her to do so. When Bort had left the Lady in joy, and caused homage to her from most of the men, he set out thence, and rode thoughtfully about the visions he had seen in his sleep, and being desirous of coming to a place, where he might have an interpretation of them. That night he came to the house of a widow, where he had a comfortable lodging; and the next day he rode until it was near mid-day, and then there met him a thing that was painful for him to see; that is to say, in a cross road there met him two knights with two handfuls of thorns in their hands, driving his brother Lionel in his one coat to prison on the back of a hackney, and with his hands bound before him. Moreover from their blows with the thorns upon him his blood was running in more than a hundred places on his flesh; and he said not a word, as one that was full of a proud heart, but bearing manfully what was being done to him. And then Bort prepared to defend him; and when he was so, behold a knight completely armed going to the forest with a young damsel to ravish her, and taking her before him to the thickest part of the forest; and she with the loudest voice invoking Mary, and praying her to send help to her maiden. And as soon as she saw Bort riding by himself, she thought that he was an adventurous knight of the pilgrimage of the Greal. And then she cried to him with her loudest voice, and said: Thou knight, says she, by the pledge that thou gavest to the One, in whose service thou art, and by the faith that thou owest to him, do not let this knight put me to shame.

XLI.—When Bort heard that, he considered that he knew not what he should do, whether to neglect her, or to help her, or not. He also felt assured that she would lose her life if he failed her. If he then neglected the maiden that was invoking him for the sake of Him whom he served; if she should have shame, he would have dishonour, and loss in some way on account of the want of his assistance. Then he raised his eyes towards heaven weeping, and said: Lord Jesus Christ, Father Almighty, the One whom I serve, preserve for me my brother from being killed by yonder men, and I will go to defend thy maiden. And then he spurred his horse after the knight and the maiden, and when he overtook them, he said : Thou knight, leave there the maiden. When he heard that, he dropped the maiden on the ground, and turned round to Bort, for he was completely armed, with the exception of a spear. And he drew his sword, and lowered his shield before him ; and then Bort struck him with a spear so that his shield was shattered, and the breastplate, and so that he also fell to the ground in his swoon. And then Bort came to the Lady, and said : I think, says he, that thou art freed from that knight, and what wouldst thou have me do more ? Lord, says she, since thou hast defended me so far, conduct me to the place from whence the knight brought me. Then he took the horse of the man that was thrown, and placed the maiden upon it, and brought her to the place she asked. And then she said to Bort : Lord, says she, thy service has been better than thou supposest ; for if I had suffered violation, more than five hundred lives would have been lost, sooner than they would have been saved. And then Bort asked who the knight was. For a truth, says she, he was my cousin ; and I know not what temptation of the Devil caused him to bring me thus to be shamed. And when they were so conversing, behold more than twelve knights, who had been seeking the maiden ; and then she besought them to welcome Bort, and they gave him the greatest welcome that they could, and they besought him to remain with them. And he then said : Lords, says he, I am not able to remain, and there is no one living, except God, who knows my loss for remaining so long as I have. And when they heard that, they entreated him no longer ; and then the Lady besought him to come to visit her, when he had the first opportunity. And he said that he would come, if he was on the road, and he happened to come in that direction. And there Bort left them ; and he himself rode towards the place where he had seen his brother Lionel taken. And when he came to the place where he had last seen him, he listened to see whether he could hear anything ; and when he could hear nothing, he proceeded along the road that he had seen his brother going. And when he had ridden much, he met with a religious man, as he thought, riding a horse as black as a black berry. And when he saw Bort he called to him, and asked him whom he was seeking. Lord, says he, two men were taking my brother bound, and beating him with briars. Bort, says he, if I thought that thou wouldst not feel it too much, and fall into despair, I would tell thee what I know most certainly relating to that. When Bort heard that, he thought that the knights had killed his brother, and in grief he said : Lord, says he, for God's sake show me where his body is, that I may cause it be buried honourably. Look thou then, says the man, on the other side of thee. And then Bort perceived a dead man, bloody and just killed, by his side ; and he looked upon him, and thought that he was his brother ; and then from sorrow he swooned. O my lord brother, says he, henceforward I will not

seek joy after the loss of thy fellowship.   And since God has divorced
our fellowship from each other, I beseech him to be a guardian over
me, for Him have I taken to be a companion, and a master in every
danger ; for from henceforth I have no thought but for my soul in
consequence of losing thee.   And then he took him between him and
the bow of the saddle, and asked the man whether there was near
either an abbey or a church or chapel, so that we may bury this man.
Yes, there is, says he, near here a chapel in front of a tower, and
there he may be buried.   For God's sake, says Bort, wilt thou show
me the chapel?   I will show it with pleasure, says he, and they pro-
ceeded together.   And they had not gone far before they saw a fair
tower appearing to them, and near it a church falling into ruin.
And when they were come there they dismounted and went in, and
placed the body on top of a tomb of marble.   And then Bort looked
every where in the church whether he could find holy water ; and he
found there neither a cross, nor water, nor relic, nor any sign that
related to Jesus Christ.   Let us leave the body here, says the man,
and let us go to lodge to-night to yonder tower, and to-morrow we
will come to the service of thy brother.   Why, says Bort, art thou a
priest?   Yes Lord, says he.   In that case wilt thou tell me the mean-
ing of a certain vision that I saw in my sleep, and of other things
that I saw?   And then he related to him about the bird that he saw
in the forest, and after that he declared about the two birds that he
saw, one being white and the other black ; and about the rotten tree ;
and about the branches with white blossoms.   I will tell to night, says
the priest, a part relating to them, and another part to-morrow.   The
bird, says he, that thou sawest in the form of a swan, signifies some
woman that loves thee, who will come presently to visit thee, and
to beseech thee to be a companion to her.   And that thou wouldst
not do homage to the bird, that signifies that thou wilt refuse that
woman, and from anger and grief for thee she will die.   And the
black bird signifies thy boldness and thy sin in refusing her.   And
therefore neither for fear of God, nor for losing thy chastity, do
not refuse her ; for if thou wilt refuse thou shalt have the dispraise
of the world, and displeasure of God.   And because thou maintainest
thy chastity for the praise of the world, there will come for that
chastity so much misery, that thy cousin Lancelot will lose his life ;
for as soon as thou wilt refuse her she will die.   And then her kindred
will kill Lancelot, who is in prison.   And then it may be known that
thou art accessory to the slaughter of the maiden and of thy cousin
also, as thou hast been in consenting to the death of thy brother,
whom thou mightest have saved and rescued, hadst thou pleased.
And thou wentest to defend the Lady, who pertained nothing to
thee.   Therefore see thou which was the greatest right, either for
the maiden to lose her virginity, or else that thy brother should
lose his life.   Lord, says Bort, I would rather that all the maidens
that are in the world should lose their virginity, than that my brother
should be slain.

XLII.—Bort was astonished that the priest should rebuke him for defending the maiden; and then the priest asked him: Hast thou heard thy dream interpreted to thee? I have heard, says Bort. Yes, says he, it depends upon thee about Lancelot, for thou mayest rescue him, if thou wishest. By God, says he then, there is nothing which I would not do, that Lancelot should not lose his life. That will be seen presently, says the priest; and then towards the tower they came. And when they were come in, they saw there many knights and damsels, who said: Welcome to thee, Bort. And then they brought him to the hall, and disarmed him; and when they had undressed him, they brought him honourable clothes to wear, and caused him to sit, and they along with him, and comforted him until much of his sorrow and pain was forgotten. And when they were so conversing, behold a fair young maiden coming to them, so fair that in the human nature of the world there could not be half the beauty that was in her; and the clothes about her were of the best kind. And then one of the knights that was with her said to Bort: Lord, says he, behold here the Lady that is sovereign over us, and who is the most beautiful and richest in the world, and who loves thee exceedingly; and she is awaiting thee for a long time, for she will never have a companion but thyself. When he heard that, he was greatly surprised, and he saluted her, and she him, and sat by his side. And they conversed together about many things, insomuch that she besought him to be a loving companion to her, and if thou wilt do that, says she, I will make thee the richest man of thy race. When Bort heard that, he was uneasy in his feelings, as one who hated to break his chastity, and he knew not well what sort of answer he should give her. And she then said: Bort, says she, why wilt thou not do what I have asked? Lady, says he, there is not in the world a woman however rich, for whom I would do anything of what thou seekest of me, and no one ought to seek it of me in the case that I am; for my brother was killed to-day, and is outside dead. Look thou not upon that, says she; for it is death that causes me to pray thee. And were it not that I loved thee more than woman loved man, I would not entreat thee, for it is not the custom of women to pray the men; therefore it is love that presses me, and causes me to entreat thee to sleep with me to-night. And he then said, that he would do nothing of the kind by any means. And when she saw that, she showed the greatest pain, and most grievous sorrow; and that succeeded no better than if she had not. And when she saw that she could not conquer him in any way, she said: Bort, says she, thou hast brought me, in consequence of refusing me, to such a pass, that I will now die before thy eyes. And then she took him by his hand, and led him to the door of the hall, and said to him: Stay thou here, says she, and come, thou shalt see in what manner I shall die because of thee. And then she commanded some of her retinue to hold Bort there; and she went to the top of the castle, and twelve damsels along with her. And then one of the damsels said: Bort, says she, for God's sake have pity upon us, and grant to our Lady her will; and if thou wilt not do that, we will all throw ourselves down from here, to break our necks

together with our Lady, that we may not look upon her death ; and
if thou wilt let us all die for so little a thing as that, no knight ever
acted a more brutish part. And then he looked upon them, and was
grieved to see them so, because they were noble ladies, and he pitied
them, not so much but that he would sooner that they should lose
their lives than himself. And he said that he would do nothing for
them, either to lose his life, or to save it. And they then fell from
the tower to the ground, and when he saw that, he was astonished,
and he raised up his hand, and crossed himself. And then he heard
about him a cry and tumult, as much as if all the devils of Hell were
there ; and he saw about him neither the tower nor the woman that was
entreating him, nor the household, nor any thing that he had seen be-
fore that, except his arms. And when he saw that, he knew that it
was a temptation of the Devil upon him there, seeking to deceive him,
and utterly destroy his soul. And then he raised his hands towards
Heaven, and gave thanks to God, because he had overcome his enemy,
and for giving him the victory. He went to the place where he
thought his brother was, and there was nothing of him there, and then
he believed that his brother was yet alive, and his feelings were more joy-
ful. And then he came to his arms, and donned them, and mounted his
horse, and departed. And after riding a long while he heard a bell
ringing, and he was glad then, and he went in that direction. And
then he perceived an abbey, enclosed with a strong wall, and he came
to the gate, and asked for it to be opened. And the monks within,
when they heard that he was armed, thought that he was one of the
Quest of the Holy Greal, and they received him honourably, and dis-
armed him, and brought him to a fine chamber. And then Bort said
to one of the monks : For God's sake, says he, wilt thou bring me to
the most religious monk that is in this house, and the best scholar ?
For I would have advice from him and from God, relating to a mar-
vellous adventure that happened to me to-day. Lord, says the monk,
thou wilt go to the abbot, for he is the best in this house for scholar-
ship ; and they came to the place where the abbot was. And then
Bort saluted him ; and the abbot, bowing to him, asked him who he
was. And he then said that he was a knight on his travels. Then
he told him his affair, and what had happened to him the days pre-
viously. And when he had told all, the abbot said : By my head,
says he, I would not have thought that a knight, so young as thou,
was so great in God's grace as thou art. Thou hast told me so much,
that I cannot to-night give advice according to my wish, and there-
fore go thou to-night to rest, and to-morrow I will advise thee in the
best way that I can. And then Bort returned again, and left the
abbot there ; and all were commanded to welcome him. That night
he was served better than he wished ; for there were brought to him
flesh meat and fish, of which he would eat nothing, but bread and
water, inasmuch as he would not wound his conscience in any way.

XLIII.—On the next morning, after he had heard matins and mass,
the abbot came to him, and saluted him ; and Bort him also. And
the abbot then took him by the hand, and brought him before the
altar. Bort, says he, wouldst thou know what thy dreams signify ?

Yes, Lord, says he. After thou hadst gone to this pilgrimage, says the abbot, thou tookest to thee a good companion, that is to say, thou tookest the body of thy Lord. And after that thou proceededst on thy way, to see whether Jesus Christ would do so much for thee, as that the Greal should appear for thee. And thou hadst not proceeded far before Jesus Christ himself appeared to thee in the form of a bird, and showed to thee the pain and disrespect He had on our account. And I will tell thee how thou sawest. No otherwise than when the bird came to the tree, which had on it neither leaves nor fruit, it looked at its birds which it saw dead; and then alighted among them, and with its beak it struck its breast until its blood fell to the ground, and until it died itself there; and the birds then, by virtue of the blood, arose alive from death. This I can show by similitude to thee; for the bird may be likened to the Saviour of the world, who formed man in his own image. And after that man was driven from Paradise, on account of his own evil deed, he came to the earth where he had his death, for there was not either life in him. The tree that thou also sawest there without fruit upon it, plainly signifies the world; in which there was nothing but evil adventures, and poverty, and want. The birds thou also sawest, may be likened to the human beings that were there in the world, and utterly lost; for at that time all, both good and evil, used to go to Hell. And then the Son of God, namely Jesus Christ, ascended the tree, that is to say the Cross, and then he suffered himself to be struck with a spear until his blood came, and from that blood the world obtained its life, and they were brought from Hell, where there was nought but death, and never will be.

XLIV.—The black bird that came to thee, and to visit thee, may be likened to Jesus Christ, who said: I am black, and yet I am very fair; and know thou for a truth that my blackness is better than the whiteness of another. And by the white bird that appeared unto thee like a swan, may be understood the Devil. And I will tell thee how. The swan is white without, but black within. And so are the devils, which may be likened to the men of a false religion, who pretend to be religious and gentle, while within they are full of the blackness of sins, and deceiving the world. And as that bird came to appear to thee in thy sleep, it appeared to thee after that, when thou wert not asleep; and knowest thou where? When the Devil appeared to thee in the guise of a priest, who said to thee that there was sin upon thee, for leaving thy brother to be killed by his sufferings; and he told a lie, for he is not yet killed, and he is alive in perfect health. And he only said that to thee, to cause thee to fall into wrath and adultery, and into deadly sins, in consequence of which, thou wouldst fail for ever of seeing the Holy Greal. And there is for thee what the white bird was, and what the black bird. Now it is necessary to tell thee what meaning there is in the rotten tree, and the twigs with blossoms on them. The red rotten tree, which thou sawest without strength in it, signifies Lionel thy brother; in whom there is neither energy nor strength, nor good work in respect of Jesus Christ. The rottenness of the tree signifies the rottenness of the sins which are in him, increasing daily; for which reason he may be compared to a rotten . tree. The two branches, which thou sawest with blossoms on them, signify two virginities, that is to say, the knight whom thou disgracedst is one, and the maiden is the other. And the one branch would come in contact with the other; that is the same as that the knight would come in contact with the maiden against her will. Yet a good man, that was sitting in the chair, separated one from the other. That is equivalent to our Lord, who would not that either should consent with or corrupt the other; and for that reason God sent thee there to separate them, and to hinder them from corrupting each other. And thou hinderedst them with goodwill, when thou leftest thy brother in the midst of his enemies in danger of death. However the One, in whose service thou wast, was there in thy place; insomuch that he showed his miracles so much out of love of thee that the knights fell down dead. And he himself then took his arms, and set out on his pilgrimage; and respecting this adventure, thou wilt know the truth presently. And but that God knew thee, He would not have shown thee an adventure so fair, that thou couldst free the body from the pain of death, and the soul from Hell. And there I have told thee the meaning of the adventures and visions, which thou hast seen. Thou speakest truly, Lord, says he; thou hast said it well to me, and I also will be a better man as long as I live. For God's sake, says the abbot, pray God for me, for sooner, I think, will God listen to thee than to me. And he then became silent as a man ashamed; and when they had conversed a good while, Bort set out from thence, and rode throughout the day, and that night he lodged in the house of a widow. And the next day he rode until he came near a castle, that was in a valley; and there met with him a youth going towards the forest, and Bort asked him if he knew any news. Yes, says he. To-morrow there will be a tournament in front of the castle between the Earl of the Plain and his party, and the widow of Sarens. When Bort heard that, he thought of staying to await the tournament: for it could not be but that some of the companions of the Round Table would come there, from whom perhaps he might have news of his brother. And then he turned to that road, and came to the house of a hermit, which was near the forest, and on the door of the hermit's chapel, he perceived his brother armed. And when he saw his brother, excessive joy arose in him, and he dismounted on the ground, and asked his brother when he came there. And Lionel did not answer him much, but said: Bort, says he, it was not owing to thee that I was not killed, when thou sawest me stark naked, going with the two knights, who were beating me with handfuls of thorns; and thou leftest me, and wentest to succour the maiden. And neither brother, nor any one else, ever did a more savage trick than that, and for that falseness defend thyself from me as from thy enemy. For thou hast deserved thy death, and therefore defend thyself from me, and do not trust in me, for, by God, one of us shall die.

XLV.—When Bort heard his brother saying so, he was sorry, and

bent on his kness to implore his protection; and to beseech God to
pardon his evil will towards him. And he swore that he would not
forgive him, and that there was no deliverance for him, but death, if
he were the conqueror. And then he mounted his horse, cautioning
Bort, and commanding him to mount his horse, and defend himself,
if he could. And if thou wilt not mount, I will kill thee as thou art;
though the shame be mine, the loss will be thine. And I would
sooner have the reproach of the world, than leave so bad a man as
thee alive. When Bort saw that he must needs fight, he was sorry,
and he thought of imploring his brother once before mounting his
horse. And then he bent on his kness before his brother, who was on
his horse, and begged of him, for God's sake, forgiveness. And then
Lionel, when he saw that his brother would not rise, spurred his horse
across Bort, so that Bort swooned from the pain he had from the horse,
for it had broken in him three ribs, and he thought that he would die
for a certainty. And when Lionel saw that he was so weak that he
could not rise, he dismounted with the intention of cutting off his head,
and he took hold of his helmet, and drew his sword, being about to
strike him. And thereupon the hermit ran between them, who was a
grave man, and fell across Bort with his hands extended, and said: Alas!
Lord, says he, have pity on thy brother, for if thou wilt kill him,
thou wilt die in sin; and then a great satisfaction it is, to lose
him also, one of the best knights in the world. By God, says Lionel
to the hermit, if thou fleest not from hence, I will kill thee, and he
will not escape the sooner for that. By God, says the hermit, I would
sooner be killed by thee, than that he should; for the loss of me
would not be so great as of him. When Lionel saw the good man so,
he struck him with his sword a stroke into his inside; and then the
hermit, when he felt the pang of death in him, stretched himself along
the ground. And when Lionel had done that, he spared not his
brother nevertheless, but loosened the thongs of his helmet with the in-
tention of cutting off his head, when Galogryvant came to them. A
knight he was of the Round Table; and he recognised Bort and Lionel,
for they were companions of his. And he dismounted, and took hold
of Lionel, and gave him a push until they were both on the ground.
And then he said: Lionel, says he, art thou gone out of thy senses,
when thou seekest to kill thy brother, one of the best knights of the
world? And no good man of the world would suffer that at thy
hands. Why, says Lionel, is it thy intention to prevent that? Yes,
between me and God, says he, if one can oppose it. Then Lionel
made an onset, and took his shield, and asked him who he was. And
when he recognised him, he warned him, and commanded him to de-
fend himself. And then they fought together manfully, for they were
good knights, and the battle continued between them until Bort sat
up, so weak that he did not think that he could either fight or strike
in that month, unless God gave him grace. And when he saw Galo-
gryvant fighting with his brother, he was grieved and sad, because he
could not go between them, for he was ashamed that Galogryvant
should be killed in defending him. And nevertheless the men fought

until Lionel was superior to the other. And then when Galogryvant saw that he was in danger of death, and unable to defend himself longer, then he looked upon Bort, who had risen on his feet, and then he said : Bort, says he, why dost thou not come to rescue me from this danger, for it was on thy account that I placed myself in this danger? And if I die on thy account, all the world will reproach thee. By God, says Lionel, all such arguments are vain for thee, for death is thy nearest neighbour. When Bort heard that, his mind was not very easy, for when he had killed Galogryvant he was certain that he himself would be killed afterwards. And then he drew near to his helmet, and put it on his head ; and when he saw the hermit dead, he was sorrowful, and prayed God to be merciful to his soul. And then Galogryvant said : Bort, says he, hast thou but to leave me to die in this manner, and if it pleases thee that I should die thus, I am also satisfied ; for I would sooner die for thee than for any one else. Thereupon Lionel struck him so that his helmet went from his head ; and when he knew that his head was bare, and that there was no way for him to escape, he said : Lord Jesus Christ of Heaven, the one in whose service I was, and not so worthily perhaps as I ought ; and grant that the pain and death that I now suffer may be instead of penance to me for my sins, and an absolution.

XLVI.—And with that speech Lionel struck him, so that he was dead on the ground. And when he had killed Galogryvant, he was not satisfied with that, but he came to his brother, and gave him cruel and heavy blows. And Bort, in whom every humility lodged, said : My Lord brother, says he, forgive me this battle, lest thou incur the displeasure of God, and dispraise of the world. May God not forgive me my sins, says Lionel, if I pity thee at all, more than thou pitiedst me, when thou sawest me in danger of death. Then Bort drew out his sword, and said : My Lord Jesus Christ, says he, do not attribute to me for sin the defending of my life against my brother. And then he raised his sword with the intention of striking his brother, and he heard a voice saying to him : Bort, flee thou from him, for if thou shouldst strike him, thou wouldst kill him ; and thereupon there came down from heaven a pillar of fire between them two, so terrible that it scorched their shields. And then each of them fell on the ground in a swoon ; and when they arose thence, each looked at the other, and the earth was reddened and burnt about them. And when Bort saw his brother unharmed, he gave thanks to God. And then he heard a voice saying to him : Bort, says it, ride as soon as thou canst towards the sea, and hold no more intercourse with thy brother ; and hasten thou towards the sea, where Peredur is awaiting thee. And then he bent on his knees, and thanked God by prayers, that He had vouchsafed to call him to his service. And after that He came to his brother, and said : Lionel, says he, thou wast not courteous in killing the knight, that had been thy companion, and in killing the hermit also ; and for God's sake, do not go hence until they are buried. Wilt thou also not wait for that? No, says he, for I must needs go to Peredur, who is awaiting me, as the voice said to me. And then Bort arose, and put the sign of the cross upon him, and mounted his horse, and so he proceeded until he came to a white abbey, where he was welcomed. And that night, while he was sleeping, he heard a voice saying to him: Bort, rise up; and he then arose, and dressed himself. And when he had prepared himself in his arms, he mounted with the intention of departing. And the gates were shut, and he went about the walls, until he found a breach. And then he came out, and rode until he came to the seaside, and there he found a barge, with a pavilion in it of white samite; and then he dismounted, and entered the barge, and as soon as he came in, he saw the barge setting out, and the wind striking the sail so fast, that he thought it was flying. And when he saw that he could not succeed in getting his horse in, he put up with that; and he looked along the barge, and saw nothing, for the night was dark. And then he leaned on the deck of the ship, and there he prayed to God to keep him harmless in soul and body. And then he slept. And when he awoke, he saw in the barge a man armed, except his head, which was bare. And when he had looked a long time upon him, he knew that it was Peredur, and he embraced him. And Peredur was surprised at that, and asked him who he was. Why, says Bort, dost thou not know me? No, by my faith, says he, and I wonder how thou couldst have come here, unless God sent thee. And then Bort laughing took off his helmet, and then Peredur recognised him. And they were both very joyful, and each of them told the other his affair, and so they remained both of them there. Here the story becomes silent about them two, and treats of Galaath.

XLVII.—In this place the story treats that after Galaath had rescued Peredur from the twenty knights, he rode through forests, sometimes here, and other times there, as it happened; in which places he accomplished many adventures, which are not related here; for it would be too long and too tedious, if all of them were related in succession. When Galaath had ridden along the realm of England, everywhere that he heard of some adventure, or wonderful event, he turned towards the sea. And there he happened to come by a castle, where there was a tournament of excessive magnitude, between those within, and those without. Yet those within were overcome by those without, for there were more outside than within. When Galaath saw the party within falling into the worse case, he thought that he would help those. And then he let his horse run, and the first that he met, he struck him, so that his spear was in pieces; and thereupon he drew his sword, and rushed among them, and began to strike men and horses, and to throw them to the ground, so that all were amazed at it. Then Gwalchmei, who was in the tournament, he and Ector, assisting those without the castle, when they saw the white shield with the red cross on it, each said to the other, that it was foolish for any one to withstand him, for against his sword no arms would continue. And while they were so conversing, behold Galaath spurring his horse towards them, as his fate conducted him; and he struck Gwalchmei across his helmet so that it was split, and the sword was in his head also, and but that the sword turned in his hand, he would have killed him dead. Yet the blow struck the horse, so that the horse was in two pieces, and the sword in the earth, and Gwalchmei then fell as if dead on the ground. When Ector saw Gwalchmei having fallen so on the ground, he then retreated, for he knew that it was not good sense for him to await him, and besides that also that he ought not to encounter him, for he was his master and brother. Galaath then spurred his horse up and down, and in a short while he did so much that the men within were the more bold, through overcoming the others. And when he had overcome them, he retired secretly, so that no one knew whither he turned, and he received the praise and honour of the tournament with the consent of the two parties. Gwalchmei, however, who had received harm, so that he thought he would not live an instant, said to Ector, who was by his side : By my faith, says he, I now see that true was the sentence which Lancelot said to me, on Whitsunday of this year, about the sword that was in the marble stone ; and with that sword, says he, have I been now struck, so that I would not be struck for three cities, much less for three castles. Lord, says Ector, hast thou been hurt so badly as thou sayest ? So badly, by my faith, says he, that there is no way for me to escape, unless God advises me. What shall we do then ? says Ector. I suppose, says he, that our pilgrimage is hindered. Thine is not hindered, says Gwalchmei, though mine is hindered.

XLVIII.—And as they were so conversing, behold the knights from the castle coming to them. And when they knew that it was Gwalchmei who was so hurt, some of them were sorry, for indeed there was no knight that was more beloved in any country than he. And they took him, and brought him to the castle with them, and physicians were brought to see him. And after looking they asked whether he would recover. I will make him, says the physician, so well by the end of the month, that he can ride and bear arms. And so Gwalchmei and Ector remained there until they recovered. Galaath himself rode away from the tournament until he came that night where there were only two miles between him and the forest of Celibe. And that night he lodged in the house of a hermit, who welcomed him. And then the hermit caused the horse to be stabled, and himself to be disarmed. And when that was done, they went to eat such fare as was in the house, which he took joyfully, and after that they went to sleep. And after they were gone to sleep, there came to the door a young damsel, who called on Galaath, so that the hermit came to her, and asked her what time was that for her to come and push doors. Lord, says she, I would have conversation with the knight inside, for it is needful to me. And then the hermit awoke Galaath, and said to him : Lord, says he, there is a young damsel there at the door, that would speak with thee, and who has need of thee. And then Galaath rose up, and asked her what she sought. Galaath, says she, take thy arms, and mount thy horse, and come quickly with me, and truly I will show thee the fairest adventure that a knight ever saw.

Galaath then took his arms, and mounted his horse, and with leave of the hermit went forwards, and told the damsel to proceed before him ; and she did so, and he followed her. And so they proceeded until the day came upon them; and then they came to a forest, and that continued for them as far as the sea ; that was called Celibe. And so they rode along the highway all the day long, without having either meat or drink; and at the time of evening vespers they came to a plain, where there was a fair castle, strengthened with a wall, and moats, and running water. And when those of the castle saw them coming, they all said : God's welcome to thee, Lady, and they received her as if she had been a lady over them. And she also commanded them to welcome the knight, for no better knight than he ever bore arms. And then they received him with joy, and disarmed him. And then Galaath asked the Lady whether they should remain there that night. No, says she, when we have eaten and slept a little, we will depart hence. Then to eat they went, and after that to sleep. And presently after the first sleep, the Lady desired Galaath to rise, and the yeomen of the house brought him torches of wax to don his arms by them. And when he was dressed, he mounted his horse ; and the Lady took with her a golden casket, with precious stones worked into it, and she placed it between her and the pommel of the saddle ; and they set out forwards from the castle, and rode until they came towards the sea shore. And when they came there, they saw the barge, in which were Peredur and Bort, leaning on the side of the barge, and waiting for Galaath. And when they saw him, they welcomed one another, and they blessed God that they were brought together. And then in came Galaath and the Lady, bringing the saddles of their horses with them, and leaving their horses on the land. And they had no sooner entered the barge than it set out to sea. And in a short while they proceeded so far, that they saw no land on any side of them. And so they were sailing until it was day ; and then Galaath asked Peredur and Bort where they obtained so fair a barge as that. And Bort said that he did not know. And then Peredur related his adventure, as ye heard before ; and in what manner the priest told him that he would soon meet with Bort and Galaath. Yet, says Peredur, he told me nothing about yonder damsel. By my faith, I should not have come here but for yonder damsel ; for I had never been on this road ; and I should not have thought of finding you two in a place so foreign as this. And then each related to the others his plight and adventures. And Bort said to Galaath : Lord, says he, if thy father Lancelot were here, nothing would be wanting to make us happy. And so they conversed until it was the hour of noon. And then they came to land, and to a desolate isle between two rocks ; and when they came there, they saw another barge. And then the damsel said : Lords, says she, in yonder barge is the adventure, on account of which God has caused you to come together ; and for that reason ye must go from this into the other. We will do that, say they, with pleasure. And out of the barge they went, and they took the Lady with

3 u

them. And when they came near to the barge, more beautiful and more precious they saw it than the first. And they wondered that they saw in it neither man nor woman ; and they came near to it, and found on board of the barge a letter written, and declaring a sentence fearful and frightful to those that would go in. The writing was to this effect : Ye, knights, whoever would come here, whoever he may be, let him see that his faith is good, for there is of me nought but belief and faith : and therefore beware before you go in that there be not on you pollution ; and if there is, ye will have from me no help ; and as soon as I overtake you breaking or omitting one point of the faith, then I also will leave you.

XLIX.—When they had read the letter, and understood it, then they looked at one another. And then the Lady said to Peredur : Dost thou know me ? says she. I do not know, says he, who thou art. Know thou, says she, that I am thy sister. And knowest thou why I tell thee to recognise me ? That thou mayest believe me better in what I tell thee. And I will tell thee first, as the one whom I love most of all the world, if thou art not perfect in the faith and belief of Jesus Christ in any way, go thou not into yonder barge ; for as soon as thou goest, if thou art not as I said, thou wilt be lost immediately. When Peredur heard her saying so, he looked at her, and recognised her, and welcomed her, and said to her : By my faith, my fair sister, says he, I will go in, for I am full of faith, and I am a knight, as I ought to be. Go thou in then boldly, says she, and God be a help to thee ! And as they were conversing so, Galaath, after putting on him the sign of the cross, went in first, and the damsel afterwards, and Bort and Peredur after them. And when they were come in, they looked at the barge, and they thought that there was not on the sea, or on the land, so beautiful a barge as it. For it was tented with hangings all of silk, and in the pavilion was a bed admirably adorned with goldwrought hangings. And thitherwards came Galaath, wondering greatly at the beauty of the bed. And he perceived at the head of the bed a crown of gold, and at the feet of the bed was a sword with variegated work upon it ; for its pommel was of a stone, in which were all the colours of the world. And there was also in it many different wonderful things, and for each colour there was a virtue. The hilt of the sword was made of the ribs of two animals ; the one of the animals that were of the kind of serpents that are bred in the country, that is called Calidoin ; and each of the serpents is called Pagagustes ; and the wonder was in the bones of that reptile. Whatever man held its rib, or other bone of it, in his hand, it would not be necessary for him to fear the coming of excessive heat into him, as long as it was in his hand ; and there is the charm that was in the one half of the hilt. The other side of it was made of the rib of a fish, which never bred, except in the river Euphrates ; and that fish is called Orteniaus. And whatever man held in his hand any portion of the bone of that fish, he would have no recollection of joy or pain, or of any thing else, but of what he thought when he took it in his hand ; and as soon as he threw it out of his hand, there would come to his recollection as his nature was wont to lead him. Those two virtues were in the two ribs, which were in the hilt of the sword, covered over with red syndal, and golden letters written therein. And the letters said : I am wonderful to be looked upon, and more wonderful to be known ; for there never was a man that could shut his fist about me, however great might be his hand ; and there never will be but one ; and he will excel all that have ever been before him, and all that will come after him. And so the letters said that were on the hilt. And when they had read them, each of them looked at the other, and said : See thou a great marvel, say they. By my faith, says Peredur, I will try to close my fist about it, and he took it in hand, and was not able to reach about it. On my faith, says he, I think it likely that the letters speak truly. And then Bort tried it, and he succeeded no better. Then they asked Galaath to trý, and he said that he would not ; for I now see a greater marvel than I have seen for a long while. Then he looked along the sheath of his sword, and there he perceived small red letters, saying : Let no one draw me from this sheath, that does not know that he will slay better with a sword than another. And whoever he be otherwise, let him know that he will die instantly, or be maimed. And that is proved in my case, in the times that are gone by. When Galaath saw that, he said : By God, says he, I was inclined to draw this sword from the sheath ; and now I will not put my hand upon it. By God, says Bort and Peredur, we will neither put our hands upon it. And then the Lady said : To draw this sword is forbidden to all men but one. And I will tell you how it happened about him, and there is not an instant. It is true, says she, that this barge formerly came to land somewhere in this kingdom, and at that time there was war between King Lambar, who was father of the lame king, and King Urlain, who had been a Saracen, but at the time of the war he was so good a Christian, that all said, that there was not in the world a better man than he. And when King Lambar, and King Urlain and his host had come together to the same field, they fought until Lambar was compelled to flee. And he fled into this barge, and perceived yonder sword. And when he saw King Urlain pursuing him, he took the sword, and came out, and gave a blow to Urlain, so that he and his horse were in two pieces. And that was the first blow that was ever given with it ; and in England that happened. And in consequence of that blow, for so holy was the King that was killed, so great was the vengeance that God gave for it, that there was not found in those two kingdoms for a long time any fruit of the land and earth, nor of the trees, nor of the waters ; but every kind of thing was dried up. And for that reason, that land is called to this day the decayed kingdom. When the King saw the sword so keen as that, he thought that he would go to fetch the sheath. And then he came again to the barge, and put the sword in the sheath. And then he fell dead on the ground before this bed. And so it was found proved with this sword, that whoever drew it, he would die immediately, or else be maimed. And so the body re-

mained near this bed, until a maiden was found, who went in, and cast
it out; for there was no one that dared to go in, for fear of the letters
that were written on board of the barge.   By God, says Galaath, that
was a marvellous adventure, and I believe it to be true.

L.—Galaath would have put his hand on the sword, with the in-
tention of drawing it, when the damsel desired him to wait a little
longer yet, until thou seest a marvel that remains.   And he then re-
frained.   And they looked at the sheath, and yet they knew not of
what sort of thing it was made; but they thought that it was the skin
of a serpent.   And nevertheless as before, so red was it, as the leaves of
the reddest rose; and on top of that were letters written, some of
gold, others of silver.   And when they looked at the belt of the sword,
there was not one of them who was not surprised, for such a girdle as
that did not accord with such an excellent sword as it was, for of tow
and hemp it was made; and so weak was it made, that it could not
sustain the sword for one hour of the day without breaking.   And the
letters that were on the sheath said thus: Whoever carries me, he
ought to be more valiant than another, if he will bear me as holily
as he ought to bear me, for I ought not to go where there is filthiness
or sin.   And the first that beareth me will repent of it; and there-
fore let me be kept clean, and it will be safe to whoever bears me in
every place; for the side that carries me will not be overcome in any
place where he may be, if he takes about him my girdle, by which I
ought to be carried.   And let no one be so bold as to change for me
either girdle or belt, different to what I have, for there is no per-
mission for any one to improve the belt, but for a maiden, undefiled
in mind and deed; and that she be a daughter of a king worthy of a
queen.   And that one shall make for me a belt of what she herself is
fondest of, and shall put it in this place.   And she shall put a name
upon me, and on the sword; and no man will ever know my name
rightly until then.   And when they had read the letters, and seen
what they said, they were astonished, and then Peredur desired
Galaath to turn the sword on the other side, and he turned it; and
on that side also there were letters, saying: Whoever covets me most,
will disparage me most in the need, and he, to whom I ought to be
good, will find me estranged, and that will be but once, and so it must
be.   When the damsel saw that, she said to Peredur: Lord, says she,
those two things have come; and I will tell thee when; so that
no one has need to fear taking this sword, if he is worthy.   Formerly
thirty years transpired after Christ's Passion, when Naciens, the
son-in-law of Moradrin's sister, was carried in a cloud, by the com-
mand of Jesus Christ, for more than twenty-three days out of the
country to an isle, called the Isle of Turning.   And when he came
there he saw this barge; and when he was come into the barge,
he perceived the bed as you saw it, and he loved the sword, and
coveted it more than any thing in the world; and he had not bold-
ness that he would draw it from the sheath.   And there he was eight
days without eating, without drinking; and on the ninth day it
happened that a wind bore the barge away from hence, as far as an-

other distant isle. And when he came to land there, he saw a giant of enormous size, who said to Naciens that he would kill him presently. And then Naciens became afraid, when he saw him coming to him, and he with nothing to defend himself. And then he rushed at the sword, and drew it out, and when he saw it naked, there was nothing which he loved so much, and then he brandished it in his hand, and as soon as he brandished it, the sword broke in two halves. Then he said : O God, says he, what I loved most in all the world, I have found it the worst ; for it failed me in my need. And then he put the sword on the bed with its sheath, and he leaped from the barge, and fought with the giant, and immediately killed him ; and after that he came in again. And then the wind struck in the sail, and the barge rode the sea until there met with it another barge, in which was Moradrins, having himself been suffering many temptations of the devil in the rock of the Perilous Bridge. And when they saw one another, they were glad, as those ought to be between whom there is much love ; and they enquired of one another's health, and their adventures. And then Naciens said : Lord, says he, since thou sawest me, a most marvellous thing I saw respecting yonder sword. And then he told him his concern. By my faith, says Moradrins, that is a marvellous thing ; and he looked upon the pieces of the sword, and loved them more than any thing ; and said : By my faith, says he, it was not for harm that this sword broke, but on account of thy sins, or else to signify another thing. And then Moradrins placed the piece by the other ; and as soon as the one piece was joined to the other, it became whole as easily as it broke. And when they saw that, they were more astonished. Then Moradrins put the sword in the sheath, and placed it where ye see it here. And then they heard a voice saying to them : Go ye out of this barge into the other, for ye were near falling into sin ; and if ye are overtaken in sin here, ye will not escape without danger. And then they went from it to the other. And as Naciens was going from the one barge to the other, he was struck with a sword on his shoulder, so that he went headlong into the other barge. And when he fell, he said : O God, says he, I am badly hurt. And then a voice said to him : Take that for drawing the sword which thou wert not worthy to draw. And so came the sentence, which says : Whoever loves me most, that one will disparage me in the need. Now the man that loved this sword the most was Naciens, and the sword failed him in his need. Well enough, says Galaath, hast thou explained that to me ; and tell us now how the other came. With pleasure, says she. True it is that formerly there was a lame king, who was my uncle, and that man increased in the faith of Christ as much as the greatest, as long as he was able to labour ; and so good was his manner of living that his like could not be found in the world. And as he was on a week day hunting in a forest near to the sea, he lost from him his dogs and huntsmen, and all his men, except one cousin that followed him. And when he saw that he had lost his companions, his journey became uncomfortable, for he was so unacquainted with that forest, that he thought that he would never get out of it. And yet as before, they travelled much, he and his cousin, until they came to the sea towards Ireland, and there he saw this ship. And immediately he went on board the ship, and he saw the letters, as ye also saw them. And he had no fear notwithstanding, as every one ought to have, that commits sin, so that his Lord would be offended with him. And then in he came by himself, for his cousin was not bold enough to come ; and find the sword he did, and drew it as much as ye see out of the sheath, for at that time it had not been drawn out, and none of it was naked, and he would have drawn it all out presently, but that at that juncture he was struck by a spear in the thigh, so that he was ever from that time forward lame and maimed ; and that is the way how he was maimed for his folly. And for that vengeance the word is understood that it was strange to the one, to whom it ought to be loving, for there was not in Christendom a better man than he. By God, says Galaath, sufficiently clear hast thou explained that to me. And then they looked at the bed, and saw that the two sides and the two ends were made of three different woods. And the wood that was on the side in front was whiter than snow, when newly fallen. And the one that was behind was redder than the foxglove ; and the timbers that were ends to it were greener and brighter than the stone called emerald. Of those three colours were the timbers of the bed made ; and know ye for a truth that not one of those woods had been coloured, but with the colour that God gave them according to their own nature, and it was not a worldly man of the world that had coloured them, and lest any that listens to this story should suppose that this is a lie, I will turn a little from my own road, and from the subject of the story, and will explain to you the nature of the woods of which the bed was made.

LI.—Here the story says, that it was when Eve, the first woman that ever was, came and sinned through the advice of the Devil, who warred on the human race ; as soon as he knew that God had made them, he then exhorted them to sin deadly through lust. For which reason they were driven from Paradise, because they had taken of the fruit of the tree, which they had been forbidden to take. And as soon as Eve had taken the fruit, a branch of the tree came off with the fruit, and she took it to her husband Adam, and he took the apple out of her hand. Yet the branch remained in her hand. And as soon as they had eaten that deadly fruit, and it is just to call it deadly, for on account of that fruit they both of them had their death, and all had it after them also. Then the spirituality that they had, they lost it, and they were left naked. And when they saw that, they knew that they had gone astray. And when they saw their shameful limbs, each of them with their own hands hid their shame, in the best way that they could, and the branch was still in the hand of Eve, without parting from her from that time forth. And when He, that knows the minds of all, knew that they had so sinned, He came to them, and said to Adam first, for it was more just to correct him than his wife, for she had been made out of him. Adam, says He, thou shalt eat thy bread through sweat and pain. And after that, He said to her also : In pain and sorrow shalt thou nourish what is born of thee ; and after that He drove both of them out of Paradise. And when they had been driven out, she perceived the branch in her hand to be of a bluish green. Then she said : To keep in my memory the great loss that I have sustained, I will keep this branch with me for the longest period that I can. And then she considered that she knew not where she should keep the branch, and she placed it upright in the ground and said : Here, says she, I can see it when I please ; and the branch also, through God's will, took hold of the ground, and became rooted, and grew until it became a great fair tree, and as white as the whitest snow that could be, and that in every place without any difference. And with regard to its being white ; that signifies that she, who brought it there, was chaste, when driven from Paradise. And know thou for a surety that there is a great difference between virginity and chastity ; for virginity is of her who has never had connexion with man. Chastity is different to that ; for no one can be chaste, who has the will to do a carnal deed. That chastity was in Eve, when she was driven from Paradise, and from the pleasure that was there ; and at the time when she planted the branch, she had lost none of her chastity. Yet after that, God sent to them to command them to cohabit together according to nature ; and then Eve lost her chastity. Nevertheless great was their shame, in going to perform that brutish act ; and it was so great, that neither of them could look on the other ; and that from excessive shame. They dared not however to break the command of their Lord a second time, for so grievous had been the vengeance for the first time. And then Jesus looked on the shame that was in them, because they were unwilling to break his command, and on the other side, his will was that by a human race the tenth grade of heaven was to be filled, from which the angels had fallen through their pride, He sent them a great help from that shame, for He placed between them both a darkness, so that they could not see each other. And they wondered why that darkness was between them.

LII.—And then each of them approached the other, and felt one another, and knew one another naturally. And when they had accomplished that course, they made new seed, by which their penance was lessened for the sins which they had committed. On that occasion the innocent Abel was conceived, who first served God ever according to his will. So Abel was conceived through the branches of the tree which they had brought from Paradise, and that on a certain Friday. And then the darkness departed, and they knew that it was God who had sent the darkness to be a help to them, and to hide their shame. Then God showed a great marvel ; for before that, every place was altogether white ; at that hour it was as green as the grass. And as much of that tree as was planted from that time was green, both in fruit, and in leaves, and in wood. And the branches of it that were planted before the connexion of Adam and Eve under the tree, those changed nothing of their whiteness ; and before that deed the tree had neither ever borne blossoms. And after that, they blossomed and bore fruit, and the tree assumed the green colour, and left the white colour. That signifies that she, who had planted it, lost her chastity. And so that tree was for a long time green, and so also used every one to be that came from it, until Abel became a great man, and true to God, for he used to give tithe truly of the fairest that he possessed. Yet Cain, his brother, would not do so; but took the worst and vilest that he possessed ; and that he used to offer, and give tithes of it, to his Lord. And God looked upon that ; for to him that was offering to Him fair things, He also gave an increase of every fair thing. And not so was He giving to Cain ; but his labour used to be unprosperous ; for it used to be foul and ugly and scattered along the fields ; and whatever belonged to Abel was clean and fair and savoury. When Cain saw that Abel's labour was more prosperous than his own, he sinned very heavily, and entertained envy against Abel, and hated him too much beyond measure, and considered how he could be avenged on him. Insomuch that he thought in himself that he would kill his brother Abel : for in no other way than that, could he be avenged on him. And so Cain bore his wrath and intention for a long time without his brother knowing it. And as Abel was on a certain day going from his father's house to the field, he came as far as under the branches of the tree, and there he slept. And near there was Cain keeping his sheep, and towards there he also came, with the intention of killing his brother without his knowing it. Nevertheless his brother heard him coming, and saluted him ; for greatly did he love his brother, and he said to him : God's welcome to thee, my fair brother, says he. And then Cain sat along with him, and without his knowing, struck him under the top of his breast with a knife, and so Abel died by the deed of his brother, in the place where he was created. And here it is testified that at that time there were in the world only three men. And that death signifies the death of Jesus Christ ; for Abel may be likened to him, and Cain may be likened to Judas, the thief that caused the death of Jesus Christ. When the Lord knew that Abel had been killed, He came to Cain and said : Where is Abel thy brother ? And he then answered, when he had killed his brother, and hidden him with leaves, that he might not be seen: Lord, says he, am I a guardian over my brother ? What then, says the Lord, didst thou do, when a voice came to me complaining from the blood of Abel ? And because thou hast done that, cursed art thou on the earth, and the earth shall be cursed in thy works, because thou hast shed his blood. And so God cursed the earth there. Yet he did not curse the tree that was in the place where Abel was killed, nor the other trees that came from it. And from that tree there came a great marvel ; for as soon as Abel was killed under the tree, the tree changed its colour, and went as red as the reddest blood ; and that was, I should suppose, to keep a memorial of the blood that had been shed under it. And from that time forth not one branch that was planted of it grew, but they died and withered. Yet the tree grew fair in that colour without any deterioration, but that no sort of fruit grew upon it, ever since Abel was killed under it. The other trees used to produce fruit, which had been planted from it, before that time. And so was that tree, until the people increased; and then every one did great honour to that tree, from knowing that their first mother had planted it, and had brought it from Paradise And thither every one used to come, as to a pilgrimage; and they counselled together, so that no one dared to break one branch of it; and the king of the meat it was called. And so continued that tree until the time of Solomon, the son of David, who was full of all wisdom, insomuch that no mortal man could know more. For he knew the virtues of every stone and herb, and the nature of the stars and signs, so that no one knew more than he except God himself; and yet he was not so strong in his perfection and his wisdom, but that woman could often deceive him by her wiles. And we ought not to wonder too much at the wile of a woman upon us, when the perfect wise men of old were overcome.

LIII.—When Solomon saw that his wit was nothing against the wiles of woman, he wondered whence those wiles came to woman, and was wrathful; nor did he appear different to that; for which reason he says, in one of his books which is called The Proverbs of Solomon :—" I have encompassed the world, and gone through it, as far as the understanding of man could mostly go, and I have sought the world throughout, and in the whole of it I did not see that one good woman was found." That proverb Solomon utters out of wrath against his wife, against whose wiles he could prevail nothing. And he tried her often, to see whether he could overcome her wit, and he could not. And when he saw that, he asked himself: What nature was there to a woman to anger man so frequently as she did. And thereupon he heard a voice saying to him: Solomon, Solomon, says it, if sorrow came from woman, there is no need to wonder at it, for a woman will come again, when a hundred times as much joy will be had, as is now had of sorrow; and that woman will be born of thy lineage. When Solomon heard that, he took himself for a fool, for correcting his wife. And then he studied in the books of the prophets, and considered in his sleep, and out of his sleep, to see if he could ascertain what would be the end of his generation. And so great was his labour in studying, that the Holy Ghost explained to him the adventure concerning the glorious Mary; and said to him what would proceed from that afterwards. And when he heard it said that there would be a Lady Mary he then asked whether she would be the end of his generation. No, says the voice, a man, virgin of body, will be the end of thy generation; and that one will excel thy race, and the race of every man in warfare, as much as the Virgin Mary will excel every woman in the world. And there I have explained that to thee, about which thou wert doubtful. When Solomon heard that, he was glad to hear that the end of his generation would be so transcendent; and then Solomon pondered how he could

3 x

cause the last knight of his race to know that he earnestly wished for a loving present for him, by the time of his coming. And Solomon knew not in what form he could make a thing that would last as long as that, or in what form that knight also could obtain it, when it was made. And then his wife knew his thoughts, that it was difficult for him to accomplish it; and when she saw a favourable opportunity, she prayed him to tell her, what she would ask of him. And he said, as one who knew not what was in her mind to ask him, that he would tell her willingly. Lord, says she then, thou hast been thoughtful during this fortnight, and therefore I know that thou art thinking of something which thou art not able to accomplish; and therefore I would wish to know what is thy thought, for I think that there is in the world nothing which I cannot accomplish between thy wit and mine. When Solomon heard her saying so, he thought that if any person of the world could give advice on that matter, she could, for he had seen much aptness in her. And then he told his mind to her. And she then considered a little, and afterwards she said: There is no use for thee, says she, any longer to think about causing a present for that knight, and to acquaint him that thou knewest that he would be born of thy lineage. Here is my faith, says he then, that I do not know, for there is much time yet from this until then. By my faith, says she, I will teach it to thee; but tell thou to me first how much time that is. I suppose, says he, that there are about three hundred years. I will tell thee, says she then, how thou wilt do: Cause a barge to be made of the best wood that can be obtained, and the most lasting, and most difficult to be rotted. The next morning Solomon determined to summon to him all the carpenters of the country; and when they were come together, he commanded them to make the best barge that they could, of such wood as would never rot. And they said that they would, in the best manner that they could, and that he desired. And then they procured the trees and began. Then the wife of Solomon said to her husband: Lord, says she, since thou knowest that that knight will excel in warfare every knight that has ever been, or ever will be, it would be a great honour, I should think, to make for him also some weapon, that would be more excellent in dignity, than any other weapon, that has ever been, or ever will be. And Solomon said that he knew not how to put in form that weapon. I will teach it to thee, says she. In the temple, which thou madest for the honour of the Lord, is the sword of thy father David, the best, and the keenest, that was ever made of swords in the world. Take thou that sword and pull off its pommel and hilt from it; and since thou knowest the virtues of the stones and herbs, make for it a hilt and pommel, and sheath, such as there never was or will be their like; and after that I will give it a belt, as it may please me to give. And so it was done, as ye have heard in another place before. When the barge was finished, and brought to the sea, Solomon's wife caused a beautiful bed to be made in it, and placed beautiful curtains upon it, and on the head of the bed Solomon placed the crown, and on the feet of the bed the wife placed the sword. Its belt however was made of tow, for which reason Solomon was enraged, and said that such a belt as that was not worthy of such a sword as that. And she then said that it should have no other belt than that, until a certain maiden should come and give it to it; and I know not when that will be, says she.

LIV.—Solomon strived no longer then against his wife, and he caused the pall of the barge to be made of syndal; and they looked at the bed. And then his wife said that the bed was not complete, and she took two carpenters along with her, and came to the tree under which Abel had been killed; and she commanded them to cut a portion of the tree. And they said, that none of it ought to be cut, for Eve had brought it from Paradise, and had planted it there. Then she said that unless they cut a portion of the tree she would cause them to be destroyed and ruined. And then from fear they began to cut the tree, yet they had made but little progress when they were moved, for they saw coming from the tree drops of blood. And then they would have desisted from it; when she caused them against their will a second time to begin upon it; and they cut a large branch of it; and after that she caused them to cut as much again of the green tree, and the same also of the white tree; and with those three different pieces of wood they came to the barge. And of those she commanded them to make sides for the bed; and so they did. Then Solomon looked on the barge, and afterwards said to his wife: If the whole world was here, they would not arrive at the device that thou hast come to, and they would not know what this barge signifies, and thou also dost not know, nor will the knight know, for whose purpose it was made, unless God first explains it to him. Leave it as it is, says she, for thou wilt hear new tidings here immediately. That night Solomon slept near the barge, and as he was sleeping, it appeared to him that there was a man coming from heaven, and along with him many angels, and going to the barge. And then he saw the man taking from the hand of one of the angels a goblet of silver, as he thought, and from that taking something, and anointing the barge, and writing letters on the board. And after that, he saw him take the sword, and writing on it in every place, even on the sheath, and afterwards he saw the man sleeping in the bed. And thereupon he disappeared from him, he and the angels. And the next morning Solomon arose, and came towards the barge; and there he saw written upon it the sentence, as was said before. And when Solomon saw that, he dared not to enter it; and he retired from it. And then the wind bulged in the sail of the barge, and to the sea it proceeded so rapidly that Solomon lost sight of it presently. Then Solomon sat on the sea shore and meditated long; and then he heard a voice saying to him: Solomon, says it, the last knight of thy generation will yet rest in the bed, which ye, thou and thy wife, have caused to be made; and he will know indeed, that thou hast caused that honour to be made for him. Solomon was greatly pleased with those tidings, and he told them to everybody. And there I have told you in what manner his wife surpassed in wit Solomon, the son of David, and why yonder pieces of wood were of three different colours, and that naturally. Here the story returns again to its own subject.

LV.—Here the account says that the three companions were looking on the bed for a long time, until they knew for a certainty that a natural colour was on the pieces of wood, which caused them to wonder what nature would cause them to be so. And when they had looked and guessed at the bed, they saw on a pillow in the bed a purse made of silk; and Peredur took hold of it; and in the purse he found a letter. Then the companions said, if it please God, this letter will make us certain, and secure, respecting this barge; and will inform us why it was made, and whence it came, and who first made it. Then Peredur began to read the letter; and in it he found the meaning of the making of the barge, and the bed, and the sword, that were found together, as ye heard before. When Peredur had done reading all the letter, he said to Galaath, it will be necessary for you to go to seek the maiden that will give a belt or girdle to this sword, for without that no one ought to carry the sword, or bear it hence. And they said that they knew not where they should find that maiden; and yet as before, it is needful to go to seek her. When Peredur's sister heard that, she said : Lords, says she, let there be no care on you for that, for, if God pleases, before your going hence, it shall have as much as belongs to it, in respect of the girdle, and that of golden silk, and hair of the head. Yet so beautiful was what was of the hair of the head, that scarcely could it be distinguished from threads of gold. And in the golden bands of hair and silk, there were combined precious stones, and the clasp of the sword, and its point were of gold and azure, and carbuncle stone. And know ye, says the maiden, that it was made by me of what I loved most on my body, namely of my hair; and it was no wonder; for on Whitsunday, the day when thou wast made a knight, I had the most beautiful hair that a maiden had in the whole world. And then, when I heard that the adventure of the world was such, I caused it to be shorn, and made the girdle as ye see. God's blessing to thee, say they, for that; and then the maiden placed the girdle to the sword, so that it excellently became it. And then she said : Lords, says she; know ye what is the name of this sword? Ah, Lady, say they, we know not, but the letter says, that it is thine to give it a name. Lords, says she then, I will give a name to it :—the sword with the strange girdle. After that was done, they said : Galaath, say they, for God's sake, wear about thee the sword of the excellent girdle, which has been desired to be seen frequently in England. Let me see, says Galaath, whether I can shut my fist upon it; and if I cannot, it is not mine at all. That is true, say they. And then Galaath laid hold of the sword, and shut his fist upon it, so that his thumb struck over his middle finger.

LVI.—When the companions saw that, they said to Galaath : Lord, say they, the sword is thine; and therefore wear it about thee. Thereupon Galaath drew it out, so that every one wondered at its brightness. And after putting it back in its sheath, the maiden came and took off the other sword that was about him, and took the sword with the excellent girdle, and dressed it on his side. And when she

had done that, she said : I care not now, says she, when God will end
my life ; for God has given me of grace to make a knight, the best of
all the world ; for be assured that thou wast not a perfect knight,
until thou hadst this sword.   O Lady, says Galaath, thou hast done
so much, that I am a knight to thee, wherever I may be ; and may
God repay thee for saying so.   Lords, says she, we may go hence,
when we please, with the barge.   To God I give thanks, says Peredur,
that I am at the completion of an adventure so fair as this ; for
this is the most excellent adventure that I have ever seen.
And then they came from their own barge, and the wind struck
in the sail, and by the force of the sail and the wind, the barge
started ; and it sailed all night long.   And that night they were
without meat, and without drink, inasmuch as that they had not
either provision for that.   Then they donned their arms.   And on
the following morning they perceived a castle opposite to them, which
was called Carcaleis, and was on the sea shore in the Marches of Prydyn.
And when they came to land, they gave thanks to God, for bringing
them so far in safety.   And then to the gate of the castle they came,
and the maiden then said : Lords, says she, we know not what is our
career here ; and your condition will not be kind, if it be known that
ye proceed from Arthur's Court ; for there is not in the world a
person that is so much hated as he.   What harm is that? says Bort,
for He that has brought us in safety, from the places we have been in
hitherto, will bring us hence when He pleases.   And as they were so
conversing, behold a yeoman coming to meet them, who said to them :
Lords, what knights are ye?   And they said, that they proceeded
from Arthur's Court.   Is it true? says he.   By my head ye have
landed in a place bad for your advantage.   And then he returned
back again, and blew a horn, so that it was heard in every place in the
castle.   And thereupon a damsel came to them, and asked them from
whence they proceeded ; and they said that it was from Arthur's
Court.   Alas!   Lords ! says she, for God's sake return again, and if ye do
not return, by God, ye have come to your deaths.   O Lady, say they,
we cannot return, and let there be no care on thee ; for He whom we
serve, will bring us hence in safety, when He pleases.   And with
those words, they saw coming towards them ten knights armed, who
commanded them to yield themselves, otherwise they would be dead.
And they again said that they would not yield themselves for them.
In that case, say they, is not your end come ?   And then they spurred
their horses towards them ; and they also, though they were but
three, and also on foot, drew their swords.   And Peredur then struck
one of them, so that he was off his horse on the ground ; and then
Peredur took the horse, and mounted ; and so also did Galaath, and
as soon as they had the horses, they beat them so fast that Bort
also had a horse ; and when the others saw that, they fled ; and they
pursued them until they shut the great tower upon them.   And
when Galaath and his companions were come to a great hall, that
was in the castle, they saw there esquires and knights, donning
their arms, in consequence of the cry they heard throughout the castle
and the town ; and Galaath and his companions then beat them like

animals. And they also endeavoured to defend themselves; yet at last they were put to flight. And Galaath there exerted himself so much, that they thought he was not a mortal man; and as nothing availed them, they fled to the windows and to the walls, and dropped themselves to break their necks. And when the three companions had freed themselves from them, they looked at the dead bodies, and greatly repented that they had committed a deed so sinful as that. Then Bort said, between me and God, says he, if God loved them at all, he would not permit this slaughter to be made of them; and perhaps they are an infidel people, and have done some evil deed against God, insomuch that he would not that they should live longer, and therefore God has sent us here to destroy them. Bort, says Galaath, it is not well to say so; for if they did wrong against God, not in our hands was the vengeance, but in the hand of Him, that allows the sinner to remain until he knows his sin, and until he does penance for it; and therefore I shall never be satisfied, until I know the truth about their life. And as they were so conversing, behold a grave man coming from a chamber, with priestly vestments upon him, and the Lord's body between his hands. And when he saw the dead bodies, he was greatly pained, and he retreated back as a man in great fear; and besides that also, because that he knew not what had happened to them. And Galaath then, when he saw the chalice between his hands, took his helmet from his head, and begged him to have no fear. And then the priest asked Galaath who they were, and he said that they proceeded from Arthur's Court. When the good man heard that, he was satisfied. And then Galaath caused him to sit by his side, and he told the priest his affair from the beginning to the end. When he heard that, he said: Lord, says he, know ye for truth that ye have done the best deed that knights ever did. And if ye lived until the day of judgment, I do not think ye could do so great a charity as ye have done to-day. For there were not in the whole world men who hated our Lord Jesus Christ so much as the three brothers, that held this castle; and because they were so wicked, the people of this castle were worse than Saracens; and they did nothing but against God and the church. Lord, says Galaath, we repented that we had done so. Never repent, says the priest, and I will pledge my oath to thee, that thou wilt receive thanks from God, for they were the worst people; and I will tell thee how they were so.

LVII.—Over this castle there was a lord called Ernulf, and he had three sons, valiant men in arms; and he had one daughter, the most beautiful in the world. And her three brothers loved her so much, that they committed an infernal deed upon her against her will; and because she complained to her father, they killed her. And when their father saw that, he tried to drive them away from him; and they would not suffer that, but they attacked their father, and threshed him badly, and would have killed him dead, but for a brother of his, who hindered them. And when they had done that, they committed the worst deeds that they could; and killed scholars and priests and monks; and threw to the ground the churches and chapels; and they did so many evils, that it is a wonder that the earth did not swallow them long ago. And this morning their father sent a messenger to me to say that he was at the point of death, and to beg of me, for God's sake, to come to administer the sacrament to him. And I came gladly, for I had been a companion of his for a long while. And when I was come in, Saracens could not have done to me more shame than they did. And I suffered that. And when I came to the prison, where the good man was, I told him the shame that his sons had done to me. And he said : What harm to thee of that? for a voice from Jesus Christ came to me, to say to me that the knights of Jesus Christ would come to avenge upon them thy shame, and mine also. And therefore, says the priest, I know that it is God who has sent you here to destroy them; and ye shall see again a sign, that will be clearer on that point, than ye have hitherto seen. Then the priest wept in pity for the wickedness of their lives. And then Galaath came along with the priest to see the man that was ill, who welcomed Galaath, when he saw him, and begged of him to sit under his shoulders, for it will be easier for my soul that so good a man as thou should be present at its separation from the foul body. And then Galaath took him in his lap, and went under his shoulders. And he leaned upon Galaath, and he swooned, so that they thought for a certainty that he was dead ; and after a while, he said : Galaath, says he, the Chief of the Lords declares through me, that thou hast to-day taken vengeance on his enemies, insomuch that the angels of Heaven are rejoicing : and it will be necessary for thee to go away soon from hence to undertake other adventures. And thereupon his soul separated from his body ; and the people that were left alive there regretted his death, for he was so good a man. And when Galaath had caused his body to be honourably buried, the next morning they went away, the three, and Peredur's sister along with them. And they rode until they came into a forest, and there they saw a white deer, and four lions along with it, which Peredur had seen before then. Galaath, says Peredur, thou mayest see now a wonderful thing. By my faith, says Galaath, I never saw a thing so wonderful, as seeing the four lions following the deer. By my faith, says Peredur, I will follow them until I know what this means ; and so will I, says Galaath ; and therefore let us go after it, and let us follow it, for I suppose that its home is near. And then after it they went, until they came into a fair valley, and from the valley of the great rock they proceeded to a place where there was the house of a hermit, who was a good grave man ; and to the house there the deer went, and the four lions after it. And the knights then dismounted, and turned towards the chapel, and there they found the hermit, having dressed himself with the intention of singing the Mass of the Holy Ghost. And then they heard the mass willingly, until the hermit was on the mystery of his mass. And then they saw, as they thought, the deer which they had seen before, now going into the form of a man, and sitting in a golden chair on the altar,

and the four lions changing; one of them into the form of a man, the
second an eagle; and the third an ox; and the fourth a lion; and
each of them had wings, so that they could fly; and those four
took the chair with the man in it, and went with him between them
through a glass window, without injuring or breaking any of the
window notwithstanding. And when they were gone away, they
heard a voice saying: In the manner that they went out, without
harm or injury to the glass window; so God descended into the womb
of the Lady Mary, without detriment to her chastity and her vir-
ginity. And when the voice ceased, they fell with their bellies to the
ground, every one of them; for the voice had given so much light,
that no one could look upon it, on account of its greatness. And
when they looked about them, they saw the hermit taking off his
vestments; and then they came to him, and prayed him to tell them
what was the meaning of what they had seen. And they told him
how they saw. And when the hermit heard that, he said: God's
welcome to you, says he; now I know that ye are the knights of
Jesus Christ, by the means of whom will be accomplished the adven-
tures of the Holy Greal; for to you has God shown the mysteries.
For Jesus Christ himself was the one ye saw, and the four lions were
the four evangelists; and for a long time he has appeared in these
forests to the good religious men. But it was not understood what
he was until now, and there will not be hereafter a man that will so
see him.

LVIII.—When they heard those sayings, they gave thanks to God,
and wept for joy, because God had done so much for them, and
had appeared to them above all. During that day they continued
with the good man; and on the following morning after mass, Peredur
took Galaath's sword, which he had drawn out of the stone, and said
to Galaath, that he would carry that henceforward, and he left his
own sword there with the hermit. When they had set out from
thence, they rode until midday, and then they came near to a
fair and strong castle; yet they did not go in, for their road did not
turn there. And when they had gone a little distance from the
castle, lo, they saw coming after them a knight completely armed,
who said to them: Lords, says he, is that damsel still a maid? Yes,
by my faith, says Bort. And when he heard that he seized the
bridle of the lady, and said: Thou shalt not escape hence, says he,
until thou fulfillest the custom of yonder castle. When Peredur saw
the knight holding his sister in that way, he was annoyed, and said
to him: Thou knight, says he, it does not appear to me that thou art
complete; for every maiden ought to be free in every way, without
paying any custom or toll; and especially every young gentlewoman.
And as they were so conversing, lo, there come to them ten armed
knights, and along with them a young lady, and in her hand a silver
dish. And then they said: It will be necessary, say they, for that
maiden, whether willing or unwilling, to pay the custom of the castle.
Galaath then asked what sort of custom that was. Lords, says one
of the knights, every maiden that comes this road, must give this

dishful of her blood from her right arm. Cursed, says Galaath, be
he that appointed this custom, for its brutality and wickedness; and
by the One that will help me, thou hast failed of that with respect to
this maiden; for while I am alive, if she will believe my advice, ye
shall have none of that custom from her. By God, say Peredur and
Bort, we will suffer death sooner. By our faith, also, say they, ye
then have come to death; for if ye were the best knights of the whole
world, there is no way for you to continue. And thereupon each
attacked the other, without more dispute between them; and then
Galaath and his companions, before breaking their shafts, overthrew
the ten knights, and then they drew their swords, and killed them, as if
they were dumb animals. And thereupon behold forty knights armed
coming from the castle, and before them was a grave man, who said
to the three companions: Lords, says he, yield yourselves, and do not
deserve being killed; for it would be a great loss to lose such good
men as you; and for that reason I pray you, for God's sake, to yield
to the will of yonder men. By my faith, says Galaath, thou art
wasting thy speech in vain, for as long as we live, she shall not yield,
or I also, to you. Why, says the man: Will ye die for the sake of
the maiden? I do not know, says Galaath; we have not come to
that pass yet, and we would sooner die, than that ye should have
what ye are asking for.

LIX.—Thereupon each of them attacked the other, and they en-
closed and surrounded Galaath and his companions. And then
Galaath drew his sword, and beat every one on the right and the left,
insomuch that all wondered. And so the three companions main-
tained the battle against them until it was afternoon, without losing
their place, or impairing their career, and from afternoon until night
came to separate them. And then the grave man came to the three
companions, and said to them: Lords, says he, I invite you this night
to yonder castle, and I pledge my faith to you to send you here to-
morrow, in the same manner as ye are now. And I will tell you
why; for as soon as ye know the meaning of your business there, I
think that ye will grant, and that the maiden will grant, the accom-
plishment of the custom gladly. Then the maiden said to Galaath
and her companion, Lords, says she: Go ye to the castle to lodge, for
ye are invited. And thereupon they stopped, and each gave a truce
to the others of them until next day; and to the castle they all
came, and there never was such welcome, as was made to the three
companions. And when they had done eating, the meaning of the
custom, that was there, was told to them; that is to say, the grave
man said: Here within, says he, there is a young woman, who owns
this castle, and many other castles besides this; and is sovereign lady
over us, and over this country; and she has fallen into an illness for
the last two years. And when she had been for a long time bearing
her disease, we came to know that it was leprosy that was on her.
And after all the leeches and physicians of the countries were come
here, not one of them had advice for her respecting her disease. And
the next morning there came here a clever elder, who said: Whoever,

says he, could obtain a dishful of the blood of a maiden, a virgin in mind and deed, and being also the daughter of a king, with a lawful queen, and that from her right arm, and would anoint her with that, she would obtain health. When we also heard that, we appointed as a custom and rule, relating to this castle, that no maiden should pass by it, if she were a king's daughter, without a dishful of her blood ; and consequently we appointed warders on the roads. And there I have told you the custom that is here ; and therefore ye will do what ye please, either to pay the custom, or else fight to-morrow. Then the maiden took Galaath and Peredur and Bort, and said to them : Lords, says she, ye have heard that I can heal yonder woman, if I please ; and therefore, what do ye advise ? By the hand of God, says Galaath, if thou givest the full of yonder dish of thy blood, thou wilt die. By God, says she then, if I shall die to heal the good woman, I also shall have thanks from God, and honour from the world. And it is better for me to die, than that one of you should be killed, or that ye should kill yonder men ; for I know that we cannot escape alive by battle without the loss of either you or them. And therefore with your leave I will fulfil for them their wish. And then she called the chief persons that she saw of the house, and said to them : Be ye joyful, says she, for to-morrow I will pay what ye are seeking. When they heard that, they made the greatest joy ; and then after feasting and relaxation, they went to sleep. And Galaath and his companions preferred to fight on the morrow to letting the maiden to her death. And the next morning after mass, the maiden desired to be brought to the woman, who claimed to be healed by her blood. And then the men brought her to the place where the woman was sick, so hideous that no living being could look upon her. And then Galaath wondered how any one could live as she was ; and as soon as she saw the maiden, she commanded her to pay her what she had promised. And she said that she would do so gladly. And then she commanded a dish to be brought to her, and so it was done. And then she caused the vein in her right arm to be struck ; and the blood was received in the dish. And then the maiden said to the sick woman : Lady, says she, for God's sake pray for my soul, for here am I having given myself to death for health to thee. And as she was saying that, there came a pang to her, on account of the quantity of blood she had lost, for the dish was full. And Galaath then received her between his hands. And after a while, when she had fainted, she said to her brother : My Lord brother, says she, I shall die ; and for God's sake, says she, do not allow me to be buried in this country. But when my soul is separated from my body, cause thou my body to be placed in a barge, in the nearest harbour thou canst find, and let chance conduct me the road that God pleases ; and I will tell you for a truth that my body will be in the harbour, near the city of Sarras, as swiftly as ye also will come there along with the Holy Greal, which it is a destiny for you to come there with it to conduct it. And for God's sake, I beseech you to bury me in the spiritual chapel. And do ye know why I entreat and beseech you to bury me there ? Because I know that there ye, Galaath and Peredur, will be buried.

When Peredur heard that saying, he said, dropping tears, that he would do so, as she directed. And then she also said: To-morrow, says she, let each of you separate from the others; and let all go their way until adventure brings you together to the court of King Peleur; for so God wills you to do; and they said that they would do that willingly. Then she desired the Body of her Lord to be brought to her: and then they sent to fetch a hermit, that was near to the castle, and he came immediately. And as soon as she saw him she raised her hands towards her Lord, with good will, and thereupon her soul separated from her body, and in consequence her companions were grieved. On that day, however, the other woman recovered her health, and that as soon as she was washed with the blood of the holy maiden; and she became as fair as she had ever been, for which reason all were joyful. Then they came to the body of the maiden, and anointed it with costly ointments. And then they caused a barge to be brought to them, in which they made a beautiful bed, adorned with silken coverlids; and on the bed they placed the body; and impelled the barge to the sea.

LX.—And then Bort said to Peredur: By God, says he, I am sorry that a letter was not placed with her, in which would be written a declaration of what race she proceeded, and what consideration was to her to have her death, that it might be known who she was, if this barge should ever come to another country. By God, says Peredur, I have done so, that it may be known who she is, wherever she comes to land. By my faith, says Galaath, well hast thou done in that respect. On the seashore remained Galaath and Bort and Peredur, and the household from the castle, as long as they could longest see the barge. And then they came towards the castle, and Galaath and his companions said that they would never go to the castle, out of love of the maiden that they had lost there. And they besought that their arms should be brought to them; and so it was done. And then they donned their arms, and mounted their horses. And as they were beginning to ride, lo, the day greatly darkened, and the sky became black beyond measure. And then they approached near to a chapel, that was on the road, and in they came, and drew their horses after them; and they looked at the tempest, and listened to the thunders. And they saw the lightning fall on the castle above all places, and that as often as rain in another place. And all the day long that tempest continued, and they saw plainly that half of the castle had fallen; and they wondered at that, for they did not think that men in a year could destroy the castle, as much as the tempest had laid it waste in one day. And when vesper time had come near, and the day become clear, they saw a knight fleeing from the castle, struck through with a spear, and saying: Oh, good God, send me help! And after him another knight, and a dwarf with him, saying: Thou art dead, there is no way for thee to escape. And the man that was fleeing, raising his hands towards heaven, and saying: My Lord Jesus Christ, let me not die in so great a pain as this! And when the three companions heard him so praying, they were very sorry; and Galaath then said

that he would go to help him. No, says Bort : I will go ; for, for the
sake of one knight, there is no necessity for thee to labour. And
thereupon Bort mounted his horse, and said : Lords, says he, unless
ye see me presently, wait not for me at all; but proceed with your
adventures; and when it is latest to-morrow, let each go to his own
way on one side, until God brings us all, through the adventures that
He pleases, to the Court of King Peleur. And then each commended
the others to God ; and Bort went after the knight that was fleeing.
And here the story becomes silent about him, and treats of Galaath
and Peredur.

LXI.—Thus the account relates that Galaath and Peredur were
that night in the chapel, praying God to be a help to Bort, wherever
he came. The next morning, when they arose, they mounted their
horses, and came towards the castle, to see how the people that were
there, had escaped. And when they came there, they saw the walls
fallen down, and the houses burnt. And then they wondered that
they saw none of the people there ; and they looked up and down ;
and in the place, where the hall had been, they saw the knights and
women dead. And when Galaath saw that, he said to Peredur ; Be-
tween me and God, says he, behold here spiritual vengeance ; and
that would never have come, but to fulfil the wrath of God. And as
they were so conversing, they heard a voice saying to them : In this
way God avenged the death of the good maidens, who lost their lives
in this place, for the sake of healing a wicked and faithless sinner.
When they heard that, they said, that excellently well had they been
avenged. And after looking some time on that slaughter, they came
to a churchyard near a chapel, in which they were of fair graves with
stones over them forty ; and on every stone the name of every one
of them was written ; and they knew that there had been there none
of the tempest that had been in the castle ; and it was no wonder,
for there the maidens had been buried. And then they read the
letters, and they saw that there were there twelve daughters of kings ;
and they cursed whoever had assigned that custom first to the castle.
And there they continued so, until it was the hour of prime ; and after
that they left the castle, and rode until they came to a forest. And
there Galaath said to Peredur : This day we are to separate ; and
therefore go thou hence, and may God cause us to find one another
soon, and meet together. And thereupon they embraced one
another, for they loved one another greatly; and in that way they
separated. And here the story becomes silent about them two, and
turns to Lancelot ; for it is a long time since it was discoursed about
him.

LXII.—And the story relates the leaving of Lancelot near a river
called Marsoes, being surrounded between two rocks and the river.
Those three things prevented him from going thence, but waiting for
God's help to him. And there he remained in that manner until
it was night. And when the night had come upon him, he doffed his
arms, and slept by their side, praying God to send strength to him for
the benefit of soul and body. And there he slept, with his thoughts

more on his soul, than on his body. And when he had fallen asleep, he heard a voice saying to him : Lancelot, arise, and don thy arms, and proceed towards the water, and the first barge that meets thee, go into it. And when he heard that, he sat up, and opened his eyes ; and he saw as clearly about him as if it were day. Yet it was not long that that clearness continued, but it disappeared from him ; and he crossed himself, and took his arms, and came towards the water. And he found there a barge, with neither oars nor sail upon it ; yet as before he went in. And as soon as he came in, he thought that there were there all the herbs and precious ointments of the world, in respect of scents, and he felt exactly as if he had taken his abundance of the best meats, and most beloved by him, in the whole world. And when he saw that, he gave thanks to God, that he had vouchsafed to remember him. And since he knew that God had not neglected him, he bent on his knees in the barge, and said : My Lord Jesus Christ, says he, to Thee I give thanks, for that Thou hast sent this grace to me ; for so great is my joy, that I know not where I am, whether on the earth, or otherwise in Paradise ; and so praying, sleep fell upon him. And on the next morning, when he awoke, he looked about him, and he saw a beautiful bed in the middle of the barge, of honourable order, and in the middle of the bed, a young maiden dead, with her face naked. And when he saw her, he gave thanks to God with good heart, for sending to him a companionship along with him. And then he approached her, as he would willingly know who she might be, and of what race she had proceeded. And above her head he perceived a letter, which he took, and opened ; and in it was said : This maiden was sister to Peredur, who was a virgin in mind and deed ; this is the maiden that gave a girdle to the sword, which is called the sword with the excellent girdle ; which Galaath, the son of Lancelot, now wears. Along with that, it said in the letter, how she had spent her life, and how she had died ; and in what manner Galaath, and Peredur, and Bort, had shrouded her, and placed her there in the barge. And when he knew the truth about everything, he was better pleased, for he had heard that Galaath, and Peredur, and Bort, were together. And then he put the letter back ; and prayed to God that he might see his son before ending his pilgrimage. And as Lancelot was so praying, he saw the barge, which had been sailing all night long, landing in a great rock. And in that place he saw a chapel, and near it a grave man sitting. And as soon as the man saw him, and the barge landing, he came to them, and saluted Lancelot, and asked him what had brought him there. And Lancelot declared to him his adventure to him, all in full ; and how his destiny had brought him there. Then the hermit asked him who he was. And when he knew that it was Lancelot, he was surprised, and asked him who was with him there. Lord, says he then : Wilt thou come to see ? And then he came in, and saw the maiden there, and he took the letter, and read it. And when he saw in the letter mention of the sword with the excellent girdle ; Ah, Lancelot, says he, I did not think that I should have lived long enough to know the name

of that sword; and therefore Lancelot, says he, thou mayest say that
thou art a naughty man, when thou wert not allowed to be at the
completion of that adventure, as the other men were, who were
thought to be worse men than thyself. Yet as before, says he, if God
did not love thee, He would not have permitted thee to come into the
company of a maiden so good, and so holy as her. And therefore,
Lancelot the fair, look thou that thou art chaste henceforward, that
thy chastity may be likened to her virginity, and so your fellowship,
of you two, will continue long. And go thou now, in God's name,
and do as I have said, and thou wilt come presently to the place,
where is thy desire. Why, says Lancelot: Is it here that thou
abidest? Yes, Lord, says he again. And then the wind swept the
barge; and the hermit and Lancelot, saluting one another, separated.
Yet before his going far, the hermit returned to him, and said to him:
Lancelot the fair, says he: When thou seest Galaath thy son, ask him
to pray God for me. And then Lancelot went a distance from him,
and prayed to be sent to the place where he could deserve the favour
of God. And so Lancelot continued in the barge, a month without
interruption, without going out of it; and if it be asked how he con-
tinued alive, the narration declares here, that He who gave to the
people of Israel the water from the rock, gave to him also, after his
prayer, abundance of the grace of the Holy Ghost, so that he thought
himself to be full of the best meats. And one night when he had
landed in the barge near a forest, he heard the noise of a knight
armed, both him and his horse; and as soon as he saw the barge, he
dismounted from his horse, and he drew off the bridle and saddle
from it, and brought them into the barge; and crossing himself, he
came in. And when Lancelot saw him coming in to him, he did not
take his arms, and hinder him, but said: God's welcome to thee
knight. And then the knight wondered to hear any one in the barge,
for he had not supposed that there was any one in it, and he said to
him: Lord, says he, a good adventure may God give to thee also;
and for God's sake tell me who thou art, for I am desirous to know
it. Lancelot de lac, says he, am I. Is it true? says he then; be-
tween me and God, thou art he whom I was desirous of seeing,
and I would rather meet with thee, than any man in the world;
and I ought to be, for thou art my origin; and then he took off his
helmet. Ha Galaath, says Lancelot, is it thou that is here? My-
self, between me and God, says he then. And then they embraced,
and related to one another how it had fared with them, and how
Solomon made the barge, and how he obtained the sword, and in
what manner the maiden had lost her life. And Lancelot wondered
at that.

LXIII.—In that barge Galaath and Lancelot continued for more
than two months, serving their Lord with perfect good will. And
they were brought to land in many foreign islands, in which places
they saw many intricate adventures. Some they completed by their
might; others by the grace of the Holy Ghost; which are not related
here, for they would be too long, if they were related. After Easter,

in the newest time of the year, for then the trees begin to bring forth leaves, and it is delightful to the birds to sing. In that season on a certain day, about mid-day, it happened to them to strike the land in the corner of a forest, near to a cross ; they saw coming from the forest a knight armed with white arms, and leading in his right hand a horse of enormous size, and as white as snow. And when he saw the barge, he came towards it, as soon as he could ; and saluted Galaath and Lancelot in the name of the Lord Most High, and saying to Galaath : Lord, says he, long enough hast thou been with thy father, and therefore come thence, and go on this horse ; and proceed as God may turn thee. When he heard that, he came to his father, and embraced him ; and then weeping he said : My Lord father, says he, I know not whether I shall ever see thee, and therefore to God I commend thee. And as Galaath mounted his horse, they heard a voice saying unto them : Let each of you do the best he can towards God, for ye may say for a truth, that neither of you will see the other, until ye see one another in the spiritual joy, which God has prepared for those that serve him truly, that is to say, in the day of judgment. And then Lancelot said to Galaath : My Lord son, says he, since God wills that we should separate, pray thou to thy Lord, that he leaves me not without his service. Lord, says Galaath, I will do that gladly. And thereupon they separated ; and Galaath resorted to the forest, and the wind also struck in the barge, and distanced it from the land in a short while. And so Lancelot continued by himself in the barge with the body for two other months without sleeping an instant, but praying to God to show him something from the Holy Greal. And one night, about midnight, the barge landed under a fair and rich castle. And he saw the gate towards the sea open ; and for that gate no one of those within had any need to fear, for there were two lions always guarding it, so that no one could go in except between them ; nor could he also go in without hurt from them. And then he put his hand on the hilt of his sword, with the intention of defending himself ; and when he had drawn his sword, he looked about him, and one of the lions struck him on the arm so quickly, that the sword went out of his hand. And then he heard a voice saying unto him : Thou man, poor of faith, why trustest thou more to thy hands, than to God ? And not good is thy sense, when thou thoughtest that thy arms would secure thee better than He whom thou wert serving. And in consequence of that speech, and the blow also, Lancelot fell to the ground, with his face downwards in his swoon, so that he knew not whether it was day or night. And when he arose from that he said : My Lord Jesus Christ, says he ; To Thee I give thanks, that thou hast vouchsafed to correct me for my evil deed, and my folly. And now I know that thou permittest me to be a servant to Thee. And then he took his sword, and put it in its sheath, and said, that for his sake he would not draw it thence, and that he would yield himself to God's grace, in whatever form that might come to him. And then he put the sign of the cross upon him, and came inside the gate, and

the lions did not move towards him, but let him in without hurt.
And he walked the length of the castle, until he came to the court,
and there all were asleep, for it was about midnight. And then he
ascended along the stairs until he came to the hall, and because he
saw there neither man nor woman, he wondered, for so fair a court as
that could not be without a large household in it. And then he
thought that he would walk through all the castle, until there met
with him men, who could tell him where he was, since he did not
know. And so he walked until he came to a chamber, which was
closed securely enough, and he turned the latch of that, and opened
it. And then he listened, and he heard singing, as he thought, that
was not earthly, but a spiritual matter. And it appeared to him,
that the voice said thus : Glory and long honour always be to the
Father of Heaven ! and that in song.

LXIV.—And when he heard the voice saying so, he bent on his
knees, from thinking that the Holy Greal was there. And he be-
sought his Lord to permit him to see the Greal more clearly. And as
soon as Lancelot said that, he saw the chamber illuminated as much
as if the sun was all in it. And when he saw that, he was eager to
know whence that brightness came ; and then he tried to open the
door that was on the other chamber towards the light. And there-
upon he heard a voice saying : Lancelot, go thou not in there. When
he heard that, he returned again sorrowful. Yet as before he looked
towards the chamber, and saw the Holy Greal on top of a table of
silver, and red samite across it ; and about it he saw angels ; and in
the hand of some of them were candlesticks of silver, and pillars of
wax in them ; and in the other hand of each of them was a cross, with
vestments of church and altar, and each one keeping his service. And
in front of the table he saw a man in the form of a priest, and Lance-
lot thought that he was on the mystery of his mass. And as he was
about to raise the Body of his Lord, Lancelot saw that there were
three men before the man, and the two eldest of them taking the
youngest, and placing him in the hands of the priest. And he then
raised him up, as if to show him to the people. And Lancelot then
looked upon him, and not little was his wonder, for he thought that
so great was the burden to the priest of the man that he was raising
up, that he thought he was falling. And when he saw that, he sought
to go to help the man ; and so eager was he to go in to help him, that
he did not remember the prohibition a little while before ; and as
soon as he could he hastened to his object. And then he said : My
Lord Jesus Christ, says he, be not angry with me for wrath and per-
dition, on account of my going to help yonder good man. Then he
came in, and approached the silver table ; and when he came near to
it, he felt a wind as hot as ever was of fire, which struck him in his
face, that he thought he was all over hot ; so that he was not able
to go from thence ; as if it had happened to him to lose the power
and strength of all his body ; nor could he hear or see ; so that he
had not a limb that could move. And then he felt many hands
striking, and bearing him away, and throwing him out from the

chamber. The next morning when the people arose, and found
Lancelot as if dead at the door of the chamber, they wondered
what was the matter; and they asked him whether he would
be raised up. And he did not answer them at all. And they then
said that he was dead ; and then they took off his arms, and looked
if there was any life in him. And they ascertained that he was not
yet dead ; yet as before he was as if of so much of earth. And then
they brought him to a fair chamber, and placed him in a beautiful
bed. And then they watched him, to see whether he could converse
at all with them. However, he was not able to do anything of the
kind. And they felt his hands and his feet; and wondered at that
knight, that he was alive without being able to speak. And others
said that that was some vengeance from God upon him. And so the
household continued to watch him that day, and the second, and the
third, and the fourth. And then a grave man of the house said : By
my faith, says he, he is not dead, but there is life in him, as much as
in the greatest of us all. And so he was watched until the end of
the fourteenth day, without his eating, or drinking, in the space of
that time : without saying a word ; without moving either foot or
hand, as if he were dead ; and the household being sorry that he was
so, because he was so fair a man, and of great stature, and because
that they did not know him. Yet as before, there was a knight there
that knew Lancelot, and had seen him. In that way he was estab-
lished there for fourteen days without any one of the house having
any hope of him ; and on the fifteenth day about midday he opened
his eyes. And when he saw the household, he began to be sorrowful,
and said : Oh, God, says he, why didst thou awake me so quickly as
this? for heart could not conceive the mysteries I have seen. And
when the household saw that, they were glad ; and asked him what
he had seen. And he then said : I have seen, said he, of great
wonders, what the heart of man could not conceive, and those of
spiritual things ; and were it not for my sins, I should have seen what
were greater ; and on account of my sins, and my worthlessness, I lost
the power of my body, and my hearing and my speech. Then Lan-
celot said : Lords, says he, it is a wonder to me how I am found here,
for I have no recollection in what manner I came here. And they
also then said how they found him, and in what manner he had been
with them for fourteen days. And when he heard that he began to
consider what was the meaning of his being in that state so long as
that, and then he considered that it was for so long a while as that he
had been serving his enemy. And then he asked where those were who
had been with him. And they said that they were in the castle of
Corbennic. And thereupon, Lo, there cometh to him a woman, and
bringing him new linen clothes to wear. And he said that he would
have no other shirt than the horsehair coat. And then one of the
number said : Lord, says he, thou mayest leave to us the hair coat,
for thy pilgrimage is ended, and it is vain for thee to labour more.
And know thou for a truth, that furthermore thou wilt not see more
adventures than thou hast seen. However, as before, Lancelot took

the horsehair coat, and put it on, and over the hair coat he wore the
linen clothes, and above them his other clothes. And thence he was
brought to visit the household ; and immediately they knew him, and
said : Is it Lancelot, say they, that is here ? Yes truly, says he ; and
they made the greatest welcome that they could for him. And there
Lancelot was for four days resting, and on the fifth day, while they
were taking their dinner, the Holy Greal came, and filled all with
the meats most loved by them. And as they were eating, there came
to them a wonderful adventure, that is to say, all the doors shutting
of themselves. And thereupon, lo, a knight armed, on the back of a
great horse, came to the gate, and asked them to open immediately ;
and those not being willing to open for him ; and he also with levity
asked for it to be opened, until those within were angry with him.
And one rose up, and put his head through a window towards the
knight, and said to him : Thou knight, no one will come in here,
whose riding is so high as thine, while the Holy Greal is here ; and
therefore, go to thy own country, for thou art not of the Quest
rightly ; but thou leftest the service of Jesus Christ, and wentest to
serve the Evil One.

LXV.—And when the knight heard that, he was heavy and sorrow-
ful, and despised his career, so that he knew not what he should do ;
and he went away again. And then the other knight called him back,
and said : Since thou art desirous of coming in, it will be necessary
for thee to tell thy name. Lord, says he then, from Arthur's Court
am I come, and Ector of the Fens am I called, and I am brother to
Lancelot de Lac. By my faith, says the knight of the Court, I know
thee now, and therefore I am more grieved than I was before, for then
I was not at all concerned about thee. And I am now sorry for thy
career, on account of Lancelot thy brother, who is here within.
When Ector heard that his brother was there, whom of the whole
world he mostly feared, so much did he love him, he said : O God,
says he, my shame is doubled to me, for now I will not be so bold as
to presume to come to the presence of my brother, for I failed to come
to the place where the good men came. Now I know that it is true, what
he said, who interpreted our dreams to me and Gwalchmei. There-
upon Ector departed through the midst of the town and the castle ;
and when the retinue of the castle saw that, they cried after him,
cursing the hour that he was born, and calling him a wicked falla-
cious knight ; and he was in so much shame, that he wished he was
dead. And so he rode until he came to the forest, and into the
thickest place of it he hurried. And the other knight also came from
the window to Lancelot, and told the news about his brother. And
for that he was so grieved, that all perceived it, by seeing the tears
running along his face to the ground. And the knight repented that
he had said any thing of what he had said. And as soon as they
had done eating, Lancelot desired his arms to be brought to him ;
for towards Arthur's Court he would go, where he had not been for a
long while. And then his arms were brought to him ; and in that
court a horse was given to him ; and when he was mounted, he took

leave of the household, and rode through the foreign lands. And one day he lodged in a white abbey, where he was welcomed, because he was an adventurous knight. And the next morning, after hearing mass, he looked on the right side, and perceived a grave newly made, adorned honourably, so that he knew by its adornment that an honourable man had been buried there; and golden letters were made about the tomb, which said: Here is buried King Bandymagus of Gwreu, whom Gwalchmei slew. And when Lancelot saw that, he was grieved and sorrowful, for there was great love between them. And if any other of the world had killed him, except Gwalchmei, he would not go to any way of the world, but to death. And Lancelot lamented him there greatly, and said that it was a great loss to the world to lose a man so good as him, and that his like would never be gained in Arthur's Court. That day he remained in the abbey, out of love for the man that had been buried there, who had done to him so much honour. And the next morning, after donning his arms, he mounted his horse, and with the leave of the brethren he departed, and proceeded along the road by journeys, as his adventure turned him, until he came to Arthur's Court, where all welcomed him, and had longed for the coming of him and his companions, of whom some never came home, and as many as came, they did not obtain what they were seeking. Here the story becomes silent about Lancelot, and treats of Galaath.

LXVI.—The story relates here that after Galaath had gone from his father Lancelot, he rode many days, as his adventure conducted him, sometimes there, and sometimes here, until he came to an abbey, in which was King Moradrins. And when he heard that that good man was there, waiting for the coming of the good knight, he thought that he would go to visit him. The next morning, after mass, he came to visit the king. And as soon as he came, the king, who had not seen for many years before, saw then, as soon as Galaath approached him. And then he sat up, and said: God's welcome to Galaath, the servant of Jesus Christ, I have for a long while been waiting for thee; take me between thy hands, and let me rest between them. When Galaath heard that speech, he sat at the head of the bed, and took him to him; and the king leaned between his hands upon his breast. And then the king said: Knight of Jesus Christ, says he, here I have obtained what I have been longing for a great while; and therefore, my Lord, at this present hour, receive my spirit to Thee; for nowhere in the world is it easier for me to die than here. And as soon as he had so ended his prayer, it was proved that God did so much to him as to listen to his prayer, for thereupon his soul went from his body between the hands of Galaath. And then all of the abbey welcomed Galaath, when they knew that it was he who was there; and they served the body honourably, and buried it. And there Galaath continued for two days; and on the third day he set out thence, and rode by journeys, until he came to the perilous forest, where there was a fountain boiling with excessive heat; and as soon as he put his hand in it, it ceased from its heat and boiling. Be-

cause in him there was neither adulterous heat of the world ; for
which reason the people of that country were astonished that he was
able to loosen the quality that was in the fountain ; and hence-
forward it was called Galaath's fountain. And when he had changed
tho nature of the fountain, he rode until he came to the abbey,
where Lancelot had been before then ; and there Galaath saw the
tomb burning in one flame. And then Galaath asked one of the
monks what sort of thing was in the tomb. Lord, says the monk :
An adventure is that yonder, which can never be cast out from hence,
until comes the chief of the companions of the Round Table. For
the sake of my love, says Galaath, come along with me as far as there.
I will do so gladly, says the monk ; and then he conducted him as far
as the tomb. And as soon as Galaath came near to the tomb, the fire
was extinguished at his coming, which had ever been burning until
then. And when he came to the tomb, he raised it up, and he saw a
body under it ; and as soon as the heat went away from the tomb,
he heard a voice saying to him : Galaath, Galaath, thou oughtest to give
thanks to God, for giving to thee grace to be able to draw souls
from the pains, and to place them in the rest of Paradise. And I am
Simei, a man of thy race, who has been dead since a long time, and
is in the pain which thou seest, since three hundred and fifty-four
years, on account of one sin, which I formerly committed against
Joseph of Arimathea, and I should have ever continued in this pain,
had not God been merciful to me, on account of thy coming, and
taken me from this pain, and given me heavenly joy. Glad were the
monks of the house when they saw. And then Galaath took the
body of Simei, and caused it to be borne to the church, and buried
there honourably. And when that was done, the monks came to
Galaath, and welcomed him greatly, and they asked him who he was,
and of what race he proceeded. And he also told all the truth about
what they asked. The next day, after hearing mass, he set out with
the leave of the monks, and so he continued to wander through the
Isle of Britain, and casting evil adventures out of it, for five years
before his coming to the court of King Peleur. And during the
whole of the five years Peredur was along with him. And here the
story relates that Galaath and Peredur were never in a place, how-
ever numerous or great were the people against them, where they
did not have the victory in spite of all.

LXVII.—One day Galaath and Peredur were riding through a
great forest, fair and wild ; Lo, there met with them Bort riding
by himself; and each of them was joyful together ; and each of
them asked of the other his concern. And then Bort said that he
had not been, for as much as four nights since five years, in a bed
or in a castle, but in desert forests, where he would often have
lost his life, but that the grace of God and His help preserved
him. Then Peredur asked him whether from that time until to-day
he had seen any thing of what they were seeking. No, Lords, says
he also, but I think that we will not separate now from one another
until we see. Be it so, says Galaath ; and so the adventures of the

three companions turned together. And they rode until they came to
the Court of King Peleur, and all there welcomed them ; and all ran to
them to see a wonder in them ; and so they continued until it was
vesper time. And then they saw the time darkening, and saw the
weather varying ; and thereupon a wind struck in the court, whose
heat was so great that they thought every thing to be burned by it,
and they were forced to fall to the ground in their swoon for fear.
And then they heard a voice saying : Let him that ought not to sit
at the Table of Jesus Christ go out, for at this time the true knights
will be fed with heavenly food. And then all went out, except them
three, and a young maiden that remained there along with them to
see whether Jesus Christ would show them any thing relating to the
Holy Greal. And as they were sitting so, they saw coming in nine
knights armed, themselves and their horses ; and they dismounted,
and came into the hall, and saluted Galaath, and said : Lord, say
they, we have hastened here to have a share along with you of the
joy which Jesus Christ promised to you. God's welcome to you,
says Galaath. And when they had sat down, Galaath asked from
what place they proceeded. And then three of them said that they
came from Wales ; and three others from Ireland ; and three others
from Denmark. Then they heard a voice saying : He that belongs
not to the Quest, let him go out. Then the maiden arose, and de-
parted. And at that time they saw coming from heaven a man wear-
ing episcopal vestments about him, and a staff in his hand, and a
crown about his head, and four angels carrying him in a golden chair,
and placing him sitting on the table, on which was the Holy Greal.
And there were letters written on his forehead, which said : Behold
here Joseph, the son of Joseph of Arimathea, the first bishop that was
ever a Christian, and Jesus Christ consecrated him in the city of
Sarras, in the spiritual court. And the knights saw them, and read
them, and they were surprised at it, for the Joseph, of whom the
letters spoke, had been dead for three hundred years before that, and
more. And then the bishop said : O servants of Jesus Christ, be not
at all surprised at seeing me before the Holy Greal, for as I served
it when in the body, so I am serving it in the spirit. And when he
had done that, he bent on his knees before the Holy Greal, where it
was on the silver table. And after he had been there long praying,
they heard the door of a chamber opening, and out of it they saw the
angels, that had brought Joseph there, coming, and two of them with
two torches of wax in their hands, and the third with a spear in his
hand, from which were drops of blood falling into a box, that was in
the hand of the fourth angel. And so they came as far as the table
of the Holy Greal, where Joseph was praying. And then Joseph put
a towel of white silk upon it, like putting a corporal over a chalice.
And then in his service Joseph proceeded as if he were at the conse-
cration of his mass. And when he had been so for a long while, he
took a wafer from the very precious vessel ; and as he was raising
that, they saw the bread going into the form of a man ; and his face
as red as if it were all a burning coal. And when he had been show-

ing him so, he put that image back into the box, from which he had
taken it.

LXVIII.—When Joseph had done so much as belonged to a good
man to do at a mass, then he came to Galaath, and gave him a kiss,
and asked him to do the same to his companions. And so he did.
And when that was done, Joseph said: Knights of Jesus Christ,
says he, who have travelled much, to see some of the marvel of the
Holy Greal, sit ye before this table here, and ye shall be served with
the spiritual food, and that from the hand of your Lord Jesus Christ,
so that ye can say that well have your wages been paid to you
in return for your labour, for knights have not had such, either
before or after. And when Joseph had said that, he disappeared
from them, without their knowing what had happened to him. And
then they sat before the table, and wept for joy. And as they were
sitting so, they saw from the very precious vessel a man coming,
with his hands bloody, and his feet and body also full of blood. And
as soon as he came, he said: My knights and true ones, who in this
mortal life have become spiritual, ye have sought me so that I can
not hide myself longer from you, and therefore I will show to you
also some of my mysteries also; for ye have sat at my table, where
man never sat, since in the time of Joseph of Arimathea. Yet as
before, many a good man came to the court here, and obtained
spiritual food through the grace of the Holy Greal; in that way I
will give to you also, what ye have been for a long time seeking,
through a desire of it. And then He came and took from the very
precious vessel as if a wafer, and came to Galaath, and gave it to him;
and he also devoutly took it, bending on his kness; and so did all
his companions. And then our Lord Jesus Christ said to the com-
panions, as they were: Know ye, says He, what I am holding between
my hands? No, Lord, say they. Here, says He, is the dish out of
which Jesus Christ ate the lamb along with His disciples. This is
the dish that made every one according to his will, of those whom I
found in my service. And here He said: Ye have seen what ye were
desirous of. Yet ye, Galaath, Peredur, and Bort, have not seen it so
perfectly, as ye will see hereafter; and know ye where ye will see?
—In the city of Sarras, in the spiritual place. And therefore it will
be necessary for you, you three, to go to maintain fellowship with this
spiritual vessel; which will start from the Isle of Britain to-night, so
that it will never be seen again in this isle. And know ye why?—
Because it was not served, or honoured, in the way that it ought to
have been; for which reason it will ever be worse for the people of
this isle; and therefore ye must to-morrow go towards the sea, and
there ye shall find a barge, in which ye formerly found the sword with
the strange belt. Why, honoured Lord, says Galaath, does it not
please Thee, that all these companions should come with me? I will
not, says he; but this I wish to be done for discipline to my twelve
disciples, for as they ate, the twelve together, at the table of the Holy
Greal, on the night of Maundy-Thursday, so ye have eaten now at
the table of the Holy Greal along with me, and ye are twelve as they

were; and I am the thirteenth with you, a master over you, as I was a master over them also. And as I sent them to preach along the world, so I will send you also to your adventures, and the faith ye have seen; and in that service each of you shall die; and thereupon, He gave His blessing to them; and disappeared from them, so that they knew not whither He went; except seeing Him go towards heaven. That night, about midnight, when Galaath and his companions had prayed to God, to be a Saviour of their souls, wherever they went, they heard a voice saying: My sons, go ye hence to proceed with your adventures. And when they heard that, they answered with one voice: Father of Heaven, blessed be Thou, for vouchsafing to call us sons, and companions, to Thee. And then they set out from the court, and came to the camp, and there they obtained horses and arms; and away they went, as soon as they had donned their arms. And after they had left the castle, then each of them asked the others who they were, that they might recognise one another. And then each told the other who he was. And when they were separating, they all embraced one another; and each said to Galaath: Lord, say they, know thou for a truth, that we have never had so much joy, as since we came to thy company; and therefore we are sorry for this parting; yet as before, it is necessary. Lords, says Galaath: if ye were desirous of my company, more desirous was I of yours. Yet we must each part at the will of God, and therefore, farewell to you; and if ye go to the court of the Emperor Arthur, salute him from me, and all the companions of the Round Table; and Lancelot, my father, if ye shall see him. We will do so gladly, say they; and thereupon they parted. Galaath then, he and his companions, rode until they came to the sea side, at the end of the fourth day. And when they came there, they found the barge, in which was obtained the sword with the strange belt. And when they were come in, they found in the bed, that was there, the silver table which they had seen before then in the court of King Peleur, and the Holy Greal on top of it, and red samite across it. And when the companions saw that, they were well pleased to get into their company, what they had ever been longing for. Then the wind struck the barge into the sea, and it rode the sea in that manner for a length of time, without their knowing at all what way it was going. And when Galaath went to sleep, or else when he arose, every day, he prayed God to put an end to his life, whenever he should desire it. And so always he made his prayer, until a voice came to him and said: Be under no care, for whenever thou prayest for the death of the body, thou shalt have it. And Paredur listened to that; and he wondered at Galaath praying for such a gift as that of his Lord; and then Paredur asked him, why he besought of his Lord such a gift as that. I will tell thee, says Galaath. The other night, says he, at the court of King Peleur, when Jesus Christ showed us the marvel of the Holy Greal, there I saw of mysteries, so that my heart was so easy, that if I had died in that state, a Christian had never died so delightfully; for there were of angels, and spiritual things more than can be related. And there-

fore I besought my Lord to end my life, when I besought Him; for
I suppose that I shall see again as many, or more of the mysteries;
and then I would wish to go from this world; and so Galaath told
Paredur the approach of his death. And in the manner that I men-
tion to you, those of England lost the Holy Greal on account of their
sins. And as Jesus Christ sent to Joseph and others of his heritage
the Holy Greal, on account of their goodness, so the men of Britain
also lost it on account of their sins. And so the three companions
continued for a long time; and then Peredur and Bort said to
Galaath : Lord, say they; This bed was made for thee, and thou hast
never slept in it; and thou oughtest to sleep in it, for so the letter
says. And he then said, that he would go to sleep in the bed, and
then he went, and slept. And when Galaath and his companions
awoke, they saw the city of Sarras before them. And then the
voice said to them : Go ye out, says it ; Servants of God, and carry
between you three that silver table, in the manner that it is, and
place it not on the ground, until ye come to the spiritual chapel,
where Jesus Christ consecrated Joseph, the son of Joseph of Arimathea,
a bishop.

LXIX.—Then they took the table between their hands, of them
three, and with difficulty they came ashore with it, in consequence of
its being so heavy. And then they saw coming along the sea the
barge, wherein the sister of Paredur had been placed, and coming
ashore in the harbour along with them, at which they were surprised.
And then Galaath said : Sufficiently well hath this maiden kept her
time and covenant with us. And then Paredur and Bort took the
fore end of the table, and Galaath himself took the other end; and
they went with it towards the town. And near the gate of the town
Galaath became tired, so heavily did the table press upon him. And
there on the road a cripple met with them, who was accustomed to
be there, awaiting travellers, to beg of them alms for God's sake.
And when Galaath came near to him, he said to the cripple : Come
thou, says he, to help me to carry the end of the table to the court
above. Alas! Lord, says the cripple ; What sayest thou? I have
not been able to walk for ten years. What for that, says Galaath :
Rise up, thou art whole. And then the man arose, as well as he had
ever been in health. And he took hold of the table, and carried it
with him to the spiritual chapel, where they had seen the chair which
Jesus Christ had given to Joseph to sit in ; and thither all came from
the city to see the miracles that had been done to the cripple. And
when Galaath and his companions had done those things, they re-
turned towards the sea, and came to the barge, wherein was the
sister of Peredur ; and they took her, and carried her, and the
bed, to the chapel, and buried her in front of the altar. When
the king, that owned the country, saw the three companions, he
asked them whence they proceeded, and what sort of thing they
had brought on the silver table. And they told him all as he
asked, and the marvel of the Greal ; and what sort of thing it
signified. And he, as he was a wicked unbelieving man, believed

them not at all, but supposed that they were impostors ; and then he waited until he saw them unarmed, and then he caused them to be seized, and imprisoned in a bad prison, so that there was no way for them to escape in that year. Yet God did well with them ; bringing the Holy Greal to them, to keep company with them. And so they continued until the end of the year ; and one day Galaath complained, and said : My Lord Jesus Christ, says he, it seems to me that I have been long enough in this world ; and therefore take me to Thee immediately. And that day the king was sick, and he caused them to be brought to him, to ask their pardon for wrongfully imprisoning them. And they forgave him entirely. And then he died ; and after burying him, the people of the city went about to make a king over them, and they knew not whom they should make. And as they were consulting about that, a voice said to them : Take and make a king over you the youngest of the three companions. And they did so, and came to Galaath, and made him lord over them whether he was willing or not. And he did not like that ; yet when he saw that it was of no avail to refuse it, he consented to them. And then he caused to be made above the Holy Greal a chest of gold and silver, full of precious stones. And every day, when they arose, he and his companions came before the Holy Greal ; and at the end of a year to the same day that he had been made a king, he arose early, he and his companions, and came to the place where was the Holy Greal, and in front of the Holy Greal they saw a bishop in episcopal vestments on his kness, and about him many angels. And when he had been a long time so on his knees, he rose up and began the mass of Mary. And when he was on the consecration of his mass, he said to Galaath : Come here, says he, and thou shalt see what thou hast been desiring for a long while. And he came and looked on the very precious vessel, and there he saw what no tongue in the world could relate, and then he said : My Lord, to Thee I give thanks, says he, for fulfilling my wish ; for I see now what no heart in the world could conceive ; and now, Lord, I would that thou wouldst take my soul to thee to joy. And as soon as he had expressed his desire in that manner, the bishop then took the Lord's Body, and gave it to him ; and he enjoyed it. And when that was done, the bishop asked him, did he know who he was. No, Lord, says he. Know thou indeed, says he, that I am Joseph, the son of Joseph of Arimathea ; and that Jesus Christ hath sent me to make fellowship with thee. And knowest thou why I am sent more than another ? Because thou art like to me in two things ; namely, because thou hast seen the miracle of the Greal, as plainly as I saw it, and because thou art a virgin as I am. And therefore it is just for the virgin to make fellowship with the other. And then Galaath came, and embraced Paredur and Bort, and came again before the Holy Greal. And he was not there an instant before his soul parted from his body. And after his death they saw a hand coming from heaven, and they saw of the body nothing but that ; and the hand took the very precious vessel, which was called the Greal, and departed with it. And from then until to-day, there was no one that could see it on the earth, except Gwalchmei once.

4 A

LXX.—When Paredur and Bort saw Galaath dead, they were sad and grieved, and but that they were such good men, they would have fallen into despair; and the people of the country were sorrowful also. And when they had laid out Galaath, and buried him, Paredur took the habit of a hermit about him, and Bort remained with him, except that he assumed no other habit than a worldly one, as he had been accustomed before; for his intention was to return to Arthur's Court. A year and two months afterwards did Paredur live; and after his death Bort caused him to be buried with his sister. When Bort saw that he was by himself, as in the district of Babilon, he set out armed, and came to the sea, and found a barge, and went forwards, and it was not a long time before he came to England. And when he was come to land, he rode until he came to Camalot, where was Arthur, who welcomed him greatly, he and his barons, for they thought that he had been lost for a long while. And after eating, Arthur asked him his concern, and he related it to him as ye have heard before. And then Arthur caused his scribes to write their adventures; and when they had done writing the adventures of the Greal in full, they were sent to the Isle of Avallach to be kept. And so endeth the first part of the Greal, that is to say, the Quest. Henceforth will be related the part of Gwalchmei, and the adventures of the warriors, as they occurred to them.

THE HOLY GREAL.

THE SECOND PART.

THIS history treats of the very precious vessel, which is called the Greal, in which was received the blood of our Creator, Jesus Christ, on the day that he was placed on the cross tree to redeem his people from the captivity of Hell. And Joseph wrote it by the command of an angel from Heaven; for God willed that the truth should be known through his writing, relative to that event; and also through the testimony of the good men; and He willed that all should know through the same Joseph, in what manner the soldiers suffered formerly pain and tribulation, for the purpose of raising the faith of Christ; which Christ renewed by death and crucifixion, and let every one know that this Joseph is not Joseph of Arimathea.

LXXI.—This part is begun in the name of the Father, and the Son, and the Holy Ghost. The three Persons are one strength, and that strength is God. And from God the history of the Holy Greal started, and all that are come from heaven ought to keep with them these sayings, and avoid all sorts of brutishness, that may be in the heart, for they will come to be of great advantage to all that listen with good heart, on account of the good men, and scholars, the relating of whom is here heard. Joseph is narrating this history, on account of the generation of a good knight, who was after the passion of our Lord; and he was a good soldier. For he was a virgin in his body; chaste in his mind; bold and powerful in heart; and every good quality was in him, without any brutishness, and besides that he was not a babbler. And it would not have been thought from his appearance that he was so valiant as he was. And in consequence of one sentence, which he neglected to say, there came on Great Britain such mischievousness and tumult, that there was not in it either island, or country, or city, that was not greatly afflicted. Yet after that he turned it into joy, by force of his warriorship. He sprang from the line of Joseph of Arimathea. That Joseph was uncle to his mother, and dwelt along with Pilate seven years before Christ suffered. And he asked nothing of Pilate for his service, during the seven years, but the body of the Lord Jesus Christ, to be taken down from the cross, and very great did he esteem that gift, when it was granted to him. And a little matter was it to Pilate to give it, for Joseph had served him faithfully. And if he had asked for gold or silver, or land, or fields, or goods, he would have given them to him with pleasure. And besides, Pilate thought, when he granted the body to him, that he would cause it to be dragged along the town, and afterwards to be cast to some brutish dirty place, outside the town. However, Joseph was not desirous of that, but to honour Him in the best way that he could, and to bury Him in a new sepulchre, which he had caused to be made for his own purpose. And he kept with him the spear, and the vessel, in which he had collected the blood, that was in the gore of the wounds, when he came down from the cross. From the lineage of that man sprang the good man about whom this history has been composed. His mother was called Igleis in French. King Peleur was his uncle ; his mother's brother. King Peles, and the King of the Dead Castle were also uncles to him. The King of the Dead Castle was as notable for wickedness and iniquity, as the others were for goodness, and that was much. Those three were three brothers of his mother, who was a good just woman. That good soldier had a sister, who is called in French, Danbrann. And let the readers of this book excuse me for not being able to find Welsh names for the French ones, or putting them as I am able, but this I know, that the name of the warrior that is commended here, in French is Peneffressvo Galeif, which is equivalent in Welsh to Peredur, of whom ye heard before who was his mother, and whence he sprang. The chief one on his father's side was called Nichodemus ; and the name of his father was Earl Evrawg, from the head of the vale of Camalot ; and he had eleven brothers, and he himself was the twelfth. And every one of them was slain in battle, while endeavouring to strengthen the new faith. And the first and eldest of them was Earl Evrawg ; the second was Gosgolianus ; the third was called Brwns Brandalis ; the fourth Brecoles the Red ; the fifth Brandalis of Wales ; the sixth Eliwans of Stanalons ; the seventh Calobrutus ; the eighth Meralis of the Meadow ; the ninth Ffortismes of the Red Glade ; the tenth Arniam of Arbame ; the eleventh Galram of the White Tower ; the twelfth Alibans of the Decayed City ; and all of them were slain in arms, in the service of Jesus Christ, who renewed the new faith by death. Of two such men as ye heard above before was begotten the good soldier, says Joseph, the good scholar, who explains to us this history, and says that there was not an earthly king of the world, since Christ suffered, that increased in the faith of Christ as Arthur of Britain increased his warriors by his own means, who were always in his court. King Arthur was formerly a rich good man, of good faith in God, and many good adventures used to come to his Court at that time. And he had the Round Table stored with the best warriors in the whole world. And after the death of Uthur Pendragon, his father, he led the highest life for ten years, and the proudest king of the world, and so were his warriors, copying him. And so he continued in the manner that I mentioned, so that there was not in the world one Lord whose renown was so great as his, until there came a change of mind in him, and he began to omit the custom of being liberal, which he knew how to practise aforetime. And he had no inclination at all to hold court on any special festival. And so he was losing his renown, and his warriors were leaving him, and leaving the Round Table, when they saw his goodness failing. And then every one set out from the Court, and left it, so that there did not remain in the Court, of the three hundred and sixty-five knights that were accustomed to be always at the Court, above twenty-five, when there were most. Besides that, there was neither any adventure at all coming to the Court in the manner that was usual. Besides, all the other princes neglected to do good, when they saw the king so weakly maintaining his Court as he did. And on account of that Gwenhwyvar was so grieved that she knew not what to do.

LXXII.—As Arthur was on Holy Thursday at Caerllion on Usk, when he had eaten and stood up, he saw the Queen sad and musing, sitting near a window. Then he also sat along with her, and looking into her face, he saw her weeping. Lady, says the King, what reason hast thou to weep? Lord, says she, if I am weeping, there is no need for thee to be very joyful notwithstanding. By my faith, Lady, says he, I am not joyful myself. Lord, says she, thou doest right. I have seen, says she, on such a day as this, so numerous knights along with thee, that scarcely could any one count them, or guess. At present they are but few, and there is neither any adventure coming to thy Court, in the way that it was wont ; and for that reason I feel excessive shame, and I fear that God is angered against us, and has forgotten us. By my oath, says Arthur, I have neither will to do good, nor liberality, nor any thing that may be turned to honour. But my mind is turned to weakness, and quivering of heart ; and for that reason I have lost my knights, and my warriors have departed from me, and the love of my companions. Lord, says the Queen, if thou wentest towards the chapel of Saint Augustine, which is in the white glade ; and no one can light upon that chapel except by adventure ; I think that good will would turn to thee on thy return, for no one ever went there in perplexity, whom God did not counsel before his return, if he prayed with good heart. Lady, says Arthur then, I will go there, for I hear that testified truly, and my inclination also is to that, since three days. Lord, says the Queen : The chapel is perilous and adventurous ; yet there is abiding there the most holy man in the realm of Wales, and his cell is near the chapel ; and he has no manner of living but what comes of God. Lady, says Arthur, it is needful for me to go there, and that by myself, and armed, with no one along with me. Lord, says she then, thou mayest take with thee one of the pages. Lady, says Arthur, I cannot, and I dare not, for the more retinue is brought there, the more there would be of adventures, and opposition to them, for the place is perilous. Lord, says she : Thou shalt take with thee one, and from that there will occur to thee nought but good. Lady, says he then, joyfully and for God's sake I will do so. And then they arose from the window ; and he looked about on all sides, and he perceived a fair youth, Gawns was his name, and he was son to Owein Vrych. Lady, says the King, this one I will take with me, and do thou commend him. I will, says she, for I hear testimonies that he is faithful. Then Arthur called to the youth, and he came, and bent on his knees before the king. And he commanded him to rise. Gawns, says Arthur, thou wilt sleep to-night in the hall, and have thou my horse ready by to-morrow morning; for I have intention of going on an errand, and thou wilt go along with me, with no more companions. Lord, says the page: Be it according to thy will. After that, the night came, and the king went to sleep. The knights went to lodgings, and the youth remained in the hall; and he slept in his clothes, for the night used to be short at that time; and he would also be ready by the time the king arose. The page went to sleep, in the manner I mentioned above; and as he was in the first sleep, it appeared to him that the king had gone away without his knowledge. And then he was frightened, and came to his horse, and saddled it, and put the bridle on its head, and put on his spurs and took his sword. And it appeared to him that he was leaving the court, and going after the king. And after proceeding a good while, he came to a great forest, and he looked forwards on the road, and perceived the mark of the shoes of the king's horse, as he supposed; and he followed that until he came to a glade, that was in the middle of the forest. And then he looked on his right side, and perceived a chapel in the middle of the glade, and full of tombs, as he supposed. And then he thought that he would go in, for he thought it likely that the king was there praying. In he came, and dismounted, and tied his horse to a ring that was soldered in the wall of the chapel, and in he came. However he saw nothing there, except a knight dead on a bier; and over him was a coverlid of red syndal; and on each side of him were four torches of wax, burning in four candlesticks of silver. And he wondered to see the body by itself, with no one along with it, except the images. And he wondered more about the king, for he knew not what way he should go to seek him. And then he determined to draw one of the waxen torches from its candlestick, and to put the candlestick in his leathern hose. And he came outside the chapel, and mounted on the back of his horse, and came out of the churchyard; and he left the glade, and came to the forest, and he thought that he would not rest until he met with the king.

LXXIII.—As he was proceeding along the high road, he saw coming before him a black man prodigiously ugly in appearance, for the man on his horse was bigger than another with his horse. And in his hand was a two-edged knife, as he supposed. The youth came to meet him as soon as he could, and said to him: Thou, the man that is meeting me: Did the Emperor Arthur meet with thee? No, says he: Yet thou hast met with me, and therefore I am glad; for thou comest from the chapel as a deceitful thief; and thou hast a golden candlestick, with which the dead knight, that was in the chapel, was being honoured; and therefore restore thou the candlestick again, and if thou wilt not restore it, I give thee warning. Here is my faith, says he then, that I will not restore it, but carry it as a present to the Emperor Arthur. By my faith, says he also, thou wilt repent, if thou wilt not restore it. And then spur his horse with two spurs did the youth, in the expectation of escaping from him; and he then struck him with the knife in the right side up to the haft.

And then the page, who was sleeping in the hall at Caerllion, awoke, and cried out as loud as he could, and said: Alas! Alas! for the sake of the Lady Mary, bring ye to me a priest before I die.

LXXIV.—Gwenhwyvar, and the page of the bed, heard that cry, and jumped up, and said to the king: Lord, it is time for thee to start, for it is day. Then the king put on his clothes; and thereupon, Lo, the page crying out a second time; and begging for God's sake to bring to him a priest before his death. And then came Arthur and the Queen in haste to him, and the King asked what had happened to him. And he then told him the whole of his dream. Why, wert thou dreaming? says the King. Yes, Lord, says he also. Notwithstanding I have been maimed for ever, and he then raised his right arm. Lord, says he, look here; here is the knife, which is in my body up to the haft. And then he put his hand on his leathern hose, and drew the golden candlestick, and showed it to the King. Lord, says he, it is on account of this that I am killed; and I give it to thee for a present. And then the King took it, and looked long at it, for he had never seen one so beautiful. And then he showed it to the Queen. Lord, says the youth, do not draw the knife out of my body, until I have done confessing. Then the King caused the priest to be summoned, and do all his needs well. After that the King himself drew the knife out of his body; and at that instant the soul went from his body. And then the King caused him to be shrouded, and well served. Yet Owein Vrych, the man that was his father, was grieved for the death of his son. And then Arthur, by the advice of Owein, gave the candlestick to the church of Saint Paul, in London; for that church had been newly founded, and the King was pleased that that should be known in all places; and he left it there, that prayers might be offered for the soul of the youth that had been slain on his account.

LXXV.—He took his arms, and dressed himself that morning, to go towards the chapel of Saint Austin. Then the Queen said to him, Lord, says she, who will go with thee? Lady, says he then, I will have no one but God. Oughtest thou not to know by this adventure here, that God will not that I should have any companions? Lord, says she also: God be a defender to thee, and bring thee safe back again, and a good will with thee, by which thou mayest regain the renown thou hast lost! Be that according to God's will, says Arthur. And then his horse was brought for him to the mounting stone, and he then mounted on it. And when he was a horseback, every one would have thought that he was powerful of body, and noble his bearing; and then he struck it with two spurs, and the horse threw a leap. And then the Queen said to the knights that were there: Lords, what think ye of yonder good man? Lady, say they also, it were a painful thing to the world if he did not finish well what he is beginning; for there was not known in the world a king or emperor, so courteous, so liberal, as he was, if he had acted as he was wont. Then they became silent, and the king proceeded until he came to an adventurous forest. And he rode that day long until vesper time ; and then he came to the thickness of the forest, and perceived there a small house near a chapel, and it seemed to him to be a hermit's cell. Arthur rode in that direction; and when he came there, he dismounted at the door, and went in; and drew his horse after him, and with difficulty did it enter. And then he placed his spear along the ground, and his shield near it ; and drew his sword from his side, and loosened his helmet, and looked about him ; and he perceived barley and horse food, which he brought to his horse and drew the bridle off its head; and he shut the door, and went to sleep. And it appeared to him that there was some tumult and contention in the chapel; and that some spoke like angels, and others like devils.

LXXVI.—Arthur wondered what that could be, and he perceived a door on the house, by which they went to the chapel, and to that way went Arthur, and came to the chapel. And he looked in every place, and saw nothing but the images. He did not, however, suppose that from them proceeded the noise which he heard. Besides that, he wondered where was the hermit that was wont to dwell there. And thereupon Arthur advanced towards the altar, and before the altar he saw a naked coffin in which was the hermit with his clothes about him, and having a long beard as far as his girdle, and his hands across on his breast. And on the top of that was a cross with the image of the crucifixion on it, and one end of the cross in the mouth of the hermit, and life still in him. Yet he was near dying. There the King continued for a length of time, and being desirous of looking at the good man expiring, from supposing that he was a man of exemplary life. The night was come ; and a great light, as if twenty tapers were burning, was in the chapel; and then Arthur sat down, and thought that he would not go thence, until there was an end of the good man. And as he was so, he heard a voice commanding him unpleasantly to go out ; for it was determined to make disputes there, and while he was there it would not be done. Then Arthur rose up, who would have remained there gladly, and back he came to the small house, and he sat in the place where the hermit was wont to sit. And as he was so, he heard the tumult in the chapel, and heard a part speaking low, and the other speaking loudly, and he recognised from their talkativeness, that some of them were angels, and the others devils. And he heard the devils, as he supposed, taking possession of the soul of the dead, and that by judgment; and they were showing excessive joy, and vaunting. Arthur was grieved at hearing the angels becoming silent ; and so great were his thoughts, that he knew not what he should do. And as he was so, he heard the voice of a woman, or maiden, speaking so beautifully, that there was not in the whole world a man, however sorrowful, or how great his loss of goods, that would not be joyful; and saying to the devils : Go out ye thieves, for ye have no claim to this soul, because he was overtaken in the service of my son, and in mine also; and performing his penance here for the sins he committed before. And thereupon came one of the devils, and said : Lady, though he be now in thy service, he was longer in our service, than of thee and thy son. He was a robber in this forest for more than sixty years, and he is only a hermit since five ; and is it right for Thee to take him from us, and force us ? I do not force you, says She : for if he had been found in your service, as he was had in the service of Me and my son, he would not be taken from you. And thereupon they were defeated ; and the Lady took the soul of the good man, and commanded the angels to bear it as a present to her son ; and they took it, and went to Heaven, singing for joy. Joseph, who made this history, explains the name of this good man, and says that he was called Caliyttes.

LXXVII.—And there the Emperor Arthur continued that night, and his joy was twofold ; one of them was because he heard the Lady speaking ; and the other because the soul of the good man had escaped. And a little before the day, sleep fell upon him ; and so he continued in his arms, until the day appeared fair and bright. And then he arose, and went to the chapel to pray to God ; and when he came, he supposed that the shrine would have been barefaced, as he had seen the night before. Yet it was closed with the most beautiful stone that he had ever seen, and on the stone a red cross. When Arthur had done saying his prayers, he came back, and bridled his horse, and saddled it, and mounted it, and took his spear in his hand, and his shield about his neck, and started away. And he rode until it was forenoon through the forest ; and then he came to a glade, the most beautiful that man had ever seen. And across the road, by which one went to the glade, was a bar of strong oak. And then he looked on his right side, and perceived a beautiful young maiden sitting under the branches of a tree ; and in her hand a mule by its bridle. The King turned towards there, for so beautiful was the maiden ; and said to her : O Lady, may God give thee good adventure ! And to thee also the same, says she. O Lady, says Arthur, is there anywhere a dwelling hard by this glade ? There is, Lord, says she, a hermit, who is near to the chapel of Saint Austin : yet the danger of the glade, and the forest on every side, is so great, that there is not a knight of the world that would dare to enter them. And if he went, he will not come out, without being killed, or maimed ; yet again, the place, where the chapel is, is so worthy, that no one in perplexity, that goes there, will come thence without counsel, if God allows him to come thence in health. And may God of Heaven defend thee ! for I have not seen for a long while a man so excellent for mischief to happen to him, as thou art in my opinion ; and I also will not go from hence until I see some result respecting thee. O Lady, says he, thou shalt see me coming back, if God pleases. If that is true, says she, I also will ask for new tidings about the one I am seeking. Thereupon the King departed through the bar into the glade, and perceived the chapel, and the hermitage ; and in that direction he went, and in front of the house he dismounted ; and he saw the hermit dressing himself, with the intention of singing mass. And he tied his horse by the bridle to a tree near the chapel, and tried to come into the chapel.

4 B

However it was no easier for him to enter than to turn the Red Sea from the place where it is. And yet the door was open, and he also saw no one hindering him. And when he saw that, he was greatly ashamed; and he looked in, and perceived the image of the Lord; and he bowed before the image on the outside, and perceived the hermit before the altar, saying his Confiteor. And on the right side of the hermit, he saw the most beautiful boy that any one had ever seen, clothed with a cloud, and a crown of gold about his head, full of precious stones; and from those an excessive light proceeded. And on the other side of the hermit, he saw the most beautiful lady that any man of this world had ever seen. And when the hermit had done saying his Confiteor, he saw the woman going to the right side of the altar, and sitting in a chair; and putting the boy to sit on her lap, and kissing him, and saying to him : Lord, Thou art my Son, and my Father, and my Lord, Observer of me and of all. And Arthur was astonished at seeing the beauty of the Son and the Lady; and more astonished he was to hear the woman calling the Son a Father to her, and a Son also. And thence he looked towards a glass window, that was opposite to the altar; and there he saw a flame coming through the window, a hundred times brighter than the sun, when its heat is greatest, descending on the altar.

LXXVIII.—The Emperor Arthur was sorry, and afraid, because he could not enter to hear the mass, and the angels responding to the priest. And when the Gospel had been read, Arthur saw the Lady offering the Son to the good man, the hermit; and Arthur wondered at the hermit washing himself after that offering; and yet he ought not to wonder at it, if he knew why; for such a precious offering as that would not have been offered to him, if he were not clean as to his hands and body also from every sort of sin. And after giving the boy as an offering, the hermit placed him on the altar; and after that he began to sacrifice. There Arthur was outside on his knees, beating his breast in true penitence for his sins, and praying to God. And when the sacrifice was begun, he saw, between the hands of the holy hermit, a man whose side, and his hands, and his feet, were bloody, a crown of thorns about his head, and that in his proper form. And when Arthur had looked a good while upon that vision, it disappeared from him, so that he knew not where. Sad and pained was Arthur for what he had seen on the man, and he shed tears in sorrow. And when the singing of the mass was over, one of the angels said : Ite, missa est (go ye, it is sent). And then the Son took his mother by the hand, and they disappeared from the chapel; and along with them the greatest company of angels; and likewise the flame that came through the window disappeared along with those companions.

LXXIX.—When the hermit had finished his service, he came to Arthur, who was still at the door, and said to him : Lord, thou mayest come in now; and happy wert thou, if thou hadst deserved so much from God as to be able to come to the beginning of the mass. And then the King came in, without any hindrance. Lord, says the hermit : I know thee well; and I also knew Uthur Pendragon, thy father. And on account of thy sin, thou wert not able to come in to-day while the mass was sung ; and thou never wilt be, until thou hast amended for thy sins to God, and to his saints, who are honoured here constantly. Besides that also, thou oughtest to know that there is not in the whole world a king, so rich, so strong, and to whom so frequent good adventures have happened as to thee. And all of the whole world ought to have taken example and copying from thee formerly to do good ; and that will turn out badly for thee, unless thou amendest quickly ; and unless thou turnest thy state in the manner that thou begannest ; for the chief and best man in the whole world wert thou formerly, and at present thou art the worst, and most nerveless. He ought to be sad and ashamed, that comes from honour to shame ; and the coming from shame to honour cannot be objected to any one as a reproach. Lord, says the King, it was for the amending of myself that I came here ; and to have counsel that would be better than what I had myself ; and therefore I beseech thee for God's sake to pray thy Lord to turn counsel to me, and to give me a will to amend ; and I also will take upon me pains to complete what is wanting. May the God of Heaven, says the hermit, give it to thee, that thou mayest amend thy life, as it was at the beginning, and confirm the faith, which is renewed by the death of Jesus Christ. Lord, says the hermit, there came again great anguish to the world, on account of a knight, who lodged in the Court of King Peleur, and to whom the Holy Greal appeared, and the spear with which Jesus Christ was pierced, and he did not ask what they were ; and because he did not ask, all the countries are stirred up in war, so that there is not a soldier in the world who may meet with another, either in a forest, or other place, that does not fight with that other. And thou thyself wilt know that, and that before leaving this glade. Lord, says Arthur, may God deliver me from evil, and a savage death ! for I came here only to amend my life ; and that I will do if God pleases ; and if I shall return again. Truly, says the hermit : whoever has been good for forty years, and of those forty has been bad for three years, he has not been good for forty. Thou sayest the truth, says Arthur ; and thereupon the hermit went away ; and Arthur came to his horse ; and took his spear and his shield, and mounted his horse, and returned back. And he had not ridden more than two arrowshots when he saw a knight coming to meet him on a great black horse, and his shield was black, and a great thick spear in his hand. And then, as fast as his horse could go, he attacked Arthur ; and he hid himself in the shelter of his shield, and let him go by ; and after that he returned and asked him : O Sir, says he, what dost thou demand of me ? And what did I demand of thee, and why dost thou hate me ? Then the black knight said to Arthur : I also ought not to love thee at all. And why ? says Arthur. Because thou hast the golden candlestick, of which my brother was robbed. Knowest thou then who I am ? says Arthur. I do, says the man, thou art the Emperor Arthur, who was formerly good, and now thou art bad. And for that reason defend thyself against me.

LXXX.—And then the black knight returned back, for his horse to take a better run. And Arthur saw that there was no way for him to escape without fighting; and then he spurred his horse with both spurs, and stretched his stirrups. And the knight attacked him as soon as he could; and they met together with two spears, so that the spears were shattered and split, and they also lost their stirrups, and struck their bodies together, so that their eyes sparkled, and the blood streamed from their nostrils and mouths. And then each retired from the other to take their breath. And thereupon Arthur looked at the spear of the black knight, which was burning; and he wondered that it was not broken, in consequence of the strong blow that he had received from him; and he supposed that he was a devil. Thereupon, Lo, the black knight came, without intending to leave Arthur so, but as fast as his horse could go, he attacked him. And Arthur hid himself in the shelter of his shield for fear of the flame, and he received the black knight, and struck him with his spear through his shield, so that the knight was doubled up on the horse's crupper; and by strength and force he rose up in his saddle, and attacked Arthur, and in his wrath he struck him with his spear through the middle of his left arm. And when Arthur perceived that he was wounded, he became excessively enraged. And the black knight was delighted, when he knew that Arthur was hurt. The king saw that the spear was extinguished, and he wondered at that. And then the black knight besought the protection of the king, and said thus: Lord Arthur, my spear would never have been extinguished, unless it had found ointment in thy blood. And then Arthur said to the black man: May God not give me protection, says he, if I will give protection to thee, before I have vengeance, as much as I can, upon thee. Then Arthur rushed towards him, and as fast as his horse could go, he attacked him, and struck him with his spear in the middle of his breast, so that he and his horse were on the ground, and about a yard of the spear through him; and thence he drew his spear to him, and left him dead. And Arthur went his own way; and as he was coming so, he heard the din of knights coming through the forest; and then he turned, and perceived about twenty; or possibly more, of knights, coming towards the glade, where the dead knight was; and he himself came as far as the bar. And as he was coming, Lo, the damsel he had left under the tree came to him. Lord, says she: return again, and bring me the head of the knight, thou hast slain. Then Arthur looked back, and perceived excessive danger, in consequence of the number of armed knights and said: O Lady, dost thou wish me to be killed? Here is my pledge, Lord, says she, that I would not; but I must have it, and no knight ever refused me what I sought, and God will not allow thee also to be more savage than any one. Alas! says Arthur, I am wounded through the middle of my arm. Lord, says she, I know that; and thou canst never be healed, unless thou bringest to me the head. O Lady, says Arthur, I will prove that, whatever may happen to me.

LXXXI.—Arthur then looked towards the glade, and he saw

that the number, that had come there, had torn to pieces the
body of the dead man; and each was going home, having his share
with him. Some with a foot; others with a hand; and the last of
them had the head on the point of his spear. The King went after
him, and said to him: O Sir, wait a little to speak with me. So be
it; and what pleaseth thee? Then Arthur said: I pray thee, for
God's sake, to give me the head which thou art carrying. I will give
it willingly, on the condition that thou tellest me who killed the
man that owned the head. Cannot I have it otherwise? says Arthur.
No, says he. And I also will tell thee willingly; and know for a
truth that it was the Emperor Arthur that killed him. Where is he
then? says the knight. Seek him, where thou pleasest, says Arthur,
thou hast had thy condition; and give me mine. Thou shalt have it
willingly, says he; and he lowered his spear, and Arthur took the
head from him. The knight then took a horn, that was about his
neck, and sounded it. And then the knights, that were gone along
the forest, when they heard that, returned again; and the king went
onwards towards the bar, where the lady was waiting. The knights
then asked in wrath of the knight, why he had sounded the horn.
Because of yonder knight, says he, who told me that it was Arthur
who killed the black knight; and I also am shewing that to you,
that we may pursue him. We will not pursue him, say they, for it
is Arthur himself; and we have no authority to pursue any one on
the further side of the bar. However, by our faith, thou shalt repent
for letting him go so. And they made an onset upon him, and killed
him, and tore him to pieces; and each of them took his share, and
departed toward their homes.

LXXXII.—Thereupon Arthur came from the other side of the bar
to the Lady, who took from him the head, and thanked him. Thou
mayest now dismount, and thou needest not to have any fear on this
side of the bar. Thereupon Arthur dismounted. Lord, says she;
Take off thy arms securely, that I may see the blow, for thou wilt
not be well, except by my means. Then Arthur stripped himself;
and the Lady took the blood from the head, and anointed the blow;
and after that, she tied it up, and put on his arms. Lord, says she,
thou wouldst never have been well, but for having the blood from
this head; and for that reason each carried off his share with him; for
they knew that thou wert hurt. Besides that, it is needful for us to
have the head; for I had a castle, which was taken from me by deceit
and violence, which will be restored to me by thy means, if I do not get
the man I am seeking. O Lady, says Arthur, who is that one? Lord,
says she, he is son of Earl Evrawc of the Vale of Camalot; and his
name is Peredur. Why, says Arthur, is he called Peredur? Because,
says she, when the son was born, the father caused that name to be
given him;—steel suit; for the Lord of the Fens was warring against
Evrawc, and had deprived him of much of his dominion. For that
reason the name of Peredur was given to the son, to put him in mind,
when he was a man, to take a suit of steel; or else with the
strength of a suit of steel to take vengeance on the Lord of

the Fens, for what he had done to his father, in taking his
land from him. And so the son was brought up until he was a fair
youth ; and his foster father, and mother, loved him greatly. And
one day they went to play near their castle in a forest ; and between
the forest and the castle there was a chapel made on top of four
columns of white marble stone ; and within the chapel there was an
altar, and near the altar was a beautiful shrine, and the image of a
man upon it. And then the son asked his father whose shrine it was.
And his father said that he did not know whose ; for, says he, the
shrine is older than the father of my father ; and I have never heard
it said what was in it ; but they say that when the best, or second
best, warrior of the whole world shall come.—Will not the shrine open
to any one, that it may be seen what is in it ? says Arthur ; or has
there not been there from that time until to-day one warrior or
knight at all ? Yes, says she, and they cannot be guessed at, or num-
bered ; and notwithstanding, the shrine did not open for them.
When the father had done conversing with his son in that manner,
they returned home to the castle. When it was day on the morrow
the son rose up, and because the day was so fair, he took one of
his father's horses, and went to the forest with a handful of darts,
according to the manner of the Welsh at that time. And when he
was come to the forest, a deer met him, and after meeting it, he
pursued it for four Welsh miles, until he came to a glade, in which
two knights were fighting. The one had a red shield, and the other
a white shield. Then Peredur neglected to hunt the deer, and
looked upon the men beating one another ; and at last, he saw the
knight with the red shield overcoming the other. And thereupon
Paredur took one of his darts, and struck the knight with the red
shield so fast that the dart went through his arms, and through him
also, so that he was under the feet of his horse, dead on the ground ;
and the knight with the white shield was well pleased with that.
And he asked Peredur whether there was any animosity at all
between them. No, says Peredur, but he thought that no fault
could be found with his arms. And then Paredur took his horse,
and went home to his father, who was grieved, when he heard those
tidings ; and it was right for him to be grieved, for he had much
pain on that account before his death. After that, the son departed
from his mother and his father ; and however long the son was travel-
ling along the world, he came to Arthur's Court, and was made a
knight. After that, he departed from the court to seek adventures ;
and I am seeking him in every place ; and if thou seest him, Lord,
in any place ; such are the arms he has ; a red shield with the figure
of a white deer on it, and tell him, Lord, that his foster father is
dead, and that his mother is losing all her dominion, unless he
comes to help her ; for a brother of the man whom he slew with his
dart, is warring upon her along with the Lord of the Fens. O Lady,
says Arthur, if he meets with me, I should be glad, and I would tell
him thy message.

LXXXIII.—Lord, says the maiden, there I have told thee what I am seeking. Tell thou also to me what is thy name. O Lady, says he, I will tell it willingly. Those, who are acquainted with me, call me Arthur. And so art thou called? says she. Yes, says he. By the One, who preserves me, thou art more hateful to me now than before; for thou hast the name of the worst king of the whole world, and I would that he were in the place where thou art. However he will not come for a long time from Caerllion, for fear others should go with his wife, according to what I hear said about them. I was one day going towards his court, when there met me about twenty knights coming from his court, who told me, all without exception, that the worst court, and the poorest of the whole world was the court of Arthur; and all the Knights of the Round Table have left it, on account of his wickedness. O Lady, says Arthur, there is sufficient cause for me to be grieved for that; I have heard however that he was a good man at first. Why, says she, what is the use of his beginning, when his end is bad? And I am sorry that so good a warrior as thou should have so bad a name as his. O Lady, says Arthur, he is not bad on account of his name, but for his heart. Thou sayest truth, says she; and to what place dost thou intend going from here? I shall go, says he, to Caerllion, to visit Arthur. Yes, says she, the wicked will resort to their fellows. O Lady, says Arthur, thou mayest say what thou pleasest, and fare thou well. Thou wilt not fare well, says she, since thou art going to Arthur's Court.

LXXXIV.—And then Arthur mounted his horse, and left the Lady under the branches of the tree. And when he had ridden about ten Welsh miles, he heard a voice in the thickness of the forest calling and saying to him: Arthur, King of Great Britain, thou mayest rejoice, for God hath sent me to command thee to make a feast as soon as thou canst, and the people, that are deteriorated by thy means, will amend through thee. And thereupon the voice became silent, and he rode until he came to Caerllion; and the knights, that were there, rejoiced at his coming.

LXXXV.—The King then dismounted, and to the hall he proceeded, and caused his arms to be stripped; and to the Queen he shewed the blow that was in his arm, which was prodigious; yet it was healing fairly. Then the king resorted to the chamber, and caused clean clothes to be brought for his wearing. And then the Queen said: Lord, says she, great has been thy pain. Lady, with difficulty will any one get honour, unless he suffers pain first. Then Arthur told the Queen the whole of his adventures, and how he had been wounded, and in what manner the Lady had reproved him on account of his name. Lord, says the Queen, thou mayest learn now, how shameful a good and rich man is able to be, when he falls from goodness to wickedness. That is true, says Arthur; besides that, Lady, the voice I heard in the forest is pleasant to me also, which commanded me to make a feast, as soon as I can. Lord, says she also: Thou oughtest to be pleased at that, and do thou make one. On my faith, says he then, I will, for I have never been more desirous.

LXXXVI.—Here the story treats, and relates, that Arthur was at Caerllion, and a few knights with him; and good will having come to him from God, to be liberal, and to do every honour. Then he caused letters to be made to be sent over the whole of his kingdom, to command every one to come to his court, which is called Penneissense; that was near the sea of Wales; and that by the festival of John, at midsummer. And there is the reason why he would make a feast on the festival of John; because Whitsunday was so near as it was; and those that were far could not come there by Whitsunday. Those new tidings went to every place, to command every one to come there by the time named. And all wondered in what manner that will came to the King. And all the knights of the Round Table, that were scattered in all countries, came there, when they heard those news, except Gwalchmei, and Lancelot, and Peredur.

LXXXVII.—The festival of John arrived, and the knights were come from every place, who wondered why the King had not made that feast on Whitsunday. However they knew not the reason. The day was fair and bright, and the hall was fair and extensive; and numerous were the knights. Then the King and Queen went to wash themselves, and went to sit down, and every one thereupon occupied his place. And there were of knights by number more than a hundred, according as the history states; and Owein, the son of Urien, and Kei the Long, were appointed to serve; and twenty-five knights along with them. Lucanus was butler, and served before the King from the golden goblet. The sun was shining through the middle of the glass windows along the hall; along which beautiful flowers and plants were strewn. And as they were waiting for the fifth course from the kitchen, Lo, there come to the hall three damsels; and she that came first was riding a pale mule, and a golden bridle in its head, and a saddle of whale bone, and the edges of the saddle composed of precious stones; and that lady was noble in body, and she was not fair in face; and she had on her clothes of red silk, and a hood about her head to hide it entirely, and it was not unnecessary for her, for she was bald; and her arm hung from her neck by a golden band, and under her seat was a pillow of variegated ermine, and in her other hand was the head of a king with a crown of gold. The second lady was riding in the manner of an esquire, with a mail trussed upon her back: and on top of the mail was a hound; and a shield about her neck; and the edges of the shield of gold and azure, and a red cross through it, and having a boss of pure gold. The third was on her feet, having on her the dressing of a stripling, and in her hand was a scourge; and with that she drove the other two horse-women; and each was fairer than the first; and the one that was on her feet greatly excelled the others in beauty.

LXXXVIII.—The first came straight to the presence of Arthur, in the place where he was eating, and said: May the Saviour of the world give to thee, Lord, honour and joy, and good adventure, both to thee and the Lady, and to all the household likewise! And be not displeased, Lord, and do not think it a want of courtesy, that

I do not dismount, for I am not at liberty to dismount where a knight may be, until the pilgrimage of the Holy Greal is accomplished. And be not displeased, Lord, at my telling my business which I am seeking. Say what thou pleasest gladly, says he also. Lord, says she, the shield, which thou seest with yonder lady, belonged to Joseph, who drew down the Lord from the cross-tree ; and here it is a present for thee in the manner that I shall tell thee ; that thou shouldst keep the shield, for the purpose of a knight, who will come here to fetch it. And cause it to be placed on yonder column in the middle of the hall, and forbid every one to place it about his neck, except that one alone ; and by the strength of this he will come to the place, where is the Holy Greal : and he will leave here another red shield, with a white deer in it. And the hound, that thou seest yonder, will also be left here, and it will never be joyful until that knight comes. O Lady, says Arthur, the shield and the hound I will keep gladly ; and may God repay thee for vouchsafing to bring them to me. Besides that, says she : The best king of the whole world salutes thee through me, that is to say, King Peleur, who has fallen into excessive languishment. And that there is the way in which he fell into that affliction, because of a knight that lodged with him one night, to whom the Holy Greal appeared ; and because he did not ask what that relic was, or what it signified, every place was stirred up to wage war, so that there is not a knight, who meets another, either in valley or glade, that does not strive for the mastery ; and beating one another beyond description. And thou thyself mayest know that, for thou neglectedst to do good, and turnedst thy commencement to an ugly end ; for which reason thou obtainedst excessive slander. Lord, besides that also, I myself ought to complain of that knight. And I will show to thee why. And then she bared her head, and showed it very grey, without a single hair upon it. Lord, says she, there was not in the Isle of the Mighty ones, either a maiden or wife, the plaits of whose hair were more beautiful than mine, at the time when that knight came to the court of King Peleur. And because he did not make the request in the manner that he ought, I myself am as ye see. And I shall never come to my own state, until there come there a better one, who will make the request. Yet Lord, thou hast not seen all the danger and harm that occurred on account of one knight ; for there is outside a machine, made like a chair, with three white deer under it, which are constantly drawing it ; in which there are of the heads of lords and knights one hundred and fifty-two. Some of them with seals of gold on them ; others with seals of silver ; and others sealed with lead. And thereupon, lo, the maiden who had the shield came, and in her hand was the head of a queen sealed with lead, and a crown of copper about her head ; and she said : Lord, says she, on account of the queen, was slain the king who owned the head, that my companion has, and were cut as many heads as there are in the chair.

LXXXIX.—Arthur then commanded Kei to go to see the workmanship of the chair, and its adornment. And when he had looked at it, he came in back, and said that he had never seen one so beautiful, and besides that, says he, if thou wouldst do my counsel, thou wouldst take the foremost of the deer to better the larder. Fy, Kei, says Arthur, it was brutal to counsel me so, and I would not do it for the kingdom of England. Then the Lady said to Arthur ; Lord, says she, Kei is accustomed to say brutal things ; and I know that thou wilt not do everything that he asks. Then the King commanded Owein, the son of Urien, to take the shield, and place it on the column ; and he took it, and placed it there. And one of the handmaidens took the hound, and sent it to the chamber of the Queen. And the lady took her leave of Arthur, and he also commended her to God. Here the story becomes silent about Arthur, and treats of the three maidens.

XC.—Here Joseph says that the three maidens set out from Arthur's court, and came to a forest. And after riding about two miles of the forest, they saw coming along the road meeting them a knight, on the back of a lean bony horse, and his breastplate was shattered in many places, and his shield had lost its colour, and was perforated in many places ; and a large and thick spear was in his hand. And as soon as he came to them, he saluted them, and said : O Ladies, welcome to you, and your company ! And they also answered him, and said : Joy and good adventure may God give to thee also ! O Lady, says he, from whence are ye coming? We are coming from a feast, which the Emperor Arthur is making ; and is it there thy intention of going? says she. No, says he, yet I have been there many times, and I am glad that he has returned to good will ; for he was accustomed to do good. Lord, says the Lady, where is thy intention also to go? I would that I were in the country of King Peleur, if it please God. Lord, says she, tell me thy name, and wait a little to converse with me. Then he withheld the head of his horse. Lady, says he, I am called Gwalchmei, the nephew of the Emperor Arthur. Is it Gwalchmei that thou art? says she. Yes, says he also. By my faith, says she, my heart was declaring it ; that it was such a man as thou, that ought to go towards the Court of King Peleur ; and therefore, Lord, I also beseech thee that thou returnest along with us, by the force and strength which God hath given thee, to conduct us by a castle, which is in this forest, and a little danger in it. O Lady, says Gwalchmei, I will do that with pleasure. He returned along with them through the forest, in which there was but little of the tread of men. Then the Lady narrated to Gwalchmei her career, about the heads that were in the chair, and about the dog, and the shield they had left at Arthur's Court. Then Gwalchmei was sorry at seeing the Lady walking, and asked why she did not go into the chair. Lord, says one of the others, she must walk, for that is her penance ; and if thou art as good a warrior as is said, her penance will presently be ended. How will that be? says Gwalchmei. I will tell thee, says the Lady, if God should chance thee to go to the Court of King Peleur, and the Holy Greal should appear to thee ; ask what it signifies ; and then her penance will be ended, and I also shall have my hair ; and if thou doest not so, we must endure our penance, until one comes that will ask ; for on account of the first that came there, we are thus ; and King Peleur languishing, and all the countries full of war, because he did not ask. O Lady, says Gwalchmei, may God give me a will to do what pleases God ! Amen, says she also.

XCI.—Gwalchmei and the maidens proceeded through that forest, where the birds were singing : and thence they came to the most prodigious forest that any one had ever seen. And it appeared to him that there had neither been verdure ever on that forest; and its trees were as black as if they had been scorched by fire. And the earth that was under them was burnt, and broken into clefts, and earth-fissures. O Lady, says Gwalchmei, here is an awful forest for any one to enter. And will it last for a long space like this? Lord, says she, it will last for ten Welsh miles; yet thou wilt not go through them. Gwalchmei looked often at the lady that was walking on her feet, and was sorry that he could not better her. Then they rode until they came inside of a valley ; and then Gwalchmei looked before him, and perceived a castle appearing to him ; and enclosed all around with a weak wall. And the castle was not fair, or entire, and awful black halls in it, and great black water descending from a mountain through the castle in a boiling state ; and he saw the ·gate of the castle as black as if it were of iron covered with pitch. And he heard a cry from the castle, saying : Alas! O God, what tarrying is on the good warrior, and when will he come? O Lady, says Gwalchmei, what sort of a castle is this? And what sort of people are crying for the coming of the good warrior? Lord, says she, this is called the castle of the black hermit ; and for God's sake, Lord, says she, I beseech thee, that thou meddlest with nothing, that any one may do to thee inside, for it may happen to thee infallibly, and there is no strength against them. Thereupon they came near towards the castle ; and as they were so, they saw coming through the gate of the castle great black knights, and their arms were black ; and they were by number one hundred and sixty-one ; and they came as soon as they could towards the maidens and the chair ; and they took one hundred and fifty-two heads ; and each striking his spear into his own, and going to the castle. And a great dread fell upon Gwalchmei when he saw that being done, and he was ashamed. Lord Gwalchmei, says the Lady, thou seest that very little will avail thy strength now. Woe is me! says he: this is a wicked castle. Yes, says she also, there never will be deliverance from this ; and those, whom thou hearest complaining, shall not be released from prison until the good knight comes, for whom thou hearest them crying. O Lady, says Gwalchmei, that knight may be joyful, when by his strength he will be able to destroy so many as those of a wicked race. Thou sayest truly, says she, he is the second best in the whole world, if not the best, and he is young enough ; and my heart is pained, because I know not where he is. So is mine, says Gwalchmei : And may I now go away with thy leave? says Gwalchmei. No, thou mayest not, until I have gone by the castle, and after that, I will show thee the road thou oughtest to go. And after that, they proceeded together ; and as they were leaving the castle, Lo, there comes through a little gate in the castle, a knight

completely armed, with a spear in his hand, and a shield about his
neck, with a figure of an eagle of gold in it. And then he said to
Gwalchmei: O Sir, says he, come here. What is thy pleasure?
says Gwalchmei. Thou must combat with me, says the knight, and
gain my shield, or else I will gain thine; and my shield is good; and
therefore thou oughtest to strike quickly to get it; and besides
that, one of the best men of the world owned the shield. And who
was he? says Gwalchmei. Judas Machabeus, replied he also. Thou
sayest truly, that was a good man. says Gwalchmei. Accordingly,
with the greatest pleasure oughtest thou to get his shield, says the
knight, for thine is the poorest shield that I have ever seen, and
no one could recognise it, but with difficulty. Thou sayest truly,
says Gwalchmei, by that thou also mayest know that neither the
shield, nor the man, nor the horse have been resting as thine have been.
O Sir, says the knight, we need not argue long; thou must combat
with me, and I give thee warning. O Sir, says Gwalchmei, I know
what thou art saying. And then he turned back, that his horse
might take a run; and they hid themselves in the shelter of their
shields; and with the strength of their horses' feet they made a mutual
onset; and the knight struck Gwalchmei in his shield, so that the
spear went through it, between his arm and his side, more than a
yard length, and the spear was broken. And Gwalchmei struck him
also in the middle of the breast bone, so that he went over the crupper
of his horse to the ground, and the spear was in him a hand breadth;
and he drew his spear to him. And when the other knew that he
was wounded, he arose quickly, and came to his horse, and endea-
voured to put his foot in the stirrup, when the Maiden of the Chair
cried to Gwalchmei, not to allow him to mount his horse, for if he
mounted, thy pain would be too great before thou overcamest him.

XCII.—When the knight heard Gwalchmei named, he asked: Art
thou Gwalchmei, Arthur's nephew? Yes truly, says Gwalchmei, and
what wouldst thou with that? I will yield myself to him, as a man
that is conquered, and I am sorry that I did not know it a while ago.
Thereupon he drew off the shield from about his neck, and bent to
him, and said to him: Lord, here take thou the shield of the good
man of old, for I know no one who deserves it better than thee; and
with this shield were conquered all the knights that are in prison in
this castle. Then Gwalchmei took the shield, and the knight besought
of him also his shield, for thou wilt not carry two shields. Thou
sayest truly, says Gwalchmei; and then he drew it off from about his
neck, with the intention of giving it to him, when the Lady said:
Gwalchmei, says she, is it to give the shield that thou intendest? If
he carries thy shield within, those that are there will say that thou
hast been conquered, and will come out to carry us, and to carry thee
also within against our will, since no shield is carried in, except the
one that may be conquered. O Sir, says Gwalchmei, thou wert not
wishing me any good. Lord, says he also, thy protection, for God's
sake; and here I yield myself to thee the second time; nevertheless
as before, I should have been glad if I had had thy shield, for the

shield of a better knight than thee never went there, and I ought to rejoice at thy coming, though thou hast maimed me; for didst thou not release me from prison, which was worse than that? What sort of place was that? says Gwalchmei. Here, says the knight, was the road of the knights, and here they used to come frequently. Thus I was obliged to combat and fight with every one, and I frequently overcame all, and presented them to those that were within; and so I would have done with thee also, if I had been able. Yet I have never seen a knight that could throw me; though I might see one that would maim me. And since thou art carrying the shield, and hast conquered me, I will give my oath to thee also, that wrong and insult shall not be made to any one that may go by this castle, ever from this time forth. By my oath also, says Gwalchmei, I am better pleased now with this gain than before. Lord, says the knight, I will go away with thy leave. Go thou then, says Gwalchmei, and may God cause thee to act well from this time forth! Then the Lady of the Chair said, and besought Gwalchmei to give her the shield, which the knight wished to obtain. O Lady, says Gwalchmei, thou shalt have it with pleasure. And she then took it, and put it in the chair. And the knight went to the castle; and as soon as he came in, some tumult arose, so much that the forest was in commotion. Then the Lady said to Gwalchmei: Lord, says she, the knight has been cast into prison; let us go from hence quickly.

XCIII.—And then they proceeded together until they had gone a mile. O Lady, says Gwalchmei, shall I have thy leave now? Thou shalt, says she, willingly: And may God be a guardian over thee, and repay thee for thy good company! O Lady, says he then, my service will be ready for thee at all times. May God repay thee! says she: and see thou yonder thy road to go by yonder cross; and when thou shalt have left this forest, thou wilt come to another forest, the fairest that thou hast ever seen. Thereupon Gwalchmei went forward to his road, when he heard the Lady, that was on her feet, saying and calling to him: Gwalchmei, Gwalchmei, says she, thou art not so discreet as I had thought. And then Gwalchmei being frightened turned his horse's head, and asked her why. Because thou didst not ask of my Lady, why she carries her arm on her shoulder; such will be thy thoughts, when thou comest to the Court of King Peleur. O companion, says she, do not upbraid Gwalchmei himself more than all of Arthur's household, for none of them enquired. Then the Lady commanded Gwalchmei to proceed back, and said: That it was vain for him to enquire now; and thou wilt not know why, until thou shalt know it from the knight that is called Cwart Cwardyn, in French; he is, however, called in Welsh the Craven Knight, and he is a knight of mine, and is seeking me. O Lady, says Gwalchmei, I will not ask then more of thee; and then he started forward. Here the narration becomes silent about the Maidens of the Chair, and treats about Gwalchmei.

XCIV.—Here the story relates that Gwalchmei left the ugly forest, and came to the fair one, which was full of every good, and fair animals. And he rode thoughtfully, fearing that he should be up-braided for what the maiden said to him. And he rode that day long until the sun was going to sleep; and then he looked before him, and perceived a cell near a chapel in the thickness of the forest. And near the chapel was a fountain issuing under the branches of a tree, and a beautiful young damsel sitting by the side of the fountain, and in her hand a mule by the bridle, and on the hinder bow of its saddle was the head of a dead man. Gwalchmei went in that direction, and dis-mounted. O Lady, says he, God bless thee! And to thee also may God be good! says she. O Lady, says he, what art thou waiting for? Lord, says she also, the hermit of this chapel, who is gone to yonder wood; and I wish to see him to ask tidings respecting a knight I am seeking. Dost thou suppose, says he, that he knows? It was told to me that he knew, says she.

XCV.—As they were so, lo, the hermit came, and welcomed them. And then he opened the door, and brought in the horses, and took off the bridles from their heads, and endeavoured to take off their saddles, when Gwalchmei became angry, and said, that that did not belong to his position. Why? says he then. I knew that formerly, for I was servant to Uthur Pendragon more than forty years; and I am here since thirty years. Then Gwalchmei drew off the saddles, and greater was his labour about the mule than about his own horse. Then the hermit took Gwalchmei by his hand, and led him to the chapel. Here is a fair place; says Gwalchmei. Thou sayest truly, says the hermit, do not take off thy arms, for this is an adventurous forest, and a good man of the world ought not to be unprepared; and then Gwalchmei fetched his spear and his shield, and placed them by his side. The hermit then brought to them such food as he had, and water from the fountain to drink. And when they had done eating, the Lady said to the hermit: Lord, says she, canst thou tell me any tidings respecting the knight whom I am seeking? Which one is that? says he also. The knight of the holy lineage; says she. I do not know, says he, either any report about him, but he has been here twice within the year. Lord, says she then, knowest thou no more than that? No, by my faith, says he. And thou, Sir, says she, knowest thou any thing about him? I would wish to know, says Gwalchmei, as gladly as thyself. Didst thou then see any thing of the Maidens of the Chair? says she. Yes, says he, and it is not long since. Was their Lady carrying her arm hanging from her shoulder? She was, says Gwalchmei. Then the hermit said, and asked Gwalchmei what his name was. I am called Gwalchmei; nephew to the Emperor Arthur; says he. That will become most dear of all to me, says the hermit. Lord, says the Lady, thou needest not to vaunt at all, though thou art a nephew of his; and by my faith, says she, disliked by me is every knight of the world on his account, who met with me near the chapel of Saint Austin, and he was the fairest knight that I ever saw, and he fought valiantly with another, and killed him; and I also asked him to give to me his head, and he then went to fetch it, and brought it to me. Yet when he told me that Arthur was his name, I did not love him much, because he was of the same name as that wicked king. O Lady, says Gwalchmei, thou mayest say what thou pleasest ; and I will inform thee for a truth that the King has made a feast at the present time, the greatest that he ever made, and all his household and his warriors along with him, and that he is also leaving the wickedness, that thou art casting upon him ; and besides that, I do not know any knight of the name of Arthur besides him. Thou doest well to make excuses for him, for he is thy uncle ; but thy excusing of him is not worth a pin, when he does not amend himself. Then the hermit said to Gwalchmei : Let the Lady say what she pleases. Nevertheless may God deliver Arthur from evil ! for his father made me a knight, and now I am a priest ; and I have served King Peleur since I am come here, and that by the command of Jesus Christ. And so perfect is the place where that King is, that no one, who might be there a year, would suppose that he had been there a month, for in the chapel there is the Holy Greal ; and for that reason I am so young as thou seest. Lord, says Gwalchmei, by what road shall we go in that direction ? By my faith, says he also, I know not how to shew it to thee, and thou wilt never go there, unless God turns thee. And is it there that thou intendest going ? By my faith, says Gwalchmei, that was my will. Yes, says the hermit, if thou wilt go there, may God cause thee to be able to ask what the other neglected to say, when the Holy Greal appeared to him.

XCVI.—Thereupon they became silent, and went to rest. And the next day when the dawn of day appeared, Gwalchmei arose, and found his horse prepared ; and then he came to the chapel, and when he came, the hermit had dressed himself to sing mass. And the Lady was on her knees before the altar, praying to God, and weeping ; and when she had wept a while, and prayed, she rose up. And then Gwalchmei saluted her in this manner : May God give to thee good day, Lady ! And to thee also at all times ! says she also. It appears to me, says Gwalchmei, that thou art not happy. It is right for me to be so, says she, for I am near being deprived of my patrimony, since I do not happen to meet with the one I am seeking. Now I shall be obliged to go to the castle of the black hermit, to carry yonder head there, that is on my saddle ; for no otherwise will it be permitted to me to go through that forest without shaming my body, and that will be payment to them for my road. After that I will go to seek the Maidens of the Chair, and along with them I will go to every place. And thereupon the hermit began the Mass, and Gwalchmei and the Lady listened to it. And when the hermit had done singing the Mass, they took their leave ; and Gwalchmei proceeded to one part, and the Lady to hers also, and they saluted one another. Here the story becomes silent about the Lady, and returns to Gwalchmei.

XCVII.—Gwalchmei then proceeded onwards through the forest, praying God to send him towards the road that led to the Court of King Peleur. And when he had ridden until midday, he saw a fair youth under the branches of a tree, having dismounted, and as

soon as Gwalchmei came to him, the youth welcomed him. Then
Gwalchmei asked the youth where he wished to be. I have been
seeking the man that owns this forest here. Who owns it then?
says Gwalchmei. The second best knight of the whole world owns
it. And canst thou, says Gwalchmei, give me any intimation re-
specting him? I cannot, says he also, except this; he ought to
carry a shield coloured of gold and azure, with a red cross through it,
and a boss of gold in the middle. And I will say that he is a good
knight, and I ought not to say it, for he killed my father in this
forest with a dart, and that without warning him; and he was a youth
then. And I will avenge that upon him, if I shall have an oppor-
tunity of meeting with him, and I shall never be happy until I shall
have vengeance on him. O Sir, says Gwalchmei, since thou knowest
that he is so mighty, and so good a knight as he is, take care that
thou doest not damage to thyself; and I would that thou didst meet
him, on condition that there be neither evil between you. That
will never be, says the youth, wherever I may see him, but that I
will run to his head, as to the head of my deadly enemy. O Sir,
says Gwalchmei, thy will thou art saying, and tell me, Sir, is there
either a dwelling in this forest, where I may be able to lodge to-
night? Lord, says the youth, I know of none from this as far as
twenty miles, and it is getting late. Then Gwalchmei started off,
without knowing where he should go, but as his adventures might
lead him, and he was delighted with the beauty of the forest, and
with the number of wild animals that passed him when riding.
And so he rode until it was vesper time; and had he not ridden
twenty miles, since he had parted from the youth? Then he was
afraid that he should neither find a dwelling in that night. And then
he saw the fairest meadow of the world, and presently a castle appear-
ing to him; and a small mountain near to the castle, and enclosed
with a double high wall, with embrasures thereon, and a great old
tower in the middle of the castle; and about the castle were fair
meadows; and in that direction Gwalchmei approached. And as he
was coming towards the gate of the castle, he saw a youth, on the
back of a hackney, coming to meet him. Then the youth saluted
Gwalchmei. A good adventure to thee also! says Gwalchmei. O
fellow-traveller, says Gwalchmei, what sort of castle is that yonder?
Lord, says he then: This is the castle of the Widow of Camalot; and
once belonged to Julien Lygros; and that Lady is without any
strength at all, and engaged in war. For the Lord of the Fens is
warring against her, and another knight along with him; and they
are endeavouring to take that castle from her; and they have already
taken from her seven castles, and she desires greatly to see her son
coming. For she has no help but one daughter and five knights,
who are grave men; these are helping her to maintain the castle.
Lord, says the youth, the gate is shut, and the bridges are raised;
and if thou wouldst tell me thy name, I would go before thee to
cause the bridges to be lowered, and the gate to be opened, and
to say that thou wouldst lodge there to-night. May God repay thee,

Sir ! says Gwalchmei. My name will be known before I depart from the castle. The youth went towards the castle, and Gwalchmei proceeded slowly, and perceived on the road, between the forest and the castle, a chapel, made on the top of four columns of marble stone ; and he came in, and there he saw a fair shrine. And the youth went to the castle, and caused the bridges to be lowered, and the gates to be opened ; and he also dismounted, and came to the hall, where the woman and her daughter were. Then the woman asked the youth why he had returned. On account of the handsomest knight that any one ever saw, that is coming here to lodge to-night, says he ; and completely armed, and no one along with him. What is his name ? says the woman. Lady, says he also, he said that his name would be known before his going hence. Then the woman and daughter began to weep for joy, from thinking that he was her son ; and said : Neither my honour now will be taken from me, nor shall I lose my castle, which they were endeavouring to take by force from me, because I had no one to help me.

XCVIII.—Then the woman and her daughter rose up, and came as far as the bridge of the castle ; and from there they saw Gwalchmei looking at the shrine that was in the chapel. Let us go yonder, says the woman : By the shrine I shall know if he is my son. Then they walked towards the chapel ; and Gwalchmei perceived them also coming, and said : God's welcome to thee, Lady ! says he. And the good woman answered him not a word, but went straight to the chapel ; and when she saw that the shrine had not yet opened, she fell down to the ground in her swoon. Then Gwalchmei was greatly pained, when he saw that. And after a while the woman awoke from her swoon, and gave a heavy sigh. Then the daughter said to Gwalchmei : God's welcome to thee, Sir ! says she ; and be not pained at any thing that thou seest ; for my mother had supposed that thou wert her son ; and now she knows that thou art not he, for this shrine ought to open itself when he came, and it will be known what is inside of it. The good woman rose up, and took Gwalchmei by his hand, and asked of him his name. I am called Gwalchmei, says he, nephew to the Emperor Arthur. Lord, says she then, God's welcome to thee ! and that out of love for my son. Then the good woman bade the youth to bring the horse to the castle, and to give it provender ; and she also conducted Gwalchmei to the hall, and caused his arms to be taken off, and clothes of silk to be brought to him to wear, and warm water to be brought to wash the rust and sweat off his hands and face ; and then the woman sat by the side of Gwalchmei, and asked him whether he knew any tidings of her son, of whom I have need, says she. Lady, says he, I do not know any tidings of him, the more the pity ; and there is not in the whole world a man whom I should be so well pleased to see as him. Lord, says she, he was a youth, when he went hence from me. At present it is said that there is not a fairer or stronger warrior than he, or one more complete in every good quality, and I had need of his warlike aid, for he left me in a great war, when he went from me ; and that on account of the knight of the red shield, whom he killed with his dart, in the week that he departed hence. And there is a brother of that knight warring against me also, from that time until to-day, along with the Lord of the Fens; and there are since that time until now seven years. And they are seeking to take from me this castle; if God will not counsel me, for my brothers are too far from me, who can help me in any manner; namely, King Peleur, who is ill; that one is not able. King Peles has left his realm for the love of God, and is become a hermit; that one will not interfere. The king of the Dead Castle, I would neither have assistance from him; for there is in that one as much wickedness as there is of goodness in the other two, and he is seeking to take the Holy Greal from King Peleur, and the spear, the head of which is bloody, however frequently it is dried; and God will not allow him ever to get it.

XCIX.—Lady, says Gwalchmei, there was the other night in the court of thy brother a knight, to whom the Holy Greal appeared three times, and he would not ask what that signified. Thou sayest truly, says the daughter, he is the best knight of the world, and were it not for love of my brother, I would curse him. Out of love for him, however, I love every knight, and on account of the folly in intellect of the one that was there, my uncle fell into a languishment. Lord, says the woman, wilt thou not go towards there? I wish that I were there, if God were willing, says he. According to that, thou wilt tell my brother of my unhappy condition, and my son if thou seest him; and I entreat thee, for God's sake, if the Holy Greal appears to thee, to be better in memory and opportunity than the other, who was there before thee. I will do that gladly says Gwalchmei, if God permits it.

C.—As they were so conversing, Lo, the five knights of the woman came with deer, and hinds, and wood swine, from the forest. And then they threw those on the ground, and saluted Gwalchmei, and welcomed him, when they knew that it was he. When their meat was ready, they went to eat; and as they were eating, Lo, the youth came, and bent on his knees before the widow woman, and said that he had accomplished his message. And the woman asked what news he had. Lady, says he, to-morrow there will be a congregation of knights in the valley of Camalot, and they will have a tournament there; and thither will come the two men that are warring upon thee, and other knights along with them, who were thine; and to the best that may be in the tournament, by the concurrence of the commonalty, will be given the custody of this castle until the end of one day and a year; and thou also wilt be driven away. Then the woman wept. Lord, says she to Gwalchmei, thou hearest that none of this castle is mine. By my faith, says Gwalchmei, they are doing a sin, and great brutality to thee. When they had done eating, and raising cloths, the young maiden rose up, and fell on her knees before Gwalchmei, and weeping she entreated him, for God's sake, to have pity on her. By my faith, says Gwalchmei, have I not that, for a good while? According to that, says she also, it will be seen to-morrow what sort of knight thou art; and behold there, good warfare is that which is done for God's sake. The woman and maiden rose up, and went to their chamber, and Gwalchmei went to sleep along with the five knights. Gwalchmei continued that night full of thoughts; and on the next day, when he arose, he went to hear mass; and after that he took three bits of bread and wine. And then he asked the five knights, whether they would come to the tournament. We will go, say they, if thou wilt go. I will go, by my faith, says he. And then Gwalchmei took leave of the woman and the daughter, and proceeded onwards, and the five knights along with him, who had great joy, because Gwalchmei was coming to the assembly along with them. And then they left the castle, and came to the forest. And Gwalchmei had never seen a fairer forest than it, and of so great extent, that he could not guess it, with fair meadows in its side. And in the midst of the meadows, he saw wild animals of every kind of animal, which had come from the forest. Lord, say the knights to Gwalchmei, see thou yonder the vale, and forests, and meadows, which have been taken from our Lady, and her daughter; and besides that, seven castles have been taken, of the best in Wales. They have done wrong, says Gwalchmei, and great sin. Then they proceeded onwards until they saw the banners and the shields; and they saw every one mounting his horse; and they saw tents being extended on every side. Then Gwalchmei stood under the branches of a tree; he and the five knights; and they saw the troops coming from all sides. Then the Lord of the Fens was shown to Gwalchmei, and the brother of the knight with the red shield, who was called Kaos the Red. As soon as the tournament was begun, Gwalchmei went in that direction, and the five knights along with him. And then Gwalchmei came, and threw one presently on the ground, and so also did they, each of the five knights, they threw one, each of them also. And so they rejoiced, and strengthened themselves, on account of Gwalchmei, and copied him. And then it happened that Gwalchmei struck into the midst of them, and the five knights along with him, so that there was not a man who met with Gwalchmei, whom he did not strike under the feet of his horse to the ground, or else whom he did not maim for ever. And excessive joy entered the five knights, so well was Gwalchmei performing. And then Gwalchmei perceived the Lord of the Fens coming, and a great dense troop of men along with him; and Gwalchmei attacked him; and they struck one another at such a rate that their shafts were broken; and their bodies, of each of them, came in contact on their horses, so that the cantle of the Lord of the Fens was broken, and he also went headlong under the feet of his horse to the ground. And then Gwalchmei seized hold of the horse, in spite of all the retinue, and gave it to one of his own companions; and that one thanked him greatly, and caused it to be sent to the castle. Then Gwalchmei sought every opportunity, and every troop, and performed by strength of arms on that day, so that all wondered what sort of thing he was. And the five knights were doing so well, that no one could withstand them, and that all from confidence in Gwalchmei;

and they collected the horses of those overthrown, and sent them to the castle of Camalot. Then the Lord of the Fens arose from his fall, and mounted another horse; being excessively ashamed, because he had been thrown by Gwalchmei; and then he made an onset on Gwalchmei, with the intention of avenging on him his shame. And they came in contact with one another, so that the Lord of the Fens broke his spear on Gwalchmei; and Gwalchmei struck him also with a piece of the shaft of his spear, until it was in splinters. And then Gwalchmei drew sword, and the Lord of the Fens drew another, and forbade his followers to interfere with them, for he had never met with a knight who could throw him, before that day. Then they interchanged blows on their helmets, until their eyes sparkled, and fire leaped from their swords. And the blows of Gwalchmei were far heavier than the blows of the other; for he was striking so fast, that the blood was coming in streams from the nose and mouth of the Lord of the Fens, and his breast-plate was full of blood, and he himself confessed, and said, that he could not endure the battle longer, and yielded himself a prisoner. And then the Lord of the Fens went into his tent, and Gwalchmei along with him. Then they dismounted, but Gwalchmei did not forget to take the horse; and he bade one of the five knights to keep that horse for him. And thereupon, Lo, all the knights, that had come there, came and said, that the knight with the red shield and a gold eagle in it was the best. And then they asked the Lord of the Fens whether he agreed to that. I do, says he also. Thou Lord, say they to Gwalchmei, hast the right of keeping the castle of the widow woman of Camalot until the end of the year. May God thank you! says Gwalchmei. And then Gwalchmei called the five knights, and said: Lords, says he, I also leave these five to guard him in my name. And then they agreed to that. Lord, says Gwalchmei to the Lord of the Fens, I also will give thee as a prisoner to the widow woman who lodged me last night. Lord, says he then, thou wilt not do that; for a tournament is not exactly the same as war; nor my body also wilt thou put in prison, for I am sufficiently wealthy to pay my ransom. And I would, if it please thee, Lord, know thy name. I am called Gwalchmei, says he. Art thou Gwalchmei? says he. I have heard much said of thee, and since the castle of Camalot is in thy custody and possession, I also will give my oath to thee, that from this, until the end of one day and a year, there is no need for the castle, or any of the woman's dominion, to be afraid of me; but if I see others making a disturbance upon her, I will prevent them; and if there will be need to thee of gold or silver, I will provide them according to thy will. Lord, may God thank thee! says Gwalchmei: and sufficient is my contentment in thee. Then Gwalchmei took his leave, and returned towards the castle of the widow woman, and caused the horse to be led along with him; which he gave afterwards to the daughter of the widow woman, who welcomed him. And the five knights brought before them also what they had gained. And when they came to the castle, it is not necessary to ask if they were joyful that night, or if they were honour-

ing Gwalchmei. Then he told the good woman how the castle had
come into his guardianship. That night, on account of their fatigue,
they went to sleep without hindrance. The next morning Gwalchmei
arose, and heard mass, and took leave of the woman, and the com-
panions. Here the story becomes silent about the mother of the good
soldier, and returns to Gwalchmei.

CI.—Gwalchmei then proceeded forwards, according as God turned
his adventure, and came to a forest, praying God to turn him the way
that he wished, and that he might accomplish his will with honour.
And so he rode until vesper time; and then he happened to light
upon a dwelling in the forest, surrounded by fair running water, with-
out losing any of its running until it came to the sea; and fair large
trees on all sides around, so that it was difficult for him to see the
court, on account of the trees. Gwalchmei turned towards there,
with the intention of lodging; and as he came near towards the
court, he saw sitting on the bridge a little dwarf, who rose up, and
said : All hail ! Gwalchmei, and God's welcome to thee ! O companion,
says Gwalchmei, may God give a good adventure to thee also ! And
where didst thou see me, when thou recognisedst me thus ? I saw
thee, says he, in a tournament, and in a better time thou couldst
never have come. Why ? says Gwalchmei. The Lord is not at home,
says the dwarf; nevertheless the Lady is here, the most beautiful,
and most perfect woman of those that are in the realm of England,
and she is not above twenty years of age. O Sir, says Gwalchmei,
what is the name of the Lord ? He is called Marius the Jealous ; and
I will go to tell the Lady that thou are coming, says the dwarf. And
Gwalchmei wondered at the greatness of the welcome the dwarf was
shewing him, as it was more frequent to see brutality on the part of
such as them. The dwarf came forward to the chamber where was
the Lady. Arise quickly, Lady, says he, and welcome Gwalchmei,
the best warrior, who is coming to lodge here to-night. At that, says
the Lady, I am not well pleased ; and I am also pleased. I am not
well pleased, for he is the knight whom my husband commanded, if
he should come here, that I should not lodge ; for there is not a
woman who escapes from him. On the other side, I am pleased
that so good a man as he is coming to lodge here. Lady, says the
dwarf, all that is said is not true. Thereupon, Lo, Gwalchmei comes
into the court, and dismounts. And the Lady says to him : Lord,
with joy and good adventure mayest thou be coming here ! And to
thee also at all times ! says Gwalchmei. The good woman then took
him by the hand, and to the hall they went ; and she caused him to
sit upon a covering of silk, and one of the servants took the horse,
and led it to the stable ; and the dwarf called two of the pages, to
take off his arms from Gwalchmei ; and he himself helped them.
Lord, says the dwarf, thy hands and face are still swollen, since thou
wert in the tournament ; and Gwalchmei answered him not a word.
And the dwarf went into a chamber, and brought to him clothes of
scarlet, with the fur of ermine skins upon them. And Gwalchmei
wore them ; and by that time, were not the cloths put on the tables ?

And Gwalchmei and the Lady went to sit, and Gwalchmei looked frequently at the Lady, because she was so beautiful; and if he had trusted his heart, and his eyes, he would have changed his mind. Nevertheless, did not his heart bind him so fast, that it did not allow him to think of any thing that turned to brutality, on account of the worthiness of the pilgrimage which he had undertaken? And then he withdrew his look from the woman: and they prepared themselves to go to sleep. And the woman said to Gwalchmei: May God give to thee a good rest!

CII.—When the Lady was gone to her chamber; the dwarf said to Gwalchmei: Lord, says he, I will lie down here in thy presence to-night, and will divert thee, until thou sleepest. May God thank thee! says Gwalchmei, and cause me to be able to deserve it, or to thank thee at some time. The dwarf lay down in the presence of Gwalchmei on top of a covering; and when he saw Gwalchmei asleep, he arose in the most gentle way that he could, and came to a place where was a small boat on the bank of the river, which he entered; and he floated until he came to a fishpond; and by the side of that there was a hall in a small island, where Marius was sleeping; to which he had come there to play. The dwarf came out of the boat, and to the hall he hurried; and he lighted his hands full of candles, and came in front of the bed, and said thus: Is it sleeping that thou art, Lord? says he. Then Marius awoke in a fright, and asked what had happened to him. Not so agreeable is it to thee, says the dwarf, as to Gwalchmei. Thou knowest not what thou art saying; says Marius. I know, says the dwarf, that he is sleeping in thy court along with thy wife. Did I not command, says he, if he should happen to come there, that he should not be lodged? By my faith, says the dwarf, she never gave to a husband as much welcome, as she has given to him; and therefore hasten thou there, for I am afraid that he will depart before thy coming. By my faith, says Marius, I will not go there, as long as he is there.

CIII.—Gwalchmei was in the hall sleeping, without protecting himself at all against that. And when he saw that it was day, he arose. And the Lady came there; and when she did not see the dwarf, she understood his deceit. Lord, says she to Gwalchmei, have mercy upon me; for has not the dwarf deceived me? and unless thou wilt help me, I shall be obliged to suffer excessive pain on thy account; and that is a shame to thee, for we have not deserved to be shamed, and I ought not to have shame on thy account. Thou speakest truly, says Gwalchmei. And then Gwalchmei took his arms, and put them on, and with the leave of the lady, he departed, and hid himself near the house. Thereupon Marius the Jealous, and his dwarf, came inside of the hall; and she also arose to meet them, and said: Lord, says she, may God give to thee good day! And to thee also, says Marius, evil adventure from God! Why, says he, didst thou lodge Gwalchmei last night in my court, and in my bed? Did I not warn thee especially against him? Lord, says she, I did lodge him in thy court; yet neither my body nor thy bed did he shame. A lie thou tellest, as a false wife, says he. And then he put on his arms, being enraged, and commanded his horse to be brought to him ; and then he ordered the wife to strip off all her clothes, except her shirt. And she weeping ever entreated for his protection. Then he mounted his horse, and commanded the dwarf to take his wife by the plaits of her hair, and drag her after them to the forest. And when they were come to the forest, they caused the wife to enter a fountain, that was under the branches of a tree in that place ; and the water was colder than it ever was of snow. And Marius dismounted, and cut a handful of fine sharp rods, and beat her, and threshed her, until the water was losing its colour from the blood. On the other hand, she was crying out there, and praying, and entreating protection from her husband. And then Gwalchmei heard that, where he was, and came as soon as he could in that direction. Then the dwarf said to Marius : Lord, says he, here is Gwalchmei coming. Yes, says he then, I know now that every particular of this is true.

CIV.—Marius, says Gwalchmei, thou art doing wrong to the best lady that I have ever seen, and the most courteous to a lodger that might come to her ; and therefore thou also oughtest to thank her ; and thou art doing excessive shame now to her, and I know not why ; and I pray thee for my love to forgive her thy wrath ; and I also am ready to swear that I neither have done any shame to thee, nor had I any thought of doing it. Then Marius was filled with rage, when he saw that Gwalchmei was not yet gone away, and there came to him a pang of jealousy, and his body and his heart were inflamed so that he purposed doing excessive outrageousness and folly. Gwalchmei, says he, I will forgive my wrath against her, on condition that thou also wilt combat with me ; and if thou wilt conquer me, she shall be free from what is now laid to her charge. And I do not ask for any thing otherwise, says Gwalchmei. And then Marius ordered the dwarf to bring the wife from the water ; and he brought her, and commanded her to sit in the glade, where knights ought to combat. And then Gwalchmei turned back to take a run for his horse, and Marius exactly the same. And when Marius saw the might of Gwalchmei, and his style of attacking him, he struck his horse with two spurs against him, and he let Gwalchmei go by him, and he lowered the head of his spear towards the ground, and rushed towards his wife, and struck his wife, until the spear was through her ; and thence he fled quickly towards his court. And then Gwalchmei looked upon the wife dead, and upon the dwarf fleeing after his master, and he then pursued him, and overtook him, and caused his horse to trample him, so that his bowels were about his feet ; and after that he hurried after Marius towards the Court. And when he came to the bridge, were not the bridges raised, and the gates closed? and Marius on the inside, saying : Gwalchmei, this loss has come to me by thy means, and if I live, I will cause thee to repent. Gwalchmei did not vouchsafe to argue long with him, but he returned again, when he saw that he could not go in, and came to the place where the wife was dead, and he took her in the most gentle way that he could, and placed her on his horse, and brought her inside of a chapel ; and he took down the body, and placed it gently on the ground, and he also being pained and wrathful on account of that. And then he shut the chapel, that wild beasts might not enter from the forest, and he purposed coming to enshroud her, and lay her out when he returned.

CV.—Thereupon Gwalchmei departed sad and thoughtful, for nothing had ever happened to him so bad, as in relation to the good woman, who had been slain on his account. And then he rode through the forest, and as he was so, he saw coming along the road towards him a knight, who had a wonderful manner in riding, for his face was on the crupper of his horse, and his arms were packed in a bundle on his back. And he then, when he saw Gwalchmei coming, cried out, and said : Hark, noble knight, who art coming to meet me, for God's sake I entreat thee that thou doest not harm to me either, for I am called the Craven Knight. By my faith, says Gwalchmei, thou art not like a man to whom any harm ought to be done. And but for the thoughts that were in Gwalchmei before, he would have laughed much at his signs ; and Gwalchmei said to him : O Sir, says he, thou needest not to be afraid of me again. And thereupon he approached Gwalchmei, and looked into his eyes ; and Gwalchmei looked upon him also, and asked him whose man he was. He then answered and said, that he was a man of the Maidens of the Chair. By my faith, says Gwalchmei, most of all do I love thee. In that case I have no need to fear at all. No, by my faith, says Gwalchmei, be assured. The Craven Knight looked at Gwalchmei's shield, and recognised it, and said : Lord, says he, I know who thou art, and now I will dismount, and put on my arms, and will ride with thee rightly, for I know that thou art Gwalchmei ; for I know that no one could gain that shield except thyself. And then he put on his arms, and besought Gwalchmei, for God's sake, to wait until he had put on his arms ; and Gwalchmei did so gladly, and helped him. And as they were so engaged, they saw a knight in haste coming across the forest, and he had a shield, of which the one half was white, and the other black, and saying loudly to Gwalchmei : Stop there ! for I give thee warning from Marius the Jealous, who slew his wife on account of thee. O Sir, says Gwalchmei, against my will did he do that, and I was sorry that he did so, for she deserved on my account none of her death. That will avail nothing, says the knight ; but if I shall conquer, thou art in the wrong ; if thou however wilt conquer, my Lord is in the wrong, and to him will be the shame, and through thee he must maintain the castle, on condition that thou dismissest me alive. I will seek no other, says Gwalchmei ; for God knows that I am not in the wrong. Then the Craven Knight said : Gwalchmei, says he, do not combat with the knight, trusting to me, for thou wilt have from me neither strength nor assistance. I do not care, says Gwalchmei, I have accomplished many things without thee ; and I will accomplish this also, if it please God. And then with the force of their horses' feet they met, and broke their shafts, and by Gwalchmei's blow the knight was obliged to fall, he and his horse, to the ground. And then Gwalchmei drew his sword, and rushed at him. Dost thou intend to kill me? Yes, by my faith, says Gwalchmei. Lord, says the knight, do not that; I will yield to thee, and I entreat thy protection, for I will not die for the folly of another. Gwalchmei then thought that he would do him no harm, for it was not easy with him to break God's commandment. Then the knight arose, and did homage to him for his Lord, and for his body, and for his goods altogether, in return for his life.

CVI.—Thereupon the knight departed, and Gwalchmei remained there. Lord, says the Craven Knight, I would not that I were as valiant as thou, for the goods of the whole world; and if he had warned me, as he warned thee, I would have fled immediately, or else I would have entreated for his protection. Thou wouldst do rightly, says Gwalchmei: thou wouldst only have peace. Is not that right? says he then, for nothing but harm comes from war, and I never had a blow or wound, unless a branch of the trees struck me; and I see thy face in pieces, and fare thou well, says he, and I will go after my ladies. Thou wilt not go hence, says Gwalchmei, unless thou tellest me why thy Lady carries her arm hanging from her shoulder. I will tell thee gladly, says he. She was in the court of King Peleur, serving the Holy Greal with that hand, when the knight came to the court, to whom the Holy Greal appeared and did not ask what it signified, and because she was holding the very precious vessel in her hand, in which the glorious blood was descending from the point of the spear; and for that reason she has held nothing again in her hand, and she will not at this time. And there is for thee the reason, and fare thou well, and with thy leave. And here take thou my spear, for thine is broken, and I have no need of it. And Gwalchmei took it, and proceeded onwards, being weary and troubled; and he rode until it was near vesper time. And as he was so, Lo, a knight meeting him, and coming across the forest, as a man who had been struck through his body, and immediately asking Gwalchmei what his name was. O Sir, says he, I am called Gwalchmei. Lord, says the knight, have I not been killed in thy service? How in my service? says Gwalchmei. As I was willed to bury the body, says the knight, which thou leftest in the chapel; and had I not dug the most part of the pit, when Marius the Jealous came, and carried the body from me, and cast it to wild beasts, and struck me also, as thou seest? And I will go now from hence as far as a hermit, that is in the wood, to confess me; for the blow is near to the heart, and easier to me will be my death, after having shown my blow to thee. By my faith, says Gwalchmei, I am sorry for that.

CVII.—Thereupon Gwalchmei started away, and rode until it happened to him to see a castle in a forest. And thereupon, Lo, he saw a man, somewhat pensive, coming from the castle to take a walk, and a bird on his hand; and they welcomed one another; and

4 E

Gwalchmei asked the man what sort of a castle was appearing to him there.   And he said that it was called the Castle of the Proud Maidens, who do not vouchsafe to ask any warrior of the world his name ; and no one of their household dares to ask for fear of their Lady. Yet as before, thou wilt obtain welcome there, and be lodged ; for they are cour- teous in other customs ; and I know not in the world a woman more beautiful than their Lady ; and she has never had a husband, or a para- mour ; for she has not deigned to love any man, except he were the best knight of the whole world ; and I will go in with thee, to cause for thee fellowship and welcome.   God thank thee ! says Gwalchmei. They came in ; Gwalchmei dismounted ; and the knight took him by his hand, and led him to the hall, and caused his arms to be taken off, and clothes of scarlet to be brought to him to wear.   And there- upon, Lo, the Lady came, and welcomed him ; and he also rose up to meet her.   And the Lady took him by his hand, and said : O Sir, says she, wilt thou come to see my chapel ? I will, with pleasure, says Gwalchmei.   Thence to the chapel they came, she and Gwalch- mei ; and he had never seen a more beautiful chapel, without and within ; and there were there four shrines, the most beautiful that any one had ever seen.   O Sir, says the Lady : Dost thou see these four shrines ? I do, says Gwalchmei.   It will never be known, says she, what is in them, but through the best knight of the whole world. Gwalchmei wondered at what the Lady was saying.   And thence, they came from the chapel to the hall ; and all the knights, that were there, made great welcome to Gwalchmei ; and they did not know that it was Gwalchmei.   They also would not ask him, for it was not the custom for any one there to ask any one who he was. They also knew that that knight would go through the forest ; and for that reason the Lady had given much land and territory to four knights to keep the forest, and to ask every one who he was, and to report it to her.   Gwalchmei was that night in the castle ; and the next day he heard mass ; and after that he took his leave of the Lady and the Knights, and proceeded thence, as a man without a desire of delaying there.   And when he had ridden more than a mile of the forest, he came to a pass before him, where were two knights.   And when they saw Gwalchmei, they mounted their horses, being com- pletely armed, and said to him : O Sir, say they ; stop and tell us thy name.   O good men, says he also ; I am called Gwalchmei, nephew to the Emperor Arthur.   O Sir, say they then ; God's welcome to thee ! and come with us to the most beautiful woman of the world, who is desiring thee, and will make great welcome to thee in the Proud Castle.   Lords, says Gwalchmei : I shall not go there at present, for I am in great haste to go upon another business.   Lord, say they : Thou must come, for so is the command we have.   Here is my faith, says Gwalchmei : that I will not go with you at present.   Then they seized the horse by its bridle, with the intention of leading him against his will.   And then Gwalchmei was ashamed, and drew his sword, and struck one of them, so that he broke his arm.   And when the other saw that, he fled with his companion; and they came to the Proud Castle, and showed to the Lady their disgrace; and she then asked them, who had wounded them so. Lady, say they: Gwalchmei. Where did he meet with you? says she. He met us by the forest, say they: and we ordered him to come to visit thee; and he would not come; and we also tried to compel him, and for that reason he broke the arm of my companion. Then she caused a horn to be sounded; and then all the knights of the castle came together to the presence of the Lady. And she then commanded them to go after Gwalchmei; and she would reward with riches all of them; and they were in number five and twenty. And as they were going from the castle, Lo, two other knights coming wounded, each of them; and showing their disgrace to the Lady, and how Gwalchmei had done to them; and they could not bring him against his will; and he also would not come willingly. Is he now far? says she. Yes, Lady, say they; farther now than four miles from hence. Doubtless, says one of the knights: as far as it appears to me, it is a great folly to pursue him, for not so much will be gained now from him as by leaving him alone; and thou also, Lady, sentest him on by thy wrong arrogance: we knew not who he was, for he had a shield of sinople, with a boss of gold in it. Thou sayest truly, says the Lady; that was my wrong arrogance, and I know now that he was lost by my pride; I will make a vow to God that no knight henceforth shall sleep here whose name I do not ask; for this one I have lost for ever; and I suppose that I have lost the others on his account.

CVIII.—Thereupon they desisted from pursuing Gwalchmei; and he also departed, praying God to send him to the court of King Peleur. And as he was so, he heard the voice of a hound calling after him, and at last coming up to him. And as he was coming to him, he saw the dog putting his snout to the ground, and finding blood, and following the blood along a flowery road. And when the dog saw Gwalchmei leaving the track of the blood, the dog followed calling until he came to Gwalchmei, and desisted from following. And then Gwalchmei followed the dog until he came to the middle of the forest, and there he saw a house near a pool, and he proceeded after the dog, and to the bridge that was on the water. To the hall he came, and the hound then ceased from following and calling. Then Gwalchmei perceived in the middle of the hall a knight dead, who had been struck with a spear through the middle of his body; and then he saw a young maiden coming from a chamber, and having a shroud. O Lady, says Gwalchmei; God speed thee! And the Lady, who was weeping, said, that she would not answer him until she knew why; and she had supposed that the wound of the knight would have opened at his coming in, and it was not running. And then she said to Gwalchmei: O Sir, says she, God's welcome to thee! God give thee joy! says Gwalchmei. And then the Lady says to the hound: I had not commanded thee to bring here this knight, but the one who killed this dead man. O Lady, says Gwalchmei: Dost thou know who he was? Yes, says she: Lancelot killed him in this forest ; and God grant to me also to be able to be avenged upon him, and upon all Arthur's men, for they have done to me much uneasiness ; and if it please God, we shall be avenged upon them, for he has a good son, and I am his sister. O Lady, says Gwalchmei : Farewell to thee ! And thereupon he went to his own road, praying God that Lancelot his companion might meet with him.

CIX.—The story relates that Gwalchmei rode until it was near vesper time ; and then he perceived on the right side of his road a little path, and the treading of men on it ; and to that path he proceeded, because he saw the sun setting. And in the thickness of the forest he saw a large chapel, and fair houses by its side ; and in front of the chapel was an arbour, with a palisade of boards round about it ; and near the palisade was a hermit, whom every one from his appearance would suppose to be a good man. He was leaning on the palisade, and looking into the arbour, and being well pleased with what he saw there. And when he saw Gwalchmei, he went to meet him ; and Gwalchmei dismounted. Lord, says the hermit ; God's welcome to thee ! God give thee joy ! says Gwalchmei. Then the hermit caused the horse to be taken, and stabled ; and then he told Gwalchmei to come to look into the arbour along with him. And then Gwalchmei looked in, and perceived there two young maidens and two youths along with them ; and he saw a young boy riding a lion ; and thereupon they went to sit in the arbour. Lord, says the hermit : Here is the meaning of my joy. And thereupon Gwalchmei caused his arms to be taken off from him ; and then one of the maidens brought to him clothes to wear. Gwalchmei wondered at the boy riding the lion ; and the hermit said to Gwalchmei, that no one dared to guard the lion, except the boy ; and he is only seven years of age, and a noble boy he is. And there is not in the whole world a knight more cruel than his father, and his name is Marius the Jealous, the man who killed his mother, on account of Gwalchmei ; and from that time until to-day, the boy would not remain with his father, because he knew that he had killed his mother, who was innocent. And I am his uncle, the brother of his mother ; and I caused the two youths, and the two maidens yonder, to attend to him, as thou seest ; and there is nothing in the whole world, which he is so desirous of seeing, as Gwalchmei ; and if thou knowest any tidings of him, for God's sake, tell me. I do know, by my faith, says Gwalchmei : see thou yonder his shield, and his spear ; and himself also seek thou to-night lodging here. Lord, says the hermit : art thou he ? So I am called, says Gwalchmei ; and the woman thou speakest of, I saw her killed in my presence ; and God knows that it was not with my will that she was killed. Then the hermit said to the boy : Come here, says he ; See here Gwalchmei, thy desire ; come to him, and make him welcome. The boy then dismounted from the lion, and put it in a cellar, and thence he came to Gwalchmei, and saluted him. God give thee increase ! says Gwalchmei ; and then they kissed one another. Lord, says the hermit : This one ought to be a man of thine ; and thou also oughtest to counsel him, and to help him, for his mother suffered death for thee.

CX.—And then the boy bent on his knees before Gwalchmei, and raised his hands. And then the hermit said to Gwalchmei : Lord, says he, have mercy on the boy. Then Gwalchmei took the hands of the boy between his own hands, and said : By my faith, boy, says he, I am well pleased with thy homage and love ; and my assistance thou shalt gladly have ; but this I wish, to know thy name. Lord, says the hermit : He is called Meliot of England. There Gwalchmei was that night ; and the next day, after hearing mass, he took leave of the hermit to depart. And the hermit asked him whither he intended going ; and he then said, that to the court of King Peleur he was going. Gwalchmei, says the hermit : May God cause thee to do better than the other knight did, who was there before thee. May God cause me to be able to do the will of God ! says he.

CXI.—Gwalchmei then took his leave, and rode onwards by journeys, until he came to the most beautiful country that any one had ever seen. And as he was so, he saw a youth coming towards him, sorrowful and unhappy, and of a lanky appearance, with his face towards the ground. O companion, says Gwalchmei : Whence comest thou? Lord, says he also : I am coming from yonder forest. Whose man art thou? says Gwalchmei. I am servant, says he, to the man that owns the forest. As far as it appears to me, says Gwalchmei ; Thou art not very joyful. Lord, says he also : I have a reason for that ; for he that hath lost a good lord ought not to be joyful. What sort of a man is thy lord? says Gwalchmei. Lord, says he also : The best knight of the whole world is he. Is he dead? says Gwalchmei. Not dead, if it please God ; says the youth ; nevertheless he had not been joyful for a long while. What is his name? says Gwalchmei. Lord, says he : Paredur he is called. May I know where he is? says Gwalchmei. Thou mayest not, Lord, through me, says he ; but this I will say for truth, that he is in this forest. Gwalchmei saw that the youth was fair, and weeping abundantly. O Sir, says Gwalchmei : Why weepest thou? Lord, says he then : I shall never be happy, until I have become a hermit, for the salvation of my soul ; for I have committed the greatest sin that any one could commit, for I have killed my mother, because she said that I should not be king after my father, but that she would cause me to be a monk. And when my father knew that I had killed my mother, he then caused a hermitage to be made, and became a hermit and left his kingdom. And I also see that it is not worthy for me to hold his kingdom, on account of my excessive sin ; and for that reason I also have thought that it was more right for me to punish my body, than for my father. O Sir, says Gwalchmei : What is thy name? I am called Joseus, and I am descended from the line of Joseph of Arimathea ; and my father is called King Peles, who is a hermit in this forest ; and my uncle is King Peleur ; and the King of the Dead Castle also ; and the widow woman of Camalot Castle is my aunt ; and my cousin is Paredur her son.

CXII.—Gwalchmei thereupon departed, and was grieved at the state and condition of the youth. And so he proceeded along the forest until he came above a fountain ; and near the fountain he perceived a road, with the treading of men upon it. And then he left the high way, and came to that ; and he proceeded along that for about a mile, and perceived a fair hall, enclosed with fences around it, and he looked towards the door of the hall, and perceived a little tree, and under the branches of the tree he saw the handsomest man that he had ever seen, of the same age as his, and the hair of his head, and his beard, was of a white gray, and his hand on the end of his thigh, and a youth before him holding a Gasgony horse in his hand ; and by his side were a spear, and a shield, and a breastplate, and iron greaves. And when he saw Gwalchmei coming, he came to meet him, and said to him : O Sir, says he ; ride gently, and do not either make a disturbance, for I have no need of more uneasiness than I have ; and do not take for brutishness what I am saying ; and were it not that I have cause, I would invite thee to-night, for a good warrior is sick along with me, who is said to be the second best of the world. And therefore I would not that he should know of there being here any knight whatever, for no one could hinder him from combating with thee, if he saw thee ; and in that possibly he might go to his last play, and therefore I am here guarding that he may not see any one, whether thee or another ; for it would be too great a loss to the world if any thing occurred to him, otherwise than good. Lord, says Gwalchmei : What is his name ? By God, says he then ; I will not declare it. Lord, says Gwalchmei : Shall I see him with thy leave. Thou shalt not, says he also ; and I will not allow any one to go in here, until he may be in health and good spirits. Lord, says Gwalchmei : Wilt thou do my message of what I may tell thee ? Lord, says the hermit : There is nothing that I would tell him, unless thou tellest it to me previously. Gwalchmei was grieved that he should not visit the knight. Lord, says Gwalchmei : Of what lineage is he descended ? Of the lineage of Joseph of Arimathea ; says the hermit.

CXIII.—And thereupon, Lo, a young maiden standing at the door of the chapel, and calling on the hermit. And he then arose, and went in, and caused the door of the chapel to be shut after them, and left Gwalchmei outside. The youth also took the horse, and the arms, and went in with them, and Gwalchmei remained enraged outside, and without knowing truly whether that one was the son of the widow woman. Then he set out, and came onward to the forest ; and the story does not here relate the whole of his journeys, but that he rode by journeys until he came to the fairest land that he had ever seen : and thereupon he perceived a castle before him, and towards that he came. And he came near toward the castle, and perceived a lion lying at the gate, and on each side of the gate were two savages, made of latten, laying on terribly whoever entered there. And when Gwalchmei saw that, he was not bold to come nearer than that to the gate, for fear of the lion, and the latten savages ; and thence he looked at the castle, and on the wall he saw a chapel, and on the chapel he saw three crosses, and on each cross an eagle of gold ; and he saw the people, that were there, falling on their knees in front of the chapel, and looking to heaven from one hour to another, and making the greatest honour. And as far as it appeared to Gwalchmei, the people, that were there, were seeing God and Mary. Gwalchmei was still looking from a distance, and without daring to approach them, for fear of the blows, which they were shooting from the embrasures on the castle, for there was not in the world any one that could endure one of the blows, that they were casting towards him. And as he was so, he saw a priest coming, and standing at one of the embrasures, and saying to Gwalchmei : O sir, what is thy pleasure ? Lord, says Gwalchmei, to tell me whose castle is this. O Sir, says he also : This is the Faithful Castle, and in the castle, and the chapel, which thou seest, the service of the Holy Greal is made. Therefore, says Gwalchmei, for God's sake, let me in, for to the court of King Peelur is my business. Lord, says the priest, I will tell thee for a truth, that no one can enter this castle, unless he brings here the sword with which the head of John the Baptist was cut off. In that case, says Gwalchmei : Am I not answered ? Lord, says the priest : thou mayest believe that I am saying the truth respecting that ; and I will tell thee besides, that there is not in the whole world a King more cruel than he in whose keeping the sword is, besides that he is a Jew. Nevertheless, again, if thou wilt bring the sword here, thou shalt come in, and great welcome will be made to thee in every place that the power of King Peleur reaches to. In that case, says Gwalchmei, I must return, and for that reason I am sad and grieved. Thou oughtest not to be so, says the priest ; for if thou wilt bring the sword here, then it will be known that thou art deserving, and worthy to behold the Holy Greal ; and let it come to thy recollection to ask what it signifies, when thou seest it. Thereupon Gwalchmei set out so absorbed in thought, that he did not remember to ask in what country the sword was, nor what was the name of the king that was keeping it.

CXIV.—Here the story narrates that Gwalchmei rode until he came outside of the city, and to a fair field ; and he looked at the field before him, and he saw a burgess on the back of a great horse coming towards him. Gwalchmei came to meet him, and saluted him ; and he also answered him. Lord, says the burgess, I wonder that a man so good as thou, as it may be presumed, should be without a good horse in his possession. Lord, says Gwalchmei, I cannot better it, the more the pity. O Sir, says the burgess, where dost thou intend going ? I am going, says he then, to seek the sword with which the head of John the Baptist was cut off. Alas ! Lord, says the burgess, thou art going to a place dangerous from a cruel king, who loves not God at all, and is of excessive cruelty ; and his name is Gwrgoraus ; and many a knight has gone that road with the intention of seeking the sword, and not one of them returned home. And if thou wilt pledge thy faith to me, that if God grants for thee to have the sword, on thy coming this way thou wilt show it to me, I also wilt give to thee this horse. What wouldst thou do, says Gwalchmei, if I broke my pledge thereupon, for thou art not at all acquainted with me? It appears to me, says the burgess, that thou art a faithful man in what thou promisest. I will promise that; says Gwalchmei. Thereupon the burgess dismounted, and gave him his horse; and Gwalchmei mounted the horse, and the burgess his horse also. And Gwalchmei thanked him greatly, and proceeded onwards until he came to a forest, and rode until the sun was going to sleep, without meeting with either a dwelling, or castle; and thereupon, Lo, he saw fair meadows in the middle of the forest, and water as if overboiling fountains in them.

CXV.—Gwalchmei looked towards the end of the meadow, and perceived a pavilion, and its covering was of silk, and on top of the pavilion was an eagle of gold. In that direction Gwalchmei went, and left his horse outside of the pavilion, and he came in, and perceived a beautiful bed, and in the middle of the bed he saw two cushions of satin, and a coverlid on the floor of precious gold work; and at the feet of the bed, he saw a candlestick of gold, with a pillar of wax therein burning; and in the middle of the hall he saw a table of whalebone, raised upon the trestles, and a cloth placed upon it. Thereupon Gwalchmei went to seek some one in the bed, and he wondered that he saw no one in it. And as he was about to take off his arms himself, Lo, he beheld a dwarf coming to him, and welcoming him, and bending on his knees, with the intention of taking off his arms. Gwalchmei then recollected the dwarf, on whose account the wife was slain. O Sir, says Gwalchmei, arise, for I will not take off my arms at present. Lord, says the dwarf, take them off confidently, for thou hast no occasion to be afraid until to-morrow; and thou hast never been safer than to-night. Then Gwalchmei took off his arms, and the dwarf helped him. And when he had taken off his arms, he placed them near to him. Then the dwarf took warm water, and bade Gwalchmei to wash himself, and after that he drew clothes of silk, and gave them to him to wear. Lord, says the dwarf, be not in the least uneasy, for thy arms will be ready for thee by the time thou arisest to-morrow; and I will go back. And as he was so, Lo, two youths coming in, and entreating Gwalchmei, if he would do the best for his advantage, to depart. And they did not tarry, but departed. And as Gwalchmei was so thinking, Lo, two ladies coming in to him, and welcoming him. And he answered them in the fairest way that he could. Lord, say they, God give thee good adventure, that thou mayest put an end to the evil custom that is in this pavilion. Is there so an evil custom here? says Gwalchmei. Yes, Lord, say they; the more the pity; however it appears to me that thou art a knight to amend it. Thereupon he arose from the table, where he was sitting, and the two ladies took him by his hand, and led him outside of the pavilion, and sat on a glade along with him. Lord, says the elder of them, what is thy name? O Lady, says Gwalchmei, I am called Gwalchmei.

Lord, say they, most of all we love thee ; now we know that this evil custom will not continue longer than this, on condition that thou choosest the one of us two that thou lovest most. O ladies, says he, may God repay you ! and thereupon he arose, and went to sleep, for he was weary and tired. And when he was gone to sleep, they also sat by the side of the bed, and offered to him their service ; and he did not answer them, except to thank them ; for he had no other thought than to sleep. By my faith, says one of them to the other, if this were Gwalchmei, the nephew of the Emperor Arthur, he would have spoken differently to what he does. However this is some scheme, that he may obtain such honour as this here to-night. What harm is that? says the other : He shall pay for his lodging to-morrow, before he goes. And thereupon, Lo, the dwarf coming. O, Sir, say they, guard thou this knight well, lest he should flee away, without any one knowing ; for he is not Gwalchmei, and he is going from one guest house to another, and saying that he is Gwalchmei, and he indeed is not like Gwalchmei, for if it were he, we should be obliged to watch three nights, or else he would watch. O Ladies, says the dwarf, he will not be able to flee, for his horse is in my keeping. Nevertheless Gwalchmei was listening attentively to all that they were saying. And they then departed, and entreated God to give bad rest to Gwalchmei. Little did Gwalchmei sleep that night ; and the next day as soon as he saw daylight, he started up, and donned his arms, and his horse he found ready. Lord, says the dwarf, thou didst not serve courteously the damsels that were here last night ; and great is the complaint they have against thee. I cannot help that, says Gwalchmei, and I do not know either that I deserve reproach from them. It is a great affliction to thee, says the dwarf, if thou art as bad as they say of thee. Let them say what they please, says Gwalchmei ; for I cannot hinder them, or any one, from reproaching me, if they think it best. And I know not, Sir, whom I shall thank for the ease, that I had here last night, except God ; and if I had happened to see the lord, that owns this pavilion, or the damsels last night, I would have thanked them if I could.

CXVI.—Thereupon, Lo, two knights armed coming in front of the pavilion on horseback, and perceiving that Gwalchmei had mounted his horse, being about to proceed onwards, without supposing that it was necessary for him to do otherwise. And the knights came to him, and ordered him to pay for his lodging. We, say they, slept in disquietude last night on thy account, and left to thee also this pavilion and its ease ; and thou also art intending to go so. By our faiths, thou must buy thy meat, and the honour of the pavilion. And thereupon, Lo, the two damsels coming, who were fair enough, and said : O Sir, say they ; We shall know now, whether thou art Gwalchmei, Arthur's nephew. By my faith, says the other ; I do not suppose that he will be able to put an end to the bad custom by which we are losing the coming of a knight to us. And when Gwalchmei heard that, he was greatly ashamed ; and besides that, he saw that he could not go thence without a scuffle. And the one of the

4 F

knights he saw dismounted, and the other on his horse armed, and hurrying as fast as he could. And Gwalchmei then attacked him also, and with the force of his horse's feet, and the strength of his own arms, he struck him so that his shield was perforated, and he also, and his horse, were on the ground, and the spear two spans through him. By my faith, says the younger of the damsels, better has Gwalchmei done to-day by much than last night. And then Gwalchmei drew his sword, and made an onset upon him, when the knight entreated his protection, and said that he confessed to be conquered. And Gwalchmei then desisted ; and one of the damsels said that he had no need to fear the other, while that one was alive. And the evil custom that is on the pavilion, thou wilt not take away, unless thou killest him, for he is lord of the pavilion, and on account of his brutality no one has come here for a long time. See thou, says the other knight to Gwalchmei, her faithlessness ; for there was nothing in the whole world that she loved so much as yonder man, as one would suppose of her, and now she condemns him. And yet, says she, I say that the evil custom will not be cast from hence unless he is killed. Then Gwalchmei raised the lap of his breastplate, and stabbed him through it. And thereupon, Lo, the other knight coming in a rage on account of killing his companion, and setting on Gwalchmei, and Gwalchmei on him also. And they attacked one another fiercely, until they lost their stirrups, and their breastplates were perforated, and the flesh of their sides appeared to the ends of their spears, and until their bodies also came in contact, and their horses so closely, that their pommels were shattered, and themselves, both of them, were on the ground. So great was their fall, that the blood came out in streams from their mouths ; and in the fall, which the knight had, he broke his arm. And then the dwarf said to the Lady : Sufficiently well does Gwalchmei play in action. Gwalchmei then arose, and came towards his horse ; and he would have allowed the knight to flee, had not the damsels called to him, and said, that unless he killed him, too much harm would be derived from him. Then the young damsel said : If thou wishest to kill him, strike in the sole of his foot. O Lady, says the knight, is it so that thy love has turned for me ? and never, says he, ought a man to trust a woman. Gwalchmei wondered at what the Lady was saying, and he came to the other side of the pavilion, where was the horse of the dead man, and he then drew the saddle off him, and put it on his own horse. And while he was at that, the other arose, and mounted his horse, for the dwarf had helped him, and thence he hurried to the forest. And then the maidens cried out to Gwalchmei ; Lord Gwalchmei, say they : thy honour will cause us to be killed, for the knight has no mercy, and is going to seek help, and if he escapes, he will kill us, and thee also. Thereupon Gwalchmei mounted his horse, and took his spear in his hand, and pursued the knight, and overtook him, and struck him until he was on the ground ; and said to him : There is no way for thee to escape. I am sorry for that, says the knight : for I should have had vengeance on thee presently, and on the maidens. Thereupon Gwalchmei planted his sword in the sole of his foot, and the knight died. And Gwalchmei came back to the maidens, and they made him the greatest welcome, and said, that he could not have been killed in a different manner to that ; for he sprang from the lineage of Achilles, and no one of that race could be killed in any other manner than that. Gwalchmei then dismounted, and the maidens looked at the stab that was in his side, and said, that there was no danger in it : Lord, say they, again we offer thee our service, for we know that thou art Gwalchmei. God thank you ! says Gwalchmei : your love I do not reject, but farewell to you. Lord, say they : come to rest to-night along with us. O Ladies, says he also : I shall not have rest ; and thereupon Gwalchmei proceeded onwards until he came to a forest. And when he came out of the forest, he perceived a fair land, enclosed with a wall, which was surrounding the whole of the country, and in that direction he came ; and he perceived a gate in the wall, and by that way he came in. And he had never seen a fairer territory than he saw there, and the width from the wall to the other was no less than three miles. And in the middle of the country was a great tower, fair and high ; by its side was a great massive rock, and upon it a crane standing, and that one cried out, when any one came from without to that country. Gwalchmei had in his counsel to ride through the middle of the country ; and thereupon he saw two knights overtaking him, and saying to him : O Sir, stop and come to converse with the King of this country ; for no one goes through his country, that does not come to converse with him. Lords, says Gwalchmei : I did not know that that custom existed, and I will go with pleasure. Then he came along with them near to the hall, and he dismounted, and left his spear and his shield on the mounting-stone, and came to the hall ; and the King made great welcome for him, and asked whither it was his intention to go. Lord, says he then, to a country in which I have never been. I know whither, says the King : for thou art coming through my land, and thou art going to the country of King Gorgeraus, to seek the sword, with which the head of John the Baptist was cut off. Thou sayest truly, Lord ; says Gwalchmei. If it please God, says the King : Thou shalt not go from here, until at the end of the year. Lord, says Gwalchmei : thou wilt not do that with me. I will, by my faith, says the King. And thereupon he caused Gwalchmei to be disarmed, and then fair clothes to be brought to him to wear, and honoured him greatly. Notwithstanding Gwalchmei was not at all at ease at that ; and he asked what was the meaning of his detaining him so. O Sir, says the King : I know that thou shalt have the sword, and after that thou wilt go to another road. Lord, says Gwalchmei : if it please God for me to have it, I will come this way. In that case, says he, I also will let thee go ; for there is nothing in the whole world, that I should be so delighted to see as it. That night Gwalchmei continued there, and the next day he left the country with excessive joy ; and proceeded towards the land of King Gorgeraus. And he came to a forest, which he left, and rode until he saw a hermit's house, and the hermit, a grave gray man, who asked him whither he was going. Lord, says Gwalchmei ; to the land of King Gorgeraus ; and is this the road ? Yes, says the hermit : and many a knight have I seen going that road, and I have not seen one coming. Is it far ? says Gwalchmei. Lord, says the hermit ; his land is near, yet his castle is far. Gwalchmei continued with the hermit that night ; and the next day after mass, he set out, and rode until he came to the court of that good man ; and he heard the people of that court moaning and complaining ; and thereupon, lo, a knight meeting with him. Lord, says Gwalchmei : why do the people of this country make the grief and lamentation, which they are doing ? O Sir, says he also, I will inform thee : King Gorgeraus had not either of children but one son ; and a giant took him away ; and for that reason the King caused to be proclaimed, through the whole of his kingdom, that whoever brought to him his son, he would grant him whatever demand he wished. And he does not find any one that will dare to undertake that adventure ; and for that reason he blames his faith, more than the faith of the Christians, and has said that if a Christian should come to him, he would receive him with welcome. Gwalchmei rejoiced at that, and left the knight, and came to the castle, where the King was.

CXVII.—Tidings came to the King, that a Christian was come to the castle, and the King rejoiced at that, and caused him to be brought into his presence, and asked him what was his name, and from what country he proceeded. I am called Gwalchmei, says he : and I proceed from the country of the Emperor Arthur. According to that, says he, thou proceedest from the country of the warrior ; however I am not able to get one good one, or one that will attempt to give me counsel in my need. Nevertheless if thou art in the good disposition, that thou wilt venture into adventure for me, I will repay thee ; and here is the adventure ; a giant has taken away my only son, and if thou wilt go into the adventure for me, I also will give to thee the fairest sword that was ever made, and with that was cut off the head of John the Baptist, and it is bloody at every mid-day, for it was exactly mid-day when he was killed. The King caused the sword to be brought to the presence ; and its scabbard was encrusted with very precious stones, and its pommel was of a precious stone, which Enar, emperor of Rome, had placed upon it. And after that he ordered it to be drawn out ; and as soon as it was drawn, it was bloody, for it was exactly mid-day. And so it was ordered to hold the sword before Gwalchmei, until the time went by, and it became of as bright a green, as the stone that is called emerald. Gwalchmei looked at it long.

CXVIII.—Gwalchmei wondered to see the sword as long as the longest sword, outside of the scabbard ; and when it was put into the scabbard, it was no longer than two spans. O Sir, says the King :

this sword I will give to thee, and I will also make thee contented. Lord, says Gwalchmei : I will do that gladly. Thereupon the Jews showed him the road he ought to go ; and thereupon Gwalchmei proceeded onwards, commending himself to God. And the Jews prayed with him, according to their faith, that he might return with joy. And Gwalchmei rode until he came to a great mountain, which surrounded the country, which the giant had destroyed ; and there he was so great and so fierce, that he feared no one of the world ; and the road, by which he was approached, was so strait, that no one of the world, if he were on horseback, could enter it. And then Gwalchmei was obliged to dismount, and walk on his feet across sharp stones, until he came to the level ground. And he looked before him, and perceived some sort of a dwelling, and near that he saw the giant sitting, him and the boy under a tree. Gwalchmei came in that direction ; and when he saw Gwalchmei coming, he rose up speedily, and took a great axe, that was by his side, and came to meet Gwalchmei, and laid upon him a blow. And Gwalchmei let it fall to the ground, and struck him also, so that he broke the arm that was holding the axe. And when the giant knew that he was maimed, he returned as soon as he could to the boy ; and with the other hand he took the boy by the neck, and squeezed him until he was choked. And afterwards he returned to Gwalchmei, and laid hold of him, and lifted him on his shoulder, with the intention of taking him to his lodging. And when they were going, God willed the giant to fall, and Gwalchmei on top of him. And Gwalchmei then arose quickly, and he did not neglect his sword ; but before the giant arose, he stabbed him through ; and after that he cut off his head ; and came to the place where the boy was dead, for which he was grieved. And he lifted him on his shoulder, and took the head of the giant, and brought them to the place where his horse was ; and he carried with him the boy, and the head of the giant, until he came into the presence of the King.

CXIX.—The King and all the retinue of the court came to meet him with joy ; and when they saw that the boy was dead, they changed the joy into sadness. Gwalchmei then dismounted, and presented to the King his son, and the giant's head, and said : Lord, says he, if I had been able to bring him otherwise, I would have brought him gladly. I know that, says the King : And for what thou hast done, I am contented, and thou shalt have the reward of thy labour. And then the King bewailed his son, and caused a great fire to be lighted in the middle of the city, and his son to be put in a vessel to be boiled. And after that he caused the giant's head to be taken, and hanged above the gate. And when the flesh of the son was enough, he caused it to be cut into small morsels, and all his household to be summoned to eat it, as far as it reached to them ; and after that he caused the sword to be brought, and given to Gwalchmei ; and Gwalchmei greatly thanked him. Again, said the King : I will make thy gift greater. Then he caused all his good men to go to the castle ; and then he said to Gwalchmei : Lord, says he, I wish to be baptized, and all that will not believe in God, I command thee to cut off their

heads.   And so the King was baptized, who was Lord over Aubanie,
in consequence of the miracles of God, and the warriorship of Gwalch-
mei.   And after that Gwalchmei set out from the castle with excessive
joy ; and the name given to the King was Archer ; but Gwalchmei
proceeded onwards until he came to King Gorgeraus to redeem his
pledge.   Then the King came to meet him, and welcomed him.
Lord, says Gwalchmei : here I am coming to redeem my pledge,
and here is my sword.   And the King took it in his hand, and
looked at it, and was pleased with it ; and after that he put it into
his own treasure.   Alas ! says Gwalchmei : why doest thou a thing
so deceitful as that ?   I have deceived no one, says the King :
for it is more right that I also should have the sword than any
one ; for I am descended from the race of the man that cut off
John's head.   Lord, says Gwalchmei : it is a wrong for thee to take
from me by violence notwithstanding.   Lord King, say the knights,
that were there : Gwalchmei is a courteous man, and reproach thou
wouldst have, if thou didst wrong to him ; and therefore let the sword
be given to him.   Gladly, says he then, on condition that he also
refuses not to the first lady that asks a gift of him, whatever it may
be.   And Gwalchmei granted to him that, and for his granting he
was obliged to endure much shame in consequence, and much pain,
and chastisement.

CXX.—The King gave his sword to Gwalchmei, and there he was
that night ; and the next day he proceeded onwards until he came
near to the city, where the burgess had given his horse to him, and
he recollected the covenant that was between him and himself.   And
there he stood a long while, until the burgess came to him ; and then
they welcomed one another.   Gwalchmei then showed his sword, and
the burgess took it in his hand, and struck his horse with two spurs,
and hurried to the town with the sword, and Gwalchmei after him.
The burgess came to the town, and Gwalchmei followed him, and came
to the town after him ; and there met him a great procession of
priests and scholars, with a cross before them.   Gwalchmei then dis-
mounted on account of the procession ; and the burgess went to the
church, and the procession after him also.   Lords, says he : cause
yonder man to give what he has taken from me.   Lord, say the
priests : to us he is bringing it, to be placed among our relics, and he
said, that thou gavest it to him.   A lie he said, says Gwalchmei : I
showed it to him for the purpose of redeeming my pledge ; and thence
he told them how it was between them, and his own chance likewise.
And then the priests caused his sword to be given to him, and
Gwalchmei was delighted with that, and he mounted his horse ; and
he had scarcely proceeded out of the city, when a knight met him,
who was coming as fast as his horse could go, and completely armed.
Lord, says he, to Gwalchmei : I was coming to defend thee, for they
were doing wrong to thee in yonder city ; and I also proceed from the
castle, which helps every one, that proceeds from another country, if
they have need of help.   O Sir, says Gwalchmei : Blessed be that
castle ! and what is its name ?   Lord, says the knight : It is called
the Castle of the Ball ; and since thou hast been liberated, I will

return back ; and thou also wilt come now to lodge there to-night to my Lord. God thank thee for thy courtesy ! says Gwalchmei ; and they rode towards the castle, until they entered it.

CXXI.—And when they were come into the castle, Gwalchmei perceived the Lord sitting on a dismounting-stone of marble, and looking at his two daughters playing with a ball of gold. And when he perceived Gwalchmei dismounting, he came to meet him, and welcomed him ; and thence he caused the daughters to conduct Gwalchmei to the hall. And when Gwalchmei had taken off his arms, clothes were brought to him to wear ; and after that they went to eat, and the young maidens sat by his side ; and thereupon, Lo, a dwarf coming in, with a scourge in his hand, and giving blows to the maidens with his scourge, and saying to them : Why do you make so much welcome to the man that killed your foster brother ? And thereupon the daughters rose up ashamed, and left Gwalchmei ; and he also wondered at that. And the younger said to Gwalchmei : Lord, says she : be not abashed at all at this, for the dwarf is a servitor over us, and he is our teacher ; and he is enraged because thou killedst his brother, the day that Marius the Jealous killed his wife on thy account, for which reason we also are grieved. By my faith, says Gwalchmei, so am I too, for she had deserved nothing of her death on my account.

CXXII.—Gwalchmei remained there that night ; and the next day he departed with the leave of all the household, except the dwarf himself. And he rode by journeys until he came to the first castle of the territory of King Peleur ; and he saw that the brazen savages were not shooting at all, and that the lion was not on the gate. And he saw coming to meet him the priests, and scholars, singing, and a procession. And then one of the priests took the sword, to show it to the rest, and they drew it from the sheath, and it was exactly mid-day, and the sword then was bloody ; and all of them worshipped the sword and sang Te Deum Laudamus.

CXXIII.—With such welcome as that was Gwalchmei received, and the sword was put into its sheath ; and all welcomed him, and entreated him, if God sent him to the court of King Peleur, and the Greal appeared to him, that he would not be so neglectful as the knight who had been there before him. And Gwalchmei said that he would do as God permitted him. Lord, says the chief of the priests, who was a grave man : It is not needless for me to have rest, for I am weary and harassed. Lord, says Gwalchmei : I have seen many things, which I wondered to see. I suppose that thou sayest truly, says the priest. This castle here then is called the Castle of the Requests ; and thou canst not ask, thou or any one, anything here of which it is not known what it signifies ; and that by the testimony of Joseph of Arimathea, by whom we know ; and he also knows through the Holy Ghost. By my faith, says Gwalchmei : it was a wonder to me to see the three maidens, who had been in Arthur's Court, and carried with them two heads ; namely, the head of a King, and the head of a Queen ; and in a chair they had the heads of a hundred and fifty-two knights ; and some of them were

sealed with lead, others with silver, and others with gold.   It is true
says the priest.   And they said, that it was on account of that Queen
the King was killed, and as many heads as were in the chair.   They
said truly also, according as Joseph testifies, who says by similitude
that Adam was deceived by Eve, and all that descended from him.
And since Adam was first created of the peoples ; for that reason he
is called a king, for he is our earthly father.   And Eve was his Queen,
on whose account they were all slain, and the heads, which thou
sayest had seals of gold on them, are here likened to the Christians,
who believed in the new faith.   And the heads with the silver seals
on them signify the Jews.   And the heads sealed with lead are
likened to the Saracens.   Of those three different men was
the world ordained.   Lord, says Gwalchmei : it is strange to me
about the black hermit, where the heads were brought with us ;
and the lady said to me, that, when the good soldier came, they
would be thrown out of the chair ; and there were inside some men
crying out for the coming of the good soldier.   It is true, says the
priest : thou knowest that on account of the apple, which Adam ate,
the wicked ones went to hell ; and for that reason God came, a
good soldier, into the world, and brought his companions from
hell, and that by his strength and might.   And for that reason
Joseph likened it to hell; and when that good soldier comes, he
will drive them all out.   Besides that, here is likened the black
hermit to Lucifer, who is lord over hell, so audacious as that he
was determined to be in Paradise.   Lord, says Gwalchmei : it was a
wonder to me in respect of the maiden who was bald, without a
single hair on her head, and said that she should never have her
hair, until the knight came, that gained the Greal.   It is true, says
the priest : and so she is since three years ; for then also King Peleur
fell into his disease, because the knight did not make the request
as he ought.   That maiden is likened to the destiny, according as
Joseph interprets to us, and the destiny also formerly was bald, before
Christ suffered ; and without hair also until Christ suffered ; and
when he bought his people by suffering death.   The chair, which she
has, signifies that the destiny exists, with which she goes through the
world.   The shield, she also brought to Arthur's Court, with the red
cross in it, signifies the cross, which no one else dared to take, save
God himself.   Gwalchmei heard that exposition, and thought that no
one then would dare to take the shield, that was left at Court, until
there came one better than any.

CXXIV.—God reward thee ! says Gwelchmei ; for thou hast ex-
plained to me what I was thinking of for a long while, and wondered
at.   Nevertheless I again wonder at a knight, who killed his wife on
my account, and she had deserved nothing of her death.   Lord,
says the priest : great joy does her death signify ; for Joseph tells us,
that on account of a woman was destroyed the old faith, and on
account of a blow with a spear.   And for the sake of destroying the
old faith, Christ suffered a blow to be given to Him with a
spear, and with that blow was destroyed the old faith, and the

woman is likened to the old faith. Lord, says Gwalchmei : there met
with me a knight riding with his face on the crupper of his horse,
and the edge of his shield upwards. And as soon as he saw me, he
put himself in right order, and rode like another knight. It is true,
says the priest : the former faith is likened to that knight, for the
old faith formerly was contrary, before the suffering of the Lord on
the cross ; and as soon as he suffered, it became presently right.
Lord, says Gwalchmei : a knight came to combat with me on account
of Marius the Jealous, and one half of his shield was white, and the
other black, and I overcame him. It was right for thee, says the
priest, to throw him : that knight is likened also to the old faith, for it
was two halves, and by the new faith was destroyed the old, as thou
also overcamest him, because he was in wrong. Lord, says Gwalchmei :
I wonder at a little boy, whom I saw riding a lion ; and no one dared
to approach it, except the boy himself, and he was no more than seven
years old. That boy is likened to the Saviour of the world ; and I
will not tell thee more, for I have not liberty to disclose the mysteries
of God. Lord, says Gwalchmei : I will ask thee about a King, who
took a son of his that was dead, and caused the son to be boiled, and
given to his kingdom to eat. Yes, says the priest ; did not his mind
then and will turn towards God ? and for that reason he made a
sacrifice to God of his son, and of his blood, and therefore he gave
his son to be eaten to all of his country ; and because that he would
have all to be of the same mind as himself, he did so. Blessed be the
hour that I came here ! says Gwalchmei. There he remained that night,
and he was well pleased with his lodging. And the next day, after
mass, he set out from the castle, and came to the fairest meadows that
he had ever seen, and rode until he came one day near to the court
of King Peleur, and he chanced upon a hermit's house, which no one
could enter, and his chapel was not at all larger, and the good man,
that was there, had not been outside of the house for forty years.
The hermit stretched his head through a window when he saw
Gwalchmei, and said : God's welcome to thee, Sir ! And to thee also
a good adventure ! says Gwalchmei : And canst thou lodge me to-
night ? Lord, says the hermit : no one will be lodged here, except
God. Nevertheless thou wilt obtain good lodging near here, where
the good knights are lodged. Lord, says Gwalchmei, who owns that
place ? It is the property of King Peleur, says the hermit : and
great water is all around it, and it abounds in all good ; and no one
ought to lodge there, unless he is a good man. God make me to be
so ! says Gwalchmei.

CXXV.—When Gwalchmei knew that he was near the castle, he
dismounted, and confessed to the hermit, and cast from him all his
sins by repentance and confession. Lord, says the hermit : take care
that thou neglectest not the request, which the other neglected before
thee, and be not abashed at any thing thou mayest see at the door
of the castle, but ride onwards, and pray in the holy chapel, that is
there. Lord, says Gwalchmei : I will entreat God to permit me to be
able to do the will of God and the Saints. And he took leave of the

4 G

hermit, and rode until he came to a beautiful valley, and every good in it being abundant, and thence he perceived the very precious chapel. And then he dismounted, and bent on his knees, and prayed to God. And after that he mounted his horse, and rode until he came to the side of a beautiful shrine on the road, and on the top of the shrine was a beautiful coverlid, and round about it was a fair small church-yard. And thereupon he heard a voice saying, and commanding him, not to go near the shrine : for thou art not the warrior by whose means will be known what is in it. Gwalchmei proceeded onwards, when he heard the voice, and rode until he came opposite to the gate of the castle ; and perceived three great bridges, awful to walk upon, and three rivers running under them. And he saw that there was in the length of the first bridge an arrow shot, and yet in its breadth only a foot. And Gwalchmei knew not what he should do, from sup-posing that no one could go along it, either on foot or on horseback.

CXXVI.—As he was so, he saw a grave knight coming as far as the head of the bridge, which is called the Bridge of the Eel, and calling upon him, and bidding him to come quickly along the bridge, for the night is near, and as many as are in the castle are awaiting thee. Lord, says Gwalchmei : Show thou then to me what way I should come. By my faith, says the knight : I know not a way to come besides that, and if thou hast a will to come here, come quickly without being afraid. And then Gwalchmei recollected what the hermit had told him, and entreated him not to have any fear at what he saw at the gate, and besides that he was truly confessed, and had less need to fear death. And then he commended himself to God, as a man that was at the point of death, and struck his horse with two spurs, and came to the bridge. And as soon as he came to the bridge, it was so wide that two cartwains could go along side by side ; and Gwalchmei wondered at seeing the bridge, which he had seen so small before that, now so large as that. And when he came over that bridge, he saw that it was not easier for him to go over one of the two others, for strong thick boiling water was striking under the bridges, and the bridges being weak in their foundations, and of ice they appeared to him to be. Nevertheless he took heart, and through them he came ; and when he came near to the gate, he looked up, and above the gate he perceived the image of the cross, coloured of gold and azure, and the image of Mary on the one half of it, and the image of John on the other half, and on the right side of it he saw the figure of an angel, which with its finger was showing the chapel, in which was the Holy Greal. And on the front of the chapel was a very precious stone, with letters of gold written on every side of the stone, which said, that the Lord of that court was as clean from all sin as the stone itself was from all bespeckling. After that he saw a terrible lion standing in the middle of the gate, and as soon as it saw Gwalchmei, it lay down, and put its head between its two feet. And when Gwalchmei saw that, he entered the gate, and came to the castle, without any hindrance ; and dismounted, and placed his shield and his spear by the wall of the hall, and ascended along the stairs until he came to the hall, which was coloured with golden images. Gwalchmei looked earnestly on the work of the hall.

CXXVII.—As Gwalchmei was so, Lo, two knights coming from a chamber and welcoming him joyfully. God repay you! says Gwalchmei. Then they took off his arms, and water was brought to him, to wash himself, in a basin and laver of gold; and thereupon, Lo, two maidens coming with clothes for him to wear, and entreating him to receive with joy what could be done to him there, for here is the lodging of the faithful warriors. God repay you! says Gwalchmei. Then Gwalchmei saw that the light in the hall during night was as great as if the sun was shining; and Gwalchmei wondered at that. When Gwalchmei had put on the clothes, it appeared to all that he was fair, and of great strength. Then the knights asked Gwalchmei, if he wished to come to visit the King. Yes, gladly, says Gwalchmei: and I wish to present this sword to him. Then they led him to the King's chamber, where he was lying, and it is not necessary to ask whether his bed was good. On a cushion by his side was a cross of gold; in the chamber was a pillar of gold, and on top of that was an angel, with a golden cross in his hand, and four torches of wax burning round about him.

CXXVIII.—Gwalchmei then came to the presence of the King, and saluted him; and the King welcomed him. Lord, says Gwalchmei: I will give thee this sword; and here is the sword with which the head of John the Baptist was cut off. God repay thee! says the King; I knew that it was thou who would bring it here, for neither thou nor another could come here without the sword. Then the King took it, and kissed it; and after that he put it in the hand of a maiden, that was sitting by his side; and at the feet of the bed there were others serving carefully. What is thy name? says the King. I am called Gwalchmei, Lord, says he also. Gwalchmei, says the King: the light thou seest here, it is God that sends it to us for the purpose of comforting us, as often as strangers come to us, and if I could make greater welcome to thee, I would do it; and I have fallen into this languishment, which thou seest, ever since a knight lodged here, of whom thou hast often heard mention made, as I suppose, and on account of a little sentence which he neglected to say, I have fallen into this languishment. And therefore I beseech thee, for God's sake, to bear in mind that thou oughtest to be glad if thou couldst give me health from this. And there is a niece of mine, who is being disinherited, and I am not able either to help her; and she is seeking her brother throughout all the world; and it is said that there is not in the world a warrior better than he; and if thou also knowest either tidings of him, for God's sake, inform me. Lord, says the Lady: thank thou Gwalchmei for the honour he did to my mother, for we had the keeping of our castle from him, for nearly a year; and here, Lord, is the year arrived, and the war renewed; unless it chances for me to have my brother, we shall lose our land and territory. O Lady, says Gwalchmei: if I should come to a place of the world where thy brother is, I would tell him thy uneasiness and disgrace ; and I do not either find assured tidings respecting him save this, that I came to a place where was a hermit king, who commanded me to walk gently, and also not to make a disturbance ; and he said that there was there sick the best warrior of the world ; and he would not tell me his name ; and I saw his horse and his arms. Then the King said to Gwalchmei : Gwalchmei the fair, bear in mind to-night thy nerve, for I have great hope in thy nerve. If it please God, says Gwalchmei, I will not act here either, that I can be reproached for it. Thereupon Gwalchmei was taken to the hall, and there he saw two and twenty knights ; and it would not have been supposed from them that they were of such age as they were ; for each of them was a hundred years of age, and no one would have supposed from them that they were more than forty years each. And then they set Gwalchmei to eat at a table of whale-bone, and they also sat around him. And then the chief of them said to Gwalchmei : Lord, say they, let it come to thy recollection what the King said to thee ; and thereupon meat was brought to them in golden vessels. And thereupon he saw two maidens, as he supposed, coming from the chapel ; and in the hand of one he saw the very precious vessel, which is called the Greal, and in the hand of the other he saw a spear ; and from the head of the spear he saw, as from a vein, blood falling into the vessel ; and each of them coming by the side of one another even to the presence of Gwalchmei. And then Gwalchmei looked at the Greal, and at the spear ; and it appeared to him that two angels, with torches of wax burning, were with them. And thereupon he saw them walking in front of him, and thence going back to the chapel ; and so great was the joy of Gwalchmei, that he remembered no one but God, and the knights became livid with fear of his neglecting the request. And thereupon, Lo, two ladies coming from the chapel even to the presence of Gwalchmei ; and he saw that there were three angels, where he had seen before that only two ; and he saw in the middle of the Greal the form of a little boy. And the chief of the knights then twitched Gwalchmei to warn him. And then Gwalchmei perceived three drops of the blood falling on the table before him ; and he also, from delight at looking upon that divinity, did not remember to say one word. And thereupon the maidens departed, and the knights were looking at one another in terror ; Gwalchmei also not being able to take his sight from the three drops of blood ; and when he sought to put his hand upon them, they disappeared away from him. And thereupon, Lo, the maidens coming even to the presence of Gwalchmei ; and he looked above his head, and perceived the Greal, as he supposed, in the air, and on top of it was a great cross with a man on it, struck with nails and a spear in his side, yet Gwalchmei then looked at him without remembering otherwise. And the chief of the knights warned him a second time, and said, if he waited longer, that he would never fulfil their want. Gwalchmei looked upwards, without understanding anything from the knights, or the maidens ; and thereupon the maidens went to the chapel, and took the Greal with them ; and the knights caused the cloths to be drawn from the tables, and went to another hall, and left Gwalchmei so by himself. Then Gwalchmei looked along the hall, and saw the doors shut upon him; and near him he perceived a bed ready, and two torches of wax burning. And near the head of the bed was a throw-board, and the men set; and the one half of the men were of whale-bone, and the other of gold. Gwalchmei began to play, and moved one of the men of whale-bone, and those of gold played against him, and so he lost two games, and began the third to seek the avenging of his shame. And when he saw that his playing was the worst, he mixed the men. And thereupon, Lo, a maiden coming from a chamber, and ordering a stripling to take the throw-board, and carry it away. And Gwalchmei from weariness slept on the bed until the next day, when he heard a horn sounded three times.

CXXIX.—Thereupon Gwalchmei donned his arms, and had in his counsel to depart, and to take leave of the King. And when he came towards the King's chamber, the doors were shut, so that he could not get a way in; and he heard the most beautiful service in the chapel, and he was sorry that he should not go to hear the mass. And thereupon, Lo, a maiden coming to him, and saying: Dost thou not hear the beautiful service that is made on account of the sword thou broughtest here? And happy wouldst thou also have been if thou couldst have entered the chapel; and on account of a very short sentence thou didst not get to go there; for so holy is the chapel that a priest dare not go into it from Saturday evening until Monday, when the sun rises; and notwithstanding there is heard there the most beautiful service that was ever heard in a chapel. And Gwalchmei, being enraged with himself, answered her not a word. Yes, says the Lady, God be a guardian over thee! whatever thou hast deserved here; for I suppose that the failure was not on thee, if thou hadst had leave to say it. Thereupon the lady departed; and Gwalchmei heard the horn sounded a second time, and heard a voice, saying to him loudly: Let him that does not belong to this court depart, whoever he may be, for the bridges are lowered, and the gates open, and the lion in his cellar; and after that the bridges must be raised, for the King of the Dead Castle is warring against this King, in consequence of which his death will come to him.

CXXX.—Thereupon Gwalchmei went out of the hall, and found his horse ready, having been prepared; and he mounted his horse, and came over the bridges, which were not like to what they were the night before that. And he rode by the side of a river that was running through the valley; and thence he came to a great forest; and there descended upon him great rain, and hail, and thunders, so that he supposed that the trees were falling and becoming uprooted from the earth, so that he was obliged to put his shield above his head; and so he rode in that discomfort by the side of the river until he saw a fair meadow, and the sun shining upon it, and the air clear above it. And thereupon he saw a knight riding quickly, and handsome, with four garlands of gold about his head, and a beautiful lady along with him, and two hounds after them also. And Gwalchmei wondered at seeing the fair weather on the other side of the river where they were riding, and the tempest and rain where he was; and he was not able to ask of them, on account of the distance between them. And thereupon he saw a servant to the knight proceeding nearer to him. O Sir, says Gwalchmei, why is it raining on this side of the river, and fair weather towards thee? Lord, says the servant, because thou deservedst it, and that is also the custom of the forest. Will it last long like this? says Gwalchmei. It will as far as the next bridge that meets with thee.

CXXXI.—Thereupon the servant left him, and Gwalchmei rode in the rain, and hail, until he came to the bridge, and over the bridge he came, and then put his shield right, and rode until he came to a castle, where there were many people playing and singing. Gwalchmei dismounted; yet he saw no one welcoming him there, or saying a word to him. Gwalchmei shewed himself to all on every side of him, and he saw no one that was concerned about him. And then he also thought that it was not well for him to remain, or tarry there an instant, and he left the castle, and met with a knight at the gate, and asked him what sort of a castle was that. Dost thou not know? says he also: this is the Castle of Joy. By my faith, says Gwalchmei, it is badly that they have learned to be joyful. Nevertheless, says the knight, neither the castle nor they have lost their courtesy, for thou hadst deserved that, and they also saw that thou wert coming through a perilous forest, in the way of the desperate ones, and the sign of it is on thy horse and thy arms. And thereupon the knight departed, and Gwalchmei rode sad and unhappy, until he came to a land whose drought was excessive, and a poverty of every good in it; and he perceived a castle before him, and entered it, and he dismounted near the hall, on which the signs of poverty were great. And in came Gwalchmei; and thereupon he saw a knight with a few bad clothes upon him descending along a creaking bridge downwards. Lord, says he to Gwalchmei; God's welcome to thee! And thence to the hall they came; and thereupon, Lo, two young maidens coming from a chamber, somewhat poor in clothing, and saluting Gwalchmei. And as they were conversing so, Lo, a knight armed coming, having been struck with a spear through him; and when he saw Gwalchmei, he recognised him, and said to him: Lord, for God's sake, do not unarm thyself for a little while; now I came from Lancelot de Lac, and he is still fighting with four knights rovers, that are in yonder forest; and they are supposing that thou art there, and one of them has been slain; and they belong to the race of those whom thou killedst in the pavilion, where thou puttest an end to the evil custom. And then Gwalchmei mounted his horse armed. Lord, says the knight, I would go to help thee, if thou wouldst wait for me to put on my arms.

CXXXII.—Gwalchmei then proceeded onwards, as fast as his horse could go, and came to the forest, and perceived the blood of the knight, the way he had gone across the grass. He rode until he came where he could hear the blows of each of them on one another; and

thereupon Gwalchmei perceived the three knights in a glade, and the
fourth dead ; and one of the three also was on the ground, without
being able to fight more ; for the knight, who came with the news
to Gwalchmei, had wounded him badly. And the other two were
fighting furiously with Lancelot, and he also was greatly wounded, in
consequence of the blows which he had given, and had received.
And thereupon Gwalchmei struck one through, so that he was under
the feet of his horse on the ground. When Lancelot knew who
was there excessive joy was between them, and while they were
welcoming each other, the fourth of the knights fled. And then
Gwalchmei said to Lancelot, that the lodging was the poorest that
they had ever seen, and the maidens most beautiful, and having no
clothes ; and therefore we will bring to them our gain. We will
gladly, says Lancelot ; but I am sorry that the other knight has
escaped from us. What harm ? says Gwalchmei ; we may be con-
tented with this event. They returned back towards the poor castle ;
and dismounted ; and the poor knight and the two ladies came to
meet them ; and Lancelot and Gwalchmei desired them to take the
horses and the arms, and do what they pleased with them. And
the knight thanked them, and said, that now they were rich enough.

CXXXIII.—Thence they came to the hall, and a servant of the
house attended to their horses ; and the maidens helped them also to
take off their arms. Lords, says the knight that owned the castle;
by my faith, says he, I have neither clothes which ye might wear, for
I have nothing besides my coat. Gwalchmei and Lancelot pitied
their poverty ; and then the maidens drew off their surcoats, which
were above their shirts, and offered them to them to wear, and they
did not refuse them, lest they should suppose that they refused them
out of disrespect, and therefore they put them on. And the maidens
were pleased at that. Lords, says the poor knight ; the knight that
brought the news here to Gwalchmei, is he not dead? and he is extended
in the chapel, and I caused a hermit to be fetched to confess him,
and to give him the communion. And he entreated me to salute
you, by beseeching you to be to-morrow at his burial, for better than
you he could not have to conduct him to the grave. Truly, says
Lancelot, there is a great grief to lose him ; and I am sorry that I
did not ask his name, and whence he proceeded. Lord, says Gwalch-
mei, he said that thou wouldst know presently who he was. Gwalchmei
and Lancelot continued there that night ; and when it was light the
next day, they went to the chapel to hear mass, and they helped the
body to be buried. And after that, they took leave of the knight
and the ladies. Lord, says Lancelot to Gwalchmei, no tidings are
known of thee at the court, and many suppose that thou art dead. By
my faith, says Gwalchmei, I will go towards there, for I am wearied
and oppressed ; and I will rest there, until a desire comes to me
anew to seek adventures.

CXXXIV.—Then he informed Lancelot in what way the Greal
appeared to him in the court of King Peleur, and how he neglected
to ask what it signified. Lord, says Lancelot, wert thou indeed there ?

I was, by my faith, says Gwalchmei, and therefore I am glad, and sorrowful also.   I am glad, because I saw the divinity that is there ; I am sorrowful, because I neglected that which the King had warned me of.   Lord, says Lancelot, I have a great desire of going there. By my faith, says Gwalchmei, thou wilt do rightly, for I was honoured very greatly there ; and, I suppose, reproached also.   I am pleased, however, that the warrior, who was better than I, had been before me, and that he was reproached as much as myself.   Then each of them took leave of one another, and each went his way without conversing more.   Here the narration becomes silent about Gwalchmei, and turns to Lancelot.

CXXXV.—Here the story relates that Lancelot rode, until a knight met him in the forest, riding vehemently, and in a great hurry, and completely armed.   And then he asked Lancelot whence he came. O Sir, says Lancelot, from Arthur's Court.   Lord, says he, knowest thou any tidings of a knight with a green shield like mine ?   Why dost thou ask it ? says Lancelot.   Because he is my brother, says he also.   What is his name ? says Lancelot.   Lord, says he then, he is called Gladonius.   Is there in thy country any one with a similar name besides thee ?   No, says the knight.   And why dost thou inquire about him ? says Lancelot.   Because others are depriving him of his patrimony, says he then ; and have taken a castle from him since he went away from the country he springs from ; and I know that he will get it back by his good warriorship.   Is he as good a warrior as that ? says Lancelot.   As good, says the knight ; and he was the best of the Isle of Fens.   For his sake, says Lancelot, take off thy helmet, and show me thy face.   I will do so gladly, says the knight ; and then he showed him his face.   By my faith, says Lancelot, thou art not unlike him.   Lord, says he then, dost thou know then any tidings of him ?   I do, says Lancelot, and I ought to inform thee ; he rode yesterday along with me seven miles, and he is very like to thee.   It was right, says the knight, to suppose that we were related to one another, for we are two brothers.   Besides that, there loves him the most beautiful woman of the Isle of Fens, and she has not seen him for a year, for he is travelling to every place to gain renown, and a name ; and for God's sake, Lord, tell me where I can see him. Truly, says Lancelot, I will tell it very painfully.   Why, says the knight, didst thou then do him harm ?   He did so much for me that I love him, says Lancelot ; and yet, Sir, I will requite to him, if I can, something of what he did for me, and I came to day in the morning from his body, and I was at his burial.   Alas, Lord, dost thou say the truth ? says the knight.   Truth, by God, the more the pity, says Lancelot ; and he helped me to defend my life ; and I also will requite to thee that courtesy, according as I may be able.   Lord, says the knight, if he is dead, that is a great grief to me, for I have lost my joy and support, and my patrimony besides that, without hope of ever getting it.   Lord, says Lancelot, he helped me to get my life, and I also will help thee to get thy land. And when he heard evidently that his brother was dead, he took it so much to heart, that no one could comfort him. Cease, says Lancelot, to take it to heart so, and now let it out of thy memory, and I will give my body, and warriorship, for thee in every place, where thou mayest need me. Lord, says the knight, may God repay thee thy love, for offering to me thy service, for it is more needful to me now than ever. By my faith, says Lancelot, I will go with thee which ever way thou pleasest, and will give my body for thee to danger, if it will be needful for thee, as boldly as he also gave for me.

CXXXVI.—Then they rode together until they came to the Fens. And thereupon, Lo, a castle on a rock appearing to them, and fair meadows beneath it. Lord, says the knight to Lancelot, yonder castle was the property of my brother, and the knight that took it from him is so cruel, and so bold of his body, that he has no fear of any one of the world, and thou wilt see him now coming out, as soon as he perceives us. And then they rode until they came near to the castle; and before them they saw, coming along the road, a stripling of a youth on the back of a hackney, and between him and the pommel was a wood hog dead. Then the knight who had the green shield asked whose man he was. And he then said he was the man of the lord of the Castle of Gladonius, and he also is coming after me, being the third of armed knights; for the brother of Gladonius is threatening him on account of his brother; yet he does not fear him much notwithstanding. Then Lancelot heard that it was the knight's enemy, who was coming after them. Then the knight with the green shield showed his enemy as soon as he saw him, and said to Lancelot; Lord, says he, see thou yonder the man that is taking my patrimony; and he would do worse than that, if he knew that my brother was dead. Then Lancelot, without saying more, when he saw the Lord, struck his horse against him with two spurs. And then the knight came against him also, and they came in contact with the force of their horses' feet, so that they broke their shafts; but the knight of the castle fell over the crupper of his horse to the ground. And Lancelot then dismounted, and drew his sword; and the knight entreated his protection, and asked Lancelot why he sought to kill him. And then Lancelot said that it was on account of Gladonius, from whom thou hast taken his castle and his patrimony. In what does that concern thee? says he. As much again as he is also related to me. Then Lancelot cut off his head, and gave it to the knight. Tell me now, says Lancelot, since he is dead, whether I have done thy will. Thou hast, Lord, says he; all his race are now bent by his death. And I also will warrant, says Lancelot, that thou wilt not be in danger for want of obtaining the use of my help.

CXXXVII.—Lancelot slept that night in the castle of Gladonius, when he had restored to the knight the whole of his land and territory, according to his will; and all submitting to him. And when all of the country knew that Gladonius was dead, they were sorry. Lancelot departed the next day, and the knight remained there. And Lancelot rode the day long through the forest, until there met with him a knight riding, leaning on the pommel of his saddle, and complaining greatly, for so great was his pain. Lord, says he to Lancelot, for God's sake return again, for there is before thee the worst and most dangerous road of what are in the whole world, for there I was pierced through, as thou seest. What sort of place is that? says Lancelot. Lord, says he then, it is called the Castle of the Beards, and whoever goes the road by the castle must needs leave his beard there, or fight else to death for his beard; and on account of my fighting for my beard I got this. By my faith, says Lancelot, it is likely to me that thou art not a cowardly man, when thou preferredst to defend thy beard with honour to the fear of death. Notwithstanding thou wouldst make me a cowardly man, when thou wouldst have me return again; yet I would sooner die with honour than that one of the hairs of my beard should be plucked with shame. Lord, says the knight, God preserve thee from harm! for that castle is more cruel than thou supposest; and may God send there some man, that may be able to put an end to the evil custom that is there. And thereupon they separated, and Lancelot came towards the castle. And when he had gone over a great bridge, he looked before him, and perceived two knights armed on their horses, and two esquires holding their spears by their sides. And then Lancelot looked at the gate of the castle, and he saw the doors full of beards, struck with iron nails through them; and the heads of many knights hanging above the gate. And as he was leaving the gate, the two knights came against him, and one of them said to him, Lord, says he, pay for thy road before thou goest by. Why, says Lancelot, is it so that every one pays who goes here? Yes, say they: he that has a beard will pay it; and he that has not, let him go free; thou, however, wilt pay for thine, for it is very great, and we also have need of it. For what purpose? says Lancelot. To make hair coats for the hermits that are in this forest. By my faith, says Lancelot, they shall have no coat of my beard. They shall have, say the knights; otherwise thou wilt repent it. Lancelot was then stirred up with wrath against one of the knights, and struck him with his spear in the middle of his breast, so that he and his horse were on the ground. And when the other knight saw his companion dead, he came to Lancelot; and he also received him in the manner, that that knight also was obliged to fall over the crupper of his horse to the ground; and with that fall to break his thigh. And those news went to the Lady of the castle, and she was told that there was a knight outside killing her knights. And she then came there, and two of her handmaidens along with her, and she perceived Lancelot about to finish the killing of the other knight. O Sir, says she to Lancelot, deliberate a little, and do not kill the man, and dismount to converse with me. Lady, says one of the maidens, I know him; he is Lancelot de Lac. Then he dismounted, and came before the Lady. O Lady, says he, what pleaseth thee? I would, says she, that thou comest to my castle to lodge to-night, and to give satisfaction for the shame and brutishness which thou hast done. Lady, says he, I have never done any shame, and never will do. Yet thy knights meddled with great shame, when they would take the beards of strange men by violence. I will forgive thee what thou hast done to me, says she, on condition that thou also comest here to lodge to-night along with me. Lady, says Lancelot, I will not deserve thy displeasure first in doing thy will. Then he came to the castle along with her, and caused his horse to be brought after him; and she also caused the knight to be brought in, and shrouded; and she ordered the other to be attended to by a leech. And she caused his arms to be taken from Lancelot, and a handsome dress to be brought to him to wear, and said to him, that she knew who he was. That is fair and pleasant to me, says Lancelot. And then they went to sit, and to eat. And along with the first course there came knights, whose hands had been cut off, and with gyves upon them. And after the second course came knights, whose eyes had been drawn from their heads, and servants leading them. And after the third course came knights with only one hand to each of them; and after the fourth course came knights with one foot; after the fifth course came knights, gentle-man-like with fair clothes, and being handsome men; and in the hand of each was a naked sword, and they offered it to their Lady to cut off their heads. Lancelot then looked at them, and he was not pleased with the custom of that lodging. Thereupon they arose from eating; and the Lady took Lancelot, and led him to a fair chamber. Lancelot, says she, thou hast seen the law, and the lordship that is in my castle, and all the knights thou hast seen were conquered on yonder road before the gate. Lady, says Lancelot, it turned out unsuccessfully to them. So it would have done to thee also, wert thou not a good knight. However, I have been desiring thee for a long while, and since I have had thee here, I wish to make thee lord over me, and my castle. Lady, says Lancelot, I am well pleased with the lordship; and thee also I ought not to reject; but I will be in thy service. In that case, says she also, thou wilt remain here along with me, for there is not living a man that I love so much as thee. Lady, says Lancelot, may God repay thee! and I cannot re-main in one place, but for one night, until I am in the place where I promised to be. What place is that? says she. In the castle of King Peleur, says he also. I am acquainted with the castle, says she; and the King that owns it is called Mesior, and he languishes, on account of two knights, who did not make the request, as they ought; and is it there thy intention to go? Yes, says Lancelot. In that case thou wilt warrant me that thou wilt come this way, if the Greal appears to thee; and if thou wilt make the request. I will do so gladly, says he also, unless I come beyond the sea. Thou mayest warrant it boldly, says one of the maidens to the Lady, when it appears to thee; for the Greal will not appear to a man so faithless as thee, for it is thou that courtest the Queen, no other than the wife of thy Lord, and while that love lies in thy heart, the Greal will never appear to thee. And then Lancelot blushed with wrath against the maiden for calling him faithless to his lord. And art thou loving another, says the Lady, more than me? Lady, says Lancelot, the maiden is saying her will. Thereupon they went to sleep; and Lancelot was enraged that night with the maiden, who chided him and the Queen for their foolish love. And the next day he took leave of the Lady, when he had heard mass ; and the Lady bade him bear in his recollection the agreement that was between them. And he also said that he would do so gladly.

CXXXVIII.—And thereupon he went with the leave of all from the castle, and to the forest he came, which was great and tedious. And he rode along it until there met him a fair cross, high on the door of a churchyard, which was full of graves, and enclosed with a hedge of thorns round about it. And the night was come, and to the church-yard he came, and he perceived candles burning, and in that direc-tion came he. And he proceeded by a dwarf, who was digging a pit, and he passed by, without saying one word to him. Lancelot, thou doest right in going by without saluting me, for thou art the knight of the country most disliked by me in the world, and may God cause to me to have my happiness upon thy body ! Lancelot heard the dwarf, and did not vouchsafe to answer him ; and to the chapel he came, after tying his horse ; and placed his spear, and his shield, by the wall, and perceived a young maiden shrouding a dead knight that was there. And as soon as he came in, the wounds of the dead man began to run ; and then the maiden uttered three loud cries. Alas ! Lord, says she, now I know that it is thou who killedst this man. And thereupon, Lo, two knights coming, and along with them two other knights dead, and they brought them to the chapel. And then the dwarf cried out, and said ; now it will be seen in what manner ye will take vengeance upon your enemy for what he has done, and he also having come to you. And the knight, who had fled, when Gwalchmei came to Lancelot, was there, and said to Lancelot ; on account of thee, says he, these three men were killed. Thou sayest the truth, says Lancelot, for they deserved their death ; and within the chapel I have no heed to fear you, and I will not go out of the chapel to-night until it is day. And he was sorry that his horse was without food ; and there he continued until the next day. And when he saw the day, hs took his arms and put them on, and went on his horse. And then the dwarf cried out to the knights : What, says he, do ye allow your enemy to depart in this way ? And thereupon they also mounted their horses, and came to the two gates of the churchyard, thinking that Lancelot intended to flee. Nevertheless he had no desire to flee, but set out, being agitated, and met with one of them who was guarding the gate by which he ought to go, and he struck him, so that the spear was through him, as through a riddle, and himself dead on the ground. And the other knight, when he saw that, did not set his mind upon avenging his companion, but upon fleeing as soon as he could. Then Lancelot took the horse of the dead man, and drove it before him, thinking that some knight would meet with him, that would have need of it. And he rode until he came to a hermit's house in the forest, and he dismounted, and caused his horse to be stabled, and the hermit gave them such provender as he had. And Lancelot heard mass there, and after that he ate,

and went to sleep a little. And thereupon there came a knight to
the house, and Lancelot having dismounted ; Lord, says he, whither
art thou going from here ? I will go, says Lancelot, where it may
chance to me ; and thou also, where dost thou intend going ? Lord,
says he, I am going to visit a brother of mine, and two sisters, who,
I am told, are in bad circumstances, insomuch that he is called the
Poor Knight. Truly, says Lancelot, he is poor, and it is a great
pity that he is poor ; and wilt thou do my errand to him ? I will
with pleasure, Lord, says the knight. Since thou also wilt, lead to
him this horse from Lancelot ; and as a token to thee respecting
that, he lodged me and Gwalchmei a night. May God repay thee !
says the knight ; for what is done to a good man, none of it will
be lost. Salute from me, says Lancelot, the knight and the two
ladies. I will do that with pleasure, says the knight ; and there-
upon Lancelot gave the horse to the knight, and he also gave it to
his esquire.

CXXXIX.—Lancelot thereupon departed, and rode until he came
outside of the forest, and came to an exhausted territory, poor of every
good ; and that territory was great and extensive, with neither birds
nor animals in it. Lancelot then looked before him, and perceived
a city conveniently to him ; and in that direction he came as
soon as he could. And he saw that city to be great and extensive,
and comprising much land and territory. And the wall had fallen in
many places of it, and the gates were bent aside with old age ; and he
came in to the town, which was empty of men, and the churchyards
full of graves, and the churches solitary. And he rode on until he
came to a privileged court, and in front of that he stood ; and there
he heard lamentation from men and women ; and they were saying,
Alas ! Lord, it is hard and wretched that thou must go to suffer thy
death in this manner, and that thou canst not be defended from thy
death, and we ought to hate him, on whose account we are thus con-
demned ; and thereupon he heard them beating their hands to-
gether. And he wondered to hear them so without seeing any
one. And thereupon he saw a knight coming with a scarlet red
coat-hardi about him, and a girdle of silk and golden gems about him,
and a precious wreath on his breast, with precious stones in it, and a
crown of gold on his head, and an axe with golden clasps in his
hand ; and the knight was fair and young. Lancelot then looked at
him with pleasure. Then he said to Lancelot : Lord, says he, dis-
mount on the ground. Gladly, Sir, says Lancelot, and he dismounted,
and tied his horse by the bridle in a ring that was in the wall, and
drew his shield from about his neck, and his spear, and placed
them on the ground. Lord, says Lancelot, what wilt thou further ?
O Sir, says the knight, thou must cut off my head with this axe, or I
will cut off thine, for in that manner it has been judged upon
me. It would be foolish, says Lancelot, for any one, who could
not choose for himself the best of these two choices. And not-
withstanding as before, I shall be reproached if I kill thee, when
thou hast not done either any harm to me. For a surety, says the

knight, so thou must do.　Lord, says Lancelot, why comest thou so
fairly and so manly as that, to take thy death? for, thou mayest
know that I will kill thee, sooner than thou shalt kill me, according
to thy condition.　I know that, says the knight; nevertheless as
before, thou also shalt warrant to me before my death, that thou wilt
come here at the end of a year to this day, to give thy head to be
cut off, in the manner that I also give mine to thee to-day.　By my
faith, says Lancelot, there is no condition which I will not perform
to get a respite for my life.　Yet it is a wonder to me that thou
art so well ordered as thou art, to suffer thy death.　Lord, says he
then, whoever goes to the presence of his Saviour, ought to be clear
and pure as to their lives, and so I also am truly penitent, and in
this plight I will suffer my death.　And then he held out the axe,
and Lancelot took it in his hand.　Lord, says the knight, lift up thy
hand towards yonder chapel.　Gladly, says Lancelot.　Swear thou to
God, and to the relics that are yonder, that thou wilt be here at the
end of a year to this day, or else between this and then, to lay down
thy head, in the manner that I am laying it down to thee.　And
then Lancelot swore as he bade.　And thereupon the knight bent
upon his knees; and Lancelot took the axe in his hands, and said, O
Sir, have pity upon thyself.　I will gladly, says he, by thy giving
thy head to be cut off, and if it be not so, I cannot have pity.　Yea, says
Lancelot, I will deny thee that; and thereupon he set upon him, and
cut off his head; and he threw the axe quickly from his hand, and
thought it bad to remain there long; and he came to his horse, and
mounted it, and looked behind, and he saw nothing either of the
body or of the head, and knew not what had become of it, save
this; he heard great lamentation and loud crying from lords and
ladies, bewailing the knight, and saying that they would be avenged
when the time came; and then Lancelot left that city.　Here the
story becomes silent about Lancelot, and about those of the city, and
turns to Paredur.

CXL.—Here the story relates that Paredur was resting along with
the hermit king, who was called King Peles, and that in consequence
of a little disease that he had, ever since he came from the court of
King Peleur.　And as that hermit, on a certain day, had gone to the
forest, Peredur rose up, and felt that he was well, and able in body
and strength; and he heard the birds singing, and saw that the day
was fair.　And there came to his recollection the various adventures,
that had occurred to him in the forests with knights and ladies, and
a desire came to him to prove his body, and on account of the length
of time he had been lying, his heart impelled him to put on his arms,
and he put his saddle on his horse, and prayed God that it might
chance to him by adventure to meet with a good powerful knight.
And he left the hermitage, and came to the forest, and rode until he
came to the fairest forest glade of the world, and the largest; and in
the middle of the glade he perceived a large leafy tree, and of great
compass on the ground, so numerous were the branches.　Then he
dismounted in the shade of the tree, and thought that that was a

fair place for two knights to come in contact. And as he was pon-
dering so, he heard the neighing of a horse in the forest. Paredur
was delighted with that, and said ; Lord God Almighty, for the sake
of thy authority, grant that there be on that horse, that I may be
able to prove if there is either strength or nerve in me ! and may God
give to him also strength and boldness to defend himself against me
too ! for there is in me an excessive desire to rush upon him ; and
may God defend him from being killed by me, and that he may not
kill me also ! And thereupon he looked between him and the forest,
and perceived a knight leaving the forest, and coming to the glade,
and being completely armed, and a great white horse under him,
and a shield about his neck with a red cross in it, and riding
quietly, with a spear in his hand. And as soon as Paredur saw
him, he mounted his horse, and took his spear in his hand, and
spurred his horse with two spurs in great joy, and he came
towards the knight, and said to him : Thou knight, says he, hide thy-
self in the shelter of thy shield, as I also am doing ; for I give thee
warning, save that I will not kill thee. And may God cause me to
find thee so strong, as that I may prove my strength upon thee ;
for I do not know for a long time of what sort I am. And there-
upon he struck him in the boss of the shield, so that the knight
was losing his stirrups, and he himself was far beyond him. And
the knight wondered what Paredur demanded of him, and asked
him what harm he had done. Paredur was silent, and greatly
ashamed, that the knight had not fallen by him. However that was
not easy, for there was not a knight in the whole world with more
strength in him, than he. And he also came to Peredur, as fast
as his horse would go, and Paredur against him also ; and each of
them struck the other, so that their shields were perforated, and
their breastplates broken opposite to their spears, and the heads of the
two spears appearing to them. And the blow that Paredur gave went
through his shield and all the armour, and the spear two finger-
breadths under the top of his breast. And the knight also struck
Paredur, so that the spear was through his shield, and his armour,
and through the middle of his arm. And on their rushing they
met together, so that the blood was running out from their mouths,
and from their nostrils ; and thereupon they drew their swords
in excessive wrath. And then the knight asked Paredur what his
name was, and why he was so enraged as that against him ; and
thou hast maimed me badly ; and I know that I never saw a war-
rior of the same strength as thee. Paredur said nothing to him,
but in wrath rushed at him ; and the knight received him firmly,
and each of them gave blows to the other, so that their eyes
sparkled, and their arms were broken, and the noise of their blows
was heard resounding in the forest ; but their blood, which they were
losing, weakened them greatly. Nevertheless, the rage of each other
was such, that they remembered nothing of their wounds, but they
struck one another without sparing. Then the hermit came home from
the forest ; and when he came, he saw nothing of his nephew there ;

for which reason he was grieved. And then he drew a white mule
from the stable, and mounted it, and rode onwards, praying God to
allow him to meet with his nephew; and he rode until he came
near to the glade where the knights were fighting; and he heard
the noise of their blows, and as soon as he could, he went towards
them. And when he came, he went between them, and then he
said to the knight: Lord, says he, it is a great affliction for thee
to fight with this sick knight, for he is with disease upon him for a
long while in this forest, and thou hast maimed him badly. Lord,
says the knight, so he also has done to me too, and I would not have
fought with him with will, had he not begun upon me; and he
would not tell me his name, or what I had done to deserve any
thing at his hands. O Sir, says the hermit, who art thou? Lord,
says the knight, I will tell thee; I am the son of Bann, King of
Bannawc, and I also am called Lancelot de Lac. O companion,
says the hermit to Paredur, here is a cousin of thine, for
King Bann was brother to thy father. And then they lowered
their helmets, and kissed one another, and wept with ex-
cessive joy. And they proceeded together until they came to the
hermit's court, and they took off their arms. And in the house was
a kinswoman of the hermit's, and she had been serving Paredur,
while he was ill, and knew medicine; and she washed the wounds,
and perceived that Lancelot was hurt worse than Paredur, and was
further from health. O Lady, says the hermit, what thinkest thou
about that knight? He must rest long, says she, for the place is
dangerous, where he had the blow. Is there danger of death then
upon him? says the hermit. No, says she; and if he will have
patience to rest here. Yea, says the hermit, blessed be the name of
God! About my nephew also, what appears to thee? He will be
well presently. Nevertheless, Lancelot was grieved at his distance
from health. Here the narration becomes silent about those two
knights, and treats of the son, who met with Gwalchmei in the forest,
saying that he would go to seek the son of the widow woman, who had
killed his father.

CXLI.—The son resorted to the court of the Emperor Arthur, for
he had heard it said, that there were the lodgings of the good warriors.
And when he came there, he perceived the shield hanging on the
column, which the maidens of the chair had brought. And he recog-
nised the shield; and then the son bent on his knees, and saluted
Arthur. And Arthur bade him rise up, and asked him who he was.
Lord, says he, I am son to the knight with the red shield from the
forest of the covert. And the knight, who ought to carry yonder
shield, killed him; and I would wish to know tidings of him. So
would we also, says Arthur; on condition that no harm either should
happen to him; for there is not in the world a man that I so much wish
to see as him. And I also, says the youth, ought to hate him, for he
slew my father; and I also, if it please God, will avenge that upon
him; and therefore I beseech thee for the sake of thy authority to
make me a knight, for thou art accustomed to do such service to

others without refusing. What is thy name, Sir? says the King. Lord, says he then, I am called Clamados, of the Covert. At that time Gwalchmei was in the court, and said then to Arthur; this youth is an enemy to the knight, that ought to carry the shield, and thou oughtest not to increase his enemy, or to raise him to honour, but to withdraw him to a lower place, for the best knight of the world is Paredur, except his nephew, the son of his cousin, that is to say, the son of Lancelot, who was born of the daughter of King Peles, and is called Galaath. And thou art in this court for a long while waiting his coming in; and I do not say that out of disrespect to the youth, but that I also would not have thee do anything that would be displeasing to Paredur.

CXLII.—The Queen then said to Gwalchmei: I know that thou lovest the honour of the Emperor Arthur; yet he would be reproached, if he did so great a thing as to refuse a man of the world, for he has never refused any one. And Paredur will be better pleased, should he be obliged to fight with any one, that he were a knight, and not a servant; for there never was a knight who was not more perfect than a servant, or a yeoman, and therefore I recommend thee to make him a knight, for thou wilt be reproached if thou refusest. That pleases me, Lady, since it pleases thee also, said Gwalchmei. And then Arthur made him a knight. And when he had dressed himself, those inside of the court said, that they had never seen a fairer knight than him. After that, he remained at the court for a long time, and being honoured by the King, and the Queen, and all the barons. And nevertheless he was watching the court for the coming of the knight to it, to fetch the shield; however the time or opportunity was not yet come. And when he saw not the knight coming, he took leave of the king, and departed; with the intention of applying himself to warfare, and to seek adventures, until he heard tidings of his enemy. And he rode through forests so, having a red shield, as his father had, and being completely armed, as for the defence of his body. And so he rode until he came to the end of the forest, and perceived a road between two mountains; and he looked before him, and perceived three ladies, and one of them was praying to God, to send help to them, to send them over the mountain, and the dangerous place that was before them. There Clamados heard them; and then, when they saw him they were well pleased, and arose to meet him, and to welcome him. And he also said: May God give good adventure to you also! We, Lord, say the maidens, are waiting for a man, that will be bold enough to conduct us over yonder mountain, which is a dangerous place, such as no one dares to go to it. What sort of place is that? says he then. Lord, say they, there is a lion there, loosened from his chain; and a knight is with him, who is valiant and dauntless, and no one dares to go there without a multitude, for the knight is not always there; and if he were, we need not have any fear. And then the knight looked into the covert of the forest, and perceived three white deer, and a chair, with four wheels under it. Art thou the one, said the knight to the chief of them, that owns the

4 I

chair? Yes, Lord, says she also. According to that, says he, thou wilt tell me some new tidings about the knight whom I am seeking. Which one is he? says the lady. The one that ought to carry the shield, which thou leftest in the court of Arthur, says he. So we also art going, says she, to seek him; and if it please God, we shall hear tidings of him presently. O Lady, says the knight, and so would I; and because thou art going to seek him, as I am also, I will send you beyond the danger that is before you. Then the Lady, with the deer and chair, proceeded in front, and they also went after her, and thence they came to the field where the lion was. Then Clamados looked to the right side of him, and perceived a new hall, enclosed around; and he saw the lion lying at the gate. And as soon as the lion saw him, it came towards him, with its mouth open. Lord, says one of the maidens, if thou dismountest not on thy feet, it will kill the horse. Clamados then dismounted, and took his spear, and the lion rushed at him, and he also received it on his spear, and struck it, so that the spear was through the middle of its body, more than a yard long, and he drew his spear without breaking it. And then the lion leaped up upon his neck; and then he and the lion struggled like two men; and then the lion squeezed Clamados, and when it loosed, it tore his breastplate on every side of him, so that it drew all of the flesh and the skin, the way it went, with its claws. When Clamados knew that he was badly wounded, he doubled his boldness, insomuch that it was obliged to give an awful roar. And then Clamados threw it under him on the ground, and drew his sword, and pierced it through, and thereupon cut off its head. And after that he hung it on the gate of its master, and mounted his horse; and then the lady said: Lord, says she, thou art badly hurt. O Lady, says he, if it please God, there is no harm upon me. And thereupon, Lo, a youth coming out of the hall, and coming after him; Lord, says the youth, thou hast done great brutishness, when thou killedst the lion of the knight, the most courteous in England, and the most powerful; and out of disrespect to him, thou hangedst the head in this manner, and it was too much presumption for thee to do that. O Sir, says Clamados, the Lord may possibly be courteous, yet the lion was not courteous, but brutish, when it would kill all these wayfarers; and since thy master loved the lion, he ought to have put it in a chain, and I would sooner that I should kill it, than that it should kill me. Lord, says the youth, there was this way only land with war upon it, and attempt is being made to take it from my lord; and to keep his land from his enemies, he let the lion out from its chain. What is the name of thy lord? says Clamados. He is called, says he, Meliot of England; and he is gone to seek Gwalchmei, the man that is lord over him also. I left Gwalchmei, says Clamados, in the court of the Emperor Arthur, when I came thence. Yet it was his intention also to depart. By my faith, says the youth, I would that he met with thee, on condition that he knew that thou hadst killed his lion. O companion, says Clamados, is thy master as courteous as thou sayest? If it please God, it will not be worse between me and him, notwithstanding the killing of the lion, in defending my soul and body ; and I pray to God to deliver me from meeting with any one, that will do me harm. And thereupon the knight and the maidens proceeded thence, until they came near to the Red Castle, and that castle was surrounded by four forests, and there was no one there inside of the castle ; and in that direction they intended going to lodge, when there met with them a youth, who told them that there was no one there. And then they proceeded onwards, until they came to the side of the forest, where there was an extensive pavilion, drawn in the most beautiful glade that any one had ever seen. And the pavilion continued for a mile. And then they came inside of the pavilion, and there was not more joy in the world than there was there. And when they came in, they saw there abundance of beautiful maidens and women. Then the wounded knight was received with joy, and his arms taken off, and his wound looked at, and after washing and anointing it, clothes were brought to him to wear, and afterwards they brought him to the Lady, who made him great welcome.

CXLIII.—Lady, says the maiden of the Chair, this knight saved for me my life ; for he killed the lion valiantly, on account of which no man scarcely dared to come to thee, and do thou also welcome him. I cannot, says the Lady, make him more welcome than I do ; for we are waiting for the coming of a good knight from one day to another ; and there is not in the whole world so much my desire as to see him. Lady, says Clamados, who is that good knight ? The son of the widow woman of Camalot. And canst thou, says he, inform me truly that he will come here ? So I suppose, says she. Lady, says he, I should be delighted with that, and may God cause him to come ! O knight, says she, what is thy name ? Lady, says he, I am called Clamados of the Covert, and my father owned that forest. And then she embraced him, and said to him : Do not wonder if I am making welcome to thee, for thou art my nephew, the son of my sister. And I will thee to be lord over me and mine ; and the maidens of the pavilion made great welcome to him, for they knew that he was a near relative of the Lady. There they were long tarrying, waiting for the coming of Paredur, and wondering at his delaying ; for the maiden who had been curing him was there, and said that he was in good health, and for that they had great joy ; yet Lancelot was not near being well.

CXLIV.—The narration testifies here that Paredur sprang from the lineage of Joseph of Arimathea, and therefore every sentence, that came about him, ought to be listened to gladly. And here it is said, that Paredur rode from the monk in health and joy, but he promised that he would come again as soon as he could. And he rode the day long until it was after vesper time ; and as he was there coming out of the forest, he saw a castle appearing to him, and he also came in that direction, with the intention of lodging, for the sun was low ; and into the castle he came. And the man, that owned the castle, came to meet him, as soon as he could, being a large man, fierce in action, and his eyes red, and blue spots on his face ; and there was not in the castle another knight besides himself. And when he saw

Paredur dismounting, he ran to shut the gate ; and Paredur came to meet him, and saluted him. And thou also shalt have what thou deservest, says he also, before thou goest hence ; for thou art my enemy, and it was daring for thee to come here, after killing my brother, who was Lord of the forest of the Covert. And I also am called Caos the Red, who have been warring from that time to this day upon thy mother ; and this castle I have taken from her ; and I will take from thee also thy life, before thou goest from hence. Lord, says Paredur, to lodge I came here, and therefore thou wilt be reproached, if thou wilt do me either any harm ; and therefore lodge thou me here to-night, and to-morrow let every one do the worst that he can to the other. By my head, says Caos, my enemy I will not lodge, unless he be dead. And then he hastened up to the hall, and donned his arms quickly, and took his naked sword in his hand, and came back to the place, where Paredur was angry enough with him, because he had said that he was warring upon his mother, and for taking her castle from her. Then Paredur drew his sword, and came to him on foot, and endeavoured to strike him in the middle of his head : and he did not fail altogether, but he broke the helmet, and the bonnet, and the flesh, and the skin, so that the sword was two finger breadths in his head, and himself also on his knees on the ground. And when Caos knew that he was badly wounded, he was greatly enraged, and came near to Paredur, and laid a great stroke upon him, so that his eyes sparkled, and the blow slipt on the shield, and the shield was perforated as far as the boss. When Paredur felt the weight of that blow, he came towards him also, and endeavoured the second blow, on his head, but his arms warded it off, and caused the right arm to fly from him. And then Caos made an onset on Paredur, and endeavoured to overtake him with his left hand. However his strength was greatly weakened ; and then Paredur, with no love of him, hastened to destroy him, and struck him along his head, so that his brains were about his ears. His household, and his servants, were at the windows up in the hall, and when they saw their lord dead, they said to Paredur : Lord, thou hast killed the most valiant knight, and the most cruel, and of the highest rank, that was in these countries. Lord, thou knowest that this castle was the property of thy mother, and therefore do thou thy will with it, and with what is in it ; and let us go to our lord, to carry him to a sanctuary. I will let you go, between me and God, says Paredur. And then they carried the body to the chapel, and took off its arms, and put a shroud upon it. And after that they came to the hall to Paredur, and took off his arms. Lord, say they, be assured that there is no one here, besides two officers, and two maidens ; and the gates are shut, and here are the keys. Then Paredur commanded them to keep the castle in his name, and go to his mother, and salute her, and say that he would come there as soon as he could, and tell her I am in good health. And what is the name of this castle ? says Paredur. It is called the Head of Wales, says one of the officers.

CXLV.—Paredur slept there that night ; and the next day they gave a contract to Paredur, to keep that castle to the honour of himself and his mother. And thereupon he started, and rode until he came to the pavilion, where were the maidens. And he stood there and listened, and he did not hear so much welcome there, as the Maidens of the Chair heard, when they came. For when he came they were beating their hands together, and crying out, and notwithstanding he did not refrain from going in. And when he came, they were pulling the hair of their heads and bewailing; and Paredur wondered at that. And there was the cause for that, for a messenger had come there before him to inform that Caos the Red was killed. And thereupon, Lo, a maiden coming to Paredur, and saying to him : With shame and evil adventure thou comest here, says she. And then Paredur laughing looked upon her ; and wondered why the maiden was scolding him. And then the maiden said loudly : Lady, says she, see here the one that killed the best man of thy race ; and thy father also, Clamados, he killed, and thy uncle. Then the Maiden of the Chair came there, and recognised Paredur by the shield he was carrying ; and the head one said to him : God's welcome to thee, however bad it may be with all ! And then she took him by his hand, and led him to the pavilion. And then two maidens came to take off his arms, and brought to him clothes to wear. And after that, they led him to the lady, who was still bewailing. Lady, say the Maidens of the Chair, see here the knight, on account of whom this pavilion was raised, and thou hast made all the welcome from that time until this day. Art thou the son of the widow woman ? says she. Yes, says he. Lord, says she, thou hast killed now the best of all my race, and who was supporting me against all my race. Lady, say the Maidens of the Chair, this one is better able to support thee than a man of the world, for he is the strongest of the whole world.

CXLVI.—The Queen of the Pavilion then took Paredur by his hand, and desired him to sit by her side. Then she said to him : Lord, says she, whatever adventure may be, my heart allows me to make welcome to thee. May God repay thee ! says Paredur. Caos the Red, Lady, would have killed me in his castle ; and I also defended myself, in the best way that I could, against him. Then the Queen looked in his face, and was inflamed with love of him, insomuch that she said to him, that if he would give his love to her, she would forgive him the death of Caos the Red. Lady, says he, thy love I will deserve, and thou also shalt have mine. How shall I also know that ? says she. Lady, says he, I will tell it thee ; there is not in the world a knight warring upon thee, against whom I would not defend thee. That love, says she, ought to be common to every knight, and thou wouldst do that for another. Lady, says Paredur, that might possibly be ; yet a knight might love one more than another. The Lady would have him trust and pledge himself to her more than he was doing ; and the more she looked at him, the more she was inflamed with love of him. Nevertheless Paredur was thinking nothing of loving her. The Lady also looked at him with pleasure, because he was so handsome ; and she did not see in him any thing like to loving her. And then the handmaidens of the Lady were wondering greatly that the woman had neglected her grief, and lamentation for her uncle. And thereupon, Lo, Clamados coming, when one had told him that the knight, who had killed his father, was there in the pavilion ; and he perceived the knight sitting by the side of the Queen ; and her also looking into his eyes. Lady, says he, great is the shame thou art making to all of thy race, when thou sufferest thy enemy to sit by thy side ; and no one ought to trust to thy love. Clamados, says the Queen, the knight came here to lodge, and therefore I ought not either to do him harm, unless he does again something that may be brought against him, or it may be proved that he also has done deceit, or a foul deed. Lady, says Clamados, he killed my father outrageously, without warning him, like a deceitful traitor, and I shall not be satisfied, or pleased, until I avenge that upon him ; and here is my appeal respecting him, that he is a deceitful traitor ; and I also beseech thee to do me justice ; and I do not ask it as for a poor man to do with a relative, but as with a foreigner. Paredur then looked at the knight, and saw him fair, and gentle, and great. O Sir, says Paredur, I am ready to defend myself against what thou art casting upon me ; and may God deliver me from doing such as that ! And I am ready to clear myself from the reproach thou art casting upon me. Clamados then offered his gage. By my faith, says the Queen, there will be here neither giving a gage, nor receiving it ; to-morrow a day will come, and counsel be made, and every one shall have justice. Clamados then was stirred up with excessive rage against Paredur ; and the Queen was honouring Paredur to the utmost that she could. And for that reason Clamados was enraged, and said, that no one ought to trust to love on her account. Nevertheless he was reproaching her wrongfully, for excessive love forced her to that ; and besides, she knew that he was the best knight of the whole world, and that he was free from all vice ; and thereupon they went to sleep. And the next day, when it was light, they arose, and went to hear mass ; and when they had heard mass, Lo, a knight, completely armed, coming in, having a white shield, and bending before the Queen, he said : Lady, says he, I am come here with a complaint against another knight that is here, who has killed my lion ; and if thou wilt not do me justice, I will be an enemy to thee, as much as to him also ; and will oppress thee in every form that I can ; and if thou also wilt do me justice, I will cause Gwalchmeito thank thee, for I am his man. How is that knight called ? says she. I do not know, Lady, but I am called Meliot of England. Clamados came before the Queen, and said : Lady, says he, I beseech thee again to do me justice respecting the knight that killed my father and my uncle. So do I also, says Meliot, implore to have justice, for it is necessary for me to depart ; and I do not know against whom I am offering myself, but my appeal is for felony, for by felony he killed my lion, and afterwards hung its head above my gate, out of contempt and disrespect to me. And then he took his glove in his hand, and offered his gage. Clamados, says the Queen, listen to what that knight says. Lady, says he also, it is true that I killed his lion, and yet it rushed upon me sooner than I rushed upon it, and thou knowest that the mischief is greater, which the man that came here last night did to me, and therefore, Lady, suffer thou me to be avenged first upon that one, for what he did to me. Yes, says she, thou seest that yonder knight intends to depart immediately; and therefore, free thyself from him first; and afterwards, we will think about the other. Lady, may God repay thee! says Meliot; and I will cause Gwalchmei to thank thee; for the lion was defending me against my enemies, and it also defended thy territory; and out of disrespect to me also, he hung up the head above the gate. The Queen then said, that it was great brutishness for him to do that, when thou hadst not either done him harm before; and therefore, thou wilt not be removed at my Court from a general verdict; and if thou wilt refuse the battle, there will not either be a reproach to thee. Lady, says Clamados, I will pray for nothing of him, for it is as desirable to thee as to me; and I will accomplish his wish; and after that, do thou also keep a contract with me respecting the other. I will do so much, says she, that I shall not be reproached for that. And thereupon Clamados put on his arms, and mounted his horse, and came to the place, in the presence of all, where Meliot was ready; and it appeared to all, that he was a good and fair warrior. The maidens were about the place standing; and the Queen commanded Paredur to guard the place; and he also said, that he would do so gladly. And then Meliot roused himself towards Clamados, and he also towards Meliot; and each of them rushed upon the other, so that their shields were perforated, and their breast-plates broken, and their bodies wounded, so that the blood fell in streams to the ground. And then each drew his spear to him, and turned back to take their run better, and each of them came towards the other, striking in the strength of their shields, so that there was neither of them who did not maim the other; and on their onset on their horses they fell to the ground; and the Lady and her attendants were much grieved at seeing the knights killing one another in that manner. And then the two knights rose up on their feet, and drew their swords, and beat one another. Lord, says the Queen to Paredur, go to separate the two knights yonder, that they may not kill one another. Paredur then came to Meliot, and said: Lord, says he, retreat backwards, for thou hast done more than enough. Clamados knew that he was badly wounded in two places, and the blow that was in his breast was dangerous. And he then retreated backwards, and the Queen came to them. My Lord nephew, says she, I will—[The context shows a folio wanting, numbered 177, and containing chap. CXLVII]—that was in the Greal. And I saw him in the court of the Queen of the Pavilions, where they were committing outrage upon him. Then the Queen commanded to sound the horn of whale-bone; and the horn was sounded; and the knights, and the maidens that were out on the steps sitting, jumped up in great joy, and said that they had ended their penance. And thereupon they came to the hall, and

the Queen came from her chamber, and Paredur by his hand along
with her.

CXLVIII.—And then she said to the household: See here the
knight, on whose account you had the pain and penance that were
upon you, and he also is taking the penance from you. Lady,
say they also, blessed be the hour when he also came here!
Amen! says she also; for of the whole world there is not a man
whom I love so much as him. Lord, says the Queen, the knights
yonder, and the maidens, had no other house, or ease, either
to eat or to drink, ever since thou wast at the Court of King Peleur,
where the Holy Greal appeared to thee, and thou also neglectedst to
ask what it signified; and until thou camest here, they would never
have deliverance from the pain they had, for such was their destiny;
and besides that, we also had need of thee, for a brother of King Peleur,
who is called the King of the Dead Castle, is warring upon me. O
Lady, says Paredur; He is my uncle. Nevertheless, King Peles told me
that no one ought to love him, for he is warring upon King Peleur,
his brother, and my uncle, and seeking to take from him the castle
where the Holy Greal is resting, because he knows that he is weak and
feeble. It is true, says the Queen, and my castle also; because he
knows that I am a support to King Peleur; and he comes, once every
week, into an island that is called Lanoc, and does me much perverse-
ness from thence, and he has frequently killed my knights, and of my
maidens also; and that island is in the sea yonder. And then she
conducted Paredur as far as the window towards the sea. Lord, says
she, see yonder the island, and see yonder the galley with thy uncle
also in it; and see here my galleys also, with which we will defend
ourselves against them.

CXLIX.—The story says that Paredur was greatly honoured in
that fair castle; and the Queen loved him so much, that she could
not more. He remained there until his uncle came to the place,
where he was accustomed to come. Then Paredur caused his arms
to be put on, and after that, he caused one of the galleys to be pushed
into the sea, and he also rowed towards his uncle. And his uncle
wondered at his coming, for he never saw one man from that castle,
who dared to come against his body. And thereupon his vessel came to
land, and the Queen also, and her household, came out to look at the
battle of the nephew and his uncle. The King of the Dead Castle
saw his nephew coming, and yet he did not recognise Paredur; and
Paredur came to him with his naked sword in his hand, and his shield
about his neck, and set upon him on the flat of his head, and struck
him, so that his eyes sparkled from the force of the blow; and the
King did not spare him also, but struck him, so that his helmet was
penetrated, and Paredur then in haste sought him also. However, he
avoided the blow; and the blow fell upon his shield, so that it was
split as far as the boss. And the King retreated then backwards in
great shame and fear, because he saw Paredur so eager for him as he
was, and that by opportunities driving him to every place; and had
it not been for the goodness of his breastplate, he would have maimed
him in many places. And the King was giving blows to him also, so

that the Queen, and her household, wondered that Paredur was able to bear them.

CL.—The King of the Dead Castle then looked at the arms of Paredur, and asked him on whose part he was bearing those arms. On the part of my father, says Paredur. Was Julien le Gros thy father? says he. So he was called, says Paredur, and nevertheless I have no shame, for he was a good knight. Art thou the son of my sister Igleis? It is certain that I am her son. In that case, says he also, thou art my nephew. I have no pleasure in anything of that, says Paredur; for I have not for that either honour or advantage, for thou art the most faithless man of my race, and I knew that it was thou that wast here, when I came to thee, and on account of thy wickedness, and thy faithlessness, thou art warring against the best king of the whole world, and warring also against the Lady of yonder castle, because she is a support to King Peleur. And, if it please God, he has no need to fear a man so wicked as thee ; and do not suppose that thou shalt ever have possession of the castle, or of the precious relics, that are there; for God does not love thee so much as that thou shouldst have those. The King perceived that his nephew did not love him in the least, and that he was also hastening to inflict death upon him, and he was afraid of the strength and might of Paredur. And he proved also that he was the second best knight of the whole world, and therefore he did not dare to await his blows longer ; and he returned towards his vessel, and made a leap in, and pushed the vessel to the sea to float. And Paredur pursued him as far as the sea, and he was sorry for his escape, and thence he said to him : Ha, false King ! never say thou that I spring from thy race, for no one of my mother's race ever fled for any man, save thee ; and I have gained this island from thee, and never be so bold as to think of coming to it. And the King departed without his thinking of coming again ; and Paredur came afterwards as far as the court of the Queen, who made him great welcome, and asked him if he were hurt. And he also said that he was not hurt in the least. And then his arms were taken off, and he put on clean clothes ; and the Queen commanded all to be obedient to him, and according to his commands. Here the story becomes silent about Paredur, and treats of Arthur.

CLI.—Here at length is how the narration treats, and relates that Arthur was at Penvoisins, and many knights along with him. And Gwalchmei and Lancelot had come home, for which reason there was much joy at the Court. Then the King asked Gwalchmei whether he had seen his son Loawt in any of the places where he had been. And Gwalchmei said that he had not seen him. I wonder, says the King, what has become of him, for I have not either heard from him, since Kei killed Logrin, the giant, whose head he brought to me, and I also thanked him for it, for he took vengeance on the greatest thief, that was warring upon me, and on my power. Nevertheless, had the King known how the event took place he would not have commended either his military prowess, or his adventure.

CLII.—As the King was one day eating, and the Queen on the one

4 K

hand, and many knights along with him; yet Gwalchmei was not there; Lo, a young maiden, having dismounted from her horse, the most beautiful person had she been at ease, and coming to the hall, even to the presence of the King, and saying : Lord, says she, mayest thou be welcome of God! and I came here to ask a gift of thee, by thy power and highness. God give thee good counsel in that case! says the King, and I myself also will interfere with that. Then the .ady looked at the shield that was hanging in the hall on the column. Lord, says she, I came here to seek help, no otherwise than to seek the knight that owns yonder shield, from here, for I have need of him. O Lady, says the King, if the knight is willing to that, I have no objection. Lord, says she, it is likely to me that he will be willing, for he is a good knight, and at thy intercession also he will not fail, and if I were here when he came, perhaps he would not refuse me ; and if I should have my brother, whom I have been seeking for a long while, I should have all of my power and dominion. And therefore it is necessary for me to go myself through the dangerous forests, and expose my body to many dangers, for which ye also ought all of you to pity me. O Lady, says the King, I will give and do what belongs to me. God repay thee ! says she ; and then she was bidden to sit and eat ; and she was welcomed. And after meat, the Queen led her to her chamber with great joy ; and the hound and the shield were also brought there. And as soon as it saw the maiden, it made her the greatest welcome ; and the maidens and the Queen wondered at that, and the maiden herself wondered more, if she could ; for, since it had come there, it had not been seen either making welcome to any one. And the Queen asked her whether she was acquainted with the hound, and she also said that she was not ; and the dog would not leave her in any place. There the maiden continued for a long time in that manner ; and every day she used to go to the chapel, to weep and to pray God to be a strength and help to her mother, who was in danger of losing her castle. And one day the Queen asked her who was her brother. Lady, says she, one of the best knights of the whole world he is, according to what we have heard said of him. However, he went young from his father and his mother, and from that time until this day, we have seen nothing of him ; and his father is dead, and left her also without any strength to her, or counsel ; and from that time until this day, her land, and territory, and castle, have been taken from her, and her men killed. And the castle, in which she dwells, would long ago have been taken from her, had not Gwalchmei defended her against our enemies ; on account of whom, I must now go to seek my brother ; and since I could not find him, I came here to seek health from the man that has the right to carry yonder shield from here ; for I have heard it said, that he is the best knight of the whole world ; and I also have hope that he will have pity on me. O Lady, says the Queen, what is the name of thy brother ? Lady, says she, he is called Paredur. I would, says the Queen, that he were here, since thy mother has so much need of him as that.

CLIII.—One night the King was lying with the Queen, having slept a short sleep, and not being able to sleep, he put upon him a short corset of fine fur, and came from the chamber to one of the windows of the hall, towards the sea, and he saw the stars bright, and the night fine and calm, and he himself was pleased to look on the sea. And when he had been there for a length of time, he saw far from him as it were the light of a candle, and he wondered what that could be ; and he thought that he would not go from there, until he knew what it was. And there he continued until he saw at a distance something like a ship, and having a rapid motion towards the castle. And when it came to land, he saw no one in it, save a grave man with a gray beard, who was holding the helm ; and he lowered the sail. And the King wondered what was in it. Thereupon he left the hall of the castle, and came to the place where the ship was, and he could not come to it, on account of the waves, from the land. And then the grave man said to the King : Stop a little, says he, and thereupon he shot a little boat from the ship ; and then the King went into the boat, and came inside of the ship. And there he perceived a knight armed, and sleeping on the top of a table of whale-bone ; and above his head was a torch of wax, burning in a candlestick of gold ; and the King looked upon him with pleasure, and he had never seen a handsomer man than him. Lord, says the grave man, go thou now back again, and let the knight rest, for it is needful to him. O good man, says the King, who is the knight ? Lord, says he also, if he were not sleeping, he would tell it to thee ; and as far as I am concerned, thou wilt not know it. Will he go then from here after a long while ? says the King. He will go to yonder hall first, says he also ; and the King was well pleased at that, and departed. And to the Queen's chamber he came, and told her the event.

CLIV.—And then the Queen arose, and two of her maidens along with her, and came to the hall ; and thereupon they saw the knight, coming with his sword naked in his hand. Lord, says the Queen, God's welcome to thee ! May God give thee also joy and good adventure ! says he also. Lord, says she, if it please God we have no need to fear any thing from thee. The King then saw him, and saw the hound jumping about him, and making him great welcome. And then the knight took the shield from off the column, and placed his own on the column, and came towards the door of the hall. Then the King said to the Queen : Pray the knight, that he goes not hence so quickly as this. Lord, says the knight, I have no time to remain longer than this. Nevertheless thou wilt see me speedily. The King and Queen were sorry, and grieved at his going. Thereupon the knight came towards the ship, and the hound went after him ; and then the master of the ship drew the boat to him, and raised sail upon the ship, and they went to the sea. The King then remained at Penvesins, being sorry that the knight had departed, and he knew, and recognised, that it was Paredur. The knights then rose up, when they saw it was day, and heard that the knight had taken the shield, and they were sorry that they had not seen him. Then the

Lady came to the King, and asked him whether he had told the knight any of her errand. I did not, Lady, says he also; for he went away sooner than I would have him go. CLV.—Alas! Lord, says the maiden, great is the sin which thou hast done to me; and if it please God, a King, as good as thou, will not fail a maiden, whose condition is so bad as mine, of what he has promised; and if thou failest, thou wouldst be greatly reproached. The King was sorry that he recollected nothing about the maiden, and she also took her leave, and said that she would go herself to seek the knight. And if I find the knight, I will release thee of thy promise. Gwalchmei and Lancelot were come to the Court, and heard the tidings about the knight that had taken away the shield, and they were sorry that they had not seen him. Lancelot then perceived the shield he had left there, and knew evidently that it was Paredur who had been there. Lords, says the King, it will be necessary for you to go to seek him; for I must fulfil what I promised to the maiden. However, she said that if she found him before me, she would release me; and therefore, Lords, it is a great charity for you to take pains upon you to find him, if it were only on her account; and if she is also the daughter of Evrawg, she also is a sister of the knight, and her mother also is Igleis, and her name is Landran. By my faith, says the Queen, I think it likely that she is his sister, for as soon as she came here, the hound recognised her, and made her great welcome. By my head, says Gwalchmei, I will go to seek him. And I also will go, says Lancelot. And I also beseech you, for God's sake, says the King, to remember to tell my message to him, that I be not reproved. Lord, says Lancelot, if we shall see him, we will tell that to him, and will say that his sister is seeking him everywhere, and that she is at thy Court. Thereupon Lancelot and Gwalchmei departed, to begin to seek him; and they rode through a forest until they came under a cross that was in the middle of a glade, where all the roads of the forest intermingled. CLVI.—Lancelot then said to Gwalchmei: Take thou, says he, the road thou preferrest of these; and let each go on one side; and so we shall have news sooner than if we all went together; and whoever is alive of us, at the end of a year to this day, let him be here, waiting for the other; and relating to each other his concern, unless we meet sooner. And then Lancelot took the road on his left hand, and Gwalchmei went to the road on his right hand, and they saluted one another. Here the story becomes silent about Lancelot, and treats of Gwalchmei. CLVII.—Gwalchmei then proceeded, praying God that the knight might meet with him; for he had no desire so much as to see him. And he rode so until the sun set; and he himself came to a hermit's house in the forest, which lodged him that night comfortably. The hermit asked Gwalchmei what he was seeking. Lord, says Gwalchmei, I am seeking a knight. O Sir, says the hermit, thou wilt find none near here, save one that is in a castle, and another that is on the sea, who is killing all that come to him, and driving them away. What sort of a man is he, that is on the sea? said

Gwalchmei. I do not know, says the hermit; but the sea is near here, where he is in his barge, and he resorts frequently to an island, that is under the castle of the Queen of the Maidens, from which he drove her uncle, who was warring on that castle; and that knight killed all that did not flee, who were a help to her uncle, and those of them who fled, dared not to come back again; for so much do they fear his warlike prowess, that they can do nothing against him. Lord, says Gwalchmei, is it long since he frequents the sea so? It is not much more than a year, says he also. What is the greatest distance, says Gwalchmei, from here to the sea? There are not more than two miles, says the hermit; and often when I went to my work, I used to see his barge, and himself armed in it, sailing; and I saw that he was a fair gentle man. Yet his aspect was as cruel as the aspect of the fiercest lion; and the Queen would have lost her maidens, and her castle, but for him. And ever since he drove his uncle from the island, he has not been in the castle with the Queen save once, but always on the sea, searching the whole island. And he brings down the proud ones, so that the fear of him is in every place: and the Queen is very sorry that he does not come to her oftener than he comes, for she loves him so much, that if she had him there from that place, she would not forgive him, for she would shut chamber upon him, and herself also. Dost thou know, says Gwalchmei, what sort of a shield he has? I do not know, Lord, says the hermit; for I never knew anything about arms, but here I am dwelling for forty years, and more; and I have never seen the Queen in so great trouble, and care, as she is at present. There Gwalchmei slept that night; and the next day, after mass, he took leave of the hermit, and rode near to the sea, looking if he could see the barge, or the knight, and he did not see them. And he rode until he came to the castle of the Queen of the Maidens; and when she knew that it was Gwalchmei who was there, she welcomed him, and showed him the island, which Paredur frequented, from which he had driven out his uncle. And Lord, says she, I have a great complaint to thee against him, for since he fought with his uncle, he would not come near this place, save once. Lady, says Gwalchmei, where dost thou suppose that he is? By my faith, says she also, I do not know, for I have not seen him for a long while, and there is no one living that knows anything of his mind. That was unpleasant to Gwalchmei, for he knew not on what side to seek him. There he was that night honourably; and the next day, after mass, he departed, and rode armed by the sea shore, because the Queen had told him that he was oftener on the sea than on the land. And then he came to a forest on the sea shore, and he rode along the sandy beach; and there he saw a knight, exactly as if he was pursued to be killed. O Sir, says Gwalchmei, whither art thou going in this manner? Lord, says he also, I am fleeing from a knight that is killing all that meet with him. Who is he? says Gwalchmei. I know not, says he also; but thou wilt see him, if thou wilt go onwards. I should suppose, says Gwalchmei, that I have seen thee once at another time. That is

true, says he also ; I am the Craven Knight, with whom thou met-
test in the forest, where thou overcamest the knight who had his
shield in two halves, one half white, and the other black. And I
also am Knight to the Maidens of the Chair ; and for God's sake, I
entreat thee not to do to me either harm, for the knight, who is there
before thee, hath caused me so much terror, that I did not suppose
that I should live. Thou needest not to have any fear of me, for I
love thy lady greatly. I would that every one said so, says the
Craven Knight ; for I have no fear for any one, save for myself.

CLVIII.—Gwalchmei then proceeded along the forest, and he
looked up towards a headland of the strand, and perceived a knight
armed on the back of a great horse, and having a golden shield, with
a red cross in it. O, Sir, says Gwalchmei to him, canst thou tell me
anything of a knight whom I am seeking, having a shield of silver
and azure, with a red cross in it ? I can assuredly, says he also.
Seek him in a congregation of knights, that will be at the end of
fifty days, where thou wilt find him without failing. Gwalchmei
was pleased at that, and he rode away ; and the knight also went
to the sea as soon as he could. However Gwalchmei saw nothing of
the barge, for it was anchored under a rock near him. Gwalchmei
rode towards the Red Glade, where the congregation ought to
be, and being well pleased if he saw the day arrived, and he
rode until he came near to a castle ; and there a young maiden
met him carrying the body of a dead man, who was on a horse-bier
that she had. Gwalchmei came to meet her, and saluted her ; and
she also answered him in the fairest way that she could. O Lady,
says Gwalchmei, who is on the bier ? Lord, says she, a knight that
was killed through great pride. Where wilt thou go to-night ? says
Gwalchmei. I will go to the Red Glade, says she also, to send this
body there. Why, says Gwalchmei, takest thou it there ? Because,
says she, the best that will perform, and combat, there will have the
right of avenging the death of this man. The maiden departed
thereupon, and Gwalchmei went towards the castle ; and there was
no one in it, save one knight, and a servant serving him. Gwalchmei
then dismounted, and the man that owned the castle welcomed
him, and caused his arms to be taken off him, and honoured him
as much as he could that night.

CLIX.— The next day when Gwalchmei had thought of being able
to depart, the man that owned the castle came to him, and said
to him : Lord, says he, thou shalt not go so, for the gate of this
castle has never been opened, until I caused it to be opened
against thee, and therefore, Lord, says he, defend thou me against
a knight, who is wishing to kill me, because I lodged one night
the King of the Dead Castle, who was warring against the Queen
of the Maidens. What sort of shield has he ? says Gwalchmei.
Lord, says he also, a golden shield, with a red cross in it, and he
also is a strong valiant warrior undoubtedly. On my peril, says
Gwalchmei, if thou shouldst tell me news of the knight whom I am
seeking, I would defend thee against that one, in the best way that

I could, if he will act, notwithstanding entreaty or patience, and if he will, I will show my strength to him, for the purpose of securing thee. What sort of man art thou seeking? says he then. Paredur, says Gwalchmei, am I seeking; a knight of Arthur's Court; and he has a shield of gold and azure, with a red cross in it, and its boss is golden. Thou wilt find him, says he also, in the congregation of knights that are in the Red Glade; so said the man to me also, whom thou art fearing, says Gwalchmei.

CLX.—And thereupon, Lo, the knight with the golden shield coming, and standing between the castle and the forest in a glade. And then the knight of the castle perceived him, and said to Gwalchmei : Lord, says he, see thou yonder the knight. Then Gwalchmei took his spear and his shield, and mounted his horse, and to the gate out he came as far as the knight, that was standing in the glade. And when he saw Gwalchmei, he awaited him in the same place; and Gwalchmei wondered that he did not see the knight, rushing towards him, from supposing to be true what the knight had told him. However, he had told a lie; for the knight had not come there to displease the man who owned the castle, but to meet with others that came that way, and to seek adventures. Then Gwalchmei looked behind, and saw the gate of the castle shut and the bridge raised, and he wondered at that. And then he said to the knight, dost thou vouchsafe, Lord, says he, otherwise than good? No, if it please God, says the knight. And thereupon, Lo, coming to them a young maiden in great haste, and saying, alas! would that God would chance to me ever to find one that would avenge his deceit on a traitor, that is in yonder castle. Is he then a traitor? says Gwalchmei. He is the greatest traitor that thou hast ever seen, says she. He lodged my brother one night, and made him understand, that there was war upon him from another knight; because this road was common to all. And he persuaded my brother, so that he obtained his pledge that he would fight for him, and out of love of him. And the next morning there came here some knight on his adventure, who was not desirous either of doing harm to my brother, or to the knight of yonder castle, and he was a powerful knight, and sprang from the line of Ganalon. And then my brother, who was inflamed with folly, attacked him; and the knight could not avoid defending himself against him. And then they beat one another, until their horses fell under them, and their spears through them, and themselves dead, both of them, in the glade here. And then yonder thief took their horses and their arms, and carried them with him to the castle; and their bodies he also left here for the dogs, when I came here, and two knights met with me, who helped me to bury them near yonder cross.

CLXI.—By my head, says Gwalchmei, so he also would have done with me; he gave me to understand, last night, that this knight was warring upon him, and he caused me to give my faith to him, that I would defend him against him. However, God defended me. It appears to me now, says Gwalchmei, that he would that all of us should kill one another. It is true, says she also, on account of your horses and your arms, he would that. O Lady, says Gwalchmei, whither dost thou intend going ? I will go, says she also, after a knight, that is on a horse-bier dead, and a young maiden after it. I saw her, says Gwalchmei, last night late going by here. Then the knight took his leave of Gwalchmei, and Gwalchmei said to him, O Sir, says he, what is thy name ? Lord, says he also, ask thou not of me my name, until I also ask of thee. Then Gwalchmei departed, and the knight went to the forest, and no one met with Gwalchmei on the road any where, of whom he did not inquire for Paredur. And so he rode until he perceived a hermit, standing outside of his house, and they both saluted one another, and the hermit asked him whence he was coming. And he also said, that it was from the territory of the Queen of the Maidens. Didst thou see, said he then, Paredur, the good knight who took the shield from Arthur's Court ? I did not, the more the pity, says Gwalchmei ; yet a knight, who had a golden shield, told me that he would be in the Red Glade. He might say that truly, says the hermit, if any one could, for it was he himself that was there. And that is the reason why I know that ; it is but two nights since he lay here ; and see thou yonder the hound, which he brought from Arthur's Court along with him ; and he also bade me to send it to the hermit king, his uncle. Between me and God ! says Gwalchmei, if thou art saying the truth, unsuccessfully has it turned out for me. Lord, says the hermit, I have not any need to tell a lie, and by the dog thou mayest know whether I am saying the truth. Not such a shield as that, says Gwalchmei, did he carry from Arthur's Court. I know that, says the hermit. The shield, thou sawest, he carried from the house of the hermit Joseus, and he is the son of the hermit king, his uncle ; and in the house of that young hermit was Lancelot one night, when the four robber knights came to the house, whom he also hanged the next day. And there Paredur left his shield, which he had also brought from Arthur's Court ; and my nephew also is that Joseus, the son of my sister. And though that Joseus is a hermit, know thou for a surety that there is not in all Britain one body, with more strength and military prowess in it, than in his. Lord, says Gwalchmei, he went from me to the forest, and I know not what I shall do, or what I shall say about him ; for Arthur sent me to seek him, and Lancelot on the other side ; and I have conversed with him twice up to this time, and he does not wish to show himself to me, or make acquaintance with me ; and I ought to have recognised him, when he stood so upright as he stood to-day. O Sir, says the hermit, it is difficult to recognise him, or his mind, and he will not waste the least of his words, to say what he would not accomplish and fulfil. Besides that also, he is a virgin of his body, without either pollution in him. I know, says Gwalchmei, that he has all the good qualities of the whole world, which can exist in any man ; and therefore I am grieved that I am not in his company. There Gwalchmei continued that night, very sad ; and the next day, after mass, he departed.

CLXII.—Joseus, the good scholar, records to us, that this hermit was called Iornnas, and he was a valiant renowned knight, and he neglected all that for the love of God. And all the adventures ye have heard in this history came, says Joseus, for the confirmation of the Faith of Christ; and he does not recollect the whole of them, save that what he already knows he will relate, and the most certain of them, because he was guided by the Holy Ghost. This one relates that Gwalchmei rode by journeys, until he came to the Red Glade, aud there he saw the pavilions drawn; and the knights coming from every place, and every one donning his arms. And Gwalchmei then traversed every place, to look if he could see the knight, whom he was seeking; and he did not see him there, or a shield like his; and he wondered at that, when he had looked at all the arms and the knights. However, it was not easy for him to recognise Paredur, for had he not changed and moved arms? and he was not far from Gwalchmei; and undoubtedly to thee, Gwalchmei did not recognise him at all.

CLXIII.—The commencement of the tournament was made on all sides, and the sections intermingled. Then Gwalchmei struck among them to seek Paredur; yet not one met with him, who was not forced to go to the ground, and he was not an object of mockery among them, and he would have done more on account of his arms, but that he was intent upon seeking Paredur. And then he perceived the maiden, that was following the horse-bier, sitting apart, awaiting the end of the tournament, to ascertain who gained the fame. The knight, whom Gwalchmei was seeking, was not at the head of any of the sections, but in the middle of the greatest press, throwing to the ground all on every side of him, and they also fleeing out of his road, like sheep from a wolf. By my faith, says Gwalchmei; since I do not find the man I am seeking, I also will not seek him to-day. And then Gwalchmei perceived Paredur, and did not recognise him, for he had there a white shield, and at that sign he attacked him with the force of his horse's feet, and Paredur towards him also; and they came into contact with one another, so that their shields were perforated through them. Yet strong were their spears, and they drew them to them, and a second time each of them attacked the other in excessive wrath. And each of them struck the other, until they were bulging their backs, and losing their stirrups, and shattering their spears. And then they rose up by the bows of their saddles, and the third time they attacked one another in wrath and ill will, like two lions; and each of them struck the other with their spears, which could not last longer, and at that turn they broke, so that all, who were looking at them, wondered that the spears were not through them. However, God did not will that the good knights should kill one another, but to ascertain what one of them excelled above the other; and it was not their arms that secured them from death, but God himself, in whom they believed; for they had every excellence and prowess, that related to being good warriors. For Gwalchmei never slept in a place of the world, where he did not hear mass the next day, if he had the opportunity; and he never saw a woman or maiden in distress, whom he did not succour, if he could. The other knight also never com-

4 L

mitted brutishness, nor said it, nor thought of it ; and he sprang also, as ye heard before, from the lineage of Joseph of Arimathea. These knights were enraged against each other, with their naked swords in their hands, and each of them striking the other ; and then some of the knights came to them, and said ; that it was not for their sakes, them two, the tournament was ordained, and leave to others some along with you. And then scarcely did they stop ; and then for the second time the tournament was begun on all sides, until the night separated them. And so the tournament continued two days on one side in that manner. Then the maiden, that was with the horse-bier, came to ask the commonalty, who was the best in the tournament ; for the knight, that was on the horse-bier, his body would not be contained in the earth, until he obtained one that would avenge him. And they also said ; that it was the knight with the white shield, and the knight with the shield of sinople and the golden eagle in it, who were the best. And because the knight with the white shield had sooner commenced the tournament than the other, the fame was adjudged to him. Nevertheless, while Gwalchmei was engaged in that, he was as good as the best. Then the Lady went to seek the knight with the white shield along all the pavilions, and had he not departed ? and she also went to Gwalchmei, and said : Lord, says she, I have not yet found the knight with the white shield, for he is gone away, and therefore upon thee falls the avenging of this man. O Lady, says Gwalchmei ; thou wilt not do to me so much shame as that, for he was judged better than I ; thou knowest that it is not honourable for me to undertake that, and thou also saidst that no one could avenge him, save the best in the tournament ; and he is the best, by God ; for I have known it, and experienced it. The maiden knew that Gwalchmei was saying the truth. Alas ! Lord, says she ; if he then is gone away, he was the most wonderful man, and the best that I ever saw of the world, and I shall not find him, until I have suffered much pain and danger. How dost thou know, says Gwalchmei, that he is the best ? Because, says she then ; he was in the Court of King Peleur, to whom the Holy Greal appeared on account of the excellence of his warriorship, and the nerve of his heart, and chastity of his body. And now he came from Arthur's Court, and carried along with him a shield from there, which it was not destined for any one to carry thence except him. O Lady, says Gwalchmei ; thou hast told me news, on account of which I am very much grieved, for I also am seeking him, and I do not know in the whole world how I shall recognise him, and he also does not show himself to me, because he changes his shield and signs. However, I shall know when he comes to combat with me now, for I know him by his blows, for I never met with a knight so cruel in his blows as him ; and yet I would be overcome by his blows, so that I could be along with him. O Sir, says the maiden, what is thy name ? I am called Gwalchmei ; says he also. I have heard mention of thee, says she. And the maidens of the pavilion bade me, if I saw thee, to entreat thee to come to visit them. And thereupon they separated from one another. Gwalchmei went to the one road, and the maiden to her road also; but Gwalchmei proceeded, praying God to come to some place where he could find Paredur, and recognise him. Here the story becomes silent about Gwalchmei, and treats of Lancelot.

CLXIV.—The narrative relates that Lancelot was seeking Paredur, as Gwalchmei was ; and that he rode by journeys until he came as far as the hermit's house, where he hanged the thieves before there. Joseus, the hermit, made him great welcome. Lancelot then asked, whether he knew any tidings from the son of the widow woman. And he also said, that he did not know, since he came from Arthur's Court, save once ; and I do not know to what part of the world he is gone. I would see him gladly, says he, for Arthur sent me to seek him, ever since he went from here. It is not an easy work to get him ; says the hermit. Lancelot then went to the chapel, and perceived the shield he had brought from Arthur's Court there. Lord, says Lancelot ; see thou yonder his shield, and for God's sake do not hide him from me. By my faith, I will not hide him, says the hermit; assuredly yonder shield is his ; but he carried hence another shield, golden, with a red cross in it. Is it long since thou hast seen Gwalchmei? says he. I have seen nothing of him, says the hermit, since I became a hermit. Lord, says the hermit ; be on thy guard against four knights, who are relatives to the men thou hangedst; and they are seeking thee every where in this forest ; and they are bold thieves as the others were, and their home is in the forest always, and I beseech thee, for God's sake, to be well prepared against them. So I will be, if it please God, says Lancelot. That night he slept there ; and the next day, after mass, he took his leave and departed, praying God that Paredur or Gwalchmei might meet with him ; and so Lancelot went away through strange forests, until he came near to a castle in a fair situation ; and from the castle he saw a knight riding in haste towards the forest, with a bird on his hand ; and when he saw Lancelot, he stood and welcomed him. May God give thee also good adventure ! says Lancelot ; and what sort of castle is this? Lord, says the knight ; it is called the Castle of the Golden Circle ; and I am going to meet the gentry of this country, who are coming to worship the Golden Circle. What sort of a golden circle is it? says Lancelot. Lord, says the knight ; the crown of thorns, that was about the head of Jesus Christ, when he suffered on the cross-tree ; and the Queen of yonder castle caused the crown to be put in a work of gold and precious stones ; and it is said, that the first knight, to whom the Greal has appeared, will possess it against the will of the Queen ; and for that reason no stranger is lodged there. And notwithstanding that, I will afford thee rest if thou wilt come to my court, that is in this forest. May God repay thee ! says Lancelot, this is not time yet to lodge.

CLXV.—And thereupon, with leave of the knight, Lancelot proceeded onwards, and, through looking at the castle, he thought that the knight who would gain the golden circle, from a place so strong as it was, ought to obtain renown superior to another. Thereupon he rode, and as he was so, he saw the lady that was following the horse-bier before him. O Lady, says he ; may it be prosperous before thee ! And to thee also good adventure ! says she. Lord, says she ; I ought greatly to hate the knight, that killed the man who is here dead, and it is necessary for me also to follow him in this way, to seek the knight that ought to avenge him, and I see no one chancing upon him. O Lady, says Lancelot ; who killed him then ? Lord, says she also, the knight of the Fiery Dragon. Who, says he then, ought to avenge him ? Lord, says she also, the knight that combated with Gwalchmei in the Red Glade, who was adjudged to be the best of that tourna-ment. Was he better than Gwalchmei ? says Lancelot. Lord, says she ; so he was judged, because he continued longer to combat. In that case, says Lancelot ; he is a good knight, since he was better than Gwalchmei ; and what sort of shield had he ? Lord, says she, while he was in the tournament he had white arms, and before that he made use of golden arms. O Lady, says Lancelot ; did he recognise Gwalch-mei, or Gwalchmei him ? He did not, Lord, says she also ; for which reason he is sad and grieved, for that knight he was seeking. Was it Paredur ? Yes, Lord, says she. Woe is me ! says he then ; how was it that he did not recognise him ? and dost thou know whither he went ? And thereupon they separated from one another, and he rode until the sun was going to sleep, and the forest darkening greatly upon him. And he looked on every side of him, to see if he could perceive any place to have rest therein. And thereupon there was a dwarf, who perceived him, and he did not perceive the dwarf. Then the dwarf ran along a little path, as far as the place where the robber knights were, in some court that they had ; and they had another place, when they went to rob. In the court, however, there was a young maiden, who deceived the knights, that came that way from other countries ; and the dwarf came to the maiden and said to her : it will be seen now, says he, in what manner thou wilt take vengeance on the man, that killed thy two brothers, and thy uncle, and thy cousin. I will prove that, says she ; and be thou well prepared to warn the other knights. Be it at my peril for that ! says the dwarf. In that case, says she also ; there is no way for him to escape from us, until he is dead. The lady was one of the most beautiful, and well dressed ; yet she had a bad heart, and it was no wonder, for she had been bred on pillage and theft, and she herself had been an assistance, to do much harm and theft. And thereupon she came out to the road, to which Lancelot ought to come, and that in a cote-hardie of fine linen. And as soon as Lancelot saw her, he dismounted, and saluted her ; and she also made signs of welcome to him too. O Sir, says she ; turn to this road, and I will afford to thee lodging ; and it is almost night, and there is not either a dwelling for thee from here for forty miles.

CLXVI.—O Lady, says Lancelot ; it is time to lodge, and may God repay to thee also thy welcome ! And so they went conversing together as far as the place, where their dwelling was, and there was there only the dwarf, and the robber knights were far in the forest.

Then the dwarf took Lancelot's horse, and stabled it ; and Lancelot went to the hall, and rested on a bed. And thereupon the dwarf came, and offered himself to him to disarm him. O Sir, says Lancelot ; I can bear my arms upon me without harm. Lord, says the Lady ; neither thou nor any one shall sleep here armed ; and the more she besought him to take off his arms, the more unwilling was he to do so, for so ferocious did he consider the place was. Lord, says she ; it appears to me that thou art afraid of some thing, yet thou hast no need to be afraid of any thing here, for sufficient is the security here ; yet I do not know but that thou hast enemies. O Lady, says Lancelot ; I never saw any man, who was fully beloved by all. Thereupon Lancelot sat to eat at the table armed, with his spear and his shield at his hand. And after his meat, he went to sleep with his sword under him, and he slept directly, for he was tired and oppressed. Then the dwarf vaulted on the back of Lancelot's horse, and went as far as the place, where were the five knights, who were enemies to Lancelot ; and the maiden remained in the house, and thought that she would kill him, if she could in any way. And for the accomplishing of her intentions, she drew the sword from its scabbard, and considering how she could most easily kill him. And she knew that his head was armed, and that he had no naked place besides his face, and she thought that she could not kill him with one stroke, or with two ; and she thought, if she could, without his knowing, lift the lap of his breast-plate, that she could kill him, for she would drive the sword into his belly.

CLXVII.—And thereupon Lancelot saw in his sleep a cur dog barking at him, and five dunghill dogs along with it, snapping on every side of him, and a greyhound bitch along with them, tearing him to pieces. Thereupon he awoke, and laid hold of the scabbard of his sword. Yet was not his sword pillaged from him ? and the knights coming in. And the maiden then said ; it will be seen, says she, how ye will be avenged on Lancelot ; and she herself first attacked him, and the five knights on every side of him. Then Lancelot took his spear, and attacked the most masterly of the five knights, and struck him, so that the spear was more than a yard-length through him, and in drawing it to him it broke. And then he rushed towards the maiden to get his sword, and he snatched it from her hands ; and the other four were about his head, afflicting him ; and he also raised his hand about to strike one of them. And then the maiden jumped to endeavour to lay hold of Lancelot, and in that the blow fell upon her head, so that it was split as far as the shoulders. And when the four knights saw the maiden dead, and her master also, they were sorry ; and the dwarf cried out, and said : it appears, says he, how ye avenge your loss, and your shame, and ye ought to have reproach, when ye cannot overcome one man. Then they surrounded him on all sides ; and he also went against their will to the place where he thought of finding his horse, and he found nothing of him. And then he knew that it was the dwarf who had done the treachery, and doubled his rage ; and the knights in excessive rage gave him heavy blows, and he also defended himself against them.

CLXVIII.—Lancelot overtook the dwarf there, who was exhorting them, and he struck him on his head, so that the sword went to the girdle of his breeches, and maimed two of them also. And he himself was hurt in two places, and he also knew not how he should go out of the house, for want of his horse; and there was on the house only one door. The knights fled out, and set upon guarding the door, and Lancelot was inside the house with the dead ones. Then he sat in the middle of the hall to rest, for he was tired and sick, from the blows that he had given, and had been given to him; and the knights also were sitting on every side of the door. And after a while, Lancelot rose up, and threw out the dead ones to them. And after that, he shut the door upon him; and those on the outside swore, that they would not go thence, until he also was dead. And he did not care much for their threat, if he had his horse; and he thought also that he could endure their threat for a long time, for there was in the hall enough meat and drink even for a long while. There he remained inside, and the four knights outside. Yet, if he had had his horse, he would not have remained there for them, but he would go honourably in spite of them; for he never went from any place that he was, but with honour. Here the story becomes silent about Lancelot, and returns to Gwalchmei.

CLXIX.—Here the story narrates that Gwalchmei was sad, because he did not recognise Paredur, after meeting with him thrice; and he proceeded until he came as far as the cross, where he had told Lancelot that he would wait for him, if he came there before him. And in that forest he was more than a week, waiting for Lancelot without having any tidings of him, unless he went back to Arthur's Court. And then he returned to the forests, and swore that he would never return back, until he found either Lancelot or Paredur; and he rode until he came to the hermitage of Joseus. And there he dismounted, and the young hermit came to meet him, and recognised him, and welcomed him. Then Gwalchmei asked him about Paredur; and the hermit said that he had not seen him since before the battle was in the Red Glade. Dost thou not know otherwise than that? says Gwalchmei. I do not, by God, says the hermit. And as they were conversing so, they saw a knight with arms of an azure colour, and dismounting with the intention of lodging there. And the hermit welcomed him. Then Gwalchmei asked him, whether he had seen a knight, whose arms were white. I saw him, says he; and he asked me if I also had seen a knight having a shield of sinople, and a gold eagle in it; and I also said, that I had not seen him. And I then asked him, why he inquired; and he said that he had been combating with him in the Red Glade; and a man of greater prowess than he never combated with him, except Lancelot; and for that reason he was sorry, that he did not know who he was. By my head, says Gwalchmei; the knight was more sorry that he did not recognise him, for there is not in the world a man more beloved by him than he. Lord, says the knight; it appears to me that thou art he. Thou sayest truly, says Gwalchmei; I was there, and I am delighted to have been struck by so good a knight as he was ; and I was sad afterwards, because I did not recognise him ; and tell me, Lord, where I may find him. He is not very far, says he, from this forest, for there is not in the world a place more beloved by him than this forest here ; and the shield he brought from Arthur's Court, it is here in yonder chapel ; and then he showed it to Gwalchmei. Lord, says the other knight, art thou Gwalchmei ? So I am called, says he also. Yes, Lord, it is many a day since I have rested from seeking thee ; for Meliot, of England, slew the son of Igawns, of the Rock, his father ; and he prays thee also, for God's sake, to come to assist him, as a good lord ought to assist his man. By my faith, says Gwalchmei ; I know that Meliot ought to have my help without fail, though he were not my man, because his mother suffered her death innocently on my account ; and tell him from me that I will come to help him, as soon as I can accomplish another business, which I cannot leave unfinished. That night he was there, until the next day, when mass took place. And after mass, the knight departed, and Gwalchmei remained there, to converse with the hermit, and as he was preparing himself there, he looked before him towards the forest, and he perceived a knight on the back of a great high horse, riding slowly, and having a shield similar to Paredur's shield, the first time he met him, for it was golden, with a red cross in it. And then Gwalchmei called the hermit out, and shewed him to him. Dost thou recognise yonder knight ? I do, says the hermit ; it is Paredur. Blessed be the name of God ! says Gwalchmei. Then Gwalchmei went on foot to meet him ; and Paredur dismounted there, as soon as he saw Gwalchmei, and said, God's welcome to thee, says he, and all hail ! God give thee also good adventure ! says Gwalchmei. Lord, says the hermit ; Be welcome ! and see thou here Gwalchmei. God give him honour and joy ! says Paredur ; and so ought all that are acquainted with him say. And thereupon they embraced one another. Lord, says Paredur ; canst thou tell me any news of a knight, who was at a tournament in the Red Glade ? What sort of a shield had he ? says Gwalchmei. A shield of sinople, says Paredur, and a golden eagle in it, and I never saw either Lancelot or another more erect, or heavier with his blows than him. Lord, thou mayest say what thou pleasest, and I was there, and combated with a knight, who had a white shield, and in whom all the warriorship of the world lodged. Yes, says Paredur ; thou never knewest how to reproach any one.

CLXX.—Thereupon they went to the hermitage. Lord, says Gwalchmei, when thou wast in Arthur's Court fetching the shield that is here, thy sister was there, having entreated of the King strength and succour, and being one who had the greatest need of aid in the world ; no other aid did she seek, but his that owned the shield ; and thou also carriedst the shield, and she also appointed to thee thy aid, as one who did not suppose that thou wert her brother ; and the King promised her that ; and she also said, if the King failed her in her business, that he would gain dishonour and reproach. And therefore the King sent me, and Lancelot, to seek thee ; and he himself would

have gone, but that we went instead of him ; and I have met with
thee before now thrice, without recognising thee ; and here is the
fourth time.   And thank, Lord, thy mother for the welcome she
made me at Camalot, and I was sad to see her a grave and widow
woman, and war having fallen upon her without any sort of power,
and that from wicked people, having no conscience, who are op-
pressing her greatly.   And she prayed me, if I should see thee, to
inform thee of her distress, and that she has no hope of any help of
the world but thine ; and if thou dost not help her speedily, she will
lose the one castle she is in ; and of the fifteen castles that belonged
to thy father, there is not one in her hand, save the castle of Camalot ;
and of all her knights there are only five aiding her.   And therefore on
her behalf I am speaking, and to salve thy honour also ; and thou hast
enough of strength, and power, and might, to succour, and to strengthen
her.   And whatever prowess thou displayest, there is not one so
renowned to help her, for she has need of help, and I would not that
she should lose anything, from my not doing her errand as she en-
treated.   For she had need, and it would be a sin for me also, if I
concealed it ; and greater would be thy sin than of both of us, for
thou art able to better her want.   Sufficiently well hast thou delivered
thyself, says Paredur ; and it is certain that she ought to obtain my
counsel and my aid, and if I did not do so, I ought to have great
shame from the world, and vengeance from God.   By my faith, says
the hermit ; thou art saying the truth according to the Scripture, for
he that loves not either his mother or his father, God will not love
him also.   I know that, says Paredur, and God knows my will ; and
whoever would tell me tidings of Lancelot now, I should be obliged
to him.   Lord, says the hermit ; it is not long since he was here,
enquiring news of thee also, and of Gwalchmei ; and I told him what
I knew best of that case.   And before that, another night he was
here, when four robber knights attacked him, whom he hanged in
the forest here the next day, and the whole of their kindred are
enemies to him.   And if they should meet with him, since their
strength is better than his, they would do him harm, and I warned
him of that beforehand.   By my head, says Paredur ; I will not
go from this forest, until I know certain tidings of him, if Gwalch-
mei will agree with me in that.   By my faith, says Gwalchmei ; I
cannot be joyful until I know news of him, before my going.

CLXXI.—Paredur and Gwalchmei remained in the hermit's house
that day long, and the next morning after mass, he took the shield
he had carried from Arthur's Court, and left the other instead, and
with leave he departed, and Gwalchmei along with him joyfully,
because he was in his company.   And so they rode, both of them
armed ; and about midday they met with a knight coming in haste
along the forest, frightened of fear.   Paredur then asked him whence
he was coming.   Lord, says he ; from the forest of the thieves, who
pursued me more than a mile, seeking to kill me ; and they re-
turned back to a knight, whom they had in a house, and he had
done them much shame, and loss of those belonging to them, for

he had hanged four of them, and he killed one of the most beauti-
ful maidens of England, and she had deserved it, for she and a
dwarf had lodged that knight to kill him. Knowest thou, says
Paredur, what sort of a knight he is? I do not, says he also, for I
had not time to inquire of him; but this I know, that it is for want of
meat in the house that he is come out like a raging lion; and besides
that also, he would not have been in the house so long as that, had
he not been wounded in two places, and he was not recovered until
now; and besides that he has no horse. And when he knew that he
was well, he came out amongst them, the four thieves, who were so
much afraid of him, that they dared not to attack him. However,
they came near to him, and he also did not vouchsafe to go or walk
on his feet; they also would not come so near to him, that he could
lay hold of one of them, and if they came, at the worst pass, he
would have one of the horses. O Sir, says Paredur to the knight,
May God repay thee for thy tidings! Lords, says the knight, permit
me to go along with you, to look at the destruction of those wicked
men. We will permit thee with pleasure, say they also. Lord, says
the knight, poor is he, whose sisters are the poor maidens thou
sawest in the poor castle, where thou and Lancelot slept, when the
knight came to thee with the news as far as the castle. Thou sayest
the truth, says Gwalchmei; I know those tidings now, and thy com-
pany is pleasing to me for their sakes. Then Gwalchmei bade the
knight proceed in front, for he was acquainted with the road. Lance-
lot, however, came out, with his sword in his hand, full of rage; and
they four also being afraid on their horses from fear of him. However,
one of them attacked him, from supposing that they would incur
correction, because they four could not overcome one man; and that
one struck him, and Lancelot did not neglect to strike him also, so
that his thigh was on the field, and himself also on the ground under
the feet of his horse. And presently Lancelot vaulted on the back
of his horse, and he felt more secure so than before; and the other
three were on all sides of him seeking to do him harm. Thereupon
the knight came, and the knight said to Paredur and Gwalchmei:
Lords, says he, ye may hear now the blows thus far, and the swords;
then they also spurred horses, and each of them struck a knight to
the ground; and the third fled away, and the knight, who brought
the news, went after him, and at last slew him. And when Lancelot
recognised that it was Paredur and Gwalchmei who were there, he
had excessive joy from them, and not that he had need of them, or
that his condition was strait, he was so glad as that, but for seeing
them. Lord, says Gwalchmei to Lancelot, this knight brought us
here, and he is cousin to the knight of the Poor Castle, in which
place both of us were lodged one night, and therefore we will send
these horses to him also; namely, two for him, and one to this knight
for taking them, and the houses and goods we will give to the
maidens in return for their courtesy, and we will guarantee them to
them, at our peril, as long as we live. Gwalchmei, says Paredur,
that is saying well.

4 M

CLXXII.— Lords, says the knight, they have some convenient place in this forest where they used to place their theft, and their spoil, and their treasure ; and they have of goods there that would benefit many needy people. And thereupon they proceeded, and came towards that place ; and there they found abundance of goods in a cellar under the earth, which was full of gold and silver, and treasure, and beautiful jewels, and precious vessels, and arms, and clothes ; and in another place were the bodies of murdered men. Lancelot, says Paredur, great is the charity thou hast done in destroying this wicked people. They would have destroyed me also, if they could, says Lancelot. However, I am only sorry for killing the maiden, and I did that against my will, for as I was about to strike one of them, the blow descended on her, on account of her own folly. No, says the knight, that was a good work, the killing of her, for many a man suffered his death through her deceit and treachery. Then Gwalchmei and Paredur, with the concurrence of Lancelot, gave the goods and the treasure to the maidens of the Poor Castle, and sent a messenger to fetch the hermit, Joseus, to keep the goods until the maidens came there. And the hermit said that he would do that gladly, and he was delighted that they had been destroyed, for many a bad night he had owing to them, from fear and amazement. The knight separated from them, having the three horses, and he was welcomed at the Poor Castle. And then Paredur took leave of Gwalchmei and Lancelot, and said that he would never rest, until he met with his sister and his mother; and he entreated them for God's sake, to salute Arthur from him, and the Queen, and all the barons of the Court in that case, and I also will come to visit them as soon as I can. However, I will first free Arthur from what he promised to my sister, and on my account he will never be reproached, and more ought I to be reproached than any one in that event. Here the story becomes silent about Lancelot and Gwalchmei, and turns to Paredur.

CLXXIII.—The narration here relates, that Paredur rode through the strange forests until he came to a distant country, where he had never been before, as he supposed ; and through that country he came, which had not in it either any good, without being utterly destroyed ; for there was not in it one man, or any good ; but he saw wild animals along the fields. And he left that country, and came to a forest, and between that forest and a small mountain he perceived a hermit's cell, and in that direction he came, and dismounted, and he heard the hermit saying the service of the dead, he and his clerk ; and he saw a veil placed on the ground, in front of the altar, as if it was placed on a body. And outside was Paredur listening to the service until it was ended, for he would not go in armed. And when the service was ended, and the hermit had taken off his vestments, the hermit came to Paredur, and saluted him, and Paredur him also. Lord, says Paredur, why didst thou perform this service of the dead? and is it for any one that is here thou performedst this service? It is true, says the hermit, that this service was performed for the soul of Llacheu, the son of Arthur, who was buried yonder. Is it here, says Paredur, that Llacheu died? Near here, says he, he was killed. Who killed him? says Paredur. I will inform thee, says the hermit. The territory thou sawest near here destroyed, there the cruellest and biggest giant of the world was wont to be, and no one dared to dwell in the country along with him; and so he destroyed the country, as thou sawest. Llacheu set out from Arthur's Court to seek adventures, and came to this forest, by the will of God, and combated with Logrin the giant, and at last conquered.

CLXXIV.—Llacheu had a wonderful custom; when he slew any oppression, then he slept on top of it, and on top of the giant he slept; and thereupon came a knight, who is called Kei, and was also seeking adventures, and he heard the loud cry of the giant, when the mortal blow was given to him. And in that direction he also came, as soon as he could, and perceived Llacheu sleeping on top of the giant. And then Kei drew sword, and cut off Llacheu's head, and he took the body, and the head, and put them in a stone chest, that was there by his side, and broke in pieces the shield, that it might not be recognised. And after that he cut off the head of the giant Logrin, who was of extraordinary size, and hanged it at the fore bow of his saddle; and thence he went to Arthur's Court, and shewed the head to Arthur. And Arthur was pleased at that, and all of the Court. And Arthur called upon Kei, and gave him much land and territory, from supposing that he was telling truth. And the next morning a young maiden came here, and told me that, and I also went there, and of such size was the giant, that I did not dare to go near to him; and after that, she led me to the place where Llacheu was. And she begged of me the head, as pay for her labour, and I granted it to her; and she also took it, and placed it in a coffer, which she had, prepared with rare work, and precious stones. And after that, she assisted me also to carry the body here to be buried; and when that was done, she departed. And I am not saying that, Lord, wishing that Arthur should know, for he would do harm to Kei speedily, and the sin would be upon me. Lord, says Paredur, it is a great affliction that Llacheu should have died in that manner, and if Arthur knew that of Kei, who is not loved already by any one at Court, he would lose the Court, and his life also, if hand could be laid upon him. There Paredur continued that night, and the next day after Mass, he departed, and rode through forests, being desirous of news from his mother and his sister. And thereupon he saw a young maiden before him under the branches of a tree, and having the greatest moaning of the world, on her bended knees, with her face towards the east, and raising her hands towards Heaven, and praying her Lord affectionately to send her help speedily, inasmuch as there was not in the world a person, who had more need of help than she. Then Paredur stood in the shelter of the forest, when he heard the maiden complaining so, and she did not see him. Alas, Arthur! says she, much sin didst thou commit, when thou neglectedst to deliver my message to the knight, who took the shield from thy Court, by whose help my mother would have had her castle, which she will lose speedily, unless

God defends her. And I also am so unlucky, that I must go to every place in Britain, to seek my brother, and without having any tidings of him, save that some say, that there is not in the world a better warrior than he. And when he shews not his warlike prowess in our necessity, most of all ought he to have reproach, for leaving his mother to be disinherited. However I have hope, if he knew that this affliction was upon us, that he would come to us ; and I suppose that he is out of this realm, where he does not hear any tidings of us ; and therefore, Lady Mary, Mother of the Saviour, when we cannot have help from him, do Thou help us by means of another, as thou knowest that it is needful to us, for if my mother will lose her castle, she will be obliged to go to beg.

CLXXV.—And at that word Paredur rode towards the maiden ; and she also at the noise of the horse arose, and recognised the shield. Lady Mary, says she, Thou hast not yet neglected me, and no one can be in perplexity, that trusteth in Thee with good heart. And then she went to meet the knight, and she laid hold of his leg, with the intention of kissing his foot. O Lady, says he then, why is that ? Alas ! Lord, says she ; by the nourishment that God received from His Mother, have mercy upon me, and upon my mother ! and if thou wilt fail us, we know not what we shall do. And it was told us that thou wert the best knight in the world, and to seek thy help I came to Arthur's Court, and for God's sake, have pity upon me ! And Arthur ought to have prayed thee for me, and he neglected me. O Lady, says Paredur, Arthur did so much for thee, that he failed not of thy contract, for he sent the two best knights of his Court to seek me ; and if I also can labour, I will act so that God, and he also as well, will be satisfied with me.

CLXXVI.—The Lady was well pleased to hear the knight granting his help to them. She knew not yet that he was her brother ; and if she had known it, her joy would have been doubled. Paredur however knew that she was his sister. Then he assisted the maiden to go on her horse, and they rode together for a while. Lord, says the Lady, it will be needful for me to go to-night by myself to the place, that is called the Perilous Station. O Lady, says he, for what purpose ? Lord, says she, I made a vow, and some holy hermit said to me, that it will be impossible to overcome the man that is warring upon us, without having some of the coverlid, that is on the altar at that place. And that cloth is very holy, for it was about Jesus Christ, when He was put in the shrine, and no one can ever go into that chapel with another, and therefore it will be needful for me to go there by myself, and I beseech God to defend me from evil ; and thou also, Lord, wilt go towards the castle of Camalot, where my mother is waiting for thy coming, and succour ; and let it come to thy recollection, Lord, to succour us, as thou wilt see it necessary, when thou comest there. O Lady, says Paredur ; if it please God, I will help you in the best way that I can. Lord, says the maiden, see here thy road, to which no one goes without danger, and may God preserve thee from evil ! and my place also is to-night in great danger likewise. Paredur then separated from his sister, and being sorry to see her going by herself in that manner. He did not hinder her, for he knew that no one could go with her; and such was the station, and custom of that country. Besides that also, Paredur did not wish that his sister should break her vow, for none either of her kindred had ever done brutishness or dishonesty, and they failed not in any thing that they desired, save the King of the Dead Castle himself. The Lady proceeded by herself, sad and fearful, towards the Perilous Station, and she found the forest shaded dark, and she rode until the sun went to sleep. And then she cast her look before her, and perceived a great cross, high and fair, upon which was the image of our Lord Jesus Christ, and in that direction she came, and prayed to the One that suffered on the cross-tree, to cast from her danger that night, and bring her to joy. That cross was on the road they went to the churchyard. And since the Knights of the Round Table had begun to seek adventures, no one had died in that forest, whose body was not carried to that churchyard; and know thou for a truth, that unless he had been baptized, and was penitent for his sins, his body would not remain there. The Lady came in there, and let no one wonder if she was afraid.

CLXXVII.--Joseph testifies that God did not ever suffer an evil spirit either inside of that churchyard, for Saint Andrew had consecrated it with his own hands. Nevertheless no hermit had leave ever to dwell there, on account of the evil spirits, that used to be along the forest, whose bodies the churchyard would have nothing to do with. And then the Lady, after being there a while, saw outside of the churchyard great black knights, with great fiery spears in their hands, and every one of them beating one another, so that she supposed, that the forest was uprooted by them. However there was not one of them, that dared to come inside of the churchyard; and the maiden, when she saw that, with difficulty avoided falling to the ground from fear. Then the maiden put upon her the sign of the Cross, and commended herself to God and Mary, and looked before her, and perceived the chapel to be old, and small, and she struck her mule with a scourge, and came in that direction. And when she came in, she saw a great column in the chapel, and there she saw the image of Mary, and before the image she prayed Mary, to keep her harmless from that perilous place. And on the altar she perceived the woollen cloth, on account of which she had come there; and she came towards the altar, with the intention of taking some of the woollen cloth. And then the cloth rose up, exactly as if a wind was taking it, and that so high that she could not reach it. Alas, God! says she; is it on account of my sins that this holy cloth flees from me? Alas, Lord! says she; I never did harm to any one, and no man hath sinned with my body also carnally, and never will; and I have never had a desire of that, but to love, and to serve Thee, the best I can; and whatever pain and affliction was ever upon me, I receive it patiently, out of love of Thee; and I never will do any thing willingly which may not please Thee. Lord, under whose rod all the world is, grant that I may hear certain tidings of my brother, whether he is alive; and lend strength and power to the good knight, who is gone, out of love of Thee, to succour my mother. Lord, says she; let it come to thy recollection that Joseph of Arimathea was her uncle, who loved Thy body more than Pilate could give him of gold and silver, and rightly he did. Besides that, Lord, he received Thee from the tree of the cross between his hands, and shrouded Thee with yonder syndal, and buried Thee in his own shrine. Lord, grant me to have it, for love of the man that placed it in this chapel; and I spring from him, and in that way Thou oughtest to grant me some of it in my excessive need.

CLXXVIII.—And thereupon that syndal descended, until it was on the altar, and out of it was cut as much as God granted to her to have of it. And she also took it, and put it in her bosom, and wiped her face, and her eyes. Joseph testifies that no person ever came to the chapel, who should lay his hand upon that cloth, besides the maiden herself; and the evil spirits were yet beating one another, so that she thought the forest to be in one flame from them. And about midnight itself a voice was resplendent on top of the chapel, saying: Alas, the wretched souls, whose bodies are lying in this churchyard! much loss have ye had to-day; for is not King Peleur dead? who caused the service of the Holy Greal to be performed divinely in the precious chapel there, in the place where the Holy Greal used to appear frequently; and the King of the Dead Castle is now in possession of the castle, and the chapel; and yet the Holy Greal has not at all shone there; and of all the other relics no tidings whatever are known of them. And the priest, that was serving the chapel, and the twelve knights, and the maidens, that were there, nothing is known of any of them; and thou also, maiden, who art here within, do not hope that a foreign knight either is able to succour thee, and thy mother; and thereupon the voice became silent. And then some lamentation, and groans, arose along the churchyard, insomuch that there was not a man of the world, that heard them, who would not have pity. And the evil spirits, that were outside of the churchyard, went away, with so great a noise, that it was supposed that the earth was quaking. And the Lady, when she knew that her uncle was dead, fell to the ground in her swoon; and when she arose from that, she said: Alas, God! says she; now I know that there is not either a supporter for us. Besides that, she was not very well pleased, when she heard that the knight, in whom she hoped, could not either benefit her; she also knew not that he was her brother. There she was so, until the day was bright; and then she commended herself to God, and mounted her horse, and proceededthence towards her home.

CLXXIX.—The narration says that the maiden proceeded towards her mother's castle; she was not however happy, on account of the voice, which had said that no one could help her, save one of her own men. And she rode until she came to the Vale of Camalot, and saw the castle; and thereupon she saw Paredur coming out of the forest and looking at his mother's castle, and at the country on every side of him, and he was delighted with the beauty of the sight. And thereupon the maiden came to him, and said : Lord, says she, I have been in great danger after my going from thee, and I have heard painful tidings to my mother, and to myself also ; for King Peleur, my uncle, is dead, and the King of the Dead Castle is gone into the possession of his property, and his court. Notwithstanding, my mother had a better right to have it than he. For that is—Is it true, says Paredur, that he is dead ? True, by the hand of God, says she also. By my faith, says Paredur, I am sorry for that, and I had not supposed that he would have died so soon as that. Lord, says the Lady, I am sad on thy account, for it was told to me that there is neither strength nor warlike prowess, that can either do us good, unless we had my brother ; and so we have lost our all, if true ; for the appointed time is no longer than the end of the fifteenth day from to-day, and I also do not know where I shall seek him, since the time is so near. And, therefore, we must leave the castle as soon as we can ; and woe is me, that my mother is not along with King Peles, for I have not either aid except him. Paredur remained silent, and was grieved in his mind to listen to that, and she also, weeping, showed to him the vale, and the castle, and the meadows, and the forests. Lord, says she, the whole of those yonder has the Lord of the Fens taken from my mother, and he has not so great a desire as to have the castle for himself. And then he rode until he was near to the castle ; and the lady was at one of the windows of the castle, and she recognised her daughter directly. Alas, Lord God, says she, grant that it be my son, who is yonder with his sister !

CLXXX.—Paredur then came up to the chapel, which was on the four columns of marble, and he also recognised the chapel by the signs of his father having told him, that gifted and easy it would be to love the man, by whose means it would be known what was in the shrine there, for the shrine would never open itself, until the best knight of the whole world came there. Then Paredur sought to go by the chapel, when the lady said to him : Lord, says she, no one will go this road, who does not come to look at this chapel, and what is in it ; and so do thou also, as the rest did before thee. Then Paredur came towards the chapel, and dismounted, and took her also down from her horse, and he put his shield and his spear on the ground. And he came into the chapel, and put his hand on the shrine ; and as soon as he put his hand upon it, it opened itself, and the lid arose on one side of it, so that they saw what was in it. Then the lady fell at his feet out of joy. And the grave woman was accustomed, as often as she saw a knight standing near the chapel, to cause herself to be brought there ; and her knights brought her there. And when she saw the shrine open, and the joy of her daughter, she knew that he was her son, and then she ran to embrace him. Now, says she, I know that God has not neglected me, for I have had my son. Lord, says she, now it is proved that thou art the best knight of the whole world, for if thou wert not so, the shrine would not have opened itself for thee, and it would not be known what was in it. Then a priest was bidden to take a letter of gold that was in the shrine, and he read it, and said, that the letter testified that the one, who was in the shrine, was one of those who took down Jesus Christ from the cross-tree, no other than he who drew the nails from his hands and his feet. And then she looked at the shrine, and perceived the pincers, that had been drawing the nails, to be bloody still. Nevertheless, know thou that they could not draw them out of the shrine.

CLXXXI.—Joseph testifies that as soon as Paredur went away, the shrine shut up again as it had been before. Then the Lady took her son, and came to the castle in great joy, and told to her son the brutishness, and her disrespect, since he went away; and she made known to him the courtesy that Gwalchmei had done for her; and the one that is warring upon me, is the cruellest man of the whole world, and he has taken from me the whole of my land and territory; and, if it please God, thou wilt gain them back again. And therefore, Lord, seek to avenge thy shame, to better thy renown and honour, for no one ought to suffer his being lowered by a wicked man; and, therefore, my Lord, take heed not to leave the shame and the loss, that have been done to us, to become cold. For whatever good man may have shame, no one ought to let that become cold, but always sigh and keep that in his remembrance, for he is his enemy, until he can be avenged upon him. For a good man of the world ought not to avenge his shame by words, but by deed, according to his opportunity; for no one can oppress his enemy too much, unless he throws his opportunity upon God. However, the Holy Scripture says, that no one ought to do harm to his enemy, but pray that he may be brought to the right. And I would, says she, that my enemies would amend themselves for the wrong they have done, that we may not be compelled to quarrel with them; for Solomon says, that whoever curses another is cursing himself. Lord son, says she, the castle and the vale, that thou seest, ought to be in thy possession, along with their appurtenances, and that by true patrimonial right to thee; and therefore, send thou to the Lord of the Fens, who hath taken from thee thy forests and patrimony, to bid him to restore it to thee again. For my own part, I am not concerned at what he does, for I have now no need of land ever, for I know that I shall not live long after the death of my brother; for which reason my heart is broken by sorrow; and I will say to thee, my son, that there is upon thee great sin for his death, for on thy account he fell into disease, and because thou didst not ask what the Holy Greal signified.

CLXXXII.—Paredur harkened long to his mother, and answered her nothing; yet he remembered every thing that she said to him. And then they caused his arms to be taken off, and put clothes about him; and there was not in the whole world a knight handsomer, or better formed in every limb than he was. The Lord of the Fens, however, had thought that he should have had the castle without opposition; and he heard that Paredur was come; and yet, God knows, he was not at all abashed in his preparation, and he did not spare, nevertheless, to ride everywhere, and say that he would have the castle in spite of him. And one day one of the five knights went to the wood to hunt deer; and after he had killed the deer, he came back again towards his home, and the hunters along with him, when the Lord of the Fens met with him, and said to him : that it was too bold for him to come to hunt his forest; and the knight answered him, and said ; that that forest ought not to be his, but the widow woman of Camalot owned it, or her son. And then the Lord of the Fens was enraged at him, and pierced him through with a sword, so that he was dead; and his companions carried him home even to the presence of his mother. O Sir, says the woman to her son, such presents as these we have had frequently from the Lord of the Fens, who has never had enough of oppressing me ; and thou mayest know that he has done much oppression since thy father died. Then the Lady caused the knight to be shrouded, and buried. And the next day, after mass, Paredur put on his arms, and bade two of the knights of the Court to come along with him, armed ; and to the forest they went ; and they rode until they came near a castle ; and out of that they saw five knights coming armed. Paredur asked whose men they were. And they said that they were men of the Lord of the Fens, and going they were to seek the son of the widow woman ; and if we can catch him, and bring him to our lord, we shall be better ever. By my head, says Paredur, see that one here for you, and do not go further than this to seek him. And then Paredur spurred his horse towards the nearest to him of them, and pierced him through with a spear, so that it was more than half a yard long, and struck each of the rest so that their breast-plates were perforated, and they were badly wounded, but two of them yielded themselves prisoners ; and the two wounded also came with Paredur to the Castle of Camalot, and he brought them to his mother: Lady, says he, see here a beginning of payment to thee for thy knights, and the fifth remained in the forest in as bad a repair as thine also were yesterday. Lord Son, says she, I would prefer peace, if I could have it. Lady, says Paredur, thus it is at present ; war ought to be made against war, and peace for whoever is peaceable. The knights were taken and put in prison. The news came to the Lord of the Fens, to say that the son of the widow woman had killed one of his knights, and taken five into prison ; and he also was enraged in his mind and his heart at that, and swore that he would never rest, until he could lay hold of Paredur, or kill him ; and if he had in his possession a knight who could lay hold of him for him, he would give him the best castle in his possession, except one. And every one prepared himself to seek Paredur, and the next morning they came, six of the knights, even in front of the Castle of Camalot, and they rode shooting deer in the forest, and they showed themselves, that those of the castle might see them. Paredur, however, was hearing mass in the chapel, and when the mass was ended, his sister said to him : Lord, says she, see here the woollen cloth I brought from the perilous place ; take it, and kiss ; for a hermit told me that our

4 N

enemy would never be conquered until it was had. And Paredur took it, and put it by his face, and after that put it in his bosom, and put on his arms, and the four knights along with him; and after that he came out of the castle, like a lion when loosed from its chain. And they drew near to the six knights, whose pride was sufficient. Paredur asked them, what sort of men they were, and whom were they seeking. And they said that they were enemies to the wiwod woman, and to her son. By my faith, says Paredur, see that one here for you. And thereupon he rushed towards one of them, and struck him, so that he was forced to leave his saddle, and tumble on the ground. And the four other knights, each of them struck his own, so that every one of them was badly maimed; and the sixth yielded himself, so that they were ordered to be brought into prison. The Lord of the Fens also was going from hunting towards his home, when he heard the commotion from the knights, and in that direction he came, as soon as he could, armed. Lord, says one of the knights to Paredur; see thou here the Lord of the Fens, upon whom vengeance ought to be taken for what he has done; and look thou, Lord, how armed he is coming.

CLXXXIII.—Paredur looked at the Lord of the Fens, as one whom he loved but little, and towards him he came as fast as his horse could go; and in the breast-bone he struck him, so that his horse was on the ground, tail over head, and he quickly drew sword. What is that? says the Lord of the Fens; Is it to kill me thou intendest? Not yet, says Paredur; however, thou shalt be killed presently, and it will not be long for thee. Thereupon the Lord of the Fens jumped up standing, and made an onset on Paredur, with his sword naked in his hand; and Paredur, on his coming, struck him so that his right arm was cut off, and the sword on the field; and the knights who had come with him fled when they saw such execution as that upon their lord. Paredur then caused him to be lifted on the back of his horse, and brought to prison, and given as a present to his mother. Thou hast maintained agreement, Lady, says Paredur, with the Lord of the Fens, about giving this castle to him. Lady, says the Lord of the Fens, thy son has maimed me, and has brought me and my men to prison; do thou let me go free, and I also will deliver to thee all thy castles, and various losses besides. Who, says Paredur, will make amends for her shame also, and her loss of her knights, whom thou killedst without having mercy upon them? and therefore such protection, and such mercy as thou hadst for my mother and my sister, thou also shalt have from me also. Besides that, God has commanded in the old law, and in the new, to perform law on whoever kills a body, or who is a deceiver, and so I also will do to thee also, and know that his commands will not be broken for me. Then he ordered a large vat to be brought to the middle of the court, and there to bring the nine knights, and cut off the head of every one of them, and hold it above the vat as long as there was a drop of the blood running from his body, so that there was in the vat nothing besides all blood. And after that he caused the Lord of the Fens to be brought there, and his hands and his feet to be tied fast together ; and after that he reproached and said to him : Lord of the Fens, says he, thou never hadst enough of the blood of my mother's knights ; therefore, I will provide for thee enough of the blood of thine own knights. And then he ordered him to be hanged by his feet above the vat, and let his head down as far as the shoulders in the blood, and so leave him until he was drowned. And after that he ordered his body, and the bodies of the other knights to be brought, and he ordered them to be thrown into a great pit, where the bones of dogs, and dead horses, were wont to be thrown ; and the vat with the blood, he ordered them to be thrown into the river. That news went to every place, saying that the son of the widow woman had killed the Lord of the Fens, and the best of his knights ; and so the fear of him went to every place. And all said, that so he would do with them also, unless they submitted to him. And then every one came to give homage to him, by giving what his mother had left, for fear of death, and they brought to him the keys of the castles. And so he demanded of them the whole of the dominion, and the woman was well pleased, but she was sorry for the death of her brother, namely, King Peleur.

CLXXXIV.—One day, Paredur was sitting, and eating on one hand of his mother, and many knights along with them ; and thereupon, Lo, three maidens coming in, until they were in the presence of the good woman and her son, and saluting them. A good adventure may God give to thee also ! says Paredur. Lord, says the most noble lady of them, thou hast accomplished what thou hadst here of business, and, therefore, Lord, go to another place to accomplish thy business, for king Peles, thy uncle, hath entreated thee to come, as soon as thou canst towards the land of King Peleur, for the King of the Dead Castle is seeking to destroy the faith which Jesus Christ ordained ; and as soon as that one had possession of the land of King Peleur, he ordered a cry to be made over the face of the whole country, that whoever would believe in the old faith, and leave off the faith of Jesus Christ, should have his life, and he that would not should be killed forthwith. Alas, my Lord Son ! says his mother to Paredur ; Dost thou not hear the iniquity of the wicked king, that is a brother to me ? and woe is me ! that he was born, on account of his wickedness. No, says Paredur, he is neither thy brother nor my uncle, when he will not believe in God, but he is our deadly enemy ; and I ought to hate him more than one who is a stranger to us. My Lord Son, says she, for my blessing, leave not thou the faith of my Saviour neglectfully in any place in the world, if thou canst increase it, for thou canst never serve a Lord so good as Him. And there will not be any good man of the world that will not serve him, and the whole of the good men will go into his fellowship ; and look thou also that thou art one of them, and that thou neglectest him not for any consideration, but be at his commands in the morning, as in the evening, and be not unlike to thy race, and he will fulfil the intention thou begannest to form. After saying the grace, the widow woman rose up, and there the son continued until her dominion was according to his mother's will; and the fear of Paredur was on all, in consequence of his warlike prowess. Here at length the narration becomes silent about Paredur, and treats of Lancelot.

CLXXXV.—This history relates that Lancelot and Gwalchmei came as far as Arthur's Court to seek Paredur; and Arthur and Gwenhwyvar welcomed them. And one day the King was eating; Lo, they saw coming in two other knights in a machine, scorched and burnt dead. The knights said to Arthur: Lord, this shame and mischief is thine; and in this manner thou wilt lose presently all of thy knights, unless God gives them presently strength and counsel. O Sirs, says Arthur, how were these men killed? Lord, say they also, it is right to inform thee. The Knight with the Fiery Dragon is come within thy dominion, and is destroying of men and towns as many as he can overtake; and there is no one that dares to await him in any place, for he is larger and longer by the extent of a foot than another man of the world; and two men could hide themselves in the shade of his shield. And in the middle of his shield is the figure of a dragon that discharges flame and fire through it, as often as he wishes. And as thou seest the order of these, so he orders all the rest, that he can lay hold of them. From what country came that man? says Arthur. Lord, say they also, he came from the Castle of the Giants; and he is warring upon thee on account of Logrin, the giant, whose head Kei brought here, and he swore that he would never be satisfied, until he had vengeance for him on thee, or those thou lovest most. God preserve me, says Arthur, from a man so bad as him! Thereupon the King rose up from eating, and commanded those men to be buried; and the others went home, when they had done saying their message. Then Arthur called Gwalchmei and Lancelot to him, and asked what sort of counsel they could give against that oppression. Lord, say they also, we will go there, if it please thee. By my head, says Arthur; I would not let you there for half of my kingdom, for that one is not a man, but a devil. I also am not saying that it would not be praiseworthy to overcome him; and so Arthur knew not what he should do; he saw, however, no one else offering himself to fight with him. Here it becomes silent about Arthur and his household, and treats of Paredur.

CLXXXVI.—Here the story relates that Paredur was staying with his mother as long as she wished; and, at last, with the leave of his mother, he departed, and said he would come back again as soon as he could. And then he came to the fairest forest, and rode until it was mid-day; and then he came to the fairest glade of the world, in the middle of the forest. He looked before him, and perceived a red pavilion, and thence he looked towards the other end of the glade, and perceived a knight sitting under the branches of a tree, with white clothes about him, and a vessel of gold in his hand. And in the other end of the glade, he saw a young maiden sitting, with clothes of white samite about her, with golden flowers upon them, and a vessel of gold in her hands also. And then he saw coming from the forest some white animal, a little larger than a hare, and coming to the glade, and some uneasiness upon her, as if there were little dogs in her, and those barking, and she also fleeing every where from them ; and at last the animal fled even to Paredur to sêek protection, and Paredur stretched his hands, with the intention of defending her. And the knight then bade him not to do so, and said it did not belong to his state to defend her, and bade him let the beast take he rfate. And the beast, when it saw that it could not have protection there, came towards the cross that was in the middle of the glade, and there she lay down, and the beasts came, like little dogs, out of her, and after their coming out, they tore her to pieces with their teeth, yet they ate none of the flesh. And as soon as they had killed her, they fled into the wood like dogs. The grave man and the maiden came to the place, where the beast lay dead, and shared the flesh, and each went with his share in his vessel to the wood, and before they went, they went to the place where was the blood of the animal, and there they kissed the earth ; and Paredur dismounted, and made for the place, as he saw them also doing. After that, he saw coming out of the forest two priests ; and the first of them said to Paredur: O Sir, says he, turn to the upper side of the cross, that we may be able to approach it. And Paredur did so ; and one of the priests came to the cross, and bent on his knees, and prayed to it, and kissed it more than twenty times in the greatest joy. The other priest came, having a handful of rods, and beat the cross, weeping abundantly. Paredur wondered at that, and said : Why doest thou that brutishness to the cross? and thou art not like to yonder priest. Thou hast no need to concern about what I am doing, says he also ; and by us thou shalt not be informed. Paredur, however, would have been enraged with him, had he not been a priest.

CLXXXVII.—Paredur thereupon departed, and he rode not long before the Craven Knight met with him, who from a distance entreated his protection. What sort of a man art thou? says Paredur. Lord, says he also ; I am called the Craven Knight, and I am a minister to the Maidens of the Chair ; and for God's sake, I beseech thee, that thou move not against me, for little praise it is to strike a man, that dares not defend himself. Paredur saw him a big fair man on his horse's back. Why, says Paredur, are thou then armed, and thy heart as bad as that? On account of the brutality of some people, says he also ; for there are some who would kill me forthwith, if I were without arms about me. Is thy heart as bad as thou sayest? says Paredur. By God, says he also ; it is worse. By my faith, says Paredur ; I will make thee a bold and valiant knight, and come thou along with me, for it is a great affliction that poltroonery and cowardice should rest upon a man so fair as thee. And for that reason I will that thou shouldst change thy name, for too brutish and too shameful is it with me, and with every knight, of any worth, the name that thou hast at present. According to that, thou wilt kill me first, says the Craven Knight ; and I will not, Lord, change my name, or my mind.

CLXXXVIII.—Paredur then said to the Craven Knight; by my

faith, says he, thy death then is immediate, unless thou comest with me. And then Paredur drove him before him, whether he willed or not ; and they had not proceeded far, before they heard the voice of two women crying, and praying God to send help to them immediately. Then Paredur came in that direction, he and the knight, and perceived a knight armed, driving two young maidens before him, disrespectfully, and their hair about their shoulders ; and in his hands were great rods beating them, until their blood was in streams from their faces to the ground. O Sir, says Paredur ; Why dost thou question these maidens ? too brutally dost thou treat them. Because, says the knight, they have disinherited me of a dwelling, that I had in this forest, which Gwalchmei gave to them. Then the maidens besought the protection of Paredur for God's sake, and said that he was a robber, and that there was not one in the forest besides himself, and all the rest Gwalchmei and Lancelot had killed them. And on account of the poverty they saw upon us in our poor castle, they gave us the houses and treasure, they had gained from the robbers, and for that reason he is taking us also to be killed. O Sir, says Paredur, let go the maidens, and I know that they are telling truth, for I was in the place when that dwelling was given to them. In that case, says the knight, thou helpedst in the destruction of my kindred, and, therefore, defend thyself against me, if thou canst. Alas, Lord! says the Craven Knight ; What does it matter to thee what he says ? and go thy way, and I also will go mine. No, say Paredur, thou shalt help the maidens first. By my faith, says the Craven Knight ; I will not help one of them. Thou knight, says Paredur, see thou here a man to fight with thee for me. Then the robber knight struck the Craven Knight in the middle of his shield, so that his shaft was broken in pieces. However the Craven Knight met with no harm. And then the robber drew his sword, and the Craven looked on all sides of him ; and he would have gladly fled if he had dared for Paredur. And then Paredur said to him : my knight, says he, labour to salve my honour, and that of the maidens, and thy life also. The other knight also giving him cruel heavy blows, and he also suffering them ; and Paredur wondered at his being so craven, and the robber nevertheless did not neglect him, and gave him a great blow, so that he was badly hurt. Then the Craven Knight said, when he saw his blood spilled, to the other : by my faith, says he, I would never have supposed that it was in thy intention to kill me, and thou wilt repent of that. And then he extended his spear from him, and struck him in the middle of his shield, so that the spear was through it, and through him also, so that he was on the ground under the feet of his horse. And then he dismounted and took off his helmet, and cut off the knight's head, and gave it a present to Paredur, and said to him : Lord, see here, from the first combat that I ever made. It is better so, says Paredur ; Take heed not to entertain poltroonery or cowardice in thee ever henceforth. Thou sayest truly, Lord, says he also. I would not have supposed that I could ever have been made valiant ; and if I had supposed it, I should have of honour, from my being valiant and bold, more than from my being craven and cowardly. Thou sayest truly, says Paredur, it is more right to honour the good men than the bad ones. I command thee, says Paredur, to go along with these maidens home, and wherever thou goest, say that thou art the Valiant Knight henceforth ; for that name is more courteous than the other. Thou sayest truly, says he also, and that name is dear to me on thy account. Then the maidens took leave of Paredur, and went with the Valiant Knight along with them, thanking Paredur for his condescension and courtesy.

CLXXXIX.—Paredur himself went by journeys until he came to Caerllion, where Arthur was. And he saw the whole of the Court in great perplexity ; and he also wondered at that, and asked some why they were so sad and so full of care, as they were, and where was Arthur. Lord, says one of them, he is in yonder castle, and he has never had so much care as at present, for some monster is warring upon him, and against that no one dares to fight. Then Paredur came as far as the hall, and dismounted there. And then Gwalchmei and Lancelot came to meet him, and the whole of the knights along with them ; and the King and Queen welcomed him. Then his arms were taken off, and clean clothes put on. And then he was looked upon on account of the renown he had, and his own fairness in addition ; and every one was glad for his coming, though they were sad before that. And as the King one day was eating ; Lo, three knights coming in, armed ; and each had another knight dead, with their feet and their hands cut off, and their bodies whole ; and their breastplates black as the blackest pitch ; and they threw them on the floor of the hall. Lord, say they to the King : This shame was shown to thee at one other time, and nothing was amended for us notwithstanding. And the Knight of the Fiery Dragon is destroying thy country, and killing thy men, and will come here presently, and said that there is not in thy power boldness to do him harm. Those tidings were shameful to Arthur, and to Gwalchmei, and to Lancelot, because Arthur had not permitted them to go the first time. Thereupon the four knights departed, and left the others dead in the hall. And then the King was very sorrowful, and commanded them to be buried. And then a noise and ebullition arose along the hall from the knights, who said that they never heard of an oppression so cruel to kill men as that dragon ; and no one, say they, ought to reproach Gwalchmei, or Lancelot, though they did not go to fight with it, for there was not in the whole world any thing that could overcome it, unless it were the miracles of God himself, or could labour against a thing so bad, that it could throw a flame of fire through the shield, as often as it pleased. And while that murmur was along the hall, Lo, a young maiden coming in, who was conducting a knight dead on a bier, and coming even to the presence of the King, and saying : Lord, says she, I beseech thee, for God's sake, to do justice to me in thy court. See thou yonder Gwalchmei, thy nephew, who was, before this, in the crowd of knights in the Red Glade, where there were many knights, and the son of the widow woman, who is by thy side, sitting along with him. He and Gwalchmei obtained the praise in that assembly. That knight, however, had white arms, when

Gwalchmei combated with him, and all that were there said, that that man was the best of all, because he began before Gwalchmei. And it was ordained there at the commencement of the tournament, that the best there would have the right of avenging this man, and I sought him in every place, Lord, until I found him here; and therefore, Lord, I also pray thee to do as much, as that he may be free from this business. And Gwalchmei knows that I am on the truth, and yonder knight went away so quickly, that we knew not anything of him; and Gwalchmei was grieved, that he did not recognise him before his going, for he was seeking him. Thou sayest truly, says Gwalchmei. May God repay thee also! says she, for testifying that it is true; and, therefore, Paredur, the fair, do thou also fulfil what was assigned to thee. And thou oughtest to do it, for the knight, that is on the bier, was son to Eluant, of Canalun, thy uncle, the brother of thy father. O Lady, says Paredur, see that thou sayest truly; for, as far as I know, Eluant, of Canalun, was an uncle to me. Lord, says she; He may be recognised, for on account of his nerve and warlike prowess he was killed; and his name also was Eluant, of Canalun, and the Lady of the Golden Circle loved him more than any thing of the world. And, therefore, when the Knight of the Fiery Dragon killed him, she also caused him to be anointed with precious ointments; and there is not in the whole world an oppression so cruel to destroy countries and men as that thief. And he has conquered all the land of the Lady with the Golden Circle, and killed her knights, and threatened herself also; and she has shut her castle upon her. And whoever conquers him, shall have the Golden Circle in payment of his labour, of which the best man in the whole world will be the possessor. And, therefore, Lord, thou oughtest to labour to avenge the death of thy cousin, and to gain the Golden Circle; and if thou wilt conquer him, thou wilt secure to Arthur his dominion, which he threatened to destroy utterly, for there is not in the whole world a king so hateful to him as Arthur; and that because of the joy he made over the head of the giant, which Kei brought here. O Lady, says Paredur, where is that knight? Lord, says she; He is in the Isle of the Elephants, which was wont to be the fairest isle of the whole world; and did he also not destroy it, so that no one dares to dwell in it? And that isle is under the castle of the Lady of the Golden Circle, and she sees him every day killing her knights, and carrying them along with him; which is grievous to her, the seeing the destruction of her knights before her eyes. Paredur heard what the maiden was saying, and considered; for it had been assigned to him to avenge the death of his cousin by the concurrence of everybody, that it would be shameful for him also, if he did not avenge him. Then he took leave of the King and the Queen, and set out from the Court; and Gwalchmei and Lancelot went along with him, and said that they would follow him as far as the place where the Knight of the Fiery Dragon was. Paredur was delighted with their society also. Anxious and fearful were the King and Queen about Paredur, so dangerous was the place where he was going to. And then the King sent to the churches to every place, to cause prayers for him. And so they proceeded, the three of them, and the maiden after them also, and the dead knight along with her. And they rode through the wild forests, and from one forest to another they came, until they arrived at the fair land outside the forest. And then they perceived a castle appearing to them on level land, in the middle of a meadow; and about the castle was a great river flowing, and inside of the castle they saw large extensive halls, having magnificent windows. They came near towards the castle, and they saw the castle turning quicker than the quickest wind they ever saw; and above the castle they saw shooters shooting so fast, that no armour in the world could be a defence against one of the shots, that they threw. Besides that, there were there men blowing horns so fast, that it was thought they heard the earth quaking. On the gates were lions in iron chains, roaring and bellowing so terribly, that it was thought that the forest and castle were uprooted by them. Paredur then, and his companions, looked at those windows. Lords, says the maiden, ye may know and see, that there is in yonder castle a great defence. Gwalchmei and Lancelot, says she, return ye back again, for if ye approach yonder shooters, ye are dead; and thou also, Lord, says she to Paredur; if thou wilt go in, give me thy spear and thy shield, and I will go before thee; and come thou also after me; and have thou signs that thou art a valiant knight, and if thou comest so, thou mayest enter the gate, and thy companions may return home, for their time is not yet come. And no one can go in to it, except the one that has victory over it, and gains the Golden Circle, and conquers the King of the Dead Castle, and gets the Court of King Peleur from him, which is now in his possession. Paredur was grieved, when he heard that Gwalchmei and Lancelot could not come along with him; and thereupon each of them took leave of the others, and they departed, being wretched and anxious, that they could not go along with him. And they prayed God to be propitious to him; and then they stood to look at Paredur and the maiden, who was carrying his shield and his spear before him, to show that he was the good knight. And Paredur then spurred his horse, and let him go at full speed towards the turning castle; and then, with the pommel of his sword, he struck the gate, so that the pommel stopped in the door until it broke. And so great was the blow, that the lions fled from their dens, and the castle ceased to turn, and the shooters to shoot; and the three bridges lowered, and when he had gone in, they rose again. Lancelot and Gwalchmei looked at that marvel, and when they saw the castle at rest, they went in that direction. And then a knight from one of the embrasures cried out to them, and said to them; if they came nearer than that, they would be shot, and the castle would turn; and so they were disappointed. And then they also returned, and they heard in the castle the greatest joy, and some saying, that the one had come in, by whom their souls and their bodies would be salved. Then Gwalchmei, and Lancelot, returned back, being sorry and sad that they should not go along with Paredur to the castle; and they rode until they came near to the

Decayed City, where Lancelot had killed the knight with the axe. Lord, says Lancelot to Gwalchmei; See thou here the appointed time drawing near; it is needful for me to go to yonder city to suffer my death, unless God defends me. And he told to Gwalchmei his adventure there, and as he was taking his leave of Gwalchmei, Lo, the poor knight of the Poor Castle meeting with him. Lord, says he to Lancelot, I have had for thee a delay about coming yonder, namely, a delay of days is for thee until the end of the fortieth day after the Castle of the Holy Greal is obtained, in spite of the King of the Dead Castle; and I came not yet from the Poor Castle, since ye saw; and I had not hope of ever coming, but that thou camest speedily to fulfil thy oath. And may God repay thee and Gwalchmei for the horses ye sent to me, and the treasure ye gave to my sisters! and there is no way for me, Lord, to cast any poverty from me, until thou comest to the delayed day, that I undertook for thee; and to salve faithfulness; Lord, do thou not neglect to come. I will not neglect, by my faith, says he also, and may God repay thee for extending the appointed time! And thereupon they bade farewell to the knight, and proceeded onwards towards Caerllion, where Arthur was. Here the story treats of Paredur, and is silent about Lancelot and Gwalchmei.

CXC.—The story relates that Paredur was in the Turning Castle; which Joseph declares, that when the mechanician made that castle by his science and genius, he prophesied that it would not rest from turning, until the knight came there, who had a heart of steel, and head of gold, and the chastity of a virgin, and belief in God; and carried the shield of the knight, that drew down Jesus Christ from the cross-tree. And therefore they were saying, so that Lancelot and Gwalchmei heard, that by his means their souls would be saved. And when the castle ceased from turning, they knew that it was he who was there. And forthwith they caused themselves to be baptized, and believed in the Trinity, and the new faith; and beside that, he salved them from death; for they were afraid they would die in their sins, and in the wrong faith. Paredur was delighted to see the people believing in God, and Mary, by means of him; and then the maiden said: Lord, says she, we have been here enough; let us now go hence to fulfil thy errand respecting the foul oppression, for the longer thou waitest, the more will he destroy the country, and kill of men. Then he took leave of all of the castle; who were in great fear for him, so dangerous was the place, whither he was going; and they said that if he overcame the Knight of the Dragon, no man of this world would have a fairer adventure than that. There he heard mass before going; and every one went kindly to offer the honour to him. The maiden proceeded in front, who knew the road, and the place, where the Knight of the Dragon made his home; and they rode until they came to the Isle of the Elephants. And the Knight of the Dragon had dismounted under the branches of an olive tree to sit, when he had slain the knight of the Lady of the Golden Circle; and she also was sitting at a window of her castle, and looking at the slaughter of the knight, at which she was much grieved, and said: Hear, my fair

Lord! Shall I ever see a knight, who will avenge on yonder thief his presumption, for killing my men, and destroying my country in this manner? And thereupon she perceived the maiden coming, and Paredur along with her; and she also cried out to him, and said: Thou knight, says she, unless thou supposest that there is in thee more strength and might than in another, go not near to that devil. And if thou also supposest that thou wilt be able to overcome him, I will give to thee the Golden Circle that is here; and if thou wilt overcome him, I will believe in the faith, in which thou believest; for I know, by thy shield, that thou art a Christian. And if thou wilt overcome him, then I also may know that your faith is better than ours, and that Jesus was born of Mary. Paredur was well pleased with what the maiden was saying, and he commended himself to God, and to, Mary, and he was inflamed with rage, like a lion. And then he perceived the Knight of the Dragon going on his horse, out of proportion, in everything that appeared in him, on account of his size; for he had never seen a man that could have been as large as him; and his shield was great, and disproportioned, and very black. And in the middle of his shield he saw the head of the dragon, which was discharging great blazing fires and flame through it; and that flame stank the whole of the field. The maiden left the knight, that was on the bier along with them, in the field, and went towards the castle. Lord, says she, on this land was slain thy cousin, and I also leave him here for thee, for I have been with him enough, and therefore avenge thou also him, if thou wilt. I will leave him for thee, for I have done so much respecting him, that I ought not to be reproached. And thereupon she departed towards the castle.

CXCI.—The Knight of the Fiery Dragon perceived Paredur coming by himself; that was galling to him, and he did not care to take his spear at all, but he drew his sword and attacked him. Thereupon Paredur attacked him also with a spear, and endeavoured a stab in the middle of the shield; and the knight threw a flame against the blow of the spear, so that it was burnt to the hilt, and the knight then set on the head of Paredur with his sword. However Paredur hid himself in the shade of his shield, in which was his hope, so that the sword could not either do the least harm to the shield. Joseph testifies that Joseph of Arimathea had· caused to be put in the boss of the shield some of the blood of Jesus Christ, and of the vesture that had been about him. And when the thief saw that he could not damage Paredur or the shield, he became greatly enraged, for he had never given a blow to a knight without killing him, and then he turned the head of the dragon and his shield, with the intention of burning Paredur's shield. However the flame, which came from the head of the dragon towards Paredur's shield, returned back again contrariwise, as if it were turned by a wind, without being able to come against Paredur. The knight then became enraged, and came forwards as far as the place, where the dead knight was on the bier, and he turned the head of the dragon towards him, and discharged a flame, so that he was burnt to ashes. In respect of burying this one, says he to Paredur, thou art free. For a surety, says Paredur; That is an evil thing in my opinion, and I thank thee gladly. The maiden, who had come there along with Paredur, was at one of the embrasures along with the Lady looking on, and said as loudly as she could : Paredur, says she, there the shame is greater. Paredur was ashamed at seeing his cousin burnt to ashes in his presence, and saw that the knight had the strength of a devil ; and he knew not in the world in what manner he could be avenged upon him for that. And then he came towards him with his sword naked in his hand, and he struck him in the top of the shield, until it was split down to its middle, where the head of the dragon was, so that Paredur's sword became as red as the sword of the knight. And the maiden said as loudly as she could : Lord, says she, thy sword is greatly impaired, for it is said, that he will not be killed except by one blow, and hitting him also in one place, except that I do not know in what place on him. And then Paredur looked on his sword, which was become red from the fire of the dragon, and struck the knight on the head, so that he was inclining on the bow of his saddle. And the knight rose immediately enraged, and struck him also on his right shoulder, so that his breastplate and his leathern jacket were broken, and the flesh and skin were broken, besides being burnt to the bone. And on the drawing of the sword, Paredur struck him also, so that the whole of the shoulder and the blade were broken as far as the bow of the saddle, and he also then gave a bellow, so that the dead in the earth could hear. Nevertheless, as before, he made no signs of being overcome, but came as soon as he could towards Paredur, to endeavour to burn his shield. However that did not avail him, for he could not damage that shield in any degree. And then Paredur saw the head of the dragon large and extensive, and he aimed as directly as he could, and hit it in the middle of the windpipe with his sword, so that it gave a terrible shout, so that the whole of the forest and the field were resounding. And the head of the dragon turned towards its master, and discharged a flame about his head, so that he also was burnt to ashes, and the head then disappeared as if it were lightning. The Lady of the castle was pleased with that, and it was no wonder for her, and came to meet Paredur, and saw that he was badly hurt in his shoulder. And the Lady said that he would never be well, until he had some of the ashes of the dead knight, and placed it on the blow. Then with joy he was led up, and his arms were stripped off him, and the wound he had washed, and the ashes were put on to heal it, and clean clothes were put on him. And after that the Lady caused all her knights to be summoned to her presence. Lords, says she ; See ye here the man that salved my dominion and my soul, and your souls likewise. And ye know that there was a prophecy, that we should not have peace from him, until the knight came with the gold head upon him, and here is that one ; and, therefore, I would that ye be at his will. We also will be gladly, say they. And then the Lady went to fetch the golden circle, and placed it about his head ; and after that, placed his sword in his hand, and said : Lord, says she, he that will not believe and be baptized, cut thou his head off with thy sword, and I will guarantee thee ; and she first caused herself to be baptized ; and after that all the rest were baptized. Joseph reminds us that Eliza was the baptismal name of the Lady, and she led a holy life, and was a virgin as long as she lived ; and yet her body works miracles after taking it to Ireland, and there she has an honourable church. There Paredur continued until he recovered, and those tidings went to every place, that the Knight with the Golden Circle had conquered the Knight of the Fiery Dragon. The joy for that was great in every place, and the news went to Arthur's Court. Yet they wondered who the Knight with the Golden Circle was, since they did not know.

CXCII.—When Paredur was recovered, he departed from the castle, having left the whole of the country according to his will, and the Lady said, that she would keep the golden circle for him, if he wished, to be at his disposal, or else he might take it himself along with him. And he left it along with her, because he knew not to what country he might chance to go. The history relates that he rode thence until he came one day to the Brazen Tower ; and in that castle were many worshipping the Brazen Tower,'and believing in it, and believing nothing in God. That tower was placed on four columns of marble stone, and it used to give at every hour of the day a roar, so that it could be heard for half a mile around. And in it was an evil spirit, which answered to every one of them everything that they asked. And on the gate, the way they went inside of the castle, were two men made of brass, by the art of necromancy ; and in the hand of each was a mallet, and with those they threshed the ground alternately, as fast as they could, so that there was no one who dared or intended going to the gate for fear of them. And the castle likewise was so strong on every side of it, that no one could come in or go out, except through the gate ; no one, however, dared to go that way. Paredur looked at the strength of the castle, and the dangerousness of the gate, and wondered ; yet, nevertheless, he came along the bridge even near to the brazen savages that were guarding the tower. And then he heard a voice above the gate saying to him : Come thou in without fear, and be not at all intimidated. And he then entered, and the savages ceased from their mutual beating ; and he also came as far as the place, where many unbelieving men were sitting and worshipping the Brazen Tower, and the tower roaring so fast, that no one could hear one another ; and they also looked at Paredur, and wondered how he had come in. They said not however one word to him, so much did they believe in the evil spirit that was in the tower. And whoever would kill them, they were not concerned, for they believed that their souls were safe by their weak belief, and they knew not that there was another belief in the world besides that. Besides that, they knew nothing of the strength of arms, and they had no need, so strong was the castle. Besides that also, the devil gave them abundance of every good that they had need of. When Paredur saw that they would not converse with him, he went to the one half, and called them about him ; and some of them came to him, others did not come. And then the voice bade Paredur to cause them to go through the gate, and then he would see, who of them would believe in God. Then Paredur drew his sword, and drove them before him towards the gate ; and whoever would not go to the gate, Paredur did not spare him, and so not one of the five hundred and twelve escaped, except thirteen, without being killed by the brazen men, and those believed in God. And the evil spirit that was in the tower disappeared away like lightning, and the earth swallowed the tower, so that nothing of it was seen. After that they caused a hermit to be fetched to the forest to baptize them, and the bodies of the dead were thrown away. And the hermit, who baptized them, was called Denis, and the castle was called the Proved Castle afterwards. There they continued, until the new faith came to every place in the island, and leading lives like saints, without any one being able to come to them, unless he was a believing Christian. And when he had compelled them to believe, in every place in the isle, the thirteen men came from the castle, and became hermits along the forests, to do penance on their bodies for the weak faith, they had maintained until then.

CXCIII.—Paredur one day came to the house of the hermit king, his uncle, who welcomed him. Paredur then related the most wonderful events, that had occurred to him since he went from him. And I wonder, Lord uncle, at a little white animal ; I wonder respecting it, and he narrated to the hermit his adventure. My Lord nephew, says the hermit, I know that God loves thee, when He shewed to thee such a thing as that. The little humble animal which thou sawest, with the twelve dogs in her, signifies Jesus Christ ; and the twelve dogs are likened to the Jews, whom He created on His own image. And when he had created them, he proved them to see how much they loved Him ; and sent them to the wilderness, where they continued for forty years without meat, except as He sent the manna from heaven to them. They had no disagreeableness at all. And then one day they went into counsel, and one of them said : Should God be angry with us, and take the manna from us, what would ye do afterwards ? God will not continue always. They then said that they would make for themselves a store of the manna. And then they gathered it, and put it in the earth in cellars full. And then God saw that and knew it, and was angry with them, and took the manna from them. And when they came to the cellars to get their hoards, there was nothing there save serpents and snakes. And when they knew that God was offended with them, they went each in his own course along the foreign countries. And so, my nephew, the twelve dogs are the Jews, who would not believe in God or love Him ; and they tore Him to pieces as brutally as the dogs did the animal, and more brutally. The knight and the maiden, whom thou sawest putting the pieces of the animal in vessels of gold which they had, signify the divinity of the Father, who suffered nothing of the body of His Son to be lessened. Lord uncle, says Paredur, it was deserved that they should have harm after crucifying our Lord, who had also made them before that.

Lord, the two priests came as far as the cross; the one of them prayed to the cross and kissed it, and the other beat the cross with a scourge, weeping, and in great affliction. Yes, my fair nephew, says he, the one that was beating it believed in God as well as the other. The one prayed to the cross, because the body of Jesus Christ was tormented on the cross, to redeem the people of the world from the bondage of hell; who would have been there yet, but for His redeeming them, for which reason he was praying to the cross joyfully. The other was beating it weeping, on account of the greatness of the pain Jesus Christ had on the cross-tree, suffering for us, and very great was His pain; and, therefore, he was beating the cross and kissing it, and he had no other intention, and so they used to do frequently. And in that forest they dwell; and the one that prayed to the cross is called Jonas, and the other is called Alexis. And since thou traversedst every way thou wentest in belief and faith, it will be needful for thee to go again, to fulfil what it is still wanting, for the whole of the country of King Peleur has abandoned Christianity, and become Jews. And that through the power and might of the King of the Dead Castle, my brother and thy uncle, who has gone into the possession of the land of King Peleur, and his castle; and, therefore, it is needful for thee also to give counsel to amend that, for that will never be amended by a man of the world save by thee, for the country and castle ought to be in thy possession.

CXCIV.—Lord nephew, says the hermit, the castle is strengthened anew, for there are nine bridges made there, and on each bridge there are three knights, and thy uncle also is keeping the castle inside. However since King Peleur died, it is not known what is become of the knights that were there, or of the priests; and the Holy Greal likewise has disappeared without knowing where, and the chapel, where the Holy Greal was, is desolate. And the hermits of the forests are crying out and calling for thee, for they have not seen, for a long while, a knight riding there, and if thou wilt accomplish the bringing them to belief thou shall have thanks from—. Lord uncle, says Paredur, since thou advisest me, I will go there, and it is not right for him to have either the castle or the honour, and my mother ought to have it, for she is older than he, after King Peleur. My Lord nephew, says the hermit, I have a strong mule, take that and bring it along with thee; and believe in God well, and in the Lady Virgin Mary, for He is stronger than thou or any one; and there are guarding the nine bridges twenty-six knights, valiant and mighty watchmen; and let no one believe, notwithstanding, but that God will labour along with him. And, therefore, Lord, remember thou Jesus Christ, and the Lady Mary his mother, and when thou art oppressed, mount thy mule, and trust in God, and so thy enemies will lose their strength, and there is nothing so good to destroy enemies as the strength of God. Everybody knows that thou are the best knight of the world; nevertheless, trust thou not in thine own strength too much against these men, unless God be with thee. Paredur hearkened to his uncle counselling him, and he also kept it with him. Lord nephew, says the hermit, there are at the gate two lions, one white, and another red. In the white thou wilt believe, for it is on God's side, and look upon him in whatever strait may be upon thee, and he also will look upon thee, and know thou his will· by the miracles of God, and labour thou by the signs thou seest on him, for he has no intention save what is good, and thou wilt not accomplish the gaining of the nine bridges otherwise. Thereupon Paredur departed from his uncle, and the mule followed him, as if it were a greyhound ; and he rode towards the land of King Peleur until he saw a hermit standing outside his cell. And as soon as he saw the shield with the cross in it, he said : Lord, says he, I know that thou art a Christian, of whom I have not seen one for a long while ; and the King of the Dead Castle, Lord, is driving us away from these forests, and, therefore, we also dare not remain beyond his protection. By my faith, says Paredur, ye shall break his protection quickly, for God will be a succour to us. Are there more in this forest besides thyself? There are, Lord, says he, twelve in this forest ; and we had agreed to go to the land of England to do penance on our bodies, for the love of God ; and leave our houses and our chapels, for fear of the wicked king, who has taken possession of the country. Paredur proceeded along with the hermit as far as the place, where it had been agreed upon by the hermits to come together ; and there Paredur perceived Joseus, the son of King Peles, his cousin, and welcomed him. Lords, says the hermit, return along with this man ; he will defend you by God's help. And then Paredur bade them pray to God for him, to let him gain that which ought to be his by true claim. Then they approached towards the castle ; and some of them knew that Paredur would gain the castle from the others, for there was a prophecy, that whoever carried the shield from Arthur's Court would gain the dominion of King Peleur, and gain the Greal in spite of the unbeliever. The knights perceived Paredur coming, and the troop of hermits along with him ; and at two arrow shots from the castle bridge, there was a chapel, exactly like that which was near Camalot, in which was a shrine, and it was not known whose it was. Paredur came in that direction, and placed his spear and his shield by the chapel, and tied his horse and his mule by their bridles, and thence he came to the shrine. And then the lid of the shrine arose, and dropped by the side of the shrine to the ground, so that it was seen evidently that there was in it a knight lying down, and near his feet a letter testifying that that knight was called Joseph. When the hermits saw the shrine open, they also said : Lord, say they, by this sign we know that thou art the Good Knight. And the knights that were guarding the bridges knew that the shrine had opened ; and then they recognised that he was the knight, to whom the Greal would appear, and that they said to their Lord. And he also said, and bade them not to be at all frightened. And then Paredur mounted armed on his horse, and the hermits prayed God to succour him. And he also took his spear in his hand, and came towards the knights, who were keeping the first bridge ; and the knights encountered him ; and he also attacked the first, that met with him, and struck him, so that he was over the crupper of his horse over the bridge in the middle of the water. And the other three fought fast with him; but at last Paredur slew them also, and cast their dead bodies over the bridge into the river. Those of the second bridge came, and fought fast with him. And then Joseus, his cousin, said to the hermits; that but for fear of his sin, he would go to help him. Then the young hermit threw off his cope, and in his coat and scaplar, he came and laid hold of the one, most earnest on Peredur, and struck him over the bridge to get rid of him, and Peredur slew the other two. And when he had got the mastery of the two first bridges, he was tired; and he thought of the custom of the lions, which his uncle had mentioned to him; and he looked towards the gate, and perceived the white lion standing. Peredur looked at the lion, and knew by it, that, save with the miracles of God, no one could prevail over the third bridge, so mighty were the men that were guarding it. And then Peredur came back again; and after he had gone a little distance from them, did not the bridge rise up? Then Paredur came to the mule, his uncle had given to him, and mounted it, and drew his sword. And when the white lion saw Peredur coming, it broke its chain, and through the whole of the knights it came, as far as the bridge, and lowered it. Then Paredur came on the back of his mule even to those, that were guarding the third bridge, and struck one of them, so that his sword was through his arms, as far as the gills; and him also dead over the bridge. Joseus, the hermit, came forwards, and fought fast with the other two, until they besought protection for God's sake, and they also would believe at their will in God and in Mary. And those that were on the fourth bridge, did exactly in the same way. And then Paredur gave to them their lives, if they would believe in God. Then Paredur considered that great were the miracles of God, and he dismounted from his mule, and returned, and mounted on his horse; and came to those that were guarding the fifth bridge; and they also defended themselves with strength against him. Joseus came, and pushed them back, until he had room for his hand upon them; and he and Peredur slew them all, and threw them over the bridge. When those, that were keeping the sixth bridge, saw that every one had been gained up to them; they also yielded themselves to Peredur. And the seventh bridge exactly in the same way. When the red lion, and the knights, that were on the other two bridges, saw that; it also became enraged, and to the length of its chain it rushed, until it was in the midst of the knights, and endeavoured to kill them in anger. And the white lion, when it saw that, was enraged with it also, and killed it; and after that the knights were obliged to stand. And Paredur looked upon them, and they also besought his protection, and he also after that took his horse, and went to the castle.

CXCV.—Here the story narrates, that Arthur was one day at Caerllion on Usk, and many warriors along with him, on every side sitting. The King looked at the windows of the hall, and perceived two rays of the sun, coming in to every side of the hall, and lighting the whole of the hall. And the King wondered at that, and he sent Kei to see what that was. And Kei went out, and perceived two suns in the sky, one in the south, and the other in the east. In he came again, and told that to the King. Then Arthur wondered at that, and he prayed God to show him what that signified. And thereupon he heard a voice saying to him : Thou King ! do not thou wonder at seeing two suns in the sky, for God is able to do that, for he is a Creator ; and know thou that it is on account of the Good Knight, who carried the shield from thy Court to the land of King Peleur, and conquered the castle from the wicked king, that God has done that. And God commands thee also to go there, and the best knights of thy Court along with thee ; and when thou comest from there, then thy faith will be doubled to thee. And thereupon the voice became silent. Arthur was delighted with what he heard ; and as they were so, Lo, a fair young maiden coming in, and saluting Arthur, with a beautiful coffer in her hand. Lord, says she ; I have come to thy Court, because it is the chief of the whole world ; and I am bringing to thee this vessel ; and there is in it the head of a knight ; and no one ought to open it, save him that killed the knight ; and therefore I also entreat thee to put thy hand first on the coffer ; and I entreat thee, if the one, that owned the head, belonged to thee, or whosoever of the Court that opens it, to keep it until the end of the twelfth day, after thou comest from the Greal. O Lady, says Arthur ; How will any one know what sort of a man the knight was ? Lord, says she ; whoever opens the coffer, he will declare the whole truth, as it was respecting him. Then the King bade her go to sit and to eat, and she was greatly honoured. And when she had done eating, she came into the presence of the King. Lord, says she ; Fulfil thy promise. Gladly, says he. Then he put his hand on the coffer, with the intention of opening it, and he could not. And as soon as he put his hand upon it, there came upon him sweat, exactly as if he had been wetted with water ; and Arthur wondered at that. And after that Lancelot tried it, and then Gwalchmei, and the whole of the rest besides. Kei, the Long, was serving, and heard that Arthur, and the whole of the Court had endeavoured to open the coffer, and that they had failed ; and he also came, without having any citation whatever. Kei, says Arthur ; Come here ; did I not leave thee out of my recollection ? By my faith, says Kei ; Thou oughtest never to leave me out of thy recollection, for I was as good a warrior as the rest who tried it. Kei, says the King ; If the coffer will open, and if thou slewest the knight, who owns the head that is therein, it will be known of thee ; and by God, I would not that it were opened by me ; for there never was a knight, however poor, who had not some man ; and thou also art not beloved by every body. By my head, says Kei ; I would that there was in the hall to such a one as I killed just now, save the head of one ; and a letter stating that it was I who killed him ; and after that thou wouldst believe that I am as I am, because others will not believe that I am as good as I am. And thereupon he came to the presence, where the coffer was, and he took it boldly in his hand, and put one hand under it, and the other upon it. And thereupon the coffer opened, and every one perceived the head evidently ; and then beautiful perfumes arose from the coffer.   See thou, Lord, says Kei ; Thou mayest know that I have done a valiant action in thy service, and there is not there a warrior, whom thou lovest, that could open the coffer, nor by means of them would it have been known what was in the coffer.   Lord, says the maiden ; Cause the letter, that is in the coffer, to be read, and thou wilt know from what lineage the knight sprang.   Then the King caused one of the priests to be called, and commanded him to say plainly, so that all might hear, what was in the letter.   And when he had looked at it, he sighed, and said : Lord, says he, hearken to me well.   This letter states, that this knight was called Llacheu ; and he was the son of Arthur, by Gwenhwyvar, his mother.   And Llachen one day killed Logrin the giant, and Kei came that road, and perceived Llacheu on top of the giant, and Kei cut off the head of Llacheu, and hid it, and took the head of Logrin, and brought it to Arthur's Court, and said that he had killed him.   Nevertheless, he told a lie.   When Arthur and Gwenhwyvar heard how the event had happened, they were greatly grieved, and then Gwenhwyvar took the head of her son between her hands, and recognised it evidently, on account of what was on his face ; and the King had supposed that his son was still living. And when the news came to the Court, to say that the knight with the Golden Circle had slain the Knight of the Dragon ; Arthur had supposed that Llacheu was that one, because he had some gold, to show that he was the King's son.   Gwalchmei and Lancelot, and the whole of the Court, were sad on account of the death of Llacheu.   And but for the condition the maiden had made, about taking a set time until the end of the twelfth day, after he had returned from the Greal, he would have paid for that, before going from the court, for the whole of the warriors of the Round Table were so grieved for the death of Llacheu, that they knew not what they should do.   And the King and Queen were so sorrowful, that no one dared to say to them either bad or good.   The Lady, that had brought there the coffer, avenged her shame on Kei sufficiently well that day ; and that would not have been known so speedily, as it was known, but for the maiden herself. And when that pain cooled, Gwalchmei and Lancelot said to Arthur : Lord, say they ; thou knowest that God has commanded thee to go to the castle, that belonged to King Peleur, to the pilgrimage of the Greal.   Lords, says Arthur ; And I will go with pleasure.   Then the king equipped himself, and said that Lancelot and Gwalchmei would go along with him, with no one else, save one esquire, who would serve him.   And the Queen also he would have taken along with them, but for the greatness of her sorrow for her son.   And before the King departed, he caused the head of his son to be carried to the Isle of Avallach, where there was a chapel to Mary, and a holy hermit always dwelling.   The King set out by taking leave of the Queen, and the whole of the warriors, and Gwalchmei and Lancelot along with him.   And Kei also left the Court for fear of the warriors, and went to Little Britain.   And when all of those islands heard that, the fear of him went to every place of Great Britain, and it was not well between him and Arthur, because he ever held, as far as he could, against Arthur; for his country was strong in towns, and castles, and forests. He sent messengers after Arthur to say that he would hold in spite of Arthur, and his warriors, in that country.

CXCVI.—Here the story relates that Arthur, and his companions, rode until it was near night, and then they came to a forest, when they saw no sort of dwelling in any place whatever. Then they ordered one of the servants to look, if he could see any sort of dwelling in any place whatever, in which they could lodge. The servant looked, and said that he saw a great fire conveniently from him. Examine well, says Lancelot; so that thou mayest know how to conduct us there expertly. And he also said; that he would bring them well enough. The servant came before them, until they saw the fire, and the house; and they came over a bridge, and to the house inside they came; and they saw the place dreadful, and outrageous in fashion; and they sat armed by the fire-side. And they commanded the esquire to go to the chambers, to look what he should see; and he also went, and quicker by far did he come out, than he went in. The King then asked him, what was the matter with him; and he also said, that he had never gone to a more dreadful place, for there are in this chamber of men's heads and hands more than two hundred. And then he sat down terrified, and he nearly swooned. Lancelot then entered, to see whether he was telling the truth; and he saw there an extraordinary number of dead men; and afterwards he came laughing. The King asked if it was true, what the esquire had said. True, Lord, says he; And I never saw of men dead so many as are there. By God, says Gwalchmei; since they are dead, we have no need to fear them. As they were so conversing, Lo! a young woman coming in by herself, with great wailing. Alas, God! said she; Will an end never come to this penance? And she perceived the knights sitting by the fire. Hark, God! says she; Is he here, by whose means I ought to go from this pain? The knights then looked at her, and she also had her hair about her shoulders, and her clothes were in pieces about her, and her feet bloody; and, not-withstanding, she was one of the most beautiful women; and half of a dead man upon her shoulder; and she threw that along with the others in the chamber. And she recognised Lancelot, as soon as she saw him, and gave thanks to God. I am ending my penance, Lord, says she; God's welcome to thee! Good adventure to thee also! says he. Lancelot then looked steadfastly at her, and wondered at her behaviour. O Lady, says he; Art thou worthy, in respect of God? I am evidently, says she; I am the maiden, whom thou sawest Lady over the Castle of the Beards, who was wont to cause a daring deed as thou sawest, when thou wert there, visiting me, when thou wert going to seek the Holy Greal; and for the brutishness, that was done there to every man that came, I also am suffering this penance; and I should not go out of it, until thou camest to free me. And pre-sumptuous was the evil custom, that was there; for no one came in front of my castle, either whose nose or his teeth I caused to be cut off, and his eyes to be pulled out, and his hands to be cut off, and also his feet; and therefore I am thus in this penance; for I was obliged to carry all, that were killed in this forest, on my back; and the knight, I brought now, was killed long ago in the forest, so that wild beasts have eaten more than one half of him; and now I am free from this penance, for thou art come here. O Lady, says Lancelot; I am delighted at that. And, says she; I also am come here, out of love of thee; for I never loved a man so much as thee. Lord, says she; thou knowest not yet what is the nature of this place, for before the day, there will come here inside a troop of black knights, ugly and dreadful, to fight each with one another promiscuously; and may God preserve thee from death at their hands! and that will continue long. And the first night that I came here, there came a knight to lodge by adventure; he made for me a circle with his sword, into which I fled from them. And as long as I am inside of that, I have no need to fear them, but trust in God and the Lady Mary; and so ye will do, if ye will do rightly. And then Lancelot took his sword, and in the middle of the house he made a circle, and inside of that they sat. And as they were sitting so, they saw the troop of knights coming, so that it appeared to them, that the world was uprooted, and the forest falling. And after that, Lo! they come in, with a fiery brand in the hand of each of them. And, notwithstanding, they made some submission to Arthur and his companions. However they could do them no harm, but throw at them from a distance the fiery pieces of wood. Then Lancelot arose, with the intention of going to fight with them; and the maiden prayed him, and commanded him, not to stir from the circle, unless he wished to be lost. And he also said; that it was too cowardly and dastardly for them to be intimidated for dead images. By God, says the maiden; if thou wilt go over the circle, thou wilt have too much harm from them, for they are evil spirits.

CXCVII.—Lancelot, nevertheless, could not refrain from going to them, and he drew his sword, and struck among them; and they also drew near from every side around him. And he defended himself manfully against them, cutting their fiery brands, so that the fiery coal was jumping across the house. Then Arthur and Gwalchmei rose up to defend Lancelot, and they beat them, and broke them to pieces, so that they fell to the ground, like ashes from the cinders of faggots; and the wretched souls, that were in them, were seen exactly like crows, going out through the ceiling of the house. And they wondered what that was, and said; that that was a bad unquiet place. And thence they went to rest, and they were not able, and they had not a moment of rest before the day. And then they started up, and left that place, and rode that day long through wild intricate forests; and at last they perceived a dwelling at a distance from them, and in that direction they came. And near the house they dismounted, and came in; and when they came, they saw there a knight, and a beautiful woman along with him. And then the knight said to Lancelot: By my head, says he, I know thee evidently ; for thou hinderedst me from having what I loved most of the whole world ; and against my will thou causedst me to marry this woman ; who has not however had either yet joy from me, and she never will have. O Sir, says Lancelot ; Do as thou pleasest in respect of her, for thine she is ; and I would not have caused thee to marry her, but for the brutishness, and the shame, thou also wert doing to her, and to her kindred. By my head, says the knight ; The one, whom I was then loving, loves not thee at all, and she will do harm to thee, if she can ; and she also is able. I do not care, says Lancelot ; I have conversed with her after that ; and she told me her will. Then the knight commanded her to give water for them to wash themselves ; and the woman took the jug and basin, and offered them to the knights. O Lady, says the King ; I would not such service as that from thy hand. By my faith, says the man of the house ; Ye must take it, and ye will have no one in that service, besides her. Lancelot perceived that the man was a savage, and he saw the table full of good meats, and he considered that it was not well for them to lose their ease, on account of the discomfort, that had happened to them the night before. Then they took the water from the woman, and the man placed them to sit, and the king bade the woman to sit along with them. No, says the man ; That day is not yet come to her. Then she sat along with the esquires, as she always did. Arthur and his companions were sorry for that ; they also would not oppose the man in his own house. When they had done eating, the knight said to Lancelot : Thou seest the sort of honour she has had, on account of what thou didst ; and by God, as long as I live, she shall have no more honour, for so I promised to her, whom I love more than her. Lord, says Lancelot ; It appears to me that thou art not able to leave off sin, and I suppose likewise that that is not reproachless to thee. Then Lancelot said to him in the presence of Arthur and Gwalchmei ; but that the man lodged him, he would lose some of his blood ; or else he also would be better to his wife, willingly or unwillingly, as he did when he married. There they continued until next day, when they departed ; and they rode until they came to a land, in which there was not frequent treading of men, and they perceived a castle, with a strong wall around it, save that it had almost sunk entirely, and on that side there was not living a man, that could approach it. Nevertheless as before, there was a road to go to it ; and there they came ; and they perceived a chapel near an old hall ; and in the chapel they saw a grave old priest, and to him they came ; and dismounted, and asked the priests, who owned the castle. And he also said, that it was the castle of Tindagoyl. Why, says the King, has yonder side of it sunk, and the land about it ? I will tell thee, says the priest.

CXCVIII.—Uthur Pendragon, says he, was father of Arthur, and made a great feast, and summoned to him the whole of all his Earls and Barons : and the Earl, that owned this castle, who was called Gorlois, went to the feast, and his wife along with him, who was called Eigyr ; and she was the most beautiful woman in the world. And Uthur loved her, because she was so beautiful, and honoured her at the feast, more than any one that was in the Court. And then Gorlois noticed that, and fled from the Court, for fear of the King, and his wife with him, as far as this castle. And then Uthur became enraged, and commanded him to come back to the Court, him and his wife, to give him satisfaction for the shame, that he had done ; namely, going from the Court without leave. And he also said ; that he would not come. And then Uthur and his host came as far as here to get the castle, and carry the wife by force. And Gorlois himself went to seek help for him. And along with Uthur was Merdhin at that time, who put the appearance of Gorlois upon Uthur. And that night Uthur slept with Eigyr ; and from the deed of that night was begotten Arthur. And then the priest came along with Arthur to the chapel ; and outside of the chapel there was a large shrine. Lords, says he ; In this shrine was placed the body of Merdhin ; and know ye for a surety that his body is not in the shrine at present ; for as soon as his body was put in it, it was taken away, I know not whether on the part of God, or on the part of the Devil. Lord, says Arthur ; What became of Gorlois ? He was killed by the host, says he also ; and at the end of the sixth week afterwards, Uthur married Eigyr. And as I said to thee before, Arthur was begotten in sin ; who is now the best king of the whole world. When Arthur heard that, though he knew, great shame fell upon him, because Gwalchmei and Lancelot were there. That night they remained there. And the next day after Mass they departed.

CXCIX.—Gwalchmei and Lancelot, who supposed that they were acquainted with the forests, found them so changed, and so diversified, that they knew not where they were. Joseph testifies that the condition and form of the islands changed, on account of the various adventures, that were coming on the part of God ; for the warriors would not have been pleased so well with their pilgrimage, as they were pleased, but for the various adventures. And there went not to this pilgrimage, from any country of the world, nor from the court of any king of the world, so many as went from the court of Arthur himself. And were it not that God loved them, they could not have endured such pain and affliction as they had, so well as they did ; and let no one wonder at their being warriors of good deeds, for so much did they believe in Jesus Christ, and in the Lady Mary, that they had not either fear or dread ; and they used to love God, and honour Him. And they rode until they came to a great forest ; and there they came near to the place, where Lancelot ought to go to fulfil his oath, with respect to the knight of the Decayed City. And then he related to Arthur the whole of the event ; and that it would be necessary for him to go there, unless he would be a liar. And then they rode until they came to a place, where all the roads were gathered together. Lord, says Lancelot ; I must go to fulfil my pledge, and in my peril I know not whether I shall see thee again, for I cut off the head of a knight in yonder city, so that I was obliged to swear, before he died, that I would come there in the like adventure, to have my head cut off, as he also gave to me his head to be cut off; and I would not, Lord, that I should fail, or be false, for suffering death on my body; and if God wills that I should escape alive, I will come after thee, as soon as I can. And then the King embraced him, and kissed him; praying God to be a Saviour to his soul, and his body, and keep him from death, that they might meet together speedily. Lancelot would have sent greeting to the Queen, were it not that Arthur or Gwalchmei might think of him otherwise than well. Her love however was so greatly rooted in his heart, that he could not excuse it.

CC.—Ride so did Lancelot, thoughtful and sad, until it was near mid-day; and then he came to the Decayed City; and the city was empty, and as desert, as he had seen it before. And when he was come as far as the place, where he had cut off the knight's head; not long was he there, when he heard a great piteous cry from women, and youths, and maidens, and saying: Oh God! utterly has the knight deceived us, that killed the other here, when he is not coming. To-day was the appointed time for him to come to fulfil his word; and not one of them ought to be believed, since this has failed. And so failed all the rest before him; and he also will fail for fear of his death. And so Lancelot was long listening to them, and at last he dismounted. And thereupon he saw a knight coming down from the hall along a rugged bridge downwards, with the axe in his hand. Lancelot then asked him: O Sir, says he, what art thou doing with that axe? By my head, says the knight; thou wilt know it before thy going; I will do, says he, as thou also didst to the other knight. Is it to kill me, that thou hast in thy mind? says Lancelot. Thou wilt know it, says he also, probably before thy going hence; and come, says he, and bend on thy knees, and stretch thy neck for thy head to be cut off; and if thou wilt not do that willingly, thou wilt find such as will cause thee to do it against thy will, wert thou the twentieth; and I suppose that thou camest here only to fulfil thy pledge. Then he felt assured that he should die, for it was in his mind to fulfil what he had promised. And then without saying more, Lancelot bent on his knees, and besought of his Saviour mercy for his sins; and he likewise implored mercy to be given to Gwenhwyvar, and said: Alas, Lady fair; there is no way for me ever to see thee again; and if I could see thee once before I die, my death would be easier for me; and since there is no hope for me ever to see thee, I am more sad than for my death; and I will guarantee to thee, that my soul will love thee in the other world, as well as in this world. And thereupon he shed tears along his face, and since he had been a knight, says the narration, he wept not for the affliction he had met with, until that time, and once besides. And then he took three leaves of flowers, and communicated himself, and commended himself to God; and thence he bent his head, and his neck, and the knight set upon him. And when he heard the blow descending on his neck, he turned his head, and the axe went by him to the ground. And then the knight said to him: Not so, Lord, says he, did my brother, whose head thou cuttedst off; but held his head and his neck without moving, and so it will be necessary for thee also.

CCI.—And thereupon, Lo! two young maidens bending their heads through a window on the hall, and recognising Lancelot; and as the knight was setting the second blow upon him, one of the maidens said to him : If thou wilt ever have my love, discharge that knight free; and if thou wilt not do that, thou hast failed of my love. Thereupon the knight threw the axe from his hand, and entreated protection of Lancelot. For what thou hast done, thou shalt have it gladly, says Lancelot ; my good will and protection, so that thou dost not kill me. I will not kill, says he, but to succour thee I will be in every place, where thou mayest be. The maidens came from the place, where they were, up to Lancelot. Lord, say the maidens ; We ought to love thee more than any one of the world ; and we, Lord, say they, are the two sisters, whom thou sawest in the Poor Castle, where thou wert one night, thou and Gwalchmei, when ye gave to us the goods ye had gained from the thieves, when ye had killed them. And the Poor Castle, thou sawest, or the city here, would never have been full of men, but for thy faithfulness. And there came here before thee twenty knights, as thou also camest, and there was not one of them, who did not kill for us either a brother, or an uncle, or a cousin ; and all were obliged to swear, as thou also sworest; and all swore false oaths for fear of death. And hadst thou also failed, we should have lost this city for ever, without hope of having it back again. Then the maidens, and the knight, led Lancelot with great joy to the hall ; and there his arms were taken off, and clean clothes put on him ; and he heard the greatest joy in many places in the city, and outside of the city. Lord, says one of the maidens ; Thou hearest how much joy there is because of thy coming here, for the barons, and the traders of the town, are coming to the city to remain, and they know that thou art here. Lancelot then rose up, and leaned on one of the windows of the hall, and looked out, and saw the town filling with the fairest people, that any one had ever seen ; and priests, and religious men before them, reciting praises to God, because they had liberty to come back again. Lancelot was honoured in that castle, and in the city ; and the knights served him lovingly. Here the story becomes silent about Lancelot, and treats about Arthur and Gwalchmei.

CCII.—Here the history narrates that Arthur and Gwalchmei were riding, and desirous of news from Lancelot. And thereupon they saw a knight in a great hurry, and completely armed. And Gwalchmei asked him whence he was coming. I am coming, says he also, from the country of the Queen of the Golden Circle, who has met with great affliction ; for the son of the widow woman gained the Golden Circle from her, and left it with her to be kept. And now there came a man, who is called Nabigawns, and took it from her, and put it in the hand of a maiden, and commanded her to carry it to a congregation of knights, and a tournament, that will be near the pavilions of the two maidens, and gave it to the best of that tourna-

4 Q

ment; and Nabigawns will come there to gain it a second time according to the strength of his arms. The knight departed, and Arthur and Gwalchmei proceeded onwards, until they came to the pavilions, from which place Gwalchmei delivered the evil custom from them, and the pavilions were in as good order as Gwalchmei had seen them before.

CCIII.—Gwalchmei then caused Arthur to sit on a covering, and they doffed their arms, and washed themselves. Gwalchmei put his hand on the chest, that was below the feet of the bed, and found it open; and he took out thence fair clothes, and put them on them. And when they had dressed themselves, it was difficult to find two fairer men than they were; and thereupon, Lo! the maidens coming in. God's welcome to you! says Gwalchmei. Good adventure may God give to you also! say they. It appears to me, says one of the maidens, that thou art taking what is here boldly without any one's leave; and thou couldst never do any thing, that we besought, for us. And there is not in this country a knight, who would not have been delighted to do what we besought thee to do, and who would not have been pleased to get our love, and we offered it to thee, and thou also, because of thy prowess, didst not vouchsafe any thing from us. And how canst thou act so boldly as to take any thing of what is ours, when we cannot act boldly over thine also? O Lady, says Gwalchmei; My boldness is on thy courtesy, and the custom of the pavilion. Thou saidst to me, when thou castedst the evil custom from the pavilion, that there was no courtesy, which would not be found here within. Thou sayest truly, says Gwalchmei. Yet, says she, one ought to neglect shewing courtesy to thee, and return brutishness for other brutishness. Here to-morrow a great tournament will be begun, where many good knights will come, and the Golden Circle will be given to the best that will act, and perform, in that tournament, and it will last three days; and I can warrant, says she, that yours are the best lodgings.

CCIV.—And then the youngest of them looked at Arthur: and thou also, Lord, says she; Wilt thou also be so estranged from me, as Gwalchmei is from the other? O Lady, says Arthur; Let Gwalchmei do as he pleases; and I also will do according to my own mind; and towards thee I will not be a stranger, but every honour that I can do, I will do for thee, and will do all thy will gladly. May God repay thee! says the Lady. According to that, says she; thou wilt be a knight for me in the tournament to-morrow. O Lady, says the King; I will not refuse that, out of love of thee, and glad I should be if I could do what it would be pleasing to thee to be done, since for the maidens the knights ought to labour. Lord, says she; What is thy name? I am called Arthur of Tindagol, says he also. Is the king Arthur related to thee? says she. I have been, says he also, in his Court several times; and if he did not love me, I should not be allowed to follow him, or Gwalchmei. The Lady was ever looking at Arthur, and she knew not that he was the King; and she was much pleased with his manner. The King, says she, may be bold, so as to have a concubine, if he pleases. However much was to be said between his thoughts, and his signs; for he was shewing fair signs, in which the maiden trusted greatly. The maidens caused the horses to be stabled, and meat to be brought to them, and the knights were served abundantly. And thence their arms were brought to their presence, and they went not from them, until sleep fell upon them. And the knights, that came there from a distance, caused tents to be made for them along the fields. And when it was day on the morrow, Arthur and Gwalchmei rose up, and the eldest of the maidens came to Gwalchmei. Lord, says she; I will that thou shouldst carry to-day for my sake red arms, which I will give to thee; and see thou that thou deservest them well; for I will not recognise thee by thine own arms, but call thee the Knight with the Red Arms. May God repay thee! says Gwalchmei; and I also will labour to-day for thy sake the best that I can. And the youngest came to the King. Lord, says she; My sister has made her gift, and I will make mine also. I will give to thee also golden arms, the best that thou hast ever seen. And for God's sake, says she; Let me come into thy recollection, whilst thou art in the tournament. May God repay thee! says the King: There is not, I think, in the world a knight, that may have seen thee, that ought not to recollect thee.

CCV.—Arthur then put on his arms, and Gwalchmei did exactly the same. And the maiden, whose duty it was to give the golden circle, came there. Nabigawns came, and a great troop of knights along with him; and the tournament began on every side. And the youngest of the maidens said to Arthur: Know thou, says she, that there is not here to-day a man whose arms are as good as thine; see thou, then, that thou art a good knight for my sake. God grant me to be so! says Arthur. And they drew the reins of their bridles to them, and took leaps with their horses. And then the youngest of the maidens said to the other: Art thou not well pleased with my companion? says she. Yes, says she; Gwalchmei does not answer my wishes. Thereupon Arthur and Gwalchmei struck in the press, like two lions; and on their coming they struck two knights under the feet of their horses on the ground; and Gwalchmei took their horses, and put them in the hand of an esquire of the Lord's, to command them to be taken to the maidens. And after that they did not look, or set their minds upon gaining; and they did not come in contact with either troop or army, which they did not perforate, and cast under the feet of their horses on the ground, so that there was no one able to bear their blows. Nabigawns perceived Gwalchmei, and attacked him; and Gwalchmei him also, so impetuously that Nabigawns fell, himself and his horse on the ground. Arthur on the other side was not idle himself also; and every one clearing the road for him. And there were many other men fighting well; yet there was no one that could be likened to them. They gave many blows on that day, and received them likewise. And after vesper time, all went to lodging; and all were saying, along the pavilions, that the knight with the golden arms, and the other with the red arms, had been the best on that day. Arthur and Gwalchmei came to the pavilion, and caused their arms to be taken off from them, and put on clean clothes; and the maidens were serving them joyfully. And thereupon, Lo, the dwarf of the maidens coming in, and saying to them : Be joyful, says he ; for all agree that your knights were the best to-day. Arthur and Gwalchmei went to eat, and the maidens served them with every kind of meats, and their drinks were wine and carels. The King bade his maiden to sit opposite to him; and Gwalchmei did exactly the same with his maiden also. And when they had done eating, they went to sleep, for they were tired and weary, from the blows which they had received, and had also given to others, and they slept until the next day. And when the day appeared to them, they rose up. And thereupon, Lo, the youngest of the maidens coming, and saluting Arthur. God give honour and joy to thee also ! says Arthur. Gwalchmei, says the other ; Dost thou recollect the King, whose land was enclosed with a stone wall round about it, where thou lodgedst a night, when thou wert coming to seek the sword with which the head of John, the Baptist, was cut off ; and he would have taken the sword from thee, and thou wast grieved at that. However it was given to thee, on condition that thou wouldst do what a maiden should first ask of thee, and thou grantedst it to him on thy faith. I recollect that well, says Gwalchmei. I also command thee, for God's sake, to prove whether thou art as faithful as is said, to be to-day the worst that comes from the tournament ; and thou shalt have no other arms than thine own, to cause every one to recognise thee. And if thou wilt not do so, thou hast failed of thy faith, and I also will go myself to report to him, that thou hast broken covenant with him. O Lady, says Gwalchmei ; I never broke a covenant with any one, which I could fulfil, or if there was a way to fulfil it.

CCVI.—Gwalchmei then put on his own arms ; and so he comported himself that day, that there was no one in the tournament, who was not better than he ; and many wondered, and said that they never saw fair arms with a man, who deserved them worse than he. Meliot of England was going to seek Gwalchmei, and met with a crowd coming from the tournament, and he asked them, if they knew any tidings of Gwalchmei : and one asked him for what purpose he was seeking Gwalchmei. Lord, says Meliot ; I am his man by land, and territory ; and he ought to come to guarantee for me my land and territory against every man ; and Nabigawns has taken from me my land, and territory ; and to seek him I am going, that he may help me to have my land back again. By my head ! says one of the knights; we do not know how he will be able to succour others, when he cannot help himself. Gwalchmei, say they, was in the congregation, and the tournament ; and know thou for a surety, that there was not there a worse knight than he. And when Meliot heard that news, he returned back again ; and Arthur and Gwalchmei on the other side set out from the pavilions. And they rode as soon as they could towards the place, where they intended going, and being desirous if they could hear tidings of Lancelot. And they proceeded until they came to the decayed house, whither the hound had formerly led Gwalchmei, where he had seen the knight, whom Lancelot slew ; and there they lodged that night, and there were knights there, who recognised them. The woman, that owned the house, sent messengers to the country, to fetch, and to say that there were there along with her those, who were wont to kill their companions along the forests. Yet the woman would have preferred if Lancelot had been there, for he had slain her brother. There came many knights to oppress Arthur and Gwalchmei ; yet the woman was so courteous, that she would not allow either any harm to be done to them there. Seven knights came with great force to keep the bridge, so that there was no way for Arthur and Gwalchmei to depart, unless they went over the tops of their spears.

CCVII.—This history relates that Lancelot came from the Poor City, and rode until he came to a forest, in which Meliot met with him, being sad and ill at ease, on account of the news he had heard respecting Gwalchmei. Lancelot then asked him whence he was coming. And he also said that it was from seeking Gwalchmei, of whom he had heard news, that was not at all fair respecting him. Why, says Lancelot ; Didst thou hear of him otherwise than good ? Yes, says he also, according to what was told to me ; for formerly he was a good renowned warrior, and now there is not in the world one worse than he ; for he was in the tournament, and I met crowds coming from there, who were saying that they had never seen more poltroonery or cowardice in any man, than there was in him. Yet, say they, there was along with him a good valiant knight. Truly, says Lancelot ; I can never believe that he was a dastard or cowardly ; and I will go to seek him, and if thou also wilt come, come along. Then Meliot set out along with Lancelot, and together they rode until they came near to the decayed house, where were Arthur and Gwalchmei ; and they had mounted with the intention of departing. However they were not so free from obstruction as that, and yet they were not satisfied to remain there. And then they came towards the seven knights, who were armed, and struck on the most of them : and they also received them on the tops of their spears.

CCVIII.—And thereupon came Lancelot and Meliot to them ; and Arthur and Gwalchmei immediately recognised him ; and at his coming he struck one, so that it was through the middle of his body, and Meliot killed another. And when Arthur and Gwalchmei saw that, they were well pleased. And then Lancelot and Meliot freed the bridge for Arthur, and for Gwalchmei. The rest fled without daring to wait longer. And then the woman, that owned the house, came even to the presence of Lancelot, and said to him, recognising him : Lancelot, says she, thou killedst the father of this youth, and, if it please God, he or other shall avenge that upon thee yet. Lancelot was silent to her notwithstanding ; and they departed thence, and Gwalchmei welcomed Meliot. Lord, says Meliot ; I am coming to thee to complain of Nabigawns of the Rock, who has deprived me of my patrimony, and has sworn that neither for thee, nor for any one that is living, shall I ever have it back again ; and unless thou comest now along with me, I never shall have it. Yea, says Gwalchmei ; I will go gladly with thee, with Arthur's leave ; and I will come back again as soon as I can. Arthur and Lancelot proceeded, as quickly as they could, towards the land of King Peleur, and Gwalchmei rode until he came to the land of Nabigawns. Then Meliot sent a messenger to him, to tell him that Gwalchmei was come, and that he was ready to maintain the right of Meliot on his part, for he is a man of his. Nabigawns was then recovered from the blow he had at the tournament, and he made no great account of Gwalchmei, because of the poltroonery, and the cowardice, he had seen in him at the tournament. And then he commanded his knights not to meddle between them ; for if there were six knights, such men as he, he would conquer them, as he supposed. And thereupon he came out armed. Gwalchmei saw him, and awaited him ; and Nabigawns attacked him, without saying one word to him, and struck him in the thickness of his shield, so that the spear was in pieces above his head ; and Gwalchmei aimed at him also, and struck him so that the point of the spear was through the middle of his body, and he also dead on the ground. The knights then made an attack on Gwalchmei ; yet, between him and Meliot, they defended themselves well, and to the Castle they came fighting, and they pressed them so straitly, that they were obliged to do homage to Meliot, and put the keys in his hand. And when Meliot had obtained possession of the whole of his land, Gwalchmei returned again after Arthur and Lancelot ; and there met with him a fair young maiden in a great hurry. O Lady, says he ; God speed thee ! and whither, if it please God, art thou going with this haste upon thee ? Lord, says she ; I am going to the greatest multitude of knights, that thou hast ever seen. Where is that ? says Gwalchmei. It is, says she also, in the glade under the palace ; and I am going there to seek a knight, who has golden arms, who gained the Golden Circle near the pavilion ; and dost thou know any tidings of him ? O Lady, says Gwalchmei ; What wouldst thou with him ? Lord, says she also ; I wish to see him for the son of the widow woman, who gained it before him, has sent me to seek him, and to implore him, if he ever had compassion upon woman, or maiden, to have compassion on my Lady, and avenge on Nabigawns his deceit, and the violence he has done, in taking from her the Golden Circle, and killing her knights. O Lady, says Gwalchmei ; Do not labour at all for that ; for know thou for a truth that the one, who gained the Golden Circle, or another for him, has slain Nabigawns. Lord, says she ; How knowest thou that ; I saw him killed, says he also ; and as a token to thee of that, see here with me the Golden Circle, and I will bring it to free thy Lady for the man that gained the Greal. The maiden was well pleased with that, and she returned again to report that to her Lady.

CCIX.—Gwalchmei proceeded onwards towards the multitude, which the maiden had mentioned, from supposing that if Arthur and

Lancelot heard, they also would come there. And he had not ridden far, when a youth met him, whom he supposed to be wearied, himself and his horse. Gwalchmei asked him whence he was coming. And he also said, that it was from Arthur's Court, where there was great war, since no tidings whatever were known from Arthur; save that some said that he was dead; for since he had gone with Gwalchmei, and Lancelot, from Caerllion, no tidings whatever had been heard from them. And the Queen is so grieved on his account, and on account of the death of Llacheu, her son, that it is likely that she will die soon. Briant of the Isles, and Kei, are burning the country, and coming to carry the spoils even in front of the castle of Caerllion; and of all the knights of the Round Table, there are only five and twenty there, and of those ten have been badly hurt by the host of Briant. When Gwalchmei heard that news, he was grieved and sorrowful in his mind; he rode as soon as he could, and the youth followed him, until they came to the crowd. There Gwalchmei perceived Arthur and Lancelot, and the knights, who had come there from various kingdoms; for a knight had come there with a white stallion and a golden crown, and had caused it to be proclaimed and announced in every kingdom, that whoever did best in that tournament should have the crown, and the steed; and should be lord over the land of the Lady that owned the crown. And in consequence of those tidings, there came there more knights than were wont to come before; and after that, Arthur, and Gwalchmei, and Lancelot, came near on one side.

CCX.—The narration relates that Arthur took the golden shield, which the maiden had given to him in the pavilion. Gwalchmei took his own also. Lancelot took a green shield, which he carried out of love of the knight, who had been killed in defending him. And in the tournament they three struck like lions, that had escaped out of their chains; and immediately they struck three knights down, as soon as they perceived them; and thence they searched every troop and army, and threw many men and horses down; and no one met with the King on that day, who was not thrown down by him, or else lost his shield. Gwalchmei and Lancelot were not idle themselves on the other side. All however were looking on the King, for he was holding his place, so that no one dared to attack him, or to await him. The tournament continued in that manner for two days, and when it was ended, every one judged that the knight with the golden arms had been the best. Then the knight, who had brought the crown, came to Arthur, and did not recognise him. Lord, says he; Thou hast gained this crown, and this steed; and thou oughtest to be joyful, that thou art so powerful as to be able to defend, and main-tain the land of the best queen, that has ever been in the whole world; and it is honourable to thee, and her kindred, if thou art as strong as to be able to maintain her. Who owns that country? says Arthur. Lord, says he also; Arthur owns the kingdom; and there has not been in the whole world a better man than he; and it is said that he died in this country; for which reason there is great affliction in that country, and the knights have shut Caerllion upon them, for fear of Briant. When Arthur heard that news, he was not very well pleased, and he went on one side, making the greatest lamentation. Lancelot, on the other side, knew not what he should do, and said there between his teeth, that at that time joy had failed him, and it would be necessary for him to get his prowess by resting, for he had lost the Queen, who put strength and heart and boldness in him. And then the tears were running frequently, and if he had dared to do more, he would have done it. Respecting the grief that Arthur felt, it is not necessary to ask if it was great. Then he looked at the steed, and the crown; for he had given them out of love to Gwenhwyvar. Gwalchmei also was not happy. I can say for a truth, says he; if she is dead, than never will be seen a queen like her. Lord, says Lancelot to the King; if it pleases thee and Gwalchmei, I will go towards Caerllion, and will succour the household there in keeping the country, in the best way that I can, until thou comest from the Greal. Truly, says Gwalchmei to Arthur; Lancelot says well. By my head, says Arthur; on that is my entreaty to thee, that I pay thee for thy labour; and I make thee captain for me until I return. Lancelot then took leave of the King, and rode in great wrath and ire towards Caerllion, as soon as he could.

CCXI.—The story narrates here that Arthur rode, and commanded the steed, and the golden crown, to be carried along with him, until he came to the castle, that had been the property of King Peleur; and he saw it as fair, and as rich, as ye also heard before. Paredur then welcomed them, and took Arthur, and led him to the chapel, where the Greal was. Gwalchmei then went with the Golden Circle as an offering, and Arthur went to offer the crown, that had been the property of the Queen; and when Paredur heard of the death of Gwenhwyvar, he was sorry. And then Paredur shewed to Arthur the shrine of King Peleur, and said that no one put the shrine there, save God, by his command; and he shewed a beautiful coverlid, that was on top of the shrine, and said, that there was found there every day a coverlid of various colours, as beautiful as that one. The King then looked at the shrine, and said, that he had never seen one so beautiful as it. The King was there a while at his ease, and he looked at the abundance of every good there, for nothing was wanting there, of what was needful to the body of man; and a great river was around the castle, and along that used to come every good to the castle, that was needful. Joseph testifies that it was from Paradise that river came. On the castle were three names; one of them was Edom; and the other the Castle of Joy; and the third was the Castle of the Souls; and that is why it had that name, because no one died there, whose soul went not to Paradise. And as Arthur one day was there looking through one of the windows, and Gwalchmei, and Paredur, along with him, he saw a great procession, all being clothed in white raiment; and in the hand of the first was a great fair cross, and a small cross in the hand of each of the others; and in the hand of others torches of wax burning; and singing as they came; and about the neck of the last of all was a bell. Lord God! says the King; what sort of retinue are those yonder? Lord, says Paredur; I am acquainted with all of them, save the last. The others are my hermits from the forest yonder, who are coming to sing before the Holy Greal; and so they are wont to do three days every week. And when they came to the castle, they resorted to the chapel forthwith; and then they took the bell from the last, and offered it to the altar. And after that they began to sing praises to God gloriously. The history testifies that there was not at that time in the whole of Great Britain either a chalice; it does not, however, say that there was not in another place. The Greal then appeared at the consecration of the Mass in three ways; and when the Mass was ended, the priest found a small letter on the altar, which said that in such a vessel as that, the Lord would have his body consecrated. The King was well pleased to see what he saw, and he took into his memory the name of the chalice, and its form; and after that he asked the hermit, who brought the bell there, from what place had come such a thing as that. Lord, says the hermit to Gwalchmei; I am the king, on whose account thou killedst the giant; and for that reason I granted to thee the sword, with which the head of John the Baptist was cut off, which I now see yonder. I caused myself, Lord, to become a hermit before thee, and the whole of my wealth; and after that I went to a cell near the sea, to do penance on my body; and one night I arose and looked at the sea below the cell, and perceived a barge, having come to land, and I also came in that direction to see what was in it; and I saw three priests and their clerks along with them, and they said to me that Gregory was the name of each of them, and they sprang from the land of promise. And they said that it was Solomon, who made three bells for the honour of God, and Mary, and all Saints, and by God's command they were sent to this Isle, because there was none in it. And they said to me, that they would take upon them the whole of my sin: and under that condition I also brought this bell; for God wills that this should be a pattern for others, to make the like by it. By my faith, says Paredur; I know that thou art a good man. Arthur was well pleased for the coming of the bell there; and it appeared to Arthur to be exactly like the one he heard being rung on the road. The hermits went home, all in an opposite direction, after their service. And as Arthur was eating one day, and Paredur, and Gwalchmei, along with him, and the grave knights of the house likewise; Lo, one of the three Maidens of the Chair coming in, having been struck with a spear through the middle of her right arm. Lord, says she to Paredur; Have a regard for thy mother, and thy sister; for Alistor, cousin to the Lord of the Fens, is warring on thy mother, and has taken thy sister by force also, and sent her to his own castle, and said that he would have the land without thanks to thee. Nevertheless there is not in the whole world a man, whose manner is so brutal as his, for when he has married a maiden, whoever she may be, he cuts off her head before arriving at the end of the year; and after that he seeks another. On the other part, Lord, he also has one good

4 R

custom; he does not shame one, before he marries. And I was, Lord, along with thy sister, when he maimed me in this manner; and therefore thy mother implores thee, for God's sake, to save thy sister at this juncture; and thou promisedst, when thou wentest from her, to succour her, as often as it would be needful to her.

CCXII.—Paredur, when he heard those tidings, was not pleased at hearing them. On my faith, says Arthur; It is right to amend this shame. Then they arose from eating. Lord, says Arthur to Paredur; I and Gwalchmei will go on that journey, if thou pleasest. No, says Paredur; God repay thee! Thou hast work to do, like myself; and Lord, says he, I leave thee lord over the castle of Camalot, after my mother; and there is not in the world a fairer place than it is, and there is not in the whole of the land of Wales a fairer place than the castle stands on, at the end of Wales, towards the east. Here the story becomes silent respecting Paredur, and turns to Arthur and Gwalchmei.

CCXIII.—The story relates here that Arthur and Gwalchmei took leave of Paredur; and the King gave to Paredur the steed he had gained with the golden crown; and they rode until they came to an old castle, that was in a forest. The castle was a fair place, had it been looked after; yet there was in it only one priest and his clerk; who were there leading their lives by their own labour. There Arthur and Gwalchmei remained that night; and the next day they came to the fairest chapel, that they had almost ever seen, to hear Mass. And they looked at the colour of the chapel, and at the history that was in it, being so fair. And when the Mass was ended, the priest came to them. Lord, says he; Do not the history and the colour, that are on this chapel, appear fair to you? Fair, between me and God; says Arthur. Between me and God, says the priest; He is a fair man, who caused it be made; and he greatly loved his wife, and the son, on whose account he caused it to be made. Of whom is the history? says Arthur. Of the good man, that owned this place, says the priest, and of Gwalchmei, and of his mother. Here, Lord, says he, Gwalchmei was born, and baptized, as thou mayest understand by the history, and the name of Gwalchmei was given to him, because so named was the man, that owned the castle. And his mother conceived him of a crowned king, and she would not that it should be known, and sent him to the man, that owned this house, commanding him at her entreaty to send him to a place, where he would be lost; and if he would not do that, she would get another to do it. And the good knight, that owned the house, would not do that, but he caused letters to be made to say that he was a royal heir, and sent gold and silver to cause him to be nurtured, and sent him to a distant country, to a man possessing his house, and his wife, and requested them to bring him up affectionately, and they would obtain great advantage on account of him. After that the man returned, and the others nursed the child honourably, and loved him greatly, until he was well grown; after that they sent him to Rome, even to the Pope, and they shewed to the Pope the sealed letters, and the Pope saw and knew that he was a king's son ; and he took compassion on him, and took notice of him, and said he was one of his parents. After that he was chosen to be emperor in Rome, and he also refused it, that he might not be reproached for his birth, which had been concealed for a long time. Thence he came from Rome, and he was here after that ; and it is said now, that he is one of the best knights of the whole world. And for that reason no one dares to come to take possession of this castle, for fear of him ; for when the man that owned it died, he left it to Gwalchmei, his foster son ; and made me also guardian of it, until Gwalchmei should come here. The King looked at Gwalchmei, and saw him ashamed. My fair nephew, says Arthur ; be not abashed at all at this, for thou mayest reproach me with a similar condition to that ; and thou oughtest to be joyful notwithstanding, and honour greatly the place, in which thou wert born. When the priest knew that it was Gwalchmei, who was there, he rejoiced in his mind, and he was also ashamed, because he had said publicly as he had said ; and he said : Thou needest not any shame, says he, for thou wert vouchsafed in Rome in marriage between thy mother, and thy father Loch ; and Arthur ought to know that. And blessed be God for thy coming here ! Here the story becomes silent about Arthur and Gwalchmei, and turns to the son of the Knight of the Decayed House, whither the hound had led Gwalchmei.

CCXIV.—The story here relates, that there was a good son to the Knight of the Decayed House, and his name was Melianus ; who did not neglect the death of his father. He heard that Briant of the Isles was a strong, powerful man, and warring against Arthur. He came in that direction, and told him in what manner Lancelot had killed his father. And he besought him to make him a knight, for he was desirous of avenging his father, and he would help him to maintain the war, in the best way that he could. Then Briant made him a knight, and he was a fair youth according to his age, and desirous of seeing Lancelot ; and it was a wonder to them in the country what had happened to him, and they were thinking that he had been killed, or else was dead. However, neither of those had happened to him, but he was in good health, and joyful, save that he was sad for the death of Gwenhwyvar, and that sadness he was not able to neglect. And as he was one day riding, he overtook a young maiden, who was singing with great joy, and saying : By God, said she, if this knight wills it, I know where he shall have good lodging to-night. O Lady, says Lancelot ; a good lodging I also have need of; for I am tired and weary. So, says she, I have seen every one that came from the land of King Peleur ; for no one could endure pain and trouble, unless he were a good knight. O Sir, says she ; see here thy road by the cross, that is before thee ; and I also will go to this road, and perhaps I shall come to the castle where thou also wilt be to-night. Thereupon Lancelot departed. By my head, says the maiden ; See here Lancelot, and he does not recognise me ; and on account of his valour, and strength, I lost the man whom I mostly loved ; for he compelled him to marry another, whom he did not love so much as me. And that

may be known still, for from that time yet she has not eaten at
the same table as he, but along with the esquires; and no one
there will do any thing for her; and if it please God, I will be
avenged for that upon him, before he goes from the castle, where
he will go to-night to lodge.

CCXV.—Lancelot proceeded towards the castle; and he saw above
the gate the heads of twelve knights hanging; and he saw a knight
coming from the forest, and he then asked him, what sort of castle
that was; and he also said that it was the Castle of the Griffins.
Why, says Lancelot, were hung yonder so many heads as there are?
Lord knight, the daughter of the man, that owns the castle, is the
fairest person in the whole world, and no husband will be had for her,
save the one that can draw a sword, that is in the castle in a column
in the middle of the hall. And whoever draws it, that one shall have
her; and all those whose heads thou seest yonder, tried it, and did
not succeed. And because they did not draw the sword, their heads
were cut off; and there is not destiny for any one to draw it, unless
he is one of those to whom the Greal appeared, or one of those, who
were there; and if thou wilt believe me, thou wilt go to another place
to lodge; for if thou wilt go there, thou must needs suffer yonder
penance, or thou wilt draw the sword from the place, where it is;
and thou oughtest not to be very sorry to have warning against thy
damage. Besides that also, there are under ground two griffins, and
a lion in a cave, which have swallowed more than forty knights. Lord,
says Lancelot; it is night, and I know not now to-night where I shall
go, for I am not well acquainted with the forests. I do not, says the
knight, say that but for thy advantage, and may God cause thee to
escape thence with honour! Lancelot saw the gate of the castle open,
and in he came armed, and at the door of the hall he dismounted.
And when he came in, he saw young women and knights playing
chess; notwithstanding, he saw no one saying one word to him, that was
either courteous, or friendly, except the Lord himself, that owned the
castle, for the custom was so in the castle. Then the man, that
owned the castle, commanded the pages to take off the knight's arms.
Lord, says Lancelot; I can bear my arms about me. Not here, says the
man, shalt thou eat with thy arms about thee. Thereupon Lancelot
took off his arms; and the Lord caused good clothes to be brought to
him to wear. The tables were raised, and the meats were ready. The
daughter of the Lord came out from one of the chambers, and two
knights along with her, one on each side of her, conducting her to the
hall. Lancelot saluted her, and she also welcomed him; and when
they had done eating, Lo, the maiden, who had met with Lancelot in
the forest, coming in. Lord, says she to the man, that owned the
castle; there is here to-night lodging with thee thy deadly enemy;
behold here, says she, the one who killed thy brother; namely the
Lord of the Decayed House. By my head, said the Lord; I did not
know; and I also will not believe it until I prove it. Thou knight,
says the Lord to Lancelot; make the demand, which others did
before thee. What sort of demand is that? says Lancelot. Well

here is my daughter for thee, says the Lord, if thou art as good a man, as thou oughtest to have her; there is not in the world a man, who wishes to have a wife, that ought not to take pain on his body to seek that one yonder. If I also supposed, says Lancelot, that thou wouldst give her to me, I would demand her gladly. Lancelot however was saying differently to what he was thinking. Then he arose to ask what sort of custom it was, and in what manner he should have the daughter; and they also showed to him the column with the sword in it. Go, says he, as the others went, who failed of their lives, and of my daughter also, because they could not draw yonder sword from the column. God preserve me, says Lancelot, from such a failure as that! Lancelot came towards the column as soon as he could, and put his hands on the hilt of the sword, and gave it a push, so that the column was bent on one side, and he himself with his belly up, and the sword in his hand, in the middle of the hall. The Lady was well pleased at that. Lord, says the other maiden; yonder thief killed thy brother; as before nevertheless, it is certain that he is one of the best knights of the whole world; and if thou wilt do my advice, thou wilt not let him escape; and it is a charity to kill him; for if thou wilt kill him, thou wilt save to many a man his life. The daughter of the Lord was discontented with the maiden, for what she was saying, and she looked at Lancelot sighing, and she dared not do otherwise. And she wondered that Lancelot was able to draw the sword, and that he did not demand her also. However Lancelot was thinking more of another thing: for never, since he had been born, had he been so sad as he was, on account of the death of the Queen. Then he entreated the Lord to keep agreement with him. I ought not, says the Lord; for no one ought to give his daughter to his enemy; and if I were to give her to thee, she ought never to love thee; and if she did love, she would act foolishly. The daughter was sorry to hear her father saying so; and she would that she and Lancelot were in the forest. Yet Lancelot did not ,wish to be, in the manner that she was thinking of. Then the Lord ordered the gate to be well guarded, that Lancelot might not escape, and he commanded the knights to watch, on pain of their lives, and to be ready by the next day in their arms; for then he would cut off Lancelot's head, and hang it along with the others. The daughter knew those tidings, and was grieved, for it was likely to her that she should never have joy, if he was killed in that manner; and she sent greeting to him, as to one she loved most, and entreated him to be ready to defend his life, for her father was about to kill him. Lord, says the messenger; there are twelve knights armed guarding the gate, and saying that thou wilt be killed, as the others were killed; and twelve others will come there, and there is not in the world a knight, who can escape to the gate, against the will of the four and twenty. However she entreats thee to go by the way of the cave, that is here under ground, and there thou wilt find a road to go under the ground, until thou comest to the forest. Yet there is there the most cruel lion of the whole world, and two other terrible animals; and they have some resemblance, like in their manner to a man, having dog's teeth, and from the girdle upwards to an eagle, and thence downwards to a lion, and having ass's ears; and to that road my lady entreats thee to go, for the sake of her whom thou ever lovedst most, and that thou failest not in that, for she wishes to converse with thee at the other end of the cave; and will cause thy horse to be brought to thee. By my head, says Lancelot; but that she entreated me to go, for the sake of her, whom I ever loved most, and for the sake of her also, I would prefer venturing myself with the men, than with the animals, for greater would be my honour to free myself from the men, than going in that manner. She said, says the messenger, that unless thou doest so, she would not interest herself about thee more; and see here a little hound, which thou wilt lead to the cave along with thee; and as soon as thou seest the animals, place the hound before them, and they also will have some idea of knowing it, so that they will not either do thee harm; and there is not in the whole world a warrior that can escape in a different manner, without being swallowed by them. Yet against the lion, there is no one that can defend thee, save God. Yes, says Lancelot; tell the Lady that I will do that gladly; yet it will be judged a great poltroonery and cowardice for me to go into the midst of animals, and leave the men. That was related to the Lady, and she also wondered at that.

CCXVI.—Lancelot then put on his arms, and came to the cave, with the hound after him, and he came to the place, where the griffins were. And as soon as they heard him coming, they discharged some fiery flame from their mouths, so that the whole of the cave was lighted, and by that flame they saw the dog, and took it, and made some recognition and welcome to it. And while they were at that, Lancelot proceeded onwards, until he came to the place where the lion was; and the lion then rushed at him, and sought him with its claws. And Lancelot struck it also, so that one of its thighs was from it; and the lion overtook him also with the two fore feet, and drew from him half of his breastplate, and it nearly flayed him also. Lancelot then became enraged with it, and struck it so that the sword was through its heart. And the lion then fell dead on the ground, and gave such an awful roar, that the dead under the earth heard. And thereupon Lancelot departed, and came out of the cave, and to an arbour that was near to the forest, and wiped his sword in the grass, and put it in its sheath. The Lady knew that the lion was killed, and thereupon, behold her coming. Lord, says she; Art thou badly hurt? O Lady, says he also, No. Thanks to God! says she. And in the hand of another maiden behold Lancelot's horse coming. O Sir, says the daughter; It appears to me that thou art not very joyful. O Lady, says he also; It is right for me to be so, for I have lost the woman, whom I ever most loved. Thou also, says she, hast gained me; and it is said that there is not in this kingdom a fairer maiden than myself, and because I loved thee, I defended thy life for thee! O Lady, says Lancelot; May God repay thee! Thy love is great in my estimation, yet neither thou, nor any woman whatever, ought to trust in me, if I neglected the love that is lying in my heart; and on account of the great courtesy, that was in her, I will never love either a woman, or maiden, too much, for to God I commend all the rest, and of thee also I will take leave, as of one at whose will I would be, if she have need of it. Alas, God! says she; for so I shall lose the best knight of the whole world. Lancelot, says she; Thou hast deceived me, and I am sorry that thou hast escaped with thy life by my means, and I should have preferred thee dead along with me, to another alive. Alas, God! says she, that thy head was not cut off, and hanged along with the others; and so I should have had enough of looking at thee. Lancelot would not give a pin for what she was saying, on account of the grief that was in his heart. Then Lancelot mounted his horse, and departed, and to the forest he went, and she also returned to the castle. The Lord arose, when he saw it day, and said to the knights: Let us go, says he, to cut off the head of Lancelot. Then he caused him to be sought for along all the hall, and the chambers; however nothing was found of him. I suppose, says the Lord, that he is gone to the cave, and if he is gone there, it is certain that he is devoured by the griffins. Then he sent two of the oldest, and most valiant, of his knights to see if that were true. And the hound then came after the maiden. The griffins were enraged, and as soon as they saw the knights, they scorched and burnt them. And when the Lord knew that, he was grieved at the death of the knights, and came where his daughter was in her chamber weeping; and he also supposed that it was because of the death of the knights. And thereupon, Lo! the news coming, and saying that the lion was killed; and by that he knew that Lancelot had escaped; and he commanded to pursue him. However, no one was so bold as to pursue him. The maiden, nevertheless, would that they pursued him, on condition of their bringing him back again; for she was so inflamed with the love of him, that she knew not what she should do. However, Lancelot was thinking of another matter, without having a regard to her at all; but he rode thoughtful, until he came to a desert valley, about vesper time of day. And in the width of the valley were ten miles, and on each side of that were desert forests. And there he perceived a small chapel, newly made, covered with lead; and on top of it were two crosses of gold, and near the chapel were three houses; and near the chapel the fairest fountain of the world, and by each house adjoining he saw an enclosed garden. Lancelot came near to the chapel, and he heard vespers being sung; and he perceived a little road, by which they went to the chapel, and to the houses. And the chapel was on a small round mountain, so that no one with a horse would go there. And then he dismounted, and led his horse after him; and he looked into the chapel, and he perceived three hermits singing their vespers. Then he saluted them, and asked what sort of place that was. And they also said, that it was called the Isle of Avallach; and they caused his horse to be stabled. And he also left his spear, and his shield, outside, and came into the chapel, and said that he never saw a fairer chapel. And there he saw three altars, sufficiently well their adornment of silken coverlids, and golden crosses, and silver ones, and the images newly made, and the chapel coloured with fair golden colours ; and in the middle of the chapel were two shrines, and four torches of wax in four candlesticks of gold, and on top of the shrines were two golden veils. Lords, says Lancelot ; Who owned these shrines? Lord, says one of the hermits ; Arthur owns one, and Gwenhwyvar owns the other. Arthur is not yet dead ; says Lancelot. Not dead, if it please God ; say they also ; yet the body of Gwenhwyvar is in the nearest to thee ; and in the other is the head of Llacheu, her son, until Arthur dies. And the Queen directed by will, that her body should be buried by his side, and for that we have charters under seal ; and she caused in her lifetime this chapel to be made, in the manner that thou seest. And when Lancelot heard that the body of the Queen was there, he lost his speech, so that he could not say one word. Nevertheless, he dared not shew other sorrow, lest it should be known of him ; and it was a great advantage to him that the image of Mary was opposite to the shrine. And then he bent on his knees before the image, and leaning on the shrine, so that it was supposed of him that he was worshipping the image. And then he put his face and his mouth by the shrine, and complained in this manner.

CCXVII.—Lady, says he ; Were it not for the fear of reproach from the people, I would never go from here ; and here I would remain to save my soul ; and to pray God for thine also. And I am delighted to be where I can see thy shrine. Alas, God ! grant me to die speedily ; and that my death may come to me, in such a place that I can get to be buried in this chapel ! And the night came, and one of the clerks said to the hermits, that they never saw a man of the same affection in praying to God, as the knight was, that was in the chapel. And one of the hermits said, that there were not in the world men, who loved God more, than some of the knights. And then they came to the chapel, to entreat Lancelot to come to eat, and then to rest. And he also said that he would eat nothing that night, for he had eaten before ; and here, says he, I will remain until to-morrow, to pray before the image of Mary. And the good men did not entreat him more, but said that he was a man of exemplary life. There Lancelot continued that night, until the next day. And the next morning, the hermits prepared themselves to sing their service, and there he was until the three masses were ended. And when they had done singing masses, Lancelot took their leave. And he departed from the chapel, commending the soul of the Queen to God. And thereupon, he mounted his horse, and proceeded onwards, until he came near Caerllion, and he perceived the country to be destroyed, and the cities to be burnt, for which he was sorrowful. And thereupon, Lo, a knight coming from that part of the country, badly wounded. Lancelot asked him whence he was coming. And he also said, that it was from Caerllion ; and Kei was there, being the third of knights, taking Owen Vrych to prison in the castle of the Hard Rock, and I tried to help him, says he ; and they maimed me in the manner that thou seest. Are they at any distance says Lancelot. Lord, says the knight; now they went by the forest yonder, and if thou wilt go to pursue them, I will go along with thee, and will help thee, the best way I can. Lancelot then struck his horse with two spurs, and the other knight after him also; and he perceived Owen bound on the top of a trotting horse. And then Lancelot overtook him, and said to him: By my head, says he to Kei, thou oughtest to consider that enough thou didst to Arthur of iniquity and harm, when thou killedst his son, before thou wentest to destroy his dominion in this manner. And thereupon he spurred his horse towards Kei, and Kei returned upon him also; and each of them struck the other, so that they were losing their stirrups; and with the blow that Lancelot struck, the head of his spear went as far as the wings into Kei. And Kei broke his shaft, and he was grieved, when he knew that he was wounded; and the other wounded knight threw one of Kei's knights to the ground. Then Lancelot took the horse of the one that was thrown, and gave it to Owen, and put him on top of it, who had been so grievously hurt, that he could scarcely hold himself on. Then Kei drew sword, and rushed at him like a raging lion; and Lancelot saw Owen and the other badly hurt, and thought that it was no advantage to him to wait to strike by himself against the three men, for fear of succour also coming to Kei. And then he bade Owen and the other to proceed in front, and Kei was there, being the third, contending with him also; and seeking to do him harm from behind. And so Lancelot proceeded, while defending his companions; and he turned himself sometimes towards Kei, and his companions, like as the boar does to the dogs. Kei however would give to him cruel heavy blows, when he overtook him, and Lancelot to him also; and so Lancelot defended himself. And when Kei saw that he could do no harm to Lancelot, he turned back in a rage, and with the intention of avenging his wrong, for there was not in the whole world a man, so hated by him as Lancelot; and he came to the castle of the Hard Rock. And then Briant of the Isles asked him who had wounded him; and he also said that he was taking Owein Vrych to prison, when Lancelot came to defend him. Why, says he; Is the King come? I do not know, says Kei. Briant, and his knights, felt assured, since Lancelot had come by himself, that Arthur, and Gwalchmei, were dead, and for that they had excessive joy. Kei caused his arms to be taken off, and the blow to be looked at, which was in a dangerous place upon him.

CCXVIII.—Lancelot himself came to Caerllion on Usk, where there were but few people, frightened and sad, complaining, and crying for Arthur, and saying that it was not worth while for them to wait either for succour. And as soon as they saw Lancelot, they gave him the greatest welcome; and those tidings went to the knights, that were in the castle, and they also came all to meet him, save the wounded ones, and he was brought up with excessive joy. And they enquired news of Arthur; and Lancelot said that he had separated from Arthur in the glade of the palace, where he gained

4 s

the white stallion, and the golden crown.   In that case he and Gwalch-
mei are alive, say they.   Yes, if it please God ; says Lancelot.   And
then they were more joyful than before, and they told to Lancelot,
how Briant and Kei had oppressed them.   By my faith, says
Lancelot ; Kei ought not either do more harm to Arthur than he has
done, and he went, I think, from the field with the shape of my spear's
head in him, when I rescued Owein from him.   The knights welcomed
Lancelot ; yet he was grieved on account of the many that were
wounded there.   Elinans of the Decayed House was in the castle
of the Hard Rock, along with Kei, and being well pleased to hear
that Lancelot had come home, and he said that there was not in
the world one so hateful to him ; and his mind was on avenging
his father upon him, if he could.   He came one day opposite to
Caerllion, being the tenth of knights completely armed, and they col-
lected the spoils between Caerllion and the forest.   Lancelot then came
out, being the seventh of the best knights of the castle, and after those,
who had the spoil, he came ; and the first of them that met with him, he
struck him, so that his spear was through him ; and the other knights
broke their shafts on the others ; and so they beat one another until there
fell, between each side and the other, four to the ground dead, and
many were wounded.   Elinans, of the Decayed House, perceived
Lancelot, and was well pleased at that, and struck him in his shield
so fast that the spear was in pieces above his head, and Lancelot
struck him also in the strength of his shield, so that he was com-
pelled to seek the crupper of his horse, and to the ground headlong,
with his feet uppermost.   And then Lancelot would have dis-
mounted, with the intention of laying hold on him, when Briant
of the Isles came with great strength along with him, and caused him
to mount again on his horse.   The fight was doubled on each side
by knights coming from the Hard Rock, and from Caerllion, so that
the shafts were heard breaking, and the blows frequent from the
swords.   And thereupon Lancelot and Briant attacked one another
fiercely, so that their spears were perforating their shields, and their
breastplates, and the heads of their spears touching their flesh, and
the spears breaking to pieces, and so that their bodies along with the
horses were tumbling under them, and their eyes sparkling.   And
then they drew swords, and came each against the other like lions,
and they beat one another until the fire was leaping from their
helmets.   And thereupon Elinans, of the Decayed House, came to-
wards Lancelot, to succour Briant, when Lucanus the Butler jumped
against him, and struck Elinans with his spear, so that it was through
his shield, and in his arm.   And then Lucanus seized hold of the
bridle, with the intention of sending him to prison, when the retinue
of Briant came to defend him.   The battle continued long between
Briant and Lancelot, for each of them was enraged with the other,
and Briant was especially enraged, for he was badly wounded, and
much of his blood spilt, and the number was great.   And each of
them laid hold of the other, with the intention of capturing them, yet
the strength on both sides hindered them.   And so the fight between

them, until the night separated them; and at the last Briant was not able to obtain the best play, nor prevent it to the others, for Lancelot was taking four of Briant's knights, and those wounded, to prison, without those that remained on the field. Briant of the Isles, and Elinans came back sore, and sad for their companions, who had been captured, and slain. And Lancelot and his companions returned with joy to Caerllion, and said that it was providential, and mighty, the coming of Lancelot, until Arthur returned home. The wounded knights of the castle were getting well, which greatly delighted Lancelot, so that there were with him keeping the castle thirty-five knights, besides those that were taken to prison. Here the narration ceases about Lancelot, and treats of Arthur and of Gwalchmei.

CCXIX.—The narration relates, that Arthur and Gwalchmei were in the place, where the priest told Gwalchmei how he had sprung; and they were not able to go from there at their will; for Anores, the Bastard, who was brother to Nabigans of the Rock; and Gwalchmei had killed that Nabigans on account of Meliot of England; and Anores knew that they were there, and collected many knights along with him, and came to detain them in the castle. Anores said that they would not go thence, until they had captured Gwalchmei and Arthur, or that they were dead of famine. There was no one in along with Arthur but Gwalchmei, and five knights of the country along with them; and there were with Anores five and twenty knights. Then the King said to Gwalchmei, that it was not honourable for them to be blocked up, as they were; and that it was better for them to be dead with honour, than be alive with shame. Arthur, and Gwalchmei, and the other five, put on their arms one day, and came out. Anores, and his men also, received them on the heads of their spears. Then Arthur, and Gwalchmei, and their companions, struck in the midst of them, and every one of them threw one of the others to the ground. And then Anores was greatly ashamed at seeing his men, being so numerous as they were, leaving to a few in number the victory over them. And then he stretched his spear from him, and struck one of Arthur's knights, so that he was dead on the ground; and thence he came to Gwalchmei, and struck him so fiercely, that his shield was perforated. Then Gwalchmei became enraged, and struck him also, so that he was bulging on his horse's crupper. Then Anores arose up manfully, and rushed upon Arthur, who was before him, and he knew not that it was Arthur. And then Arthur struck him a blow, so that his right arm was cut off with the spear on the field; and then the strength of the knights was oppressing them greatly, and they would not have gone thence uninjured, or whole, had not Meliot of England come to them, being the fifteenth of knights, who had heard that Arthur and Gwalchmei were in that strait. For were not the five knights killed there? and there were there only they two; and they also were defending themselves manfully, inasmuch as they supposed, that they were near death, for twenty were out of proportion against two. And thereupon, Lo, Meliot, being the fifteenth, striking in the midst of them, and carrying Arthur and Gwalchmei with them ; and they killed about ten, and the rest fled, having half of their lord with them. Gwalchmei then thanked Meliot for his faithfulness, and his kindness, in defending their lives. Then Arthur and Gwalchmei gave that castle to Meliot,' for he had deserved it of them. Meliot accepted it, with thanks to them ; and entreated Gwalchmei, if he heard of any danger happening to him, to come to help him. On my faith, says Gwalchmei ; Thou needest not beseech that, for thou art of those, whom I ought to love most of the world ; and thereupon Arthur and Gwalchmei proceeded thence, and Meliot stored the castle.

CCXX.—The narration relates here that Arthur and Gwalchmei rode until they came to the Isle of Avallach, where the Queen had been buried ; and they continued for a night along with the hermits, who made them great welcome. Nevertheless it may be known for a truth, that the King was not very joyful that night, but his sorrow was renewed, and he said that there was no place in the world, which it was so right for him to honour, as that. The next morning after mass, they departed as straightly as they could towards Caerllion ; and the King saw his land destroyed in many places, for which he was sad ; and he knew evidently that it was Kei, who was warring upon him, along with the rest. And it was a wonder to him that Kei was so daring as that, and towards Caerllion he came. And when Lancelot and his companions knew that, they were well pleased, and came to meet him. That news went to every place along the dominion ; and all where joyful at that, for many were thinking that he was dead. When the household of the castle of the Hard Rock knew of his coming home, they were not delighted at that, or near it. However Kei had recovered of his blow, and he thought that it was a great folly for him, if he remained longer there, for the purpose of warring upon Arthur ; for if Arthur had the place of a hand upon him, he might know that his life was come to end. Kei departed to Little Britain, and there he caused a castle to be strengthened for him, in which he was for a long time without Arthur's warring upon him. It may be known that the joy was not little in the country, for the coming of Arthur to Caerllion, and every one came there.

CCXXI.—Briant did not neglect his pride, but he strengthened war as much as he could, and Elinans swore that he would not fail him, as long as he lived, and that he would not rest until he avenged his father on Lancelot. And as Arthur one day was eating in the hall at Caerllion, and many knights along with him, and on the one half of him Gwalchmei, and Lancelot on the other side, and Owein, the son of Urien, and Sagamor the Desired, and Owein Vrych, and many other knights, except that there were not there, as many as were wont to be. Lucanus the Butler, was serving with the golden goblet in the presence of the King. Then Arthur looked along the hall, and he recollected the Queen ; and he pondered, and ceased from eating ; and into his mind came that the court was greatly impoverished, because of the death of the Queen. And as he was pondering so, Lo, a knight coming in, armed, and standing before Arthur, leaning on his spear, and saying: Lord, says he, hearken to me, if it please thee. Magdalans of Orient has sent me here to thee, to bid thee to resign the Round Table, for thou hast not any right whatever to it, since the Queen died : and he also is next heir to her. And if thou wilt not do that, see him here through me warning thee to guard thyself against him, as one whom thou art depriving of his patrimony. For he is an enemy to thee in two ways ; one is because of the Round Table, and the other because thou believest in the new faith. And he says through me, if thou wilt leave that faith, and take queen Landyr, his sister, as thy wedded wife, he also will leave the Round Table free to thee, and will be a help to thee in every place ; and if thou wilt not do so, do thou not trust in him. And thereupon the knight departed, and Arthur remained there thoughtful. And after eating he rose up, and called to him Gwalchmei, and Lancelot, and the whole of the knights, to take counsel. Lord, says Gwalchmei ; thou wilt defend thy dominion in the best way thou canst, and we also will help thee to oppress thine enemies. Great Britain is still at thy will, without thy losing yet of it either town or castle ; and Briant of the Isles has not yet burnt but little of the country, and that is not a great loss hitherto, and he may be caused to amend that. And if King Magdalans has great power to war upon thee towards the west, send thou also the best of thy warriors to defend thy country against him.

CCXXII.—Arthur was resting long at Caerllion, and believing in God, and the Lady Mary ; and he had brought a pattern to make chalices by from the court of King Peleur. And he commanded to make the like in every place in his dominion for serving God the more honourably ; and he commanded that bells should be caused to be made in every place in his kingdom ; and that each church should have according to its wealthiness ; and that pleased all of the kingdom. And one day news came to him that Briant of the Isles, and Elinans, were riding along the country, and a great host along with them, with the intention of burning Penwed, unless there were some there to defend it. And then Arthur put on his arms, and came out, and a great company along with him of knights armed, and they rode until they saw Briant and his retinue, and Briant saw them also ; and then they put their armies in array on each side, and they attacked one another so strongly, that it was thought the earth was quaking. Elinans was seeking Lancelot in every place, until he found him, and he vigorously struck him with a spear, so that his shield was perforated ; and Lancelot struck him also in the strength of his breast, so that the spear was out through his shoulder blade, and he planted it in him, so that his spine was broken, and the shaft in pieces, and the piece of the shaft remained in him. And then he struck him also the second blow, so that the spear was through his shield, and through his left arm in pieces. Then Lancelot became enraged, and drew his sword, when he knew that he was wounded, and struck him in a rage across his shoulder blade, and his shield, so that his shield was split into two splinters, and his shoulder was separated from him ; and

thereupon the piece of the spear fell from it to the ground. Then
Elinans knew that he was killed, and returned back sad and in
anguish. The other knights made an onset on Lancelot, and Gwalch-
mei and Sagamor also were in affliction from the host of Briant, and
succour coming to Briant after him ; the best knights were in a strait.
Arthur and Briant were in the middle of the press ; and the host of
Briant came, and laid hold of the bridle of Arthur's horse, with the
intention of taking him to prison. And he also defended himself
manfully, and made a circle about him, as the boar does against the
dogs. Thereupon Owein, and Lucanus, broke the press, and Sagamor,
the Desired, came with the full force of his horse and struck Briant,
so that he and his horse were on the ground, and with that fall Briant
broke his thigh. And then Sagamor drew his sword, and sought to
stab Briant in his belly, when Arthur cried out to him, to command
him not to kill him. The host of Briant had not strength enough to
save on that occasion, but they withdrew back and fled, for they
were weary and oppressed. Arthur then commanded Briant to be
brought to Caerllion, and the wounded ones to be brought along with
him. The people of Caerllion were well pleased with that. Elinans
himself was carried to the castle of the Hard Rock, who lived but
for a very short time after. Arthur commanded Briant to be im-
prisoned, and in the prison that he should be medically attended,
until he was recovered. And there Briant was detained until he gave
security to Arthur, on his land and territories and goods. And Briant
served Arthur. Lancelot recovered from the wound he received, and
the whole of the other knights in that respect. Briant was obedient
to the commands of Arthur in every place, so that the King believed
in his counsel more than any one's ; and the King was sorry that
Kei had departed, without his being avenged upon him for killing his
son outrageously, and, after that, warring upon him. And it was a
great affliction for a contemptible man to commit so great a murder
as that ; and therefore the stranger ought to avenge that upon
him, as well as the relative, lest that should be an example for
others to commit such faithlessness.

CCXXIII.—The fear of Briant went over the whole of Great
Britain ; and the King commanded all to do the commands of Briant.
And as he was one day at Caerllion, Lo, a young maiden coming into
the hall. Lord, says she ; Queen Landyr has sent me here to entreat
thee to fulfil what her brother commanded thee ; and she wills to be
a queen and lady over the realm ; and that thou takest her also to be
thy wife, for she is noble, and wealthy, and fair ; and she commands
thee, for love of her, to reject from thy country the new faith, and
believe in the God, in whom she believes. And if thou wilt not do
that, trust not that any part of this country is thine, for King
Magdalans, her brother, has prepared himself, and assembled an army,
with the intention of coming to burn Alban, and has sworn that he
will never rest, until he has destroyed the whole of the islands, that
belong to thy country ; and thence he will come to Britain to take
from thee the dignity of the Round Table, which ought to be his by

right, and my Lady would have come herself, but for one thing, namely that she will never look upon one of the Christians. And the first time she saw a Christian, she caused her eyes to be covered, that she might not see him the second time ; and because she so greatly loves her God, and honours him, he acted lovingly with her, by taking from her the light of her two eyes, so that she has no occasion to cover her face, or her eyes, ever so as not to see a Christian ; and she is very well pleased with that ; and her eyes are as fair as before, notwithstanding. However, great is her trust in her brother, who promised to her, that he would destroy the whole of those, that believe in the new faith. And when he shall have destroyed them in Great Britain, and in the other islands, so that she can not see one, then God will give her sight to her completely afterwards ; and until then she wishes not to see any thing.

CCXXIV.—O Lady, says Arthur ; I know what thou hast said ; and tell thou to thy Lady from me, that I will not neglect the faith, that God ordained by his suffering on the cross tree, for the love that I have towards her ; and tell her from me, that I will believe in Christ, and in Mary, his mother; and it is because of the false faith, which she has, that she is a blind woman ; and she will never see, until she believes in the One, in whom I also believe. And tell her also from me this, that she will never be queen over my dominion, until she is of the same faith, and of the same renown, as she was, who was with me before. In that case, says the maiden ; thou also wilt hear news presently, with which thou wilt not be pleased. The maiden set out from Caerllion, and came where her Lady was, and told her how Arthur had said. Is it so ? says she also. I loving him, more than the whole world ; and he also rejecting my will and command. There is no way for him to continue in that case. And then she sent a messenger to her brother, to tell him, that unless he took vengeance upon Arthur, for what he had said ; or bring him to her to prison, she herself would war upon him.

CCXXV.—Distant and far, says the history, was the territory of King Magdalans from the dominion of Arthur ; for it would be necessary to go through two seas, before coming to the nearest place of the territory of Arthur from thence ; and that good man came, and landed in Alban, and abundance of peoples along with him. And when the country knew that, they stored up against them, and defended themselves against him. King Magdalans had sent from him a great number to burn the country ; and the men of the country defended the castles against them. And thence they sent messengers to Arthur, to tell him their state, and how great a number had come upon them, and to beseech him to come immediately to defend the country, or else send some for him, who would defend it ; and if he did not that, he would lose the country. When Arthur heard those tidings, he asked counsel of his knights, and of his warriors. And then Briant said ; that the best counsel was for him to send Lancelot, for he was a mighty warrior, and knew much about war ; and there was more faithfulness in him, than in any one. Arthur then com-

manded him to be called to the presence, and said to him : Greater is
my trust in thee, than in any one; and for that reason I beseech
thee to go for me to this need, as thou wentest several times ; and I
will give along with thee forty knights, besides what may accompany
them. Lord, says Lancelot, against thy will I will not be ;
yet it is certain that thou hast men better than me, and who are
mightier, to be sent there ; and it is not for cowardice at all that I am
saying that ; and I am ready to do thy will. And the King thanked
him greatly for that. Lancelot set out from the Court, and the
forty knights along with him ; and they rode until they came to the
territory of Alban, where Magdalans had come to land. When the
country knew that Lancelot had come to them, they were joyful ; for
they had often heard mention of his prowess, and for that reason
they obeyed him, and were at his will and counsel ; and received him
as if he were king over them. And one day King Magdalans came
out of his ships to the land, to give battle to those of the country.
However, did not Lancelot break many of them ? Magdalans came
stealthily to his own ship, and commanded them to put to sea as soon
as they could ; and those of them, who found not their vessels ready,
remained on the fields in broken parties. Magdalans returned back,
and of the twenty ship loads, that came along with him, there went
home none save two. The land remained in peace, and Lancelot re-
mained there for a length of time ; and the people of the country
loving him greatly, and praising his prowess and goodness greatly.

CCXXVI.—As Arthur one day was eating, and his warriors on all
sides of him, and thinking that he should have quietness in respect
of war, Lo, a knight coming in, and standing before Arthur, without
saluting him at all, and saying : Lord, says he, where is Lancelot ?
O Sir, says the King, he is not in this country. By my faith, says
the knight, I am sorry that he is not. Wherever he may be, says
Arthur, he is a man of mine, and of my Court. Yes, says the
knight ; King Claudas sends to thee by me to say that he is an
enemy to Lancelot, and to thee also on his account, if thou sup-
portest him henceforth ; for he killed Elinans, his nephew, the son
of his sister ; and killed his father also ; yet he . . . . to the
King, except by affinity. I know not, says Arthur, in what way the
enmity began between them ; but this I know, that that King held
many of the castles, that ought to be the patrimony of Lancelot,
and were taken from his father, and therefore it is necessary for
every one to seek his true right ; and tell thou to King Claudas
from me, that I will never fail to my man, unless deceit can be
proved against him in respect of me. And if I shall see that
Lancelot is in the wrong, I will pray him to come to the right ;
and if he will not amend, if he is in the wrong, then we will allow
the law to proceed. And when neither he nor other will love the
truth, neither I nor other ought to love him also. And when Lancelot
hears these tidings, I know of his completeness, that he will do
justice in every place where he ought to do it. Yes, says the knight ;
Thou hearest what I am saying ; if thou wilt support him from

this time forth he will be an enemy to thee, and for what thou hast done, it is not satisfactory to thee. And thereupon the knight departed; and Arthur commanded Briant to be called to him, and many of the other knights; and asked counsel of them. Then Owein said: Lord, says he, it is certain that Lancelot slew Elinans, and that in thy service, as one who was warring upon thee, without deserving it from him; and if he were an enemy to Lancelot, why did he not come then to seek justice to thy Court? and he would have had it, as every one had. And whatever Lancelot had deserved from Elinans, thou deservedst no harm from Elinans, whom Lancelot slew in thy need; and therefore it was wrong, I should think, for King Claudas to war upon thee at all. Owein, says Briant; it is certain that Lancelot slew the lord of the Decayed House, and Elinans, his son, who came to succour me, when there was evil between me and Arthur. And when Lancelot knew that he had slain his father, he ought to have refrained from killing his son, and to have sought peace and love from him. Briant, says Gwalchmei; Lancelot is not here, but in the service of the Emperor Arthur he is, as thou knowest; and besides that, thou knowest that Elinans came to thee, and thou also madest him a knight; and after that he warred upon Arthur; and Arthur having gone to his pilgrimage, when it was not just to war upon him; and not having sprung also from thy country. And as Arthur had gone to his pilgrimage, it was told to him, how ye were ordering his country. And then he also sent Lancelot to defend the country against you, who did defend it, and ye know in what manner, until Arthur came home. And Elinans knew when Arthur came home, who never did wrong to any one, and delivered his right to every one, and especially in his Court. Why did not Elinans come there to prove against Lancelot? and if he had come, he would have had law and justice. But he warred instead upon Arthur, and in defending the right and justice of Arthur, Lancelot slew him in that war. And if there is any one that says, that Lancelot did not slay Elinans justly, however it was between him and his father, Lo, here is my body against him, as he pleases, either now, or else at another time. Gwalchmei, says Briant; thou wilt have no one here to-day, that will take a gage for that, but this I will say; that Arthur has not need of more war, than he has; and that he also ought not to make his companions enemies to him; nor shouldst thou also counsel him to that. Thou knowest that Magdalans is warring upon him; and if King Claudas also wars upon him, they will give him enough to do; and therefore I would advise him, for the peace of the kingdom, and to keep his companions in his hand, to send away Lancelot from his Court for the space of a year, so that the news would go to King Claudas that he had been sent away from the Court, and so the friendship of King Claudas would be obtained.

CCXXVII.—Sagamor, the Desired, then said to Briant: Whoever should give to Arthur such counsel as that, relating to his faithful warrior, if Lancelot has served Arthur faithfully; and if Lancelot

4 T

has slain Elinans, who was warring upon Arthur, and Lancelot slew him without either murder, or stealth; if Arthur after that should banish Lancelot, and drive him away from him; it is well that Lancelot had him! and after that peradventure King Claudas would cause Lancelot to be spied out to be killed, and, Lo, that would be great honour to Arthur. I am not saying that, as if Lancelot had fear of King Claudas, body against body, or fear of the best warrior of his dominion; and many a thing comes to man without being protected against it. And if Arthur gives leave to Lancelot to be away a year from him, it will be supposed that it is cowardice and fear, and that Arthur dared not support him against the other. Besides that also, says he; neither I nor other ought ever to trust to Arthur after that. Sagamor, says Briant; It is better for Arthur to give him leave for a year from him, than to suffer war upon him, and to destroy his country on his account. The Proud of the Glade said: Undeliverance to him, that slanders a good warrior to his lord! and though Lancelot is not here; say thou not of him what thou oughtest not. So much renown and honour has the Court of Arthur obtained by means of Lancelot, as by means of the most valiant that is in the Court; and were not Lancelot in it, peradventure its renown would be worse than it is. And there is not in all Britain a warrior more valiant, or more dreaded by every one than Lancelot; and if the King loves thee, do thou not make him to hate his men, for there are some four or five men, whom if he lost on thy account, he would never have as good as them, by means of thee. Lancelot has been serving Arthur for a long while, and better has Lancelot been to him than thou; and if King Claudas wars upon Arthur on account of Lancelot, that may be endured, for Arthur has more good warriors than any king in the world.

CCXXVIII.—The narration relates here, that the Proud would have been enraged with Briant, and Briant with him also, had the King not been there, who broke up the conversation between them. When the King knew that Lancelot had conquered Magdalans, and killed most of his men, he sent messengers to bid him come back; and when Lancelot set out with the intention of coming, it was not pleasing to the country; and he came to the King, and the whole of the Court welcomed him, for he was beloved by all. Some told him the tidings from King Claudas, and the words Briant had said about him. Lancelot, notwithstanding, did but keep silent as one that knew he had come honourably from every adversity. Lancelot remained at the Court long, in the expectation that King Claudas would send there some message. Briant however would that the King had banished him, for Lancelot was more hateful to him, than any one of the Court, for he mostly had oppressed him.

CCXXIX.—Magdalans of Orient heard that Lancelot had returned, and left Alban empty of all but its own population. And then he caused his ships to be prepared, and to be stored; and came again to Alban with a great host along with him, and burnt the country everywhere, and destroyed it, and did more harm, than he was wont before. Then those of the country sent messengers to Arthur, to implore him to send help to them, otherwise they would give up the country, and the castles, for they could not continue longer. Then the King took counsel to see whom he should send to them, and they also said that Lancelot had been there before; let Briant be sent there now, for in him thou believest most. Then the King sent Briant, and forty knights along with him, as he had sent along with Lancelot. Briant, who loved Arthur not at all, came there, and defended the country negligently. And they came one day to do battle, and Magdalans overcame Briant, and slew all his knights. And then the host of Magdalans dispersed along the country, and took the castles, and the towns, and destroyed them, and all that would not believe in their God, they cut off their heads. And then the people of the country said; that had Lancelot been there, that fortune would not have happened to them, as it did. Briant came back, as one who was not concerned at the war growing from all sides. And whatever good he did to Arthur, he never loved him. He dared not however to do harm where it would have been known of him, for the best of his men had been slain in the battle, and therefore on account of Lancelot, and others that were in the Court, he dared not to try him, and he would prefer that there should be no one in the Court, than that he should be.

CCXXX.—One day Arthur was at Caerllion, holding a festival, and many warriors having come to the feast. The King went to sit down, and the day was fair, and bright, and the air was pure and clean. Sagamor, and Lucanus, the Butler, were serving in the presence of the King; and as they had done serving the first course, Lo, a stroke with a quarrel, as if it came from a cross-bow, and striking in the middle of the column, that was in the hall before the King. And all looked upon each other, and wondered at that, for the quarrel was the exactly the same as if it was all gold, and about it there were soldered precious stones. The King then said, that so fair a quarrel as that never came from a poor place. Gwalchmei, and Lancelot, said, that they had never seen one so fair; and it struck so fast in the column that hardly any of the iron could be seen. And thereupon, Lo a fair maiden coming on the back of a mule, and enough of ornament about her; and the saddle of the mule was made of whale-bone, and its bridle of gold, and a dress of fine linen about her, and a youth after her also; and she came to the presence of Arthur. Lord, says she; I am come here to ask a gift of thee, for such is my destiny; and therefore I am come here; for I have heard it testified in many places, where I have been, that thou knowest not how to refuse. O Lady, says the King; tell me what sort of a gift thou wouldst have from me. Lord, says she; I beseech thee, for God's sake, to cause the knight, who can draw the quarrel from the place, where it is, to go to my need. O Lady, says Arthur; tell thou then what sort of need is that. Lord, says she; I will tell thee, when I see the knight, that draws the quarrel from the place, where it is. O Lady, says the King; dismount, if it please God, thou shalt not go from my Court, through my refusing thee. Lucanus then took her between his hands, and put her on the ground, and commanded the mule to be taken to the stable. And when the Lady had washed herself, he placed her to sit by Owein, who served her, and honoured her. And when they had done eating, the maiden prayed the King, to do what she had besought of him. Lord, says she; there are here many good warriors, and he may be joyful, who can draw the quarrel from yonder, for of a truth, no one will draw it thence, except a good warrior, and no one can do my need also, save him. Gwalchmei, says the King; Wilt thou put thy hand on the quarrel? Oh, Lord, says Gwalchmei; thou wilt not do me shame; and by the faith that God deserves of me, I will not put my hand upon it to-day before Lancelot, except it be not to offend thee, for it is not an honour to me to begin before so many good warriors, as are here. Owein, says the King; Wilt thou put thy hand upon the quarrel? Lord, says he; there is nothing which I would not do for thee, if I could; for this however, for God's sake, do not compel me to do it. Sagamor, says the King; so thou also? What will ye do? Lord, says he also; when Lancelot shall have tried to draw the quarrel, we will do what thou pleasest; and before him, we will not go, if it please God. O Lady, says Arthur; entreat Lancelot to go, and after that the rest will go, should it be necessary. Lancelot, says the maiden; for the sake of the one whom thou hast ever loved most, do not refuse me in this business, and should it be necessary, the rest will grant it, and I shall not long remain here. O Lady, says Lancelot; it is a sin for thee to adjure me by any thing in the world, for there are some warriors here, that would reproach me, and would call me a boaster, if I went before them. There is not, by my faith, says the King; but they will praise thee the more, in return for thy courtesy; and besides it is praiseworthy and honourable to thee also, if thou canst draw it; and it is a charity to succour a maiden also; and I myself pray thee, by the faith which thou owest to me, to put thy hand upon the quarrel before the rest. Lancelot would not break the command of the King, and besides that also, he recollected that the maiden had adjured him, for the sake of the one whom he had ever loved most; and it is certain that there was nothing he loved so much as the Queen, though she were dead. And then he rose up, and threw his mantle from him, and came to the column, and put his hand on the quarrel, and gave a pull to the quarrel, so that the column quaked; and he pulled it out, and thence gave it to the maiden. And when he had done that, she also said; now I ought to tell my errand, and there was not a knight here, that could draw the quarrel, save him; and thou also, Lord, promisedst to me that the knight, who drew it, should do my errand, if he could. And I also will not ask him to do a thing, which he cannot do. It will be necessary for him to go to the Perilous Chapel, as soon as he can; and there is there a knight, enshrouded in his shrine; and let him take some of the shroud, and the sword, that is by his

side, and let him bring them to me to the Perilous Castle ; and
when he shall have come there, he must go to the castle, where
he slew the lion under the ground, where are the two griffins, and
there cut off the head of one of the griffins, and bring it to me to the
Perilous Castle ; for there is a knight sick there, who will never
recover, if he does not have it. O Lady, says Lancelot ; I see that
thou wouldst give but little for my life, so that thou hast me accord-
ing to thy will. I know, says she, that no one could do that, besides
thee ; and I would not that thou shouldst have thy death, for if
thou shouldst die, the knight would never regain his health. And it is
on his account that thou art going to this service, and thou wilt see
the most beautiful young maiden, that thou hast ever seen, who loves
thee also the most of the world, and if she will be willing to aid
thee, thou wilt accomplish this well. Take care now not to stay
long in this, and make haste to perform it, for upon thee has fallen
this work ; and the longer thou delayest, the more danger thou wilt
find, and it is possible also that some opposition may happen to
thee. Thereupon the Lady took her leave, and departed from the
Court. And as she was going, she said to herself ; Lancelot, says
she, this pain, and labour, I have caused thee to have ; thy
death however I would not wish ; uneasiness I also am not con-
cerned at thy having, and thou art going to the two most perilous
places of the whole world. And I ought to hate thee, for thou hast
taken from me the man, whom I ever loved most, and gavest him
to another ; and that will not go from my remembrance, as long as
I live. Thereupon however Lancelot departed from the Court, with
leave of Arthur, and all the knights of the Court ; and out of Caerllion
he came, and went to the forest, and proceeded onwards, praying
God to bring him back again in safety.

CCXXXI.—Here the narration becomes silent about Lancelot, and
says that Briant had come home to Caerllion, and of the forty
knights, that went with him, there came home only fifteen ; for
which cause Arthur was sorrowful, and said : I have fewer com-
panions now than I had. The people of the country of Alban sent
to Arthur, to implore him to send Lancelot to them, unless he
wished to lose the country for ever, for they had never seen a man,
who could damage his enemies better than he. Then Arthur asked
Briant, in what manner he had lost his men. Lord, says Briant ;
Magdalans has great power along with him, and when strength
comes against them, they make castles of their ships, so that no one
can continue against them, and there were never seen warriors of
the same device as they. And far, Lord, is that country from thee ;
and if thou wilt do my counsel, thou wilt neglect it, and let the
men of the country defend it, if they wish. Briant, says the King ;
that would be too great a reproach to me ; and a good man of
the world ought not to neglect, either for cost, or for labour, what
belongs to him ; and if I neglect the country, without sending to
it succour and counsel, a pin would not be given for me, and besides
that I should be dishonoured, and it would be said, that I am not

able to maintain my dominion. And I am more sorry than losing the country, that the people, for fear of their death, will be obliged to believe in unbelief again. And if Lancelot had accomplished what he went for, I would send him there, for no one would keep the country, better than he. And if he were there with forty knights, along with the people of the country, there would be no long continuance for Magdalans. The men of the country, says Briant, would not give a pin for any one, save Lancelot; and they said, that, if thou wouldst send him there, they would make him king over them. They might possibly have said that, says Arthur; Lancelot, however would do nothing, that was against my will. Lord, says Briant; since thou wilt not believe me, I will not say more to thee also; but this I know; his warriorship will do to thee more harm than advantage at the end, if thou guardest not thyself better, than thou hast hitherto done.

CCXXXII.—The narration becomes silent about Briant, whom Arthur believed in too much, and relates that Lancelot was proceeding through various places, and forests, thoughtfully; and he rode not long before a knight met with him, badly wounded. And Lancelot asked him, who had wounded him in that manner, and whence he was coming. Lord, says he also; from the Perilous Chapel, where I was not able to defend myself from the evil spirits, that were there, which have maimed me in the way that thou seest; and had not a maiden come there from the forest, I should not have come alive from there. And she helped me on condition that if I chanced to see Lancelot, or Paredur, or Gwalchmei, I would entreat the first I saw of them, to hasten to her : and she wonders that they are so late without coming to the chapel, for there ought not to come there only one of them three. And I also wonder that she has so much boldness as to remain there, for it is the most perilous place, that I have ever seen, and she also is one of the fairest, and she comes there frequently by herself. And there is there a knight, newly killed, buried in a shrine, and there never was, they say, a more cruel, or more valiant, man than he. Didst thou know, says Lancelot, what his name was ? He was called Anores, the Bastard; and he has only one arm. The other arm however had been cut off near the castle, which Gwalchmei had given to Meliot, for coming to defend him and Arthur against Anores, and his people. And after that he came to seek the castle from Meliot, and Meliot slew him, and he also wounded Meliot badly; and he will never recover, until he gets the sword, with which he was wounded; and the sword is in the shrine, by the side of Anores; and if I saw one of them, I would do the errand of the Lady to him. O Sir, says Lancelot; thou hast seen one of them, for I am Lancelot, and because I see thee so wounded, as thou art, I tell my name to thee in secret. Lord, says the knight; May God keep thee from harm ! for thou art going to a very perilous place. However, the Lady is eager to see thee, I know not for what purpose, but she is able to defend thee, if she wills. O Sir, says Lancelot; God has defended me from many dangers; and He will again defend me from this, if it please God. And thereupon they separated ; and Lancelot rode until he came to the Perilous Chapel, which was in a valley in the forest, and a small churchyard enclosed around, and there was an old cross outside of the chapel. Then Lancelot came in, in his arms, and he crossed himself, and commended himself to God. And when it was become night, he heard men, as he thought, about the churchyard, saying low, every one to the other, except that he did not understand what they were saying, and he did not see also plainly. It appeared to him however that they were large and high. And then he perceived outside of the chapel a rack with hay in it, and he also placed his horse there. And after that, he drew his shield from about his neck, and brought it to the chapel. And the chapel was not very light, for there was in it only one dark lamp. And when he had sung his beads, and prayed before the image of Mary, he came near to the shrine, and the shrine opened of itself, so that he saw the knight, who was great and terrible, and the shroud, that was about him, was bloody. Then he took the sword, that was by his side, and after that, he took the knight, and raised him up ; and he was so heavy, that he was scarcely able to stir him. And then he broke off half of the shroud, and the shrine swelled so much, that he thought the chapel would fall, when he took the shroud, and thereupon he shut the shrine, and came to the door of the chapel. And he perceived men on horses in the middle of the churchyard, as he supposed, and their mind upon fighting, and it appeared to him that they were watching and espying him. And thereupon he saw a young maiden, rather short, coming across the churchyard, and being in a great hurry, and saying to the black knights: Do not ye stir, says she, until I know who he is. Then she came towards the chapel, and said to Lancelot : Thou, says she ; put the sword on the ground, and what thou tookest from the dead knight. What does it pertain to thee, says Lancelot, what I have taken from him ? Because thou tookest it without my leave, says she ; and I have been here guarding this place, and the chapel, for a long time ; and therefore tell me thy name. O Lady, says Lancelot ; what wilt thou gain, by knowing my name ? I know not, says she, whether that will be a gain or loss to me, but I have seen the time, when I would have asked thy name, less to thy liking. O Lady, says he ; I am called Lancelot de Lac. In that case, says she ; thou oughtest to have the sword, and the shroud, and since thou hast had them, come along with me to my castle, for I have been wishing for thee many times, and Paredur, and Gwalchmei. And come thou along with me, and thou shalt see the three shrines, which I have caused to be made for the accommodation of you three. O Lady, says Lancelot ; I will not see my grave so speedily as this. By my head, says she ; unless thou comest, thou wilt not go from here, as thou supposest ; for those, whom thou seest yonder, are earthly devils, guarding this churchyard, and they will do my will. If it please God, says Lancelot ; a Christian has no need to fear thy devils. Alas ! Lancelot, says she ; I beseech thee, for God's sake, to come along with me to my castle, and I will defend thee here in thy soul, and thy body ; and unless thou wilt do that, place the sword, and the shroud, where thou foundest them, and go where thou pleasest. O Lady, says Lancelot ; to thy castle I will not go, and I do not wish to go, and do not ask that of me more, for I have other errands to do. And the sword I will not lay aside from me, for whatever may come to me, for there is sick a knight, who ought to be restored, by means of this sword, who would die, unless he got it ; and too great an anguish it would be his dying. Alas ! Lancelot, how bold thou art, in reference to me ; and I am sorry that the sword is in thy possession ; and were it not with thee, thou wouldst not go hence at thy will. And besides that, I would have caused thee to be brought to my castle, whence thou wouldst not go out of it, whilst thou wert alive, and I have been for a long time watching this forest for thee. And now in regard of that sword, thou hast deceived me, for there is no one that can do thee any harm, whilst that sword is with thee, nor hinder thee here also, for which I am grieved. That does not grieve me, says Lancelot. And then Lancelot took leave of the maiden, who was not at all pleased with his going. And then he took his arms, and went on his horse, and through the churchyard, and looked at those bad people, who he thought were about to swallow him up alive ; and they retreated from his road nevertheless, without being able to harm him. And he proceeded onwards through the forests, until the day became resplendent ; and on the road there met with him the cell of a hermit, where he heard mass, and there he ate a little. And after that, he rode until the sun was going to sleep, without seeing either a house or dwelling, and night came upon him in the forest, so that Lancelot knew not where he should go, because he had not often been in that country. And he rode so until he came to the side of a small river, and by the side of the river was a little path, which he followed until he came within a garden, that had grass growing in it, and the gate, that was on the garden, was open ; and it was closed round about with a stone wall. And then Lancelot shut the gate behind him, and drew off the bridle from his horse's head, and left it to graze. And he did not see the castle, that was there, on account of the length of the trees, that were about it, and the night being so dark, and he knew not to what place he had come. And then he put his shield under his head, and slept. And had he known to what place he had come, he would not have slept either, for he was near the cave, where he had killed the lion, and in the place, whither the griffins, having come full from the forest, were sleeping, and for that reason, the gate had been left open. Then one of the maidens of the castle came with the little hound in her hand, for fear of the griffins, to shut the gate, and as soon as she came towards the gate, she perceived Lancelot asleep, and she also returned back, and reported that to her mistress, and said : Lady, says she, Lancelot is sleeping in the garden. And she also rose up quickly, and came to the place, where Lancelot was sleeping, and sat by his side ; and she looked at him sighing, and came towards him as nearly as she could, and said : Lord God, says she ; What shall I do ? if I awake him now, he will not care the least for me, and I shall not have as much as a kiss from him. If I also kiss him in his sleep, he will also awake immediately, and there- fore, I would much rather have what I can get, than be without any thing ; and if I kiss him, he will not hate me perhaps for that, more than before. And I also can boast of having as much as that ; and then she kissed him thrice. And thereupon Lancelot awoke, and jumped up standing, and put the sign of the cross upon him, and looked at the maiden, and said : O God ! says he, where am I ? O Sir, says she ; thou art near one, that has given the whole of her heart, and her love, to thee, without repenting of it. And I also to thee, says Lancelot ; for whoever loveth me, I will never hate that one. Lord, says she ; yonder castle is at thy will, and in thy possession, unless thou refusest it ; and with respect to me also, thou mayest do what thou pleasest. Lady, says Lancelot ; I am on an errand now, for I am seeking medi- cine for a knight, who will never recover, unless I carry to him the head of one of the griffins. Be it so, by God's hand ! says she ; and that I told the maiden to say to thee, to cause thee to come to visit me to this place. O Lady, says Lancelot ; I also came, and since thou also hast seen me, I will go back, for it is not necessary for me to have the head of the griffin. Oh God ! says she ; what a good warrior thou art in one state, and how feeble and bad thou art in another state. I should not have supposed that there was in the whole world a knight, that would reject me, besides thyself ; and that comes to thee also from pride, and arrogance ; and I would, says she, that the griffins had swallowed thee before this, when thou wert here ; and if I yet thought that thou wouldst wait, I would cause them to come here. I will wait, by my faith, says Lancelot ; if thou wilt drive them here. It is true, I think, says she ; for the devil has put in thee too much prowess ; and but for that, thou wouldst not continue at all against one of them ; and if I had supposed that I should fail in this manner with thee, I would have caused my father to come here along with me, and his knights with him, to kill thee, when thou wert sleeping. O Lady, says Lancelot ; say thou what thou pleasest ; thou hast done, I think, so that I have no need ever to fear thee, for whoever kisses a man, or woman, and after that meditates his death to him, that one is a traitor. Lancelot, says she ; I have taken what I could get from thee, and there is no need for me to thank thee for what I got.

CCXXXIII.—Lancelot then took the bridle, and put it in the head of the horse, and set out as soon as he could, for of his will he would not be in great danger without consideration. And she also came back sorrowful, and grieved, and to her chamber she resorted, being enraged because the one, whom she loved most of the whole world, withdrew from her, for which she thought that she would never have joy. Lancelot rode onwards until he came about the middle of a certain day to the Perilous Castle, where Meliot was sick. The Lady came to meet him, and said : Lancelot, says she, God's welcome to thee ! A good adventure may God give to thee also! says Lancelot; wert thou not in so bad a plight, in respect of me. Then he dismounted, and came to the hall; and the Lady caused his arms to be stripped off him, and clothes to be given to him to wear. O Lady, says Lancelot; see thou here some of the shroud, that thou commandedst to me; and see here the sword; and yet thou mockedst me about the head of the griffin. Truth thou sayest, says she; because of the maiden of the castle, who did not dislike thee, I did that, for she had prayed me to say so to thee. And did she not see thee? She did, says he also. The Lady then took Lancelot, and led him to the place, where Meliot was sick, in a fair bed. And Lancelot then sat by him, and asked how he was. Meliot, says the maiden; here is Lancelot de Lac come with thy health to thee. Lord, says he, God's welcome to thee! May God of Heaven, says Lancelot, give thee health speedily! For God's sake, says Meliot; how is Gwalchmei? When I came from him, says Lancelot, he was well, and if he knew that thou art, as thou art, he would be grieved, and the King also. Lord, says he; the knight, who came to endeavour to take the castle from me, which they had given, maimed me thus, and he also died afterwards; but the blows, he gave me, were too cruel, for I can never be healed, unless I can get the sword, with which I was stabbed, and get some of the knight's shroud. Lord, says the maiden; he also hath brought to thee each of them, and see thou them here. May the Lord God, says he, repay thee! In every manner whatever, thy prowess shews itself; for, but for the worthiness of thy warriorship, the shrine would never have opened itself for thee, and thou couldst not have had either the sword, or the shroud. Besides that also, a knight never went there, who came back again, without his being killed or maimed, except thee. Then one of the seven wounds, that were in Meliot, was made bare, and Lancelot put the sword, and the shroud, on the wound, and the blow began to sweat immediately, and Meliot said of himself that he would recover. Lancelot was well pleased, when he knew that Meliot would recover.

CCXXXIV.—Lancelot, says the maiden; I have hated thee greatly, ever since thou tookest from me the man, whom I loved most, and causedst him to marry another; and to do thee damage, and trouble, I put upon me great pain several times. For thou causedst to me the greatest sorrow, that I ever had; for he loved me greatly, and I also loved him too; and he will never fail in his love to me. However it is further from me than it was, and because of the good turn, thou hast dòne to me on this occasion, I will give my oath to thee, that thou hast no need to fear, that I will ever do thee harm either. May God repay thee for that! says Lancelot. In that castle he lodged that night, and the next morning he departed; and when he had taken leave, he resorted to Arthur's Court, which was in a sufficiently great a fright, for Magdalans was gaining many of the islands from Arthur; and all that he gained, he compelled them to believe in his faith, and they also were believing for fear of their death. Besides that also, Gwalchmei, and Owein, and Sagamor, and the Proud of the Glade, and many of the Court, were gone to seek adventures, as they were wont; and that because Arthur believed Briant, more than them.

CCXXXV.—When Lancelot was gone from Caerllion, Arthur sent aid frequently to fight against Magdalans, and no one went there, who did not come home, being overcome. Magdalans was trusting to make his sister a Queen, as he had promised to her. Arthur himself was desirous of seeing Lancelot coming, and said, that if Lancelot had been there, as the others had been, his enemies would not have increased upon him, as they were increasing; and when Arthur was in that perplexity, Lo, Lancelot coming, at which Arthur was well pleased. Lancelot knew that neither Gwalchmei, nor Owein, nor many of the others, were in the Court, and that they were more desirous of being without the Court, than in it, and that on account of Briant. And then he also sought to go after them also, when the King prevented him, and said to him : Lancelot, says he, I implore thee, as much as I am able, to give me aid and counsel, to defend my country, for I have great trust in thee. Lord, says Lancelot; neither my counsel, nor my aid, will ever fail thee; take thou also care not to fail me too. I ought not, says Arthur, to fail thee, and I will not; for I would fail to myself sooner.

CCXXXVI.—The history relates that the King gave along with Lancelot forty knights, and that he came to the place, where Magdalans was; and before he knew of his coming, did not Lancelot break in pieces the ropes of the ships, and the sails, and the masts? and as many as he obtained of the vessels, he caused them to be burnt, and the other portion went to sea. And after that, they struck in the midst of the host of Magdalans, and slew them ; and some of them fled towards their ships, and the order, in which they found them, was not pleasant ; and the King himself sought towards his ship, and Lancelot pursued him as far as the sea, and there in the presence of his men, he slew him ; and after that, they slew the men, and threw them with the sea. That island was freed by means of Lancelot. From thence he went to the other islands, which Magdalans had gained, and turned to the evil faith, for fear of their death ; and he also placed them in the way they had been before. And so he proceeded from one island to the other, until he came to Alban, where he had been before. And when the people of the country saw him coming, they knew that he had slain Magdalans ; and they entertained excessive joy. Thence he caused vessels to be prepared for him to go to the realm of Orient, which had been the property of Magdalans ; and that country was empty, and especially of lords, for Lancelot had slain them along with Magdalans. Lancelot yet had brought along with him the best warriors, and came to the country with a large fleet along with him. And he began to destroy them, those who were in the kingdom, an unbelieving people, and saw that they could not defend the country, for their lord was dead. Many of them yet allowed themselves to be killed, for they were unwilling to leave their false faith, and those, who were willing to believe in God, obtained protection. Then Lancelot caused the heifers to be broken in pieces, in which they believed; for those answered them, through the evil spirits, that were in them. And after that, he caused images to be made to Mary, and to the Cross, to strengthen these of the country in the faith. The strongest and most valiant of the country one day met together, and said, that it was not right for the country to be without a king over it; and thereupon they agreed, and came to Lancelot, and said; that they wished him to be king over them, for he had gained the kingdom. Lancelot then thanked them greatly, and said to them; that neither over that country, nor any other, would he ever be king, unless Arthur made him first; for the whole of the gain I have made, says he, is his; and in his name was it made, and he sent me here, and his knights along with me.

CCXXXVII.—King Claudas heard that Lancelot had slain Magdalans and gained his kingdom, and that there was no island able to defend itself against him. He was not well pleased to hear his prowess praised so much as that, for he recollected that he had gained many lands from King Bann of Bannawc, Lancelot's father; and therefore he was sorrowful, because he heard that the renown of Lancelot went over all, and that Lancelot was heir to his father. And then King Claudas sent a messenger one day to Briant, to entreat him, if he could, to beseech, and cause Arthur to give leave to Lancelot to go away from him, and he also would pay him for his labour, and would aid him after that to take vengeance on his enemies. For if Lancelot and Gwalchmei were away from the Court, he had no fear of the rest, and so they would be able to have their will on the country. Briant himself sent the messenger back to King Claudas to tell him, that there were in the Court neither Gwalchmei, nor Owein, nor many of the rest, and therefore he bade him not to hesitate to come, when he pleased; and he also would cause Lancelot for a certainty to leave the Court speedily.

CCXXXVIII.—News came to Arthur's Court, that Lancelot had slain the king of Orient, and destroyed the people, and slain them; and thence that he had gone to the country of the king, and gained it all, and caused the people, for fear of their death, to believe in the true Cross, and the faith of Christ. Briant then was not pleased with any of those tidings, and he came, one day, to Arthur secretly, and said: Lord, says he, I ought to warn thee, and ward off thy shame and thy loss from thee, for thou hast made me steward over the whole of thy realm; and therefore I suppose that thou hast great trust in me; and therefore I also ought not to be one to do thee an injury; and I ought to honour thee, and better thy honour in the best way that I can; and if I did not, I should not be a faithful man to thee. Accordingly, Lord, tidings have come to me, that the kingdom of Magdalans, and the men of Alban, and the whole of the other islands, have agreed, and given mutual pledges, by a contract, to make Lancelot king over them. And after that, they agreed together to war upon thee, and to come to this country, as soon as they can; and he also swore to them to do all their will, and to go along with them to every place, that they pleased, and more especially to uproot thee from thy dominion; and if thou dost not take care against that, thou mayest have loss, and damage, and shame. By my head, says Arthur, I do not suppose that Lancelot thought of that, or that he has a bad heart in respect of me. By my faith, says Briant; I have known that of him for a long while; yet no one ought to tell his lord immediately, what he chiefly knows, lest he should suppose that he was a slanderer. Nevertheless, there is now nothing, that I will conceal from thee, so great is thy trust in me, and the honour thou hast done to me; and thou mayest trust in me, for I also have given the whole of my land to thee at thy will, for which reason thou mayest free thyself from thy enemies, if thou willest, for thou knowest that there is not in thy Court a knight with greater power than myself. By my faith, says Arthur; Briant, I will love thee from henceforth; and while I live, there is no one, that can take my love from me; and thou also wilt never be taken from my service, as long as I see fidelity in thee. And therefore I will send letters to command Lancelot to come back; and when he comes, we will explain what thou art saying, for I will that neither he nor any of my men, however strong he may be, shall learn to oppose me; for the Lord ought to be stronger than his man, so that his fear may be upon others. The King then sent a messenger to Lancelot, where the kingdom of Orient was, and he put the letters in his hand. And as soon as he read what was in the letters, he took his leave of all the country, who were sad and grieved at his departure.

CCXXXIX.—Lancelot proceeded onwards until he came to Caerllion; and then Lancelot came to the presence of Arthur, and gave him the forty knights, in the manner that they went along with him. Then the King commanded Briant to put on his arms, and forty knights, to take hold of Lancelot, and that they be ready after dinner in the hall, with their cloaks over their arms; and they did so. And the news came to Lancelot to say, that the King had ordered forty knights to be brought armed to the hall. Lancelot then thought that the King had some great feat in hand, when he did that, and that it would be well for him also to put on his arms; and armed he came to the place where Arthur was. Lord, says Briant; Lancelot has some intention, when he comes in armed, without thy command; and therefore thou oughtest to ask him why he is coming so, to do thee harm, and how thou hast deserved that from him. And then the king asked: Lancelot, says he; Why art thou come here armed? Lord, says Lancelot; it was told me that other knights were here armed, and a fear came upon me also, that some oppression had come upon thee here. A different intention to that, says Arthur, didst thou entertain, according to what has been said to me, and if the hall were empty of men, I suppose that thou wouldst kill me; and thereupon the King commanded to lay hold of Lancelot. The knights then jumped on all sides of him, for they dared not break the command of the King; and the retinue of Briant also was the greatest.

And when Lancelot saw them coming towards him, he drew his sword, and said : By my head, says he to Arthur, I should not have thought of this deceit, and this is a bad payment to me for the service, I have done to thee. And then every one set on one side to lay hold of Lancelot, and he proceeded, in defending himself from them, until he came to the wall of the hall, of which he made a castle on the side behind him, and before he came up to the wall, did he not injure seven of them ? between those he had slain, and had injured ; and so he defended himself manfully on every side of him. However they were giving him cruel bad blows, and thirty or forty blows were not like to one blow ; yet it was a wonder, how one man could continue against so many men as those. Lancelot defended himself the best that he could, and before he was seized he did his worth, for of the forty knights not one went whole, except twenty. Briant himself meddled with the seizing of Lancelot, and Lancelot struck him also along the head, so that the helmet was broken ; and the blood was in streams to the ground ; and the sword descended along the side of his head, so that his right ear was shaved off, and the sword in his shoulder blade ; and thereupon Lancelot was seized. And the King commanded that harm either should not be done to him, but to put him in prison ; and it was a wonder to Lancelot, why the king had caused that to be done to him. Then Lancelot was put in prison, as the King commanded, and every one of the Court was sorry for that, except Briant, and his knights. However it is possible that he will repent of that yet, for because of that his death happened ; and at that point of time it was said that the Court of Arthur was corrupted, for Gwalchmei had been put in prison ; and because Gwalchmei, and the best warriors, had withdrawn from the Court, on account of the King believing more in Briant, than in them.

CCXL.—Here the story becomes silent about Lancelot, and turns to Paredur, who would not have been well pleased, had he known the news, as it was from Arthur's Court. He departed from his uncle's court, which he had gained, and he was sad on account of the news he had heard about his sister ; that Aristor had carried her away by violence, and sent her to a constable, whom he had made, to keep her until she was married, and at the end of the year, he would cut off her head, and such had been his custom with all the women, that had been with him. Paredur rode one day towards the court of the hermit king, his uncle, and at vesper time he came in that direction, and he saw three hermits outside of the cell. Then he dismounted, and went to meet them. Lord, say they ; Do thou not enter, for they are enshrouding a body there inside. Whose body is it ? says Paredur. Lord, say the hermits ; it is the body of King Peles ; and here there came a knight, who is called Aristor, and killed him after mass ; and that on account of a nephew he had, called Paredur, whom he does not love at all. When Paredur heard those tidings, he was not at all satisfied ; and there he remained that night ; and the next morning he was there at the burying of his uncle.

CCXLI.—And when the mass was ended, Peredur started thence, as one who was eager to avenge on Aristor the shame he had done. And as he was so, Lo, a young maiden coming in. Lord, says she; I have been seeking thee for a long time, and Gwalchmei knows that; and see thou yonder a sign to thee of that, namely yonder head, which Arthur gave to me, near the chapel of Saint Austin. O Lady, says Peredur; what wouldst thou with me about that? I would, says she, that thou wouldst come to avenge thy cousin, no other than the son of Brunsbrandalis, than whom there was not in the world a better warrior, if he had had his life. And when thou hast avenged him, I also shall have my castle, which will never be had, until he is avenged. Who killed him? says Peredur. Lord, says she; the Red Knight of the Deep Forest, who has a terrible fierce lion along with him, always following him. And by stealth he killed thy cousin, for if he had been armed, as he also was, he would never have killed him. O Lady, says Peredur; I am sorry that he is dead; and that my uncle Peles is dead, who was killed on my account, and he is a a faithless man that would go, out of rage against another, to kill a holy hermit, who did no harm, and would not wish it either to him, or to any one; and I should be well pleased to see him once, and so he is about me also; for I am as hateful to him, as he is to me. Lord, says the maiden; so great is the pride of that one, that he supposes that there is not in the world a warrior, as good as he; and if he knew that thou wert here, if thou shouldst happen to be on thy third, he would come quickly to thee. O Lady, says Peredur; Be it on an evil adventure that he comes! when he first comes. Lord, says the maiden of the Deep Forest; the place where the Red Knight is with the lion along with him, is near the castle of Aristor, and peradventure before thy coming to that forest, we shall hear new tidings about him. We will beseech God to hear them; says Peredur.

CCXLII.—The story relates that Peredur rode sorrowful for the death of his uncle, and praying God that Aristor might meet with him; and the maiden followed him, and she was desirous that they should be in the Deep Forest. And as Peredur was riding through the middle of the forest he saw before him two youths, having two hinds dressed on the back of horses. Peredur then came to them, as soon as he could, and bade them stop. O Sirs, says he, whither are ye taking those hinds? Lord, say the youths; to the castle of Aristor. Are there many knights along with him? says Peredur. Lord, say they also; there is no one at present, for they are gone to invite every one along the countries to come to a marriage, which Aristor is preparing, and celebrating, for he is determined to marry the daughter of the widow woman, whom he carried off by violence from her mother's castle, and gave her to a grave constable, that he has, to keep her until she was married; and all are sad, on account of her being so fair, and because she is sister to the best knight of the whole world; for he will cut off her head at the end of the year from the day he marries. Would he not do much good, says Peredur, that breaks that quality of his? He would for a surety, say the youths; and God would be well pleased with him also, for the cruelty of that one is greater than any thing; and besides that also, he is greatly reproached for killing the Hermit King. And he is desiring every day that the son of the widow woman should meet with him, for he would prefer killing that one to any one. Where is your lord now? says Paredur. Lord, say they; at present we left him in this here forest fighting with a powerful knight, and he said that he was called the Valiant Knight. And because he said that he was knight to Paredur, Aristor seeks to kill him, and he bade us to proceed forwards, and said that he would overcome him presently, and as soon as we went from them, we heard their blows, of each of them, upon each other. And Aristor is so cruel, that there is not a knight that he may find in this forest, whom he will not kill, if he can. When Paredur heard those tidings, he departed from the youths, as soon as he could, and he rode not half a mile, when he heard their blows on their helmets. And he was glad that the Valiant Knight was able to maintain the fight against Aristor so long as that, and yet Paredur knew not the anguish the brave knight had; for was he not struck with a spear through his body, so that his blood was spilt on every side of him? Aristor also was not whole himself, for he was wounded in two places; and as soon as Paredur saw him, he struck his horse with two spurs, and came to him, and struck him in the strength of his breast, so that he was losing his stirrups, and he bent on the crupper of his horse, and thence he said to him : Here I am come to the marriage of my sister, says he ; and her marriage ought not to be without me. Aristor then arose in haste, and enraged with Paredur, and towards him he came, as if he were maddened, and he struck Paredur along his helmet a great strange blow. The bold knight then retreated back, for he was maimed even to death, and he had been a long time also maintaining the battle. Paredur felt the blow heavy and great, and came in a rage towards Aristor, and struck him with his spear, so that Aristor and his horse were on the ground, and the spear through him also, and presently he dismounted, and loosed the thongs of his helmet. What art thou doing so? says Aristor. To cut off thy head, says Paredur ; and carry it a present to my sister, of whom thou hast failed. Thou wilt not do that, says Aristor, but let me go away; and I will pardon thee my ill will. Thy ill will, says Paredur, I can easily bear. Then Paredur cut off Aristor's head, and hung it by the bow of his saddle, and came to the bold knight, and asked him how he was. Lord, says he ; I am near to death ; nevertheless it is more pleasant to me, since I have seen thee before my death. Then Paredur mounted his horse, and took his spear, and took along with him the bold knight, until he came to the cell of a hermit, that was near there, and took him down as gently as he could, and took off his arms, and bade him confess all his sins, and he ordered him to be enshrouded after his death ; and he gave to the hermit Aristor's horse, and the knight's horse also, to pray for his soul. And when the Mass was ended, and the body was buried, Paredur departed, being grieved for the death of the knight. Lord, says the maiden; thou hast less to do now, for thou hast freed this country from the thief, that was destroying the whole of it; and since thou hast overcome this thief, may Jesus Christ cause thee to meet with the Red Knight, who killed thy cousin! and I have no fear but that thou wilt overcome him, if thou seest him. Nevertheless I am afraid of the lion, for it loves its master, and his horse, more than any one.

CCXLIII.—Paredur then proceeded without more delay towards the Deep Forest, and the maiden after him also. And as he was so, Lo, a knight badly maimed, and his horse exactly the same, meeting with him. Lord, says he to Paredur; go thou not to that forest, and I hardly came from there, for there is a knight and a lion with him, which treated me in this manner, and as great is my dread of the forest that is before me, as of this, for there is a knight there who is called Aristor, that rushes upon every one without cause, and kills all. By my faith, says the maiden; Thou hast no need of ever fearing him, for see thou yonder his head. By my head, says the knight; good is the news thou art saying; and I know that he is not without great strength, whoever killed him; and thereupon the knight departed. The lion however had maimed him in his thigh, so that he could not hardly either walk or ride. Ah, knight! says Paredur; go to the house of the hermit, that is in the forest, and bid him from me to give thee one of the horses, that I left there, for I see that thou hast need of it; and thou also wilt thank him in some other way, and he also would prefer something else to a horse. The Knight departed, thanking Paredur for that, and came to the house of the hermit, and said to him, as it had been bidden to him to do. And the hermit bade him take whichever he pleased, out of love for the knight, that had left them there. And then he took Aristor's horse, for it was the best, and mounted it, and he took leave of the hermit, and said that he would thank him for that, if he could. Nevertheless it would have been better for the knight, if he had not taken the horse at all, for he was killed on account of it afterwards; for a knight of Aristor's castle overtook him in the forest, and recognised his lord's horse, and had heard of the death of Aristor, and had gone to seek him. And he fought with the knight, until he killed him; and he took the horse, and went away with it. Paredur rode towards the Deep Forest, which was great and extensive; and when he was come to the forest, he rode not far, before he perceived the lion, lying in a glade under the branches of a tree, and waiting for its master, who had gone to the forest; and it knew that the knight would come to that way along the forest, and therefore it was there waiting. The Lady retreated a little back, for fear of the lion. Paredur himself went towards the lion, which was coming against him also, with its eyes swollen in its head, and its mouth open. Paredur then aimed at it, and had supposed that he had struck it in the middle of its teeth, and the lion avoided him; but the blow hit it in its right arm, and the lion reached his horse also with its claws in its crupper, and drew from it the flesh, and the skin ; and the horse, when it perceived that it was hurt so, struck the lion with its two hind feet, so that its fangs were in its throat. Then the lion gave a roar, so that it was heard two miles in the forest. Then the Red Knight heard the lion's roar, and in that direction he came, as soon as he could. However before he came ; Did not Paredur kill the lion completely ? When the Red Knight saw his lion dead, he was grieved for that, and said to Paredur : By my faith, says he, too much loss hast thou done to me. It is more, what thou hast done, says Paredur, when thou killedst the son of my uncle ; and thereupon Paredur, without saying more, attacked him, and the Knight attacked him also, and broke his shaft upon him ; and Paredur struck him also, so that his spear was through him, and so that he also and his horse were on the ground. Then Paredur dismounted from his own horse, that was hurt, and mounted the horse of the Red Knight, for he could not trust in his own. Lord, says the Lady ; my castle is in this forest, which this knight took from me, and therefore, Lord, says she ; come along with me, so that I may be sure of it. O Lady, says Paredur ; I will go with pleasure, and they rode through the forest until they came to the castle, which had been taken from the maiden ; which stood in the fairest place in the forest, and was enclosed with a high wall, and fair embrasures upon it. The news came to the castle, to say that their lord was dead. Paredur caused all, that were there, to do homage to her; and they also did so, for they knew that it was her patrimony. The maiden caused the head, she had carried along with her, to be buried. And when Paredur was pleased to go from there, he went ; and the maiden thanked him for what he had done for her ; for but for him, she would never have had her castle.

CCXLIV.—Joseus it is that makes the narration, who turned this history from Latin into French, and says that no one has need to doubt that these adventures were formerly in Great Britain, and in the other kingdoms ; and more than these, except that these are best known. The history relates that Paredur came to the place, where his sister was, the saddest person, that had been ever seen. And it was no wonder for her, to go in the manner it was foretold to her ; and crying out for her mother, who was as sad as she also was. The constable, who was guarding her, was comforting her, and cursing her brother, because he was not coming to take her thence, and he knew not that he was as near as he was. Thereupon Paredur came armed to the place, and he dismounted on the dismounting-stone. The news came to them, and said that a knight completely armed had dismounted in the palace. The constable came to meet him, and wondered who he was ; but he supposed that he was one of Aristor's knights. Lord, says the constable ; God's welcome to thee ! A good adventure may God give to thee also ! says Paredur ; and in his hand was Aristor's head by the hair ; and to the hall he came, and from there to the chamber, where his sister was weeping. O Lady, says he ; cease thy weeping, for hath not thy marriage failed ?

And see here a sign to thee about that, by which thou mayest know
that it is true. And then he threw Aristor's head before her, and
said : See there the head of the man that would have married thee !
The maiden then knew that it was her brother, that was speaking
in his arms to her, and she arose, and made him the greatest welcome,
that a person ever made to another ; and all that were looking on
sympathized in that joy. The narration relates that he remained
there that night ; and the constable welcomed him. The maiden
commanded the head to be cast into a river, that was near there.
The constable was glad, because Aristor was dead, for the cruelty and
brutishness, that were in him. And when Paredur had been there
as long as was agreeable to him, he thanked the constable for the
welcome, and honour, he had done to his sister. He departed, and
his sister along with him on the back of the mule, that had come
there under her, and they rode by journeys, until they came to the
Castle of Camalot, where was their mother, sad enough for her
daughter, and thinking that she should never see her ; and she was
not happy also on account of her brother, whom Aristor had slain.
Paredur came to the chamber, where his mother was lying, and his
sister in his hand ; and as soon as she recognised them, she wept for
joy. And after that she embraced them, and she said : My lord son,
says she ; Blessed be the hour in which thou wert born ! for by thy
means the whole of my sadness is turned into joy. Now I should
be pleased to die, if God willed it, for long enough have I lived.
There is no need for thee to desire thy death yet, says Paredur ; for
thou never didst harm to any one ; and if it please God, not here
wilt thou die, but in the castle of King Peleur, where the Greal is.
My lord son, says she ; thou sayest well, and I would that I were
there. Lady, says Paredur ; God will do so much for thee, as that
thou wilt be there yet ; and if my sister will not marry a man, we
will place her, where she can maintain herself honourably. For a
truth, says she ; my fair brother, I will never be married, except to
God. My lord son, says the woman ; the Maiden of the Chair went
to seek thee to every place, and she will never rest, until she finds
thee. Lady, says he ; in some place she will have tidings of me, or
I of her. My Lord, says she ; see thou here the maiden who hurt
her arm, when thy sister was carried away by force. What harm is
that ? says Paredur ; I also avenged her upon him ; and then he told
his mother his adventures. There he remained a long time along
with his mother.

CCXLV.—And then Paredur took leave of his mother, and said
that he had not yet finished the whole of his adventures. His
mother and his sister remained there, leading a good life. The
maiden caused a large fair chapel to be made above the shrine, that
was between the castle and the forest, and caused it to be adorned
with books, and fair vestments, and hired a priest to sing mass
there every day. After that, says the history, a white monastery was
built there, and it is testified that there is still there a monastery, that
is rich. Paredur himself started from Camalot, and came to a great

forest; and rode until it was vesper time. And then he came to the court of a knight, that was in the forest; there he lodged, and the knight welcomed him, and caused his arms to be taken off from him, and clean clothes to be brought to him to wear. Paredur saw the man thoughtful, and sighing continually. Lord, says Paredur; it appears to me that thou art not happy. It is true, says the knight; for a brother of mine was killed near the Deep Forest, not long ago, and therefore I can never be happy, for he was a good and true man. O Sir, says Paredur; Knowest thou who killed him? I do, Lord, says he also; seven of Aristor's knights, because he was riding a a horse, that had belonged to Aristor, whom another knight slew, and a hermit had given the horse to my brother, for the lion of the Red Knight had maimed my brother's horse. Paredur was not very well pleased with any of these tidings, for he had bidden the knight to go to fetch the horse. O Sir, says Paredur; I think that thy brother had deserved none of his death, for it was not he, that had killed the knight. I know that, says the man; another knight slew the knight, and the Red Knight likewise. He became silent at that, and there he slept that night. And the next morning he proceeded thence, until he came to a hermit's house, where he heard mass; and after mass the hermit came to him and said: Lord, says he, there are knights in this forest watching for a knight, who slew Aristor, and the Red Knight, and the lion also; and they meet with no one, whom they do not kill, from that time until this day, on account of that knight. God preserve me, says Paredur, from meeting any one, that wishes either harm to me! He set out from thence, and rode until he came to a glade in the forest, and there he perceived the knight on the back of Aristor's horse, on account of which the other knight had been slain, and another knight along with him; and then they stood, when they saw Paredur coming. By my head, says one; such a shield as that yonder the knight had, who killed Aristor, according as it was told to me, and peradventure it is he; and they came towards him in their full course. When Paredur saw them coming, he did not neglect his spurs, but shewed them to his horse, and came to meet them; and they struck him on one side, so that their shafts were broken. And then Paredur overtook the one, that was on Aristor's horse, and struck him, so that his spear went through him, more than a yard length, and him also dead to the ground. And thence he came to the other, who was wishing to flee, and he struck him with a sword, so that his shoulder blade was off from him, and he also fell dead; and he took their horses, and tied their bridles together, and drove them before him, until he came to the hermit's house, who had given the horse to the man, that had been killed, and said: Lord, says he; See here these horses for thee, for I know that thou wilt not refuse any of them, to whomsoever that may have need of them. Lord, says the hermit; there have been here three knights just now, and as soon as they heard that the two were killed, that owned these horses, they fled; and I also asked them to go to see if that were true, and one of them said, that it was not well to go into so much danger as that.

CCXLVI.—Paredur, who, as long as he was in the world, was not able to live, except in trouble, and tournaments, set out from the hermit; and as he was riding so in the middle of the forest, Lo, a knight meeting with him, and the knight recognised Paredur, as soon as he saw him, and saluted him. Paredur then asked him, whence he was coming. Lord, says he; from this forest, where I heard great misery from a knight, who was committing great brutality with a young maiden, whom he was beating with a scourge. And I was on one side of the glade, and he also on the other side, beating her, and saying to her: There is that for thee out of disrespect to the son of the widow woman, who gave to thee thy castle; and to increase his disrespect, I will cast thee into the ditch of the serpents. And behind him also was a grave knight, and a priest, praying him for the maiden, and he also was so cruel, that he would do nothing for them, but became more enraged on account of them. The knight thereupon departed, and Paredur thought it was well for him to go after the maiden, for she was the maiden to whom he had given her castle before then. And then he rode through the forest, until he came to the thickness of it, and there he stood first a little, and thereupon he heard the maiden's outcry, who was in a great valley, where the ditch of the serpents was, and she was imploring his protection, and the knight was giving frequent blows to her with the scourge, because she was crying loudly. Paredur, without waiting longer, came towards them; and as soon as she saw Paredur, she recognised him, and implored him, for God's sake, to help her, saying: Lord, thou gavest my castle to me, which this man took from me; and he is seeking to take my life also from me. The knight, as soon as he saw Paredur, immediately recognised the horse, that was under him, and said: Thou knight, says he; that horse was the property of the Red Knight of the Deep Forest, the man who was lord over me, and now I know that it was thou, who killedst him. It is possible, says Paredur, that thou art saying the truth; and he also deserved to be killed, for he had cut off the head of my cousin. By my head, says the knight; since it is thou, that killedst him, here am I an enemy to thee; and he retreated back, for the purpose of coming to Paredur; and Paredur to him also; and they came in contact, with the full force of their horses' feet, and Paredur struck the knight, so that he was over the crupper of his horse to the ground; and on that fall he broke his leg, so that he could not turn himself where he was. Paredur dismounted, and came towards him, and the knight besought his protection, that he would not kill him. And Paredur said, that he had no need to have any fear of dying there. Nevertheless, such a death as thou intendedst for the maiden, thou shalt have it. And then he dragged the knight to the ditch, where there was an abundance of snakes, and serpents, so that there was not a way for him to remain long there. The maiden herself thanked Paredur for his labour on her behalf at all times; and away she proceeded until she came to her own castle ; and from that time forward she had not either war ever, so cruelly had Paredur taken vengeance on all, that were enemies to her.

CCXLVII.—Paredur set out from thence, as one that willed not to be in the world, except with labour and affliction ; and he rode by journeys until he came to a fair land, with strong castles upon it, and they believed not either in God in that country, but in images of heifers they believed, in which were evil spirits, and devils, giving answers to them. Thereupon, Lo, a knight meeting with him, and saying : Lord, says he, return back, for there is no need for thee to go further than this, because the people of this country do not at all believe in God. And I was obliged to give a ransom, to have permission to go through the country, that thou seest ; for the Queen of this country is sister to the King of Orient, and Lancelot slew that king in battle, and slew his men, and gained his kingdom, and caused them to believe in God. And for that reason this Queen is so cruel, that she hates every Christian, and therefore she has prayed to her God, that she may see nothing of the world, until the new faith is destroyed ; and until then she will not see at all. And I am not saying this, but that I would not wish thee to go to a place, where thou wouldst have damage from it. May God repay thee ! says Paredur. Nevertheless, there is not in the world so fair a warriorship as this, which is done to better God's faith ; and all ought to labour for God, more than for any one ; and more needful it is for us, if we would take pain upon us for His sake, than for Him for our sake. Then he proceeded thence, and he was well pleased to hear that Lancelot had gained the kingdom, and converted it to the faith of Christ. Nevertheless, had he known that the King had put him in prison, he would not have been well pleased ; for Lancelot was his kinsman, and companion, and a good warrior likewise. And he rode until it became night upon him, and then he perceived a strong castle, and turning bridges near the gate, and old water, great and deep, about the castle, and at the gate of the castle was a youth, with an iron chain about his neck, and the end of the chain was fixed in a block near the gate, and the chain was as long as the bridge, and to meet Paredur he came, when he saw him coming towards the castle. Lord, says he ; it appears to me that thou art a Christian. O Sir, says Paredur ; it is true. In that case, says the youth ; thou shalt not come to this castle. Why Sir ? says Paredur. Lord, says the youth, I will tell thee ; I am a Christian, as thou also art, and I have been placed in this penance, and to guard the gate, as thou seest, and there is not in the whole world a more cruel castle than this, and all of the country call it the Mad Castle, for here there are three fair young men, and as soon as they see a Christian, they go out of their senses, and are mad, so that nothing can continue against them. Besides that, there is here the most beautiful maiden of the world, and that one guards them, as soon as they rave ; and they fear her so much, that they dare not break her commands, and but for her, they would destroy many men, and because I am thus for a long while, they do not move against me ; and many a Christian has come here, without one ever going back again. O Sir, says Paredur ; I will go in, if I can, for I know not now to-night, where I shall go ; and besides that, I have hope that God is stronger than the Devil. And in he came, and in the middle of the palace he dismounted. The Lady was at one of the windows of the hall, and came down ; and as soon as she saw Paredur, she knew that he was a Christian, because of the cross, that was on his shield, and she said : Lord, says she ; for God's sake, do not come in here, for there are in this hall playing three of the fairest youths, that any one has ever seen, and they are three brothers. And they will rave as soon as they see thee, and it is extraordinary for a man to look on such miracles as those, for it is right for all, that believe not in God, to go out of their senses, when they see something on the side of God. Paredur then came armed up to the hall, notwithstanding what the maiden was saying, and she also after him too. The three men then perceived Paredur in his arms, and the cross in his shield, and jumped up out of their senses, and mad, and each conversing with one another, and bellowing like devils, and then they took battle-axes, and swords, and would have made an onset on Paredur. Yet God did not allow them to harm him, and when they could not make an onset on Paredur, each of them set on the others, and they fought until they killed one another, without being inclined to be at the command of the maiden.

CCXLVIII.—Paredur then looked at the youths, each killing one another, and thought that great were those miracles, and saw the maiden very sad, and weeping. O Lady, says Paredur ; weep not at all, but repent of the wrong faith, which thou hast been maintaining hitherto ; for all, that will not believe in our God, are as fools, and out of their senses, and mad like devils. Paredur then caused the servants to throw out the bodies of the dead ones, and to throw them into a running river, that was near there. And when that was done, he slew all, that were in the castle, who would not believe in God, so that there was no one in the castle besides the maiden herself, and those that were in her service also ; and the Christian, who was by his chain, he freed, and brought him to the hall along with him, and bade him to take off his arms, and after that to put on him good clothes to wear. The maiden looked at him, and saw him to be a handsome, well-formed man, and honoured him. Nevertheless she could not neglect her grief and sorrow for her brothers. O Lady, says Paredur ; thy sorrow will avail thee nothing, and therefore forget it. Paredur looked at her, because of her beauty, and she also neglected her grief, from a desire of looking upon him too, and she loved him forthwith, and said in her own mind, that if he would believe in her god, she would make him lord over the castle, and over herself also. Nevertheless, she knew not the thoughts of Paredur ; and if she had known them, she would not have aimed at that, for if she would believe in his God, he would not do her will for that. And says the narration, he would not lose his virginity for a woman of the

world, and there was neither cause nor thought, between him and a
woman of the world, but undefiled by any adultery he died. And
she was not supposing that, but supposing that he would be delighted,
if she loved him, for so great was her beauty. Paredur then asked
her what she was thinking of, and she also said, that she was not
thinking otherwise than good, if he would have her, and then she
confessed her mind to him. O Lady, says Paredur; that thought
will avail nothing; and if thou wert a man, as I am, thy end
would have come along with the rest; and if it please God, thy mind
will change yet. It is true, says she; if thou wilt love me, as a knight
ought to love a fair lady of noble birth, I will do what thou com-
mandest, and I will believe in the faith, in which thou also believest.
I will warrant to thee, says Paredur, as I am a Christian, if thou
wilt receive baptism, to love thee as one, that believes in God, loves
the other. And I will not seek more, says she also. And then she
caused to go to fetch a holy hermit, who was in the forest by agree-
ment; and he came quickly, when he heard the news. And she was
baptized, both she and her ladies, and Paredur was godfather to her.
Joseph testifies that Celester was her name, and she was well pleased
that she was baptized, and she turned her mind to good; and the
hermit remained there along with her for a long time, teaching her
how she should believe in God; and so did that Lady spend her life,
until she died.

CCXLIX.—Paredur proceeded thence, thanking God for the cour-
tesy He had done, in granting him to overcome so cruel a castle as
that, and convert it to the faith of Christ. And he rode armed,
until he came to a country, in which was great lamentation, and
saying they were, that if he came there, Did he not destroy us alto-
gether? for did he not overcome the strongest castle of the country?
And he rode until he came near to an old castle, that was at the end
of a forest. And there near the gate of the castle, he saw a great
congregation of men together, and saw a youth coming from them;
and he asked the youth what sort of castle that was. Lord, says the
youth; Queen Landyr is yonder, commanding to be brought as far as
the gate to the knights, whom thou seest yonder, for she has heard
that the knights of the Mad Castle are dead; and the knight, who
gained it, has caused the maiden, that was there, to be baptized;
and they wondered how that happened. For yonder queen has great
dread of losing her land, for Magdalans, king of Orient, is dead, who
was her brother, and there is not either help for her now. And she
has likewise heard that the knight, who gained the Mad Castle, is the
best knight of the whole world, and that there is no one, who can
continue against him; and for fear of him she is moving to a castle,
that she has, stronger than yonder one. Thereupon the youth de-
parted, and Paredur came towards the gate of the castle, and the
people, that were along with the Queen, perceived the red cross, that
was in Paredur's shield, and said to the Queen : See thou here, say they,
a Christian knight, coming towards the castle. Take ye heed, says she,
that he is not the one, whose office it is to destroy your faith.

Paredur came in that direction armed, and dismounted. The Queen asked him who he was, and what he sought. Lady, says Paredur; I am not seeking save good and advantage to thee, unless thou refusest them. Art thou coming, says she, from the Mad Castle? Lady, says he; I have been in that castle, and I would that thy castle were at the will of the Saviour in the manner that one is. By my faith, says she; if thy Lord is so almighty as he is said to be, it will be forthwith. Lady, says Paredur; greater is his power than is said. I would, says she, hear that forthwith, and I beseech thee not to go from me until I prove it. Paredur consented to that gladly, and she also returned back to the castle, and Paredur along with her. And all, that were in there, wondered that the Lady was conversing so with Paredur, for ever since she had lost her sight, she could not permit a Christian near her, and for that reason she caused herself to be blinded, so as not to see one of them, and now however she would see Paredur, for the household, that were about her, were saying that there was not in the world a fairer man than he. Paredur remained there that night, and thought that it would be well pleasing to him, if he could convert her to faith, for he knew, that if she turned, all the rest would believe.

CCL.—After Paredur had been that night in the castle, the Queen next day rose up, and caused to be brought to her the proudest of her dominion; and she also came from her chamber to the hall, to the place where Paredur was, and seeing as clearly as she had ever seen most clearly, and all wondered at that. Lords, says she; hearken to me saying to you the truth, in the manner it happened to me. As I was sleeping last night in my bed without seeing at all, I prayed to my God that he would give to me my sight, and he appeared to me to be answering me, and saying, that he had not leave for that, unless I also caused the knight, that had come here, to be killed; and if I did not that, he would be enraged with me. And when I heard them say, that they could not either deliver me, I also recollected the name of Christ, in whom those of the new faith believe; and I prayed him, and besought him, if his property and power were as great as it is said, to give to me my sight, on condition that I also would believe in him. And thereupon I slept, and it appeared to me that I saw the fairest Lady of the whole world being delivered of a child, and that in this castle; and about her was a light, as great as if the sun was shining. And when the son was born, he was so fair, and so noble in form, that it greatly pleased me to look upon him. And it appeared to me, that there were at her delivery the fairest company of the whole world, having white wings, like birds, and having the greatest joy; and it appeared to me also that there was a grave man along with the Lady, saying that nevertheless she had lost none of her virginity. And I was comfortable while I was seeing that; and thence I saw some men binding the innocent man to a column, and beating him with scourges so fast, that the blood was running in streams to the ground. And so sad was that to me, that I was obliged to weep, and I wondered how that vision had come

4 Y

to me. And after that, I saw men taking the man, before bound, and putting him on the cross-tree, and driving nails in his feet, and in his hands ; and thence striking him with a spear in his side ; and then I was obliged to weep out of pity, and there I saw, re-cognising her, the woman, I had seen being delivered of her son, on the one side, yet no one could say, or imagine, the pain and sorrow the woman, was making; and on the other side of the Cross, I saw a man, without any joy in him, and yet he was comforting the woman the best that he could. Besides that, I saw some men collecting the blood of the sufferer, and putting it in a vessel of silver ; and thence I saw him taken from that crossed tree, and put in a grave and shrine of stone. And I was so sad, when I saw so, that I was obliged to weep, and in that weeping I awoke. In that Lord it is right to believe, for He suffered death for us, and in Him I will that ye all believe, and leave him, whom ye call God, for that one is a devil, and can do you no good ; and whoever will not be-lieve in Him, I will cause to him a horrible death. The Lady then caused herself to be baptized, and all that were willing along with her, and those that were not willing, she caused to be destroyed, and to be extirpated, from the world. This history testifies, and relates to us, that the Lady was called Salubre, and so she spent her life in good faith, until she died. And Paredur departed, being well satisfied that the Lady, and her household, believed in God, and in the Saints.

CCLI.—After that, the narration relates that Meliot of England had started, in good health and spirits, from the Perilous Castle, by reason of the sword and shroud, which Lancelot had brought to him from the Perilous Chapel ; and nevertheless he was sad, and grieved, on account of the news he heard, namely that Gwalchmei was in prison, and he knew not where, save that he had heard, that the kindred of the knights of the Mad Castle had seized him, on account of Paredur, who had gained the Mad Castle. And then Meliot said that he would never be well, until he should visit Gwalchmei. And he rode, praying God to have affirmation about his lord ; and so he rode along desert forests, until it was near night, without meeting with any dwelling ; and then he looked straight before him; and per-ceived a young maiden sitting, and having great lamentation. The moon was dark, and the place was dangerous. O Lady, says Meliot ; why sittest thou so ? Lord, says she ; because I cannot otherwise, and nevertheless greater is the danger here, than thou supposest ; and if thou wishest to know why I am here, look up, and thou wilt know it. Meliot looked, and perceived above the maiden two knights, in their arms, hanging in the branches of a tree, and he wondered at that. O Lady, says Meliot ; who killed yonder knights so brutally as this ? Lord, says she ; the Knight of the Galley, who frequents the sea. Why, says he, were they hanged ? Because they believed in God, and his Mother ; and here I must guard them until the end of the fortieth day, that they be not drawn hence, for if they were drawn, he would lose the castle, he says ; and he also would cut off my head. By my faith, says Meliot; thou hast a brutish office, and thou wilt not be longer in that way. Alas! Lord, says she; I also shall be killed, for so cruel is the knight, that no one is able to continue against him. O Lady, says Meliot; it would be a great shame to me, if I left the knights in yonder manner, and that would be a reproach to other knights. Then Meliot drew them to the ground, and buried them. Lord, says the maiden; unless thou guaranteest me, the knight will kill me; and to-morrow morning, when he sees them not hanging, he will search the forest to seek me, until he finds me, and thence he will kill me. And thence Meliot proceeded along the forest, he and the maiden, until they came to a chapel, where was wont to be a hermit, whom the Knight of the Galley had destroyed; and there he dismounted, and they came in, he and the maiden, where there was abundance of light, and another maiden was there, watching a dead knight, and Meliot wondered at that. O Lady, says Meliot; when was this knight killed? Lord, says she; yesterday morning the Knight of the Galley killed him, and thus it is necessary for me to watch him to-night; and to-morrow he will come here, and from hence he will go inside of a castle, where Gwalchmei will have to fight with a lion, and that without arms. And my lady also, mine and the maiden's, whom thou broughtest here, will be brought to the place, where will be the fight between the lion and Gwalchmei; and when it has killed Gwalchmei, it will be loosed to destroy our Lady also, unless she gives up the new faith, which she took in the Mad Castle, where she was, and is still; and there we also shall be obliged to take our death. Meliot was well pleased with the tidings, because he heard that he should see Gwalchmei on the next day, and because he was alive. Lord, says the Lady; for God's sake, seek to defend this maiden to-morrow, for the knight will be mad with rage, when he shall see her here, and with thee thyself also. Why, says Meliot; is he not a man like me also? Yes, Lord, says she; but he is more cruel, and more fierce, than thou, in his appearance. There Meliot was that night until the next day; and thereupon he heard the noise of the knight, coming through the forest, like a great tempest, and there was with him the Lady of the Mad Castle, and he was respecting her badly, and beating her with a scourge, and threatening the maiden, who had permitted the knights to be drawn to the ground. Meliot perceived him coming, and a dwarf after him, who said: See thou yonder, says he, the one on whose account thou lostest thy castle, and forthwith destroy him, and after that we will go to the death of Gwalchmei. And as soon as Meliot saw him, he mounted his horse. Is it thou, says the Knight of the Galley, that drewest my knights to the ground? By my head, says Meliot; neither of them was thine, but God owned them, and thou didst too much wickedness, when thou killedst them in that manner. And thereupon they attacked one another, and Meliot struck him in the strength of his shield, so that the spear was through it, and through his breastplate, and in his breast. The knight then struck Meliot, so that the spear was through his shield, and between his arm and side, more than a yard long. And he drew his spear to him in a rage, and went to take a run of his horse, with the intention of giving a blow, that would be better. And then the dwarf said : Why dost thou let yonder one to continue against thee ? And at that word he attacked Meliot, and struck him, so that the spear was in pieces. Meliot however struck him also better, for he planted his sword in the middle of his body, and pushed him until he was under the feet of his horse on the ground dead. The dwarf then endeavoured to flee, however Meliot did not let him, but cut off his head, for which reason the maiden thanked him greatly. Meliot then dismounted, and buried the knight, that was in the chapel dead ; and after that he said to the maiden, that it was not possible for him to remain there longer than that, for he would go to help Gwalchmei. The Ladies thanked him for his labour, and went back, and the one of the maidens took the horse of the dead man, and the other took the horse of the dwarf. Meliot himself proceeded onwards, as one that would gladly wish to hear tidings of Gwalchmei. And as he was riding so, he saw a knight coming in great haste, and being armed. Thou knight, says he to Meliot ; canst thou tell me any tidings of the Knight of the Galley ? What wouldst thou with him ? says Meliot. Lord, says he ; the Knight of the Red Tower has caused Gwalchmei to be brought into a glade of this forest, where it will be necessary for him to fight without arms with a lion ; and he is waiting until the Knight of the Galley comes, who ought to bring along with him two maidens, and upon those will be loosed the lion, when Gwalchmei is killed. Will the fight between them be for a long while ? says Meliot. It will not, says he also ; until the Knight of the Galley comes. Nevertheless Gwalchmei is there, bound to a tree, until he comes ; and there are two knights guarding him ; and tell thou also to me, if thou knowest any tidings of the Knight of the Galley. Proceed onwards, says Meliot ; and thou wilt know tidings of him forthwith. Meliot proceeded, and came near to the glade, in which Gwalchmei was ; and there he perceived the knights guarding Gwalchmei ; and if Gwalchmei was afraid, it was no wonder ; for he was thinking that his day was come. Then Meliot saw Gwalchmei, bound with iron chains, so fast that he could not stir from the place, where he was. Painful and sad was that to Meliot ; and he said in his own mind, that he would rather die sooner than see the death of Gwalchmei. And then he struck his horse with two spurs, and attacked one of the knights, and struck him, so that the spear was through him, and he himself was dead on the ground ; and the other would have fled towards the castle to seek succour, when Meliot prevented him, and slew him also. And thence he came to Gwalchmei, and brake the chains off him, and let him go free, and said to him : Lord, says he ; I am Meliot, thy knight. And when Gwalchmei was freed, if he was joyful, it is not to be wondered at. The Knights of the Red Tower knew that Queen Landyr had received baptism, and that the knight, who had caused her to believe, was coming along the world, against whom no one was able to continue. And they knew also that the Knight of the Galley had been killed, and Gwalchmei freed, and that the knights who were guarding him had been killed. And then they thought that it was not possible for them to continue, and then they left the castle, and said that they would go over the sea, for there they had no need of any fear.

CCLII.—And when Meliot had freed Gwalchmei, he did so much as to make him armed with the arms of the dead knights. Gwalchmei then mounted the horse he chose ; and they wondered that they saw no one coming from the castle after them. Meliot, says Gwalchmei ; thou hast delivered me from death now, and once another time also, and I was never in the company of a knight, who did me so much good, as thou hast done. And then they rode until they came near to the castle, and they heard there not the least sound ; and they saw no one coming out of it ; and they wondered that they saw no one coming after them. And they rode until they came to the end of the forest, so that they saw the sea near to them ; and there they saw a ship, and they saw a knight beating all that were along with him. And the knight was beating them so fast, that many of them were falling headlong into the sea ; and in that direction they came, as soon as they could. And when they came near to the sea, they recognised that it was Paredur, who was beating them. And before they were come to the sea side, the ship had gone a distance into the ocean, and he also ever beating all, that were in the ship. Meliot, says Gwalchmei ; see thou yonder Paredur, and I may say for a truth that he is in great danger of his life, for yonder ship will be thrown into some country, where no tidings will ever be heard of him, unless God have a care for him ; and if he is lost, I may say that no knight will ever increase the faith of Christ so much as he. Gwalchmei saw the ship going far off to the sea, and Paredur beating all that were in it, and it was grievous to him that he was not there, before the ship had gone to a distance, and they returned sorrowful on account of Paredur ; for they knew not in what country the ship would land, and if they could have pursued it, they would have pursued it. And they rode until a knight met with them. Gwalchmei asked him from whence he was coming, and he also said that it was from Arthur's Court. What sort of news hast thou from there? says Gwalchmei. Lord, says the knight ; very bad ones, for Arthur is neglecting all his warriors on account of Briant of the Isles ; and he has caused one of the best knights of the Court to be imprisoned. Knowest thou what his name is? says Gwalchmei. Lord, says he also ; he is called Lancelot de Lac ; and did he not gain the whole of the lands, that had been taken from Arthur, and he had lost? and he had killed King Magdalans, and the whole of his kingdom he had gained, and had converted to the faith of Christ. And as soon as he had gained them, the King sent for him back, and that through the counsel of Briant ; and Arthur will forthwith want companions, for King Claudas is collecting a great host along with him, with the intention of gaining the kingdom of Magdalans back ; and after that he will come against Arthur, and that through the counsel of Briant, who sent messengers and letters to King Claudas, to entreat him to lead an army. Yes, says Gwalchmei ; he ought to be in want, whoever neglects the counsel of good men for the sake of a cowardly deceiver. Thereupon they departed from the knight, being sorry that Lancelot was in prison, and he had never done a deed, on account of which he ought to be reproached.

CCLIII.—Here the narration becomes silent about Gwalchmei, and Meliot, and treats of King Claudas; who collected a great host, through the counsel of Briant, to war upon Arthur, for he knew that there was not along with him the store of warriors, that were wont to be. Besides that also, he knew how all of Arthur's Court were, and how his own were ; and therefore he drew near to the dominion of Arthur, as soon as he could, after he had gained the kingdom of Magdalans. Nevertheless the whole of Alban was as yet against him. The news came to Arthur's Court to that effect, and they told him, that unless he sent to them help, they would give the country to King Claudas ; and they were crying out, and calling for Lancelot, and saying that if they had such a defender, as Lancelot was, over them, that they needed not to fear any such oppression. Arthur sent Briant frequently to endeavour to defend the country, and he never returned, except after being defeated, and many of his men being killed. Arthur was in a bad condition, because he knew not in what part of the world were either Gwalchmei, or Owein, son of Urien, or any one of the other good ones, who were wont to be there, through whom the fear of Arthur was upon all, and his renown went to every country.

CCLIV.—One day, when the King was thoughtful at Caerllion, leaning on one of the windows of the hall, there came into his remembrance the Queen, and the warriors, and the various adventures, that used to come to the Court, in the time of the Queen. And thereupon, Lucanus, the Butler, saw him thoughtful so, and came near to him, and said : Lord, says he, it appears to me that thou art not happy. Thou sayest truly, Lucanus, says Arthur ; for my happiness is gone very far from me, ever since the Queen died, and since Gwalchmei, and the other good warriors, are gone from me, and they do not think it worth while now to come near me. And King Claudas likewise is warring upon me, and gaining over me, which it was not often that any one gained over me, and I also have no power to hinder them from that, because my warriors are gone from me. Lord, says Lucanus ; thou oughtest not to rebuke any one for that, except thyself, for thou didst wrong to the one who did thee good, and thou art doing good to him, that is spoiling thee, and causing loss to thee ; and thou puttest in prison one of the best warriors that thou hadst, and the most true, for which reason all the rest keep at a distance from thee. He served thee well and truly, and he did nothing against thee, that thou oughtest to do the shame, which thou didst to him ; and know thou for a truth, that Paredur, and Gwalchmei, and Lancelot, and Owein, were sights, and examples to all of thy Court, and thy dominion. Lucanus, says Arthur ; if I thought that I could ever trust now in Lancelot, I would order him to be released from prison, for I know that I have not been courteous in respect of him, and Lancelot

is full of a great hard heart, and he knows not whether he will forget
the trouble that he has had, until he can avenge it ; for there is not
a king, of the whole world, however strong he may be, who dares not
ask of him his justice. Lord, says Lucanus ; Lancelot knows that,
but for the counsel of another, thou wouldst have done nothing of
what thou hast done ; and I know this of Lancelot, that he will not
either do harm to thee, for there is in him much valour and faithful-
ness. And thou knowest that, as thou hast proved him many times ;
and if thou wishest to subdue thine enemies, and hold thy kingdom,
loose him from prison ; and if thou wilt not do that, thou wilt lose
thy kingdom through deceit. Arthur then agreed to the counsel of
Lucanus, the Butler, and ordered Lancelot to be brought to his pre-
sence. Lancelot, says the King ; how dost thou feel thyself? Lord,
says Lancelot ; I have been very uneasy for a long while, and if it please
God, and thee also, it will be better for me from henceforth.
Lancelot, says the King; I have repented of what I have done in
respect of thee, and I have often thought of thy faithfulness in respect
of me, and I will amend myself towards thee according to thy will,
on condition that I have thy love as completely as before. Lord,
says Lancelot ; to obtain thy amendment and love is more dear to me
than to have any one's ; and if it please God, notwithstanding any
thing that thou hast done to me, I will not either do harm to thee,
for every body knows that I was not in prison either for deceit or
treachery, that I did in respect of thee, but because it was thy plea-
sure, and no one can upbraid me ever with that. And thou also art
lord over me, and if thou either doest harm to me, the reproach is
thine also, and notwithstanding what thou hast done to me, my help
will never fail to thee, and I will put my body in adventure in every
place for thee, as I have given many a time.

CCLV.—Great joy was in the Court to many a man, when they
heard that Lancelot was released from prison. Briant, however, and
those of his, were not well pleased. Arthur then caused Lancelot to
be served with ointment and clothes, and ordered all to be ready at
his will, and so they were, because Lancelot was more beloved at
Court than any one. And one day Briant came to Arthur, and said :
Lord, says he ; here is Lancelot, the man who has insulted me in thy
service, and I am not concerned at his knowing that I am his enemy.
Briant, says Arthur ; if thou deservedst to receive insult, thou
oughtest to be satisfied with that ; and since thou art pleased to be an
enemy to me, I also cannot be a companion to thee too. Lord, says Briant
to Arthur ; thou art lord over me, and I also am a man to thee too ; and
thou knowest that I am so rich in land and power, and companions,
that I can free myself from thee again, and therefore I will not re-
main longer in thy Court, as long as Lancelot is in it. And say
thou not that I am leaving the Court brutishly on my part, but leaving
it as one that is desirous to avenge his shame, when he shall see a
place and time ; and I see also that thou lovest him more than me.
Briant, says Arthur ; remain in the Court, and I will cause Lancelot
to do thee right, and I will do it myself for him. Lord, says Briant ;

by my faith, I will not either receive satisfaction either from thee, or from another, until I draw from his body as much blood as he also drew from me, and I am not concerned at his knowing that. And thereupon Briant set out from thence in a rage ; nevertheless were it not from fear of enraging Arthur, he would not have ridden one mile. Briant proceeded onwards towards the Castle of the Hard Rock, and said that it was better for the King, if Lancelot were still in prison, for he would stir up such a war against him, that he would lose the best part of his dominion. From thence he went to King Claudas, and said : Now thou hast need of help, for Lancelot is released from prison, and he is more beloved by the King than any one. And then they mutually swore to one another, that neither would fail the other, as long as they lived, ever everlastingly.

The translator here declares to the readers, that he is sorry, and grieved, that he knew not where in this island was the Court of King Peleur ; but this of ending to this history I will declare to you, from what I also have seen in other books. That is to say, Joseph testifies that Paredur went from the castle at some time, and not one word from him was known, he says, from that time forth in any history whatever ; and he states that Joseph remained in the castle, which had belonged to King Peleur, and shut the castle upon him, so that no one could go in to him, without sustenance, except what God would send to him. And there Joseph was for a long time after Paredur had gone from him, and there he died. Nevertheless the chapel was nothing worse, but remained in the same state, and so it is still. That place was far from men, and it was an awful place, when it had fallen into decay. And the people, that were on the land, and in the nearest islands to it, wondered what was there ; and then a desire came to go to look what was in that place ; and they went, and not one of them came back again, and no tidings were ever heard of them. That news went to every country, and no one dared after that to go there, save two knights from Wales, who had heard mention of that, and were fair and courteous young men, and each of them gave mutual pledges about going there, and there they came, and remained there for a length of time. And when they had come from there, they fed like hermits, and wore horse-hair coats about them ; and so they were wont to go along desert forests, and they used to eat only the roots of plants, and a hard state they had, yet that was pleasing to them. And when it was asked of them, why they were so ; Go ye, said they, to those that asked them, to the place, where we also have been, and ye will know it. And so those knights continued in that holy life, until they died, and no other information was obtained from them. And see here what I heard most evident about the Court of King Peleur. And so end the histories of the Holy Greal.

THE END.

GLOSSARY.

The words comprised are : 1. Words and forms not to be found in any Dictionary. 2. Words given in Dictionaries, but with no authorities quoted, which are here supplied. The modern Welsh forms are occasionally given in parenthesis. The figures indicate the pages where the words are to be found.

A, *prep*. Of. 258, 281. Now obsolete in Welsh, O being used ; but A in Cornish and Armoric.

ABAD, *s*. An abbot. 109. Latin *Abbas, abbate*.

ABER, *s*. A stream, a brook. 4. In common use now with this meaning. So also in Welsh Bible.

ACHAWS, *s*. A cause, or occasion. 189. *O achaws*, because of. Lat. *occasio*.

ACHUBEIT, *v*. To save. 100, 363. Part. *Achubedic*, 155. Lat. *occupo*.

ACTWN, *s*. A jacket of leather, worn under armour. 330. Eng. *acketon*.

ADAN, *prep*. Under. 153.

ADAW, *s*. A promise. 281. *(adhaw)*.

ADEIL, *s*. A building. 53. [*adeilyafi*. 66.

ADEILYAT, *v*. To build. 54. *Adeilyawd,*

ADOLWC, *s*. An entreaty. 360.

ADOLWYN, *v*. To beseech. 166. *Subs*. 384.

ADWY, *s*. A gap, or passage. 218. Lat. *aditus*.

ADULI, *v*. To worship. 293. Lat. *adoleo*.

ADURNYAT, *s*. Adornment. 193. Lat. *adorno*.

ADVWYN, *adj*.·Pleasant. 99, 272.

ADVWYNDEC, *adj*. Pleasantly fair. 2, 8, 155.

ADVWYNDER, *s*. Gentleness. 279.

AE, *comp. prep*. And his. 313. With his. · *Geyr bron ae vam*. 313.

AELYODEU, *s*. Limbs. 2. *(aelodau)*.

AEY, *v*. Thou wilt go. 285. *(ei.)*

AFFEITHIAWL, *adj*. Conducive. 105. From *affeith*. Lat. *affectus*.

ALBRYST, *s*. A cross-bow. 388. Ang. Norman, *alblastre*.

ALUSSEN, *s*. Alms, charity. 94, 281, 391. Written also ALWYSSEN, 29, 139, 303. Lat. *eleemosyna*.

AMARCH, *s*. Disrespect. 109, 219, 416. Now *Amharch*, comp. of *a* neg. and *parch*.

AMBEN, *prep*. Against. 340, 429. *Am y ben*, against him. 301. *Am eu penn*, against them. 384, 392. Literally, about the head. So *erbyn*, against. Lit. on the head. Irish, *ar cenn*.

AMDANADUNT, *comp. pron*. About them. 249. An old form of *Amdanynt*.

AMDO, *s*. A surrounding covering, a shroud. 226.

AMDOI, *v*. To enshroud. 150, 177.

AMDRWSGYL, *adj*. Nimble. 8, 59. Comp. of *am*, neg. prefix, and *trwsgyl*, clumsy.

AMGENACH, *adj*. Better, rather. 200.

AMGYFFRET, *v*. To comprehend, comprise. 259.

AMGYLCH, *prep*. About. 371. [*nedh*).

AMNYNED, *s*. Patience. 49, 309. *(Amy-*

AMOGEL, *v*. Guard thyself. *(ymogel)*.

AMOVYNNEI,*v*. To ask. 288. *(Ymovynnei)*.

AMRYGOLL, *s*. Damage. 316.

AMRYVAELUS, *adj*. Various. 347.

AMPERAWDYR, *s*. Emperor. 233. More frequently *amherawdyr*. 1. Lat. *imperator*. [*sus (eques)*.

AMWS, *s*. A stallion. 359. Lat. *admis-*

AMYLDER, *s*. A great number. 267.

AN, *v*. We shall go. 201. *(awn)*.

AN, *pron*. Our. 279. *(Ein)*.

ANKRES, *s*. An anchoress, a female anchorite. 38, 84.

ANCKYRDY, *s*. An anchorite's house. 38.

ANESMYTHDER, *s*. Uneasiness. 220.

ANESMWYTHDRA, *s*. id. 247, 345.

ANFFURVAWD, *v*. He deformed. 37.

ANFFYDLONDER, *s*. Infidelity. 277.

ANHEGAR, *adj*. Unamiable. 179, 395.

ANHOFF,*adj*. Unloved. 201. *Anhoffaf*. 257.

ANNAT, *adj*. Especial, above all. 6, 10, 142, 147.

ANNERCH, *v*. To send greeting. 63.

ANNIGRIF, *adj*. Unpleasant. 284.

4 z

ANNYSSIT, v. Had been born. 368. A mutation of *ganyssit*, part. p. of *ganu*, id. qd. *geni*.

ANGENN, s. Need. 27, 384.

ANGENREIT, s. Need. 390.

ANGENVIL, s. A monster. 323.

ANGERD, s. Heat, strength. 182, 276.

ANGHALONNAWC, *adj*. Disheartened. 14.

ANGHENREIDYEU, s. Requirements. 28.

ANGHLOT, s. Dispraise, dishonour. 103, 299.

ANGHLODVORI, v. To dispraise. 393.

ANGHREDADUN, s. An unbeliever. 139, 332, 402.

ANGHREITHIAIST, v. Thou reprovedst. 18.

ANGHRET, s. Unbelief. 393.

ANGHYNGHOR, s. Perplexity. 174.

ANGHYNGHORUS, *adj*. Perplexed, without counsel, 20, 181.   [147, 329, 342.

ANGHYVARTAL, *adj*. Unequalled. 388,

ANGOR, s. An anchor. Lat. *anchora*.

ANGHYVEILYORN, s. A straying. 195. *An* intensive, not negative.

ANGHYVEILYORNI, v. To go astray. 43. [388.

ANGHYFLWR, s. Bad state. 206, 258, 290,

ANGHYFLYRYUS, *adj*. Miserable. 31, 74, 126.

ANGHYWIR, *adj*. Unjust, faithless. 148.

ANGHYWIRDEB, s. Dishonesty. 112, 230, 256, 307.

ANHEBYGA, v. Be unlike. 317.

ANHYFRYDWCH, s. Disagreeableness. 334.

ANODI, v. To stop. 326.   [191, 225.

ANREC, s. A course, in serving a feast.

ANRYMUS, *adj*. Nerveless. 183.

ANRYDEDUS, *adj*. Honourable. 350. Subs. *anryded*. Lat. *honoratio*.

ANRYVEDAWT, s. Great wonder. 7, 24.

ANRYVAWT, 26. A contracted form. Pl. *anryvodau*. 19.   [223, 347.

ANSAWD, s. Fare, condition. 85, 118,

ANTUR, s. Adventure. 4, 28, 146. M. Lat. *adventura*.

ANTURYUS, *adj*. Adventurous. 178.

ANTURYAETH, s. Adventure. 233.

ANVAT, *adj*. Not good, mischievous, monstrous. 88.

ANVERTHET, s. Monstrosity. 23.

ANVOD, s. Displeasure. 161.

ANWARET, s. Undeliverance. 387.

ANYAN, s. Nature, natural quality. 106 128, 160. Lat. *ingenium*.

AR, *prep*. On. 155, 224, 231, 241. Of, 301. At, 295. To, 258, 429.

ARAF, *adj*. Calm. 280.

ARALLAW, s. Alternity. 10.

ARALLEI, v. It may be. 81.

ARCHYSSIT, v. It had been bidden. 410.

ARCHWAEDONT, v. They taste. 92. *(archvaethont)*.

ARDUNYANT, s. Honour. 135.

ARDYMHERU, v. To ease. 431.

ARFFET, s. The lap, or fore-part. 72, 130, 131.

ARGLWYDIAETH, s. Rule. 256.

ARGANVOT, v. To perceive. 272. *Arganffo*, 252. *Anganvum*. 362.

ARGAU, v. To enclose. 144.

ARGYFREIN, v. To lay out the dead. 169.

ARGYSSWR, s. Dread, fear. 196, 280, 347, 388.

ARGYSSYRYAW, v. To fear. 126.

ARGYWED, s. Damage. 326, 396.

ARGYWEDU, v. To hurt. 344.   [354.

ARLLOESI, v. To make room, to clear. 8,

ARNADUNT, *prep*. On them. 8, 51, 294. *(Arnynt)*.

ARTHUR, prop. name. W. *arth*, a bear. Lat. *arcturus*. Gr. αρκτου ουρος; αρκτος, a bear.

ARO, v. Stop thou, come here. 107, 186, 196, 215.

ARVAETH, s. Design. 55.   [190, 195.

ARUTHUR, *adj*. Marvellous, dreadful. 60,

ARUTHTRA, s. Dread. 303.

ARVER, s. Manner, sort. 352, 354.

ARFOLL, s. Agreement, covenant. 270.

ARVOT, s. Opportunity. 206, 293, 318, 369. Verb, To overcome. 429. *Arvuant*. 421. *Arvuwyt*. 256.

ARWEDU, v. To bear, or carry. 4.

ARWEST, s. What supports the sword from the belt. 123, 164.

ARWYLAW, v. To provide. 407.

ARYANT, s. Silver. Lat. *argentum*.

ARYF, s. A weapon. 59, 133. Pl. *arveu*, arms offensive and defensive; armour. Lat. *arma*.

AS, *refl*. *prep*. *Pei asgossottir ar gorff*, as if it were placed on a body. 304.

ASGWRN, s. A bone. *Asgwrn-morvil*, whalebone. 32, 191, 275. Not the black material now known by that name, but the white ivory of the horn or tooth of the *Narwhal*, or Sea Unicorn. Of frequent occurrence in medieval literature.

ASSUR, *adj*. Azure, sky blue. 191, 298. Fr. *azur*. M. Lat. *asur*.

AT, *prep*. In. 65. At, 266.

AT, s. He will leave. 380. A mutation of *gât*, 3 p. s. fut. of *gadu*.

ATNEWYDHAU, v. To renew. 171, 183, 244.

ATTAWCH, *pron*. To you. 257. *(attoch)*.

ATVEI, v. It were. 119, 154.   [105, 123.

ATVEILYAW, v. To decay. 433. Part. 48,

ATHOED, v. He went. 346, 410. Preterite of old form *athu*, to go.

ATHOEDWN, v. I had gone. 393.

ATHOEDYNT, v. They had gone. 400.

ATHOES, v. He had gone. 213.

ATHRUGAR, *adj*. Terribly vast. 23.

ATHWYN, for *ath dwyn*, to bring thee. 42.

ATHYGEI, *v.* Will bring thee, 60, for *ath dygei.*

ATHYHUN, *pron.* And thou thyself. 192.

AVALLACH, *s.* The Isle of Avalonia, or of Apples, where Glastonbury stood.

AFLAWEN, *adj.* Unhappy. 51, 211. [288.

AFLWYDYANNUS, *adj.* Unprosperous. 74,

AFLES, *s.* Damage, harm. 37, 203.

AFLESU, *v.* To injure. 101, 329.

AFLONYD, *adj.* Unquiet, troublesome.

AFLONYDWCH, *s.* Disquietude. 244.

AFRENGEI, *v.* To diplease. 286. *Afrangei,* 264. *Afranget.* 192.

AVWYNEU, *s.* Reins. 353. Lat. *habenæ.*

AFYRLLADEN, *s.* A consecrated wafer. 163.

AWCH, *pron.* Your. 90, 191. *(eich).*

AWR, *s.* hour. 94, 414. Lat. *hora.*

AWYR, *s.* Air. 339. Lat. *aer.*

BAGYL, *s.* A bishop's staff. 162. Lat. *baculus.*

BALCH, *adj.*, Proud. 422.

BALCHAU, *v.* To be proud. *Balchaawd.* 72. *Balcheeis.* 69.

BANADYL, *s.* Broom. 90.

BANN, *s.* Summit. 9.

BARNU, *v.* To condemn. 230.

BARWN, *s.* A baron. *pl. barwnyeit.* 265. Lat. *baro, barone,* pl. *barones.*

BARYF, *s.* A beard. 253. Lat. *barba.*

BARFLWYT, *adj.* Grey beard. 280.

BAT, *s.* A boat. 212, 280. M. Lat. *batus.*

BATTEIL, *f. s.* A battle. 63. Fr. *bataille.*

BEI, *v.* He might be. 297, 321.

BEUT, *v.* Thou wert. 372.

BEYNT, *v.* They might be. 138, 432.

BERW, *s.* Ebullition, commotion. 314,323.

BESAWNT, *s.* A bezant, gold coin. 43.

BLAEN, *s.* A point. *Yn y vlaen ef,* before him. 358.

BLATTYS, *s.* Arms, 40.

BLIANT. *s.* Fine linen, 295, 390. In early English, *bliaut* is a close fitting robe, and this word has been erroneously written *bliant.*

BLINDER, *s.* Weariness, trouble. 430.

BLWYDYNGWEITH, *s.* Year's space. 387.

BOCSACH, *s.* A vaunt, a brag. 201.

BOCSACHU, *v.* To brag. 179.

BODLONET, *s.* Satisfaction. 209.

BOGEL, *s.* Boss of a shield. 191.

BOLY, *s.* The belly. 61, 216, 381.

BOM, *v.* We may be. 303.

BOST, *s.* A boasting. 92.

BOSTYWR, *s.* A boaster. 390.

BRATHU, *v.* To bite, to sting, to stab. 38, 57, 183, 185. *Brathawd,* 214.

BRAWTVAETH, *s.* Foster-brother. 237.

BREINT, *s.* Dignity. 133.

BREINYAWL, *adj.* Privileged, free. 331.

BREVU, *v.* To roar. 326.

BREVERAT, *s.* A roaring, great noise. 266, 332.

BRIAWD, *v.* He was hurt. 297. A contraction of *briwawd.*

BRIC, *s.* Summit ; branches. 319, 330.

BRODER, *s.* Brothers. 140. *Tri broder, pl.* after the numeral, instead of singular.

BRUTHNI, *s.* A speckling, variegation. 242. From *bruth,* id. qd. *brith,* speckled.

BUCHED, *s.* Life, manner of life. 29, 379, 432.

BUCHEDOCAU, *v.* To lead a life. 150, 363.

BUDYR, *adj.* Impure, filthy. 328.

BWRGEIS, *s.* A burgess. 226. (English).

BWRW, *v.* To throw, cast, strike. 188,338.

BWRYEDIGYON, *part.* Overthrown. 208.

BWRW NEIT, To vault. 125, 178, 277, 302.

BWRW GOLWC, To throw a look. 308.

BYCH, *v.* Ye may be. 69, 366.

BYCHYDIC, *adj.* Very little. 43, 80, 196.

BYDEWCH, *v.* Ye would be. 66. *(bydhech).*

BYGYLU, *v.* To threaten. 232, 244.

BYLCHEU, *s.* Embrasures of a castle. 232, 344. Plur. of *Bwlch,* a breach, or gap.

BYRIR, *v.* It will be thrown. 230. *[bwrw.*

BYRYNT, *v.* They threw. 326, 353. Fr.

BYRTH, *v.* He will carry. 9. A mutation of *pyrth,* 3 pers. s. fut. of *porthi.*

BYWYANT, *s.* Life, vigour, animation. 45.

BYWIAWL, *adj.* Vigorous. 381.

CABLYT, *s.* Head washing. *Divieu Cablyt,* Holy Thursday ; when heads were washed, before the tonsure and anointing of the head on Easter Sunday. M. L. *Capitolavium.* Irish, *caplait.*

CACHYAT, *adj.* Cowardly, craven, 59, 215, 321, 344, 356. Subs. CACHYATRWYD, 320, 356. CACHODRWYD, 322.

CADARNFFYRYF,*adj.*Strongly formed.242.

CADLYS, *s.* A camp. 165.

CAE, *s.* A wreath. 259.

CAEU, *v.* To shut, to inclose. 16, 180. Part. *caedic.* 223, 395.

CAER, *s.* A castle. 9. Lat. *castrum.*

CAERUSALEM, *s.* Jerusalem. 93.

CAFFAT, *part.* Begotten, conceived. 129, 347, 351. From *v. caffael.* So *caat,* 371. *Cahat,* 180. *Cât,* 44, 97, 173. Fr. *v. cael,* used with this meaning in the Creed.

CALANED, *s.* Dead bodies. 337. *(Celanedh).*

CALETTRWM, *adj.* Hard and heavy. 24.

CALLON, *s.* The heart. 290. Written throughout with double l.

CAMGRET, *s.* Wrong belief. 25, 328, 419.

CAMGYLUS, *adj.* Blameable. 74.

CAMP, *s.* Quality. 78, 91, 171.

CAMRYVIC, *s.* Arrogance. 219.

CANDEIRYAWC, *adj.* Mad. 301, 418. *(Cyndheiriawg).* Verb, *Candeiryogi.* 407, 418, 419.

CANHADU, *v.* To grant. 23. Pret. *canhadawd.* 422. *Cannatta,* 206.

CANHEBRWNG, *v.* To conduct. 159, 250. The common term in Arvon for a funeral.

CANHYMDAƟ, *v.* To accompany. 384.

CANNYAT, *s.* Leave. 11. *(Cennad).*

CANU, *v.* To sing, to sound. *Canu cyrn,* to sound horns. 326.

CANWELW, *adj.* Pale, bluish, livid. 191.

CANWYLLBREN, *s.* Candlestick. 39. Lat. *candela.*

CAPAN, *s.* A cope. 337.

CAPEL, *s.* A chapel. 100, 218. M. Lat. *capella.*

CARU, *v.* To love, to court. 257, 391. Part. *caredic.* 106, 306, 328.

CAREDICRWYD, *s.* Kindness. 373.

CARCHAR, *s.* Prison. 432. Lat. *carcer.* Verb. *Carcharu.* 382, 428.

CARDOTTA, *v.* To ask charity, to beg. 306. *Cardawd,* charity. Lat. *caritate.*

CAREGYL, *s.* A chalice. 139, 163, 362. Pl. *caregleu,* 380. [354.

CARELEU, *s.* Liquors? *Gwin a chareleu.*

CARREI, *s.* A thong, 409. Hence *carreiydh, cr9dh,* a shoemaker. Lat. *corrigia.* [328

CARTREVU, *v.* To make a home, to dwell.

CARW, *s.* A deer. Lat. *cervus.* [*tellum.*

CASTELL, *s.* A castle. 100, 218. Lat. *cas-*

CATWYN, *s.* A chain. Lat. *catena.*

CAWSSOEDYAT, *v.* He had had. 46, 208, 357, 387, 406.

CAWSSOEDYNT, *v.* They had had. 11.

CEDERNYT, *s.* Strength. 171. *(cadernyd).*

CEGIN, *s.* A kitchen. 191. Lat. *coquina.*

CEDYMDEITHES, *s.* A female companion. 199.

CETYMDEITHYAS, *s.* Company. 194.

CEINTYACH, *s.* A conflict. 33, 229.

CEITWADAETH, *s.* Keeping. 15, 206, 225.

CEIS, *s.* A quest. 11.

CEISSYEIT, *s.* Questers. 16, 108.

CELEIN, *s.* A body. 316. Not always a carcase. So in Irish, *calan,* a body.

CENAWL, *s.* A middle. 231. *(canol).* Lat. *canalis.*

CENEDYL, *s.* Kindred, clan. 424.

CENEDYLYAETH, *s.* Generation, 171, 231.

CENNAT, *s.* A messenger. 270.

CENNYAT, *s.* Leave. 265.

CERDAWD, *s.* Charity, alms. Pl. *cerdodeu,* 167. Written also *cardawt,* whence *cardotta.*

CERTEINYAWL, *adj.* Certain. 44.

CERTEINYAF, *adj.* Most certain. 289.

CERTWEIN, *s.* A cartwain. 242.

CERYDU, *v.* To reprove. 233, 282, 430. Lat. *corrigo.*

CESSEEIS, *v.* I hated. 400. *(caseais).*

CEU, *s.* The inside. 113.

CEVNDYRYW, *s.* Cousins. 3.

CEVNFFORD, *s.* An upper road. 90.

CIGLEF, *v.* I heard. 10, 136, 278.

CIGLEU, *v.* He heard. 11, 19, 157.

CINIAW, *s.* Dinner. 157, 404. Lat. *cœna.*

CIST, *s.* a chest. 99. Lat. *cista.*

CLADU, *v.* To bury. *Cladu pwll,* to dig a hole. 217, 257.

CLAFRI, *s.* Leprosy. 144.

CLED, *s.* A sword. 330. An abbreviated form of *cledhyf.*

CLEDYR, *s.* A flat body. *Cledyr y dwyvronn,* the breast bone. 197.

CLIKET, *s.* A latch. 154. *(clicied).*

CLOCH, *s.* A bell. 361. Pl. *clych.* 380. M. Lat. *clocca.*

CLODVAWR, *adj.* Celebrated. 289, 319.

CLUSTEU, *s.* Ears. 61, 270. *(clustiau).*

CLYWEI, *v.* To feel, perceive. 71, 155.

CLYWSPWYT, part. p. Heard. 246.

COCH, *adj.* Red. 426. Lat. *cocceus.*

COCHES, *v.* Reddened. 330.

COEDAWC, *adj.* Abounding in woods. 18.

COFFAU, *v.* To remember. 149.[*Columna.*

COLOVYN, *s.* A column. 234, 385. Lat.

COLLET, *s. masc.* Loss. 159.

CORDAWD, *v.* Agreed to. 431.

CORFFEU, *s.* Bodies. 230, 376. *(Cyrff).*

CORGI, *s.* A cur. 296. Properly a sheep dog, being comp. of *cor* a sheep, now obsolete in Welsh, but preserved also in *corlan,* a sheepfold. Ir *caor.*

CORYF, *s.* The bow of a saddle, the pommel. 104, 119, 253. *Coryf-ol,* 199. *Corof-ol,* 208. The hinder bow. Pl. *corofeu,* 230. *coryfeu,* 290.

CORON, *s.* A crown. Lat. *corona.*

COSTA, *v.* Will cost. 293. [hill dog. 296.

COSTAWC, *s.* A cur. *Costawc tom,* a dung-

COTTARDI, *s.* A tunic. 295. French *Cote-Hardy,* a close fitting body garment.

CRECH, *adj.* Rugged, creaking. 248, 348.

CREDADWY, *adj.* Believing. 333.

CREEDIGAETH, *s.* Creation. 66.

CREICVYNYD, *s.* A rocky mountain. 61.

CREIR, *s.* A relic. 192, 236. Pl. CREIREU, 236, 260, 277. *creiryeu,* 14, 105.

CREU, *s.* Gore. 172.

CREVYDWISC, *s.* Religious vestment. 12.

CRIBDEIL, *s.* Extortion. 295.

CRIBDEILYAW, *v.* To extort. 296.

CRIMOGEU, *s.* Greaves. 223.

CROCEDICAETH, *s.* A hanging. 171.

CROCKYN, *v.* To hang. 334.

CROCLITH, *s.* The service of the Cross. 25. Comp. of *croc,* hanging, and *llith.* Lat. *lectio.*

CROES, *s.* A cross. *Croes yn croes,* transverse. 179. *Croessedic,* part. crossed. 423.

CROESSAW, *s.* Welcome. 7. The common form in the Greal is *grassaw*, qd. v.
CRWYS, *s.* A cross. 372.
CRUPYL, *s.* A cripple. 167. Eug.
CRWPER, *s.* A crupper. 411. Eng.
CRYDDER, *s.* A quaking. 174.
CRYNFFAST, *s.* A lusty boy. 364.
CUDUGYL, *s.* A cell. 74, 90, 199. *Cudygyl, s.* 174, 362. Lat. *cubiculum.*
CUDVAEU, *s.* Hiding places. 334.
CWAREL, *s.* A cross-bow dart, a quarrel. 389.
CWMPAENI, *s.* Company. 13, 380. Eng.
CWMPAS, *s.* A circle. 261, 344, 381. Eng.
CWNSTABYL, *s.* A constable. 406, 412. Eng.
CWRPRIEU, *s.* Cloaks. 404.
CWRTEIS, *adj.* Courteous. 217, 237. Eng.
CWRTEISSI, *s.* Courtesy. 248.
CWBYL, *adj.* Complete. 134. *Cwblhau, v.* To complete, accomplish. 392.
CWYNVAN, *s. fem.* Complaint. 232.
CYFF, *s.* A block, a butt. 316, 418.
CYFFREDIN, *s.* The commonalty. 291.
CYFFREDINWCH, *s.* A sharing. 274.
CYFFELYB, *s. f.* A likeness. 251.
CYFFYSGET, *adj.* So impetuous. 353.
CYFFESU, *v.* To confess. 241, 409.
CYFFESSAWL,, *adj.* Confessed. 242. Lat. *confessio.*
CYHWRD, *v.* To touch. 5, 100.
CYLLELL, *s.* A knife. 177. Lat. *cultellus.*
CYLCH, *s.* A circle. *Cylch ogylch,* round about. 195, 211, 241.
CYLCHET, *s.* A covering. 133, 351.
CYMEINT, *s.* An equal quantity. 155.
CYMHELL, *v.* To compel. 333, 390. Lat. *compello.*
CYMHEN, *adj.* Complete, perfect. 69, 90, 265. Subs. *cymhendawd.* 132, 385. *cymendawt,* 131.
CYMODAWC, *s.* A neighbour. 114.
CYMYNNU, *v.* To bequeath. 372. Lat. *commendo.*
CYNDEIRYAWC, *adj.* Mad. 374.
CYNHEBIC, *adj.* Similar. 45, 299, 369.
CYNHEILYAT, *s.* A supporter. 252, 310.
CYNNAL, *v.* To hold up, maintain. 342.
CYNNULLEIDFA, *s.* A congregation, assembly. 207.
CYNNWLL, *s.* Season. 83, 259, 342.
CYNNY, *adv.* Since not. 299.
CYNSEFYLL, *v.* To stand foremost. 416.
CYNTAF, *adj.* Swiftest. 326.
CYNTUN, *s.* First sleep, a nap. 279.
CYNYD, *s.* A hunter with dogs. Pl. *cynydyon,* 126.
CYRCHU, *v.* To attack, go to. 78, 149, 202.
CYRCHAVEL, *v.* To raise up. *Divieu kyrchavel,* Holy Thursday. 174.
CYSSEGYR, *s.* A sanctuary. 270.

CYSSEGRU, *v.* To consecrate. 167, 362. Lat. *consecro.* [Lat. *consolido.*
CYSSYLLTU, *v.* To join together. 39, 125.
CYT, *adv.* Forasmuch as. 288, 347.
CYTSYNYO, *v.* To consent. 111.
CYTSYNNEDIGAETH, *s.* Concurrence, 69, 117, 206, 303. Lat. *consentio.*
CYTTUNNAW, *v.* To agree. 336.
CYTVOT, *v.* To be with. *Cytvum,* 329.
CYTHREUL, *s.* A devil. 75, 185. Arm. *control.* Lat. *contrarius.*
CYFADLO, *v.* Be angry. 155.
CYVADNABOT, *v.* To recognise. 359.
CYFAGOS; *adj.* Very near. 268.
CYVARSENGI, *v.* To trample on. 214.
CYVARTAL, *adj.* Equal. 378.
CYVATHRACH, *s.* Affinity. 385.
CYFEILLT, *s.* A friend. 5.
CYVENW, *s.* Surnamé. 244.
CYFLE, *s.* Place, position. 191, 265, 307.
CYFNESSAF, *adj.* Next of kin. 382.
CYVEIR, *s.* Relation, respect, position. 334, 362.
CYVOET, *adj.* So old. 244.
CYVOETH, *s.* Power. 318. Comp. of *cy* and *moeth,*=Ir. *macht.*
CYVOETHOGRWYD, *s.* Wealth. 99, 380.
CYVRANC, *s.* Concern. 72.
CYVYL, *s.* Nearness. 35, 181, 207, 379.
CYVYRLIDEU, *s.* Coverlids. 146. Eng.
CYVREIDYEU, *s.* Necessaries. 177.
CYFRYW, *s.* Like. 211.
CYFYAWNDER, *s.* Just, right. 99.
CYVYNGRWYD, *s.* Perplexity. 336.
CYVING-GYNGHOR, *s.* Perplexity. 322.
CYVYRGOLLI, *v.* To lose utterly. 108.
CYFYRGOLLEDIGAETH, *s.* Utter loss. 60, 61, 155.
CYWIW, *adj.* Well worthy. 10.
CHWEDYL, *s.* A fable. 55.
CHWIMWTH, *adj.* Speedy, nimble. 234.
CHWYL, *s.* A course. 290.
CHWYSSU, *v.* To sweat. 400.
CHWYFAW, *v.* To move. 93, 154. *Chwyfaw wrthaw,* to move against him. 154, 320.
CHWCHWI, *pron.* Ye, or you. 164.
CYWEIRYAW, *v.* To put in order. 214.

DABRE, *v.* Come quickly. 221.
DADIGAWN, *adj.* Well enough. 45, 96, 121.
DAERYD, *s.* Lands. 183. Plur. of *daer,* id. qd. *daear.*
DAEARDORREU, *s.* Earthbreaks. 195.
DAET, *adj.* So good. 141, 191.
DALY, *v.* To hold, continue. 23, 168, 314.
DALLES, *s.* A blind woman. 383.
DAMCHWEIN, *s.* An accident. 3, 44. [231.
DAMGYLCHYNNU, *v.* To surround. 144,
DAMGYVYNGRWYD, *s.* Straitness. 378, 381.
DAMUNAW, *v.* To wish for. 218.
DAMUNET, *s.* A desire. 221.

DAMWEINYAW, *v.* To happen. 258.
DARESTWNG, *v.* To subdue. 65, 344.
DARFFEI, *v.* Happened. 18, 274.
DAROED, *v.* Finished. 2, 38. Part. *darvod-edic.* 258, 327.
DARLLEU, *v.* To read. 75, 404. [*dron.* 432.
DARLLEAWDYR, *s.* A reader. Pl. *darlleo-*
DARYMES, *s.* Oppression, loss. 12, 19.
DATSEINYAW, *v.* To resound. 331.
DATHOED, *v.* He had come. 2, 6, 265.
DATHOEDYWN, *v.* I would have come. 119.
DAVYDH AB GWILYM, is now ascertained to have been living in 1399.
DAW, *s.* Son-in-law, properly, but here a nephew. 21.
DEALL, *v.* To interpret. 90.
DECHREUSPWYT, *part.* Was begun. 291.
DECHRYNEDIC, *adj.* Frightful. 60. 120.
DEDYFAWL, *adj.* Legitimate. 144.
DEGEMU, *v.* To tithe. 129. Lat. *decimo.*
DEILYEN, *s.* A leaf. 46. *(Deilen).*
DEIRIT, *v.* To be related. 352.
DEIRYDEI, *v.* Was related. 105.
DEIFIAW, *v.* To scorch, burn. 114.
DELIS, *v.* Held. 85. Preterite of *da'y.*
DEREU, *v.* To accomplish. 84.
DERYW, *v.* It was accomplished. 236.
DEU, *num. s.* Two. Pl. *deuoed. Ell deu,* they two. 287. *Ell deuoed.* 127.
DEU, *pron.* Thine. 63. A mutation of *teu.*
DEUDRYLL, *adj.* In two pieces. 117.
DEUDYBLIC, *adj.* Twofold. 180.
DEUVINIAWC, *adj.* Two-edged. 176.
DIAL, *v.* To avenge. 203. *Dialawch,* ye will av. *Dielych,* thou wilt avenge.
DIAMDLAWT, *adj.* Without poverty, abundantly. 15, 352.
DIANNOT, *adj.* Without delay. 317. [106.
DIARCHENU, *v.* To uncover, strip. 2, 16,
DIARGYWED, *adj.* Innocent, harmless. 25, 153, 295.
DIARVOT, *adj.* Unprepared. 200.
DIARVEU, *adj.* Without arms. 168.
DIASPAT, *s.* Outcry, clamour. 257, 305.
DIBENN, *s.* End, termination. 265.
DIBERYGYL, *adj.* Without danger. 19,307.
DIKYET, *s.* Anger. 269.
DIDARBOT, *v.* To care for. 33, 320, 371.
DIDANU, *v.* To amuse. 212.
DIDAWR, *v.* To be concerned. *Didorei,* he was concerned. 1, 64, 248. *Didorwn,* I would be concerned. 158, 332. [16.
DIDLAWT, *adj.* Without poverty, ample.
DIDREFTADWYT, *v.* Disinherited. 69.
DIDIFFYC, *adj.* Without failing. 71.
DIDRWC, *adj.* Uninjured. 115.
DIENGHIS, *v.* Fled. 302. *Dieynck,* will flee. 19. 230. *Dihango,* 3 pers. s. opt. 85. [262.
DIEIRYACH, *adj.* Without deprecating.
DIEITHYR, *adv.* Except. 8, 40, 102.

DIEU, *s.* Days. *Tridieu,* three days. 371.
DIEVYL, *s.* Devils. 179.
DIFFAELYEDI, *adj.* Without fail. 298.
DIFFIC, *s.* Failure. 57, 105, 106. Lat. *deficio.*
DIFFLANNU, *v.* To disappear. 10,135,355.
DIFFRYT, *v.* To defend. 57, 105, 106.
DIGASSED, *s.* Animosity. 188.
DIGAWN, *v.* To be able, to effect. 189,271. *Digonnasei,* 83. *Digono,* 352.
DIGLWYF, *adj.* Without objection. 278.
DIGONYANT, *s.* Action. 55, 330.
DIGRIF, *adj.* Pleasing. 190, 205, 411.
DIGRIFWCH, *s.* Pleasure, delight. 245.
DIGYFFRO, *adj.* Unmoved. 349.
DIGYOVEINT, *s.* Anger. 338. *(digovaint).*
DIHALAWC, *adj.* Unpolluted. 420.
DIHEU, *adj.* Without falsehood, undoubted. 244. *(diau).*
DIHENYD, *s.* Execution. 316. *(dienydh).*
DIHEURWYD, *adj.* For a certainty. 14,202.
DILIS, *adj.* Certain. 83, 135.
DILESTEIR, *adj.* Without hindrance. 356.
DILWGYR, *adj.* Uncorrupted. 142.
DINAS, *s.* A city. Masc. *y dinas hwnn,* this city. 350.
DILLWNG, *v.* To free, loosen. 63, 160, 236.
DILLYNGDAWT, *s.* Absolution. 114.
DINEWYT, *s.* A steer, or heifer. 402, 417.
DINOETHI, *v.* To make bare. 400.
DIODEFEDIC, *s.* A sufferer. 423.
DIODEFEDIGAETH, *s.* Suffering, passion. 20, 230, 383.
DIOFRYT, *s.* A vow. 44, 219.
DIOGAN, *adj.* Irreproachable. 346.
DIOGEL, *adj.* Certain. 286.
DIOGELET, *s.* Security. 295.
DIOGELRWYD, *s.* Security. 382.
DIOGELU, *v.* To secure. 286.
DIOMED, *adj.* Without refusing. 264.
DIOER, *adj.* Doubtless. 219.
DIOSGYL, *v.* To strip. 9.
DIREIDWR, *s.* A worthless person. 40.
DIREIDYACH, *adj.* More unlucky. 74.
DIREITTYET, *adj.* So unlucky. 34, 307.
DIRYEIDI, *s.* Worthlessness. 156. 171.
DISGWYLYAWDYR, *s.* A guardian. 104.
DISGYN, *v.* To descend. 348. *Disgynnu.* 338. To bring down. 328. Lat. *descendo.*
DISGYNVAEN, *s.* A dismounting stone, or horseblock. 237, 412. See also *ysgynvaen.* [*pulus.*
DISGYBYL, *s.* A disciple. 164. Lat. *disci-*
DISGYBLU, *v.* To copy. 208.
DISGYBLAETH, *s.* Discipline. 164.
DISGYBLYAETH, *s.* id. 183.
DISSERENNU, *v.* To sparkle. 184, 269.
DISTADYL, *adj.* Contemptible. 382.
DISTRYW, *s.* Destruction. 325. Lat. *destruo.*

DIVIEU, *s.* Thursday. 49.

DIVEYNT, *v.* They would destroy. 418.

DIVYNNYON, *s.* Fragments. 235.

DIWALLACH, *adj.* Less wanting. 70.

DIWARANNU, *v.* To diswarrant. 180.[out.

DIWARNAWT, *s.* A day. 317, and through-

DIWRTHWYNEP, *adj.* Without opposition. 313.

DIWYC, *s.* Fashion, habit. 7, 64, 342,423,

DIWYGYAT, *s.* Manner. 214.

DIYMADAW, *adj.* Unyielding. 65.

DOETH, *v.* He came. 138, 301. *(daeth)*

DOETHAWCH, *v.* Ye are come. 138. *(daethoch).*

DOLUR, *s.* Grief. 360, Lat. *dolor.*

DOLURYUS, *adj.* Painful. 376.

DONYAWC, *adj.* Advantageous. 311, 376.

DOR, *s.* A door. 326. Plur. *doreu.* 254.

DOS, *v.* Come thou. 221. This is the meaning in Cornish, but in modern Welsh, always, Go thou.

DRACH, *prep.* Beyond. 275. *Drach eu kevyn,* behind them, backwards. 433.

DRAEKEVYN, *pron.* Behind them. 327.

DRAEGEVYN, *pron.* Behind him. 346.

DRAMKEVYN, *pron.* Behind me. 184, 227.

DRAGWN, *s* A dragon. 318.

DREIC, *s.* A dragon. 274, 318. Plur. *dreigyeu.* 61. [45. *drewyedic,* 100, 110.

DREWI, *v.* To stink. 133. Part. *drewedic.*

DREWEDICRWYD, *s.* Stench, rottenness. 110

DREWYANT, *s* Stench. 45. 71.

DRUT, *adj.* Violent, bold. 21, 293.

DRUDANYAETH, *s.* Boldness, violence. 105, 343.

DRYCKYSSYRYO, *v.* To grieve. 252.

DRYCVEDYLYEU, *s.* Evil thoughts. 71.[25.

DRYCTYNGHEDVENNEU, *s.* Evil destinies.

DRYCH, *s* Appearance, object. 347, 430.

DRYLL, *s.* A piece. 401. Plur. *drylleu,* 385

DRYLLYAW, *v.* To shatter. 305.

DUGUM, *v.* I did bring. 8.

DURYN, *s.* Snout, proboscis. 220.

DWBLHAU, *v.* To double, redouble. 158.

DWBLANAWD, *v.* Doubled. 296.

DWRN, *s.* A hand, handle ; now generally a fist. 121, 186, 234.

DYRNEIT, *s.* A handful. 102.

DWYEN, *s.* The gills. 338.

DWYNOS, *s.* Two nights. 288. [Plur. subs

DWY-VERCHET, *s.* Two maidens. 237.

DWYN HWYL, *v. s.* To rush at. 124.

DWYWAWL, *adj.* Divine. 309.

DWYWOLDER, *s.* Divinity. 245, 250.

DYBLYG, *adj.* Double. 203. Lat. *duplice*

DYBRYT, *adj.* Horrible. 72, 423. [*dylu.*

DYL, *v.* Will owe. 171. 3 pers. s. fut. of

DYLYEDOGYON, *s.* Proprietors. 43.

DYLYU, *v.* To owe. *Dyly,* 3, 200, 390. *Dylyei,* 88, 193. *Dylyo,* 197. *Dylyy,* 196. *Dylyych,* 196.

DYLYET, *s.* Debt, obligation. 99, 336, 379.

DYLYS, *adj.* Certain 384.

DYN, *s.* A person 278, 306.

DYNODUS, *adj.* Unremarkable. 273.

DYRRU, *v.* To drive on, impel, 146, 206.

DYRYS, *adj.* Entangled. 92.

DYSGEDIGAETHYEU, *s.* Teachings. 95.

DYSGYEIT, *s.* Education. 237. [*disculus.*

DYSGYL, *s.* A dish. 144, 145, 164. Lat.

DYVYNNU, *v.* To summon. 32. [*lentus.*

DYFYRLLYT, *adj.* Watery. 18. Lat. suff.-

DYWANU, *v.* To light upon. 210.

DYWAWT, *v.* He said. 8, 20, 294.

DYWEDWYDYAT, *s.* Speech. 171, 179.

EBRAN, *s.* Horse provender. 205, 258.

EBRWYD, *adj.* Quick. 269, 324.

EBRYVYGU, *v.* To neglect. 88.

EBRYVYGUS, *adj.* Negligent. 238, 319.

ECHWYNAW, *v.* To lend. 45. *Echwynna,* lend thou. 309.

EDIFEIRYAWC, *adj.* Repentant. 77.

EDIT, *v.* Will be permitted. 202. A mutation of *gedit,* from *gadu.*

EDRYCHYAT, *s.* Appearance. 222.

EDRYCHYAWDYR, *s.* An observer. 182.

EFREI, *s.* Hebrews. 46.

EGWANN, *adj.* Feeble, weak. 275.

EHALAETH, *adj.* Abundant. 178, 411.

EHALAETHDER, *s.* Abundance. 174.

EHEDEC, *v.* To fly. 262.

EHEGYR, *adj.* Swift. 6.

EGLURDER, *s.* Clearness. 136.

EHOVYN, *adj.* Gallant, bold. 265. *Cyn ehofnet,* so bold. 17. [289 *(eidho).*

EIDAW, *s.* His own property, possession.

EIDYAW, *s.* id. 34, 196.

EIDIC, *adj.* Jealous. 210.

EIDIGED, *s.* Jealousy. 213. *(Eidhigedh).*

EIL, *s.* A second. 307. *Eil goreu,* second best. 202. *Eilwers,* second time. 87, 332.

EINWCH, *pron. s.* Your ones. 165.

EINYM, *pron. s.* Our ones. 329.

EIRIOET, *adv.* Ever, in the past. 358.

EIRMOET, *adv.* Ever in my time. 8, 10, 83, 309.

EIRY, *adj.* Snow. 152.

EIRYACHAWD, *v.* Spared, averted. 276.

EISSY, *s.* Want. 297. *Eissei,* id. 335.

EISSYWEDIGYON, *adj.* Indigent ones. 303.

EISTEDVA, *s.* Seat, situation. 293.

EIT, *v. pass.* It will be gone. 332.

ELIFFANTYEIT, *s.* Elephants. 328. Borrowed from the English. *(cawrvl).*

ELOR, *s.* A bier. *Elor veirch,* a horse bier. 289. One is now kept in Llangelynin church, Merioneth.

ELW, *s.* Profit. 99. Written also *helw. Ar y helw.* 129. *Ar dy helw.* 430.

ELYDYN, *s.* Latten, Iron plate covered with tin, sheet brass. 225, 332.

ELL, *pron.* They. 17. Another form of *ill.* Lat. *illi. Ell deu,* 287. *Ell deuoed,* 127. *Elltri,* 17, 325.

ELLYNGWYT, *v.* Liberated. 432. A mutation of *gellyngwyt,* part. pass. of *gellwng.*

EMA, *adv.* Here. 260. *(Yma).*

EMAWR, *adv.* Scarcely. *Yn-emawr,* for *yn-nemawr.* 27, 195.

EMENDAW, *v.* To amend. 183, 227. *Vymendaw, (vy-emendaw),* to amend myself. 41.

EMENYD, *s.* Brains. 270 ; *i.e.,* what is contained in the head. So Irish *inchenn.* [233.

ENAR, *s.* Honorius, emperor of Rome.

ENEIT, *s.* Soul, life. 269, 317, 322.

ENEITYOL, *adj.* Animated. 145.

ENGIRYAWL, *adj.* Awful. 225, 407.

ENIWET, *s.* Damage, hurt. 323, 345.

ENKILYAW, *v.* To withdraw. 264, 338.

ENKYT, *s.* A space. 301, 382, 384.

ENNILL, *v.* To gain. 42, 196.

ENNYNNU, *v.* To inflame. 213. Derived from *en* and *tân,* fire. So Arm. *entana.*

ENNYT, *s.* Time. 104.

ENRYDED, *s.* Honour. 16. Written also *anryded,* qd. v.

ENRYVED, *s.* A wonder. 23, 53. [326.

ENRYVEDAWT, *s.* id. 156. pl. *enryvedodeu.*

ERBYN, *v.* To receive. 160.

ERBYNYEIT, *v.* To receive. 43, 384. *Erbynnyawd.* 18. *Erbynnasant.* 384.

ERCHWYNNAWC, *s.* Side of a bed. 126,134.

ERES, *adj.* Marvellous, strange. 84, 238.

ERGYT, *s.* A shot. *Ergyt saeth,* an arrrow shot. 184. Pl. *ergydyeu.* 326.

ERGYDYAW, *v.* To reach. 235.

ESGEIR, *s.* A leg, or shank. 306, 416.

ESGLYFFYAW, *v.* To snatch.101.*(ysglyvu).*

ESGOB, *s.* A bishop. 169. Lat. *episcopus.*

ESGOBWISC, *s.* Episcopal vestment. 168.

ESGUSSAW, *v.* To excuse. 348.

ESGUSSOT, *s.* An excusation. 201.

ESGYNNU, *v.* To ascend. 38, 100. Lat. *ascendo.*

ESGYNVAEN, *s.* A mounting-stone, or horseblock. See *ysgynvaen.*

ESGYREN, *s.* A splinter. 381. [*esmeraud.*

ESMERAUD, *s.* An emerald. 233. French,

ESSIGAW, *v.* To crush. 27. *(ysigaw).*

ESTRAWN, *s.* A stranger. 272.

ESTRAWN, *adj.* Foreign, strange. Pl. *estronyon.* 293.

ESTRONEID, *adj.* Foreign, strange. Comp. *estroneidyet.,* 352. Lat. *extraneus.*

ESTYNNU, *v.* To extend, lay out. 250. Lat. *extendo.*

ETEWYN, *s.* A fire brand. 344.

ETHOL, *v.* To select, choose. 259. Part. pass. *etholet.* 80. Lat. *extollo.*

ETHRODWR, *s.* Slanderer. 403.

ETHRODI, *v.* To slander. *Ethrotto.* 387. *(Athrodi).*

EUR, *s.* Gold. 191. Lat. *aurum.*

EURLESTRI, *s.* Golden vessels. 245.

EURLLEC, *adj.* Gold-clasped. 259.

EURWEITH, *s.* Gold work. 227.

EVANGELYSTOR, *s.* An evangelist. 142.

EVYD, *s.* Copper, brass. 237.

EWYLLYSYAWL, *adj.* Willing. 141.

EWYTHRED, *s.* Uncles. Pl. of *ewythyr.*

EY, *v.* Thou wilt go. 201. *(ei.)*

EYNGHEU, *v.* To be contained. 91.

FFAELU, *v.* To fail. 126, 348.

FFAELYAW, *v.* id. 285, 431. Part. *ffaelyedic.* 59.

FFAGYL, *s.* A faggot. Pl. *ffagleu.* 344.

FFALS, *adj.* False. 18, 277, 348. Lat. *falsus.*

FFELWNYAETH, *s.* Felony. 273.

FFENEDIC, *adj.* Ready. 65,409. *(fynedic).*

FFENESTYR, *s.* A window. 98, 138, 175. Lat. *fenestra.*

FFERINEU, *s.* Dainties. 96. Eng. *fairings.*

FFERYLL, *s.* Engineer, artist. 328. [389.

FFEST, *adj.* Fast, quick. 95, 196, 229,

FFIOL, *s.* A cup. 144. Lat. *phiala.*

FFION, *s.* Foxglove. 127. [*flamma.*

FFLAM, *s.* A flame. 309, 330. Lat.

FFLWRDLYS, *s.* Lily. 100. Fr. *fleur de lis.*

FFO, *v.* To flee away. 147, 309. *(foi).*

FFOL, *adj.* Foolish. 131, 368. Lat. *follis.*

FFOS, *s.* A ditch. 416. Lat. *fossa.* [412.

FFRANGHEC, *s.* The French language.

FRWYNGLYMU, *v.* To tie by the bridle. 90, 181.

FFUNEN, *s.* A band. 191. [209, 214.

FFUNYT, *s.* Form. *Un funyt,* exactly like.

FFURYF, *s.* Form. 156, 273, 330. Lat. *forma.*

FFURVEID, *adj.* Well formed. 419.

FFUSSUGWR, *s.* A physician. 144.

FFUSTAW, *v.* To thresh. 140, 259, 332. Lat. *fustis.*

FWNDEAW, *v.* To found. 177.

FFWRRI, *s.* Fur. 279.

FFWRYR, *s.* id. 6, 211.

FFYD, *s.* Faith. 240. Lat. *fides.*

FFYNNAWN, *s.* A fountain. 160, 200. Lat. *fontana.* [*firmus.*

FFYRYF, *adj.* Firm. 261, 262, Lat.

FFYRNIC, *adj.* Fierce. 362, 382. Comp. *ffyrnicach.* 112, 295.

FFYRNIGRWYD, *s.* Fierceness. 213, 275.

GALIS, *s.* A galley. Pl. *galissyeit.* 276.

GALLYSSANT, *v.* They were able. 103.

GANYDOED, *v.* Was born. 377. Pret. of *ganu*, of which *geni*, is a later form.

GAFLACH, *s.* A dart. 231.

GARAN, *s.* A crane. 231. Gr. γερανος.

GELLWNG, *v.* To loosen. 54, 250. [*gemma*.

GEMEU, *s.* Gems. 259. Pl. of *gem*. Lat.

GENEUEU, *s.* The lips, or mouth. 184.

GERLONT, *s.* A garland. 247. Eng.

GEPLANS, *s.* A head covering. 191. *Cappeline* was an iron skull-cap in the middle ages.

GEVEL, *s.* Pincers. *Yr evel*. 312.

GEVYNNEU, *s.* Gyves, or fetters. 255.

GEYRLLAW, *adv.* Near at hand. 219. [251.

GILYD, *s.* Companions, each other. 189,

GISARMEU, *s.* Battle-axes. 419. French *gisarme*, a battle-axe, with spike at the back.

GLASSU, *v.* To grow livid. 245.

GLASTER, *s.* Verdure. 195.

GLASWYRD, *adj.* Bluish green. 128.

GLAW, *s.* Rain. 247. *(Gwlaw)*.

GLO, *s.* Coals, fiery embers. 247.

GNOTTAU, *v* To be wont. 388. [217.

GOBRUD, *adj.* Somewhat grave, or sad.

GODIDAWCWEITH, *s.* Excellent work. 305.

GODLAWT, *adj.* Somewhat poor. 248.

GODRIGYAW, *v.* To tarry. 227.

GODYRDU, *v.* To murmur loudly. 198.

GODIWES, *v.* To overtake. 296, 318.

GOGOF, *s.* A cave, or cavern. 366.

GOGONEDUS, *adj.* Glorious, 362.

GOGYLCHYNU, *v.* To go about. 115, 131.

GOHIR, *s.* A delay. 218, 248.

GOLYGON, *s.* Looks. 283.

GOLEUHAU, *v.* To illuminate, shine. 94.

GORAWENNUS, *adj.* Ecstatic. 57.

GORCHEST, *s.* Exploit. 404. [*(gorchvygwyd)*.

GORCHYVYCKIT, *v.* Conquered. 197

GORDERCH, *s.* Paramour. 217.

GORDERCHAT, *s.* A concubine. Pl. *Gorderchadeu*. 11. [122.

GOREUREIT, *adj.* Golden, gilded. 121,

GORFFEI, *v.* Would overcome. 325.

GORLWCH, *s.* A goblet. 134, 379. An abbreviation of *gorvlwch*, 191. *(Gor + blwch)*.

GORSEDU, *v.* To preside. 156.

GORUGAW, *v.* To do. 102. Part. *gorucpwyt*. 1, 16.

GORVUW, *v.* Overcame. 304.

GORVERW, *adj.* Overboiling. 226.

GOSBERAWL, *adj.* Vespertine. 118. From *gosper*, eventide. Lat. *vesper*.

GOVEICH, *s.* A roar, or bellow. 330. [*dus.*)

GOVIDYUS, *adj.* Grievous. 172. *(Govidyeu.*

GOVYN, *s.* A request. 193. Plur. *Govynneu*, requests. 238.

GRA, *s.* Fur. 211. Not a Celtic word ; being the English *gray*, French *gris*. This fur, so much worn in the middle

ages, was that of the marten, and was esteemed next to ermine. The word *gris* is used by Chaucer, and others, to express generally any valuable fur.

GRADEU, *s.* Steps. 154, 243, 275. Lat. *gradus*.

GRASSAW, *s.* Welcome. 159.

GREAL, *s* The derivation of this word is doubtful, but the most probable is from the M. Latin *gradale*, a vessel, bowl, or dish. The *Seint Greal* was that holy dish, which was used at the Last Supper ; stolen by a servant of Pilate, according to the story, and used by Pilate to wash his hands in, before the multitude. It was given by Pilate to Joseph, as a memorial of Christ, and used by Joseph to collect the Holy Blood, flowing from the five wounds. The Holy Vessel is now to be seen in the Cathedral of San Lorenzo, at Genoa, whither it was sent by the Crusaders from Cæsarea, captured in 1101. It was supposed to be the very dish itself, made of one large emerald, but it is really made of greenish glass, and of an hexagonal form. *San Greal* has been turned into *sang real*, real blood, but this derivation is now rejected.

GRESSAWU, *v.* To welcome. 227.

GRUDVAN, *s.* A moaning. 272.

GRIFF, *s.* A griffin. 398. Plur. *griffyeit*, 367. *Griffwns*, 366. [*groundwall*.

GRWNDWALEU, *s.* Foundations. 242. Eng.

GWAHAN, *s.* Difference. 128.

GRYMDER, *s.* Powerfulness. 291.

GRYMUSTER, *s.* id. 340.

GRYMYAW, *v.* To be powerful. 355.

GWAEC, *s.* A clasp. 136.

GWAEW, *s.* A spear. Pl. *gwaewyr*. 184.

GWAETHAU, *v.* To make worse. 141, 330. *Gwaetheeist*, 11. 2 pers. s. pret.

GWANGRET, *s.* Weak belief. 333, 402.

GWARANDAW, *v.* To listen. 104.

GWARANNU, *v.* To warrant. 153. *Gwarantaf*, I will warrant. 331.

GWARCHADW, *v.* To guard. 221, 297.

GWARCHADWEDIGAETH, *s.* A keeping. 210.

GWARCHAE, *s.* A siege. 377.

GWARCHEITWAT, *s.* A keeper. 130, 145.

GWARET, *s.* A bottom. 337. *(gwaered)*.

GWARTHAFYL, *s.* A stirrup. Pl. *gwarthafleu*, 184.

GWAS, *s.* A youth. Pl. *gweis*. *Gwasgwely*, s. Page of the bedchamber. 177.

GWASCAWT, *s.* A shelter. 184, 264.

GWASCODAWL, *adj.* Shady. 308.

GWASGARAWC, *adj.* Scattered. 129. [223.

GWASGWYNVARCH, *s.* A Gascony horse.

GWASSANAETHU, *v.* To serve. 160, 320.

5 A

GWASSANAETHWR, s. A servant. 237.
GWASTATAU, s. To make level. 9.
GWASTATTIR, s. Level ground. 82. Lat. vastatum.
GWATWARUS, adj. Mocking. 289.
GWAWR, s. Dawn of Day. 201.
GWDOST, v. Thou knowest. 4, 426. Gwdam, we know. 136,138. Gwdawch, ye know. 386.
GWEDW, adj. Destitute. 259. Lat. viduus.
GWEILGI, s. f. The ocean. 428. [of gwâs.
GWEIS, s. Youths, servants. 42, 418. Pl.
GWEITH-LLONG, s. Ship-shape. 280.
GWELER, v. It will be seen. 294. Gwelet, part. pass. Seen. 393.
GWELLT, s. Sward. 249.
GWENER-GWEITH, s. Friday time. 129. Lat. venere.
GWERS, s. A space, a while. 117, 159, 216, 249. Lat. versus.
GWERTH, s. Value. 405. Lat. virtus.
GWERYAW, v. To prepare. 305. A mutation of cweryaw, another form of cyweiriaw.   [261.
GWERYRAT, s. The neighing of a horse.
GWESTY, s. A lodging. 238.
GWNATHOED, v. Made, did. 2, 11.
GWNATHOEDUT, v. Thou didst make. 374.
GWREANG, s. A yeoman, page. 58, 137, 265. Plur. gwyreeing. 119. Gwyreeingk. 175, 211, 367.
GWRAWLAF, adj. Most valiant. 16.
GWRHAU, v. To submit. 253, 411. (Gwarâu).
GWRHYDRI, s. Valour. 421. [(Gwarogaeth).
GWROGAETH, s. Homage. 30, 33, 317.
GWRTHGASSED, s. Perverseness. 276.
GWRTEITHYEU, s. Dressings. 38.
GWRTHRWM, adj. Very heavy. 129. (Gorthrwm).
GWYBUUM, v. I knew. 291.
GWYCHYR, adj. Valiant. 82.
GWYD, s. Trees. 210, 272. Lat. vites.
GWYD, s. Presence. 324. Lat. video.
GWYDBWYLL, s. Chess. 367.
GWYDYR, s. Glass. 111. Lat. Vitrum.
GWYDRIN, adj. Glassy. 98.
GWYDYAT, v. He knew. 200, 347.
GWYDYWN, v. I knew. 11. (Gwydhwn).
GWYL, v. He will see. 325. (Gwêl).
GWYLAW, v. To weep. 326.
GWYNEBGOCHI, v. To become red in the face, to blush. 256.
GWYNLLWYT, adj. Hoary. 222.
GWYNOVEIN, v. To bewail. 343. A mutation of cwynovein.
GWYPEI, v. He might know. 253.
GWYRDAWT, s. Virginity. 91, 420. (Gwyryodawd).
GWYRDER, s. Virginity. 128.
GWYRTH, s. Virtue, miracle. 72, 109, 323. Lat. virtus.

GWYRYAW, v. To bend. 259.
GWYS, v. It is known. 225.
GWYSC, s. Downward inclination. Yn wysc, 376. Ywysc., 428.
GYRBWYLL, s. Mention. 151. A mutation of Cyrbwyll (crybwyll).
GWYSTYL, s. A pledge. 387. [Gwthiaw.
GYTHYAWD, v. Pushed. 426. Pret. of

HAGEN, adv. Nevertheless. 11, 131.
HANOEDYNT, v. They proceeded from. 15, 138.
HANPYCH, v. All hail. 1, 210, 278. Written also henpych. Henpych gwell. 299.
HANVIT, v. Well done. 200.
HAPEAW, v. To set upon. 296.
HELW, s. Possession. 314.
HELYM, s. A helmet. 9, 178, 376.
HEBRYNGU, v. To send onward. 219.
HERBER, s. A garden. 220, 221, 391. Lat. herbarium.
HENYNT, v. They sprang from. 248.
HENYW, v. He sprang from. 13.
HENAFGWR, s. An elder. 144.
HENDWFYR, s. Old water. 418.
HERLOT, s. A stripling. 191, 246.
HERLOTWAS, A stripling youth. 252. Eng. harlot.
HERWYR, s. Roving thieves. 248.
HET, v. To flee. 62.
HEUL, s. The sun. Dwy heul, two suns. 339. Here feminine, but now always masculine.   [223.
HIDYL, adj. Dropping abundantly. 75,
HIDLEIT, adj. Abundant. 11, 16.
HINDA, s. Fair weather. 247. [hynt).
HIRYNT, adv. A long while. 44. (hir
HOLLI, v. To split. 184, (hollti). 3 pers. s. pret. hyll. 27, 381.
HONNO, pron. That. 348.
HWDE, v. Here take. 197, 216.
HWRD, s. Onset. 274.
HWY, adv. Longer, further. 417.
HWYHAU, v. To lengthen. 327.
HWYL, s. Onset. 113.   [assant, 357.
HWYLAW, v. To sail, 119, 296. Hwyly-
HYDER, s. Trust. 215. Hydrach, more forward. 113. Hytret, so confident, 72, 252.
HYNN, s. Sort. 106.
HYNT, s. A course. 108, 391. Ar hynt, straightway. 189.   [exposé.
HYSBYS, adj. Evident. 135, 147. Fr.

IA, s. Ice. 242.
IACHAU, v. To heal. 372.   [421.
IACHWYAWDYR, s. A saviour. 109, 317,
IEU, adv. Yes. (ie.)
IDEW, s. A Jew. 225, 233. Lat. Judæus. (iudhew.)
INSEIL, s. A seal. 193.

INSEILYAW, v. To seal. 193. Part. *Inseiledic.* 364. *Inseilyedic.* 238.

IRAW, v. To anoint, 187.

IREID, s. Ointments. 146, 325.

IRLLONED, s. Irefulness 360. Lat. *ira.*

LLADYSSAWCH, v. Ye killed. 350. [*laxo.*

LLAESSU, v. To loosen. 178, 409. Lat.

LLAS, v. He was killed. 225, 318.

LLASSYWEN, s. An eel. 242, *(llysiven).*

LLATH, s. A yard. 185.

LLATHEIT, s. A yard length. 197, 426.

LLAVUR, s. Labour. 325. Lat. *labor.*

LAFURYAW, v. To labour. 126, 413.

LLAVWR, s. A laver, wash-tub. 243.

LLAWDYR, s. Breeches. 71, 297.

LLAWNLLIT, adj. Wrathful. 302.

LLE, s. A place. Lat. *locus.*

LLEFEIS, v. He will dare. 265.

LLENN, s. A veil, or covering. 3, 121, 304. Lat. *læna.*

LLESTYR, s. A vessel. 10, 279. Plur. *llestri.* 303, 384. Lat. *plaustrum.*

LLETTYAW, v. To lodge. 322.

LLEW, s. A lion. 153, 321. Lat. *leo.*

LLEWYCHLATHYR, adj. Of glittering splendour. 27.

LLIBIN, adj. Lank. 222.

LLIDYAW, v. To be enraged. 390.

LLINES, s. Lineage. 131, 172.

LLIWYAW, v. To reproach. 114, 183. Part. pass. *lliwit,* 424.

LLONG, s. A ship. 280. Lat. *longa (navis).*

LLONGLLWYTH, s. A ship load. 385.

LLORYAW, v. To sink down. 45.

LLUDEDIC, adj. Fatigued. 250, 343.

LLUNPRENN. s. A chest. 168.

LLUOSSOGRWYD, s. Abundance. 265.

LLURIC, s. A breastplate. 72, 230, 376. Lat *lorica.*

LLUT, adj. Close. 230. [382, 429.

LLUYDAW, v. To put in battle array. 55,

LLUUDWYR, s. Warriors. 33.

LLYSSEWYN, s. A plant. 131. *Llysseuoed.* 191.

LLYSSEULET, adj. Flowery. 220.

LLYVWR, adj. Craven. 344.

LLYVYRDER, s. Cowardice. 320, 356.

LLYVYR, s, A book. 75. Lat. *liber.*

LLYTHYR, s. A letter. 2, 121. Lat. *litera.*

MAE, v. Where is? 38, 130.

MAES, prep. Out of. 113, 218.

MAGYAT, s. A bringing up. 55.

MAGYSSIT, v. Had been brought up. 295.

MAL, s. A mail, or bag. 191.

MANTELL, s. A cloak. 391. Lat. *mantellum.*

MANACH, s. A monk. 160. *(Mynach).*

MANACHES, s. A nun. 2. *(Mynaches).*

MANACHLAWC, s. A monastery. 2, 414.

MANAGU, v. To declare. 2, 242, 250. *(Mynegi).*

MANN, s. A spot. Plur. *manneu.* 269

MARMOR, s. Marble. 163. Lat. *marmor.*

MARCHOGAETH, v. To ride. 166. *Marchockayssei,* He had ridden. 432.

MARCHOGES, s. A female rider. 191.

MARS, s. A march, or border. 137.

MARWOLYAETH, s. Death. 368, 397.

MAWRBRAFF, adj. Great & thick.187,194.

MAWRDEC, adj. Great & fair. 49, 51, 325.

MAWRDWFYN, adj. Great and deep. 418.

MAWRVRYDIC, adj. Magnanimous. 10.

MAWRWEIRTHIAWC, adj. Precious. 10, 68.

MED, s. A measure, *(medh).* In the compound *troetved,* a foot measure. Lat. *meto.*

MEDYR, s. Accommodation. 332, 396.

MEDRU, v. To hit. 331.

MEDEGINYAETH, s. Medicine. 263, 398.

MEDEGINYAETHU, v. To cure. 255,268,382.

MEDYANT, s Power. 186, 261, 422.

MEDYLGAR, adj. Thoughtful. 13, 75.

MEGYS, s. Manner. 164. Conj. So that. 265, 344.

MEINDOST, adj. Fine and sharp. [213. 381.

MEINGEVYN, s. Narrow part of the back.

MEINT, s. Size. 285. Lat. *magnitudo.*

MEITYN, s. A space of time. 197, 206.

MEISTRAWL, adj. Masterly. 296. Lat. *magister.*

MELYSVWYT, s. Sweet meat. 96.

MENEGI, v. To declare. 135, 251.

MEU, VEU, pron. Mine. 63. 251.

MERTHYROLYAETH, s. Martyrdom. 66.

MERWINAW, v. To tingle. 39.

METHEL, s. Failure. 66, 73.

MEUDWYAW, v. To live as a hermit. 362.

MEUDWYDY, s. A hermitage. 181.

MILEINYEID, adj. Brutal, savage. 128.

MILEINDRA. s. Savageness. 58, 171.

MILLTIR, s. A mile, 411. *Milltir Kymreic,* a Welsh mile. 188, 195. Lat. *milliarium.*

MYNET, v. To go. *Mynet ac ef,* to take it. 308.

MOCH-COET, s. Wood-hogs. 206.

MODRWY, s. A ring. 259. Comp. of *mod,* the old form of *bawd,* a thumb, and *rhwy.* Preserved also in *modvedh,* an inch, or thumb measure. So also *mod* in Cornish, *moderuy.* Arm. *meut.*

MOGEL, v. Take thou care. 141, 313. An abbr. form of *ymogel.* So pl. *mogelwch.* 420.

MOLYANNEU, s. Praises. 350.

MORGYMLAWD, s. A storm. 71.

MORVARCH, s. Sea horse, a whale. 61.

MORVIL, s. A whale. 191, 227.

MORWYNDAWT, s. Virginity. 110,128,423.

MUDAW, v. To change. 421. Lat. *muto.*

MUL, s. A mule. 191, 199. Lat. *mulus.*

MUR, s. A wall. 405. Lat. *murus.*

MURN, s. A foul deed, murder. 387.

MURNDRA, *s.* Murder. 272.

MWYHAF, *adj.* Greatest. 1. The *h* represents the asp. *ch.*, preserved in Corn. *moychaf.*

MYNEICH, *s.* Monks. 19. [*mens.*

MYNNU, *v.* To will, to seek. 290. Lat.

MYNWENT, *s* A churchyard. 172, 308. Pl. *mynwennoed.* 259. Lat. *monumentum.*

MYNWGYL, *s.* The neck. 197. *Mynet dwylaw mynwgyl*, to embrace. 2.

MYNYCHU, *v.* To frequent. 283, 424.

MYWN, *prep.* Within. 152 *(mewn).*

NA, *conj.* Either, or. 261. That not, *na eill.* 225. *Nar*, or the. 283.

NABU, *v.* He knew. 356.

NACHAF, *v.* Lo, behold. 1. *(Nycha).*

NATRED, *s.* Snakes. 417. *Nadref*, 334. Both plurals of *neidr.*

NAWN, *s.* Noon. 121. Erse *noin.* Lat. *nona.* Sansc. *navan.*

NE, *s.* A hue. 253.

NEGESAWL, *adj.* On an errand. 398.

NEILL-LAW, *adv.* On one side. 317.

NEITHYWYR, *adv.* Last night. 229. Lat. *nocte hesterna.*

NEPELL, *adv.* Not far. *Yn-epell.* 373.

NERTHOCAU, *v.* To strengthen. 70, 155.

NERTHAU, *v.* id. 205.

NEUR, *adv.* Is it not? 138. *Neur athoed*, went he not? 291. *Neurdaroed*, did it not happen? 38, 203. *Neurdarvu*, id. 207. *Neurderyw*, is it not ended? 225. *Neur doeth*, came he not? 2.

NEUT, *adv.* Is it not? 250.

NIGROMAWNS, *s.* Necromancy. 332.

NIGROMANSWR, *s.* A necromancer. 69.

NITH, *s.* A niece. 244. Lat. *neptis.*

NOM, *pron.* Nor my. 58.

NOETHLUMAN, *adj.* Stark naked. 112.

NYMTAWR, *v.* I care not. 345.

NYT, *adv.* For instance. 65.

NYTWYD, *s.* A pin, a needle. 201, 371,393.

O, *prep.* To, or for. 255. Now always *i. Oc*, before vowels, 140, 260.

OE, *comp. pr.* To his. 2. *(iw).*

O-DIWED, *adv.* At last. 33.

OBLEGYT, *adv.* On the side of. 82, 90, 172. By means of 289, 347. Lat. *placitum.*

ODYMA, *adv.* From here. 119.

ODIT, *adv.* Scarcely. 351.

OED, *v.* It is. 95, 281.

OEDAWC, *adj.* Aged. 64.

OEDEWCH, *v.* Ye were. 386. *Oedywn*, I was. 140. *Oedut*, thou wast. 67.

OET, *s.* Appointed time. 327, 336.

OFFEREN, *s.* The Mass. 100. Lat. *offerendum.*

OFFRWM, *s.* An offering. 328.

OGYLCHYNU, *v.* To go about. 115, 131. A mutation of *gogylchynu.*

OL, *s.* A trace, footstep. *Ar dol di*, after thee. 348. *Yn y hol*, after her. 192. *Mynet yn ol*, to fetch, 220, 265, 420.

OLA, *adj.* Last. 186.

OLIWYDEN, *s.* An olive tree. 327.

OM, *pron.* If me. 123.

ON, *pron.* From our. 282.

ONADUNT, *pr.* Of them. 16, 255.

ONDRAS, *s.* Andrew, 308.

OR, *conj.* If. 197, 344.

ORAGOR, *adj.* Rather. 229.

ORLLE, *adv.* Presently. 43.

ORDINHAU, *v.* To put in order. 381. Part. pass. *ordinhawyt.* 238.

ORIC, *adv.* For a while. 248.

ORNESTWR, *s.* A combatant. 63.

OSEF, *adv.* Peradventure. 348.

OSSIT, *v.* If there is. 242, 261, 380.

OTVA, *s.* A convenient place. 303.

OVREID, *adv.* Hardly. 197.

PA, *pron.* What, to what place? *Pa delw*, how. 329. *Pa vyt*, where in the world? 292.

PADEREU, *s.* Paters, beads. *Canu y bedereu*, to tell his beads. 395. Lat. *pater.* [*peleidyr.* 31. *pelyr.* 9.

PALADYR, *s.* A shaft, a spear. 31. Pl.

PALEIS, *s.* A palace. 358, 375.

PALI, *s.* Satin, velvet, 3, 225.

PALYS, *s.* A palisade. 220.

PALVEIS, *s.* Shoulder blade. 331, 381.

PALLEDIC, *adj.* Failing. 158.

PAN, *adv.* That. 222, 228. *Panyw*, that it is. 9, 23, 194, 200. *Pany*, why not? 107.

PAP, *s.* A pope. 364. Lat. *papa.*

PARA, *v.* To continue. 294.

PARABYL, *s.* Speech. 34, 66, 372. Pl. *parableu.* 131, 388. Lat. *parabola.*

PARABLU, *v.* To speak. 43.

PARADWYS, *s.* Paradise. 239. Lat. *paradisus.*

PARTH, *s.* A part. Lat. *parte.*

PARYSSAWCH, *v.* Ye prepared. 139.

PEBYLL, *s.* A tent. 70. Pl. *pebylleu. Pebyll* is now the plural of *pabell.* Lat. *papilio.*

PEBYLLU, *v.* To be tented. 64.

PECHWYDAWL, *adj.* Sinful. 74. [161.

PEDEIRNOS, *s.* The space of four nights.

PEDOL, *s.* A horseshoe. Pl. *pedoleu.* 175. M.L. *pedulis.*

PEDREIN, *s.* The buttock, or crupper. 185.

PEI, *conj.* If. 11,206. *Pei at vei*, if there were. 134, 336. *Pei at veut*, if thou wert. 392. *Pei ron*, if it happened. 212, 246, 368, 407.

PEIRANT, *s.* A machine, engine, 318.

PEIS, *s.* A coat. 248. Pl. *peyssyeu.* 254. It properly means a coat with a skirt, but it is now applied to the skirt only ; a petticoat.

PELLAU, *v.* To go to a distance. 83, 95, 338.

PENN, *s.* Head. *Am y benn,* against him. 57, 344. *Yn y benn,* into his head. 56. *O hyt y benn,* as loud as he could. 177.

PENDIADNOT, *adj.* Most especially. 402.

PENDOC, *s.* The blunt end of the sheath. 136.

PENDRAPHEN, *adv.* Promiscuously. 344.

PENEDICKAF, *adj.* The chiefest. 270.

PENNGUCH, *s.* A bonnet. 269.

PENNRYN, *s.* A headland, cape. 285.

PENWED, *s.* Nomen loci. 380.

PENYTYAW, *v.* To do penance, to punish. 223, 333. Lat. *pœniteo.*

PENYT, *s.* Penance. 93, 279.

PERCHI, *v.* To respect. 425. [*culum.*

PERIGYL, *s.* Danger. 193, 275. Lat. *peri-*

PERICLET, *adj.* So dangerous. 325.

PERIGLUS, *adj.* Dangerous. Pl. *peri-glussyon.* 278.

PERIGLWYD, *s.* Dangerousness. 266, 333.

PERERINDAWT, *s.* Pilgrimage. 84. Lat. *peregrinatio.*

PERVED, *s.* The middle part. 220, 331 Lat. *per-media.*

PERVEDVYS, *s.* Middle finger. 136.

PETRUSTER, *s.* Doubt. 48, 91.

PETTUT, *v.* If thou wert. 349.

PETTWNINNEU, *v.* If I also were. 278.

PIEUVU, *v.* He owned. 186, 197, 293. *Pieiffei,* he should own. 299. *Pieivy-dei,* he should own. 324.

PIOED, *v.* He owned. 12. *Pioedynt,* they owned. 314, 426. *Piwyt,* part. owned. 222.

PLANNU, *v.* To plant. 131,426. Lat. *planto.*

PLAS, *s.* A court. 412.

PLEGYT, *s.* Part. *Om plegyt i,* on my side. 187. Lat. *placitum.*

PLETH, *s.* A plait. Pl. *pletheu.* 192, 213.

PLWM, *s.* Lead. 193, 258. Lat. *plumbum.*

POBYL, *s.* A people. 303. *Pobyl dynawl,* human race. 109. Lat. *populus.*

POET, *v.* Let it be. 1, 161, 293.

PONT, *s.* A bridge. 337. Pl. *pynt.* 204, 242. Lat. *ponte.*

PONYS, *adv.* Is it not ? 248.

PONYT, *adv.* Is it not ? 304.

PORTHLOED, *s.* A harbour. 167.

PORTHMYN, *s.* Merchants. 350. [338.

PRENVOL, *s.* A wooden chest. 119, 305,

PRES, *s.* Press, or crowd. 353, 381. Eng.

PRESEP, *s.* A manger. 91. Lat. *præsepe.*

PRIODI, *v.* To marry. 345. *Priawd.* Lat. *privatus.* [*probo.*

PROFADWY, *adj.* Proveable. 312. Lat.

PRUD-DRIST, *adj.* Grave and sad. 75.

PRUDLWYT, *adj.* Grave and hoary. 232.

PRYDYN, *s.* Britain. 137.

PRYF, *s.* An animal. 319.

PUCHAW, *v.* To desire. 198.

PURDU, *adj.* Pure black. 67, 329.

PURLLWYT, *adj.* Very gray, 192.

PURWYN, *adj.* Pure white. Pl. *pur-wynnyon.* 91. [*tum.*

PWNGK, *s.* A point. 30, 405. Lat. *punc-*

PWY, *pron.* What. 292. *Pwy gilyd,* to another. 125.

PWY HENW, What name. 136.

PWYALL, *s.* An axe. 234.

PWYAW, *v.* To strike. 423.

PWLL, *s.* A pit. 217.

PWMEL, *s.* A pommel. 326. [*pourri.*

PWRRI, *adj.* Decayed, rotten. 45. Fr.

PWYLLAW, *v.* To consider. 254.

PWYNT, *s.* A point. Eng.

PWYTH, *s.* Requital. 24, 58.

PY, *pron.* What. *P'y drwc,* what harm ? 140. *Pygilyd,* to another. 85, 89, 325.

PYC, *s.* Pitch. 323. Lat. *pix, pice.*

PYGYEIT, *adj.* Covered with pitch. 195.

PYMTHECVET, *adv.* Fifteenth. 378.

PYSGOTLYN, *s.* A fish pond. 212.

PYTHAWR, *v.* What concern ? 321. *(py-tawr).*

RABUCHAW, *v.* To wish earnestly. 414. *(rhybuchaw).*

RAC, *prep.* For, because of. 145, 217.

RACDAW, *pron.* Before him. 61, 170.

RACVEDYLYAW, *v.* To consider before-hand. 23, 26.

RACWERTHVAWR, *adj.* Very valuable, precious. 39, 132, 164. [164.

RAGAWCH, *pron.* For you. 386. *Ragoch.*

RAGORAWL, *adj.* Excellent. 293.

RACDYLYU, *v.* To deserve. 354.

RAGOF, *pron.* From me. 184.

RAGORUSACH, *adj.* More excellent. 133.

RANSWN, *s.* A ransom. 417. *Rawnswm.* 209.

RASSOED, *v.* He had given. 236, 338.

RASSOEDYNT, *v.* They had given. 399.

RASTYL, *s.* A rack. 88, 395.

REDEGAWC, *adj.* Running. 119, 210, 415.

REDU, *v.* To run. *Rettwyf,* 203.

REYNGK, *v.* Will satisfy. 196. Fut. of *rangu.* 48.

RIDILL, *s.* A sieve, or riddle. 258.

RODYAW, *v.* To walk about. 217, 289. From *rot.* Lat. *rota,* a wheel. [354.

ROESPWYT, *part. pass.* Was given. 158,

ROESSUM, *v.* I gave. 400. *(Rhyngov).*

ROF, *pron.* Between me. 29, 48, 139.

RON, A doubtful word. 5. See *Pei ron.*

ROT, *pron.* Between thee. 37. *(Rhyngot).*

RUCLET, *adj.* So fluently. 23.

RUSSYAW, *v.* To hesitate. 402. [*(Rhuthr.)*

RUTHUR, *s.* A good while. 49, 70, 81, 88.

RYCHWANT, *s.* A span. 229.   [*assei.)*
RYDASSEI, *v.* He had given. 416. (*Rhodh-*
RYDYVOT, *v.* Had come. 190.
RYDHAU, *v.* To free. 235.
RYDHAEDIGAETH, *s.* Deliverance. 423.
RYLAD, *v.* Was killed. 270.
RYSSYN, *adj.* Pitiable. 181. A mut. of *gryssyn,* now *gresyn.* [id. qd. *gresyn.*
RYSSYNT, *s.* Pity. 75. A mut. of *gryssynt,*
RYVIC, *s.* Arrogance. 398.
RWYD, *adj.* Prosperous. 326.
RWYDHAU, *v.* To speed. 358.   [*remus.*
RWYFAW, *v.* To row. 276. *Rhwyv.* Lat.

SAETH, *s.* An arrow. 184. Lat. *sagitta.*
SAMIT, *s.* Samite. 10, 64, 154. A rich silk, often interwoven with gold or silver thread.
SARHAU, *v.* To injure. 405.
SATHYR, *s.* A treading. 194. [Lat. *sapor.*
SAVWRYEID, *adj.* Savoury. 129. *Savwr.*
SAWDURYAW, *v.* To solder. 176. 389.
SCARLLAT, *s.* Scarlet. 259.   [*sacratio.*
SECRET, *s.* Consecration. 163, 362. Lat.
SEILDERW, *s.* An oaken pile. 180.
SELER, *s.* A cellar. 222.
SELYF, *s.* Solomon. 313.
SIARTRYSSEI, *s.* Charters. 372.
SIDAN, *s.* Silk. 135, 226.
SINOPYL, *s.* A yellowish red colour. 291.
SOLANS, *s.* Consolation. 370.
SOM, *s.* Disappointment. 17.
SOMMI, *v.* To disappoint. 67, 108, 294. *Somyssit,* part. 72.
SON, *s.* A noise. 323. Lat. *sonus.*
SWRCODEU, *s.* Overcoats. 250. Fr. *surcote.*
SWYN, *s.* A charm. *Dwfyr swyn,* holy water. 105. Lat. *signum.*
SYARRET, *s.* A chariot. 88, 93.
SYGNEU, *s.* Signs. 131. Lat. *signa.*
SYMLU, *v.* To be goaded, hurt, abashed, astonished. 48, 89, 139, 204. *Swml,* a goad. Lat. *stimulus.*
SYMUT, *v.* To move, change. 173, 292. Part. *symudedic,* changeable. 347. Lat. *submotum.*
SYNHWYR, *s.* Sense, meaning. 70, 93. Pl. *synhwyryau.* 94.   [106, 239.
SYNHWYRAW, *v.* To signify, interpret. 46,
SYNDAL, *s.* Cendal. 1, 121. A silken stuff of costly manufacture, used for the dress of nobles. Fr. *sendal.*
SYNNYAW, *v.* To consider. 55. Lat. *sentio.*
SYNNYEIT, *v.* To contemplate. 221.
SYR, *s.* Stars. 131, 280. *(sêr.)*
SYRHAAWD, *v.* Insulted. 431. From *syrhau,* id. qd. *sarhau.* [Lat. *status.*
SYTH, *adj.* Erect, straight. 289, 299.
SIWRNEIOED, *s.* Journeys. 159.

TAL, *s.* End, front. 127, 167. *Tal y dculin,* the knees. 305.

TALYM, *s.* A portion, a good while. 75,
TANAWL, *adj.* Fiery. 370.   [95.
TANLLYT, *adj. m.* Fiery. 61.
TANLLET, *fem.* 294, 318.
TANLLWYTH, *s.* A great blazing fire. 329.
TANNU, *v.* To stretch. 319.
TAPINEU, *s.* Tapestry. 54.
TARDEISSYAW, *v.* To break, shatter. 184, 194, 276, 290.
TARDU, *v.* To issue. 199.
TATMAETH, *s.* A foster father. 187. (*tadmaeth).*
TAWLBWRD, *s.* A shovel board. 246.
TEBIC, *v.* To suppose. 8, 244, 277, 359. Lat. *typicus.*
TEI, *s.* Houses. 321.
TEILYNGDAWT, *s.* Worthiness. 400.
TEILYNGDER, *s.* Merit. 211.
TEILYNGU, *v.* To gain worthily. 365.
TELEDIW, *adj.* Comely. 4.   [(*tamigaw).*
TEMIGYAW, *v.* To nibble, pinch. 245, 296.
TEU, *pron.* Thine. 59, 174, 197.
TINDROSBEN, *adv.* Topsy turvy. 315.
TIRYOGAETH, *s.* Territory. 231.
TLODI, *v.* To make poor. 13.
TLOTTET, *adj.* So poor. 249.
TLYSSEU, *s.* Jewels. 303.
TOM, *s.* A dunghill. 296.
TORS, *s.* A torch. 94, 163. Pl. *torseu.* 119.
TORSTEINYAW, *v.* To bulge out, to bend. 185, 290.
TORVOED, *s.* Crowds. 356.
TOSTURYAW, *v.* To sympathize. 412.
TOSTURYUS, *adj.* Piteous. 348.
TRA, *adj.* Excessive. 28.
TRABLUD, *s.* Tumult. 179.
TRAECHEVYN, *adv.* Behind her. 191.
TRAEGEVYN, *adv.* Behind him. 374.
TRAETTUR, *s.* A traitor. 287, 398.
TRAETHU, *v.* To treat of. 171. Lat. *tracto.*
TRAGWRES, *s.* Extreme heat. 160.
TRALLAWEN, *adj.* Extremely pleased. 174.
TRALLIT, *s.* Extreme wrath. 296.
TRAMKWYDAW, *v.* To fall. 376.
TRAMYNYAT, *s.* A boar. 374, 381. (*tremyniad).*   [392.
TRAVAEL, *s.* Travail, trouble. 360, 366,
TRAVAELUS, *adj.* Troublesome, labouring. 217, 238.
TRAWAWD, *v.* He struck. 59. (*tarawawdh).*
TREFTAT, *s.* Patrimony. 69, 204, 411.
TREIS, *s.* Violence. *Y dreis,* by force. 59, 102, 346.
TREISSIT, *v.* Forced. 70.
TREMIC, *s.* Contempt. 273.
TRESTELEU, *s.* Trestles. 227.
TREULYEDIC, *part.* Consumed. 68.
TRIGIAN, *s.* Delay. 195, 268.
TROEDIC, *adj.* Turning. 326, 418.
TROSSYAWDYR, *s.* A translator. 432.
TRUAN, *adj.* Deplorable. 248.

TRUANEID, *adj.* Miserable. 40.

TRWCH, *adj.* Fell, desperate. 248.

TRWSSA, *s.* A truss, or pack. 214. [407.

TRWSSYAW, *v.* To truss, pack. 191, 214,

TRWSSYAT, *s.* Habiliment. 191.

TRWY, *prep.* Over. 427.

TRYSOR, *s.* A treasury. 235.

TRYWYR, *s.* Three men. 257.

TUTHYAWC, *adj.* Trotting. 373.

TWEL, *s.* A towel. 163.

TWR, *s.* A tower. 426. Lat. *turris.*

TWRCH, *s.* A hog. *Twrch coet,* a wild boar. 252.

TWRNEIMANT, *s.* A tournament. 84, 291.

TWRNEL, *s.* A tub. 316.

TWYM, *adj.* Warm. 205.

TWYSGAW, *v.* To fill. 135.

TYGYAW, *v.* To prosper. 366.

TYLLIC, *adj.* Perforated. 115. [350, 388.

TYLWYTH, *s.* Household, retinue, people.

TYNGHETVEN, *s.* Destiny. 19.

TYNGHEDVENNU, *v.* To adjure. 391.

TYRVA, *s.* A crowd. 324. Lat. *turba.*

TYSTOLYAETH, *s.* Testimony. 238. Lat. *testis.*

TYSTOLYAETHU, *v.* To bear witness. 324.

TYWAWT, *s.* Sand.

TYWAWT-TIR, sandy land. 284.

TYWYNNAWC, *adj.* Of the strand. 285.

UCHELDEC, *adj.* High and fair. 308.

UCHENEIDYAW, *v.* To sigh, to groan. 312, 340.

UDUNT, *pron.* To them. 1, 16. *(idhynt.)*

UFFERN, *s.* Hell. 73. Lat. *inferna.*

ULW, *s.* Cinders. 344.

UNBEN, *s.* A monarch, properly, but used throughout as equivalent to English Sir. Pl. UNBYN. 318, 407.

UNBENNES, *s.* A lady. 8.

UNFFLAM, *adj.* In one flame. 160.

UNGEIR, *adj.* Word for word. 84.

UNLLEF, *adj.* With one voice. 169.

UNTROET, *adj.* One-footed. 255.

UNTU, *s.* At one time. 151.

UNTUAWC, *adj.* On the same side. 71.

URDAS, *s.* Dignity. Lat. *ordo.* [*obedio.*

UVYD, *adj.* Obedient. 277, 333. Lat.

UVYD-DAWT, *s.* Humility, condescension. 2, 91, 322.

WEDYR, *prep.* After the. 267, 304.

WEITHYON, *adv.* At length. 278.

WELDYYMA, *interj.* Lo here ! 331.

WRTH, *prep.* With, according to. 148, 149. *Adverb.* Inasmuch as. 154. *Ywrth,* from. 148, 265, 404.

WRTHAW, *pron.* Against him. 154. *Ywrthaw,* from him. 407.

WRTHYWCH, *pron.* To you. 194. *(wrthych).*

WYBREN, *s.* A cloud, a mist. 71, 181.

WYNEBNOETH, *adj.* Barefaced. 180.

Y, *comp. pron.* To the. *Y eglwys.* 236. *Y vrenhinyaeth.* 240. *(i'r.)*

Y, *c. p.* To his. *Y lys,* 173, 190. *Y droet.* 306. *(iw.)*

Y, *c. p.* To her. 180. *Y hystavell.* 279.

Y, *prep.* In. *Y ty,* in the house. 288. *(yn.) Yn,* in our. 139. *(yn ein.) Ym,* in my. 199, 348. *(yn ym.) Yth,* in thy. 251, 256, 278. *(yn yth.) Yr,* in the. 6, 241, 254. *(yn yr.)* [383. *(ei.)*

Y, *pron.* Her. *Y harglwydes,* her lady.

YTH, *pron.* To thy. 4. *(i'th.)*

Y, *pron.* His. 4. *(ei.)*

YAM, *prep.* For. 192, 303.

YAR, *prep.* From. 401. *(odhiar.)*

YCHWANEC, *s.* More. 323.

YDANAW, *pron.* Under it. 134.

YLL, *pron.* They. *Yll pedwar lleidyr,* the four thieves. 301. *Yll tri,* the three. 167, 394. *(ill.)*

YMADAW, *v.* To leave. 379.

YMADNABOT, *v.* To become acquainted. 129, 288.

YMANHYED, *v.* To preserve. 287.

YMANHYEDWR, *s.* A coward. 429.

YMAGOR, *v.* To open one's self. 310.

YMANNERCH, *v.* To congratulate. 14.

YMANTURYAW, *v.* To venture one's self. 369.

YMAROS, *v.* To await. 139.

YMAVAEL, *v.* To lay hold of. 234. [*welyd.)*

YMCHOELYT, *v.* To return. 94. *(ymch-*

YMDEIMLAW, *v.* To feel mutually. 129.

YMDANADUNT, *pron.* About them. 16. *(amdanynt.)* [*dano.)*

YMDANAW, *pron.* About him. 298. *(am-*

YMDIARVU, *v.* To unarm one's self 248.

YMDIFFERU, *v.* To defend one's self. 357.

YMDIFFYN, *v.* To defend one's self. 384.

YMDIGRIFHAU, *v.* To delight one's self. 52.

YMDINOETHI, *v.* To bare one's self. 54.

YMDIOSG, *v.* To strip one's self. 187.

YMDIRET, *s.* Trust. 344, 383.

YMDOLURYAW, *v.* To grieve. 41, 58, 270.

YMDRAF, *s.* Labour. Pl. *ymdraveu.* 56.

YMDYNESSU, *v.* To approach. 128.

YMDRECH, *s.* A struggle. 266.

YMDYNGU, *v.* To swear mutually. 432.

YMDYWYNNYGU, *v.* To shine. 396.

YMEITH, *adv.* Away. 301.

YMENDAU, *v.* To amend. 64, 183, 189.

YMENNYNU, *v.* To become inflamed. 287, 389.

YMERBYNNYAW, *v.* To receive mutually. 28. [117.

YMERBYNNYEIT, *v.* To receive mutually.

YMFFUST, *v.* To thresh one another. 101, 344.

YMGADW, *v.* To keep one's self. 369.

YMGAEL, *v.* To meet together. 203.

YMGAFFAEL, *v.* To meet with. 52, 119, 176.

YMGARU, *v.* To love one another. 249.

YMGEDYMDEITHYAW, *v.* To travel with. 428.

YMGEINYAW, *v.* To quarrel. 271, 313.

YMGERYDU, *v.* To chide one's self. 27.

YMGIGLEU, *v.* To feel one's self. 261.

YMGLOCKYN, *v.* To contend. 374.

YMGLYWET, *v.* To feel one's self. 55, 431.

YMGREDU, *v.* To give mutual pledges. 71, 272, 403.

YMGREINYAW, *v.* To crawl. 60.

YMGROESSI, *v.* To cross one's self. 100.

YMGROPYAN, *v.* To creep along. 39.

YMGUDYAT, *v.* To hide one's self. 318.

YMGURAW, *v.* To strike. 322, 428.

YMGWFFAU, *v.* To fall down. 315.

YMGWYNAW, *v.* To complain. 168, 306.

YMGWEIRYAW, *v.* To put one's self in order. 240.

YMGYFADNABOT, *v.* To become acquainted with one another. 165. [229, 274.

YMGYFFROI, *v.* To rouse one's self. 185,

YMGYFLAWNI, *v.* To become filled. 213.

YMGYNNIC, *v.* To offer one's self. 273.

YMGYMYSCU, *v.* To mix one's self together. 55, 282, 289. [208.

YMGYHWRD, *v.* To meet together. 110,

YMGYWEIRYAW, *v.* To put one's self in order. 314, 382.

YMGYRHAEDUT, *v.* To reach. 122.

YMGYSTLWNG, *v.* To invoke. 102.

YMIACHAU, *v.* To take leave. 14, 327.

YMLAVURYAW, *v.* To exert one's self. 19, 138.

YMLAWENHAU, *v.* To rejoice mutually.87.

YMLITTYAW, *v.* To pursue. 428.

YMLIWAW, *v.* To reproach. 316.

YMLYCAU, *v.* To explain. 60, 404.

YMLYNU, *v.* To follow. 236. [208.

YMNEWIDYAW, *v.* To change mutually.

YMOGLYD, *v.* To take care of one's self. 380, 387. *(ymogelyd.)*

YMOLLWNG, *v.* To drop one's self. 138.

YMORCHYMYNNU, *v.* To commend one's self. 234, 308.

YMOVIDYAW, *v.* To grieve. 27.

YMRANHUNAW, *v.* To be partly asleep, to doze. 39.

YMROI, *v.* To yield one's self. 138, 264.

YMRYDHAU, *v.* To free one's self. 138,274.

YMWAHANU, *v.* To separate one's self. 19.

YMWAGEL, *v.* Guard thyself. 29. *(ymogel.)*

YMWARANDAW, *v.* To listen. 154.

YMWASGU, *v.* To press together. 128, 129.

YMWRTHOD, *v.* To reject. 270.

YMYSGAR, *s.* Bowels. 214.

YN, *pron.* Our. 137, 425. *(ein.)*

YNGHYVEIR, *s.* Opposite to. 262.

YNGOT, *adv.* Hard by. 304.

YNLLEGWIR, *adv.* For a truth. 1.

YNTE, *pron.* He also. 292. *(yntau.)*

YR, *prep.* In the. 221. *(yn yr.)*

YRDI, *pron.* For her. 366. *(erdhi.)*

YRDUNT, *pron.* For them. 138.

YS, *conj.* If. 263. *(os.)*

YS. *v.* Is. *Ys da,* it is good. 294, 387. *Ys drwc.* 405. *Ys gwaeth.* 298, 320.

YSGAELUS, *adj.* Negligent. 389. *(esgeulus.)* [*geulusaw.*

YSGAELUSSAW, *v.* To neglect. 306. *(es-*

YSGARLLAT, *s.* Scarlet. 217. *Ysgarlat.*211.

YSGAPLAN, *s.* A scapulary. 337.

YSGAWNHAU, *v.* To become light, or easy. 39.

YSGITHRED, *s.* Fangs. 411. *(ysgythredh.)*

YSGLYFFYAW, *v.* To snatch, or take forcibly. 151, 296, 376. *(ysglyvu.)*

YSGOGI, *v.* To stir, or move. 344, 395.

YSGOLHEIC, *s.* A scholar, a clerk. 96, 304. Plur. *ysgolheigyon.* 140, 362. Lat. *schola.*

YSGOLHEICTOT, *s.* Scholarship. 108.

YSGORS, *s.* A scourge. 237. *Yscwrs.* 191, 308, 334. Pl. *ysgyrseu.* 423.

YSGRAFF, *s.* A barge. 64, 134. This name was always given to the large ferry-boats that plied over the river Conwy, before the bridge was opened in 1826.

YSGRIN, *s.* A shrine, or coffin. 204. *Yscrin,* 179. Lat. *scrinium.* A coffin is now commonly called a *screen,* in Montgomeryshire.

YSGRIVEN, *s.* A writing. 120. Lat. *scribo.*

YSGRYTHYR, *s.* Scripture. *Ysgrythyr lân,* Holy Scripture. 312. Lat. *scriptura.*

YSGWIER, *s.* An esquire. 18, 23. Plur. *Ysgwieryeit.* 11, 138.

YSGYNVAEN, *s.* A mounting-stone, or horseblock. 178, 232. *Yscyn,* to ascend. Lat. *ascendo.*

YSCYRNIC, *adj.* Bony. 194. *(asgyrnig.)*

YSGYVARNAWC, *s.* A hare. 319. From *ysgyvarn,* Corn. *scovarn,* the ear. So Lat. *lepus,* from Gr. λαγως.

YSMALA, *adj.* Droll. 157.

YSMERAUD, *s.* An emerald. 127. Written also *esmeraud,* qd. v.

YSNODEN, *s.* a band, or fillet. Plur. *ysnodenneu.* 136.

YSPARDUN, *s.* A spur. 2. Fr. *esperon.*

YSPEIL, *s.* Spoil, plunder. 303. Lat. *spolium.*

YSPEILYAW, *v.* To plunder. 294.

YSPEIT, *s.* A space, a respite. 260. Lat. *spatium.*

YSPIO, *v.* To spy. 387, 395. [*pono.*

YSPONI, *v.* To explain. 92, 173. Lat. *ex-*

YSPRYT, *s.* A spirit. *Yr yspryt glân,* the Holy Ghost. 289. Lat. *spiritus.*

YSPRYDOLDER, *s.* Spirituality. 92.

YSPRYDOLYAETH, *s.* Inspiration, spirituality. 127.

YSTABYL, *s.* A stable. 260.

YSTABLU, *v.* To stable. 221, 258, 295.
YSTAVELL, *s.* A chamber. 279, 399.
  M. Lat. *stabellum.*
YSTIWART, *s.* A steward. 403.
YSTAT, *s.* A state. 193, 200. Lat. *status.*
YSTLYS, *s.* A side. 193, 200.
YSTOL, *s.* A stole. 75. Lat. *stola.*
YSTOPYAW, *v.* To stop. 72.
YSTOR, *s.* A store. 334, 429.
YSTORYAW, *v.* To store. 173,378,383,388.
YSTUDYAW, *v.* To study, 132. Lat. *studeo.*
YSTYLL, *s.* A plank. Plur. *ystyllot.* 220. *(asdell.)* M. Lat. *stella.* French *estelle.*
YSTRYW, *s.* A trick. 131, 393. Lat. *strue.*

YSTYR, *s.* Meaning. 156, 174, 221. Lat. *historia.*
YSYWAETH, *adv.* The more the pity. 205.
YTT, *pron.* To thee. 191.
YTTIW, *v.* He is. 1, 12, 66.
YTTYWCH, *v.* Ye are. 194.
YTTOEDWN, *v.* I was. 11. [*wedh.)*
YTWAED, *s.* A ruin, remains. 178. *(ed-*
YWRTH, *prep.* From. 148, 424. *(odhiwrth.)*
YWRTHUNT, *pron.* From them. 345. *(odhiwrthynt.)*
YWCH, *v.* Ye are. *Yr ywch yn veirw.* 326.
YWRTHYT, *pron.* From thee. 72. *(odhiwrthyt.)*

CORRIGENDA.

Page 1, *esgynny,* read *esgynnu.*
3, *llawenydd,* r. *llawenyd.*
6, *gur,* r. *gwr.* —*gurda,* r. *gwrda.*
7, *hediu,* r. *hediw.*
7, *llyss,* r. *llys.*
8, *prouaduy,* r. *prouadwy.*
12, *o hanei,* r. *ohonei.*
15, *cychuynnawd,* r. *cychwynnawd.*
27, *yngynfested,* r. *yngynfestet.*
32, *arthaw,* r. *wrthaw.*
32, *am,* r. *a ni.*
36, *a gatwyd,* r. *agatwyd.*
41, *yndi ystor,* r. *yn diystor.*
51, *gwedi,* r. *gwedy.*
64, *Bet a vynnut,* r. *beth a vynnut.*
64, *deuthum yna,* r. *deuthum I yma.*
71, *yrofi duw,* r. *yrofi a duw.*
73, *ym gyttunnaw,* r. *ymgyttunnaw.*
82, *vyrch,* r. *varch.*
84, *vu,* r. *un.*
89, *golenni,* r. *goleuni.*
106, *yr ehegyr,* r. *yn ehegyr.*

107, *at yn peri,* r. *ac yn peri.*
107, *myni,* r. *nyni.*
119, *theybygasswn,* r. *thebygasswn.*
120, *yr mae,* r. *y mae.*
123, *ac yny,* r. *ac yna.*
132, *ffuryf y gallel,* r. *gallei.*
143, *yn y novy,* r. *yn y ovyn.*
172, *dalar,* r. *daear.*
178, *aa arganuot,* r. *ac arganuot.*
196, *llaewnha,* r. *llawenha.*
198, *gwarcheitw atarnat,* r. *gwarcheitwat arnat.*
214, *verch,* r. *varch.*
221, *a ef a welei,* r. *ac ef.*
261, *gangen,* r. *gangeu.*
262, *ac eu geneueu,* r. *oc eu geneueu.*
267, *heb eiryoet,* r. *neb eiryoet.*
268, *arglwydes hed ef,* r. *heb ef.*
287, *gwalchwei,* r. *gwalchmei.*
346, *ef ac wreic,* r. *ef ae wreic.*
381, *ar wedyr,* r. *uedyr.*
383, *magalans,* r. *magdalans.*

Subscribers.

Richards, Brinley, Esq., London.
Roberts, Kyffin, Esq., St. Asaph.
Roberts, R., Esq., Dep. Reg., St. Asaph.
Roberts, R., Esq., Tremadoc.
Roberts, Rev. Wm., Abergele.
Shelly, John, Esq., Plymouth.
Short, Rev. Wm., M.A., Llandrinio.
Sisson, R. J., Esq., St. Asaph.
Skene, W. F., Esq., Edinburgh. 2 *copies.*
St. Asaph, Rt. Rev. the Lord Bishop of.
St. Asaph, V. R. the Dean of.
St. Asaph Cathedral Library.
St. David's, Rt. Rev. the Lord Bishop of.
St. David's College, Lampeter.
Stanley, Rt. Hon. Lord, of Alderley.
       2 *copies.*
Stephens, Mrs. Thos., Merthyr Tydvil.
Stokes, Whitley, Esq., India Council.
       3 *copies.*
Temple, Rev. R., H.M. Inspector of
 Schools.
Thirlwall, J., Esq., Bath.
Thomas, Capt., Lan House, Swansea.

Thomas, Rev. D. R., M.A., R.Cevn, St.A.
Thomas, John, Esq., Pencerdh Gwalia.
Traherne, G. M., Esq., St. Hilary, Cow-
 bridge.
Trübner, K. J., Esq., London.
Turner, Rev. J. J., M.A., Welshpool.
University College Library, Aberystwith.
University Library, Tübingen.
Williams, John, Esq., Treffos, Mone.
Williames, J. Buckley, Esq., Manavon.
Williams, R. G., Esq., Middle Temple.
Williams, Rich.,Esq.,Solicitor, Newtown.
Williams, Rev. Robert, M.A., R. Llan-
 beulan, Mone.
Williams, W., Esq., Princ. R. V. Coll.,
 Edinburgh.
Wynn, Hon. T. J., Glynllivon.
Wynn, Sir Watkin Williams, Bart., M.P.
Wynne, Mrs. Brownlow, Garthewyn.
Wynne, W. W. E., Esq., Peniarth.
Wynne, W. R. M., Esq., do. 2 *copies.*
Yale College Library, Newhaven, U.S.

By the same Editor,

ENWOGION CYMRU; a Biographical Dictionary of eminent Welshmen, from the earliest times to the present, and including every name connected with the Ancient History of Wales.

A few copies now remain, and can be had only direct from Rhydycroesau, at the published price, 16s., bound in cloth, and delivered free by post.

"Highly useful in elucidating the History of the Principality, and a standard book of reference on the subject."—*Archæologia Cambrensis.*